J.R.R. TOLKIEN
Niedokończone opowieści

J.R.R. TOLKIEN

Niedokończone opowieści

Przekład
RADOSŁAW KOT

AMBER

Konsultacja tolkienistyczna
dr nauk humanistycznych Marek Gumkowski

Redakcja stylistyczna
dr nauk humanistycznych Marek Gumkowski

Korekta
Małgorzata Dzikowska

Ilustracja na okładce
John Howe

Opracowanie graficzne okładki
Wydawnictwo Amber

Skład
Wydawnictwo Amber

Druk
Drukarnia Naukowo-Techniczna
Oddział Polskiej Agencji Prasowej SA, Warszawa, ul. Mińska 65

Tytuł oryginału
Unfinished Tales

ISBN 978-83-241-3506-6

Warszawa 2009. Wydanie VII

Wydawnictwo AMBER Sp. z o.o.
00-060 Warszawa, ul. Królewska 27
tel. 620 40 13, 620 81 62

www.wydawnictwoamber.pl

Niedokończone opowieści

Niedokończone przez Tolkiena opowieści ze Śródziemia opatrzone komentarzem syna pisarza

Melkor i Ungolianta spoglądający ze szczytu Hyarmentiru na pastwiska Yavanny, cienie rzucane przez lud Fingolfina przy pierwszym wejściu księżyca w krainach Zachodu, Beren skradający się w wilczej postaci ku tronowi Morgotha, blask Silmarila, który zapłonął nagle w mroku lasu Neldoreth... Ci, którzy nie potrafią zapomnieć tych wspaniałych scen, znajdą w tej książce rozwinięcie wątków najsłynniejszych dzieł Mistrza Śródziemia.

Wśród zebranych przez syna Tolkiena, Christophera, „niedokończonych opowieści” znalazły się bowiem utwory, które dopowiadają historię słynnego fantastycznego świata. Opowieść o Tuorze i jego przybyciu do Gondolinu, opis wyspy Númenor, historia Galadrieli i Celeborna, opowieści o klęsce na polach Gladden, wyprawie do Ereboru i poszukiwaniach Pierścienia przenoszą nas w rzeczywistość Śródziemia Pierwszej, Drugiej i Trzeciej Ery, w czasy, gdy rozgrywają się wydarzenia opisane w *Silmarillionie, Dzieciach Húrina* i *Władcy Pierścieni*.

J.R.R. TOLKIEN

John Ronald Reuel Tolkien (1892–1973) to jeden z najwybitniejszych pisarzy w historii literatury. Jego wielkie dzieła literackie – *Władca Pierścieni, Hobbit, Silmarillion, Dzieci Húrina* – pobudziły masową wyobraźnię na całym świecie. *Dzieci Húrina*, heroiczny epos, który doczekał się wydania w ponad 30 lat od śmierci pisarza, zostały okrzyknięte międzynarodowym wydarzeniem literackim i najgłośniejszą książką 2007 roku, bestsellerem numer 1 światowych list.

Tolkien zasłynął jako twórca niepowtarzalnego gatunku literackiego i niezwykłej krainy fikcji, która od lat zachwyca kolejne pokolenia czytelników. Źródłem inspiracji były legendy. Lecz sięgając do mitów greckich i rzymskich, celtyckich i anglosaskich, legend arturiańskich, karolińskich i germańskich, Tolkien – profesor języka staroangielskiego w Oksfordzie, jeden z najlepszych filologów swoich czasów – powołał do życia własną, na wskroś oryginalną mitologię. Rozmach tego przedsięwzięcia jest oszałamiający, a niepowtarzalny świat Śródziemia – najbardziej zwarty i drobiazgowo wymyślony świat w historii literatury – zapisał się trwale we współczesnej kulturze. W 2001, 2002 i 2003 roku zachwycił miliony widzów dzięki nagrodzonej 17 Oscarami filmowej trylogii *Władca Pierścieni*.

Spis treści

Wstęp

Trudno jest rozwiązać problemy dotyczące odpowiedzialności za pisma nieżyjącego już autora komuś, kogo pieczy dzieła owe powierzono. Bywa, że niektórzy w takiej sytuacji powstrzymują się przed drukowaniem najmniejszego nawet fragmentu, wyjąwszy co najwyżej te urywki, które do czasu śmierci autora zostały praktycznie ukończone. W przypadku twórczości J.R.R. Tolkiena takie właśnie podejście mogłoby się na pierwszy rzut oka wydawać najwłaściwsze, szczególnie że on sam, nader wymagający i krytyczny wobec własnych płodów, w żadnym razie nie pozwoliłby na publikację nawet najbardziej dopracowanych fragmentów tej książki bez daleko idących poprawek.

Z drugiej jednak strony, istota i rozmach jego wyobraźni każą spojrzeć na te odrzucone wcześniej opowieści nieco inaczej. Kwestia, czy *Silmarillion* w ogóle powinien zostać opublikowany, nie postała mi nawet w głowie, i to niezależnie od faktu, że dzieło było nieuporządkowane i ojciec zamierzał dopiero je przeredagować, czego jednak dokonać już nie zdążył. Po długim wahaniu zdecydowałem się zatem w tamtym wypadku przedstawić pracę jako kompletną i spójną całość, miast nadać jej postać studium historycznego, zbioru połączonych komentarzem tekstów. W przypadku tej książki rzecz ma się jednak inaczej, zebrane tu bowiem pisma nie tworzą żadnej całości, pozostając po prostu szeregiem różniących się formą, zamysłem, stopniem ukończenia i czasem powstania (a także sposobem, w jaki je potraktowałem) utworów dotyczących Númenoru i Śródziemia. Jednak powód przemawiający za ich ogłoszeniem drukiem nie różni się zasadniczo od tego, który przyświecał mi przy publikacji *Silmarillionu*. Ci, którym nie dane jest zapomnieć obrazu Melkora i Ungolianty spoglądających ze szczytu Hyarmentiru na „pola i pastwiska Yavanny, ozłocone łanami wysokiej pszenicy"; cieni rzucanych przez lud Fingolfina przy pierwszym wejściu księżyca w krainach Zachodu; Berena skradającego się w wilczej postaci ku tronowi Morgotha czy też blasku Silmarila, który zapłonął nagle w mroku lasu Neldoreth, uznają zapewne, że niedoskonałość formy owych opowieści blednie wobec głosu Gandalfa (odzywającego się tutaj po raz ostatni) szydzącego z dumnego Sarumana podczas spotkania Białej Rady w roku 2851, czy też opowiadającego w Minas Tirith, już po zakończeniu Wojny o Pierścień, jak doszło do tego, że wysłał krasnoludów na słynne przyjęcie w Bag End. Cóż niedoskonałość znaczy wobec obrazu Ulma, Pana Wód, wynurzającego się z morza w Vinyamarze, wobec Mablunga z Doriathu ukrywającego się „jak kret" pod ruinami mostu w Nargothrondzie, czy też wobec sceny śmierci Isildura u mulistych brzegów Anduiny.

Wiele fragmentów tej książki stanowi rozwinięcie wątków wspomnianych pokrótce lub zasygnalizowanych już gdzie indziej. Jedno trzeba jednak powiedzieć wyraźnie, a mianowicie, że spora część tego dzieła nie okaże się szczególnie interesująca dla tych miłośników *Władcy Pierścieni*, którzy przemykali podczas lektury nad historycznymi dygresjami, mając je jedynie za element wzbogacający opowieść, a nie za cel sam w sobie, i którzy nie pożądają wcale dalszych szczegółów, pozostając obojętni wobec kwestii dotyczących zorganizowania Jeźdźców Rohanu, a Dzikich Ludzi z lasu Drúadan zostawiając własnemu losowi... Mój ojciec z pewnością nie miałby im tego za złe. W liście z marca 1955 roku, a zatem jeszcze przed ukazaniem się trzeciego tomu *Władcy Pierścieni*, pisał:

> Teraz żałuję, że w ogóle obiecywałem jakieś dodatki! Sądzę bowiem, że pojawienie się ich w skróconej i skondensowanej formie nikogo nie zadowoli: z pewnością nie mnie, a sądząc z (przerażającej masy) otrzymywanych listów, na pewno nie ludzi, którym podobają się takie rzeczy – jest ich zaskakująco wielu; podczas gdy ci, którym książka podoba się wyłącznie jako „romans heroiczny" i dla których „niewyjaśnione wątki" stanowią część efektu literackiego, bardzo słusznie dodatki pominą.
>
> Nie jestem wcale przekonany, czy skłonność do traktowania tego wszystkiego jako jakiejś wielkiej gry jest naprawdę zdrowa – na pewno nie dla mnie, gdyż takie reakcje wydają mi się jedynie zgubnie atrakcyjne. Przypuszczam, że skoro tak wiele osób domaga się czystej „informacji" czy „legend", świadczy to o docenianiu wyjątkowego efektu, jaki wywiera opowieść oparta na bardzo dopracowanej i szczegółowej współzależności geografii, chronologii i języka★.

★ J.R.R. Tolkien: *Listy*. Wybrane i opracowane przez Humphreya Carpentera, przy współpracy Christophera Tolkiena. Przeł. Agnieszka Sylwanowicz, Poznań 2000, s. 314.

W liście z następnego roku czytamy:

> ...jedni żądają map, podczas gdy inni pragną raczej wskazówek geologicznych; wiele osób chce gramatyki, fonologii i przykładów języków elfickich. Niektórzy z kolei pragną metryki i prozodii. (...). Muzycy chcą nut i notacji muzycznych; archeolodzy proszą o ceramikę i metalurgię. Botanicy chcą dokładniejszych opisów mallornów, elanorów, nifrodeli, alfirinów, mallosów i simbelmynë, a historycy pragną dowiedzieć się więcej szczegółów o społecznej i politycznej strukturze Gondoru; padają prośby o informacje na temat Woźników, Haradu, pochodzenia krasnoludów, Umarłych, Beorningów oraz zaginionych dwóch (z pięciu) czarodziejów*.

Jakkolwiek jednak spojrzeć na sprawę, dla niektórych, w tym i dla mnie, więcej niż zaspokajanie zwykłej ciekawości kryje się w poznaniu, że Vëantur Númenorejczyk przyprowadził swój gnany wiosennymi wiatrami statek „Entulessë", czyli „Powrót", do Szarych Przystani w roku sześćsetnym drugiej ery, że grobowiec Elendila Smukłego wzniesiony został przez jego syna Isildura na szczycie wzgórza sygnałowego Halifirien, że Czarnym Jeźdźcem, którego hobbici dojrzeli na zamglonym drugim brzegu rzeki przy promie Bucklebury, był Khamûl, Władca Upiorów Pierścienia z Dol Guldur, a nawet że bezdzietność dwunastego króla Gondoru, Tarannona (fakt odnotowany w Dodatku do *Władcy Pierścieni*) wiązała się z wciąż jeszcze tajemniczymi kotami królowej Berúthiel.

Przygotowywanie tej książki było zadaniem trudnym, a efekt owej pracy i tak pozostaje niełatwy do oceny. Wszystkie opowieści są w mniejszym lub większym stopniu „niedokończone", przy czym różnie należy owo „niedokończenie" rozumieć, każda bowiem wymagała innego podejścia. Wspomnę jeszcze pokrótce o kolejnych utworach, najpierw jednak chciałbym zwrócić uwagę na pewne ich wspólne cechy.

Najistotniejszym aspektem jest problem „konsekwencji" widoczny świetnie na przykładzie rozdziału zatytułowanego *Historia Galadrieli i Celeborna*, gdzie mamy do czynienia z „niedokończeniem" w szerokim rozumieniu tego słowa, a nie z nagłym i niespodziewanym urwaniem toku opowieści, jak to ma miejsce w przypadku epizodu *Tuor i jego przybycie do Gondolinu*, czy też z oderwanymi fragmentami składającymi się na tekst *Cirion i Eorl*, chociaż jest to bowiem jeden z najważniejszych wątków w historii Śródziemia, to jednak nigdy nie został on dopracowany do ostatecznej postaci, o spisaniu całości nawet nie wspominając. Włączenie do tego rozdziału nieznanych dotąd opowieści i szkiców wymusza zmianę w rozumieniu historii: nie jest już ona niezależnie od twórcy istniejącą, obiektywną

---

* Tamże, s. 371.

„rzeczywistością", staje się materią plastyczną i zmienną, widomie tkwiącą w umyśle autora (skrywającego się pod postacią redagującego teksty tłumacza). Skoro sam autor zaniechał publikowania swych dalszych prac, poddawszy je uprzednio szczegółowej krytyce i analizie porównawczej, kryjąca się w niewydanych manuskryptach wiedza o Śródziemiu sprzeczna musi być często z tym, co ogłoszone zostało wcześniej, a wprowadzając nowe elementy do istniejącej już całości, pozwala dowiedzieć się niejednego nie tyle o historii wykreowanego świata, co o dziejach samego aktu kreacji. W przypadku tej książki przyjąłem po prostu, że tak być musi, zatem poza drobnymi korektami dotyczącymi nazewnictwa (tam, gdzie wierność rękopisowi spowodowałaby zbytnie zamieszanie i wymusiłaby konieczność wdawania się w przydługie wyjaśnienia) nie zmieniałem niczego w imię konsekwencji, zwracając raczej uwagę na pojawiające się sprzeczności i wariacje tematu. Pod tym względem *Niedokończone opowieści* różnią się zasadniczo od *Silmarillionu*, który z założenia (choć to nie jedyne założenie przyświecające jego publikacji) miał być spójny, zarówno wewnętrznie, jak i w odniesieniu do innych ksiąg. Tak zatem traktowałem *Silmarillion*, jako punkt odniesienia na równi z dziełami opublikowanymi osobiście przez mego ojca, nie biorąc pod uwagę licznych „nieautoryzowanych" wyborów, które czynić musiałem wówczas pomiędzy różnymi wariantami tych samych epizodów.

Książka niniejsza w całości składa się z opowieści (bądź opisów); wyłączyłem z niej wszystkie te pisma o Śródziemiu i Amanie, które miały spekulatywny charakter rozpraw filozoficznych, a jeśli nawet takie formy wypowiedzi pojawiają się od czasu do czasu, nie staram się tych wątków rozwijać. Przyjąłem najprostszy z możliwych układów, dzieląc teksty na trzy tomy, odpowiadające trzem pierwszym erom świata, co musiało w nieunikniony sposób powodować czasem ich nakładanie się, jak w przypadku legendy o Amrocie i jej omówienia w *Historii Galadrieli i Celeborna*. Czwarta część jest dodatkiem, którego obecność w książce zatytułowanej *Niedokończone opowieści* wymaga pewnego pokajania się, owa ostatnia bowiem część prawie wcale nie zawiera „opowieści", lecz głównie eseje na tematy ogólne. Tekst o Drúedainach, który znalazł się w całości edycji dzięki stanowiącej jego fragment opowieści *Wierny kamień*, nasunął mi pomysł, aby włączyć również eseje tyczące Istarich i palantírów, skoro są to sprawy (a szczególnie ta pierwsza) żywo intrygujące wielu czytelników, a książka ta wydała mi się stosownym miejscem do przekazania tego, co na owe tematy wiadomo.

Zapiski te mogą wydać się czasami nieco zagmatwane, jednakże nieład ów powstał za sprawą nie tyle wydawcy, co autora (widać to szczególnie w tekstach takich, jak *Klęska na polach Gladden*), który w późniejszych pracach zwykł co rusz odbiegać od zasadniczego tematu, sporządzając dotyczące różnych kwestii notatki. Starałem się wyraźnie odróżniać komentarze od właściwych tekstów, ale ze wzglę-

12

du na obfitość materiałów pojawiających się w przypisach i dodatkach, uznałem, że dobrze będzie nie ograniczać podanych w indeksie odniesień tylko do samych tekstów, ale rozciągnąć je na całą książkę z wyłączeniem wstępu.

Przyjąłem, że czytelnicy niniejszej książki znają dobrze twórczość mego ojca (a szczególnie *Władcę Pierścieni*), w przeciwnym bowiem razie musiałbym poszerzyć znacznie, i tak już obszerne, komentarze redakcyjne. Zdecydowałem się niemniej umieścić przy większości haseł indeksu krótkie uwagi, mogące oszczędzić czytelnikowi wertowania innych źródeł. Gdyby któreś z tych wyjaśnień okazało się niewystarczające lub nie dość jasne, polecić mogę dzieło, które i dla mnie było przy mej pracy wielką pomocą, czyli *Encyklopedię Śródziemia* pana Roberta Fostera.

Christopher Tolkien

Notki o utworach

Część I

Pierwsza Era

I. O Tuorze i jego przybyciu do Gondolinu

Mój ojciec nieraz powtarzał, że *Upadek Gondolinu* został napisany jako pierwsza opowieść dotycząca Pierwszej Ery i nic nie świadczy, aby było inaczej. W liście z roku 1964 stwierdza, że spisał ją „prosto z głowy" podczas urlopu zdrowotnego z wojska w roku 1917, chociaż przy innych okazjach wspominał również o roku 1916 lub przełomie lat 1916–1917. W liście, który dostałem w 1944 roku, znalazłem zdanie: „Pisać go [*Silmarillion*] zacząłem w barakach wojskowych, pośród tłoku i jazgotu gramofonowej muzyki". W rzeczy samej, akapity dotyczące Siedmiu Imion Gondolinu zostały spisane na odwrocie druku regulującego „drabinę zależności służbowej w batalionie". Wciąż istniejące najwcześniejsze manuskrypty to dwa zwykłe szkolne zeszyty zapisane ołówkiem. Potem ołówkowe pismo pociągnięto jeszcze atramentem, wprowadzając przy tym liczne poprawki. Ten właśnie tekst, najpewniej w 1917 roku, moja matka przepisała na czysto. Później, chociaż trudno powiedzieć dokładnie kiedy, został on poddany kolejnym przeróbkom. Możliwe, że miało to miejsce w latach 1919–1920, kiedy to mój ojciec był członkiem zespołu redagującego daleki jeszcze od ukończenia *Oxford English Dictionary*. Wiosną 1920 roku został zaproszony do klubu dyskusyjnego w swoim college'u w Exeter i wówczas to odczytał *Upadek Gondolinu*. W zachowanych do dzisiaj notatkach poczynionych do wystąpienia znajdujemy słowo przeproszenia, że nie przygotował eseju: „I tak zatem, ponieważ odczytać winienem rzecz już gotową, w desperacji sięgnąłem do tego tekstu. Rzecz jasna, nigdy dotąd nie ujrzał on światła dziennego... Ciąg zdarzeń tyczących elfiej historii krystalizował się (czy raczej układał) z dawna w mej wyobraźni. Niektóre epizody już spisałem... Ta opowieść nie jest akurat najciekawszą spośród nich, ale jedyną, która została przejrzana, i dlatego, chociaż może trudno jeszcze uznać ją za w pełni dopracowaną, ośmielę się historię ową przeczytać".

Opowieść *O Tuorze i wygnańcach z Gondolinu* (bo taki tytuł nosił pierwotnie manuskrypt) przeleżała nietknięta przez wiele lat, chociaż zapewne między rokiem 1926 a 1930 ojciec napisał jej skróconą wersję, która stała się częścią *Silmarillionu* (tytuł ten pojawił się po raz pierwszy, marginalnie wspominany, w liście do „Observer" z 20 lutego 1938 roku), zmieniona przy tym zgodnie z wymaganiami kompozycyjnymi książki. Znacznie później ojciec rozpoczął pracę nad nowszą relacją, zatytułowaną *O Tuorze i upadku Gondolinu*. Bardzo możliwe, że miało to miejsce w roku 1951, kiedy to *Władca Pierścieni* był już gotowy, chociaż losy jego publikacji wciąż się ważyły. I styl, i konteksty uległy wówczas znacznym zmianom, sporo jednak zostało z owej historii, którą spisał w młodości. Tekst ów miał uzupełnić o liczne szczegóły legendę tworzącą krótki, dwudziesty trzeci rozdział opublikowany w *Silmarillionie*. Niestety, urywa się w chwili, gdy Tuor i Voronwë docierają do ostatniej bramy Gondolinu i nie potrafię jednoznacznie orzec, czemu ojciec nie dokończył dzieła.

Te właśnie zapiski znalazły się w niniejszej książce. Aby uniknąć nieporozumień, zmieniłem ich tytuł na *O Tuorze i jego przybyciu do Gondolinu*, jako że o upadku miasta nie ma tam ani słowa. Jak to zwykle z pismami mego ojca, konieczna była tu i ówdzie ingerencja redaktorska, manuskrypt bowiem zawierał sugestie co do alternatywnych wersji, a jeden z epizodów (przeprawa przez Sirion) został nawet ukończony w kilku wariantach.

Zwraca uwagę fakt, że jedyny pełny tekst opisujący kluczowe wydarzenia Pierwszej Ery (wyprawy Tuora do Gondolinu, związku z Idril Celebrindal, narodzin Eärendila, zdrady Maeglina, oblężenia miasta i ucieczki ocalałych) powstał w latach młodości mego ojca. Niestety, bez najmniejszych wątpliwości można stwierdzić, że opowieść owa (choć tak istotna) nie nadaje się, by włączyć ją do niniejszej książki. Napisana została w stylu skrajnie archaizowanym, uwielbianym podówczas przez ojca, i praktycznie nie ma nic wspólnego z późniejszymi światami *Władcy Pierścieni* i *Silmarillionu*. Wraz z najwcześniejszymi zapiskami mitologicznymi, należy ona do *Księgi Zaginionych Opowieści*, nader interesujących dla kogoś pragnącego zgłębić najdawniejsze dzieje Śródziemia, wymagających jednak jeszcze długiego i żmudnego opracowania, o ile mają zostać kiedykolwiek wydane drukiem.

II. Narn i Hîn Húrin
Opowieść o dzieciach Húrina

Legenda o Túrinie Turambarze rozrastała się przez lata w sposób najbardziej złożony spośród wszystkich historii z Pierwszej Ery. Podobnie jak opowieść *O Tuorze i upadku Gondolinu*, sięga korzeniami aż do samych początków. Owe początki to wczesny utwór prozą (jedna z *Zaginionych opowieści*) oraz długi, niedokończony poemat pisany wierszem aliteracyjnym. O ile jednak praca nad „długą wersją" *Tuora* nigdy nie posunęła się zbyt daleko, to późniejsza „długa wersja" *Túrina* została niemal ukończona. Zwie się ona *Narn i Hîn Húrin* i pod tym tytułem została zamieszczona w niniejszej książce.

Niemniej poszczególne fragmenty długiej *Narn* wymagały różnego wkładu pracy redakcyjnej. Epizody końcowe (od *Powrotu Túrina do Dor-lóminu* do *Śmierci Túrina*) zostały jedynie przejrzane i poprawki były marginalne, podczas gdy cały początek (do *Túrina w krainie Doriathu* włącznie) trzeba było przeredagować, miejscami nawet skracając, jako że trafiały się partie oderwane od kontekstu. Zasadnicza jednak część opowieści (*Túrin wśród banitów*, *Krasnolud Mîm*, opis Dor-Cúartholu, śmierć Belega z ręki Túrina i życie Túrina w Nargothrondzie) przedstawiała sobą problem poważniejszy. Są to fragmenty najmniej dopracowane, niekiedy trafia się szkic jedynie opisujący planowany przebieg akcji. Ojciec wciąż rozbudowywał tę część i gdy przerwał nad nią pracę, krótsza wersja, pomieszczona w *Silmarillionie*, nie doczekała się pełnego rozwinięcia w *Narn*. Przygotowując do druku *Silmarillion*, musiałem z konieczności sięgnąć właśnie do tych materiałów, zawikłanych i niedopracowanych, wyrywając z nich fragment opowiadający o Túrinie.

Początkowe partie środkowej części (aż do zamieszkania Túrina w siedzibie krasnoluda Mîma na Amon Rûdh) złożyłem z istniejących materiałów w spójne narracyjnie opowiadanie, pozostające w stosownych proporcjach do reszty tekstu (z jedną luką, patrz przypis 12), jednak od wspomnianego powyżej miejsca, aż do przybycia Túrina nad Ivrin po zniszczeniu Nargothrondu, zmuszony byłem zmienić taktykę. Luki w tekście okazały się nazbyt duże i konieczne byłoby powtórzenie tu rozdziału pomieszczonego w *Silmarillionie*. Niemniej zawarłem w Dodatku kilka oderwanych fragmentów tej zamierzonej, dłuższej wersji.

Porównanie trzeciej części (od *Powrotu Túrina do Dor-lóminu*) z odpowiednimi stronami w *Silmarillionie* (s. 262–277), pozwoli odnaleźć wiele podobieństw, a nawet identycznych sformułowań, podczas gdy w pierwszej części były tylko dwa takie wypadki, które usunąłem z prezentowanego tekstu (patrz przypisy 1 i 2), skoro nie różnią się specjalnie od tych, które zostały już opublikowane i zamieszczone w *Silmarillionie*. Na wiele sposobów można próbować wyjaśniać fakt takiego nakładania się różnych wersji. Mój ojciec uwielbiał opowiadać czasem rzecz na nowo, zmieniając punkt widzenia i sytuując historię w szerszym kontekście, jednakże nie wszystkie spośród wspomnianych fragmentów zostały tak właśnie przekształcone, nie każdy też potraktowania takiego wymagał. Można również uznać, że na wczesnym etapie prac nad tekstem ojciec mógł na próbę umieścić w dziele ustęp pochodzący z innej wersji. Pozostaje jednak jedno jeszcze wyjaśnienie, dotyczące nieco innego poziomu. Legendy podobne do tej o Túrinie Turambarze zostały już we wczesnych latach Śródziemia ujęte w formę poetycką (w tym przypadku był to poemat *Narn i Hîn Húrin* Dírhavela), przekazywane zaś z latami fragmenty (szczególnie te o silnym ładunku emocjonalnym, jak przemowa Túrina do miecza na chwilę przed śmiercią) byłyby zachowywane przez kolejne pokolenia w formie niezmienionej jako świadectwo pochodzące wprost z Dawnych Dni (których historię opowiadać ma właśnie *Silmarillion*).

Część II

Druga Era

I. Opis wyspy Númenor

Chociaż jest to opis raczej niż opowieść, zdecydowałem się włączyć wybrane fragmenty tekstu ojca, szczególnie że mówią one o ukształtowaniu Númenoru i współbrzmią z opowieścią o Aldarionie i Erendis. Opis ten istniał z całą pewnością już w 1965 roku i prawdopodobnie powstał niewiele wcześniej.

Mapkę przerysowałem z małego, pospiesznie wykonanego szkicu, według wszelkich znaków jedynego przedstawienia Númenoru kiedykolwiek sporządzonego przez ojca. Zamieściłem na mapce tylko te nazwy i oznaczenia, które znalazłem na oryginale. Dodatkowo była tam jeszcze ukazana przystań nad zatoką Andúnië, nieco na zachód od samego miasta. Jej nazwa, nader trudna do odczytania, niemal na pewno brzmi Almaida. Z tego, co wiem, nie pojawia się ona nigdzie indziej.

II. Aldarion i Erendis. Żona marynarza

Opowieść ta była najmniej dopracowaną spośród wszystkich zamieszczonych w tym zbiorze i wymagała miejscami tak daleko idących interwencji redakcyjnych, że aż wahałem się, czy włączenie jej do książki jest celowe. Jest to jednak tekst nader interesujący, jedyny zachowany (w odróżnieniu od kronik i roczników) z całej długiej historii Númenoru, wieków poprzedzających zagładę wyspy, zrelacjonowaną w *Akallabêth*. Jest to także tekst o tematyce niespotykanej zgoła w twórczości ojca, tak zatem zdecydowałem ostatecznie, że błędem byłoby wykluczenie tej historii z *Niedokończonych opowieści*.

Konieczność wspomnianych interwencji dyktował fakt, że przy tworzeniu opowieści mój ojciec posługiwał się zwykle konspektami, szczególną uwagę zwracając na datowanie poszczególnych wydarzeń, tak zatem owe konspekty przypominały nieco kroniki. W tym konkretnym przypadku podobnych „drabinek" było co najmniej pięć, różniły się przy tym stopniem rozwinięcia rozmaitych wątków, nierzadko też przeczyły jedna drugiej, tak w sprawach ogólnych, jak i w szczegółach. Niezmienną jednak cechą jest to, że wszystkie owe szkice zawierają fragmenty narracji (w tym i dialogów). Piąty i ostatni szkic opowieści o Aldarionie i Erendis został w ten sposób tak znacznie rozbudowany, że liczy aż około sześćdziesięciu stron rękopisu.

Jednakże przechodzenie od skrótowego, analitycznego wywodu (pisanego w czasie teraźniejszym) do opowieści następowało stopniowo, w miarę postępu prac nad zarysem historii. Początkowe partie musiałem wręcz przerobić, aby uzyskać w miarę jednorodną stylistycznie całość. Zmiany dotyczyły wyłącznie sposobu formułowania zdań, a nie ich sensu, niczego też do pierwotnego przekazu nie dodawałem.

Najpóźniejszy ze szkiców, będący podstawą mojej pracy, nosił tytuł *Cień Cienia, opowieść o żonie marynarza oraz historia królowej-pasterki*. Rękopis ten urywa się nagle i nie potrafię wyjaśnić, czemu ojciec zaniechał nad nim pracy. Doprowadzony do tego samego miejsca maszynopis tekstu został ukończony w roku 1965, ale istnieją jeszcze dwie dopisane strony; według mnie teksty te powstały później od wszystkich innych materiałów. Bez wątpienia zawierają one początek ostatecznej wersji całej historii, zatytułowanej *Indis i • Kiryamo. „Żona marynarza". Opowieść z pradawnego Númenorë, zdająca sprawę z pierwszych pogłosek o nadejściu Cienia.* Wykorzystałem ją jako otwarcie rozdziału o Aldarionie i Erendis (gdzie szkice szczególnie skąpiły danych).

Pod koniec przytoczonej legendy podaję wszystkie, nieliczne wszakże, wskazówki dotyczące zamierzonego dalszego ciągu.

III. Dynastia Elrosa: królowie Númenoru od założenia miasta Armenelos do Upadku

Chociaż tekst ten ma formę typowej kroniki dynastycznej, włączyłem go jako dokument istotny dla historii Drugiej Ery, szczególnie że w niniejszej książce znalazła się znaczna część istniejących materiałów związanych z tym właśnie okresem. Oryginał sporządzony został maczkiem, poprawiane zaś wielokrotnie daty życia i panowania królów i królowych Númenoru nie zawsze są dziś czytelne. Starałem się niemniej uwzględniać ostatnie ich wersje. Znajdujemy tu parę chronologicznych łamigłówek, jednakże spis pozwala również na sprostowanie kilku ewidentnych błędów występujących w Dodatkach do *Władcy Pierścieni*.

Genealogia wcześniejszych pokoleń w linii Elrosa zaczerpnięta została z kilku ściśle powiązanych ze sobą rodowodów, datowanych podobnie jak dysputa o prawach sukcesji w Númenorze. Imiona pomniejszych postaci występują tu wprawdzie lekko odmienione (jak Vardilmë i Vardilyë, Yávien i Yávië), jednak formy podane przeze mnie skłonny jestem uważać za późniejsze.

IV. Historia Galadrieli i Celeborna, i Amrotha, władcy Lórien

Rozdział ten różni się od innych (pomijając te pomieszczone w części czwartej), nie zawiera bowiem jednego tekstu, a raczej rozprawę złożoną z cytatów. Wynika to z postaci dostępnych materiałów; jak staje się to jasne w trakcie lektury, dzieje Galadrieli i Celeborna mogą zostać przedstawione jedynie jako historia kolejnych, zmieniających się koncepcji tej opowieści. „Niedokończoność" nie jest w tym przypadku cechą jednego tylko fragmentu, ale całości. Ograniczyłem się wyłącznie do prezentacji niepublikowanych pism związanych z tym zagadnieniem, zaniechawszy jakichkolwiek rozważań na istotniejsze tematy leżące u podstaw sprawy. W przeciwnym bowiem razie należałoby zająć się związkami pomiędzy Valarami i elfami, począwszy od (opisanej w *Silmarillionie*) decyzji, by wezwać Eldarów do Valinoru, jak i innymi zagadnieniami, którym mój ojciec poświęcił wiele pism, wychodzących jednak poza ramy tematyczne niniejszej książki.

Historia Galadrieli i Celeborna jest tak silnie spleciona z pozostałymi legendami i opowieściami – o Lothlórien i Leśnych Elfach, o Amrocie i Nimrodel, o Celebrimborze i stworzeniu Pierścieni Władzy, o wojnie z Sauronem i interwencji Númenorejczyków – że nijak nie da się jej od nich oddzielić, tak zatem ów rozdział, wraz z pięcioma Dodatkami, zawiera praktycznie wszystkie niepublikowane dotąd materiały dotyczące Drugiej Ery Śródziemia (w nieunikniony sposób sięgając także miejscami do Trzeciej Ery). *Kronika Lat* w Dodatku B do *Władcy Pierścieni* głosi: „Były to dla Śródziemia ponure czasy, dla Númenoru lata chwały. O zdarzeniach w Śródziemiu mamy z tej epoki nieliczne i krótkie wzmianki, a daty są tu zazwyczaj niepewne" [*Powrót Króla* s. 328]. Nawet jednak te rzadko występujące uwagi, ocalałe z „ponurych czasów", ulegały zmianom w miarę, jak dojrzewała i rozrastała się wizja mojego ojca, nie próbowałem zatem wygładzać chropowatości narracji, czy prostować niekonsekwencji, raczej eksponowałem je, zwracając na nie uwagę.

Istnienie odmiennych wersji nie musi zawsze prowadzić do prób przyznawania którejś z nich pierwszeństwa. Podobnie też nie zawsze daje się odróżnić mego ojca jako „autora" czy „kreatora" od postaci „kronikarza", jedynie spisującego dawne historie w takiej postaci, w jakiej przetrwały pośród różnych ludów przez stulecia (przecież kiedy Frodo spotkał Galadrielę w Lórien, ponad sześćdziesiąt stuleci już minęło od chwili, gdy Pani Elfów przekroczyła Góry Błękitne, odchodząc na wschód ze zniszczonego Beleriandu). „Różnie się o tym mówi, a jak było naprawdę, mogliby rzec jedynie dawno już odeszli Mędrcy".

W ostatnich latach życia ojciec pisał dużo na temat etymologii nazw Śródziemia. Chaotyczne te rozprawy zawierają sporo informacji na temat historii i legend, dobranych jednak według filologicznego klucza i prezentowanych jakby mimochodem. Fragmenty takie wymagały zatem wyizolowania i dlatego właśnie pojawiają się w tekście rozdziału w formie krótkich cytatów, dalsze zaś urywki o tym samym charakterze umieszczone zostały w Dodatkach.

Część III

Trzecia Era

I. Klęska na polach Gladden

Jest to „późna" opowieść, co oznacza wszakże tyle tylko, iż powstała w ostatnim okresie twórczości mojego ojca poświęconej Śródziemiu (dokładna data nie do ustalenia), w tym samym czasie co *Cirion i Eorl, Bitwy u Brodów na Isenie,*

Drúedainowie, jak i filologiczne rozprawy wykorzystane w *Historii Galadrieli i Celeborna*, w wiele lat po publikacji *Władcy Pierścieni*. Tekst *Klęska na polach Gladden* istnieje w dwóch wersjach: niedopracowanego maszynopisu całości (wyraźnie pierwszy etap pracy nad opowieścią) i uwzględniającego wiele poprawek, „czystego" maszynopisu, który urywa się w miejscu, kiedy to Elendur nakłania Isildura do ucieczki. Redaktor nie miał tu wiele do roboty.

II. Cirion i Eorl
Przyjaźń Gondoru z Rohanem

Sądzę, że urywki te pochodzą z tego samego okresu co *Klęska na polach Gladden*, kiedy to ojciec wielce interesował się wcześniejszymi dziejami Gondoru i Rohanu. Niewątpliwie miały stanowić zaczątek obszernej opowieści rozwijającej wątki zawarte w Dodatku A do *Władcy Pierścieni*. Całość była dopiero w pierwszym stadium opracowywania, mocno nieuporządkowana i roiła się od sugestii możliwych wersji, jak i nie zawsze czytelnych wtrąceń i dopisków.

III. Wyprawa do Ereboru

W liście z 1964 roku mój ojciec pisał:

> Istnieje, rzecz jasna, wiele nie zawsze widocznych powiązań między *Hobbitem* a *Władcą Pierścieni*. Większość z nich wprawdzie zaznaczyłem lub wręcz wyjaśniłem w tekście, później jednak zostały one wykreślone dla ogólnej przejrzystości narracji. Tak właśnie miała się rzecz z relacją Gandalfa o jego podróżach badawczych oraz o więzach łączących go z Aragornem i Gondorem; z pełnym przedstawieniem działań Golluma aż do jego schronienia się w Morii i tak dalej. Ostatecznie spisałem pełną wersję opowieści o wydarzeniach poprzedzających dzień, kiedy to Gandalf spotkał się z Bilbem, skutkiem czego doszło do *Z dawna wyczekiwanego przyjęcia*, a uczyniłem to z punktu widzenia Gandalfa. Pierwotnie fragment ten miał się znaleźć we *Władcy Pierścieni* jako część toczonej w Minas Tirith rozmowy o różnych zaszłościach, ostatecznie jednak zaistniał tylko we fragmencie w Dodatku A (*Powrót Króla*, s. 325–326), chociaż ominięto kwestię trudności, które spotkały Gandalfa ze strony Thorina.

Ta właśnie relacja Gandalfa znalazła się na stronach *Niedokończonych opowieści*. Zamieszanie, które panuje w tekstach źródłowych, opisane zostało w Dodatku do tego rozdziału, gdzie pomieściłem również obszerne wyjątki z wcześniejszej wersji.

IV. Poszukiwania Pierścienia

Istnieje wiele notatek traktujących o wydarzeniach roku 3018 Trzeciej Ery, znanych zresztą z *Kroniki Lat* oraz z relacji Gandalfa (i innych) składanych przed *Radą u Elronda*. Zapiski te mają wiele wspólnego ze wspomnianymi powyżej „zaznaczeniami" i „wyjaśnieniami". Nadałem im wspólny tytuł *Poszukiwania Pierścienia*, opisując przy okazji te bardzo nieuporządkowane manuskrypty (chociaż brak ładu nie jest tu żadnym wyróżnikiem), które wszakże nader trudno byłoby precyzyjnie datować (osobiście sądzę, że wywodzą się wszystkie z tego samego okresu, podobnie jak i trzeci podrozdział: *O Gandalfie, Sarumanie i Shire*). Na pewno powstały po wydaniu *Władcy Pierścieni*, widnieją bowiem na nich odnośniki do konkretnych stron książki, inaczej jednak umiejscawiają w czasie niektóre wydarzenia wspomniane w *Kronice Lat*. Narzuca się wyjaśnienie, że zapisano je po wydaniu pierwszego tomu *Władcy Pierścieni,* a jeszcze przed ukazaniem się tomu trzeciego, który zawierał Dodatki.

V. Bitwy u Brodów na Isenie

Tekst ten, razem z umieszczonymi w Dodatku do rozdziału relacjami dotyczącymi historii Isengardu oraz militarnej struktury stworzonej przez Rohirrimów, jest częścią późnych, analitycznych rozpraw historycznych. Jego przygotowanie do druku było łatwe, jest wszakże w najbardziej dosłownym znaczeniu tekstem niedokończonym.

Część IV

I. Drúedainowie

Pod koniec życia ojciec wyjawił wiele nowych szczegółów dotyczących Dzikich Ludzi z lasu Drúadan w Anórien i posągów Púkeli przy drodze wiodącej do Dunharrow. Podana tu relacja o Drúedainach żyjących w Pierwszej Erze w Beleriandzie i opowieść *Wierny kamień* pochodzi z długiego i niedokończonego traktatu zajmującego się w pierwszym rzędzie sprawami wzajemnych zależności między językami Śródziemia. Jak się okaże, Drúedainowie mieli odegrać swoją rolę w historii wcześniejszych er, jednakże z oczywistych powodów nie zostało to nawet wzmiankowane w opublikowanym tekście *Silmarillionu*.

II. Istari

Wkrótce po przyjęciu *Władcy Pierścieni* do wydania pojawiła się propozycja, aby na końcu trzeciego tomu dołączyć indeks i wiele wskazuje na to, że latem 1954 roku mój ojciec rozpoczął prace nad owym indeksem (dwa pierwsze tomy skierowane zostały już wówczas do druku). W liście z 1956 roku pisał o tym:

> Miał powstać indeks imion, który dzięki zawartej w nim interpretacji ety-mologicznej stanowiłby także spory słownik elficki (...). Pracowałem nad nim przez kilka miesięcy i opracowałem pierwsze dwa tomy (była to głów-na przyczyna opóźnienia tomu trzeciego), a wtedy okazało się, że rozmiary i koszta są zbyt wielkie★.

Tak zatem indeks pojawił się dopiero w drugim wydaniu *Władcy Pierścieni* w 1966 roku, jednak brudnopis pierwszej wersji indeksu zachował się do dziś. Posłużył mi za pierwowzór do indeksu zamieszczonego w *Silmarillionie*, wraz z tłu-maczeniem imion własnych i wyjaśnieniami. Przydał się też przy sporządzaniu indeksu do niniejszej książki. Brudnopis zawiera również wykorzystany w tym rozdziale „szkic o Istarich", fragment nijak z samym indeksem niewspółgrają-cy, jednakże takie przemieszanie zapisków było typowe dla sposobu pracy mego ojca.

Pozostałe cytaty zamieszczone w tym rozdziale opatrzyłem możliwie precyzyj-nie ustalonymi datami ich powstania.

III. Palantíry

W drugim wydaniu *Władcy Pierścieni* (1966) ojciec poczynił istotne zmia-ny w rozdziale *Palantíry* (w tomie *Dwie Wieże*) oraz kilka dalszych, związanych z poprzednimi, w rozdziale *Stos Denethora* (w tomie *Powrót Króla*). Zostały one jednak uwzględnione dopiero w drugim rzucie poprawionego wydania (1967).

★ *Listy*, op. cit., s. 370.

Tekst zamieszczony w niniejszej książce jest wyjątkiem z zapisków na temat palantírów, powstałych w związku z owymi zmianami. Moja interwencja ograniczyła się w tym przypadku wyłącznie do zebrania luźnych fragmentów w jeden tekst.

Mapa Śródziemia

Z początku zamierzałem dołączyć do tej książki mapkę zawartą we *Władcy Pierścieni*, uzupełniając ją tylko o dalsze nazwy. Pomyślałem wszakże, że lepiej byłoby wykorzystać moją oryginalną mapę i poprawić przy tej okazji kilka pomniejszych błędów (nie czuję się bowiem władny, by zmieniać te większe spośród pomyłek). Przerysowałem ją możliwie najdokładniej, pomniejszając o połowę wobec pierwowzoru. Mapka obejmuje też mniejszy obszar, brakuje na niej wszakże tylko portu Umbar i przylądka Forochel*, mogłem za to użyć większego kroju liter, na czym przejrzystość mapy tylko zyskała.

Uwzględniłem na tej mapie wszystkie istotniejsze nazwy miejsc wymienione w tej książce, a niepojawiające się we *Władcy Pierścieni*, jak Lond Daer, Drúwaith Iaur, Edhellond, Płyciny czy Greylin, dodałem też kilka, które winne (lub mogłyby) zostać uwzględnione na oryginalnej mapie, jak nazwy rzek Harnen i Carnen, Annúminas, Wschodni Fałd, Zachodni Fałd, Góry Angmaru. Omyłkowe ukazanie we *Władcy Pierścieni* jedynie obszaru Rhudauru poprawiłem, dodając nazwy Cardolan i Arthedain, uwzględniłem też wysepkę Himling u północno-zachodnich wybrzeży, która pojawia się wyłącznie na szkicu ojca i na mojej pierwszej przymiarce do tematu. Himling to wcześniejsza forma nazwy Himring (wielkie wzgórze, na którym Maedhros, syn Fëanora, wzniósł fortecę opisaną w *Silmarillionie*) i chociaż nie ma na ten temat żadnej jednoznacznie brzmiącej wskazówki, oczywistym jest, iż szczyt owego wzgórza wystawał jako wyspa ponad wody kryjące zatopiony Beleriand. Nieco bardziej na zachód widnieje większa wyspa zwana Tol Fuin, która musiała stanowić niegdyś najwyższe partie Taur-nu-Fuin. W zasadzie (chociaż nie zawsze) starałem się stosować sindarińskie nazwy (o ile były znane), dodając wszakże zazwyczaj tłumaczenie, jeśli takowe często pojawia się w tekście. Można zauważyć, że Pustkowie Północne zaznaczone na górze

---

* Mam niemal całkowitą pewność, że akwen opisany na oryginalnej mapie jako „Lodowa Zatoka Forochel" jest tylko małą częścią całej zatoki (w Dodatku A do *Władcy Pierścieni* określonej jako „ogromna") rozciągającej się dalej na północny wschód. Jej północne i zachodnie brzegi tworzy przylądek Forochel, którego bezimienne zwieńczenie widnieje na oryginale mapy. Na jednym ze szkiców ojca północne wybrzeże Śródziemia wyciąga się wielkim łukiem w kierunku północno-wschodnim, poczynając od tegoż przylądka i sięga około 700 mil na północ od Carn Dûm.

moich oryginalnych map miało w założeniu stanowić zapewne odpowiednik obszaru określanego Forodwaith★.

Uznałem za pożądane zaznaczenie całego przebiegu Wielkiego Gościńca, łączącego Arnor z Gondorem, chociaż odcinek między Edoras a brodami na Isenie odtworzyłem na podstawie domysłów (podobnie jak i domyślać się można tylko dokładnego położenia Lond Daer i Edhellondu).

Na koniec chciałbym jeszcze podkreślić, że wiernopoddańcze wzorowanie się na mapie (pomijając kwestie nazw i liternictwa), którą nakreśliłem w pośpiechu dwadzieścia pięć lat temu, nie oznacza, iż uważam ją za doskonałą i ze wszech miar słuszną. Od dawna żałuję, że ojciec nie nakreślił w jej zastępstwie własnej mapy. Sprawy wszakże tak się potoczyły, że koniec końców, chociaż niedoskonała i niedokładna, stała się owa mapa MAPĄ i nawet potem tę właśnie ojciec wykorzystywał (wypominając przy tym często jej mankamenty). Rozmaite szkice, które zostały napisane na podstawie mojej mapy, są dziś częścią składową historii powstawania *Władcy Pierścieni*. Uznałem zatem, mając ostatecznie pewien osobisty wkład w sprawę, że najlepiej będzie zachować oryginalną postać mojej mapy, skoro z grubsza odzwierciedla ona zamysły ojca.

Cytaty w tekście pochodzą z następujących polskich wydań książek J.R.R. Tolkiena:
Władca Pierścieni (t. I *Drużyna Pierścienia*, t. II *Dwie Wieże*, przeł. Maria i Cezary Frąc, t. III *Powrót Króla*, oprac. przekładu Maria i Cezary Frąc), Amber, Warszawa 2001.
Hobbit albo tam i z powrotem, przeł. Paulina Braiter, Amber, Warszawa 2000.
Silmarilion, przeł. Maria Skibniewska, Amber, Warszawa 2002.
Wszystkie przypisy (znajdujące się głównie na końcu książki), jeśli nie stwierdzono inaczej, pochodzą od Christophera Tolkiena.

★ Nazwa Forodwaith pojawia się tylko raz w Dodatku A do *Władcy Pierścieni* [*Powrót Króla*, s. 293, przypis]. Odnosi się wówczas do pradawnych mieszkańców Północnych Ziem. Od nich to wywodzili się Śnieżni Ludzie z Forochel. Jednak sindarińskie słowo *(g)waith* oznaczało zarówno krainę, jak i jej mieszkańców (por. Enedwaith). Na jednym ze szkiców ojca „Forodwaith" wydaje się jednoznaczna z „Pustkowiem Północnym", gdzie indziej jest jednak przetłumaczona jako „Północne Ziemie".

Część I

Pierwsza Era

Rozdział I

O Tuorze i jego przybyciu do Gondolinu

Ríana, żona Huora, przebywała ze swymi z rodu Hadora, ale gdy dotarły do Dor-lóminu pogłoski o Nirnaeth Arnoediad, wówczas to, niespokojna o los męża (o nim nie dotarły żadne wieści), zdecydowała się wyruszyć na pustkowia. Zginęłaby, gdyby nie pomoc Szarych Elfów zamieszkujących w górach na zachód od jeziora Mithrim. Zaprowadzona do ich siedziby, jeszcze przed końcem Roku Lamentu powiła syna.

Powiedziała wówczas elfom:

– Niech zwie się Tuor, bo takie imię wybrał dlań ojciec, zanim wojna nas rozdzieliła. I błagam, wychowajcie go w ukryciu pośród was, przepowiadam bowiem, że wielkie dobro wyniknie za jego sprawą dla elfów i ludzi. Ja zaś muszę wyruszyć na poszukiwanie Huora, mego męża.

Na takie słowa elfy odpowiedzieć mogły co najwyżej współczuciem. Jeden tylko Annael, który samotnie powrócił z Nirnaeth, rzekł:

– Wiadomo, moja pani, że Huor padł u boku brata swego, Húrina, i mniemam, że spoczywa w wielkim stosie poległych usypanym przez orków na bitewnym polu.

Usłyszawszy te słowa, Ríana zebrała się i opuściła siedzibę elfów, wyruszając poprzez Mithrim i pustkowie Anfauglith aż do Haudh-en-Ndengin, gdzie zległa i umarła. Elfy jednak zadbały o jej nowo narodzonego syna. Z czasem Tuor wyrósł na wysokiego, pięknego młodzieńca o złocistych włosach, charakterystycznych dla rodu ojca. Był przy tym silny i odważny. Umiejętnościami i wiedzą nie ustępował książętom Edainów z czasów, nim zagłada dosięgła Północy.

Jednak wraz z mijającymi latami coraz gorzej i mniej spokojnie żyło się w Hithlumie tym elfom i ludziom, którzy nie opuścili swych siedzib. Jak opisane to zostało gdzie indziej, Morgoth złamał wówczas słowo dane służącym mu Easterlingom i odmówił im praw do żyznego i upragnionego Beleriandu. Miast tego skierował ów złem przesiąknięty lud do Hithlumu i tam nakazał mu zamieszkać. Chociaż Easterlingowie nie kochali już Morgotha, to jednak służyli mu wciąż ze strachu, nienawiścią darząc przy tym cały ród elfów. Mając w pogardzie pozostałych z rodu Hadora (głównie starców, kobiety i dzieci), dokuczali im bez skrupułów, siłą biorąc ich kobiety za żony, przywłaszczając sobie ziemie i dobra, czyniąc z dzieci niewolników. Potem pojawili się też i orkowie, wedle upodobania wędrujący po całym kraju i zmuszający pozostałych jeszcze elfów do wycofania się ku górskim warowniom. Często brali ich w niewolę, aby pracowali w kopalniach Angbandu.

W takich to okolicznościach Annael poprowadził swych nielicznych poddanych do jaskiń Androth, gdzie czekał ich żywot ciężki, bez chwili wytchnienia w czujności. Tam też Tuor osiągnął wiek szesnastu lat. Potrafił władać orężem, toporem i łukiem Szarych Elfów, a w sercu wzbierał mu żal wywołany opowieściami o niedolach jego ludu. Nade wszystko pragnął wziąć pomstę na orkach i Easterlingach. Tego jednak uczynić Annael mu nie dozwolił.

– Twe przeznaczenie, jak sądzę, leży o wiele dalej, Tuorze, synu Huora – powiedział. – Ta kraina nie zostanie uwolniona od cienia Morgotha, dopóki nie runie Thangorodrim. Toteż pozostaje nam jeno ujść ku Południu, a ty podążysz z nami.

– Ale jak zdołamy przemknąć się między nieprzyjaciółmi? – spytał Tuor. – Przemarsz takiej rzeszy z pewnością zostanie zauważony.

– Wyruszymy po kryjomu – wyjaśnił Annael. – A jeśli szczęście będzie nam sprzyjało, trafimy na sekretną drogę, którą my zwiemy Annon-in-Gelydh, czyli Bramą Noldorów, gdyż zbudowali ją nasi mistrzowie dawno temu, jeszcze za dni Turgona.

Imię to poruszyło młodzieńca, chociaż nie wiedział, czemu. Zaczął zatem wypytywać o Turgona.

– Jest synem Fingolfina – odparł Annael. – Od upadku Fingona uważa się go za króla Noldorów, żywy bowiem umknął z klęski Nirnaeth, kiedy to Húrin z Dor-lóminu oraz Huor, twój ojciec, utrzymali brody na Sirionie. Najbardziej zawzięty to z wrogów Morgotha.

– Pójdę zatem i poszukam Turgona – rzekł Tuor. – Pomoże mi przecież przez wzgląd na pamięć mego ojca?

– Tego uczynić nie możesz – powiedział Annael. – Jego warownia skryta jest przed oczami elfów i ludzi. Nie wiemy, gdzie się wznosi. Może niektórzy Noldorowie znają do niej drogę, ale nikomu jej nie wyjawią. Gdybyś jednak chciał z nimi porozmawiać, ruszaj ze mną. W ustroniach na Południu spotyka się czasem wędrowców z Ukrytego Królestwa.

Nadszedł czas, że elfy porzuciły jaskinie Androth, a wraz z nimi powędrował Tuor. Wrogowie jednak czuwali, więc przemarsz niedługo pozostawał tajemnicą. Nim wędrowcy zdołali oddalić się od wzgórz i wydostać na równinę, napadł na nich liczny oddział orków i Easterlingów. Rozproszył on gromadę, ścigając niedobitków aż do nocy. Serce Tuora rozgorzało gorączką bitwy, chłopak nie uciekł zatem, tylko tak jak niegdyś ojciec, z toporem w dłoni stanął do walki. Wielu nieprzyjaciół padło z jego ręki, w końcu został jednak obezwładniony. Pojmany, znalazł się rychło przed obliczem Easterlinga imieniem Lorgan, który był wodzem Easterlingów i uzurpował sobie, jako lennik Morgotha, władzę nad całym Dor-lóminem. Tuor, zostawszy jego niewolnikiem, wiódł życie ciężkie i pełne goryczy. Wiedząc, że oto ma w swej mocy potomka niegdysiejszych władców, Lorgan tym okrutniej traktował jeńca, mając nadzieję, ku swej uciesze, złamać wreszcie dumę domu Hadora. Tuor jednak, który zaczerpnął już ze źródła mądrości, znosił wszelkie cierpienia oraz zniewagi niewzruszenie i z cierpliwością, z czasem zatem jego los nieco się poprawił, a w każdym razie udało się młodzieńcowi nie umrzeć z głodu, co spotkało niejednego z nieszczęsnych niewolników Lorgana. Tuor był mocny i zręczny, a Lorgan zwykł dobrze karmić swoje konie robocze, przynajmniej, jak długo pozostawały młode i mogły pracować.

Po trzech latach niewoli Tuor dojrzał wreszcie szansę ucieczki. Prawie w pełni już wyrósłszy, był postawniejszy i szybszy niż którykolwiek z Easterlingów. Wysłany wraz z innymi niewolnikami do pracy w lesie, zwrócił się nagle przeciwko strażnikom, zabił ich toporem i zbiegł na wzgórza. Easterlingowie ruszyli za nim z psami, ale bez powodzenia, jako że Tuor przyjaźnił się niemal z wszystkimi ogarami Lorgana; gotowe łasić się doń przy każdym spotkaniu, bez wahania usłuchały polecenia, gdy kazał im wracać do domu. W końcu młodzieniec dotarł do jaskiń Androth i zamieszkał tam samotnie. Przez cztery lata uchodził za wyjętego spod prawa na ziemiach swego ojca, a imię jego budziło strach, często bowiem, milczący i samotny, wyruszał na wędrówki, zabijając przy tym wszystkich napotkanych Easterlingów. Wyznaczono nawet wysoką cenę za jego głowę, ale nikt nie ośmielił się tropić go w kryjówce, która niegdyś była siedliskiem wciąż budzących w Easterlingach grozę elfów. Powiada się jednak, że to nie pragnienie zemsty skłaniało Tuora do podejmowania owych wycieczek, szukał raczej wspomnianej niegdyś przez Annaela Bramy Noldorów. Nie wiedząc jednak, gdzie patrzeć, nie znalazł jej; również nieliczne elfy, nadal przemieszkujące w górach, nic o owym przejściu nie słyszały.

Mimo iż szczęście wciąż sprzyjało Tuorowi, wiedział on, że jego dni wygnańca są policzone, czas kurczy się, a nadzieja blednie. Nie pragnął zresztą spędzić reszty życia jako błądzący po kamienistych pustkowiach dzikus. Serce rwało się ku wielkim czynom. Wtedy to, jak powiadają, objawiła się moc panującego nad wodami Ulma, któremu każdy strumień spływający ze Śródziemia do Wielkiego Morza był posłańcem przenoszącym nowiny w obie strony; ponadto Władcę Morza łączyła wieloletnia przyjaźń z Círdanem Budowniczym Okrętów u ujścia Sirionu[1]. W owym czasie Ulmo zwracał pilną uwagę na losy rodu Hadora, któremu w najskrytszych planach powierzał znaczącą rolę we wspomożeniu wygnańców. Wiedział też dobrze o poniewierce Tuora, Annaelowi bowiem i wielu jego pobratymcom udało się uciec z Dor-lóminu i ostatecznie dotrzeć do Círdana na dalekim Południu.

I stało się tak, że pewnego dnia na początku roku (dwudziestego trzeciego od klęski Nirnaeth) Tuor usiadł przy źródle bijącym nie opodal wylotu jaskini, w której zamieszkał, i spojrzał ku zachodowi, gdzie słońce zapadało za mglisty horyzont. Poczuł nagle, że czas oczekiwania dobiegł końca i poruszony nakazem serca zdecydował się powstać i ruszyć w drogę.

— Opuszczę szare ziemie mych pobratymców, których już tu nie stało! – krzyknął. – Pójdę na spotkanie przeznaczeniu! Ale gdzie się skierować? Tak długo już bez powodzenia szukałem Bramy.

Ujął wówczas harfę, z którą nigdy się nie rozstawał, biegle dobywając dźwięki z jej strun, i nie zważając na niebezpieczeństwo, zaśpiewał pieśń elfów z Północy głosem czystym, daleko niosącym się po pustkowiach. Gdy tak śpiewał, zdrój u jego stóp zakipiał nagle, aż woda zaczęła występować z brzegów, spływając z donośnym pluskiem po kamienistym zboczu wzgórza. Tuor uznał, że oto otrzymał znak, podążył zatem za biegiem strugi, która poprowadziła go spomiędzy wyniosłych wzgórz Mithrimu ku północy, na równinę Dor-lóminu. Idąc brzegiem strumienia toczącego coraz więcej wody, skręcił na zachód, aż trzeciego dnia zarysowały się przed nim szare granie Ered Lómin. Pasmo rozciągało się z północy na południe, przegradzając drogę do Zachodnich Wybrzeży. Do tego miejsca we wszystkich swoich podróżach Tuor nigdy przedtem nie dotarł.

Teren stawał się coraz bardziej nierówny i skalisty. Grunt przed Tuorem zaczął się wznosić, a strumień zagłębił się w skalnej szczelinie. Wraz z nadejściem zmierzchu, trzeciego dnia wędrówki, Tuor stanął przed urwiskiem. Strumień niknął w otworze przypominającym wielki łuk bramy. Zrozpaczony Tuor powiedział:

— Zatem nadzieja okazała się złudna! Ujrzany na wzgórzach znak przywiódł mnie jedynie do ponurego końca pośrodku krain nieprzyjaciela. – Ze smutkiem w sercu przysiadł pomiędzy skałami na stromym brzegu strumienia. Trwał tak, przepełniony goryczą, przez całą noc, dotkliwie odczuwając brak ognia, był to bowiem dopiero miesiąc Súlimë i nawet najmniejszy powiew wiosny nie dotarł jeszcze na północ, za to ze wschodu dął mroźny wiatr.

Gdy jednak pierwsze promienie wschodzącego słońca rozjaśniły mgły Mithrimu, Tuor usłyszał głosy, a spojrzawszy w dół, dostrzegł dwa elfy brodzące w płytkiej wodzie i zmierzające ku wykutym w brzegu stopniom. Gdy wspinali się na górę, Tuor wstał i zawołał ich. Elfy dobyły natychmiast mieczy i skoczyły ku intruzowi. Ujrzał wówczas, że pod szarymi płaszczami mieli kolczugi i zdumiał się, przybysze bowiem byli piękniejsi od wszystkich innych, poznanych dotąd przez Tuora elfów. Osobliwie też przyciągali spojrzenie, a to za sprawą dziwnego blasku jarzącego się w ich oczach. Stanął tedy prosto, oczekując ich, a gdy zauważyli, że zamiast sięgać po broń, śle im serdeczne pozdrowienia w języku elfów, schowali miecze, podejmując uprzejmie rozmowę.

— Jesteśmy Gelmir i Arminas, z ludu Finarfina — powiedział jeden z nich. — Czy należysz do ludu Edainów, zamieszkującego te krainy po Nirnaeth? Sądząc po złotych włosach, pochodzisz najpewniej z rodu Hadora i Húrina.

— Tak, jestem Tuor, syn Huora, syna Galdora, który był synem Hadora, ale obecnie pragnę opuścić ten kraj, w którym sam zostałem jako banita.

— A zatem — odparł Gelmir — jeśli chcesz uciec i znaleźć schronienie na Południu, twoje stopy zawiodły cię już na właściwą drogę.

— Tak właśnie sądziłem, wędrowałem bowiem w ślad za strugą, która wytrysnęła nagle na wzgórzach. Nie wiem teraz, gdzie się zwrócić, woda bowiem ginie w ciemności.

— Poprzez ciemność dochodzi się czasem do światła — powiedział Gelmir.

— Lepiej jednak, jeśli tylko można, wędrować w pełnym blasku słońca — odparł Tuor. — Ale skoro jesteście z rodu elfów, to proszę, powiedzcie mi, gdzie znajduje się Brama Noldorów. Szukam jej bowiem, odkąd Annael, mój przybrany ojciec z plemienia Elfów Szarych, wspomniał o istnieniu tej drogi.

Elfy roześmiały się, aż w końcu rzekły:

— Poszukiwania twe dobiegły kresu, my sami bowiem dopiero co przeszliśmy przez Bramę. Masz ją przed sobą! — Wskazali na skalny łuk, pod którym niknęła woda. — Ruszaj! Poprzez mrok dotrzesz do światła. Skierujemy cię na właściwy szlak, ale nie poprowadzimy zbyt daleko, wysłano nas bowiem do krainy, którą kiedyś w nagłej potrzebie opuściliśmy pospiesznie.

— Nie bój się jednak — dodał Gelmir. — Widzę po twym czole, że masz do wykonania wielkie zadania, które zawiodą cię daleko od tych krain, a najpewniej nawet poza Śródziemie.

Zszedł więc Tuor w ślad za nimi do strumienia i brodząc w wodzie, podążył pod kamiennym łukiem. Wówczas Gelmir wydobył jedną ze sławnych lamp Noldorów, które niegdyś zrobiono w Valinorze. Ani wiatr, ani woda nie mogły ich zgasić, a jeśli zdjęło się osłonę, wówczas lśniły światłem mocnym i błękitnym, dobywającym się z uwięzionego w białym krysztale płomienia[2]. Gdy Gelmir uniósł lampę ponad głowę, Tuor ujrzał, jak podziemna, spływająca po stromiźnie rzeka znika w wielkim tunelu. Obok zasłanego głazami koryta długie schody wiodły w dół, ku mrokom, których blask lampy nie rozpraszał.

Skoro doszli do krańca bystrzyny, przystanęli pod ogromnym skalnym nawisem. Opodal rzeka spadała z hukiem aż echo niosło przez próg wodospadu, by zniknąć w dali pod sklepieniem kolejnego tunelu. Tutaj Noldor zatrzymał się i pożegnał Tuora.

— Pora nam wracać i ruszać czym prędzej swoimi drogami — powiedział Gelmir. — Wielkiej wagi wydarzenia szykują się w Beleriandzie.

— Czyżby nadeszła godzina Turgona? — spytał Tuor.

Elfy spojrzały nań zdumione.

— To rzecz raczej Noldorów niż synów człowieczych — powiedział Arminas. — Co ci wiadomo o Turgonie?

— Niewiele — odparł Tuor. — Tyle tylko, że mój ojciec osłaniał jego ucieczkę z Nirnaeth i że teraz przemieszkuje w ukrytej warowni, z którą Noldorowie wiążą wszelkie swe nadzieje. Sam nie wiem, czemu imię jego porusza me serce i samo wykwita na ustach. Gdybym miał jakiś wybór, wolałbym wyruszyć i odszukać go, niż podążać tą mroczną drogą strachu. Chyba że to tajny szlak wiodący do jego kryjówki?

— Kto wie? — odparł elf. — Położenie warowni Turgona otoczone jest tajemnicą, więc i tajne są drogi do niej wiodące. Nie znam ich, chociaż długo takowych szukałem. Gdybym jednak je znał, i tak bym ich nie wyjawił. Ani tobie, ani nikomu spośród ludzi.

— Słyszałem wszakże — wtrącił się Gelmir — że twój dom cieszy się łaskami Pana Wód. Jeśli to on podsuwa ci myśl o wędrówce do Turgona, to najpewniej zostaniesz doprowadzony do celu. Ruszaj szlakiem wody, za którą przyszedłeś tu ze wzgórz, i niczego się nie lękaj! Nie powinieneś długo maszerować w ciemności. Żegnaj! I nie wydaje mi się, żeby to przypadek zrządził nasze spotkanie, Mieszkający w Głębi bowiem kieruje niezmiennie wieloma sprawami tego świata. *Anar kaluva tielyanna!*[3]

Z tymi słowami Noldor obrócił się i podążył z powrotem długimi schodami, Tuor jednak stał nieruchomo, aż całkowicie zniknęło migotanie lampy i pośród huku wodospadu mrok zapadł głębszy niż noc. Zebrawszy całą odwagę, Tuor przycisnął lewą dłoń do skalnej ściany i po omacku ruszył naprzód, z początku idąc wolno, potem coraz szybciej, kiedy wzrok przywykł do mroku. Nie napotkał żadnej przeszkody i wydawało mu się, że wędruje już dłuższą chwilę; zmęczony, ale niechętny, by przysiadać na odpoczynek w ciemnym tunelu, ujrzał przed sobą światełko. Przyspieszając kroku, dotarł do szczeliny, którą bystry strumień wypływał na złocisty blask wieczoru. Znalazł się w głębokim parowie o wysokich ścianach, biegnącym na zachód. Na wprost zachodziło słońce, niebo było czyste i pogodne, ściany wąwozu lśniły ogniście, a rzeka złociła się, tocząc pianę po kamienistym dnie.

Tuor ruszył rozpadliną z sercem lekkim i pełnym nadziei, bez trudu znajdując ścieżkę wzdłuż brzegu strumienia, u stóp południowej ściany. Z nadejściem nocy rzeka stała się niewidoczna, tylko gwiazdy odbijały się od ciemnych wód. Tuor ułożył się na spoczynek, nie lękał się bowiem, będąc w pobliżu wody niosącej moc Ulma.

Rankiem bezzwłocznie ruszył dalej. Słońce grzało go w plecy, potem świeciło w twarz, a tam, gdzie potok burzył się na głazach lub kotłował w wodospadach, wykwitały ponad strumieniem barwne tęcze, toteż nazwał Tuor ów rzeczny wąwóz Cirith Ninniach.

Tak podróżował niespiesznie przez trzy dni, jedynie popijając zimną wodę, choć rzeka pełna była złocistych i srebrzystych ryb migocących wszystkimi kolorami. Nie odczuwał jednak głodu. Czwartego dnia dotarł do miejsca, w którym wąwóz rozszerzał się, ściany obniżały się, a ich stromizna łagodniała. Nurt rzeki za to przybrał na sile, po obu stronach bowiem rozciągały się wysokie wzgórza, skąd spływały lśniącymi wodospadami do Cirith Ninniach kolejne strumienie. Tuor posiedział tu dłuższą chwilę, zasłuchany w niemilknące dźwięki i wpatrzony w bystre wiry. Trwał tak, aż noc zapadła i zimne gwiazdy zapaliły się na niebie. Wówczas dobył głosu i potrącił struny swej harfy, a pieśń popłynęła nad wodami, odbijając się echem od ścian, błądząc ponad wzgórza, aż cała mrokiem otulona okolica wypełniła się tą muzyką zrodzoną pod gwiazdami. Nic o tym nie wiedząc, Tuor dotarł do Gór Echa w Lammoth. To tutaj właśnie, w fiordzie Drengist, wylądował niegdyś po swej morskiej podróży Fëanor i nim księżyc wszedł, zgiełk jego armii ogarnął całe wybrzeże Północy[4].

Zachwytem przepełniony Tuor urwał pieśń i muzyka zamierała z wolna pośród wzgórz, aż nastała kompletna cisza, w której usłyszał ponad sobą dziwny krzyk, nie wiedział jednak, jakie stworzenie wydało ów odgłos.

– To sprawka czarów – orzekł najpierw. – Nie, raczej małe zwierzę skowyczy na pustkowiach – stwierdził po chwili. A gdy znów usłyszał krzyk, uznał: – To z pewnością mowa nieznanego mi nocnego ptaka.

Wydało mu się, że ten pełen żałości głos przyzywał go, był przeznaczeniem. Chciał podążyć za wołaniem, chociaż nie wiedział, jaki byłby kres wędrówki.

Rankiem usłyszał tenże głos tuż nad sobą, a podniósłszy głowę, ujrzał trzy wielkie, białe ptaki lecące nad wąwozem. Ich mocne, walczące z zachodnim wiatrem skrzydła lśniły w blasku wschodzącego słońca. Ptaki krzyczały donośnie, przelatując nad Tuorem. Tak oto po raz pierwszy ujrzał ukochane przez Telerich wielkie mewy. Powstał zatem i ruszył za nimi, ażeby lepiej śledzić ich lot, wspiął się na lewe zbocze wąwozu. Stanąwszy na szczycie, poczuł na twarzy silny, rozwiewający mu włosy podmuch z zachodu. Wciągnął głęboko to nowe dlań powietrze.

— Raduje me serce niczym łyk chłodnego wina! – powiedział, wiedząc już, że wiatr ów wieje wprost znad Wielkiego Morza.

Tuor ponownie ruszył w drogę, wypatrując szybujących wysoko ponad rzeką mew, aż dotarł do miejsca, gdzie brzegi wąwozu znów zbliżyły się do siebie, tworząc wąski kanał, w którym rozlegał się głośny szum. Spojrzał Tuor w dół i zdumiał się, widząc wody wzbierające w korycie strumienia i walczące z prądem, aż nagle rosnące falą wysoką niczym ściana. Pieniste, targane wiatrem wierzchołki sięgały niemal do szczytów klifu. Nareszcie rzeka ustąpiła i masy wody zalały kanał, z gromowym hukiem miotając zaścielającymi dno głazami. W ten oto sposób zew morskich ptaków uratował Tuora od śmierci w falach przypływu, który za sprawą pory roku i wiejącego od morza wiatru był tym razem szczególnie wysoki.

Zjawisko przeraziło Tuora na tyle, że cofnął się od brzegu i skręcił na południe. Szedł omijając długie wybrzeża zatoki Drengist. Kilka dni wędrował przez pagórkowatą, bezdrzewną okolicę omiataną nieustannie nawałnicami od morza. Cokolwiek tu rosło, krzew czy zielsko, smagane zachodnim wiatrem skłaniało się ku wschodowi. Tak przekroczył Tuor granicę Nevrastu, gdzie przemieszkiwał niegdyś Turgon. Wreszcie, całkiem tego nieświadom (wysokie klifowe brzegi przesłaniały widok) dotarł nagle do krańca Śródziemia i ujrzał Wielkie Morze, bezbrzeżny Belegaer. W tej godzinie słońce dotykało płomiennym kręgiem krawędzi świata, gdy Tuor stanął na szczycie klifu i rozpostarł szeroko ramiona, a serce jego wypełniła ogromna tęsknota. Powiada się, że był on pierwszym człowiekiem, który zawędrował do Wielkiego Morza i że nikt, wyjąwszy Eldarów, głębiej nie odczuł nigdy tęsknoty sączonej przez owe fale.

Tuor spędził wiele dni w Nevraście. Kraina ta wydała mu się przyjazna, jako że otoczona od północy i od wschodu górami, cieplejsza była przez to i nie tak surowa jak równiny Hithlumu. Z dawna przywykł do życia myśliwego, w pojedynkę radzącego sobie w głuszy, a tutaj zwierzyny nie brakowało, gdyż wiosna rozkwitła w pełni i powietrze wypełniały odgłosy ptactwa, zarówno gniazdującego nad brzegami morza, jak i przybywającego z mokradeł Linaewenu z głębi lądu. W owych dniach nie mąciła mu samotności obecność ani elfów, ani ludzi.

Dotarł Tuor nad brzeg wielkiego jeziora, jednak do otwartych wód broniły przystępu pasma bagien i nieprzebyte gąszcze trzcin. Zawrócił więc ku wybrzeżu, morze bowiem przyciągało go i nie chciał przebywać nazbyt długo w miejscu, skąd nie byłoby słychać szumu fal. Właśnie tam, gdzie wysokie i wyrzeźbione morzem brzegi na południe od Drengistu obfitowały w szczeliny i ukryte zatoczki z plażami białego piasku pomiędzy lśniącymi, czarnymi głazami, Tuor po raz pierwszy trafił na ślady dawnych Noldorów. Odnajdywał je, schodząc kręconymi schodami wykutymi w żywej skale. Nad wodą znajdował zrujnowane przystanie ułożone z wielkich bloków wydartych niegdyś ze ścian klifu. Tutaj w dawnych latach cumowały statki elfów. Obserwując wiecznozmienne morze, Tuor pozostał w tych stronach, aż minęła wiosna, końca dobiegło lato i mroki zagęściły się nad Beleriandem, zwiastując bliskość jesieni i zguby Nargothrondu.

Być może ptaki przeczuwały srogą zimę[5], te bowiem, których zwyczajem było wędrować na południe, wcześniej zebrały się do odlotu, a inne, żyjące na północy, przyleciały do Nevrastu. Pewnego dnia, gdy Tuor siedział na brzegu, usłyszał nagle szum i łopot wielkich skrzydeł. Podniósł głowę i ujrzał klucz siedmiu białych łabędzi podążających na południe. Jednak przelatując nad nim, ptaki skręciły nagle i runęły w dół, z wielkim pluskiem siadając na wodzie.

Tuor kochał łabędzie, które widywał jeszcze na szarych stawach Mithrimu, łabędź był też godłem Annaela i jego przybranego ludu. Powstał zatem, by powitać ptaki, i zawołał, urzeczony ich nigdy jeszcze dotąd niewidzianą wielkością i dumną postawą. Te jednak załopotały skrzydłami i krzyknęły chrapliwie, jakby uznały go za wroga i pragnęły odpędzić od brzegu. Potem znów z głośnym szumem wzniosły się w powietrze i przeleciały nad Tuorem, aż poczuł na twarzy silny niczym wicher podmuch ich ogromnych skrzydeł. Zatoczyły jeszcze szeroki krąg, i wleciały wyżej, kierując się na południe.

Wówczas Tuor krzyknął głośno:

– Oto następny znak, tak długo wyczekiwany!

Z miejsca wspiął się na szczyt klifu i poszukał na niebie sylwetek ptaków. Potem ruszył na południe śladem łabędzi, które szybko zniknęły mu z oczu.

Całe siedem dni wędrował Tuor wzdłuż wybrzeża na południe, a łopot łabędzich skrzydeł budził go co rano i codziennie ptaki prowadziły go dalej, sobie tylko znanym szlakiem. Z czasem brzegi obniżyły się, skały ustąpiły miejsca pełnym kwiecia łąkom, na wschodzie zaś pojawiły się żółknące z wolna, jesienne lasy. Coraz bliżej też było pasmo wysokich wzgórz odcinających drogę i ciągnących się ku wieńczącej łańcuch od zachodu potężnej górze, której skryty w chmurach, mroczny wierzchołek wznosił się ponad rozległym, zielonym przylądkiem sięgającym daleko w morze.

Owe szare wzgórza były w istocie zachodnią odnogą Ered Wethrin ogradzającego Beleriand od północy, góra zaś zwała się Taras i stanowiła najbardziej na zachód wysunięte wzniesienie tej krainy, z dala widoczne dla każdego żeglarza, który zbliżał się do krain śmiertelnych. Na jej to stokach zamieszkał niegdyś Turgon w komnatach Vinyamaru, najstarszej kamiennej budowli wzniesionej przez

Noldorów na ziemi ich wygnania. Zamek stał nadal, choć opuszczony, na wysokich tarasach spoglądających w morze. Mijające lata obeszły się z nim miłosiernie, nawet słudzy Morgotha omijali budowlę, jedynie wiatr, deszcz i mróz znaczyły kamienie, bujna zieleń zaś pokrywała nie tylko dachy, ale wciskała się nawet w szczeliny pomiędzy kamieniami.

Tuor dotarł do pozostałości zapomnianej drogi i mijając wzgórza i skały, doszedł u schyłku dnia do starego zamku. W przestronnych salach hulał wiatr, ale nie zalegał tu żaden mrok, żadne zło nie czyhało w zakamarkach; mimo to Tuora ogarnął strach, gdy pomyślał o tych, którzy mieszkali tu niegdyś, a potem odeszli, nie wiadomo dokąd. Podziwiał przybyłe zza Morza dumne plemię nieśmiertelnych, lecz skazanych na zgubę. Tak jak oni często, tak i on spojrzał na błyszczące, niespokojne wody toczące fale aż po horyzont. Potem obrócił się i dostrzegł łabędzie, które przysiadły na najwyższym tarasie przed zachodnią bramą. Biły skrzydłami, jakby nakłaniały go do wejścia. Wspiął się zatem Tuor po szerokich schodach, na wpół skrytych pod dywanem zawciągu i firletek, przeszedł pod potężnym nadprożem i dał się ogarnąć cieniom domu Turgona. W końcu dotarł do sali o sklepieniu wspartym na wysokich kolumnach. Wprawdzie już z zewnątrz budowla wydawała się ogromna, jednak dopiero teraz docenić mógł w pełni jej wspaniałość i przestronność. Zalękniony, nie ważył się budzić drzemiących w pustych przestrzeniach ech. Jedynym, co dostrzegł we wnętrzu, było wysokie siedzisko stojące na podwyższeniu u wschodniej ściany. Jak tylko mógł ostrożnie, ruszył w tym kierunku, ale i tak kamienne płyty podłogi odpowiedziały jego stopom miarowym stukotem, jakby przeznaczenie dawało znać o sobie, a echo poniosło odgłos daleko naprzód, gubiąc się między odgrodzonymi przez kolumny nawami.

Stanął przed pogrążonym w półmroku tronem i ujrzał, że wyciosano go z jednego bloku kamienia i pokryto dziwnymi znakami. Zachodzące słońce spojrzało w tejże chwili prostopadle w wysokie okno u zachodniego szczytu, rozjaśniając ścianę przed Tuorem. Błysnął polerowany metal, wisiała tam bowiem tarcza i obszerna kolczuga, obok hełmu i długiego miecza w pochwie. Kolczuga lśniła, jakby zrobiono ją z czystego srebra, a promienie słońca zalały ją barwą złocistej patoki. Kształt tarczy zdumiał jednak Tuora, była bowiem podłużna i zwężała się ku dołowi. Na błękitnym polu widniało białe skrzydło łabędzie. Wówczas Tuor przemówił, a głos jego niczym wyzwanie zadźwięczał pod sklepieniem:

— Ogłaszam, iż biorę sobie ten oręż i przyjmuję wszelki los, który za jego sprawą mnie dosięgnie[6].

Zdjęta ze ściany tarcza okazała się niespodziewanie lekka i poręczna. Wydawała się zrobiona z drewna, jednak kowale elfów obłożyli ją płatami cienkiej jak folia, ale mocnej blachy chroniącej dzieło przed robactwem i zgubnym wpływem pogody.

Potem przywdział Tuor kolczugę i nałożył hełm, wreszcie przypasał miecz tkwiący w czarnej pochwie. Czarny był też pas ze srebrnymi klamrami. Tak uzbrojony, wyszedł z pałacu Turgona i spowity czerwonym blaskiem słońca stanął na najwyższym tarasie na stoku góry. Nie było świadka tej chwili, gdy cały skąpany w srebrze i złocie spojrzał na zachód. Tuor sam nie wiedział, jak bardzo przypominał wówczas potężnych władców Zachodu, kogoś godnego zostać królem nad królami ludzkiego plemienia zza Morza. Bo i takie właśnie było jego zadanie, a wraz z przejęciem oręża zmiana zaszła w Tuorze, synu Huora, i duch jego urósł. Gdy zstępował ze schodów, łabędzie oddały mu cześć, a wyrwawszy ze skrzydeł po jednym piórze, ofiarowały je Tuorowi, składając głowy na kamieniach u jego stóp. Zatknął tedy siedem piór na hełmie, a wówczas olbrzymie ptaki wzniosły się i uleciały ku północy, by zniknąć w blasku zachodzącego słońca i nigdy już więcej nie pokazać się oczom Tuora.

Poczuł Tuor teraz, że coś ciągnie go na brzeg morza, zszedł zatem długimi schodami na szeroką plażę u stóp północnego zbocza Taras-ness, słońce tymczasem zniknęło za wielką, czarną chmurą, która wychynęła sponad fal ciemniejącego morza. Oziębiło się, powietrze zadrgało, a odległe pomruki przywoływały na myśl odgłosy zwiastujące nadejście burzy. Gdy Tuor stanął na brzegu, słońce widniało już jako skryta za dymem kula ognia, a wielka fala wydawała się wzbierać i toczyć ku brzegowi. Zdumiony i zaciekawiony Tuor nie wykonał jednak najmniejszego ruchu. Powleczona cieniem mgły fala była już bardzo blisko, gdy załamała się, wyciągając ku niemu długie ramiona piany. W miejscu jednak, gdzie grzywacz opadł, mroczniała pośród nadciągającej burzy naznaczona wielkim majestatem, wyniosła sylwetka.

Tuor skłonił się z szacunkiem, zdało mu się bowiem, że patrzy na potężnego króla. Wysoka korona jak ze srebra, długie włosy jaśniejące w półmroku niczym piana. A gdy ów król odrzucił spowijający go mgliście szary płaszcz, ukazała się lśniąca szata przylegająca do ciała tak jak łuska ogromnej ryby, a ciemnozielony kaftan pobłyskiwał niczym morskie fale, gdy postać brodziła z wolna ku brzegowi. Tak Mieszkaniec Głębin, którego Noldorowie zwykli nazywać Ulmo, pokazał się Tuorowi, synowi Huora z rodu Hadora[7].

Władca Wód nie wyszedł jednak na brzeg, lecz tylko stojąc po kolana w wodzie, przemówił do Tuora, a za sprawą bijącego z jego oczu blasku i głębi głosu, który dobywał się, jak sądzić by można, z samych fundamentów świata, strach padł na Tuora, aż ten rzucił się na piasek.

– Powstań, Tuorze, synu Huora! – rzekł Ulmo. – Nie lękaj się mego gniewu, chociaż zaprawdę długo pozostawałeś głuchy na moje wołania i ociągałeś się z podróżą, która tutaj miała cię zawieść. Wiosną winieneś stanąć w tym miejscu, a tymczasem zima już nadchodzi z kraju Nieprzyjaciela. Przyjdzie ci teraz szybko się uczyć, miła zaś i bezpieczna droga, którą dla ciebie wytyczyłem, będzie musiała ulec zmianie. Pogardzono bowiem moimi radami[8] i wielkie zło zbiera się nad Doliną Sirionu, i już teraz czereda wrogów zaległa pomiędzy tobą a celem.

— Jakiż jest mój cel, panie? — spytał Tuor.

— Ten, który serce ci zawsze dyktowało — odparł Ulmo. — Odnaleźć Turgona i spojrzeć na Ukryte Miasto. Tobie bowiem właśnie pisana jest rola mego wysłannika. Wszystko dla cię z dawna przygotowałem. Teraz jednak skryty w cieniu musisz ujść niebezpieczeństwu. Owiń się w ten płaszcz i nie odrzucaj go, aż znajdziesz się u kresu podróży.

Zdało się wtedy Tuorowi, że Ulmo rozszczepił swą szarą szatę. Jedną z fałd pod postacią obszernego płaszcza cisnął młodzieńcowi, a ta spowiła go całego, od stóp do głów.

— W ten sposób wędrować będziesz skryty w moim cieniu — powiedział Ulmo. — Ale nie zwlekaj już, bo nie wytrwa owa opończa zbyt długo w blasku Anaru albo ogni Melkora. Czy przyjmujesz zadanie?

— Tak, panie — odparł Tuor.

— Włożę tedy w twe usta słowa, a ty przekażesz je Turgonowi — rzekł Ulmo. — Najpierw jednak udzielę ci nauki. Usłyszysz rzeczy, których nie słyszał nigdy żaden człowiek, nawet znamienici spośród Eldarów. — Ulmo opowiedział Tuorowi o Valinorze i o zalegającym tam mroku, o wygnaniu Noldorów i Zgubie Mandosa, jak i o zakryciu Błogosławionego Królestwa przed oczami niepowołanych. — Wiedz jednak, że Los (jak nazywać go zwykły Dzieci Ziemi) zawsze zostawia szczeliny pomiędzy swymi wyrokami, a mury gmachu przeznaczenia mają liczne wyłomy i trwa to tak, aż rzecz się dopełni w chwili przez was zwanej Końcem. Tak będzie, póki ja istnieję, głosem sekretnym podważając fatum, iskrą światła rozpraszając ostateczne mroki. Chociaż w tych dniach ciemności zdają się przeciwstawiać woli moich braci, Władców Zachodu, to na tym właśnie polega przeznaczona mi u zarania Świata rola w naszym dziele. Wprawdzie siła potężna stoi za Przeznaczeniem i wydłuża się cień Nieprzyjaciela, a i ja słabnę, aż ostatecznie głos mój w Śródziemiu nie będzie donioślejszy od cichego szeptu. Źródła wód, które biegną ku zachodowi, są zatrute, władza Mieszkańca Głębin zanikła w tych krajach, za sprawą bowiem potęgi Melkora elfy i ludzie oślepli i ogłuchli na moją obecność. Zbliża się spełnienie Klątwy Mandosa i wszystkie dzieła Noldorów sczezną, rozwieje się wszelka nadzieja, którą oni zasiali. Została już jedna tylko szansa, przez nich nieprzewidziana ani niestworzona. Wiąże się ona z tobą, albowiem tak wybrałem.

— A zatem Turgon nie stanie przeciwko Morgothowi, jak łudzą się Eldarowie? — spytał Tuor. — Cóż więc przyjdzie ci z tego, panie, jeśli dołączę teraz do Turgona? Owszem, pragnę zrobić to, co uczynił mój ojciec, i stanąć przy królu, gdy ten w potrzebie. Jednak jakiż ze mnie pożytek, skoro będę jeno samotnym śmiertelnikiem pomiędzy licznymi i dzielnymi rycerzami Wysokiego Rodu.

– Jeśli postanowiłem wysłać cię tam, Tuorze, synu Huora, to wierzaj, że nawet jeden twój miecz wiele wart jest w tej sytuacji. Elfy bowiem nigdy nie zapomną o męstwie Edainów i doceniały będą przez wieki całkowitą gotowość ludzi do oddania życia, chociaż tak skąpo zostali nim obdarowani na tym świecie. Jednak nie dla odwagi samej cię wysyłam, ale i po to, byś niósł światu nadzieję, której zwiastunów jeszcze nie widać, małe światełko pośród mroków.

I gdy mówił tak Ulmo, pomruk morza przeszedł w łoskot, zerwał się wiatr, a niebo poczerniało i szata Pana Wód spłynęła zeń niczym kłęby mgły.

– Ruszaj już – rzekł Ulmo – bo inaczej Morze cię pochłonie! Ossë posłuszny jest woli Mandosa, a czyni to w gniewie, gdyż jest sługą Przeznaczenia.

– Jak każesz – odparł Tuor. – Ale jeśli umknę Przeznaczeniu, jakie słowa winienem przekazać Turgonowi?

– Jeśli doń dotrzesz, wówczas właściwe słowa same wykwitną na twych wargach, jakbym to ja sam przemawiał. Mów wtenczas i nie obawiaj się! Potem zaś czyń według tego, co mężne serce ci podpowie. I pilnuj otrzymanej ode mnie szaty, bo będzie ona cię strzegła. Przyślę ci też, chroniąc od gniewu Ossëgo, przewodnika – ostatniego zaprawdę żeglarza z ostatniego statku. Przed wejściem Gwiazdy popłynie na zachód. A teraz ruszaj w głąb lądu!

Rozległ się huk gromu i błyskawica zamigotała nad morzem, a Tuor ujrzał Ulma, który niby srebrzysta i skąpana w płomieniach wieża stał pomiędzy falami.

– Ruszam, panie! – zawołał, przekrzykując wiatr. – Ale najpewniej serce me tęskniło będzie za morzem.

Wówczas Ulmo uniósł potężny róg i zadął weń, dobywając z instrumentu ton, przy którym ryk burzy był niczym zefirek ledwie muskający spokojną toń jeziora. Gdy ów dźwięk ogarnął Tuora, zdało się młodzieńcowi, że wybrzeże Śródziemia zniknęło i oto oczom jego ukazały się w wielkiej perspektywie wszystkie wody świata: rzeki od źródeł do ujść, przestwór cały od plaż i delt po głębiny. Ujrzał rojące się osobliwymi formami życia, niespokojne i mroczne otchłanie Wielkiego Morza, gdzie w wiecznej ciemności rozbrzmiewały echami głosy napełniające grozą uszy śmiertelnika. Bystrym spojrzeniem Valara ogarnął wszystkie te bezkresne przestrzenie skryte powierzchnią wód bezwietrznie trwających pod okiem Anara lub migocących drobnymi falami w blasku rogatego księżyca, a czasem rozbijających się gniewnymi górami fal o brzeg Wysp Cienia[9], aż u samego krańca perspektywy, w niedającej się zmierzyć odległości, dojrzał górę, której ogrom przekraczał ludzkie wyobrażenie. Stopami kąpiąc się w przyboju, wierzchołkiem ginęła w lśniącej chmurze. Wytężył słuch, by wyłowić szum dalekich fal, skupił spojrzenie, chcąc dojrzeć lepiej tamten blask, ale wówczas to dźwięk rogu zamilkł i Tuor znalazł się w samym środku burzy. Widlasta błyskawica przecięła niebo. Ulmo zniknął, morze nacierało, dzikie fale uderzały za sprawą Ossëgo w mury Nevrastu.

Tuor umknął wściekłości wód, z wielkim trudem wspinając się z powrotem na wysoki taras. Wiatr przyciskał go do stromego zbocza, a na samej górze powalił na kolana. Tuor ponownie poszukał schronienia w mrocznym i pustym wnętrzu zamku. Całą noc przeczekał na kamiennym tronie Turgona. Burza była tak gwałtowna, że nawet kolumny drżały pod jej naporem, a Tuorowi zdawało się, że wicher niesie dzikie okrzyki i zawodzenia. Zmęczony, przysypiał chwilami, ale dręczyły go wówczas niespokojne sny, z których wszystkie, prócz jednego, umknęły pamięci przy przebudzeniu. Ten jeden dotyczył wyspy, pośrodku której wznosiła się stroma góra. Słońce zachodziło za jej zboczami i cienie rosły coraz dłuższe, ale na nieboskłonie lśniła oślepiająco samotna gwiazda.

Wyśniwszy to, Tuor zasnął wreszcie głęboko, a jeszcze przed końcem nocy burza minęła, wycofując się czarnymi chmurami na wschód. Obudził się Tuor o szarym świcie, zszedł z tronu i ujrzał, że cała mroczna sala pełna była ptactwa morskiego, które znalazło tu schronienie przed sztormem. Wyszedł z zamku, gdy ostatnie gwiazdy bledły na zachodzie przed nadchodzącym dniem. Poznał po śladach, że w nocy wielkie fale wtargnęły daleko w głąb lądu, sięgając aż szczytu wysokiego klifu, wodorosty zaś i wszelkie prądem niesione nieczystości zalegały nawet na tarasie przed zamkowymi drzwiami. Spojrzawszy zaś na najniższy taras, dostrzegł Tuor elfa, okrytego szarym, przemoczonym płaszczem, opierającego się o mur tuż obok zwałów kamieni i wraku statku. Usiadł w milczeniu, wpatrzony w spustoszone sztormem plaże i załamujące się na nich fale, i siedział tak nieruchomo. Nic prócz ryku przyboju nie mąciło ciszy.

Spoglądając na szarą postać, Tuor przypomniał sobie słowa Ulma i jego wargi same wymówiły właściwe imię.

– Witaj, Voronwë! – zawołał. – Oczekiwałem cię[10].

Wówczas elf obrócił się i spojrzał w górę, ukazując Tuorowi oczy przenikliwe i szare jak morze, oczy Noldora. Zaraz jednak pojawiły się w tym spojrzeniu i lęk, i zdumienie, wywołane widokiem Tuora stojącego wysoko na murze, w mglistym płaszczu spod którego prześwitywała kolczuga elfów.

Trwali tak przez chwilę w bezruchu, badając nawzajem swe oblicza, aż elf wstał i skłonił się nisko.

– Kim jesteś, panie? – spytał. – Długom borykał się z niespokojnym morzem. Powiedz mi, czy wielkie zaszły tu zmiany od czasu, gdy ostatni raz gościłem w tych krainach? Czy Cień został pokonany? Czy Ukryty Lud opuścił schronienie?

– Nie – odparł Tuor. – Cień urósł w siłę, a Ukryci pozostają w swym odosobnieniu.

Voronwë spoglądał nań dłuższą chwilę, nie wypowiadając ani słowa.

— A ty kim jesteś? – spytał ponownie. – Wiele lat temu mój lud opuścił te ziemie i od tamtej pory nikt nowy tu nie zamieszkał. Ty zaś, mimo odzienia, nie przynależysz do tego plemienia, ale raczej do człowieczego rodu.

— Owszem – odrzekł Tuor. – A czy tyś ostatni żeglarz z ostatniego statku, który wyruszając z Przystani Círdana poszukać miał drogi na Zachód?

— Tak. Jestem Voronwë, syn Aranwëgo. Ale skąd znasz moje imię i losy, tego nie pojmuję.

— Znam je, ponieważ wczoraj wieczorem przemówił do mnie Pan Wód – odparł Tuor. – Powiedział, że uratuje cię przez gniewem Ossëgo i przyśle tutaj, byś został mym przewodnikiem.

— Rozmawiałeś z Potężnym Ulmo? – zawołał Voronwë z lękiem i podziwem. – Niezwykłe zaiste muszą być twe przymioty i wielkie przeznaczenie! Ale gdzież mam poprowadzić ciebie, panie, króla ludzi, jak sądzę, na którego rozkazy bez wątpienia czekają poddani.

— Jestem jedynie zbiegłym niewolnikiem – wyjaśnił Tuor – banitą samotnie błąkającym się po obcym kraju. Niosę jednak wiadomość dla Turgona, Ukrytego Króla. Czy nie znasz drogi wiodącej do niego?

— W tych złych czasach los niewolników i banitów łacno spotyka wielu zrodzonych do innego życia – odparł Voronwë. – Myślę, że według prawa jesteś władcą ludzi. Ale najwyższa godność pośród twego plemienia to nie dość, by niepokoić Turgona i próżne będzie twe poszukiwanie. Bo nawet, gdybym do samych jego bram cię doprowadził, nie zostaniesz wpuszczony.

— Nie żądam, byś poprowadził mnie dalej niż do bramy – powiedział Tuor. – Tam Przeznaczenie zmierzy się z Wolą Ulma. Jeśli Turgon mnie nie przyjmie, wówczas moje zadanie dobiegnie końca i zgubne Przeznaczenie przeważy. Jeśli zaś mówić o mym prawie do poszukiwań Turgona, jestem Tuor, syn Huora i krewny Húrina, a te imiona Turgon pamięta. Poszukuję go takoż na polecenie Ulma. Czy Turgon może zapomnieć to, co niegdyś od niego usłyszał? „Ostatnia nadzieja dla Noldorów nadejdzie z Morza". Lub też: „Gdy nadejdzie czas niebezpieczeństwa, wówczas zjawi się ktoś z Nevrastu, by cię ostrzec"[11]. To ja jestem tym, komu dane jest nadejść, mam na sobie strój uszykowany dla mnie na tę właśnie okazję.

Tuor zdumiał się, słysząc własne słowa, bo wcześniej nie był świadom proroctwa Ulma o przybyszu z Nevrastu, nie znał go nikt poza Ukrytym Ludem. Wypowiedź tym bardziej zaskoczyła Voronwëgo; odwrócił się jednak, spojrzał ku Morzu i westchnął.

— Niestety! Nie pragnąłem tu wracać. Przysięgałem nierzadko pośród wodnych przestworów, że jeśli kiedyś jeszcze postawię stopę na suchym lądzie, to zamieszkam z dala od Cienia na Północy, w Przystani Círdana lub też na jasnych łąkach Nan-tathren, gdzie wiosna przychodzi słodsza niż porywy serca. Ale skoro zło wzrosło w siłę w czasie mej wędrówki i lud mój znalazł się w niebezpieczeństwie, to muszę wrócić do pobratymców. – Spojrzał na Tuora. – Zaprowadzę cię do ukrytej bramy, bo niemądrze jest sprzeciwiać się woli Ulma.

– Pójdziemy więc razem, skoro jego wola nas połączyła – powiedział Tuor. – Ale porzuć żałość, Voronwë! Serce podpowiada mi, że droga twego życia zaprowadzi cię jeszcze do upragnionego celu i twa nadzieja powróci do Morza[12].

– I twoja także – rzekł Voronwë. – Ale teraz pora nam już najwyższa wyruszyć.

– Zaiste. Ale którędy i jak daleko zamierzasz mnie poprowadzić? Czy nie powinniśmy najpierw zastanowić się nad wyborem drogi przez pustkowia, gdzie nie znajdziemy osłony przed surową zimą?

Voronwë jednak nie chciał zdradzić żadnych szczegółów tyczących szlaku.

– Znasz siłę człowieczą – stwierdził w końcu. – Ja zaś jestem Noldorem i wielkiego zaiste chłodu i głodu trzeba, by powalić jednego z tych, którzy przeszli niegdyś przez Cieśninę Lodowej Kry. Jak inaczej dawałbym sobie radę pośród słonych wód morza? Czy nie słyszałeś nigdy o sucharach elfów? Jak wszyscy marynarze, zachowuję je przy sobie do końca. – Odchylił płaszcz, pokazując zatknięty za pasem szczelny pakunek. – Żadna woda mu niestraszna, póki go nie rozerwę. Musimy jednak zachować to na czarną godzinę, ostatecznie banita i myśliwy z pewnością znajdzie coś do zjedzenia, nawet jeśli czas temu nie sprzyja.

– Może – odparł Tuor. – Ale nie wszędzie bezpiecznie jest polować, nie zawsze też jest na co. Poza tym łowy przedłużają wędrówkę.

Tuor i Voronwë przygotowali się do drogi. Tuor zabrał jeszcze ze ściany mały łuk i strzały, ale włócznię z wypisanym runami elfów Północy jego imieniem zostawił na znak, że odwiedził to miejsce. Voronwë nie miał żadnej broni, prócz krótkiego miecza.

Jeszcze przed południem opuścili pradawną siedzibę Turgona i Voronwë poprowadził Tuora ku zachodowi, najpierw schodząc po stromych stokach góry Taras, potem przecinając rozległy przylądek. Niegdyś biegła tam droga wiodąca z Nevrastu do Brithombaru, teraz zarosła zielenią pomiędzy torfowymi nasypami. Tak doszli do Beleriandu i północnej części Falas, a zwróciwszy się na wschód, poszukali cienistych jarów Ered Wethrin, gdzie poczekali w ukryciu, aż zapadnie zmrok. Bo chociaż starożytne siedziby Falathrimu, Brithombaru i Eglarestu były jeszcze daleko, to teraz rządzili tu orkowie, a cały kraj roił się od szpiegów Morgotha, który obawiał się, że dobijające niekiedy do wybrzeży okręty Círdana mogą połączyć się z najeźdźcami wysłanymi z Nargothrondu.

Posiadując skuleni niby szare cienie u stóp wzgórz, pogadywali sporo, ale ledwo Tuor jął wypytywać Voronwëgo o Turgona, elf powściągał język, rozwodząc się raczej o siedzibach na wyspie Balar i w Lisgardh, krainie trzcin u ujścia Sirionu.

– Liczba przemieszkujących tam Eldarów rośnie – powiedział – coraz ich bowiem więcej umyka przed Morgothem, dość mając wojny. Ja jednak nie opuściłem moich pobratymców z własnego wyboru. W rok po Bragollach i przerwaniu oblężenia Angbandu, zwątpienie wkradło się do serca Turgona wraz z obawą, że Morgoth może jednak okazać się zbyt potężny. Wówczas to pierwsi jego wysłannicy, garstka ledwie, przeszli bramę od tej strony. Tajna misja nie powiodła się jednak, niczego nie osiągnęli, wyjąwszy dotarcie do wielkiej wyspy Balar, gdzie z dala od wpływów Morgotha założyli samotną kolonię. Noldorowie bowiem nie są biegli w sztuce budowania statków na tyle mocnych, by pokonały fale Belegaeru Wielkiego[13].

Ale gdy później Turgon usłyszał o zniszczeniu Falas i splądrowaniu pradawnej, nieodległej stąd przystani szkutników, gdy dowiedział się, że Círdan zdołał ocalić część swego ludu i pożeglował na południe do zatoki Balar, wówczas raz jeszcze posłał umyślnych. Było to całkiem niedawno, chociaż dla mnie wieki całe minęły od tej chwili. Znajdowałem się bowiem pomiędzy tymi, których wysłano, chociaż młody wciąż jestem jak na Eldara. Urodziłem się tutaj, w Śródziemiu, w Nevraście. Moja matka pochodziła z Szarych Elfów, a łączyła ją więc krwi z samym Círdanem (w pierwszych latach panowania Turgona nierzadko zdarzały się takie mieszane związki), noszę więc w sercu właściwą plemieniu matki miłość do morza. Dlatego właśnie dobrano mnie do kompanii, bo przecież zadaniem naszym było pozyskanie pomocy Círdana w budowaniu statków. Mieliśmy zanieść wieści i błagania o wsparcie do Władców Zachodu, nim wszystko przepadnie. Zamarudziłem jednak po drodze. Niewiele dotąd widziałem Śródziemia, a do Nan-tathren dotarliśmy wiosną. Uroczy to kraj, Tuorze, i sam się o tym przekonasz, jeśli kiedykolwiek stopa twoja postanie na wiodących ku południowi drogach w dole biegu Sirionu. Znaleźć tam można lekarstwo na wszelką tęsknotę za morzem, skuteczne dla wszystkich, prócz naznaczonych przez Los. Tamże Ulmo jest sługą jedynie Yavanny, a ziemia daje życie szlachetnemu bogactwu, niewyobrażalnemu wprost dla kogoś tkwiącego pośród wzgórz Północy. Tam też Narog wpada do Sirionu, którego nurt łagodnieje i rzeka rozlewa się szeroko, leniwie płynąc pomiędzy pełnymi życia łąkami. Na jej brzegach zwartym lasem rośnie tatarak, a trawy mienią się klejnotami kwiatów, dzwonków, płomieni czerwonych i złotych, niczym kolorowe gwiazdy rzuconych na zielony firmament. Najpiękniejsze ze wszystkiego są jednak wierzby Nan-tathrenu, bladozielone, srebrzyste na wietrze, niezliczonymi liśćmi szeleszczące w zaklętej melodii. Dni i noce mijały mi tam niepostrzeżenie, a ja stałem w wysokiej po kolana trawie i słuchałem. Oczarowany, zapomniałem o Morzu, w wędrówce nadając nazwy nowym kwiatom, polegując, by posłuchać śpiewu ptaków, brzęczenia pszczół oraz wszelkich innych owadów.

I mógłbym dalej tam błądzić, nie myśląc o pobratymcach, o statkach Telerich i mieczach Noldorów, ale przeznaczenie dało znać o sobie. Może zresztą stało się to za sprawą Pana Wód, silna bowiem jest jego władza w tej krainie.

Tak więc przyszło mi do głowy, by zbudować tratwę z witek wierzby i powierzyć swój los jasnym nurtom Sirionu. Uczyniłem to, a pewnego dnia, gdy żeglowałem środkiem rzeki, nagły poryw wiatru porwał mnie i wyniósł z Krainy Wierzb do Morza. Jako ostatni z wysłanników przybyłem do Círdana, kiedy to siedem statków, które tenże wybudował na prośbę Turgona, było już gotowych. Wszystkie ukończono, prócz jednego. Po kolei odpływały na Zachód, ale żaden jeszcze nie powrócił i wszelki słuch po nich zaginął.

Jednak słone morskie powietrze na nowo obudziło we mnie dziedzictwo krwi matczynej, z radością przeto zabrałem się do nauki żeglowania, która przychodziła mi bardzo łatwo, jakbym już z dawna wiedział o każdym szczególe. Gdy ostatni, największy statek, został ukończony, paliłem się, by na nim wyruszyć, i powtarzałem sobie w myślach: „Jeśli słowa Noldorów są prawdziwe, to na Zachodzie rozciągają się łąki, przy których Kraina Wierzb jest niczym. Nie ma tam wiatrów, a wiosna trwa wiecznie. Może nawet ja, Voronwë, zdołam dotrzeć do tego miejsca. W najgorszym zaś razie żegluga lepsza jest niż trwanie w Cieniu Północy". I nie bałem się, żadne bowiem fale nie zatopią statków Telerich.

Jednak straszne są odmęty Wielkiego Morza, Tuorze, synu Huora, i nienawidzi ono Noldorów, posłuszne bowiem Valarom służy dziełu fatalnego Przeznaczenia. Gorsze rzeczy chowa, niż tylko utonięcie w otchłani i zatratę na wieczność, bo i nienawiść, i samotność, i szaleństwo. Przerażanie wichurą i burzą, ciszą martwą, odbierające wszelką nadzieję cienie, w których zatraca się wszystko, co żywe. Obmywa liczne brzegi dziwne i złe, wiele wysp niebezpiecznych, zarażonych strachem. Nie będę zmrażał ci serca, synu Śródziemia, opowieściami o siedmiu latach żeglugi po Wielkim Morzu z północy na południe, nigdy jednak na Zachód. Ta droga była przed nami zamknięta.

Nareszcie, w czarnej rozpaczy pogrążeni i zmęczeni śmiertelnie, zawróciliśmy i umknęliśmy fatum, które oszczędzało nas tak długo po to jedynie, by tym okrutniej potem doświadczyć. Bo gdy dojrzeliśmy z daleka górę, a ja zawołałem: „Patrzcie! Oto Taras, kraina mych narodzin", zerwał się wiatr i ciemne niczym ołów chmury przygnały z Zachodu. Porwały nas fale jak żywe, złośliwe bestie, błyskawice oślepiły, a gdy runęły maszty, morze poniosło bezwładny kadłub. Mnie jednak oszczędziło. O ile pamiętam, w pewnej chwili nadciągnęła fala większa od innych, ale i spokojniejsza. Zabrała mnie z pokładu i przetoczywszy na swym grzbiecie, rzuciła na wysoki brzeg, po czym cofnęła się, wodospadem spływając z klifu. Godzinę tam siedziałem, gdy nadszedłeś, zastając mnie wpatrzonego wciąż w morze. Wciąż czuję lęk towarzyszący tamtemu wydarzeniu i boleję nad gorzkim losem mych towarzyszy, z którymi tyle przewędrowałem, docierając do obszarów niewidocznych z krain śmiertelników.

Voronwë westchnął i odezwał się spokojniej, jakby mówił sam do siebie:

– I tak jasno lśniły gwiazdy na krańcu świata w tych chwilach, gdy rozpraszały się chmury Zachodu. Ale czy tylko ciężkie obłoki widzieliśmy, czy rzeczywiście, jak utrzymywali niektórzy, dane było nam dostrzec góry Pelóri otaczające naszą utraconą ojczyznę, tego nie wiem. Daleko, bardzo daleko się wznoszą i nikt z krain śmiertelnych nigdy już tam najpewniej nie dotrze. – Aż umilkł Voronwë, bo noc już nadeszła wraz z białym i zimnym blaskiem gwiazd.

Wstawszy, Tuor wraz z Voronwëm odwrócili się plecami do morza, zaczynając swą długą podróż w mroku. Niewiele da się o niej powiedzieć, cień Ulma bowiem skrywał Tuora, toteż nikt nie widział ich przemarszu pomiędzy lasami i skałami, polami i moczarami, wschodami i zachodami słońca. Wciąż jednak szli wytrwale, umykając nocnym drapieżcom Morgotha, omijając ścieżki wydeptane przez elfy i ludzi. Voronwë wybierał szlak, Tuor podążał za nim, nie zadając przy tym niepotrzebnych pytań i zdumiewając się tylko, że zmierzają wciąż na wschód, równolegle do gór, nie skręcając wcale na południe. Tak jak pozostałe elfy i wszyscy ludzie, Tuor sądził, że Turgon osiedlił się z dala od pól bitewnych Północy.

Zmrokiem i nocą powoli przedzierali się przez bezdroża, a gdy zima nadciągnęła wcześnie z królestwa Morgotha, nawet kotliny pomiędzy wzgórzami nie były wystarczającym schronieniem przed silnymi, kąsającymi chłodem wiatrami. Nie trwało długo, a głęboki śnieg zaległ na wzgórzach, zadymką grożąc na przełęczach, okrył bielą lasy Núath, zanim jeszcze zdążyły opaść zwiędłe liście[14]. Tak zatem, chociaż wyruszyli w drogę przed połową Narquelië, gdy zbliżyli się do źródeł Narogu, Hísimë nadszedł wraz z siarczystym mrozem.

Tam właśnie przystanęli o szarej godzinie u kresu nocy, a skonsternowany Voronwë spojrzał wokoło z żalem i przerażeniem. Miast stawu jaśniejącego w kamiennej misie, którą niegdyś wyżłobiły spadające wody, miast porosłej drzewami dolinki u stóp wzgórz, ujrzeli kraj splugawiony i obumarły. Drzewa spalone były lub wyrwane z korzeniami, skały nabrzeżne zaś skruszone i spękane, tak że wody Ivrinu rozlały się rozległym, jałowym bagnem pośród zniszczonego lądu. Błoto zamarzło obecnie i tylko zatęchły smród zgnilizny zalegał niby mgła nad ziemią.

– Czyżby zło dotarło aż tutaj? – krzyknął Voronwë. – Niegdyś zakątek ten bezpieczny był przed zapędami Angbandu, ale widzę, że ręce Morgotha sięgają coraz dalej.

– Jest tak, jak zapowiadał Ulmo – rzekł Tuor. – „Źródła wód, które biegną ku zachodowi, są zatrute, moja władza zaniknęła w tych krajach".

– Objawiła się tu siła złości większej niż prosta złośliwość orków – odparł Voronwë. – Strach czai się w tym zakątku. – Przepatrzył jeszcze skraj bagna, aż nagle znieruchomiał i znowu krzyknął: – Tak, wielkie zło!

45

I skinął na Tuora, a gdy ten podszedł bliżej, dostrzegł wielką bruzdę przypominającą trop. Po obu stronach wiodącego na południe śladu widniały utrwalone przez mróz odciski pazurzastych łap.

– Widzisz! – dodał Voronwë z twarzą pobladłą ze zgrozy i obrzydzenia. – Nie tak dawno przechodził tędy Wielki Robak Angbandu, najokrutniejszy spośród wszystkich potworów Nieprzyjaciela! Już jesteśmy spóźnieni i trzeba nam ze wszystkich sił pospieszać do Turgona.

Gdy to powiadał, z głębi lasu dobiegło ich wołanie, przystanęli zatem, zasłuchani, pomiędzy szarymi głazami. Głos był czysty, choć nabrzmiały żalem i zdawał się wzywać po imieniu kogoś zagubionego. Wtem zza drzew wyszedł jakiś człowiek, wysoki, uzbrojony i odziany w czerń, z długim mieczem w ręku. Zdumieli się, ostrze miecza bowiem też było czarne, jedynie na krawędziach lśniło mocnym, chłodnym blaskiem. Mężczyzna miał niedolę wypisaną na twarzy, a gdy ujrzał spustoszenia nad brzegami Ivrinu, zakrzyknął zrozpaczony:

– Ivrin, Faelivrin! Gwindor i Beleg! Tutaj zostałem niegdyś uzdrowiony! Nigdy już jednak nie zaczerpnę z tej krynicy spokoju.

Potem odszedł ku północy, a uczynił to szybko, jak ktoś w pogoni lub jak niecierpiący zwłoki posłaniec z pilnym zadaniem. Słyszeli jeszcze jego wołanie: „Faelivrin, Finduilas!", aż głos jego ucichł za drzewami[15]. Nie wiedzieli, bo wiedzieć nie mogli, że Nargothrond padł i że oto spotkali Túrina, Húrinowego syna, zwanego Czarny Miecz. W tej oto jednej, jedynej minucie skrzyżowały się na chwilę szlaki tych dwóch krewniaków, Túrina i Tuora.

Gdy Czarny Miecz ich minął, Tuor i Voronwë podążyli w dalszą drogę, chociaż dzień już zaświtał. Udzielił im się żal nieznanego wędrowca, nie mogli też ścierpieć widoku splugawionego Ivrinu. Szybko jednak poszukali schronienia, wyczuwali bowiem coś złego wiszącego w powietrzu. Sen ich był krótki i niespokojny. Wraz ze zmierzchem padać zaczął gęsty śnieg, noc zaś powitała wędrowców siarczystym mrozem. Od tamtej pory śnieg i lód nie topniały przez całe pięć miesięcy surowej zimy, która na długo wryła się w pamięć mieszkańcom Północy. Tuor i Voronwë cierpieli katusze z zimna, obawiali się także, że wrogowie łatwo wypatrzą ich ślad. Czujnie stawiali każdy krok, nie chcąc wpaść w skryte pod białą powłoką pułapki. Dziewięć dni tak wędrowali, stąpając coraz wolniej i z większym wysiłkiem, aż Voronwë zaczął skręcać nieco ku północy, póki nie przeszli trzech strug źródeł Teiglinu, potem elf znowu ruszył na wschód, oddalając się od gór. Zmęczeni, minęli Glithui i dotarli do zamarzniętego i czarnego strumienia Malduin[16].

Tutaj Tuor powiedział do Voronwëego:

– Mróz jest okrutny i śmierć czai się z każdym dniem bliżej, jeśli nie na ciebie, to na mnie na pewno. – Z każdym dniem pogarszała się ich kondycja, dawno już nie znaleźli w głuszy niczego do jedzenia, zapas sucharów kurczył się niepokojąco, byli zziębnięci i osłabieni.

— Niedobrze jest znaleźć się pomiędzy zgubnym Przeznaczeniem Valarów a Złem Nieprzyjaciela — odparł Voronwë. — Czy po to umknąłem morskim falom, by znaleźć grób pod śniegiem?

— Ile drogi nam jeszcze zostało? — spytał Tuor. — Dość tajemnic, Voronwë, przynajmniej wobec mnie. Czy prowadzisz prosto, czy kluczysz? Jeśli bowiem mam zdobyć się na dalszy marsz, muszę wiedzieć, jaki wysiłek mnie czeka.

— Wiodłem cię drogą na tyle prostą, na ile tylko było to możliwe i bezpieczne — odparł Voronwë. — Wiedz zatem, że Turgon nadal zamieszkuje na północy kraju Eldarów, chociaż niewielu w to wierzy. Jesteśmy już blisko, mimo to przed nami wciąż niemało staj do przebycia, nawet lotem ptaka, a nas czeka jeszcze przeprawa przez Sirion i nie wiemy, jakie zło spotkać nas może na szlaku. Zapewne niedługo dojdziemy do gościńca, który wiódł niegdyś od Minas króla Finroda do Nargothrondu[17]. Szlak ten pozostaje pod ciągłą strażą Nieprzyjaciela.

— Uważałem się za najtwardszego z ludzi — powiedział Tuor. — Wiele zim przecierpiałem w górach, tam jednak miałem schronienie jaskini i ogień, teraz zaś widzę, że w ten głodny, mroźny czas przyjdzie zdobyć się na większy jeszcze wysiłek. Wędrujmy więc, jak długo się da, nim nadzieja nas opuści.

— Nie mamy wyboru — stwierdził Voronwë — chyba że zlegniemy na śniegu, by zamarznąć we śnie.

Tak też brnęli z mozołem przez cały ten goryczy pełen dzień, uznając srogość zimy za wroga większego niż nieprzyjaciele, jednak im dalej szli, tym mniej znajdywali śniegu, skierowali się bowiem z powrotem na południe, ku Dolinie Sirionu, góry Dor-lóminu zostawiając daleko za sobą. W zapadającym zmierzchu dotarli do gościńca biegnącego u stóp wysokiego, lasem porosłego wału i tam nagle dobiegły ich głosy. Wyjrzawszy ostrożnie spośród drzew, ujrzeli w dole czerwone światełko. Gromada orków obozowała pośrodku drogi przy wielkim ognisku.

— *Gurth an Glamhoth!* — mruknął Tuor[18]. — Pora wyłonić się mieczowi spod płaszcza. Gotów jestem zaryzykować życie, byle poczuć ciepło tego ognia. Nawet mięso orków byłoby mi miłą strawą.

— Nie! — stwierdził Voronwë. — W tej podróży tylko płaszcz może się przysłużyć. Nie myśl o ogniu, chyba że zapomnieć chcesz o Turgonie. To nie jedyna banda w głuszy. Czy twe oczy śmiertelnika nie dostrzegają odległych świateł innych posterunków na północy i południu? Zgiełk sprowadzi nam wrogów na głowy. Posłuchaj mnie, Tuorze! Wbrew prawu Ukrytego Królestwa jest, by ktoś zbliżał się do jego granic z nieprzyjaciółmi depczącymi mu po piętach, a ja nie złamię tego prawa i nie zmusi mnie do tego ani Ulmo, ani sama śmierć. Zostawię cię, jeśli zaczepisz orków.

– Dobrze, minę ich – powiedział Tuor. – Ale niech dożyję tego dnia, gdy nie będę już musiał przemykać obok garstki orków niczym tchórzliwy pies.

– Dalej! – polecił Voronwë. – Dość gadania, bo nas wyczują. Ruszaj za mną!

Przekradł się na południe, z wiatrem, aż znaleźli się w połowie drogi pomiędzy tym obozowiskiem a następnym. Tam przystanęli na dłuższą chwilę, nastawiając uszu.

– Nie słyszę nikogo na drodze – rzekł – ale nie wiemy, co może czaić się w cieniu. – Zerknął przed siebie, w mrok i wzdrygnął się. – Złe jest to powietrze – mruknął. – Niestety! Tuż przed nami leży kraina, cel naszej wyprawy i nadzieja życia, ale śmierć nas od niej odgradza.

– Śmierć jest wszędzie wkoło nas – stwierdził Tuor. – Sił zostało mi jednak tylko na przebycie najkrótszej z dróg. Musimy przeprawić się tutaj, inaczej już po nas. Zaufam szacie Ulma, powinna skryć również i ciebie. Teraz ja poprowadzę!

Tak mówiąc, podkradł się do skraju drogi, potem, obejmując mocno Voronwëgo, narzucił na obu fałdy szarego płaszcza Pana Wód i ruszył naprzód.

Trwała niczym niezmącona cisza. Podmuch zimnego wiatru przemknął nad dawną drogą. Nagle ucichł i on, a Tuor wyczuł zmianę w powietrzu, jakby oddech tchnący z krainy Morgotha osłabł na chwilę, ustępując nikłemu jak wspomnienie morza powiewowi z zachodu. Niczym szara mgła przemknęli po kamiennym gościńcu i zniknęli w gęstych zaroślach po wschodniej stronie.

W tejże chwili tuż obok rozległ się dziki wrzask i zaraz zawtórowały mu następne po obu stronach drogi. Chrapliwie odezwał się róg, dały się słyszeć odgłosy bieganiny. Tuor jednak nie wpadł w panikę. Dość poznał w niewoli język orków, by zrozumieć znaczenie tych krzyków: strażnicy zwietrzyli ich i usłyszeli, ale nie dojrzeli. Pościg jednak wyruszył, zatem Tuor z wysiłkiem zaczął przekradać się dalej z Voronwëm u boku, wspinając się po łagodnym stoku porosłym kolcolistem i czernicą, plącząc się w gęsto rosnącej jarzębinie i niskich brzozach. Przystanęli na grani, nasłuchując dobiegających z dołu krzyków i czynionego przez orków łomotu.

Tuż obok wyrastał ze splątanych wrzosów i jeżyn spory głaz, pod nim zaś otwierała się jama, wspaniale nadająca się na schronienie dla ściganego zwierzęcia, nadzieja, jeśli nie na umknięcie prześladowcom, to przynajmniej na drodze sprzedanie swego życia. Tuor wciągnął Voronwëgo w ciemną niszę, gdzie położyli się obok siebie i przykryci szarym płaszczem dyszeli jak zgonione lisy. Nie wypowiedzieli ani słowa, cali zamienieni w słuch.

Odgłosy pogoni słabły coraz bardziej, orkowie bowiem nie zapuszczali się nigdy zbyt głęboko w głuszę po obu stronach drogi, poprzestając raczej na krążeniu po samym gościńcu. Zbiegowie mało ich obchodzili, obawiali się jednak szpiegów i zbrojnych oddziałów wroga, Morgoth bowiem wysłał strażników na szlak nie po to, by zatrzymali Tuora i Voronwëgo (o których, jak dotąd, nic nie wiedział) czy też kogokolwiek nadciągającego z zachodu, ale by wypatrywali Czarnego Miecza i przeszkodzili mu w ucieczce i ściganiu uprowadzonych z Nargothrondu jeńców, a może nawet sprowadzeniu pomocy z Doriathu.

Noc mijała i cisza znów zapadła nad martwymi krainami. Znużony i wyczerpany Tuor spał przykryty płaszczem Ulma, Voronwë wypełzł jednak spod kamienia i milczący stał bez ruchu, penetrując elfimi oczami wszystkie cienie. O świcie obudził Tuora, a gdy ten wyjrzał na świat, zauważył, że pogoda zaiste poprawiła się chwilowo i wiatr odegnał czarne chmury. W różowym brzasku dostrzegł odległe szczyty dziwnych gór, odcinające się na tle ogarniętego porannym pożarem nieba.

Wówczas Voronwë wyszeptał:

— *Alae! Ered en Echoriath, ered e•mbar nín!*[19] — Wiedział bowiem, że patrzy na Góry Okrężne, otaczające murem królestwo Turgona. Poniżej, w głębokiej i cienistej dolinie, płynął jasny i sławiony w pieśni Sirion, dalej zaś, otulone we mgły, rozciągało się pogórze, od brzegów rzeki ciągnące się aż do skruszonych wzniesień u stóp wysokich gór. — Za nimi leży Dimbar — powiedział Voronwë. — Obyśmy do niego dotarli! Tam nasi wrogowie rzadko odważają się zapuszczać, a przynajmniej było tak w czasach, gdy moc Ulma żyła w Sirionie. Teraz jednak wszystko mogło się zmienić[20], wszystko, prócz samej rzeki, która zawsze była niebezpieczna. Głęboka jest i bystry jej nurt, nawet Eldarom niełatwo ją przebyć. Dobrze cię jednak poprowadziłem, tam bowiem pieni się bród Brithiach, trochę tylko na południe. Niegdyś tamtędy przebiegała Wschodnia Droga z Tarasu. Nikt, ani elf, ani człowiek, ani ork, nie waży się teraz jej przebyć, chyba że w ostatecznej potrzebie, szlak ten bowiem wiedzie do Dungorthebu i krainy strachu pomiędzy Gorgoroth i Obręczą Meliany. Trakt zarósł już dawno, zostawiając po sobie jedną ścieżkę wijącą się pomiędzy krzewami i ciernistymi powojami[21].

Wówczas Tuor spojrzał tam, gdzie wskazywał Voronwë, i dojrzał w dali błysk otwartych wód lśniących w promieniach poranka, za nimi jednak trwała ciemność wielkiej puszczy Brethilu ciągnącej się ku odległym wyżynom na południu. Z wysiłkiem zeszli po zboczu doliny, aż dotarli do dawnej drogi zbiegającej od krzyżówki z gościńcem z Nargothrondu u granicy Brethilu. Tuor zauważył, że zbliżyli się już znacznie do Sirionu, ale wysokie brzegi koryta rzeki rozchodziły się w tym miejscu, a wody rozlewały się szeroko i płytko na obficie zaściełających dno kamieniach[22], szemrząc pienistymi strumieniami. Trochę dalej Sirion znów zwężał się, płynąc ku lasom, gdzie znikał w nieprzeniknionych dla oka oparach mgły. Tam bowiem, chociaż Tuor o tym nie wiedział, leżała skryta w cieniu Obręczy Meliany północna marchia Doriathu.

Zrazu Tuor chciał pospieszyć ku brodowi, ale Voronwë powstrzymał go ze słowami:

– Nie możemy przebyć Brithiach w świetle dnia, musimy też poczekać, aż zyskamy całkowitą pewność, że zmyliliśmy pogonie.

– Mamy więc usiąść tu i tkwić bezczynnie? – spytał Tuor. – Wątpliwości nie pozbędziemy się nigdy, jak długo trwało będzie królestwo Morgotha. Dalej! Ruszajmy skryci w cieniu płaszcza Ulma.

Voronwë wahał się jednak, spoglądając na zachód, ale nikt nie nadciągał szlakiem i tylko szum wód mącił ciszę. Zerknął zatem na szare i puste niebo, na którym nawet ptak nie krążył. Nagle twarz jego pojaśniała i zawołał głośno:

– Dobrze jest! Wrogowie Nieprzyjaciela strzegą wciąż brodu. Orkowie nie pójdą tu za nami, zatem uda nam się teraz przemknąć pod płaszczem.

– Cóż takiego ujrzałeś? – spytał Tuor.

– Niedaleko sięga wzrok śmiertelnych! – odparł Voronwë. – Widzę orły Crissaegrimu, ciągną tutaj. Przypatrz się tylko!

Wówczas Tuor wzniósł oczy ku niebu, wytężył wzrok i wkrótce dostrzegł na wysokości trzy sylwetki bijących skrzydłami ptaków, które spływały znad odległych szczytów górskich, znów skrytych teraz w chmurach. Orły zniżały lot, zataczając koła, aż nagle będąc tuż nad głowami podróżników, z impetem puściły się w dół, ale zanim Voronwë zdążył je zawołać, skręciły zamaszyście i w szumie skrzydeł oddaliły się ponad rzeką ku północy.

– Chodźmy – powiedział Voronwë. – Jeśli nawet jakiś ork krążył w pobliżu, leży teraz z nosem wbitym w ziemię i czeka, aż orły odlecą jak najdalej.

Zbiegli czym prędzej po łagodnym zboczu i przeprawili się przez Brithiach, częściej stąpając suchą nogą po łachach żwiru niż brodząc w wodzie nie głębszej niż po kolana. Rzeczne rozlewiska były czyste i bardzo zimne. Lód pokrywał powierzchnię kałuż w miejscach, gdzie kręte strumyki zbłądziły pomiędzy kamienie, jednak główny nurt Sirionu nie zamarzał nigdy, nawet w czasie ciężkiej zimy jak ta w roku upadku Nargothrondu[23].

Po drugiej stronie przeprawy natknęli się na jar przypominający koryto wyschniętego strumienia, który jednak zdołał wyrzeźbić sobie niegdyś głębokie łożysko, spływając żywo z północy, z gór Echoriathu i przynosząc do Sirionu kamienie, tworzące teraz bród Brithiach.

– Dotarliśmy, gdzie chciałem, choć niemal utraciłem nadzieję! – krzyknął Voronwë. – Patrz! Oto jest ujście Suchej Rzeki i oto droga, którą przyjdzie nam obrać[24]. – Weszli wówczas w jar i ruszyli nim na północ pomiędzy stromymi wzgórzami, a ściany parowu wznosiły się pionowo po obu stronach. Tuor potykał się w półmroku o zaścielające dno kamienie.

– Zła to droga dla znużonego wędrowca – stwierdził.

– Jednak wiedzie do Turgona – odparł Voronwë.

– Tym bardziej mnie zdumiewa, że początek jej pozbawiony jest straży. Spodziewałem się ujrzeć wielką bramę i siłę wartowników.

– Zobaczysz to wszystko we właściwym czasie – powiedział Voronwë. – Jesteśmy jeszcze daleko, a i na wyrost nazwałem tę wyboistą ścieżkę drogą, od bowiem ponad trzystu lat nikt tędy nie chodził prócz nielicznych a tajnych posłańców, Noldorowie zaś użyli wszelkich swych umiejętności, by zamaskować ów szlak, odkąd Ukryty Lud nań wkroczył. Brak tu strażników? A czy w ogóle zauważyłbyś ten przesmyk, gdybyś nie miał mieszkańca Ukrytego Królestwa za przewodnika? Czy odgadłbyś, że jest czymś więcej niż jeno dziełem wody i wiatru? Nie widziałeś orłów? To plemię Thorondora, do czasu, gdy Morgoth urósł w siłę, zamieszkiwało nawet Thangorodrim. Obecnie, po upadku Fingolfina, orły żyją w Górach Turgona[25]. One jedne, prócz Noldorów, znają położenie Ukrytego Królestwa i strzegą nieba ponad nim, choć dotąd żaden sługa Nieprzyjaciela nie odważył się wzlecieć tak wysoko. Znoszą królowi nowiny o wszystkim, co dzieje się w okolicznych krainach. Gdybyśmy byli orkami, możesz mieć pewność, że orły pochwyciłyby nas w swoje pazury i zrzuciły z wielkiej wysokości na bezlitosne skały.

– W to nie wątpię – odparł Tuor. – Ale zastanawiam się, czy wieści o naszym przybyciu nie dotrą do Turgona szybciej niż my sami. A czy to dobrze, czy źle, tylko ty jeden potrafisz ocenić.

– Ani źle, ani dobrze – stwierdził Voronwë. – Skoro i tak nie przebędziemy Strzeżonej Bramy niezauważeni, zatem będą nas u jej progów wypatrywać, albo i nie. Jeśli tam dotrzemy, strażnicy z pewnością bez żadnych zapowiedzi sami rozpoznają, że nie jesteśmy orkami. To jednak nie wystarczy, by przejść. Nie pojmujesz, Tuorze, jak wielkiemu niebezpieczeństwu przychodzi nam stawić czoło. Nie wiń mnie jednak, że cię nie ostrzegłem przed tym, co może nas spotkać, i niech Pan Wód okaże swoją moc! Ta nadzieja jedynie sprawiła, że zgodziłem się ciebie poprowadzić, ale jeśli zawiedzie, wówczas czeka nas pewna śmierć, o wiele pewniejsza niż za sprawą zimy na pustkowiach.

– Dość krakania – odrzekł Tuor. – W zgubę przy Bramie, mimo twych słów, śmiem powątpiewać. Prowadź mnie dalej!

Wiele staj brnęli po kamieniach Suchej Rzeki, aż przystanęli, nie mogąc uczynić już dalej ni kroku. Z wieczorem ciemność zaległa w jarze, wspięli się zatem na wschodni brzeg. Oto podeszli już do zmurszałych wzniesień u stóp gór. Tuor zadarł głowę i ujrzał, że wyrastają one odmiennie od wszystkich gór, które dotąd widywał, ich zbocza były niczym gładkie ściany. Piętrzyły się coraz wyżej, jedna na drugiej, kolejnymi zwisłymi nad przepaścią tarasami. Dzień miał się już jednak ku końcowi i mgła zaległa nad ziemią, a dolina Sirionu skryła się w cieniu. Voronwë poprowadził Tuora do utworzonej w zboczu wzgórza płytkiej jaskini z wylotem wprost na samotne stoki Dimbaru. Wpełzli do środka i w tym ukryciu zjedli ostatki prowiantu. Mimo wielkiego zmęczenia, nie zasnęli. Tak oto, o zmroku osiemnastego dnia Hísimë, w trzydziestej siódmej dobie podróży, Tuor i Voronwë dotarli do wieżyc Echoriathu i siedziby Turgona, dzięki mocy Ulma umknąwszy zarówno Przeznaczeniu, jak i Złu.

Gdy pierwszy szary blask dnia błysnął pomiędzy mgłami Dimbaru, zeszli z powrotem do koryta Suchej Rzeki, które rychło skręciło ku wschodowi, wijąc się u samej skalnej ściany, przed nimi zaś wyrosła pionowo wielka góra, u której stóp krzewiła się bujnie cierniista i splątana roślinność. Kamienisty trakt prowadził prosto w te chaszcze, gdzie ciemność zalegała jak w nocy. Zwolnili, pełne bowiem kolców gałęzie sięgały aż do jaru, tworząc miejscami tak nisko zwieszoną gęstwinę, że trzeba było przepełzać pod nią na podobieństwo wracającego do legowiska zwierza.

W końcu jednak, choć z wielkim trudem, dotarli do podstawy urwiska. Trafili tu na otwór tunelu wyrzeźbionego jakby w twardej skale przez wypływające z samego serca gór wody. Ruszyli dalej, a choć wokół zalegał mrok, Voronwë maszerował pewnie, podczas gdy Tuor stąpał z ręką opartą na ramieniu kompana i pochylał głowę, bo sklepienie zwieszało się nisko. Przez pewien czas posuwali się krok za krokiem, na oślep stawiając stopy, aż poczuli, że droga przestała się wznosić i zniknęły zaściełające dno kamienie. Przystanęli wówczas i odetchnęli głęboko, nasłuchując. Powietrze było świeże i rześkie. Czuli, że ściany tunelu rozbiegły się na boki, a sufit zniknął gdzieś w górze, wszędzie panowała cisza, której nie mącił nawet odgłos spadających kropel wody. Wydało się Tuorowi, że coś zaniepokoiło Voronwëgo i że elf ma poważne wątpliwości.

— Gdzież jest ta Strzeżona Brama? — spytał. — A może już ją minęliśmy?

— Nie — odparł Voronwë. — Dziwię się tylko, bo to osobliwe, żeby ktoś zdołał nieindagowany dotrzeć tak daleko. Obawiam się, by niespodziewana zguba nie dopadła nas z ciemności.

Szepty wędrowców obudziły drzemiące w jaskiniach echa, które zwielokrotniły i wzmocniły każdy wydobyty dźwięk, odbijając się od sklepienia i niewidocznych ścian, sycząc i pomrukując tysiącami tajemniczych głosów. Gdy echa zamarły w skale, z samego jądra ciemności dobiegły Tuora słowa wypowiedziane w języku elfów, najpierw w nieznanej mu szlachetnej mowie Noldorów, potem w języku Beleriandu, chociaż z akcentem, który dziwnie brzmiał dla Tuora, zupełnie jakby mówiący dawno już nie zetknął się z krewniakami[26].

— Stać! — rozbrzmiało. — Nie ruszać się! Inaczej zginiecie, czy przyjaciółmi jesteście, czy wrogami.

— Jesteśmy przyjaciółmi — odparł Voronwë.

– Róbcie więc, co każę.

Echa ich głosów umilkły w ciszy, a Voronwë i Tuor stali wciąż nieruchomo i zdało się Tuorowi, że minuty ciągną się jak wieki, a strach w jego sercu przewyższał wszystko, co czuł podczas niebezpieczeństwami najeżonej wędrówki. Wtem usłyszeli odgłos zbliżających się stóp tak donośny, jakby maszerował cały oddział trolli. Nagle ktoś zdjął osłonę z latarni elfów, a blask płomienia padł na znajdującego się z przodu Voronwëgo, Tuor jednak nie zdołał dojrzeć niczego, prócz oślepiającej gwiazdy zawieszonej w mroku, wiedział jednak, że póki stoi w świetle, nie wolno mu się poruszyć ani próbować ucieczki lub dalszego marszu.

Przez chwilę trwali tak, uchwyceni w blasku, po czym głos znów się odezwał:

– Pokażcie swe twarze!

Voronwë odrzucił kaptur i oblicze jego zalśniło jasno i wyraźnie niczym wyrzeźbione z kamienia. Tuor zachwycił się jego pięknem, elf zaś odezwał się dumnie:

– Czyżbyście nie wiedzieli, kogo widzą wasze oczy? Jestem Voronwë, syn Aranwëgo z rodu Fingolfina. A może po tylu latach zapomniano mnie już we własnej ojczyźnie? Powędrowałem ze Śródziemia dalej niż sięga myśl, ale poznałem twój głos, Elemmakilu.

– Jeśli tak, to winien Voronwë pamiętać również prawa swej ojczyzny – odparł głos. – Skoro odszedł stąd na mocy rozkazu, może powrócić, ale nie wolno mu przyprowadzać tu obcych. Czynem tym przekreślił swój przywilej i musi jako więzień zostać doprowadzony na sąd przed oblicze króla. Co zaś tyczy się nieznanego przybysza, zostanie zabity lub uwięziony, wedle wyroku Straży. Niech podejdzie bliżej, bym mógł go ocenić.

Voronwë poprowadził Tuora ku światłu, a wówczas liczni Noldorowie, wszyscy w kolczugach i uzbrojeni, wysunęli się z mroków i dzierżąc miecze w dłoniach otoczyli wędrowców. Elemmakil zaś, trzymający lampę kapitan straży, przyjrzał im się bacznie.

– Zdumiewasz mnie, Voronwë – powiedział. – Z dawna byliśmy przyjaciółmi, czemu zatem zostałem wystawiony przez ciebie na tak ciężką próbę i zmuszony do wyboru między obowiązkiem a przyjaźnią? Gdybyś przywiódł tu kogoś z przebywających poza ukryciem pozostałych rodów Noldorów, niewielkim byłoby twoje wykroczenie. Ale ty wyjawiłeś tajemnicę Drogi śmiertelnemu człowiekowi, po oczach jego poznaję, z jakiego wywodzi się plemienia. Nie może odejść stąd wolny, zna bowiem już sekret, a skoro jako obcy nam odważył się tu wejść, winienem go zabić, nawet jeśli darzysz go serdeczną przyjaźnią.

– Wiele niezwykłych rzeczy spotkać można w krainach poza tymi górami, Elemmakilu, a czasem zdarzy się, że zostanie komuś powierzone zadanie, o które ani nie prosił, ani go nie oczekiwał – odrzekł Voronwë. – Czasem też podróżnik powraca z wyprawy odmieniony. Wszystko co zrobiłem, uczyniłem na rozkaz potęgi większej niż prawo Straży. Tylko król może osądzić i mnie, i tego, który przybył ze mną.

Wtedy Tuor, który nie czuł już lęku, też się odezwał:

– Przychodzę z Voronwëm, synem Aranwëgo, jego bowiem właśnie obrał mi na przewodnika Pan Wód. Po to tylko pozwolono mu umknąć przed gniewem Morza i Klątwą Valarów. Niosę synowi Fingolfina posłanie od Ulma i nikomu innemu, prócz syna Fingolfina, treści owego posłania nie wyjawię.

Spojrzał Elemmakil ze zdumieniem na Tuora.

– Kimże jesteś? – spytał. – I skąd przybywasz?

– Jam jest Tuor, syn Huora z rodu Hadora i krewniak Húrina, a te imiona, jak mi powiedziano, nie są nieznane w Ukrytym Królestwie, do którego z Nevrastu przychodzę, wiele niebezpieczeństw zwalczywszy po drodze.

– Z Nevrastu? – spytał Elemmakil. – Mówią, że odkąd nasz lud odszedł z owej krainy, nikt tam już nie mieszka.

– To prawda – odparł Tuor. – Pustka i chłód zaległy w Vinyamarze. A jednak właśnie stamtąd przybywam. Zaprowadź mnie teraz do tego, kto zbudował ten pradawny pałac.

– Nie do mnie należy decyzja w tak wielkich sprawach – stwierdził Elemmakil. – Wyprowadzę cię tedy na światło, gdzie więcej będzie można ujawnić, i przekażę cię wartownikowi Wielkiej Bramy.

Wydał rozkaz i dwóch rosłych strażników stanęło przed Tuorem i Voronwëm, a trzech za nimi; kapitan poprowadził z jaskini Zewnętrznej Straży do prostego, jak się zdawało, korytarza i długo szli po równym, aż w przodzie pojawiło się blade światło. Naresz̨cie dotarli do szerokiego łuku bramy, wspartego z obu stron na wysokich kolumnach wyciosanych ze skały, pomiędzy którymi zwisała wielka, drewniana kratownica cudownej roboty, pracowicie rzeźbiona i nabijana żelaznymi bretnalami.

Elemmakil dotknął kratownicy, a ta uniosła się bezszelestnie i przeszli bramę, a Tuor ujrzał, że stoją u krańca wąwozu, jakiego nigdy jeszcze nie widział ani nawet sobie nie wyobrażał, chociaż wiele wędrował po górskich pustkowiach Północy, wobec bowiem Orfalch Echor, Cirith Ninniach był jedynie małym wyżłobieniem w skale. Tutaj, podczas dawnych wojen u zarania świata, ręce samych Valarów rozszczepiły potężne góry, niczym toporem wygładzając ich pionowe, wznoszące się ku nieodgadnionym wyżynom zbocza. Gdzieś tam, wysoko, jaśniała wstęga nieba, a na granatowym tle czerniały zarysy szczytów i skalnych iglic, odległych, ale surowych, okrutnych jak ostrza włóczni. Zbyt wyniosłe były te skalne ściany, by zimowe słońce zajrzeć mogło do środka, i chociaż ranek jaśniał już pełnym blaskiem, to na niebie ponad wąwozem wciąż błyszczały blado gwiazdy, a na samym dnie panował półmrok rozjaśniany przez lampki ustawione obok stromo wspinającej się drogi. Podłoże doliny wznosiło się bowiem ku wschodowi, po lewej zaś Tuor dojrzał ciągnącą się obok łożyska strumienia drogę gładko brukowaną, wijącą się gdzieś ku górze i znikającą w cieniu.

— Minęliście Pierwszą Bramę, zwaną Drewnianą — powiedział Elemmakil. — Musimy iść tędy. Zatem pospieszajmy.

Jak daleko wiodła ta droga, tego Tuor nie potrafił powiedzieć, a gdy spojrzał przed siebie, znużenie ogarnęło go niczym chmurny opar. Zimny podmuch ciągnął od kamieni, więc młodzieniec otulił się szczelniej płaszczem.

— Chłód niesie wiatr z Ukrytego Królestwa! — powiedział.

— Zaiste — odparł Voronwë. — Obcemu zdawać się może, że duma uczyniła sługi Turgona bezlitosnymi. Dla znużonego drogą i głodnego wędrowca długie i ciężkie wydają się staje drogi pomiędzy Siedmioma Bramami.

— Gdyby nasze prawo nie było tak surowe, dawno już podstępem nienawiść wniknęłaby tutaj, niszcząc nas ze szczętem. Sam dobrze o tym wiesz — stwierdził Elemmakil. — Nie jesteśmy jednak okrutnikami. Nie mamy tu nic do jedzenia, a obcy nie może cofnąć się nawet o krok. Wytrwajcie jeszcze trochę, a doznacie ulgi przy Drugiej Bramie.

— To dobrze — powiedział Tuor i ruszył dalej, jak mu kazano. Po chwili odwrócił się i ujrzał, że podążają za nim jedynie Elemmakil z Voronwëm.

— Na tym terenie nie trzeba już więcej straży — oznajmił Elemmakil, odczytując jego myśli. — Nie ma dla elfa ni człowieka ucieczki z Orfalchu, nie ma powrotu.

Tak wędrowali pod górę, czasami długimi schodami, niekiedy ścieżkami pogrążonymi w cieniu, wijącymi się po zboczu, aż w odległości około kilkuset kroków od Drewnianej Bramy Tuor ujrzał, jak drogę przegradza wielki mur wzniesiony od ściany do ściany rozpadliny, z przysadzistymi wieżami po obu stronach. W owym murze widniał łuk bramy. Zdawało się, że dawni budowniczowie zaślepili ją gigantycznym głazem. Gdy trzej mężczyźni zbliżyli się, jego wypolerowana i ciemna powierzchnia zalśniła w blasku wiszącej pośrodku łuku lampy.

— Oto Druga Brama, zwana Kamienną — powiedział Elemmakil, podchodząc do wrót i naciskając lekko, a wtedy obróciły się na niewidocznej osi, aż stanąwszy równolegle do drogi, otworzyły po obu stronach przejście na podwórzec, na którym znajdowało się wielu uzbrojonych strażników w szarych strojach. Nie padło ani jedno słowo, kiedy Elemmakil prowadził swych podopiecznych do komnaty pod północną wieżą. Tam wędrowcy mogli odpocząć przez chwilę. Podano im jedzenie i wino.

— Skąpy może wydać się ten poczęstunek — zwrócił się Elemmakil do Tuora. — Ale jeśli dowiedziesz prawdy twych słów, wówczas do wystawniejszego stołu zasiądziesz.

– Tyle mi wystarczy – odparł Tuor. – Tylko słaby duch łakoci potrzebuje, by urosnąć w siłę.

I rzeczywiście, jadło oraz napitki Noldorów wzmocniły go na tyle, że wkrótce gotów był ruszyć w dalszą drogę.

Niewiele później dotarli do muru wyższego i solidniejszego niż poprzedni. Tkwiła w nim Trzecia Brama, Brama z Brązu, dwuskrzydłowe wrota obite brązowymi płytami, na których wyryto liczne postaci i dziwne znaki. Z muru ponad nadprożem wyrastały trzy wieże na planie kwadratu, wszystkie nakryte dachami i obłożone miedzią. Za sprawą szczególnego traktowania jej przez mistrzów kowalskich jaśniała ona niczym ogień w promieniach czerwonych lamp, jak pochodnie osadzonych rzędem w murze. I tę bramę przebyli w ciszy, na podwórcu zaś za wrotami ujrzeli większą jeszcze kompanię wartowników odzianych w kolczugi, które lśniły stłumionym płomieniem, ostrza zaś toporów straży miały kolor czerwony. Załoga składała się w większości z Sindarów z Nevrastu.

Doszli teraz do najtrudniejszego odcinka drogi, pośrodku Orfalchu bowiem zbocze było najbardziej strome, a gdy się tak wspinali, Tuor dojrzał mroczniejący przed nim najpotężniejszy z murów. Tak oto zbliżyli się w końcu do Czwartej Bramy, Bramy Splątanego Żelaza. Wysoki, czarny i niczym nieoświetlony był jej mur. Ponad nim wznosiły się cztery żelazne wieże, pomiędzy zaś dwoma wewnętrznymi widniała wykuta w żelazie podobizna orła tak realistyczna, że zdawać by się mogło, iż sam król Thorondor przysiadł na murze niczym na górskim szczycie, by odpocząć po locie w przestworzach. Tuor stanął przed bramą i zdało mu się, że przez splątane pnie i gałęzie wiecznych drzew spogląda na bladą twarz księżyca. Blask bowiem przenikał przez ornamenty wrót wykutych i wygiętych na podobieństwo drzew o wijących się korzeniach i bujnych konarach okrytych listowiem i kwiatami. Dopiero przechodząc bramę zrozumiał, czemu zawdzięczał to złudzenie: mur był nader gruby i nie jedną, lecz trzy kratownice osadzono w nim kolejno w ten sposób, by dla kogoś nadchodzącego środkiem szlaku zdawały się tworzyć jednolitą barierę, a światło za nimi było blaskiem dnia.

Wspięli się bardzo wysoko ponad dolinę, w której wędrówkę zaczęli, i za Bramą Żelazną droga biegła już niemal równo. Co więcej, minęli też koronę i serce Echoriathu. Szczyty górskie zlewać zaczynały się już z wewnętrznymi wzgórzami, a rozpadlina otwierała się coraz szerzej, zbocza zaś stawały się mniej strome. Leżał na nich śnieg, którego biel odbijała światło dnia, bladym blaskiem zalewając pełną roziskrzonej mgiełki dolinę.

Przeszli obok strażników Żelaznej Bramy, mających czarne opończe, kolczugi i podłużne tarcze, oblicza zaś skrywających za przyłbicami podobnymi do orlich dziobów. Elemmakil prowadził ich dalej, a Tuor dostrzegł, że obok drogi pojawił się spłachetek trawy, poprzetykany niczym gwiazdami białymi kwiatkami uilos, niezapominkami, które kwitną przez cały rok i nigdy nie więdną[27]; i tak oto, zachwycony i z lekkim sercem, doprowadzony został do Srebrnej Bramy.

Mur Piątej Bramy wzniesiono z białego marmuru i był niski, a szeroki. Wieńczyła go srebrna krata rozpięta pomiędzy pięcioma wielkimi, marmurowymi kulami. Stało tam wielu na biało odzianych łuczników. Sama brama miała kształt trzech czwartych koła i uczyniono ją z giętego srebra oraz pereł z Nevrastu. Kształtem przypominała księżyc. Ponad łukiem, na środkowej kuli, jaśniał wizerunek Białego Drzewa, Telperiona, cały ze srebra i malachitu, z kwiatami z wielkich pereł pochodzących z zatoki Balar[28]. Za bramą zaś rozciągał się przestronny dziedziniec wyłożony zielonym i białym marmurem. Trzymali tam straż łucznicy w srebrnych kolczugach i białogrzebieniastych hełmach, setka ich była z każdej strony. Elemmakil przeprowadził Tuora i Voronwëgo pomiędzy milczącymi szeregami, aż wstąpili na długą, białą drogę wiodącą prosto do Szóstej Bramy. Gdy tak szli, pasma murawy po bokach rosły coraz szersze, a pomiędzy białymi gwiazdkami uilos pojawiły się drobne, złote oczka podobne do kwiecia.

W końcu dotarli do Złotej Bramy, ostatniej z pradawnych bram Turgona wzniesionych przed Nirnaeth. Przypominała Srebrną Bramę, mur jednak był z żółtego marmuru, a sześć kul i parapet wykonano z czerwonego złota. Na wierzchołku piramidy osadzono podobiznę Laurelinu, Drzewa Słońca, z kwiatami rżniętymi z topazów i zwisającymi w kiściach na złotych łańcuchach. Bramę udekorowano dyskami ze złota, promienistymi jak samo słońce, oraz ozdobami z granatów, topazów i żółtych diamentów. Na podwórcu za bramą stały w szeregach trzy setki łuczników z długimi łukami i w pozłacanych kolczugach, z wysoko wyrastającymi z hełmów złotymi piórami. Potężne, okrągłe tarcze strażników czerwone były niczym płomień.

Słońce oświetliło dalszą część drogi. Po obu jej stronach ciągnęły się już tylko zielone wzgórza z płachtami śniegu na szczytach. Elemmakil przyspieszył kroku, niedaleko bowiem już mieli do Siódmej Bramy, Stalowej, zwanej też Wielką, którą Maeglin wykuł po powrocie z Nirnaeth, zagradzając szerokie wejście do Orfalch Echor.

Tutaj nie było muru, tylko dwie wieże z licznymi oknami wznosiły się wysoko, na siedem pięter, ku wieńczącym ich stożkowate kształty wieżyczkom z jasnej stali. Pomiędzy wieżami widniała potężna kratownica ze stali, która nie okrywała się rdzą, tylko lśniła zimną bielą. Tworzyło ją siedem pionowych sztab, wielkich i mocnych jak młode drzewa, zwieńczonych bezlitosnymi szpicami, ostrymi niczym igła. Do kolumn przymocowano siedem poziomych, równie potężnych sztab, pomiędzy zaś każdymi dwoma kolumnami umieszczono po siedmiokroć siedem stalowych prętów, zakończonych ostrzami szerokimi i płaskimi jak groty włóczni.

W centrum, ponad środkową i najwyższą sztabą, widniała podobizna królewskiego hełmu Turgona – wysadzanej diamentami korony Ukrytego Królestwa.

Tuor nie zauważył w tej przegrodzie żadnej bramy ani drzwi, ale gdy podszedł bliżej, zdało mu się, że spomiędzy sztab sączy się oślepiające światło, przysłonił więc oczy i stanął zmartwiały ze strachu i zdumienia. Elemmakil jednak ruszył dalej, trącił jedną ze sztab, a cała kratownica jak harfa zabrzmiała dźwiękiem czystym i harmonijnym, który krążyć począł od wieży do wieży.

Z wież wyjechali jeźdźcy; przed tymi z północnej podążał jeden na białym koniu; on też zsiadł z wierzchowca i podszedł do podróżnych. Chociaż wysoki i dumny był Elemmakil, to przewyższał go postawą i rangą Ecthelion, Władca Źródeł, a podówczas Strażnik Wielkiej Bramy[29]. Cały odziany w srebro, na lśniącym hełmie nosił stalowe kolce zwieńczone diamentami. Gdy giermek wziął od niego tarczę, ta roziskrzyła się, jak okryta kroplami deszczu, tysiącami odłamków kryształu.

Elemmakil pozdrowił go i rzekł:

– Oto przyprowadziłem Voronwëgo Aranwiona, wracającego z wyspy Balar. Przywiódł on obcego, ten zaś żąda widzenia z królem.

Wówczas Ecthelion odwrócił się do Tuora, który owinął się płaszczem i stał jeno w milczeniu, oddając spojrzenie; i zdało się Voronwëmu, że mgła otuliła Tuora i postać jego urosła, tak że czubek kaptura wzniósł się ponad wierzchołek hełmu dumnego elfa niczym szczyt morskiej fali wdzierającej się w głąb lądu. Ecthelion spuścił jasne oczy przed spojrzeniem Tuora i po chwili ciszy odezwał się z powagą[30]:

– Dotarłeś do Ostatniej Bramy. Wiedz zatem, że żaden obcy, który przez nią wejdzie, nie powróci, chyba że przez wrota śmierci.

– Nie strasz mnie! Jeśli bowiem wysłannik Pana Wód przejdzie przez tę bramę, wtedy wszyscy, którzy tu mieszkają, podążą za nim. Władco Źródeł, nie zatrzymuj wysłannika Pana Wód!

Wówczas Voronwë i strażnicy stojący w pobliżu, raz jeszcze spojrzeli na Tuora, zdumiewając się jego słowami i głosem. Voronwëmu zaś zdało się, że oto usłyszał ton donośny, z wielkiej wszakoż wołający odległości. Tuor jednak, gdy tak słuchał słów przez siebie wypowiadanych, miał wrażenie, że to kto inny przez jego usta przemawia.

Przez chwilę Ecthelion trwał w milczeniu, spoglądając na Tuora i z wolna lęk wypełzł na jego oblicze, tak jakby w szarości płaszcza Tuora zamajaczyły przesłane z oddali obrazy. Potem skłonił się, podszedł do kratownicy i położył na niej dłonie, a brama otworzyła się do środka dwoma skrzydłami po obu stronach sztaby z koroną. Przeszedł Tuor na murawę po drugiej stronie, skąd roztaczał się widok na dolinę i na otoczony bielą śniegów Gondolin. Jak zaklęty, długo nie mógł oderwać spojrzenia od upragnionego miasta, albowiem nareszcie ujrzał to, o czym śnił i za czym tęsknił.

Stał tak, nie mówiąc ani słowa, a zewsząd otaczali go tłumnie wojownicy Gondolinu, w tym i przedstawiciele załóg wszystkich Siedmiu Bram, tylko kapitanowie ich i dowódcy siedzieli na grzbietach białych i szarych koni. I gdy tak zdumieni patrzyli na Tuora, ten zrzucił płaszcz, ukazując się zebranym we wspaniałej zbroi z Nevrastu, a wielu spośród nich pamiętało, świadkami zdarzenia będąc, jak Turgon sam wieszał ów rynsztunek na ścianie za Wielkim Tronem w Vinyamarze.

Ecthelion odezwał się wreszcie:

– Nie trzeba nam już dalszych dowodów, bo nawet imię tego, który mieni się synem Huora znaczy mniej, niż ten widomy znak prawdy, że przybywa on od samego Ulma[31].

Rozdział II

Narn i Hîn Húrin
Opowieść o dzieciach Húrina

Dzieciństwo Túrina

Hador Złotowłosy był władcą Edainów i ulubieńcem Eldarów. Po kres swych dni cieszył się opieką Fingolfina i zamieszkiwał na ziemiach przez niego nadanych w tej części Hithlumu, którą zwano Dor-lómin. Jego córka, Glóredhel, wyszła za Haldira, syna Halmira, władcę ludzi z Brethilu, wesele zaś wyprawiano podwójne, tego samego bowiem dnia syn Hadora, Galdor Wysoki, ożenił się z Hareth, córką Halmira.

Galdor i Hareth mieli dwóch synów, Húrina i Huora. Húrin był o trzy lata starszy, niższy jednak od mężczyzn swego plemienia, jako że postawę wziął po matce. We wszystkim innym przypominał wszakże swego dziadka, Hadora, miał bowiem złote włosy i jasną karnację. W sercu mocno zbudowanego i porywczego młodzieńca ogień palił się jednak płomieniem równym, świadczącym o silnej woli i wytrwałości. Spośród wszystkich ludzi Północy, on najwięcej poznał sekretów Noldorów. Jego brat, Huor, był wysoki, najwyższy z Edainów (przerósł go dopiero jego syn, Tuor). Potrafił też najszybciej biegać, gdy jednak ścigali się na dłuższym dystansie, to Húrin przybywał pierwszy do mety, równo bowiem rozkładał siły. Bracia kochali się serdecznie i w młodości rzadko zdarzało im się rozstawać.

Húrin poślubił Morwenę, córkę Baragunda, syna Bregolasa z rodu Bëora, przez co spowinowacona była blisko z Berenem Jednorękim. Wysoką i ciemnowłosą

Morwenę, przez blask jej oczu i piękno oblicza, mężczyźni zwali Eledhwen, czyli Blask Elfów, była jednak nieco szorstka i nazbyt dumna. Smutki rodu Bëora zaległy cieniem w jej sercu, Dor-lómin bowiem stanowiło miejsce jej wygnania z Dorthonionu po klęsce Bragollach.

Imię Túrin nadali Húrin i Morwena swemu najstarszemu dziecku urodzonemu w tym samym roku, w którym Beren przybył do Doriathu i spotkał Lúthien Tinúviel, córkę Thingola. Morwena urodziła Húrinowi również córkę zwaną Urwena; zwykle wołano jednak na nią Lalaith, co oznacza Śmiech. Żyć jej dane było krótko.

Huor poślubił Ríanę, kuzynkę Morweny i córkę Belegunda, syna Bregolasa. Okrutnym zrządzeniem losu dziewczyna ta urodziła się w czasach niesprzyjających komuś o łagodnym sercu, niecierpiącemu ni polowań, ni wojny. Kochała drzewa i polne kwiaty, śpiewała i sama pieśni układała. Dwa miesiące ledwo była żoną Huora, gdy mąż jej wyruszył wraz z bratem wziąć udział w Nirnaeth Arnoediad i nigdy go już więcej nie ujrzała[1].

W latach po Dagor Bragollach i upadku Fingolfina, gęstnieć zaczął cień strachu przed Morgothem, jednak w czterechsetnym i sześćdziesiątym dziewiątym roku od powrotu Noldorów do Śródziemia nowa nadzieja wstąpiła w elfów i ludzi, gdy posłyszeli pogłoski o czynach Berena i Lúthien oraz o hańbie, która spotkała Morgotha na jego własnym tronie w Angbandzie, a niektórzy powiadali, że Beren i Lúthien wciąż żyją lub że zmartwychwstali. W onymże roku zamiary Maedhrosa bliskie były już spełnienia i wielkim wysiłkiem Eldarów i Edainów pochód Morgotha został powstrzymany, a orkowie wygnani z Beleriandu. Zaczęto napomykać o rychłej wiktorii i o naprawieniu błędów Bitwy Bragollach, kiedy to Maedhros winien poprowadzić połączone hufce, zepchnąć Morgotha do podziemi i zapieczętować Wrota Angbandu.

Co mądrzejsi jednak wciąż odczuwali niepokój i lęk, że Meadhros nazbyt wcześnie ujawnił swe siły i że Morgoth będzie miał dość czasu, by znaleźć przeciwko niemu skuteczną radę.

„W Angbandzie zawsze znajdzie się nowe zło, o którym nie śniło się ni elfom, ni ludziom" – powiadali. Jakby dla potwierdzenia prawdy ich słów, już jesienią nadciągnął z północy morowy wiatr niosący ołowiane chmury. Zwano go Złym Tchnieniem, był bowiem zabójczy. Wielu zachorowało i zmarło z końcem roku w krainach graniczących na północy z Anfauglithem, w większości dzieci i podrostki z rodu człowieczego.

W tymże roku Túrin, syn Húrina, miał tylko pięć lat, a Urwena, jego siostra, ledwo trzy kończyła z początkiem wiosny. Gdy biegała po łąkach, jej włosy przypominały kwitnące w trawie żółte lilie, a śmiech dziewczynki brzmiał niczym szmer pogodnego strumienia spływającego z gór obok murów domu jej ojca. Nen

Lalaith zwał się ów potok, dlatego też mieszkańcy domostwa wołali dziewczynkę Lalaith i radowały się ich serca, że takie właśnie dziecko żyje między nimi.

Túrin mniej zaznał miłości niż siostra. Ciemnowłosy jak matka, zapowiadał się na podobnego duchem, zwykle bowiem poważny, rzadko się odzywał, chociaż bardzo wcześnie nauczył się mówić i wyglądał na starszego, niż był w rzeczywistości. Dobrze zapamiętywał sobie wszelką niesprawiedliwość czy szyderstwo, ale ponieważ płynęła w jego żyłach i krew ojca, potrafił też być zapalczywy i porywczy. Łatwo było wzbudzić w nim współczucie. Krzywda czy ból wszelkiego żywego stworzenia często poruszały go do łez, w czym również przypominał ojca, Morwena bowiem odnosiła się do wszystkich surowo. Kochał matkę, jako że była to kobieta szczera i otwarta. Ojca rzadko widywał, gdyż Húrin ciągle wypuszczał się z armią Fingona, który strzegł wschodnich granic Hithlumu, a kiedy wracał, jego prędka mowa, pełna obcych słów i na wpół zrozumiałych jeno żartów, onieśmielała i niepokoiła Túrina. W owym czasie całe serce oddał siostrze, nieczęsto jednak się z nią bawił, wolał raczej strzec jej niezauważony i przyglądać się, jak spaceruje po trawie czy pod drzewami i śpiewa pieśni, które dzieci Edainów ułożyły dawno temu, kiedy język elfów bliski był jeszcze ich mowie.

— Lalaith swą gładkością przypomina dziecię elfów — powiedział Húrin do Morweny — choć, niestety, krótsze życie jej pisane. Ale tym piękniejsza jest może, i bardziej kochana.

Zadumał się Túrin, słysząc tę dziwną wypowiedź. Nie widział nigdy dziecka elfów, na ziemiach jego ojca bowiem nie przemieszkiwał wówczas ani jeden elf i ujrzeć było można Eldarów jedynie przy okazji przejazdu Fingona i jego znamienitej świty przez Dor-lómin, kiedy to cali w srebrze i bieli pokonywali most nad Nen Lalaith.

Zanim jeszcze rok dobiegł końca, prorocze okazały się słowa ojca, gdyż Złe Tchnienie nawiedziło Dor-lómin. Túrin zachorował i zległ pośród mrocznych majaków, powalony gorączką. Gdy wyzdrowiał, bo taki los był mu pisany i wiele miał w sobie życia, spytał o Lalaith. Opiekunka odpowiedziała mu jednak:

— Nie wspominaj więcej o Lalaith, synu Húrina, o swojej zaś siostrze, Urwenie, idź dowiedz się od matki.

Gdy zatem Morwena zajrzała doń, Túrin zagadnął:

— Nie jestem już chory i chcę widzieć Urwenę, ale czemu nie wolno mi więcej wymieniać imienia Lalaith?

— Bo Urwena nie żyje i śmiech umarł w tym domu — odparła. — Ty jednak ocalałeś, synu Morweny, tak jak trwa wciąż Nieprzyjaciel, który winien jest nieszczęściu.

Nie próbowała ukoić jego bólu, podobnie jak sama nie folgowała swemu żalowi, znosząc cierpienie w ciszy, z oziębłym sercem. Húrin jednak otwarcie przywdział żałobę, sięgnął nawet po harfę, by tren ułożyć, ale ponieważ pieśń nie przyszła, połamał instrument i wyszedłszy przed dom, wyciągnął ręce ku Północy i zakrzyknął:

— Ty, coś zeszpecił oblicze Śródziemia, gdybym tylko mógł stanąć z tobą twarzą w twarz, naznaczyłbym cię piętnem tak, jak uczynił to mój pan, Fingolfin!

Túrin zaś łkał gorzko przez całą noc, chociaż nigdy już nie wypowiedział przy matce imienia siostry. Przed jedną tylko bliską sobie osobą otworzył się wówczas, wylewając swój żal i smutek wynikły z pustki, która zapanowała w domu. Przyjaciel ten zwał się Sador i sługą był w domu Húrina. Kulał przy tym i niewiele znaczył pośród innych. Niegdyś pracował jako drwal i niezręczny zamach toporem pozbawił go prawej stopy, a okaleczona tak noga uschła. Túrin wołał go Labadal, czyli Skokostopy. Nie gniewało Sadora to przezwisko, wzięło się bowiem ze współczucia, a nie z pogardy. Znający się nieco na obróbce drewna Sador pracował w obejściu, strugając lub naprawiając wszelkie drobne sprzęty, które choć niewiele warte, to jednak przydawały się w domostwie. Túrin przynosił mu to i owo, by Sador nie musiał sam po wszystko kuśtykać, czasem zaś podbierał gdzieś po cichu jakieś narzędzie czy kawałek drewna, jeśli zdało mu się, że rzecz nie ma właściciela, a może przydać się do czegoś przyjacielowi. Sador uśmiechał się wówczas, ale zawsze kazał mu odnieść znalezisko na miejsce.

— Dawaj szczodrze, ale tylko to, co twoje — powiadał. Jak mógł, nagradzał przy tym dobroć dziecka, rzeźbiąc dlań figurki ludzi i zwierząt. Túrin wolał jednak słuchać opowieści Sadora, który w czasie Bragollach młodzieńcem był jeszcze i z chęcią rozprawiał o tych niedługich dniach męskości poprzedzających okaleczenie.

— Powiadają, że była wielka bitwa, synu Húrina. Odwołano mnie od pracy w lesie, gdyż tamtego roku taka zaistniała potrzeba, ale nie brałem udziału w walce, a szkoda, bo może chwalebniejsze odniósłbym rany. Za późno przybyliśmy, zostało nam tylko znieść na marach starego pana, Hadora, który padł w obronie króla Fingolfina. Potem wstąpiłem do wojska i służyłem w Eithel Sirion, wielkiej fortecy elfich królów i trwało to wiele lat, a może tylko tak mi się dzisiaj zdaje, skoro wiosny mijają mi teraz podobne jedna do drugiej. Byłem w Eithel Sirion, gdy napadł ją Czarny Król, a Galdor (ojciec twego ojca, który dowodził wówczas w zastępstwie króla) poległ i na moich oczach Húrin przejął godności i dowództwo, chociaż dopiero co osiągnął wiek męski. Płonął w nim ogień, od którego rozgrzewał się mu miecz w dłoni, tak powiadano. Pod jego komendą wdeptaliśmy orków w piach, i nie ważą się od tamtego dnia podejść do fortecy. Ale niestety! Aż zanadto nasyciłem się bitwą, sporo krwi tracąc i dość ran doznając, tak więc wrócić musiałem do utęsknionych lasów. I tam właśnie okaleczyłem sam siebie. Człowiek bowiem, który ucieka przed własnym strachem, zwykle odwlecze jedynie najgorsze i nic nadto.

W ten sposób Sador przemawiał do Túrina, gdy ten dorastał, aż chłopiec zaczął zadawać wiele pytań, na które przyjaciel nie zawsze znajdował odpowiedzi, uznając, że nauk winni udzielać mu jego najbliżsi. Pewnego dnia Túrin spytał:

— Czy Lalaith rzeczywiście podobna była do dziecka elfów, jak powiedział to mój ojciec? I co miał na myśli, gdy stwierdził, że krótsze życie jest jej pisane?

— Czasem trudno odróżnić małe dzieci ludzi i elfów — odparł Sador. — Jednak potomstwo człowiecze rośnie szybciej, a młodość rychło przemija, taki już nasz los.

— Co to jest los? — zagadnął wówczas Túrin.

— Spytaj kogoś mądrzejszego od Labadala — odparł Sador. — Tyle wiem tylko, że życie ludzkie nie trwa długo, z sił opadamy i nadchodzi koniec, a bywa i tak, że wcześniej jeszcze człek śmierć napotka. Elfy zaś nie starzeją się i nie umierają, chyba że doznają bardzo ciężkich ran. Ciosy i żałość, gotowe człowieka powalić, im są jedynie chorobą, z której się leczą. Podobno nawet jeśli ciała ich unicestwić, to i tak wracają. Z nami tak nie jest.

— To Lalaith nie wróci? — spytał Túrin. — Gdzie odeszła?

— Nie wróci. Ale dokąd odeszła, tego żaden człowiek nie wie, a w każdym razie nie wiem tego ja.

— Czy zawsze tak było? A może ciąży nad nami klątwa tego szalonego króla, taka jak Złe Tchnienie?

— Nie potrafię odpowiedzieć ci na to pytanie. Ciemność kryje naszą historię i ledwo kilka opowieści rozświetla te mroki. Może ojcowie naszych ojców wiedzieli więcej, ale dziś nie rzekną już ani słowa. Nawet ich imiona zatarły się w pamięci. Góry stoją między nami a ich życiem niegdysiejszym, które porzucili, nie wiadomo przed czym uciekając.

— Może się bali? — spytał Túrin.

— Może. Mogło być i tak, że umknęli ze strachu przed Ciemnością po to tylko, by znaleźć ją tutaj, gdzie kończy się ląd i dalej nie ma już żadnej drogi.

— Ale teraz my się nie lękamy niczego — powiedział Túrin. — Nie wszyscy. Mój ojciec się nie boi i mi obce będzie to uczucie, a przynajmniej, jeśli kiedykolwiek zaznam strachu, tak jak matka, nie pokażę tego po sobie.

Zdało się w tej chwili, że oczy Túrina niezbyt przypominają oczy dziecka i Sador pomyślał: „Żal hartuje tylko silnego ducha". Głośno jednak powiedział:

— Synu Húrina i Morweny, co wzrośnie w twoim sercu, tego Labadal nie odgadnie, ale rzadko kiedy i nielicznym tylko będzie dane w nie zajrzeć.

— Może lepiej nie wyjawiać swoich pragnień, jeśli nie można ich spełnić — stwierdził wówczas Túrin. — Ale żałuję, Labadalu, że nie jesteśmy jednymi z Eldarów. Wówczas Lalaith mogłaby wrócić, a ja czekałbym na nią, nawet jeśli wracałaby z bardzo daleka. Gdy tylko dorosnę, wyruszę jako żołnierz z elfim królem, tak ja ty kiedyś, przyjacielu.

– Wtedy poznasz ich lepiej – westchnął Sador. – To lud piękny i wspaniały, obdarzony władzą nad ludzkimi sercami. Czasem wydaje mi się, że lepiej by było, gdybyśmy nigdy nie spotkali tego plemienia i trzymali się własnych, pośledniejszych szlaków. Mądrość elfów wywodzi się ze starożytnych czasów, dumni są i wytrzymali. W ich blasku nasz płomień albo blednie, albo gorzeje tym silniej, szybko się wypalając, a wówczas tym ciężej jest człowiekowi przyjąć wyrok losu.

– Ale mój ojciec kocha Eldarów – powiedział Túrin. – Bez nich nie jest szczęśliwy. Mówi, że prawie cała nasza wiedza od nich właśnie pochodzi, że uczynili nas szlachetniejszymi, powiada też, że ludzie, którzy przyszli niegdyś zza Gór, niewiele różnili się od orków.

– To prawda – odparł Sador – przynajmniej wielu spośród nas. Ale taka wspinaczka trudna jest i bolesna, a z wysokiego stołka łatwo spaść.

Túrin miał osiem lat, gdy nadszedł miesiąc zwany w kalendarzu Edainów Gwaeron, owego roku, który pozostanie w ludzkiej pamięci. Od jakiegoś czasu krążyły już wśród starszyzny pogłoski o wielkim przeglądzie wojsk i gromadzeniu oręża, nic jednak z tego nie docierało do Túrina, Húrin zaś, znając odwagę i opanowanie żony, często rozmawiał z Morweną o zamiarach królów elfów i o tym, co wyniknąć może z ich zwycięstwa lub klęski. Sam pełen był nadziei i nie martwił się zbytnio o wynik bitwy, nie podejrzewał bowiem, by jakakolwiek siła w Śródziemiu mogła pokonać potężnych i wspaniałych Eldarów.

– Oni widzieli Światło na Zachodzie – powiedział. – Ciemności przyjdzie w końcu pierzchnąć, gdy stawią jej czoło.

Morwena zaś nie zaprzeczyła, w towarzystwie Húrina bowiem i jej nadzieja rosła. Ponieważ jednak pochodziła z ludu, który też posiadł nieco wiedzy elfów, powiedziała sobie:

– Czyż nie wyrzekli się Światła, czyż nie jest zatem tak, że nie mają teraz doń przystępu? A jeśli Władcy Zachodu wymazali ich ze swych myśli, czy pokonanie jednego z Możnych nie będzie zadaniem przewyższającym siły nawet Pierworodnych?

Cień podobnych wątpliwości zdawał się w ogóle nie nawiedzać umysłu Húrina Thaliona, jednak któregoś wiosennego dnia owego roku obudził się po niespokojnym śnie cały chmurny, wieczorem zaś stwierdził nagle:

– Gdy mnie wezwą, Morweno Eledhwen, wówczas twej pieczy powierzę dziedzictwo rodu Hadora. Życie człowieka jest krótkie i wiele czyha nań pułapek, nawet w czasach pokoju.

– Zawsze tak było – odparła. – Ale co mają znaczyć te słowa?

– To znak rozwagi, nie zwątpienia – powiedział Húrin, jednak zdawał się zaniepokojony. – Ten, kto myśli o przyszłości, musi dostrzec, że nic nie zostanie takie, jakie było. Szykuje się wielka rozgrywka, która ze szczętem pogrąży jedną ze stron. Jeśli to królowie elfów przegrają, wtedy zły los spotka także Edainów, a my mieszkamy najbliżej Nieprzyjaciela. Jeśli tak by się stało, nie powiem ci: „Nie bój się!" Choć słusznie bowiem lękasz się tego, co straszne, to strach nie ma nad tobą władzy. Rzeknę zatem: „Nie czekaj!" Wrócę, gdy tylko będę mógł, ale ty nie czekaj! Jak szybko będziesz mogła, ruszaj na południe; podążę za tobą i znajdę cię, choćbym cały Beleriand miał przeszukać.

— Rozległy jest Beleriand i nieżyczliwy wygnańcom — powiedziała Morwena. — Dokąd mam uciekać i ilu ludzi zabrać ze sobą?

Húrin pomyślał chwilę w ciszy.

— W Brethilu mieszka rodzina mej matki — odezwał się w końcu. — Lotem orła to jakieś trzydzieści staj.

— Gdyby tak fatalny czas zaiste nadszedł, to cóż po ludziach? — spytała Morwena. — Ród Bëora upadł. Jeśli potężny ród Hadora zostanie pokonany, w jakąż to mysią dziurę przyjdzie się schować ludowi Halethy?

— Niewielu ich jest i nieuczeni oni, ale nie powątpiewaj w ich męstwo — powiedział Húrin. — Bo czyż można liczyć na cokolwiek więcej?

— Nie wspomniałeś jeszcze o Gondolinie.

— Tak, ta nazwa nie padła z mych ust — odparł Húrin. — Prawdą jest jednak to, co słyszałaś: byłem tam. Powiadam ci jednak szczerze, jak nigdy dotąd nikomu nie wyjawiłem i nie wyjawię, że nie wiem, gdzie leży Gondolin.

— Ale domyślasz się i najpewniej orientowałbyś się, gdzie szukać — stwierdziła Morwena.

— Może i tak, ale dopóki Turgon nie zwolni mnie z danego słowa, nawet tobie nie zdradzę mych przypuszczeń i na próżno byś szukała. Gdybym zaś, hańbą się okrywając, powiedział ci wszystko, to w najlepszym razie stanęłabyś przed zawartą bramą, aż bowiem do chwili, gdy Turgon wyruszy na wojnę (a nic nie wiadomo, by miał to uczynić i nikt się tego nie spodziewa), żadna istota nie wejdzie do środka.

— Skoro zatem nie można liczyć na twych pobratymców, a przyjaciele odmawiają pomocy — powiedziała Morwena — sama muszę zdecydować i myśli moje skłaniają się ku Doriathowi. Obręcz Meliany padnie ostatnia, jak sądzę, nikt też nie będzie tam pogardzał rodem Bëora. Czyż nie jestem teraz krewniaczką króla? Przecież Beren, syn Barahira, był wnukiem Bregora, tak jak i mój ojciec.

— Niezbyt ciepło noszę w sercu króla Thingola — powiedział Húrin. — Nie udzieli on żadnej pomocy królowi Fingonowi i nie wiedzieć czemu, dziwny cień zbiera się w mych myślach, gdy wypowiadana jest nazwa Doriath.

— A mnie chłód ogarnia, gdy słyszę o Brethilu — odparła Morwena.

Wówczas Húrin roześmiał się nagle i powiedział:

— Oto siedzimy sobie, rozpamiętując sprawy nijak od nas niezależne, mroczne cienie przywołując z niebytu. Nie będzie aż tak źle. Ale gdyby jednak, to na odwadze i roztropności przyjdzie ci polegać. Postąpisz, jak ci serce podyktuje, nie zwlekaj tylko. Jeśli zaś kres żywota napotkamy, wówczas sprawą królów elfów będzie przywrócić lenno spadkobiercom rodu Bëora, a syn nasz obejmie dostojne dziedzictwo.

Tej nocy Túrin prawie przebudził się i zdało mu się, że ojciec i matka stoją obok łoża i przyglądają się synowi w świetle trzymanych w dłoniach świec, twarzy rodziców jednak nie dostrzegł.

Rankiem w dniu urodzin Túrina, Húrin dał synowi prezent, wykuty przez elfy nóż z rękojeścią i pochwą w barwach srebra i czerni. Wręczając dar, powiedział:

— Dziedzicu rodu Hadora, oto mój podarunek urodzinowy. Uważaj jednak! Okrutne jego ostrze, stal służy zaś tym tylko, którzy potrafią nią władać. Wszystko gotowa jest ciąć z równą gorliwością, nawet twoją dłoń. — I sadzając Túrina na stole, ucałował go serdecznie. — No proszę, niemal dorównujesz mi wzrostem. Nie minie wiele czasu, a naprawdę mnie przerośniesz. Wielu zacznie się wówczas lękać twego noża.

Wówczas Túrin uciekł z komnaty i samotnie wybiegł z domu, a w sercu chłopca zagościło ciepło niczym blask słońca rozgrzewający wiosną zmarzniętą ziemię. Powtarzał sobie słowa ojca, który nazwał go dziedzicem rodu Hadora, jednak w myślach inne jeszcze zdanie sobie przypomniał: „Dawaj szczodrze, ale tylko to, co twoje". Poszedł zatem do Sadora i zawołał:

— Labadalu, dziś jest moje święto, urodziny dziedzica rodu Hadora! Przyniosłem ci prezent z tej okazji. Oto nóż, dokładnie taki, jakiego ci trzeba, gładko i równo wytniesz nim, co zechcesz.

Sador przyjął rzecz z zakłopotaniem, wiedział bowiem, że Túrin sam otrzymał ów nóż na urodziny, jednak nie godzi się mężczyźnie odmówić daru, jeśli ten zostaje wręczany dobrowolnie, obojętnie czyja ręka to czyni. Powiedział zatem z powagą:

— Ze szczodrego rodu pochodzisz, Túrinie, synu Húrina. Nie zrobiłem nic, czym godnie mógłbym ci odpłacić i za mało życia mi zostało, by to zmienić. Postaram się jednak tego dokonać, na ile sił mi starczy. — A gdy wyciągnął nóż z pochwy, stwierdził: — Zaiste, wspaniały to dar, ostrze ze stali elfów. Z dawna brakowało mi jej dotyku.

Húrin zauważył wkrótce, że syn nie nosi noża, a gdy spytał go, czy może tak zląkł się przestrogi, Túrin odparł:

— Nie, ale dałem nóż cieśli Sadorowi.

— Czyżbyś pogardził prezentem od ojca? — spytała Morwena i Túrin znów odpowiedział:

– Nie, ale kocham Sadora i żal mi tego człowieka.

Wtenczas rzekł Húrin:

– Wszystkie te trzy rzeczy twoimi były i rozdać je mogłeś wedle swej woli, Túrinie: miłość, współczucie, a w końcu i nóż.

– Ale wątpię, czy Sador zasłużył sobie na nie – powiedziała Morwena. – Sam się okaleczył przez brak biegłości, co ma zrobić, zawsze czyni powoli, marnując czas na błahostki.

– Tak czy inaczej, zasługuje na współczucie – stwierdził Húrin. – Nawet prawa dłoń i szczere serce mogą czasem zbłądzić, a taką krzywdę trudniej bywa znieść niż knowania wroga.

– Teraz jednak będziesz musiał poczekać na inny nóż – powiedziała Morwena. – Ten zaś dar pozostanie prawdziwym prezentem, swoją bowiem własność oddałeś.

Niemniej od tamtej pory Túrin zauważył, że Sadora zaczęto traktować z większą rewerencją, zlecono mu też wykonanie wielkiego siedziska dla pana domu, by ten mógł ustawić je w swojej komnacie.

Nadszedł jasny poranek w miesiącu Lothron, kiedy to nagle dęcie w trąby obudziło Túrina. Gdy podbiegł do drzwi, ujrzał na podwórcu wielką ciżbę pieszych i konnych uzbrojonych jak na wojnę. Stał tam i Húrin, przemawiając do ludzi i wydając rozkazy. Túrin dowiedział się, że wszyscy oni wyruszają właśnie do Barad Eithel. Byli między nimi nie tylko strażnicy i ludzie domu Húrina, ale i mężczyźni wezwani z całego kraju. Niektórzy wyruszyli już wcześniej z Huorem, bratem ojca Túrina, inni mieli dołączyć do władcy Dor-lóminu po drodze, by pod jego sztandarem ruszyć na wielki przegląd wojsk króla.

Morwena nie roniła łez, żegnając męża.

– Przypilnuję wszystkiego, co zostawiasz mej pieczy – powiedziała. – I tego, co jest, i tego, co będzie.

– Żegnaj, pani Dor-lóminu, wyruszamy z nadzieją większą niż kiedykolwiek. Niech pozostanie przy nas wiara, że tej zimy święto przesilenia radośniejsze będzie niż we wszystkich minionych latach i wiosna bez lęku zawita w nasze progi! – Potem posadził sobie Túrina na ramieniu i zawołał do swych ludzi: – Niech dziedzic rodu Hadora ujrzy błysk waszych mieczy! – I słońce zajaśniało na pięćdziesięciu ostrzach, które tamci dobyli, a podwórzec wypełnił się zawołaniem bitewnym Edainów z Północy: „*Lacho calad! Drego morn!* Płoń blasku! Uciekaj Nocy!"

W końcu Húrin wskoczył na siodło i rozwinięto jego złoty sztandar, a trąby zagrały raz jeszcze tego ranka. W ten sposób Húrin Thalion odjechał na Nirnaeth Arnoediad.

Morwena i Túrin stali zaś w drzwiach, aż dobiegł ich z dala słaby zew rogu: to Húrin minął grań pagórka, zza którego nie widać było już domu.

Słowa Húrina i Morgotha

Wiele pieśni nucą elfy i niejedną snują opowieść o Nirnaeth Arnoediad, Bitwie Nieprzeliczonych Łez, w której zginął Fingon i kwiat cały plemienia Eldarów. Życia ludzkiego by nie starczyło na wysłuchanie wszystkich tych historii[2], teraz zatem pora na słowo o tym jedynie, co przytrafiło się Húrinowi, synowi Galdora, panu Dor-lóminu, kiedy to na rozkaz Morgotha został w końcu pojmany żywcem przy strumieniu Rivil, skąd uprowadzono go do Angbandu.

Zaprowadzono Húrina przed oblicze Morgotha, który dzięki swoim talentom i szpiegom wiedział o przyjaźni łączącej Húrina z królem Gondolinu i pragnął osobiście złamać więźnia. Húrin jednak nie dał się nastraszyć i stawił czoło Morgothowi, który zakuł go wówczas w łańcuchy i skazał na powolną mękę. Wrócił jednak po niedługim czasie do Húrina i dał mu wybór pomiędzy odejściem gdzie wola i ochota lub też przyjęciem służby pomiędzy największymi dowódcami Morgotha, a to pod warunkiem, że wyjawi położenie fortecy Turgona i wszystko, co wie o zamiarach króla. Ale Húrin Nieugięty zakpił z niego, mówiąc:

– Ślepy jesteś, Morgocie Bauglirze i ślepy pozostaniesz, mrok jeno dostrzegając. Pojęcia nie masz, co rządzi sercami człowieczymi, a nawet, gdybyś to wiedział, nie potrafiłbyś darować ludziom spełnienia. Głupcem zwać tego, kto wierzy w słowa Morgotha. Najpierw zagarniesz to, czego pragniesz, potem cofniesz obietnicę, a mnie tylko śmierć zostanie, jeśli ulegnę twym żądaniom i namowom.

Morgoth roześmiał się wówczas i powiedział:

– Będziesz mnie jeszcze błagał o śmierć jak o łaskę.

Potem zabrał Húrina na Haudh-en-Nirnaeth, który to kurhan dopiero co usypano, więc wciąż spowijało go tchnienie śmierci. Usadził swego więźnia na szczycie, spojrzeć kazał na zachód, ku Hithlumowi, i skłonił do pomyślenia o żonie, dzieciach i reszcie krewnych.

– Teraz wszyscy oni mieszkają w należącym do mnie królestwie – powiedział Morgoth. – Mogą liczyć jedynie na moje miłosierdzie.

– Które nie istnieje – dodał Húrin. – Jednak nie są w stanie wskazać ci drogi do Turgona, nie znają bowiem jego tajemnic.

Wówczas gniew ogarnął Morgotha.

– Ty jednak możesz mi w tym pomóc, wraz z całym swym przeklętym rodem. Nagnę cię do mej woli, choćbyś twardszy miał być od stali. – I porwał długi miecz, który tam leżał, i na oczach Húrina złamał go wpół. Húrin zaś, choć odłamek zranił mu twarz, nawet nie drgnął. Wyciągnął zatem Morgoth długą rękę ku Dor-lóminowi i przeklął Húrina, Morwenę i ich potomstwo, mówiąc: – Patrz! Cień mej myśli spowije twoich bliskich, gdziekolwiek pójdą, i moja nienawiść ścigała ich będzie aż na kraniec świata.

– Próżne gadanie – odrzekł śmiało Húrin. – Nie dostrzegasz ich nawet, nie masz z dala nad nimi nijakiej władzy i mieć nie będziesz, jak długo pozostajesz w tej postaci, jak długo pragniesz być widzialnym królem tej ziemi.

Obrócił się wtedy Morgoth do Húrina i powiedział:

– Głupcze, najlichszy spośród ludzi, ostatnich spośród istot obdarzonych mową! Czy widziałeś kiedykolwiek Valarów, czy poznałeś siłę Manwëgo i Vardy? Czy wiesz, dokąd sięgają ich myśli? A może sądzisz, że pamiętają o tobie i że gotowi są chronić cię z dużej odległości?

– Tego nie wiem – odparł Húrin. – Jednak mogliby to uczynić, gdyby zapragnęli. Jak długo bowiem Arda istnieje, nikt nie pozbawi Odwiecznego króla tronu.

– Mylisz się, Húrinie – stwierdził Morgoth. – Jam jest Odwiecznym Królem – jam jest Melkor, pierwszy i najpotężniejszy z Valarów, byłem już, kiedy świat jeszcze nie istniał, to ja go stworzyłem. Cień mych zamysłów zalega nad Ardą i wszystko, co ją tworzy, ulega z wolna, ale nieuchronnie mej woli. Nad tymi zaś, których kochasz, zawiśnie niczym chmura widmo Zagłady, aż bez reszty pogrążą się w mroku i rozpaczy. Gdziekolwiek pójdą, zło podąży za nimi. Cokolwiek powiedzą, fatalną okaże się radą. Każdy czyn przeciw nim się obróci. Umrą odarci z nadziei, i śmierć, i życie przeklinając.

– Czyżbyś zapomniał, z kim rozmawiasz? – spytał hardo Húrin. – Dawno temu opowiadałeś już takie bajdy naszym ojcom, umknęliśmy jednak z zasięgu twego Cienia. Teraz już wiemy dobrze, kim jesteś, patrzyliśmy bowiem w oblicza tych, co widzieli Światło, słyszeliśmy głosy tych, którzy rozmawiali z Manwëm. Owszem, istniałeś wcześniej niż Arda, ale nie byłeś sam, i nie ty ją stworzyłeś. Trudno też cię nazwać najpotężniejszym, za wiele bowiem siły zużyłeś, by zbudować swój wizerunek, z próżności zmarnowałeś i roztrwoniłeś swą moc. Teraz jesteś ledwie zbiegłym więźniem Valarów i nikim nadto. Ich łańcuch wciąż na ciebie czeka.

– Dobrze wyuczyłeś się zadanej przez twych panów lekcji – powiedział Morgoth. – Ale takie dziecinne bajanie nic ci nie pomoże, skoro wszyscy oni uciekli.

– Na sam koniec więc, więźniu Morgocie, powiem ci coś, co nie od Eldarów pochodzi, ale pojawiło się w mym sercu w tej godzinie. Nie jesteś panem ludzi i nigdy nim nie będziesz, nawet gdyby i Arda, i Menel dostały się w twe jarzmo. Nie dosięgniesz poza Kręgami Świata tych, którzy sprzeciwią się twej woli.

– Poza Kręgi Świata ścigał ich nie będę – odparł Morgoth. – A to dlatego, że tam jeno pustka i nicość. Tutaj jednak mi nie ujdą, chyba że nicość wybiorą.

– Kłamiesz – stwierdził Húrin.

– Sam jeszcze ujrzysz i przekonasz się, że to, co mówię, jest prawdą – odrzekł Morgoth i zabrał Húrina z powrotem do Angbandu, by przykuć go swą mocą do kamiennego siedziska wysoko na zboczu Thangorodrimu, skąd rozciągał się widok daleko w głąb Hithlumu na zachodzie i Beleriandu na południu. Stanąwszy zaś obok, Morgoth przeklął go raz jeszcze, nie pozwalając ni ruszyć się z miejsca, ni umrzeć, póki sam więźnia nie uwolni.

— Siedź tutaj i patrz na krainy, gdzie zło i rozpacz dosięgnie tych wszystkich, których wystawiłeś na me ciosy. Ośmieliłeś się bowiem drwić ze mnie, podważyłeś potęgę Melkora, pana losu Ardy. Tedy moimi oczami widział będziesz, moimi uszami słyszał i nic nie zostanie ci oszczędzone.

Odejście Túrina

Tylko trzech mężów ze wszystkich wrócić zdołało do Brethilu przez Taur-nu--Fuin i ponury był to powrót. Gdy Glóredhel, córka Hadora, dowiedziała się o śmierci Haldira, umarła z żałości.

Do Dor-lóminu żadne wieści nie dochodziły. Ríana, żona Huora, popadła w szaleństwo i uciekła na pustkowia, gdzie jednak trafiła na Elfy Szare ze wzgórz Mithrimu. One przyjęły ją oraz dziecko, które urodziła, i roztoczyły opiekę nad Tuorem, kiedy to Ríana wyruszyła do Haud-en-Nirnaeth, gdzie zległa i umarła.

Morwena Eledhwen pozostała w Hithlumie, cierpiąc w milczeniu. Jej synowi, Túrinowi, biegł dopiero dziewiąty rok życia, a ona znów oczekiwała dziecka. Zły był to czas. Easterlingowie w wielkiej liczbie nadciągnęli do jej włości, ze szczególnym okrucieństwem traktując poddanych Hadora, ograbiając ich z majątku i pędząc w niewolę. Zabierali wszystkich, którzy mogli przydać się do jakiejkolwiek służby czy pracy, nawet dziewczęta i chłopców, starych zabijali lub głodzili na śmierć. Nie ośmielili się jednak jeszcze ani wyciągnąć rąk po panią Dor-lóminu, ani wyrzucić jej z domu, wierzyli bowiem, że jest ona niebezpieczną czarownicą mającą swe układy z białymi demonami, jak nazywali elfy, budzące w nich lęk silniejszy od nienawiści[3]. Z tegoż samego powodu omijali góry, gdzie, szczególnie na południu, schroniło się wielu Eldarów. Skończywszy plądrowanie, Easterlingowie poniechali dalszego dzieła zniszczenia i wycofali się na północ, posiadłość zaś Huora znajdowała się na południowym wschodzie Dor-lóminu i góry były blisko, a Nen Lalaith brał swój początek ze źródła tryskającego u stóp Amon Darthir, której grzbiet przecinała przełęcz stroma, ale dostępna dla kogoś zaprawionego w wędrówkach. Śmiałek taki, pokonawszy Ered Wethrin mógł zejść potem wraz z dopływami Glithui do Beleriandu. Ani Easterlingowie, ani nawet sam Morgoth nie znali jeszcze tej drogi, jak długo bowiem stał dom Fingolfina, kraj ten był bezpieczny. Nieprzyjaciele i słudzy zła nigdy tam się nie zapuszczali. Morgoth zaś uważał Ered Wethrin za przeszkodę nie do przebycia, zarówno dla uciekinierów z północy, jak i najeźdźców z południa. I rzeczywiście, nie istniało inne przejście dla bezskrzydłych istot od Serech aż po daleki zachód, gdzie Dor-lómin graniczył z Nevrastem.

Tak więc się stało, że podczas pierwszych wypadów poniechano Morweny, jednak wielu ludzi czaiło się w pobliskich lasach, więc śmiałkowi wypuszczającemu się zbyt daleko od domu groziło duże niebezpieczeństwo. Pod opieką Morweny pozostało jeszcze kilkoro starszych mężczyzn i kobiet, w tym cieśla Sador, oraz Túrin, któremu matka zakazała teraz wychodzić poza dziedziniec. Dom Húrina podupadł jednak wkrótce i chociaż Morwena ciężko pracowała, to bieda cisnęła ją mocno i pani Dor-lóminu przymierałaby głodem, gdyby nie dyskretna pomoc Aeriny, krewnej Húrina, którą niejaki Brodda, Easterling, wziął przemocą za żonę. Gorzki był to kąsek dla Morweny, przyjmowała jednak dary przez wzgląd na Túrina i nienarodzone jeszcze dziecko, a też dlatego, powiadała, że swoje bierze, to właśnie bowiem ów Brodda zagarnął jej poddanych, dobra i bydło z włości Húrina, wyprowadzając je do własnego majątku. Był to człowiek zuchwały, ale niezbyt liczył się między swoimi, nim przybyli do Hithlumu, tak zatem, pragnąc bogactwa, wyciągał rękę po okolice, którymi inni pogardzili. Raz tylko widział Morwenę, gdy przyjechał do jej domostwa po łupy, i lęk go wówczas ogarnął. Zdało mu się, że patrzy w srogie oczy białego demona i przerażony, aby tylko jakiego uroku nań nie rzuciła, zaniechał plądrowania, nie odkrywając tym samym Túrina. Inaczej życie prawdziwego dziedzica i pana na włościach dobiegłoby przedwczesnego końca.

Z ludu Hadora Brodda uczynił swych niewolników, zmuszając Słomiane Łby, jak ich nazywał, do wzniesienia dlań drewnianego pałacu na północ od domu Húrina. Tam też nieszczęsnych stłoczył niczym bydło na otoczonym palisadą dziedzińcu, strzeżono ich jednak marnie. A byli w owej gromadzie i tacy, którzy nie bacząc na swe mizerne położenie, nie lękali się pomagać pani Dor-lóminu, i od nich to docierały do Morweny przekazywane potajemnie wieści, niedodające jednak otuchy. Niemniej Brodda traktował Aerinę jak prawdziwą żonę, a nie jak niewolnicę, niewiele bowiem kobiet przybyło z armią Easterlingów, a i te nie umywały się do córek Edainów. Miał też nadzieję objąć kiedyś władzę nad całą tą krainą i czekał dziedzica, by mieć komu włości przekazać.

O tym, co się działo i jeszcze zdarzyć mogło, Morwena nie wspominała prawie Túrinowi, on zaś bał się zmącić jej milczenie pytaniami. Gdy po raz pierwszy Easterlingowie przybyli do Dor-lóminu, spytał wówczas matkę:

— Kiedy wróci mój ojciec, by przegnać tych obrzydliwych złodziei? Czemu jeszcze nie nadchodzi?

– Nie wiem – odparła wówczas. – Może zginął, może popadł w niewolę, a może rzucił go los tak daleko, że nie może przedrzeć się do nas przez rzesze nieprzyjaciół.

– Chyba jednak poległ – powiedział Túrin, a nim matka zdołała go ukoić, dodał ze łzami: – Bo przecież gdyby żył, nikt by go nie powstrzymał przed powrotem, by nam pomóc.

– Obawiam się, że i tak nie domyślamy się prawdy – odparła Morwena.

Z czasem Morwena coraz bardziej zaczęła się lękać o los swego syna, dziedzica Dor-lóminu i Ladrosu, obawiając się, że nie minie wiele lat, a stanie się niewolnikiem Easterlingów i nic lepszego go już w życiu nie spotka. Wtedy wspomniała słowa Húrina i ponownie pomyślała o krainie Doriathu, ostatecznie postanawiając wysłać tam cichcem Túrina i poprosić króla Thingola, by przygarnął chłopca. Gdy tak siedziała i dumała, jak tego dokonać, usłyszała w myślach wyraźnie głos Húrina mówiący: „Ruszaj szybko! Nie czekaj na mnie!" Zbliżał się jednak czas rozwiązania, a droga szykowała się ciężka i niebezpieczna, z każdym krokiem dająca mniej szans na ucieczkę, na dodatek Morwena łudziła się wciąż, chociaż była to nadzieja skrywana na samym dnie serca, że Húrin nie zginął i że którejś bezsennej nocy usłyszy wreszcie jego kroki. Czasem budziła się, przekonana, że oto dobiegło ją rżenie jego konia, Arrocha. Co więcej, chociaż pragnęła, by syn znalazł schronienie pod obcym dachem, duma nie pozwalała jej samej prosić o jałmużnę, nawet króla. Nie posłuchała więc głosu męża, czy też wspomnienia owego głosu, i za jej sprawą w tejże oto chwili dopełniać się zaczął fatalny los Túrina.

Jesień Roku Lamentu zdążyła nadciągnąć, nim Morwena podjęła swą decyzję, toteż pośpiech był teraz wskazany, niewiele bowiem czasu zostało na podróż, próba zaś przeczekania zimy groziła pojmaniem Túrina przez krążących w pobliżu i szpiegujących domostwo Easterlingów. Tak zatem niespodziewanie rzekła pewnego dnia Túrinowi:

– Twój ojciec nie powróci. Ty również musisz wyruszyć, i to rychło, tak jak on tego pragnął.

– Wyruszyć? – krzyknął Túrin. – Ale dokąd pójdziemy? Przez Góry?

– Tak – odparła. – Na południe, gdzie może tli się jeszcze jakaś nadzieja. Nie powiedziałam jednak „my", mój synu. Ja muszę zostać.

– Nie odejdę sam! – powiedział Túrin. – Nie zostawię cię. Czemu nie mielibyśmy ruszyć razem?

– Ja nie mogę – stwierdziła Morwena. – Nie będziesz jednak samotnie wędrował. Wyślę z tobą Gethrona, a może też i Grithnira.

– A czemu nie Labadala?

— Bo Sador jest kulawy, a droga niełatwa. Ponieważ jesteś moim synem i ponure czasy nastały, powiem wprost: możecie zginąć w marszu. Zima już bliska. Jeśli jednak zostaniesz, wówczas czeka cię koniec gorszy jeszcze, nie unikniesz bowiem niewoli. O ile chcesz godnie dojść wieku męskiego, wówczas zbierzesz się na odwagę i zrobisz, jak mówię.

— Ale przy tobie będzie tylko Sador, ślepy Ragnir i garstka starych kobiet. Czy ojciec nie powiedział, że jestem dziedzicem Hadora? Ktoś taki powinien zostać w domu, by go bronić. Jaka szkoda, że oddałem nóż!

— Powinien, ale nie może — odparła Morwena. — Niewykluczone jednak, że pewnego dnia tu powróci. Odwagi! Jeśli sytuacja pogorszy się, wyruszę za tobą, o ile tylko będę mogła.

— Ale jak odszukasz mnie wówczas wśród pustkowia? — spytał Túrin i załkał nagle, przerażony.

— Skoro nie przestaniesz tak jęczeć, to inni znajdą cię przede mną. Znając cel wędrówki, odnajdę was. Macie dotrzeć gdzie trzeba i pozostać na miejscu. Wysyłam cię do króla Thingola w krainie Doriathu. Czy nie wolisz być raczej gościem króla niż niewolnikiem?

— Sam nie wiem. Nigdy nie spotkał mnie los więźnia.

— Po to właśnie cię wysyłam, byś nie poznał doli niewolnika — odparła Morwena i posadziła Túrina przed sobą, po czym spojrzała mu w oczy, jakby chciała wyczytać z nich odpowiedź na jakąś zagadkę. — Czasy są ciężkie, Túrinie, mój synu — odezwała się po dłuższej chwili. — I to nie tylko dla ciebie. Niełatwo mi w tych złych dniach osądzić słuszność wyboru. Czynię jednak to, co wydaje mi się słuszne. Bo i dla jakiego niby innego powodu miałabym rozstawać się z najdroższą osobą, jaka została mi na świecie?

Więcej już o tym nie rozmawiali, Túrin zaś, smutny i nieswój, poszukał następnego ranka Sadora, który rąbał na szczapy mizerne resztki drew do ognia, co musiało wystarczyć, nikt bowiem nie odważał się obecnie zapuszczać w las. Wsparty na kulach zapatrzył się na wielkie siedzisko Húrina, które tkwiło nieukończone w kącie.

— Przyszedł jego czas — powiedział. — Nie pora dziś na zbytki.

— Poczekaj z tym — poprosił Túrin. — Może on jeszcze wróci, a wówczas z radością ujrzy, co dlań zrobiłeś, gdy przebywał z dala od domu.

— Próżna nadzieja gorsza jest od strachu — stwierdził Sador — bo nie ogrzeje nas tej zimy. — Przesunął palcem po rzeźbieniach mebla i westchnął. — Stracony był to czas, chociaż miło upływał. Ale takie dzieła zawsze krótko żyją i jedyna radość, której dostarczają, to radość tworzenia. Równie dobrze mógłbym oddać ci teraz twój nóż.

Túrin zaraz wyciągnął rękę, ale jeszcze szybciej ją cofnął.

– Mężczyzna nie odbiera tego, co podarował – stwierdził.

– Ale skoro nóż należy do mnie, to czy nie mogę podarować go komukolwiek zapragnę?

– Owszem, każdemu, prócz mnie. Ale czemu miałbyś chcieć mi go oddać?

– Chyba nie trafi mi się już robota warta tego ostrza – odrzekł Sador. – Nadchodzą dni, gdy nie będzie pracy dla Labadala innej jak niewolnicza harówka.

– Co to jest niewolnik?

– Człowiek, który człowiekiem już nie jest, bo traktują go jak zwierzę. Jeść dostaje tyle tylko, by pozostał żywy, żyje dla nieustannego trudu, a trudzi się ze strachu przed cierpieniem i śmiercią. Zresztą ci łupieżcy gotowi są męczyć i zabijać dla samej zabawy. Słyszałem, że wybierają co lepszych biegaczy, by polować na nich z psami. Uczą się od orków szybciej, niż my uczyliśmy się od Pięknego Ludu.

– Teraz lepiej rzecz pojmuję – powiedział Túrin.

– To haniebne, że tak wcześnie musisz zacząć rozumieć podobne sprawy – odparł Sador, a dostrzegając dziwny błysk w oczach chłopca, spytał: – A co właściwie pojmujesz?

– Matka wysyła mnie w drogę – mruknął Túrin i zalał się łzami.

– Aha! – powiedział Sador. – Tylko czemu zwlekała tak długo? – dodał pod nosem. – Nie wygląda mi to na dobry powód do płaczu. Nie powinieneś jednak wspominać o decyzji Morweny ani Labadalowi, ani nikomu innemu. Czasy takie, że ściany mają uszy i mało szlachetne głowy tymi uszami strzygą.

– Ale przecież muszę z kimś porozmawiać! Zawsze wszystko ci mówiłem. Nie chcę cię opuszczać, Labadalu. Nie chcę zostawiać domu ani matki.

– Zrozum, jeśli tego nie zrobisz, to ród Hadora wygaśnie niebawem. Labadal pragnie z całego serca, byś nie odchodził, ale Sador, sługa Húrina spokojniej spał będzie wiedząc, że syn Húrina żyje bezpiecznie poza zasięgiem Easterlingów. Cóż, nic nie da się zrobić. Nadeszła pora, by się pożegnać. Czy i teraz nie przyjmiesz ode mnie noża jako prezentu na do widzenia?

– Nie! – krzyknął Túrin. – Idę do elfów, do króla Doriathu, tak mówi matka. Tam mogę mieć więcej takich noży, ale nie będę mógł przesłać ci żadnego daru, Labadalu. Będę bardzo daleko i zupełnie sam. – I znów zapłakał, ale Sador powiedział:

– Gdzie podziewa się syn Húrina? Bo słyszałem, jak mówił całkiem niedawno: „Gdy tylko dorosnę, wyruszę jako żołnierz z elfim królem".

Wówczas Túrin powstrzymał łzy.

– No dobrze, jeśli tak powiedział syn Húrina, to trzeba mu dotrzymać słowa i ruszyć w drogę. Co innego jest jednak mówić o czymś, a robić to naprawdę, gdy czas nadejdzie. Wcale nie pragnę odchodzić. Muszę w przyszłości zwracać większą uwagę na me słowa.

– Zaiste, pamiętaj o tym – stwierdził Sador. – Tak to jest, że większość ludzi próbuje pouczać innych, ale mało kto z nich sam się uczy. Będzie co ma być i nie zamartwiaj się tym, dzisiejsze troski starczą ci aż nadto.

Túrin, gotów już do podróży, pożegnał się z matką i wyruszył potajemnie z dwoma jedynie kompanami. Za ich namową odwrócił się jeszcze i spojrzał na dom swego ojca, a wówczas ból rozstania poraził go jak miecz. Oto był pierwszy ze smutków Túrina.

– Matko! Matko, kiedy znów cię zobaczę? – zakrzyknął, a stojącą na progu domostwa Morwenę dobiegło spomiędzy lesistych wzgórz echo tego okrzyku i tak mocno zacisnęła dłoń na framudze drzwi, że aż poraniła sobie palce.

Na początku następnego roku po odejściu Túrina Morwena urodziła córkę, której dała na imię Nienor, czyli Żałoba, sam zaś Túrin znajdował się w owej chwili już bardzo daleko. Droga była uciążliwa, jako że potęga Morgotha wyciskała piętno nawet na odległych zakątkach. Za przewodników miał chłopiec Gethrona i Grithnira, których młodość przypadała na czasy Hadora, niemniej, choć teraz postarzali, wciąż sprawiali się dzielnie i dobrze znali okolice, nie raz i nie dwa przemierzywszy niegdyś Beleriand. Los sprzyjał odważnym, tak więc pokonali Góry Cienia, zeszli do Doliny Sirionu, minęli lasy Brethil, aż zmęczeni i wynędzniali, dotarli do granic Doriathu. Tutaj zgubiwszy się w labiryncie królowej Meliany, długo wędrowali leśnymi bezdrożami, aż skończyło się jedzenie i śmierć zajrzała im w oczy, gdyż mroźna zima nadciągnęła z północy. Jednak nie tak lekki koniec pisany był Túrinowi. Ulegli już zrozpaczeni, gdy dobiegł ich dźwięk rogu. To Beleg, Mistrz Łuku, polował w tej okolicy, przemieszkiwał bowiem na pograniczu Doriathu, jako najpotężniejszy w owych czasach człowiek lasu. Dosłyszał ich krzyki i zbliżył się, a potem poczęstował jadłem i napojem, a kiedy poznał imiona wędrowców i dowiedział się, skąd wyruszyli, serce jego wypełniło się podziwem i litością. Natychmiast poczuł sympatię do wytrwałego i mocnego Túrina, który po matce odziedziczył urodę, a charakter po ojcu.

– O co będziesz chciał prosić króla Thingola? – zagadnął Beleg chłopca.

– Pragnąłbym zostać jednym z jego rycerzy i wyruszyć przeciwko Morgothowi, by pomścić mego ojca – odparł Túrin.

– Może stać się i tak, gdy podrośniesz z latami – stwierdził Beleg. – Bo chociaż mały jeszcze jesteś, zapowiadasz się na dzielnego męża, godnego syna Húrina Nieugiętego.

Imię Húrina było w wielkim poważaniu pomiędzy elfami i Beleg chętnie zgodził się zostać przewodnikiem wędrowców. Poprowadził ich do domku myśliwskiego, w którym mieszkał tymczasem wraz z innymi łowcami. Zagościli tam, a wysłannik wyruszył z wieścią do Menegrothu. A gdy wrócił z nowiną, że Thingol i Meliana przyjmą syna Húrina i jego świtę, Beleg powiódł ich tajnymi ścieżkami do Ukrytego Królestwa.

Tak więc dane było Túrinowi przejść wielki most ponad Esgalduiną i minąć bramy pałacu Thingola. Jako dziecko ujrzał cuda Menegrothu, których nie oglądał dotąd żaden śmiertelnik prócz jednego, spowinowaconego zresztą z Túrinem, Berena. Gethron wygłosił przed Thingolem i Melianą wiadomość od Morweny, a król przyjął ich uprzejmie i dla uczczenia imienia Húrina, najpotężniejszego z ludzi, jak i bliskiego mu Berena, posadził sobie Túrina na kolanach. Ci, którzy to widzieli, zdumieli się niepomiernie, jako że gest ów oznaczał, że Thingol uznaje chłopca za swego wychowanka, a w owych czasach królowie nie zwykli czynić nikomu podobnych zaszczytów, nigdy zaś nie okazał takiej łaski władca elfów człowiekowi.

– Synu Húrina, oto twój dom – powiedział Thingol. – I chociaż człowiekiem jesteś, dorastać będziesz odtąd jako mój syn i do końca dni swoich synem moim pozostaniesz. Posiądziesz wiedzę ponad miarę plemienia człowieczego, nauczysz się władać bronią elfów. Może przyjdzie taka pora, gdy odzyskasz ziemie twego ojca w Hithlumie, na razie jednak pozostań tutaj, otoczony miłością.

Tak rozpoczął się pobyt Túrina w krainie Doriathu. Przez czas jakiś towarzyszyli mu jeszcze Gethron i Grithnir, chociaż tęsknili za powrotem do pani w Dor-lóminie. Stary i schorowany Grithnir postanowił jednak pozostać przy Túrinie do swej śmierci, Gethron jednak zapragnął odejść, zatem Thingol wyprawił go z eskortą, przekazując wiadomość dla Morweny. Dotarli w końcu do domu Húrina, a gdy Morwena usłyszała, jakich to zaszczytów dostąpił jej syn w pałacu Thingola, lżej zrobiło się jej na sercu; ponadto elfy przekazały hojne dary od Meliany oraz prośbę, by Morwena zechciała wraz z poddanymi Thingola powrócić do Doriathu. Mądra Meliana posiadała umiejętność jasnowidzenia, miała nadzieję, że odwróci w ten sposób fatum zawisłe za sprawą Morgotha nad rodziną Húrina. Morwena jednak nie chciała opuścić domostwa, jako że niezmienne było jej dumne serce, co więcej, Nienor gaworzyła dopiero w kołysce. Podziękowała zatem elfom z Doriathu, obdarowując ich na drogę drobiazgami ze złota, ostatnimi, jakie w tej biedzie, skrywanej przed gośćmi, pozostały, i namawiając też, żeby zanieśli Thingolowi Hełm Hadora. Túrin wyglądał niecierpliwie powrotu wysłanników Thingola, a gdy pojawili się bez Morweny, uciekł do lasu, gdzie zapłakał, wiedział bowiem o zaproszeniu Meliany i miał nadzieję, że matka jednak przybędzie. Oto był drugi z żalów Túrina.

Gdy wysłannicy przekazali odpowiedź Morweny, współczucie ogarnęło Melianę i uprzytomniła sobie, że przewidzianego przez nią fatalnego losu nie da się tak łatwo odmienić.

Insygnium władzy Hadora trafiło w ręce króla Doriathu. Był to (wykuty przez mistrza Telchara, kowala z Nogrodu) hełm z szarej stali zdobionej złotem i zwiastującymi zwycięstwo runami. Miał moc chronienia przed ranami i śmiercią tego, kto go nosił, miecz pękał w zetknięciu z mocną stalą, a strzały odeń odskakiwały. Przyłbica, wzorowana na osłonach stosowanych przez krasnoludy podczas pracy w kuźni, chroniła twarz wojownika przed ogniem i strzałami, pozwalała jednak dostrzec nieprzyjaciołom budzące w ich sercach grozę oblicze. Całość zwieńczona była pozłacaną podobizną smoka Glaurunga, krótko bowiem przed ukończeniem dzieła bestia po raz pierwszy wyłoniła się z bram Morgotha. Hador, a po nim Galdor, nosili go często w bitwie, górując nad polem walki i radując tym widokiem serca wojowników Hithlumu, którzy wołali: „O ile więcej wart jest Smok Dor-lóminu niż smocze robactwo Angbandu!"

Po prawdzie, ów hełm nie został zrobiony dla człowieka, ale dla Azaghâla, pana Belegostu, który zginął, zabity przez Glaurunga w Roku Lamentu[4]. Wcześniej Azaghâl podarował go Maedhrosowi w podzięce za ocalenie życia i majątku podczas napadu orków na Drodze Krasnoludów w Beleriandzie Wschodnim[5]. Maedhros przesłał go następnie jako prezent Fingonowi, z którym często wymieniał dowody przyjaźni i pamięci o tym, jak Fingon zapędził Glaurunga z powrotem do Angbandu. Nie było jednak w Hithlumie nikogo, kto mógłby ów uczyniony na krasnoludzką modłę hełm nosić bez wysiłku, prócz jednego Hadora i syna jego, Galdora. Tedy Fingon przekazał go Hadorowi, kiedy ten został władcą Dor-lóminu. Złym zrządzeniem losu Hador nie miał jednak tej stalowej osłony na głowie, gdy bronił Eithel Sirion, jako że napaść była gwałtowna, pobiegł nieuzbrojony na mury, gdzie strzała orka trafiła go w oko. Dla Húrina już jednak hełm stanowił zbyt duży ciężar, przeto nigdy nie założył go w żadnej potrzebie, powiadając: „Wolę raczej stawić czoło nieprzyjaciołom z odkrytą twarzą". Tak czy inaczej, uznawał jednak ów hełm za jeden z największych skarbów swego dziedzictwa.

Thingol miał w Menegroth podziemne zbrojownie pełne wszelakiego oręża, takiego jak kolczugi (wykute na podobieństwo rybiej łuski i lśniące niczym gładź wody w blasku księżyca), miecze i topory, tarcze i hełmy (zrobione w zamierzchłej przeszłości przez samego Telchara lub znakomitego ucznia jego, Gamila Ziraka) oraz dzieła coraz sprawniejszych w tym fachu elfów. Niektóre rzeczy otrzymał bowiem Thingol w darze aż z Valinoru, z kuźni znamienitego Fëanora, któremu w owych czasach nikt na świecie nie potrafił dorównać w rzemiośle. Jednak Thingol przyjął Hełm Húrina, jakby nie miał tych bogactw, i odezwał się dwornie:

— Dumne głowy zdobił niegdyś ten hełm należący do przodków Húrina.

Potem zaświtała mu pewna myśl, wezwał więc Túrina i powiedział, że oto Morwena przysłała synowi nader istotną i znamienitą część ojcowizny.

— Weź teraz Smoczy Hełm Północy — polecił — a gdy czas nadejdzie, noś go szczęśliwie.

Túrin był jednak jeszcze za mały, by unieść hełm, więc nie przynosił mu żadnej pociechy.

Túrin w krainie Doriathu

Dzieciństwo spędził Túrin w królestwie Doriathu, pod okiem Meliany, chociaż sam rzadko ją widywał. Żyła bowiem w lasach dziewczyna imieniem Nellas, która na prośbę Meliany czuwała z daleka nad Túrinem, gdy ten zapuszczał się między drzewa, często też, niby to przypadkiem, spotykała go w puszczy. Od niej dowiedział się chłopiec wiele o życiu i dziwach Doriathu, ona też nauczyła go używać języka Sindarów na modłę przyjętą w dawnym królestwie, kiedy wykorzystywano całe bogactwo i dworność tej mowy[6]. Na czas jakiś niemal zapomniał Túrin o smutku, aż cień znów go ogarnął, przyjaźń bowiem z Nellas przeminęła jak poranek wiosny. Dziewczyna nie chciała pójść z nim do Menegrothu, wzdragając się przed życiem pod dachem z kamienia. Tak więc, gdy dzieciństwo dobiegło końca i pora była Túrinowi zająć się sprawami męskimi, coraz rzadziej i rzadziej widywał Nellas, aż za którymś razem w ogóle jej nie zawołał. Ona jednak wciąż obserwowała go z ukrycia[7].

Dziewięć lat mieszkał Túrin w komnatach Menegrothu. Sercem i myślami skłaniał się ku pobratymcom, niekiedy otrzymując od nich uspokajające wieści. Thingol bowiem, jak tylko mógł często, wysyłał gońców do Morweny, ona zaś przekazywała synowi kilka słów. Tak i usłyszał Túrin, że siostra jego, Nienor, wyrasta na piękność, kwiat istny pośród szarej Północy, a los samej Morweny nieco się poprawił. Wyrósł w końcu Túrin na mężczyznę wysokiego pomiędzy ludźmi, a siła jego i odwaga sławne były w królestwie Thingola. Wiele przez ten czas się nauczył, chętnie słuchając opowieści o dawnych dziejach. Stał się rozważny i oszczędny w słowach. Beleg, Mistrz Łuku, niekiedy przybywał do Menegrothu, by odwiedzić Túrina. Wypuszczali się wówczas daleko, a Beleg pokazywał młodzieńcowi, jak żyć w lesie, używać łuku oraz (co Túrin szczególnie lubił) władać mieczem. Gorzej radził sobie Túrin z wszelką twórczością, nieprzywykły bowiem jeszcze do swej siły, łatwo nieostrożnym ruchem niszczył obiekt starań. Często też nie osiągał tego, czego pragnął, lub też mimowolnie osiągał coś zupełnie niezamierzonego. Z trudem zawiązywał przyjaźnie, brak mu było wesołości ducha i rzadko się śmiał, skażony w młodości Cieniem. Niemniej ci, którzy znali go dobrze, otaczali Túrina szacunkiem i miłością, poważano go też jako przybranego królewskiego syna.

Znalazł się jednak ktoś, kto mu tego wszystkiego zazdrościł i wrogie uczucia narastały tym bardziej, im bliżej był Túrin wieku męskiego. A nazywał się on

Saeros, syn Ithilbora. Pochodził z Nandoru i należał do grupy, która schroniła się w Doriacie po tym, jak ich władca, Denethor, zginął na Amon Ereb w pierwszej bitwie o Beleriand. Obecnie mieszkali głównie w Arthórienie, pomiędzy Arosem i Celonem na wschodzie Doriathu, czasem jednak wypuszczali się na pustkowia za Celonem. Od momentu przejścia Ossiriandu i osiedlenia się w Estoladzie, to właśnie plemię elfów nie darzyło Edainów przyjaźnią. Saeros najczęściej przebywał w Menegrocie, gdzie zaskarbił sobie szacunek króla. Był bardzo dumny i z góry traktował wszystkich, których uważał za gorzej urodzonych czy mniej rozgarniętych niż on sam. Zaprzyjaźnił się z minstrelem Daeronem[8], jako że również biegły był w pieśni i nie przepadał nijak za pobratymcami Berena Erchamiona.

– Czy to nie dziwne – mawiał – że wpuszcza się tu przedstawicieli tej nieszczęsnej rasy? Czy i bez nich nie dość nieszczęść w Doriacie?

Spoglądał więc krzywo i na Túrina, i na jego dzieła, obgadując młodzieńca przy byle okazji. Fałszywy jednak i nieszczery, skrywał złośliwe zapędy i ilekroć zdarzyło mu się spotkać Túrina, pogwarzał z nim wesoło, chwaląc głośno każdy pomysł, aż wreszcie syn Húrina dość miał jego towarzystwa. Długo znosił to wszystko w milczeniu, adwersarz jego bowiem cieszył się sporym szacunkiem jako doradca króla, ale Saeros nawet to milczenie gotów był uznać za obrazę.

W siedemnastej wiośnie życia Túrina żal znów powrócił, przestały bowiem dochodzić go wieści z domu. Cień Morgotha rósł z roku na rok, aż mrok otulił cały Hithlum. Bez wątpienia Morgoth wiedział niejedno o poczynaniach krewnych Húrina, mimo to chwilowo ich nie niepokoił, czekając aż los się dopełni. Ostatecznie jednak, w pogoni za własnymi celami, przyjrzał się baczniej Górom Mglistym. Odciął wszelkie szlaki, toteż nikt nie mógł wydostać się z Hithlumu ni tam przemknąć, nie ryzykując życia. Orkowie zaś nawiedzili tłumnie źródła Narogu i Teiglinu, docierając aż do górnego biegu Sirionu. Toteż gdy pewnego razu wysłannicy Thingola nie powrócili, król zaniechał wysyłania następnych. Nigdy zresztą nie patrzył przychylnie na oddalanie się swoich poddanych poza strzeżone granice i sam fakt wysyłania przez lata posłańców w niebezpieczną drogę do Morweny w Dor-lóminie był z jego strony wyrazem dobrej woli i wielkiej sympatii dla rodziny Húrina.

Serce Túrina stwardniało wówczas, nie wiedział bowiem, jakie to nowe zło czai się za progiem, obawiał się też nieustannie o los matki i siostry. Przez całe dni siedział milczący i dumał o upadku rodu Hadora i Ludziach z Północy. Nareszcie wstał i poszukał Thingola, którego znalazł spoczywającego wraz z Melianą pod Hírilornem, wielkim bukiem Menegrothu.

Thingol spojrzał na młodzieńca zdumiony, stanął bowiem przed nim nie syn przybrany, ale obcy człowiek. Wysoki, ciemnowłosy, z zapadniętymi oczami w bladym obliczu. Gdy Túrin poprosił Thingola o kolczugę, miecz, tarczę i przypomniał o swych prawach do Smoczego Hełmu, król dał mu to wszystko ze słowami:

— Znajdę ci miejsce pomiędzy moimi rycerzami, gdyż miecz będzie twoją bronią. Jeśli pragniesz, możesz wraz z nimi zacząć wprawiać się w wojennym rzemiośle na pograniczu.

— Serce gna mnie poza granice Doriathu – odparł Túrin. – Miast tkwić tutaj, wolałbym raczej uderzyć na Nieprzyjaciela.

— Jeśli tak, to przyjdzie ci wyruszyć w pojedynkę – stwierdził Thingol. – O udziale mego ludu w wojnie z Angbandem sam zadecyduję, gdy rozum mi to podpowie, a póki co żaden oddział Doriathu nie wyjdzie poza obszar królestwa i nie potrafię przewidzieć chwili, kiedy to nastąpi.

— Ty jednak wolny jesteś. Możesz ruszać wedle swej woli, synu Morweny – powiedziała Meliana. – Obręcz Meliany nie zatrzyma nikogo, kto przekroczył ją za naszym przyzwoleniem.

— Chyba że mądra rada cię powstrzyma – dodał Thingol.

— Jaka to rada, panie? – spytał Túrin.

— Z pozoru jesteś już mężczyzną, ale daleko ci jeszcze do pełni męskości. Z czasem może upodobnisz się do swych przodków, ale istnieje mała szansa, by jeden człowiek zdziałał więcej przeciwko Czarnemu Władcy niż królowie elfów w swej fortecy, przynajmniej jak długo dane będzie jej trwać.

— Beren, mój krewniak, uczynił więcej.

— Beren i Lúthien – powiedziała Meliana. – Zbyt śmiałe to słowa wobec ojca Lúthien. Nie wydaje mi się, by aż takie przeznaczenie było ci pisane, Túrinie, synu Morweny, chociaż los twój splata się z losem elfów na dobre i na złe. Bacz na swe czyny, bo inaczej to drugie przeważy. – Umilkła na chwilę, aż znów się odezwała. – Idź teraz i rozważ radę króla. Nie sądzę jednak, byś długo zabawił tu z nami po dojściu wieku męskiego. Wspominaj często słowa Meliany, a tylko na tym skorzystasz: strzeż się zarówno żaru, jak i chłodu swego serca.

Wówczas Túrin skłonił się przed nimi i odszedł, a niedługo potem nałożył Smoczy Hełm, przypasał oręż i dołączył do wojowników elfów na północnym pograniczu, które strzec było trzeba przed orkami oraz wszelkimi sługami i stworami Morgotha. Tak zatem, ledwie wyrósłszy z chłopięctwa, nabrał siły i odwagi, a pamiętając dobrze o wszelkich wadach swego plemienia, zawsze śmiało wyrywał się do przodu w potrzebie, odnosząc wiele ran od strzał i krzywych szabel orków, ale przeznaczenie chroniło go od śmierci. Powtarzano wtedy po lasach, a nawet daleko poza granicami Doriathu, że Smoczy Hełm z Dor-lóminu znów walczy. Wielu zdumiewało się, zapytując: „Czy to duch Hadora albo Galdora Wysokiego wrócił z krainy śmierci? A może Húrin uciekł z lochów Angbandu?"

Jeden był tylko wówczas w armii pogranicza wojownik biegłej władający orężem od Túrina – Beleg Cúthalion. Oni to dwaj wspierali się zawsze, wyprawiając się razem na długie wędrówki po głuszy.

W ten sposób minęły trzy lata, podczas których Túrin z rzadka zaglądał do pałacu Thingola, mało dbając o swój wygląd czy ubiór, chodził bowiem rozczochrany, w kolczudze okrytej poplamionym płaszczem. Zmieniło się to dopiero trzeciego lata, kiedy dwie dziesiątki wiosen liczący Túrin przybył niespodziewanie do Menegrothu, jako że jego oręż wymagał pilnej interwencji płatnerza. Zjawił się wieczorem i wszedł do pałacu. Nie zastał króla, który wraz z Melianą wybrał się do lasów, gdzie chętnie spędzał czas w środku lata. Zmęczony i zamyślony Túrin spoczął bez zachęty przy stole, jednak pech zrządził, że zajął pomiędzy starszymi królestwa miejsce, na którym siadać zwykł Saeros. Ten spóźnił się nieco, a przyszedłszy, wpadł w gniew, przekonany, że to duma pchnęła Túrina do owego postępku i że był to zamierzony afront. Złość Saerosa nie zmalała, gdy odkrył, że towarzystwo, miast ganić Túrina, mile wita go przy stole.

Na razie jednak udawał jeszcze przychylność wobec przybranego syna Thingola, zasiadł tedy przy stole naprzeciwko niego.

– Rzadko kiedy wojownik z pogranicza zaszczyca nasze towarzystwo – powiedział. – Chętnie oddam mu moje ulubione miejsce w zamian za sposobność pogawędki.

Powiedział jeszcze niejedno, wypytując Túrina o wieści znad granic i jego poczynania w głuszy, a chociaż zdawał się przemawiać uprzejmie, tylko głupiec nie rozpoznałby szyderstwa w głosie Saerosa. W końcu Túrin dość miał tej rozmowy, poczuł bowiem gorzki smak wygnańczego chleba. Rozejrzał się wkoło, ale pomimo ciepła i radości panujących w sali pałacu, myśl jego wracała nieustannie do Belega i wspólnej włóczęgi po lesie, a nawet do Morweny w domu ojca w Dor-lóminie. Zmarszczył czoło i ponuro zadumany nie odpowiedział Saerosowi. Ten zaś, biorąc do siebie te grymasy, przestał się maskować, ujął złoty grzebień leżący na blacie przed Túrinem i powiedział:

– Nie wątpię, człowieku z Hithlumu, że w pośpiechu siadałeś do stołu i można wybaczyć ci ten zszargany płaszcz, ale czemu czupryna twa przypomina krzak jeżynowy? Może gdybyś odgarnął włosy z uszu, to lepiej słyszałbyś, co się do ciebie mówi.

Túrin nic nie odpowiedział, spojrzał tylko na Saerosa z dziwnym błyskiem w oczach. Elf jednak nie pojął ostrzeżenia, wzrokiem przeszył Túrina i odezwał się niemal do granic możliwości podnosząc głos:

– Jeśli mężczyźni z Hithlumu to tak dzicy i nieokrzesani ludzie, jakie zatem są ich kobiety? Czy jak łanie ganiają po turniach, okryte jeno własnymi włosami?

Wówczas Túrin ujął puchar i cisnął nim w twarz Saerosa, który upadł na wznak, poraniony. Młodzieniec dobył zaś miecza, gotów użyć go w tej potrzebie, ale myśliwy Mablung powstrzymał królewskiego syna. Saeros podniósł się, spluwając krwią na stół.

– Jak długo jeszcze żywić będziemy tego leśnego wosa[9]? Kto tu rządzi? Prawo doriackie surowo karze za zranienie wasala w pałacu, za wyciągnięcie zaś miecza należy się wygnanie. Wyjdźmy stąd, barbarzyńco, to poznasz mą odpowiedź!

Túrin jednak ochłonął, ujrzawszy krew. Wyrwał się Mablungowi i bez słowa wybiegł z sali.

Wtedy myśliwy odezwał się do Saerosa:

– Co cię dziś opętało? Wszystko to przez ciebie i możliwe, że królewski osąd uzna rozbite usta za właściwą karę za szyderstwa.

– Jeśli ten młokos ma coś do mnie, niech odwoła się do króla – odparł Saeros. – Ale nic nie usprawiedliwia dobycia miecza w pałacu. Jeśli ów dzikus zrobi to samo na zewnątrz, wówczas go zabiję.

– To nie jest takie pewne – stwierdził Mablung. – Ale śmierć któregokolwiek z was posłuży bardziej Angbandowi niż Doriathowi, w każdym wypadku złem będąc i zło przyciągając. Chyba jakiś cień z Północy zaległ dzisiaj nad nami. Uważaj, Saerosie, synu Ithilbora, byś w dumnym zaślepieniu nie poddał się woli Morgotha, i pamiętaj, że jesteś Eldarem.

– Tego nie zapomnę – odrzekł Saeros, wciąż jednak kipiąc gniewem. Złość jego wzrosła nawet przez noc, gdy opatrywał swoje rany.

Nad ranem Túrin wyruszył z powrotem na północne pogranicze, a Saeros zasadził się na swego osobistego wroga. Rzucił się na Túrina od tyłu z wyciągniętym mieczem i tarczą na dłoni, młodzieniec jednak, zaprawiony leśnym życiem do nieustannej czujności, dostrzegł go kątem oka i odskakując, wyciągnął szybko broń i stawił czoło przeciwnikowi.

– Morweno! – zawołał. – Szyderca zapłaci za obelgi!

Rozszczepił tarczę Saerosa na dwoje i miecze przeciwników starły się w walce. Túrin miał za sobą twardą szkołę, a zwinny był jak elf i do tego silniejszy. Szybko wykazał własną wyższość i zraniwszy Saerosa w dłoń wiodącą miecz, zdał wroga na swą łaskę. Przydepnął upuszczony miecz i powiedział:

– Długi bieg przed tobą, Saerosie, i ubranie będzie ci zawadą. Włosy ci wystarczą.

Powalając nagle elfa na ziemię, odarł go z szat. Saeros nie stawiał oporu, przestraszony wielką siłą Túrina, który jednak puścił go nareszcie.

– Biegnij! – krzyknął. – Mknij szybko jak jeleń, bo inaczej pogonię cię od tyłu szpikulcem.

I Saeros czmychnął do lasu, po drodze wrzeszcząc o pomoc jak opętany; Túrin ruszył za swą ofiarą, a jakkolwiek szybko elf by biegł, jakkolwiek by kluczył, wciąż czubek miecza bódł go w słabiznę.

Krzyki Saerosa ściągnęły innych, którzy także przyłączyli się do gonitwy, ale tylko najlepsi z biegaczy zdołali dojść czoła wyścigu. Był między nimi Mablung, mocno zakłopotany i przeświadczony, że „zło, które budzi się o poranku, wodą jest na młyn Morgotha". Nie bawiły go takie niecne igraszki i za żałosne uważał wystawianie kogokolwiek z rodu elfów na pośmiewisko, głęboko przeciwny samowolnemu rozstrzyganiu spraw, które winny zakończyć się przed sądem. Nikt onym czasem nie wiedział jeszcze, że to Saeros napadł na Túrina, zamierzając go zabić.

— Wstrzymaj się, wstrzymaj Túrinie! — nawoływał. — Nie zachowuj się jak orkowie!

— Godne orka traktowanie za orkowe gadanie w pałacu! — odkrzyknął Túrin i znów pogonił za Saerosem, który widząc w rozpaczy, że znikąd pomocy, a śmierć tuż-tuż, ruszył żwawo, aż dobiegł do skalistego urwiska nad szerokim na skok jelenia wąwozem. W dole płynął strumień, jeden z dopływów Esgalduiny. W wielkim strachu Saeros dał susa, ale nie dosięgnął drugiego brzegu i z krzykiem spadł na sterczący z wody wielki głaz. Tak skończyło się jego życie w Doriacie, a rozpoczął długi pobyt pod okiem Mandosa.

Túrin popatrzył na leżące w strumieniu ciało i pomyślał: „Pechowy głupiec! Stąd pozwoliłbym mu już odejść spokojnie do Menegrothu. A teraz zostanę przez niego niewinnie oskarżony". Spojrzał ponuro na Mablunga i jego towarzyszy, którzy zdołali nadbiec i stali teraz obok na skraju urwiska.

— Cóż, stało się — powiedział wreszcie po dłuższej chwili Mablung. — Ale ty wracaj z nami, Túrinie, król musi bowiem osądzić twe czyny.

— Gdyby Thingol był sprawiedliwy, uznałby mnie niewinnym — odparł młodzieniec. — Ale czy Saeros nie należał do grona jego doradców? Czy mimo nikczemności nie uchodził za przyjaciela króla? Odrzucam wasze prawo i królewski osąd.

— Niemądre to słowa — stwierdził Mablung, chociaż w głębi serca współczuł Túrinowi. — Nie idź na włóczęgę, jak przyjaciel proszę cię, byś wrócił ze mną. Są przecież świadkowie. Gdy król dowie się prawdy, będziesz mógł liczyć na jego wybaczenie.

Túrin jednak dość już miał pałacu elfów, ponadto obawiał się uwięzienia.

— Odmawiam twej prośbie. Nie chcę szukać łaski u króla. Wyruszam tam, gdzie jego wyrok mnie nie dosięgnie, a ty masz tylko dwie możliwości: albo pozwolisz mi odejść, albo mnie zabijesz, jeśli tak nakazuje ci twoje prawo. Za mało was, by wziąć mnie żywcem.

Poznawszy po wyrazie oczu, że prawdę mówi, przepuścili go, a Mablung stwierdził:

– Dość jednej śmierci.

– Nie pragnąłem jej, ale daleko mi do żałoby – powiedział Túrin. – Mandos osądzi go sprawiedliwie, a jeśli wróci jeszcze kiedyś do krain żywych, niech mądrzej się sprawia. Żegnajcie!

– Odejdź wolno, skoro takie twoje życzenie! – zakrzyknął Mablung. – Jednak nie wróżę tej wędrówce nic dobrego. Cień zalega w twoim sercu, ale gdy znów się spotkamy, może mrok nie będzie tak gęsty.

Na to Túrin już nie odpowiedział, tylko ruszył szybko przed siebie i nikt nie wiedział, dokąd.

Powiadają, że kiedy nie powrócił Túrin na północne pogranicze Doriathu i żadne wieści o nim nie nadeszły, Beleg sam przybył do Menegrothu i z ciężkim sercem wysłuchał opowieści o czynach i ucieczce młodzieńca. Krótko potem zjawili się w pałacu Thingol z Melianą, jako że lato dobiegało końca, a gdy królowi zrelacjonowano wszystko, ten zasiadł na tronie w wielkiej sali Menegrothu, a wokół niego zebrali się możni i doradcy.

Gdy przekazano już ostatnie przed rozstaniem słowa Túrina, Thingol westchnął i powiedział:

– Niestety! Cień zdołał wemknąć się do mego królestwa. Miałem Saerosa za mądrego i prawego. Gdyby żył, poczułby mój gniew na sobie, złe były bowiem jego szyderstwa i on ponosi winę za wydarzenia w sali pałacu. Dotąd wybaczam Túrinowi. Ale zhańbienie Saerosa i zagonienie go na śmierć nie przystają do uprzedniej obrazy. Są dowodem pychy i wyniosłości. – Thingol umilkł na dłuższą chwilę, po czym przemówił ze smutkiem: – Oto jest niewdzięczność syna przybranego, oto człowiek, dumny ponad stan. Jak mogę przygarnąć kogoś, kto pogardził i mną, i moimi prawami, jak mam wybaczyć temu, kto nie czuje skruchy? Wypędzam więc z Doriathu Túrina, syna Húrina. Jeśli spróbuje tu wrócić, zostanie doprowadzony przed królewskie oblicze na sąd, a dopóki nie padnie u mych stóp i nie poprosi o wybaczenie, nie uznam go ponownie swoim synem. Jeśli ktokolwiek z obecnych uważa ten wyrok za niesprawiedliwy, niech przemówi.

Cisza zapadła na sali, a Thingol unosił już dłoń, by zatwierdzić wyrok, gdy Beleg wbiegł na środek.

– Panie! – krzyknął. – Czy mogę zabrać głos?

– Spóźniłeś się – powiedział Thingol. – Czy nie zostałeś wezwany wraz z innymi?

– Tak, panie – odparł Beleg. – Szukałem jednak kogoś i przyprowadziłem świadka, który winien zostać wysłuchany, zanim decyzja stanie się nieodwracalna.

– Przemawiali już wszyscy, którzy chcieli – stwierdził król. – Co jeszcze można dodać do tego, co usłyszeliśmy?

— Sam to osądzisz. Nie odmawiaj mi, jeśli zasłużyłem sobie czymkolwiek na tę łaskę.

— Dobrze — zgodził się Thingol. Wówczas Beleg wyszedł na chwilę i przyprowadził za rękę Nellas, która mieszkała w lasach i nigdy nie odwiedzała Menegrothu, lękała się bowiem wielkiej sali z kolumnami i kamiennego sklepienia, jak i licznych wpatrzonych w nią oczu. Gdy Thingol nakazał jej mówić, zaczęła:

— Panie, siedziałam na drzewie... — i tu się zająknęła, speszona widokiem króla i nie mogła głosu dobyć z siebie.

— Inni też tak siadują — stwierdził król z uśmiechem — ale nie odczuwają potrzeby, by opowiadać o tym monarchom.

— Owszem — odezwała się Nellas, zebrawszy się na odwagę. — Nawet Lúthien! I o niej właśnie myślałam tego ranka, i o człowieku Berenie.

Tym razem Thingol nic nie powiedział i uśmiech zniknął z jego warg, gdy czekał na ciąg dalszy słów Nellas.

— Bo Túrin przypomina mi Berena — dodała. — Słyszałam, że są podobni, a gdy ktoś przyjrzy się bliżej, to widać ich pokrewieństwo.

— Możliwe — powiedział Thingol, tracąc cierpliwość. — Ale Túrin, syn Húrina, porzucił nas z pogardą i nie ujrzysz go więcej, by oceniać podobieństwo do krewnych. Pora, bym ogłosił wyrok.

— Panie, królu! — krzyknęła. — Miej dla mnie zrozumienie i wysłuchaj najpierw. Siedziałam na drzewie, by spojrzeć jeszcze na Túrina, gdy będzie odchodził, a ujrzałam Saerosa. Wybiegł z lasu z tarczą i mieczem, po czym bez ostrzeżenia rzucił się na Túrina.

Pomruk przeszedł po sali, a król uniósł dłoń ze słowami:

— Przynosisz wiadomość bardziej doniosłą, niżby można było oczekiwać. Bacz teraz pilnie na swoje słowa, przed sądem bowiem przemawiasz.

— Tak też Beleg mi powiedział i tylko dlatego odważyłam się przybyć tutaj, by nie skrzywdzono Túrina niesprawiedliwym wyrokiem. Mężny on jest, ale i miłosierny. Walczyli obaj, panie, aż Túrin wytrącił Saerosowi tarczę i miecz, lecz nie zabił podstępnego napastnika. Tak i nie wierzę, by potem pragnął jego śmierci. Jeśli Saeros zhańbiony został, to słusznie sobie na tę hańbę zasłużył.

— Osąd zostaw mnie — rzekł Thingol. — Ale twoje słowa nie pozostaną bez wpływu na wyrok. — Potem wypytał Nellas dokładniej, na końcu zaś zwrócił się do Mablunga: — Dziwne mi się zdaje, że Túrin nic wam o tym nie wspomniał.

— W rzeczy samej — odparł Mablung. — Ale gdyby to uczynił, innymi słowy bym go pożegnał.

— Inny też będzie mój wyrok. Słuchajcie! Tak winę jego rozpoznawszy, wybaczam Túrinowi, uznając że został skrzywdzony i sprowokowany. A skoro to istotnie jeden z moich doradców źle go potraktował, nie będę oczekiwał od Túrina przeprosin, ale wyślę po niego, gdziekolwiek jest, i wezwę do godnego powrotu do Menegrothu.

Po skończonej rozprawie, Nellas załkała nagle:

– Ale gdzie go teraz szukać? Opuścił nasz kraj, a świat jest tak wielki.

– Nie ustaniemy w wysiłkach – powiedział Thingol i wstał, a Beleg wyprowadził Nellas z pałacu.

– Nie płacz – odezwał się do dziewczyny – bo jeśli tylko Túrin żyje i wędruje gdzieś poza granicami, to odnajdę go, nawet jeśli starania innych okażą się bezskuteczne.

Następnego dnia Beleg stawił się przed Thingolem i Melianą, a król spytał:

– Doradź mi, Belegu, ciężko mi bowiem na sercu. Uznałem Túrina za syna i tak pozostanie, chyba że Húrin powróci z mroku cienia, by upomnieć się o swoje. Nie chcę, by powiadano, że niesprawiedliwie wypędziłem Túrina na pustkowia. Umiłowałem go i chętnie ujrzałbym z powrotem.

– Będę szukał Túrina tak długo, aż go znajdę – odparł Beleg. – I jeśli tylko zdołam, przywiodę do Menegrothu. I ja miłuję tego młodzieńca.

Potem odszedł. Przemierzył cały Beleriand, daremnie nasłuchując wieści o Túrinie, aż minęła zima, a po niej i wiosna.

Túrin pośród banitów

Opowieść wraca teraz do Túrina, który sam uznał się za banitę i przekonany, że król zarządzi za nim pościg, nie wrócił na północ, do Belega, ale ruszył na zachód i wymknął się niezauważony ze Strzeżonego Królestwa, docierając do lesistego południa Teiglinu. Przed Nirnaeth było tam wiele z rzadka rozrzuconych gospodarstw ludzi w większości pochodzących z ludu Halethy, nie mieli oni jednak władcy i trudnili się głównie polowaniem i uprawą roli. Na bukowych polanach hodowali świnie, plony zbierali z przecinek, które odgradzały ich od głuszy. Wielu z nich wyginęło jednak lub uciekło do Brethilu, gdy orkowie i wszelcy zbrodniarze zagrażać zaczęli okolicy. Po spustoszonych krainach błądziły wówczas liczne grupy ludzi bezdomnych i zdesperowanych, niedobitków pokonanych armii, gotowych czynić wszelkie zło. Polowali na wszystko, co nadawało się do jedzenia, a gdy zimą zaczął doskwierać im głód, stali się plagą gorszą od wilków. Ci, którzy zdołali obronić przed nimi swe domostwa, nazwali ich Gaurwaith, Ludzie-Wilki. Około pięćdziesięciu połączyło się w jedną bandę buszującą w lasach na zachodnich rubieżach Doriathu. Nie cierpiano ich niemal tak samo jak orków, mieli bowiem zatwardziałe serca i żywili urazę do własnych współplemieńców. Najstraszniejszy był

Andróg, ścigany w Dor-lóminie za zabójstwo kobiety. Z tej krainy pochodził także sędziwy Algund (najstarszy w gromadzie, uciekinier z Nirnaeth) i Forweg, jak nazywał sam siebie, przywódca bandy, mężczyzna o jasnych włosach i rozbieganych, lśniących oczach, rosły i przystojny, ale jakże różny od Edainów, poddanych Hadora. Banda była czujna, wysyłała zwiadowców, wystawiała straże, zarówno w marszu jak i podczas popasu. W ten sposób szybko zauważyli Túrina, gdy zawędrował na ich terytorium. Śledzili go tak długo, aż otoczyli zwartym pierścieniem, a gdy wyszedł na polanę nad strumieniem, wyskoczyli zewsząd z naciągniętymi łukami i nagimi mieczami.

Túrin przystanął, ale nie okazał po sobie strachu.

— Kim jesteście? — spytał. — Myślałem, że tylko orkowie polują na ludzi, ale widzę, że się myliłem.

— I pożałujesz tej pomyłki — odpowiedział Forweg — bo to nasze tereny łowieckie i nie cierpimy tu obecności innych ludzi. Intruzów bierzemy żywcem i trzymamy tak długo, aż ktoś ich wykupi.

Wówczas roześmiał się Túrin.

— Za mnie nic nie dostaniecie, banitą jestem i wyrzutkiem. Gdybyście zaś nabrali ochoty na przeszukanie mego trupa, to uprzedzam, że drogo będzie was kosztowało zwątpienie w prawdę mych słów.

Śmierć jednak zdawała się być bliska, wiele strzał bowiem czekało w cięciwach na znak przywódcy, a żaden z wrogów nie przysunął się dość, by Túrin mógł sięgnąć go mieczem. Widząc jednak kilka kamieni leżących u swych stóp na brzegu strumienia, Túrin schylił się gwałtownie. W tejże chwili jeden z rozsierdzonych jego słowami napastników wystrzelił, ale strzała przeleciała ponad młodzieńcem, on zaś cisnął kamień celnie i z wielką siłą, aż łucznik padł z rozłupaną czaszką.

— Żywy mogę bardziej wam się przydać. Zastąpię tego pechowca — powiedział Túrin, po czym zwrócił się do Forwega. — Dobry dowódca nie pozwala, by ktoś atakował bez jego rozkazu.

Wówczas dwóch mężczyzn podniosło głosy przeciwko Túrinowi, a jeden z nich był przyjacielem zabitego. Nazywał się Ulrad.

— Dziwny sposób na wkupienie się do kompanii, zabijać jednego z najlepszych.

— Nie ja zacząłem — odparł Túrin. — Ale dobrze, chodźcie tu obaj, pokonam was orężem lub gołymi rękami, a wtedy sami ocenicie, czy mogę zastąpić waszego świetnego kamrata. — I postąpił ku nim, ale Ulrad cofnął się, nie chcąc walczyć. Drugi rzucił łuk i zmierzył Túrina spojrzeniem, a był to właśnie Andróg z Dor-lóminu.

– Nie mnie się z tobą równać – powiedział w końcu, kręcąc głową. – Nikt z nas ci chyba nie sprosta. Jeśli chodzi o mnie, to możesz dołączyć do kompanii, ale tkwi w tobie coś dziwnego. Niebezpieczny jesteś. Jak się nazywasz?

– Neithan, Skrzywdzony. – I tak też został przezwany przez banitów. Powiedział im, że został skrzywdzony (i aż nazbyt chętnie nastawiał ucha na opowieść każdego, kto podobnie przedstawiał historię swego nieszczęścia), lecz nawet słowem nie wspomniał ani o swym poprzednim życiu, ani o pochodzeniu. Mimo to wszyscy widzieli, że przybysz wywodzi się z wysokiego rodu i że chociaż nic prócz oręża z własności mu nie zostało, to jednak były to ostrza wykute przez elfy. Wkrótce Túrin zdobył ich uznanie, dzięki swej sile, odwadze i doskonałej umiejętności radzenia sobie w lasach. Zaufali mu, jako że nie był chciwy i niewiele brał dla siebie, ale też bali się go za sprawą nagłych napadów gniewu, których natury zwykle nie rozumieli. Do Doriathu nie mógł powrócić, czy też duma na powrót nie pozwalała, do Nargothrondu zaś po śmierci Felagunda nikogo nie wpuszczano. Do szczepu Halethy czy do Brethilu wcale Túrina nie ciągnęło, do pełnego zaś nieprzyjaciół Dor-lóminu nie śmiał się wybrać, nie mając nadziei przejść w pojedynkę przełęczy Gór Cienia. Toteż przystał do banitów, jako że nawet takie towarzystwo łatwiejszym czyniło do zniesienia życie w głuszy, a ponieważ nie szukał ni śmierci, ni zwady z kompanami, z rzadka przeciwstawiał się czynionemu przez nich złu. Czasem tylko budziła się w nim litość i wtedy, wstydem ogarnięty, niebezpieczny był w swoim gniewie. Tak minął mu czas do końca roku i przebył głodną zimę, aż ożyła przyroda i przyszła piękna wiosna.

Powiada się, że w lasach na południe od Teiglinu naonczas wciąż stały ludzkie siedziby, a ich mieszkańcy, choć nieliczni, wytrwali byli i czujni. W żadnym razie nie kochali banitów, jednak współczuciem wiedzeni, w szczególnie zły czas zimy wystawiali nieco żywności w miejscach, gdzie Gaurwaithowie mogli łacno na nią trafić. Mieli nadzieję, że w ten sposób odsuną od siebie groźbę ataku bandy. Po prawdzie wdzięczna była im za to tylko leśna zwierzyna oraz ptactwo, gdyż banitom niewiele się z tego dostawało. Jedynie psy i mocne ogrodzenia trzymały ich z dala od obejść otoczonych rosłymi żywopłotami i pasem nagiej ziemi. Domów zaś broniły fosy i palisady, a wszystkie gospodarstwa były połączone ścieżkami, którymi w potrzebie nadbiec mogła wezwana graniem rogów pomoc.

Gdy jednak wiosna rozkwitła, niebezpieczne stało się dla Gaurwaithów dalsze przebywanie w pobliżu siedzib osadników, którzy w każdej chwili mogli skrzyknąć się w pewnej chwili przeciwko banitom. Túrin dziwił się, czemu Forweg nie prowadzi bandy na południe, gdzie więcej jest jedzenia i zwierzyny, a mniej ludzi i zasadzek. Pewnego dnia, nie mogąc znaleźć nigdzie Forwega ni Andróga, spytał o nich kamratów, ale ci tylko się roześmiali.

– Pewnie załatwiają jakieś własne sprawy – powiedział Ulrad. – Wrócą niedługo, a wtedy ruszymy, i to w pośpiechu, by nam wszystkim rozdrażnione pszczoły na kark nie siadły.

Słońce stało wysoko na niebie i liście migotały młodą zielenią, gdy dość mając nędznego obozowiska banitów, Túrin wyruszył w samotną wędrówkę po lesie. Mimo woli pamiętał wciąż Ukryte Królestwo i zdawało mu się, że słyszy nazwy kwiecia rozbrzmiewające echem starego, niemal całkowicie zapomnianego języka. Nagle dobiegł go krzyk i z gąszczu krzewów wypadła młoda kobieta w odzieniu potarganym przez kolczaste zarośla, bardzo przy tym wystraszona. Potknęła się i tracąc oddech, upadła na ziemię. Túrin skoczył zaraz ku ścianie zieleni z wyciągniętym mieczem, tnąc ścigającego ją mężczyznę. Dopiero w chwili zadawania ciosu poznał Forwega.

Gdy tak stał zdumiony, ze wzrokiem wbitym w zakrwawioną murawę, zjawił się Andróg i też przystanął, zaskoczony widokiem.

– Źle uczyniłeś, Neithanie! – zawołał i dobył miecza, jednak Túrin odzyskał już zimną krew i rzekł tylko:

– No i gdzie są ci orkowie? Czyżbyście aż tak ich wyprzedzili, pragnąc jej pomóc?

– Orkowie? – spytał Andróg. – Ty głupcze! Zwiesz się banitą, a nie wiesz, że wyjęci spod prawa niczego nie uznają prócz własnych potrzeb. Zajmij się lepiej swoimi sprawami, Neithanie, i przestań się wtrącać w nasze.

– Tak też zrobię – odparł Túrin. – Ale dzisiaj nasze ścieżki się przecięły. Albo zostawisz mi tę kobietę, albo dołączysz do Forwega.

Andróg roześmiał się.

– Niech i tak będzie – powiedział. – Sam nie dam ci rady, ale nasi kamraci mogą mieć do ciebie pretensje za zabicie Forwega.

Wtedy kobieta wstała i położyła dłoń na ramieniu zbawcy. Spojrzała na rozlaną krew, potem przeniosła wzrok na Túrina i w jej oczach pojawił się zachwyt.

– Zabij go, panie! – poprosiła. – Jego też zabij! A potem chodź ze mną. Jeśli przyniesiesz ich głowy, wtedy Larnach, mój ojciec, nie spojrzy na cię krzywo. Dobrze zwykł nagradzać za dwa „wilcze trupy".

Túrin spytał jednak Andróga:

– Jak daleko jest do jej domu?

– Mila – odparł ten. – Stoi pośrodku ogrodzonego gospodarstwa. A ona wypuściła się samopas.

– Wracaj teraz – rzekł Túrin do kobiety – i powiedz ojcu, by lepiej cię pilnował. Ale nie pozbawię życia mych kamratów ani po to, by wkupić się w jego łaski, ani dla żadnego innego powodu. – I schował miecz. – Chodź – zwrócił się do Andróga. – Wracamy. Jeśli chcesz pogrzebać przywódcę, sam musisz to zrobić.

Pospiesz się jeno, bo niedługo może ruszyć obława. A nie zapomnij wziąć jego broni.

Po czym Túrin odszedł, a Andróg długo patrzył za nim, marszcząc czoło, jakby próbował rozwiązać nader skomplikowaną zagadkę.

Wróciwszy do obozowiska, Túrin zastał banitów niespokojnych i zniecierpliwionych. Zbyt długo pozostawali w jednym miejscu, w pobliżu dobrze strzeżonych siedzib i z wolna ludzie zaczynali już szemrać przeciwko Forwegowi.

– On się bawi – powiadali – nasze głowy narażając na szwank. Jeszcze zapłacimy za jego przyjemności.

– No to wybierzcie nowego herszta! – krzyknął Túrin, stając przed nimi. – Forweg już was nie poprowadzi, bo nie żyje.

– A ty skąd o tym wiesz? – spytał Ulrad. – Czyżbyś wybierał miód z tej samej barci? Pszczoły go zażądliły?

– Nie. Jedno żądło starczyło. Ja go zabiłem. Oszczędziłem jednak Andróga, który wróci niebawem. – Następnie przedstawił bieg zdarzeń, strofując tych, którzy podobne wyprawy dla harców zwykli przedsiębrać. Gdy mówił, nadszedł Andróg z bronią Forwega w dłoniach.

– Zobacz, Neithanie! – krzyknął. – Nie podnieśli alarmu. Może dziewka ma nadzieję, że znów cię spotka.

– Jeśli to miał być żart – odparł Túrin – to już zaczynam żałować, że jej odmówiłem twej głowy. Teraz gadaj, co właściwie się zdarzyło, tylko krótko.

Wtedy Andróg wyznał szczerze, jak się rzeczy miały.

– Zastanawiam się, co właściwie porabiał tam Neithan. Na pewno nie polował na to samo, co my, bo gdy nadszedłem, Forweg już nie żył. Uradowana takim widokiem kobieta prosiła, by poszedł z nią i wziął nagrodę za nasze głowy. Ale on odmówił i przegnał dziewkę, tak i nie mam pojęcia, co miał do Forwega. Wdzięczny mu jestem, że nie skrócił mnie o głowę, chociaż wciąż nie rozumiem, jak to się stało, że jeszcze żyję.

– Śmiem wątpić zatem, byś rzeczywiście pochodził z ludu Hadora – powiedział Túrin. – Winieneś należeć raczej do Uldora Przeklętego i poszukać służby w Angbandzie. Ale słuchajcie mnie teraz! – krzyknął do całej bandy. – Daję wam wybór. Albo uznacie mnie za herszta, albo was porzucę. Jeśli nie obejmę nad wami władzy, odejdę. Gdybyście jednak postanowili mnie zabić, to proszę! Będę walczył, aż śmierć nie zabierze mnie albo was.

Wielu chwyciło za broń, ale Andróg krzyknął:

– Nie! Głowa, którą on oszczędził, nie jest tak całkiem wyprana z konceptu. Jeśli zaczniemy walczyć, niejeden zginie bez potrzeby, nim zgładzimy najlepszego spośród nas. – Potem roześmiał się. – Znów jest tak jak wtedy, gdy do nas dołączył.

Zabija, by zrobić miejsce. Jeśli raz się udało, dlaczego nie miałoby się udać znowu. Może z nim czeka nas coś więcej, niż tylko uganianie się za cudzymi dziewkami po lesie.

Na to odezwał się stary Algund:

– To najświetniejszy mąż spośród nas. Był czas, gdy i my potrafiliśmy dokonać takich rzeczy w przypływie odwagi. Ale wiele już zapomnieliśmy. Może nareszcie zawiedzie nas do domu.

Wtedy przyszła Túrinowi do głowy myśl, że to jest sposób, by powiększyć tę bandę i zmienić ją w drużynę wolnego władcy. Na razie spojrzał jednak tylko na Algunda i Andróga, po czym powiedział:

– Do domu, mówisz? Wysoko wznoszą się zimne Góry Cienia, licznie roją się za nimi ludzie Uldora, wkoło zaś pełno legionów Angbandu. Jeśli te niebezpieczeństwa nie zrażają was, siedem razy siedmiu mężów, to i owszem, mogę poprowadzić kompanię ku rodzinnym stronom. Ile jednak przejść zdołamy, nim śmierć nas dopadnie?

Zapadła cisza, a wówczas Túrin znów się odezwał:

– Czy uznajecie we mnie przywódcę? Jeśli tak, to najpierw powiodę was w głuszę, daleko od ludzkich siedzib. Tam może lepiej będzie nam się wiodło, może gorzej, ale przynajmniej nie wzbudzimy tyle nienawiści.

Wtedy zebrali się przy nim wszyscy pochodzący z ludu Hadora i okrzyknęli go swoim herszlem, reszta zaś przystała na to, chociaż niezbyt chętnie. A on, nie czekając ni chwili, wyprowadził ich z tej krainy[10].

Thingol wysłał wielu umyślnych, by szukali Túrina w Doriacie i przyległych krajach, ale przez rok wypatrywali go na próżno, nikomu bowiem nie postało w głowie, że przyłączył się on do wrogich ludziom banitów. Gdy znów przyszła zima, posłańcy wrócili, jeden tylko Beleg został samotnie na szlaku.

Tymczasem w Dimbarze i na północnym pograniczu Doriathu sprawy przybrały zły obrót. Smoczy Hełm nie pojawiał się już w walce, zabrakło też Mistrza Łuku, tak i słudzy Morgotha zhardzieli, napływając w coraz większej liczbie. Zima przyszła i minęła, a z wiosną potyczki rozgorzały na nowo. Dimbar padł i lęk zakradł się do serca ludzi z Brethilu, zło bowiem wkraczało zewsząd w ich granice, jedno południe zostawiając spokojnym.

Minął już niemal rok od ucieczki Túrina, a Beleg wciąż go szukał, chociaż nadzieja gasła w nim z wolna. Wędrując ku północy, dotarł aż do przeprawy na Teiglinie, ale zawrócił stamtąd, dowiedziawszy się o nowym wypadzie orków z Taur-nu-Fuin. Przypadkiem trafił na domostwa leśnych osadników niedługo po tym, jak Túrin opuścił te okolice. Tam usłyszał osobliwe opowieści o wysokim i władczym człowieku lub też wojowniku elfów, który pojawił się w lasach i ściął głowę jednemu z Gaurwaithów, ratując w ten sposób ściganą przez tych zbójów córkę Larnacha.

– Był bardzo dumnej postawy – powiedziała dziewczyna Belegowi. – Miał jasne oczy, ale ledwie na mnie spojrzał. Wilków nazywał swoimi kompanami i nie chciał zabić tego drugiego, który znał jego imię, brzmiące Neithan.

– Rozumiesz cokolwiek z tego? – spytał Larnach elfa.

– I owszem – odparł Beleg. – Mężczyzna, o którym mówicie, jest tym właśnie, którego szukam. – Ale nie dodał nic więcej, a tylko ostrzegł osadników przed złem zbierającym się na Północy. – Niedługo już nadciągną tu orkowie, a będzie ich zbyt wielu, byście mogli się obronić. Jeszcze w tym roku musicie wybrać między wolnością leśnych ludzi a ocaleniem życia. Póki czas, ruszajcie do Brethilu!

Potem odszedł w pośpiechu, poszukując legowisk banitów i jakichkolwiek znaków mogących naprowadzić go na ich ślad. Znalazł je rychło, ale Túrin był już wówczas od kilku dni w drodze i szybko maszerował, a obawiając się pościgu osadników, jak mógł najlepiej zacierał tropy i mylił ślady. Rzadko banda nocowała dwukrotnie w tym samym obozowisku i mało co wskazywało na szlak jej wędrówki, tak że nawet Beleg czuł się bezradny. Odczytując nieliczne znaki i nasłuchując plotek dzikich zwierząt, których głosy rozumiał, często bliski był celu, ale zastawał zawsze tylko puste legowiska, horda bowiem trzymała straż dniem i nocą i wystarczał jeden sygnał, że ktoś się zbliża, a ruszała żwawo dalej.

– Niestety! – zakrzyknął. – Nazbyt dobrze wyuczyłem to dziecię człowiecze sztuki życia w lesie i pośród pól! Można by pomyśleć, że to kompania elfów wędruje.

Banici jednak rychło zorientowali się, że ktoś podąża niezmordowanie ich tropem i mocno zaniepokoili faktem, że tropiciela nie można ni dostrzec, ni zgubić[11].

Nie trwało długo, a urzeczywistniły się obawy Belega i orkowie nawiedzili Brithiach, a napotkawszy opór wszystkich sił, jakie zebrać zdołał Handir z Brethilu, przez Przeprawę na Teiglinie skierowali się po łupy na południe. Wielu osadników zdążyło wysłać swe kobiety oraz dzieci do Brethilu i one umknęły, wraz z eskortą, na czas docierając do brodów. Jednak zbrojni, którzy szli za nimi, natknęli się już na orków i marny był ich los. Tylko garstka wywalczyła sobie przejście, docierając do Brethilu, wielu zginęło lub popadło w niewolę. Potem orkowie zajęli się ich domostwami, grabiąc je i paląc, aby następnie czym prędzej zwrócić się ku zachodowi w poszukiwaniu traktu. Objuczeni zdobyczą, ciągnąc za sobą rzesze niewolników, chcieli bez zwłoki wrócić na Północ.

Banda szybko wyczuła ich przemarsz i chociaż więźniowie mało banitów obchodzili, to jednak łupy uniesione ze splądrowanych osad rozpaliły chciwość wygnańców. Túrin uważał, że lepiej nie pokazywać się orkom na oczy, przynajmniej jak długo nie będzie wiadomo, ile głów liczy ich oddział, ale podwładni nie chcieli go nawet słuchać. Zbyt wielu rzeczy niedostawało im w głuszy i niektórzy zaczęli już nawet żałować wyboru herszta. Tak zatem, jednego Orlega biorąc do towarzystwa, Túrin poszedł na przeszpiegi, przekazując dowództwo Andrógowi i nakazując bandzie czekać gdzieś niedaleko w ukryciu.

Orkowie wielokrotnie przewyższali banitów liczbą, znajdowali się jednak na terenie, gdzie rzadko dotąd gościli i wiedzieli dobrze, że niedaleko rozciąga się Talath Dirnen, Strzeżona Równina pełna zwiadowców i szpiegów Nargothrondu. Obawiając się napotkania wroga, zachowywali sporą ostrożność. Czujki przekradały się przez lasy po obu stronach kolumny. W ten sposób trzech zwiadowców weszło na leżących w ukryciu Túrina i Orlega, a chociaż dwóch zginęło od razu, trzeci uciekł, krzycząc: „*Golug! Golug!*", jak nazywali wówczas orkowie Noldorów. W jednej chwili puszcza zaroiła się od zbrojnych, przemykających cicho po całej okolicy. Widząc, jak mała jest szansa ucieczki, Túrin postanowił ujawnić się wreszcie i odciągnąć orków od kryjówki bandy. Domyślając się po okrzyku „*Golug!*", że napastnicy lękają się przede wszystkim zwiadowców Nargothrondu, umknął wraz z Orlegiem ku zachodowi. Zaraz też ruszył pościg. Długie kluczenie między drzewami wywiodło ich w końcu z lasu na Trakt, gdzie zostali dostrzeżeni, a Orleg padł przeszyty wieloma strzałami. Túrina ocaliła kolczuga elfów, uciekł zatem samotnie w głuszę po drugiej stronie, dzięki szybkim nogom i sztuce zacierania śladów uchodząc wreszcie prześladowcom. W ten sposób znalazł się w głębi nieznanej mu krainy. Wówczas orkowie, obawiając się ataku elfów z Nargothrondu, zabili więźniów i szybko oddalili się na północ.

Minęły trzy dni, a Túrin wraz z Orlegiem nie wracali i niektórzy spośród banitów zaczęli poszeptywać, że może by wyjść wreszcie z tej jaskini, w której się skryli, ale Andróg nie wyrażał zgody. Gdy się tak kłócili, nagle stanęła przed nimi szara postać. To Beleg odnalazł ich wreszcie. Podszedł bez broni i pokazał puste dłonie, oni jednak zerwali się przerażeni, a Andróg zaszedł przybysza od tyłu i zarzucił nań pętlę, krępując elfowi ręce.

— Jeśli goście wam niemili, to straże się wystawia — powiedział Beleg. — Czemu mnie tak witacie? Przybywam w przyjaźni i szukam mego przyjaciela. Słyszałem, że zwiecie go Neithan.

— Nie ma go tu — odparł Ulrad. — Ale chyba długo nas szpiegowałeś, skoro znasz jego imię?

— Od dawna szedł za nami — powiedział Andróg. — To on był naszym cieniem. Teraz dowiemy się, po co naprawdę to czynił. — I kazał przywiązać Belega do drzewa obok jaskini. Spętawszy mu ciasno ręce i nogi, wzięli go na spytki. Beleg wszakże jedną miał tylko odpowiedź na wszystkie pytania:

— Przyjacielem Neithana jestem od chwili, gdy po raz pierwszy spotkałem go w lasach. Był wówczas ledwie dzieckiem. Z miłości go szukam i dobre przynoszę mu wieści.

— Zabijmy go i pozbądźmy się szpiega — powiedział rozzłoszczony Andróg, zezując pożądliwie na wielki łuk elfa. Jednak kilku bardziej litościwych wstawiło się za Belegiem, a Algund stwierdził:

— Dowódca może wrócić lada chwila, a wówczas pożałujesz gorzko, żeś za jednym zamachem pozbawił go i przyjaciela, i dobrych nowin.

— Nie wierzę w gadkę tego elfa — rzekł Andróg. — Jest szpiegiem króla Doriathu. Ale jeśli naprawdę ma jakieś wieści, to niech nam je przekaże, a my osądzimy, czy dość tego, by zostawić go przy życiu.

— Poczekam na waszego przywódcę — odparł Beleg.

— No to postoisz tutaj, aż się namyślisz — powiedział Andróg.

Za jego namową zostawili Belega przywiązanego do drzewa bez jedzenia czy wody, a sami rozsiedli się w pobliżu z ucztą. Więzień jednak nie odezwał się do nich ani słowem. W ten sposób minęły dwa dni i dwie noce. Coraz bardziej zalękniona i wściekła banda przebąkiwać zaczęła o pilnym wymarszu. Gotowi byli już zabić elfa. Gdy noc zapadła, zebrali się wkoło drzewa, a Ulrad przyniósł płonącą głownię z niewielkiego ogniska rozpalonego u wylotu jaskini. W tejże chwili powrócił Túrin. Podkradł się cicho, jak to miał we zwyczaju, i przystanął w mroku poza ludzkim kręgiem. Stamtąd dojrzał i rozpoznał w świetle pochodni wymizerowaną twarz Belega.

Jak piorunem rażony skoczył do drzewa. Natychmiast stopniały lody jego serca i łzy napłynęły do oczu.

— Belegu! Belegu! — krzyknął. — Skąd się tu wziąłeś? I czemu tak stoisz? — Niezwłocznie przeciął więzy i Beleg padł mu w ramiona.

Wysłuchawszy całej opowieści swoich ludzi, Túrin wpadł w złość, jednak póki co Beleg był najważniejszy. Pielęgnując go najlepiej, jak tylko potrafił, rozmyślał Túrin o swoim dotychczasowym życiu w lasach, samemu sobie czyniąc wyrzuty. Często bowiem zdarzało się, że banici zabijali obcych, którzy zbliżyli się nieopatrznie do obozowiska, nieraz napadali też na wędrowców, a on nijak ich przed tym nie powstrzymywał, złe rzeczy opowiadając o królu Thingolu i Szarych Elfach. Tak zatem, gdyby kamraci uznani zostali za bandę wroga, jego byłaby w tym wina. Pełen zgorzknienia zwrócił się do podwładnych:

— Okrutni byliście bez widomej potrzeby. Dotąd nigdy nie torturowaliśmy więźniów. Nazbyt upodobniliśmy się w tej głuszy do orków. Bezprawiu się oddaliśmy, bez pożytku upływa nam życie, gdy tak myślimy tylko o sobie i coraz większą nienawiść hodujemy w sercach.

— A komu niby mamy służyć? — spytał Andróg. — Kogo ukochać, skoro wszyscy nas nienawidzą?

– Czyń, jak chcesz, ale ja nie podniosę już ręki na elfa ni człowieka – odrzekł Túrin. – Angband ma dość wiernych. A jeśli inni odmówią tej przysięgi, sam pójdę dalej.

Wówczas Beleg otworzył oczy i uniósł głowę.

– Nie sam! – powiedział. – Wreszcie mogę ci przekazać, z czym przybywam. Nie zostałeś wyjęty spod prawa i imię Neithan niezbyt do ciebie pasuje. Odpuszczono tobie winę. Od roku już cię szukają, by wezwać do godnego powrotu na królewską służbę. Brakuje nam Smoczego Hełmu.

Túrin jednak nie okazał radości, tylko usiadł i zamilkł na dłuższą chwilę, słowa Belega bowiem starym cieniem zaległy mu na duszy.

– Poczekajmy z decyzją do rana – powiedział w końcu. – A jakkolwiek postanowię, jutro i tak musimy stąd odejść. Ci, którzy nas szukają, nie życzą nam dobrze.

– Tak jak wszyscy na tym świecie – mruknął Andróg i spojrzał ze złością na Belega.

O świcie Beleg, który wydobrzał już całkowicie, uleczony pradawną metodą elfów, porozmawiał z Túrinem na osobności.

– Oczekiwałem, że bardziej się ucieszysz tymi nowinami – powiedział. – Bez wątpienia wrócisz teraz do Doriathu? – I zaczął na wszelkie sposoby błagać Túrina, by to uczynił, ale im bardziej nalegał, tym większy był opór Túrina. Wypytał niemniej Belega dokładnie o wszystko, a w końcu rzekł:

– A zatem Mablung dowiódł, że jest moim przyjacielem, jak utrzymywał?

– Powiedziałbym raczej, że bardziej on ceni prawdę, co w końcu i tak na dobre wyszło. Ale czemu, Túrinie, nie powiedziałeś mu o napaści Saerosa? Wówczas od samego początku sprawy wzięłyby inny obrót, ty zaś – tu spojrzał na ludzi rozłożonych u wylotu jaskini – nosiłbyś wciąż twój Hełm i nie upadłbyś tak nisko.

– Może – odparł Túrin. – Ale tak już wyszło. Słowa uwięzły mi wówczas w gardle. W oczach Mablunga dojrzałem oskarżenie o czyn, którego nie popełniłem. Obwinił mnie, nie spytawszy pierwej. Król elfów powiedział, że dumne jest serce człowieka. Bo i rzeczywiście, Belegu Cúthalionie. Do dziś nie pozwala mi powrócić do Menegrothu, gdzie musiałbym znosić współczujące spojrzenia, przyjmować przeprosiny niczym skarcony pochopnie dzieciak. To do mnie należy dzieło wybaczenia, nie odwrotnie. Nie jestem już chłopcem, lecz mężczyzną wedle miary mego plemienia. Los natomiast zrządził, żem twardy i zaprawiony w trudach.

– A zatem co uczynisz? – zapytał zmieszany Beleg.

– Odejdę wolny – odparł Túrin. – Tego właśnie życzył mi Mablung przy rozstaniu. Łaska Thingola nie rozciągnie się chyba na towarzyszy mego upadku. Nie przyjmie ich, a ja nie odstąpię gromady, o ile sam nie zostanę porzucony. Pokochałem ich na swój sposób, nawet tych najgorszych. Należą do mego plemienia i w każdym tkwi zalążek dobra, może pewnego dnia się rozwinie. Chyba gotowi są stanąć za mną.

– Widzisz swych kamratów w innym świetle niż ja – powiedział Beleg. – Jeśli spróbujesz sprowadzić ich ze złej drogi, zawiodą cię. Nie dowierzam im, a jednemu to już szczególnie.

– Jak elf oceniać może ludzi?

– Tak jak wszystko ocenia i nieważne, kto rzecz uczynił – odparł Beleg, umilkł jednak, nie chcąc wspominać o okrutnym potraktowaniu go przez Andróga. Nie napomknął też, ile zła wyczuł w swoim prześladowcy. Pojmował nastrój Túrina i wiedział, że dawny druh z niedowierzaniem przyjąłby jego słowa, a tym samym elf naraziłby przyjaźń na szwank, co z kolei skłoniłoby młodzieńca do podążenia mrocznymi ścieżkami.

– Mówisz zatem, że odejdziesz wolny, Túrinie, przyjacielu. A co właściwie zamierzasz?

– Poprowadzę tych ludzi na wojnę według własnego pomysłu – odpowiedział Túrin. – Przynajmniej serce moje się odmieniło. Wzdragam się uderzyć nawet na Nieprzyjaciela ludzi i elfów. A ponad wszystko pragnąłbym być z tobą. Proszę, zostań!

– Gdybym wytrwał u twego boku, to z miłości jeno, nie z rozsądku. Serce podpowiada mi wszakże, że winienem wrócić do Doriathu.

– Niemniej ja tam nie pójdę.

Raz jeszcze próbując przekonać Túrina, Beleg powiedział o nowych najazdach orków docierających z Taur-nu-Fuin przez przełęcz Anach aż do Dimbaru i że bardzo brakuje na północnym pograniczu siły i męstwa Smoczego Hełmu. Zrozumiawszy jednak, że mówi na próżno, stwierdził ostatecznie:

– Twardym człowiekiem nazwałeś się, Túrinie, i rzeczywiście, twardy jesteś i uparty. Teraz moja kolej. Jeśli naprawdę pragniesz ujrzeć Mistrza Łuku przy sobie, szukaj mnie w Dimbarze, tam bowiem powrócę.

Túrin pogrążył się w milczeniu, rozpamiętując minione lata i zmagając się z powstrzymującą go od zmiany losu dumą. Nagle jednak ocknął się z zamyślenia i spytał Belega:

– Ta elfia dziewczyna, o której wspomniałeś. Wiele zawdzięczam jej świadectwu, ale zapomniałem, jak miała na imię. Czemu właściwie mnie śledziła?

Beleg spojrzał na niego ze zdziwieniem.

– Czemu właściwie? Túrinie, czyżbyś zawsze sercem i połową pamięci bujał gdzieś daleko? Jako chłopiec wędrowałeś z Nellas po lasach Doriathu.

– To było dawno temu. Tak odległe wydaje mi się teraz dzieciństwo, jakaś mgła je skrywa. Dobrze pamiętam tylko dom ojca w Dor-lóminie. Czemu miałbym wędrować z dziewczyną elfów?

– Chyba uczyła cię wówczas. Tak czy inaczej, synu człowieczy! Są jeszcze w Śródziemiu inne smutki niż twój, są rany bolesne, choć nie orężem zadane. W rzeczy samej, zaczynam sądzić, że elfy i ludzie nigdy nie powinni się spotkać ni bratać.

Túrin nie odpowiedział, spojrzał tylko przeciągle w twarz Belegowi, jakby chciał odczytać z oblicza przyjaciela znaczenie tych słów. Jednak Nellas z Doriathu nigdy więcej nie spotkała Túrina i jego cień opuścił ją ostatecznie[12].

Krasnolud Mîm

Po odejściu Belega (a było to drugiego lata od ucieczki Túrina z Doriathu)[13], marnie zaczęło wieść się Ludziom-Wilkom. Deszcze rozpadały się jak nigdy o tej porze roku, a orkowie nadciągnęli z północy w liczbie większej niźli dotąd i rozpełzli się wzdłuż starego Południowego Traktu, przekraczając Teiglin i niepokojem napełniając lasy na zachodnich rubieżach Doriathu. Coraz trudniej było o chwilę wytchnienia czy bezpieczne schronienie i banici częściej sami stawali się zwierzyną niż myśliwymi.

Gdy kryli się tak pewnej nocy, nie mając odwagi rozpalić ognia, Túrin spojrzał wstecz, na swoje życie i doszedł do wniosku, że mógłby jednak łatwo poprawić swój los. „Muszę znaleźć jakiś bezpieczny zakątek” – pomyślał. – „Zrobić zapasy przed zimą, zabezpieczyć się przed chłodem". Następnego dnia poprowadził swych ludzi dalej od Teiglinu i pogranicza Doriathu, niż zdarzyło im się dotąd zapuszczać. Po trzech dniach wędrówki przystanęli u zachodniego skraju lasów w Dolinie Sirionu. Teren był tu bardziej suchy i roślinność uboższa, a grunt zaczynał wznosić się ku wrzosowiskom.

O zmierzchu szarego, deszczowego dnia banici poszukali schronienia w niskich, gęstych krzewach, za którymi rozciągała się bezdrzewna przestrzeń naznaczona licznymi skupiskami głazów. Wokół panowały cisza i bezruch, tylko krople wody skapywały z liści. Nagle wartownik dał sygnał, a zerwawszy się na nogi, banici ujrzeli trzy zakapturzone postaci w szarych szatach, idące miarowym krokiem pomiędzy głazami. Każdy z osobników dźwigał na plecach wypchany worek, ale i tak poruszali się dość szybko.

Túrin zawołał, by się zatrzymali, a jego ludzie pogonili za obcymi niczym sfora, ci jednak maszerowali dalej i chociaż Andróg wystrzelił w ślad za nimi kilka strzał, dwaj zniknęli w mroku, tylko jeden, który jako wolniejszy lub bardziej obciążony pozostał z tyłu, dał się pojmać i obalić na ziemię. Przytrzymywany przez wiele rąk, wciąż się wyrywał, kąsając niczym zwierzę. W końcu jednak nadszedł Túrin i pohamował zapędy banitów.

– Co tu macie? – spytał. – Czy trzeba być aż tak gwałtownym? Stare to i nieduże. Jaką niby krzywdę może zrobić?

– Gryzie – powiedział Andróg, pokazując krwawiącą dłoń. – To ork lub ktoś podobny. Zabić go!

– Na nic lepszego nie zasłużył, skoro na darmo go ścigaliśmy – powiedział inny, zaglądając do worka. – Same korzenie i kamyki.

– Nic z tego – stwierdził Túrin. – Ma brodę. To chyba krasnolud. Dajcie mu wstać i przemówić.

I tak oto Mîm pojawił się w *Opowieści o dzieciach Húrina.*

Pozbierawszy się, przyklęknął przed Túrinem i zaczął błagać o darowanie życia.

– Stary jestem – rzekł – i biedny. Jak słusznie zauważyłeś, jam tylko krasnolud, nie ork. Nazywam się Mîm. Nie pozwól im zabić mnie bez powodu, panie, tylko orkowie tak czynią.

Túrin pożałował go w głębi serca, ale powiedział:

– Wydajesz się biedny, Mîmie, chociaż dziwne to u krasnoludów, niemniej my chyba jeszcze ubożsi jesteśmy, bo nie mamy ni domu, ni przyjaciół. Jeśli postanowię darować ci życie, chociaż nic nas ku temu nie skłania, co ofiarujesz w zamian?

– Nie wiem, czego pragniesz, panie – odparł ostrożnie Mîm.

– W tej chwili zaiste niewiele! – zawołał Túrin, ogarnąwszy spojrzeniem deszczowy krajobraz. – Bezpiecznego miejsca do spania, gdzie woda nie kapie za kołnierz. Chyba masz coś takiego?

– Owszem, ale nie mogę wam go oddać, bo za stary jestem, by sypiać pod gołym niebem.

– Mogę oszczędzić ci trudów starczego wieku – powiedział Andróg, podchodząc z nożem w zdrowej dłoni. – Dość już przeżyłeś.

– Panie! – krzyknął Mîm w wielkim strachu. – Jeśli stracę życie, pozostaniecie bez noclegu; nikt nie znajdzie go bez Mîma. Jak rzekłem, nie mogę wam go oddać, ale się nim podzielę. Obecnie jest tam więcej miejsca niż kiedyś, tak wielu odeszło na zawsze – załkał.

– Darujemy ci życie – postanowił Túrin.

– Przynajmniej póki nie doprowadzisz nas do swego domu – dodał Andróg, Túrin jednak odwrócił się do niego i powiedział:

– Jeśli Mîm nie oszuka nas i pokaże, gdzie mieszka, i będzie to dobre schronienie, wówczas okupi swe życie i nie zostanie zabity przez żadnego z moich ludzi. Przysięgam.

Wtedy Mîm objąwszy Túrina nogi, odezwał się tymi słowy:

– Mîm będzie twym przyjacielem, panie. W pierwszej chwili, głos usłyszawszy i mowę, sądziłem że jesteś elfem, jednak okazałeś się człowiekiem, co i lepiej. Mîm nie lubi elfów.

– Gdzie jest ten twój dom? – spytał Andróg. – Musi być naprawdę wygodny, żeby Andróg zmieścił się tam z krasnoludem. Bo Andróg nie przepada z kolei za krasnoludami. Moi współplemieńcy niewiele dobrego mają do powiedzenia o tej rasie ze Wschodu.

– Poczekaj, aż zobaczysz mą siedzibę, wtedy sam ocenisz – powiedział Mîm. – Ale będziecie potrzebowali światła, bo ludzie potykają się w ciemności. Wrócę niebawem i poprowadzę was.

– Nie, nie! – krzyknął Andróg. – Na to nie pozwolimy, prawda, wodzu? Nigdy więcej nie ujrzelibyśmy tego łotra.

– Zapada zmrok – powiedział Túrin. – Niech zostawi jakiś fant. Czy możemy zatrzymać twój worek, Mîmie?

Ale krasnolud znowu padł na kolana i zaczął lamentować:

– Jeśli Mîm nie zamierza dotrzymać słowa, to nie pożałuje starego worka z korzonkami – tłumaczył rozpaczliwie. – Wrócę. Puśćcie mnie!

– Tego nie uczynimy – rzekł Túrin. – Jeśli nie potrafisz rozstać się z bagażem, to musimy razem z nim zatrzymać także ciebie. Spędziwszy noc pod osłoną liści, lepiej nas zrozumiesz. – Zauważył jednak, nie on jeden zresztą, że zawartość worka była dla krasnoluda o wiele cenniejsza, niżby można sądzić.

Zaprowadzili krasnoluda do swego smętnego obozowiska. Po drodze mamrotał w dziwnym, chropawym języku coś, co brzmiało jak pradawne przekleństwa, ale gdy nałożyli mu więzy na nogi, umilkł nagle. Ci, którzy trzymali przy nim wartę, widzieli potem, jak siedział przez całą noc nieruchomy niczym skała i tylko jego oczy lśniły bezsennie, penetrując ciemność.

Przed świtem deszcz ustał i poryw wiatru zakołysał drzewami. Ranek wstał jaśniejszy, niż zdarzyło się to od wielu dni, a ciepły powiew z południa rozproszył chmury, ukazując słońce wschodzące na błękitnym niebie. Mîm siedział wciąż bez ruchu i wyglądał jak martwy, a przy świetle brzasku ujawniły się wszystkie jego zmarszczki, co potwierdziło wiekowość krasnoluda.

– Jest już dość jasno – powiedział Túrin, stając nad więźniem.

Wtedy Mîm otworzył oczy i wskazał na pęta, a gdy je zdjęto, odezwał się ze złością:

– Nauczcie się, głupcy, by nigdy nie krępować krasnoluda! Nie wybaczy wam tego. Nie pragnę śmierci, ale czyn wasz wzbudził we mnie zawziętość. Cofam obietnicę.

– Ale ja nie – odparł Túrin. – Zaprowadzisz nas do swego domu i póki tego nie uczynisz, nie mówmy o śmierci. Tak postanowiłem. – I spojrzał stanowczo w oczy krasnoluda, a ten zadrżał, ponieważ mało kto potrafił znieść wzrok Túrina zagniewanego lub upierającego się przy swoim.

– Chodź za mną, panie – powiedział w końcu, odwracając głowę i wstając.

– Dobrze! – krzyknął Túrin. – I tyle tylko dodam, że pojmuję twą dumę. Może i zginiesz, ale wiązać cię już nie będziemy.

Wtedy Mîm poprowadził ich z powrotem do miejsca, gdzie go pojmali, i wskazał na zachód.

– Tam jest mój dom! – powiedział. – Nieraz go pewnie widzieliście, bo wysoko się wznosi. Sharbhund zwaliśmy go kiedyś, zanim elfy nie odmieniły wszystkich nazw.

Banici ujrzeli, że wskazywał na Amon Rûdh, Nagą Górę, której łysy wierzchołek widoczny był na wiele staj wokoło.

– Widzieliśmy, ale nigdy z bliska – stwierdził Andróg. – I tam niby można znaleźć schronienie, a gdzie na górze woda czy inne jeszcze, potrzebne rzeczy? Chyba nas nabiera. Jak mamy ukryć się na szczycie?

– Czasem taka manifestacja lepsza jest niż chowanie się po kątach – rzekł Túrin. – Amon Rûdh daje się dostrzec z daleka. Dobrze, Mîmie, pójdę z tobą i zobaczę, co masz do zaoferowania. Ile czasu zajmie nam, niezdarnym ludziom, dotarcie na miejsce?

– Cały dzień aż do zmroku – odparł krasnolud.

Túrin z Mîmem stanęli na czele pochodu i cała kompania ruszyła na zachód, czujnie rozglądając się po wyjściu z lasu, ale okolica była cicha i opustoszała. Minęli porozrzucane głazy i zaczęli wspinaczkę na leżące pomiędzy Amon Rûdh a dolinami Sirionu i Narogu wyniosłe wrzosowisko, wrzos potrafił bowiem znaleźć dla siebie miejsce w kamienistej glebie nawet na wysokości ponad trzystu metrów. Po wschodniej stronie nierówny teren wznosił się łagodnie ku graniom, gdzie kępy brzóz i jarzębiny oraz sędziwie wybujałych głogów czepiały się korzeniami skał. Niższe partie stoków Amon Rûdh pokryte były gęsto krzewami aeglosu, jednak szary wierzchołek pozostawał nagi, jeśli nie liczyć czerwonego seregonu otulającego skały[14].

Późnym popołudniem banici dotarli do stóp góry. Mîm podprowadził ich z północy i dobrze widzieli słoneczny blask padający z zachodu na koronę Amon Rûdh, gdzie seregon kwitł właśnie.

– Patrzcie! Wierzchołek góry kąpie się we krwi – powiedział Andróg.

– Jeszcze nie – odparł Túrin.

Słońce tonęło za horyzontem i światło gasło w parowach. Góra zawisła nad nimi, zagradzając drogę i banici doszli do wniosku, że do tak rzucającego się w oczy celu doszliby spokojnie sami. W miarę jednak, gdy w ślad za krasnoludem wspinali się coraz wyżej, pojęli, że prowadzi ich sekretną ścieżką, której tajemnica istnienia przekazywana musiała być chyba z pokolenia na pokolenie, o ile nie wytyczały jej jakieś nieznane ludziom znaki. Droga wiła się, a spojrzawszy na bok, dostrzec można było jedynie mroczne wąwozy i parowy lub też strome zbocza zbiegające do rumowisk wielkich głazów porosłych jeżynami i głogami skutecznie kryjącymi wszelkie pułapki. Bez przewodnika prawdopodobnie całymi dniami błąkaliby się po tych ostępach, nim dotarliby gdziekolwiek.

Teren zrobił się jeszcze bardziej stromy, za to mniej nierówny. Przeszli w cieniu wiekowych drzew jarzębiny i wkroczyli pomiędzy wysokopienne aeglosy. W półmroku rozeszła się słodka woń[15]. Potem w poprzek drogi wyrosła nagle skalna ściana, stroma i gładka, niknąca gdzieś w ciemności nad ich głowami.

– Czy to są wrota do twojego domu? – spytał Túrin. – Podobno krasnoludy uwielbiają kamień. – Przysunął się do Mîma, na wypadek, gdyby przewodnik planował jednak jakiś podstęp.

– Nie wrota do domostwa, tylko brama prowadząca na dziedziniec – odparł Mîm i skręcił w prawo, a po przejściu około dwudziestu kroków u stóp urwiska przystanął nagle i Túrin ujrzał szczelinę wiodącego na lewo przejścia pomiędzy dwoma zachodzącymi na siebie fragmentami skalnej ściany. Nie potrafił powiedzieć, czy było do dzieło czyichś rąk, czy też sił przyrody, ale za otworem spowitym ukorzenionymi powyżej powojami otwierała się kamienista ścieżka biegnąca ku górze i znikająca w ciemności. Wokół panowała wilgoć. Dnem spływał strumyk. Jeden po drugim, wszyscy zanurkowali w mrok. Na szczycie droga skręcała znów w prawo, na południe, by przez gąszcz kolczastych zarośli wybiec na zieloną równinę i znów zatonąć w cieniach. Tak dotarli do siedziby Mîma, Bar-en-Nibin-noeg[16], miejsca opisywanego tylko w najstarszych opowieściach Doriathu i Nargothrondu i nigdy nieoglądanego przez człowieka. Jednak noc już zapadła i gwiazdy zabłysły na wschodzie, skrywając osobliwy zakątek przed oczami wędrowców.

Amon Rûdh wieńczyła wielka kamienna czapa o stromych zboczach i ściętym wierzchołku, z którego po północnej stronie wystawała płaska i niemal kwadratowa półka, niewidoczna z dołu. Z tyłu miała pionową skalną ścianę, z boków opadały strome urwiska. Dojść do niej można było tylko z północy, o ile znało się drogę[17]. Mająca swój początek w szczelinie ścieżka wiodła przez mały zagajnik karłowatych brzóz otaczający lśniące w skalnym zbiorniku jeziorko, zasilane przez tryskający u stóp urwiska strumień. Dalej woda spływała rynną ku krawędzi półki, by białą nitką runąć w dół z zachodniej strony góry. Za osłoną drzew w pobliżu źródła kryło się pomiędzy dwiema kamiennymi przyporami wejście do jaskini wyglądającej z pozoru ledwie na wnękę w skale, z niskim i popękanym nadprożem.

Wnętrze jednak było obszerne. Sięgało daleko w głąb góry, wydrążone powolną pracą Poślednich Krasnoludów od lat chroniących się tu przed Szarymi Elfami z lasów.

W mroku Mîm poprowadził banitów obok jeziora, w którym poprzez cienie brzozowych gałęzi odbijały się teraz gwiazdy. U wejścia do jaskini odwrócił się, pokłonił Túrinowi i powiedział:

– Wejdź do Bar-en-Danwedh, Domu Okupu, gdyż tak się będzie teraz nazywał.

– W porządku – odparł Túrin. – Obejrzyjmy go zatem.

I wszedł do środka z Mîmem, a skoro inni ujrzeli, że się nie boi, ruszyli w ślad za dowódcą. Nawet Andróg, który najbardziej spośród nich nie ufał krasnoludom. Szybko spowił ich nieprzenikniony mrok, ale Mîm klasnął w dłonie i za zakrętem zabłysło małe światełko – to inny krasnolud wyłonił się z korytarza na tyłach zewnętrznej groty. W ręce niósł niewielką pochodnię.

– Ha! Więc jednak chybiłem! Tego się obawiałem – zauważył Andróg. Mîm zamienił z przybyszem kilka zdań w chrapliwym języku i zdało się, usłyszane wieści mocno zatroskały go i zaniepokoiły, pospieszył bowiem gdzieś korytarzem i zniknął. Andróg zaś zaczął nalegać, by podążyć za nim.

– Uderzmy pierwsi! – powiedział. – Może nawet jest ich tu wielu, ale to pokurcze.

– Najpewniej tylko trzech – odparł Túrin i poprowadził dalej. Banici szli wodząc po szorstkich ścianach rękoma. Korytarz skręcał wielokrotnie pod ostrym kątem, aż w końcu błysnęło przed nimi wątłe światełko i dotarli do niewielkiej, ale wysokiej groty rozjaśnianej przez umocowane na łańcuchach lampy zwisające z mrocznego sklepienia. Mîma tu nie było, ale idąc za jego głosem, Túrin dotarł do komnaty na tyłach groty, gdzie ujrzał klęczącego na podłodze Mîma. Obok niego stał w milczeniu krasnolud z pochodnią. Na kamiennym łożu pod przeciwległą ścianą leżała jakaś postać.

– Khîm, Khîm, Khîm! – zawodził stary krasnolud, targając swą brodę.

– Jedną strzałą trafiłeś celnie – powiedział Túrin Andrógowi – ale i tak był to chybiony ruch. Nazbyt prędki jesteś w zwalnianiu cięciwy i życia ci nie starczy, by nabrać rozumu. – Túrin wszedł cicho i przybliżył się do Mîma. – Co się stało? – spytał. – Znam nieco sztukę uzdrawiania. Czy mogę wam pomóc?

Mîm odwrócił głowę i spojrzał na Túrina, a w jego oczach płonął czerwony blask.

– Nie, chyba że potrafisz cofnąć czas i odrąbać dłonie tym twoim okrutnikom – odparł. – Mój syn został śmiertelnie ugodzony. Teraz już słowa nie powie. Umarł o zachodzie słońca. Twe więzy powstrzymały mnie przed przywróceniem go do zdrowia.

I znów smutek wezbrał w sercu Túrina niczym tryskające ze skały źródło.

– Niestety! – rzekł. – Cofnąłbym tę strzałę, gdybym tylko mógł. Teraz Bar-en--Danwedh, Dom Okupu, prawdziwie będzie się nazywał. Niezależnie bowiem od tego, czy zamieszkamy tu czy nie, jestem odtąd twoim dłużnikiem i jeśli kiedykolwiek dojdę do jakiegoś bogactwa, czystym złotem zapłacę ci okup za syna. Uczynię to na znak mego smutku, chociaż wiem, że twe serce nie znajdzie w nim pociechy.

Wówczas Mîm wstał i długo przyglądał się Túrinowi.

– Przyjmuję, co powiedziałeś – odrzekł. – Zachowałeś się jak dawny władca krasnoludów, i to podziwiam. Ukoiłeś mój żal, chociaż nie mam się z czego cieszyć. Spłacę niemniej swój okup. Możecie tu zamieszkać, jeśli chcecie. Jedno tylko dodam, niech ten, który wypuścił strzałę, złamie swój łuk i pełen kołczan, niech położy je u stóp mego syna i nigdy już nie tknie strzały ni łuku. Gdyby to uczynił, umrze za ich sprawą. Takie rzucam nań przekleństwo.

Andróg przestraszył się wielce i chociaż niechętnie, wypełnił, co krasnolud rzekł. Wychodząc jednak z komnaty, spojrzał ze złością na Mîma i mruknął:

– Powiadają, że klątwa krasnoluda nigdy nie traci mocy, ale ludzka też czasem może się spełnić. Umrzyj tu z gardłem przeszytym strzałą![18]

Tej nocy ułożyli się w grocie, ale zasnąć nie mogli za sprawą lamentów Mîma i jego drugiego syna, Ibuna. Kiedy wszystko ucichło, trudno powiedzieć, ale gdy banici obudzili się w końcu, krasnoludów nie było, a w wejściu do komnaty tkwił potężny kamień. Dzień znów nastał pogodny i w blasku porannego słońca ludzie umyli się w jeziorku i sięgnęli po to, co mieli do jedzenia. Posilali się właśnie, gdy Mîm stanął przed nimi i skłonił się Túrinowi.

– Odszedł już i uczyniliśmy, co do nas należało – powiedział. – Spoczywa obok swoich ojców. Pora zwrócić się ku zwykłemu życiu, chociaż może niewiele nam go już pozostało. Czy podoba wam się dom Mîma? Czy okup został przyjęty?

– Tak – odparł Túrin.

– A zatem do was należy i możecie urządzić go, jak wam wygodnie, z jednym tylko wyjątkiem: nikt prócz mnie nie może otworzyć tej zamkniętej komnaty.

– Zgoda. Zamieszkamy tu, zakątek jest bowiem bezpieczny lub przynajmniej na taki wygląda, ale potrzeba nam jeszcze jedzenia i innych rzeczy. Jak mamy stąd wychodzić, a co ważniejsze, jak będziemy wracali?

Mîm roześmiał się na całe gardło, co zaniepokoiło banitów.

– Czyżbyście obawiali się, że oto pająk schwytał was w swe sieci? – spytał. – Mîm nie jada ludzi! Nawet pająk nie łowiłby trzydziestu szerszeni naraz. Sami widzicie, wy jesteście uzbrojeni, a ja stoję przed wami z pustymi rękoma. Pora nam dzielić się mieszkaniem, jedzeniem, ogniem, a może i innymi zdobyczami. Myślę, że nawet, gdy poznacie już dobrze drogę, to dla własnego dobra strzec będziecie tajemnicy tego miejsca. Z czasem zapamiętacie szlaki, na razie jednak Mîm albo syn jego, Ibun, będzie musiał was przeprowadzać.

Túrin przystał na to i podziękował Mîmowi, a większość ludzi przyklasnęła jego słowom, bo w słońcu środka lata siedziba prezentowała się zaiste wspaniale. Jeden tylko Andróg był niezadowolony.

— Im wcześniej poznamy wszystkie ścieżki, tym lepiej — powiedział. — Nigdy jeszcze żaden więzień nie ograniczał tak naszej swobody.

Tego dnia odpoczywali, czyścili broń i naprawiali oporządzenie, jedzenia mieli bowiem dość na jakie dwa dni, a i Mîm dołożył swoje, pożyczając im trzy wielkie garnki i opał. Potem przyniósł worek.

— Same śmiecie — powiedział. — Niewarte kradzieży dzikie korzonki.

Wszakoż ugotowane, owe leśne zdobycze okazały się nie tylko jadalne, ale i bardzo dobre, w smaku przypominały bowiem chleb, który banici kosztowali ostatnimi laty tylko wtedy, gdy udało się ukraść jakiś bochenek.

— Dzikie elfy ich nie znają, Elfy Szare nie wypatrzyły. Zbyt dumni są przybysze zza Morza, by ryć w ziemi — powiedział Mîm.

— A jak się te przysmaki nazywają? — spytał Túrin.

Mîm spojrzał nań z ukosa.

— Nie mają innej nazwy prócz tej w języku krasnoludzkim, a jego sekretów nikomu nie zdradzamy. Nie mówimy też ludziom, jak szukać tych korzonków, bo oni chciwi są i rozrzutni, szybko wybraliby wszystkie, do ostatniego, kładąc kres ich istnieniu, chociaż teraz mijają je obojętnie w głuszy. Niczego więcej nie dowiecie się ode mnie, ale jak długo będziecie uprzejmi, nie zaczniecie kraść ni szpiegować, nie poskąpię wam poczęstunku, zawsze też możecie liczyć na mą pomoc. — I znów roześmiał się bardzo głośno. — Są naprawdę cenne. Głodną zimą więcej warte są od złota, bo można przechowywać je niczym orzeszki w wiewiórczej spiżarni. Już z pierwszego zbioru zaczęliśmy odkładać zapasy, ale tylko głupiec mógłby sądzić, że nawet za cenę życia nie byłbym skłonny porzucić jednego worka.

— Słuchając tak ciebie — powiedział Ulrad, który zajrzał do worka przy pojmaniu Mîma — wspominam, że faktycznie nie chciałeś rozstać się ze swym bagażem, i niczego już nie rozumiem.

Mîm obrócił się i zmierzył go ponurym spojrzeniem.

— Jesteś jednym z tych głupców, których nie żal wiośnie, gdy zima ich zabierze — powiedział. — Dałem słowo, a zatem chcąc, nie chcąc, z workiem czy bez, i tak musiałbym wrócić, a niech sobie praw ani honoru nieznający człowiek myśli, co chce! Nie lubię jednak, gdy jakiś niegodziwiec odbiera mi siłą moją własność, choćby to był tylko rzemień od buta. Myślisz, że zapomniałem, że byłeś między tymi, którzy mnie związali, przez co nawet nie zdążyłem porozmawiać z synem? Gdy znów przyniosę ziemny chleb ze spiżarni, ciebie nim nie obdzielę, i zjesz go wówczas tylko, gdy zostaniesz poczęstowany przez kamratów.

Potem Mîm odszedł, ale Ulrad, który kulił się pod gniewnym spojrzeniem krasnoluda, teraz powiedział:

– Dumne słowa! Jednakże ten stary łotr miał jeszcze inne rzeczy w swym worku. Podobne z kształtu do korzonków, ale twardsze i cięższe. Może oprócz ziemnego chleba jest w głuszy coś jeszcze, czego elfy nie wyszukały i czego ludziom poznać nie wolno[19]!

– To możliwe – odparł Túrin. – Niemniej krasnolud miał rację, nazywając cię głupcem. Czy musisz gadać, co ślina na język przyniesie? Jeśli uprzejme słowa więzną ci w gardle, to już lepiej siedź cicho, a wszyscy na tym skorzystamy.

Dzień minął spokojnie i nikt z banitów nie zapragnął opuścić schronienia. Túrin pokrążył od krańca do krańca po zielonej murawie półki, spojrzał na wschód, na zachód i na północ, zdumiony, jak przy czystym powietrzu rozległy roztacza się stąd widok. Na północy sięgnął wzrokiem lasu Brethil, wspinającego się zamgloną zielenią na zbocza Amon Obel, i miejsce to przyciągało wciąż jego oczy, choć sam nie wiedział czemu, serce bowiem skłaniało się ku północnemu zachodowi. Gdy patrzył w tamtym kierunku, zdawało mu się, że odległe o wiele staj, zawieszone jakby na krawędzi nieba, majaczyły Góry Cienia, granica ojczystej krainy. Wieczorem jednak śledził zachodzące słońce, jak czerwieniało i niknęło w mgłach nad dalekim wybrzeżem, cienistym mrokiem spowijając Dolinę Narogu leżącą na drodze do Morza.

Tak zaczął się pobyt Túrina, syna Húrina, w Bar-en-Danwedh, Domu Okupu, siedzibie Mîma.

Opis dziejów Túrina od chwili zamieszkania w Bar-en-Danwedh do upadku Nargothrondu znajduje się w *Silmarillionie*, s. 248–262, patrz także Dodatek do *Narn i Hîn Húrin*.

Powrót Túrina do Dor-lóminu

Zmęczony w końcu długą drogą i pośpiechem (ponad czterdzieści staj przebył bez odpoczynku), wraz z pierwszymi lodami zimy wykwitłymi na rozlewiskach Ivrin, dotarł Túrin tam, gdzie niegdyś został uzdrowiony. Teraz jednak było to tylko zamarznięte bagnisko, z którego nie dało się już pić.

Potem doszedł do przełęczy wiodących do Dor-lóminu[20] i tutaj zaskoczyły go śnieżyce z północy, czyniąc ścieżki jeszcze bardziej niebezpiecznymi. Chociaż dwadzieścia i trzy lata minęły, gdy po raz ostatni przemierzał ten szlak, to głęboko wryła mu się w serce pamięć owej drogi, kiedy bolał nad każdym krokiem oddalającym go od Morweny. Wreszcie znalazł się w krainie swego dzieciństwa, teraz ponurej i ogołoconej, z rzadka zamieszkałej przez nieokrzesanych ludzi władających szorstkim narzeczem Easterlingów. Dawna mowa stała się tu językiem niewolników i wrogów.

Niemniej Túrin wędrował czujnie, skryty milcząco pod kapturem, aż odnalazł dom, którego tak szukał. Budynek stał jednak ciemny i pusty. Nikt nie mieszkał w pobliżu. Morwena bowiem odeszła, a Brodda (tenże przybysz, który wziął siłą za żonę Aerinę, krewną Húrina), splądrował rodową posiadłość i zabrał wszystko, nawet służących. Dom Broddy stał najbliżej siedziby Húrina, tak i Túrin poszedł tam, pełen zdumienia i żalu, i poprosił o schronienie. Otrzymał je, ponieważ Aerina dbała, żeby ocalić w swoim domu chociaż cień dawnych, dobrych zwyczajów. Posadzono go przy ogniu między służącymi oraz kilkoma podobnie zdrożonymi i ponurymi wagabundami, a wtedy spytał o wieści dotyczące okolicy.

Cisza zapadła, a niektórzy aż się odsunęli, spoglądając spode łba na obcego. Jeden jednak włóczęga, stary mężczyzna z kulą, powiedział:

— Jeśli już musisz posługiwać się dawną mową, panie, to ciszej mów i nie pytaj o wieści. Chcesz zostać obity jako rzezimieszek lub powieszony jako szpieg? Wyglądasz i na jedno, i na drugie. A to znaczy — przysunął usta bliżej ucha Túrina — że wywodzisz się, panie, z tego dawnego szlachetnego ludu, który przybył z Hadorem w złotych czasach, nim w tej krainie łby porosły wilczą sierścią. Są tu jeszcze podobni tobie, chociaż teraz to niewolnicy lub żebracy. Tylko pani Aerinie zawdzięczają miejsce przy ogniu i strawę. Skąd przybywasz i jakie nowiny przynosisz?

— Żyła nie opodal kobieta zwana Morweną — odparł Túrin. — Dawno temu mieszkałem w jej domu. Ale gdy dotarłem tam zdrożony, nie zastałem ni ognia, ni mieszkańców.

— Wszyscy opuścili to miejsce ponad rok temu — odpowiedział starzec. — A i przedtem rzadko płonął tam ogień i niewielu się przy nim grzało od czasu strasznej wojny. Ona należała do dawnego ludu, jak wiesz na pewno. Została wdową po naszym panie, Húrinie, synu Galdora. Nie śmieli jej tknąć, bali się, bo dumna i piękna była jak królowa, nim smutek ją naznaczył. Mówili, że to wiedźma, co po nowemu znaczy „przyjaciółka elfów". Unikali Morweny, ale i tak okradli. Często wraz z córką chodziłaby głodna, gdyby nie pani Aerina. Pomagała im potajemnie i często bił ją za to ten prostak Brodda, mąż z przymusu.

— A potem? Nie żyją czy dostały się w niewolę? A może orkowie je napadli?

— Nie wiadomo na pewno — powiedział starzec. — Odeszła z córką, a Brodda splądrował dom i wziął, co tylko było. Nawet psa nie zostawił, a wszystkich jej poddanych zrobił swoimi niewolnikami. Poza paroma, którzy wybrali los żebraczy, jak ja, Sador Skokostopy. Służyłem Morwenie wiele lat, a przedtem naszemu panu. Gdyby nie ten topór przeklęty, kiedyś, dawno, to pewnie leżałbym teraz pod Wielkim Kurhanem. Nigdy nie zapomnę dnia, gdy odesłano stąd syna Húrina, pamiętam jak płakał przy tym i jak ona łkała, gdy już odszedł. Podobno do Ukrytego Królestwa.

W tym miejscu stary powściągnął język i przyjrzał się nieufnie Túrinowi.

— Wiekowy jestem i różne rzeczy plotę – dodał pospiesznie. – Nie zważaj na mnie! Ale chociaż przyjemnie jest pogadać znów w starej mowie z kimś, kto włada nią jak w dawnych czasach, to teraz dni chmurnie nam płyną i trzeba uważać. Piękne słowa nie świadczą jeszcze o czystym sercu.

— Szczera prawda – odrzekł Túrin – bo serce me mroczne i ponure. Ale jeśli obawiasz się, że jestem szpiegiem Północy lub Wschodu, znaczy, że umysł osłabł ci z latami, Sadorze Labadalu.

Starzec spojrzał nań bezbrzeżnie zdumiony.

— Wyjdźmy – powiedział drżącym głosem. – Tam jest chłodniej, ale i bezpieczniej. Za głośno i za wiele mówisz, jak na dom Easterlinga.

Na podwórcu Sador wczepił się w płaszcz Túrina.

— Powiadasz, że przemieszkiwałeś niegdyś w tym domu. Túrinie, synu Húrina, po co wróciłeś? Poznaję twarz, a teraz i głos, bo podobny masz do ojcowego. Tylko młody Túrin nazywał mnie Labadalem. Nie przez złośliwość, bo byliśmy wówczas dobrymi przyjaciółmi. Ale czego szukasz tu teraz? Niewielu nas już zostało. Starzy jesteśmy i bezbronni. Lepszy los spotkał tych, którzy zlegli pod kurhanem.

— Nie przybyłem walczyć, chociaż gdy tak cię słucham, Labadalu, to też przychodzi mi do głowy. Ale jeszcze nie nadszedł odpowiedni czas. Szukam Morweny i Nienor. Co możesz mi o nich zwięźle powiedzieć?

— Niewiele, panie. Odeszły w tajemnicy. Szeptano, że na wezwanie Túrina, bo nie wątpiliśmy, że wyrósł wielce z latami i jest królem czy władcą w jakimś kraju na południu. Wygląda jednak, że spotkał cię inny los.

— Owszem. Byłem niegdyś kimś na Południu, ale zostałem wagabundą. I nie ja je wezwałem.

— W takim razie proszę pytać panią Aerinę. Na pewno będzie wiedziała. Znała wszystkie zamiary pana matki.

— Jak mogę do niej dotrzeć?

— Nie mam pojęcia. Gdyby nawet dało się ją wywołać, to przyłapana, drogo zapłaciłaby za szeptanie w drzwiach z włóczęgą. A podobny tobie żebrak nie zajdzie daleko, dostawszy się do domu Easterlinga, bo pochwycą go, pobiją albo i zrobią coś jeszcze gorszego.

— Czy naprawdę nie dam rady wejść na pokoje Broddy? – zawołał Túrin w gniewie. – Pobiją mnie, mówisz? Zaraz się przekonamy!

Wszedł wówczas do środka i odsuwając wszystkich z drogi, torował sobie przejście do pomieszczenia, w którym przy stole siedział gospodarz wraz z żoną i innymi możnymi Easterlingami. Paru rzuciło się, by go pochwycić, ale powalił ich na ziemię i stanąwszy w drzwiach krzyknął:

— Czy nikt nie rządzi w tym domu? A może to orkowa nora? Gdzie gospodarz?

Zagniewany Brodda podniósł się z miejsca.

— Ja tu jestem panem — powiedział.

Ale zanim zdążył dodać cokolwiek więcej, Túrin rzekł:

— A więc nic nie przyswoiłeś sobie ze zwyczajów, z których słynęła niegdyś ta kraina. Czy to normalne pośród was, by nasyłać lokajów na krewnych waszych żon? Czyli na mnie. Mam pytanie do pani Aeriny. Wpuścisz mnie, czy sam mam się wpuścić?

— Wejdź! — powiedział Brodda i spojrzał wilkiem, Aerina zaś pobladła.

Wówczas Túrin podszedł do stołu, zatrzymał się i skłonił.

— Wybacz, pani, że tak wtargnąłem niespodzianie, ale pilna jest moja sprawa i z daleka mnie przywiodła. Szukam Morweny, pani Dor-lóminu, i Nienor, jej córki. Jej dom pusty stoi i splądrowany. Co możesz mi powiedzieć?

— Nic — odparła Aerina w wielkim strachu, Brodda bowiem przyglądał się żonie pilnie. — Odeszła i nic więcej nie wiem.

— W to nie uwierzę — odrzekł Túrin.

Wtedy Brodda skoczył ku niemu, aż czerwony z podpicia i gniewu.

— Dość tego! — krzyknął. — Nie pozwolę, aby jakiś żebrak zarzucał w gwarze niewolników kłamstwo mojej żonie, gdy ja jestem obok! Nie ma pani Dor-lóminu. A co do Morweny, z niewolników pochodziła i zbiegła jak niewolnik. Jeśli nie zrobisz zaraz tego samego, to zawiśniesz na drzewie!

Wtedy Túrin rzucił się ku Broddzie, wyciągnął swój Czarny Miecz, schwycił barbarzyńcę za włosy i odgiął mu głowę do tyłu.

— Jeden ruch — powiedział — a strącę ten łeb z karku! Pani Aerino, raz jeszcze błagam o wybaczenie, ale myślę, że nie zaznałaś niczego dobrego od tego gbura. Teraz mów jednak i nie odmawiaj mi! Czy ja, Túrin, jako pan Dor-lóminu mam ci to nakazać?

— Tak, panie — odparła.

— Żądam zatem, byś natychmiast odpowiedziała, kto splądrował dom Morweny?

— Brodda.

— Kiedy matka moja odeszła i dokąd?

— Rok i trzy miesiące temu. Pan Brodda i inni przybysze ze Wschodu mocno jej dokuczyli. Z dawna już wzywano ją do Ukrytego Królestwa i w końcu poszła tam, gdy tylko ziemie po drodze uwolniły się od złych sił, a to za sprawą męstwa Czarnego Miecza z kraju na południu. Wypatrywała spotkania z synem, miał tam na nią czekać. Ale skoro to ty nim jesteś, znaczy, że wszystko poszło na opak.

Túrin zaniósł się pełnym goryczy śmiechem.

– Na opak? – krzyknął. – Tak, zawsze na opak, na modłę Morgotha! – I nagle gwałtowny gniew nim zatrząsł, uwolnił się bowiem ostatecznie z pęt czaru Glaurunga i łuski spadły mu z oczu. Wyraźnie ujrzał wszystkie kłamstwa, którymi został omamiony. – Czy oszustwo przywiodło mnie w to miejsce, by zginął niesławnie ten, kto polec mógł z honorem u Wrót Nargothrondu? – I zdało mu się, że z mroku pod powałą dobiegają krzyki Finduilas.

– Nie ja pierwszy tu umrę! – krzyknął i chwyciwszy Broddę, niby psem potrząsnął nim we wściekłej pasji. – Powiadasz, że z niewolników Morwena pochodziła? Ty złodzieju, synu szubrawców, sługo niewolników! – I cisnął gospodarzem przez jego własny stół, siedzący zaś tam Easterlingowie zerwali się, by zabić Túrina.

Rzucony głową naprzód, Brodda skręcił kark przy upadku, Túrin zaś skoczył ku biesiadnikom i zabił trzech kulących się w przerażeniu, jako że zaskoczył ich bez broni. Potem powstało zamieszanie. Easterlingowie chcieli ruszyć na Túrina, ale w sali było też wielu dawnych mieszkańców Dor-lóminu, niewolników od lat czekających na podobną okazję. Rzucili się teraz z krzykiem na ciemiężycieli, chociaż ich broń, noże do mięsa i podobne domowe narzędzia, nie mogły się równać z mieczami i sztyletami. Wielu padło z obu stron, aż Túrin wbiegł z impetem pomiędzy walczących i zabił ostatnich w sali Easterlingów.

W końcu wypalił się w nim ogień gniewu. Odpoczywał, oparty o kolumnę, gdy podpełzł doń śmiertelnie ranny stary Sador i objął go pod kolana.

– Po trzykroć siedem lat i jeszcze dłużej czekałem na tę godzinę – powiedział. – Ale teraz odejdź już, panie. Odejdź! Idź i nie wracaj, chyba że z wielką siłą. Cały kraj podniosą przeciwko tobie. Wielu stąd umknęło. Uchodź, albo koniec cię tu spotka. Żegnaj! – I osunął się martwy na podłogę.

– Prawdę mówił w obliczu śmierci – odezwała się Aerina. – Wiesz już, co chciałeś wiedzieć. Teraz ruszaj żwawo! Najpierw do Morweny, uspokoić ją, bo inaczej trudno będzie mi wybaczyć ci gwałt, który tu uczyniłeś. Podle mi tu życie płynęło, ale dopiero twoja złość skazała mnie na śmierć. Barbarzyńcy pomszczą tę noc, zabijając wszystkich, którzy byli w tym miejscu. Wciąż jesteś porywczy, synu Húrina, zupełnie jak ten chłopiec, którego niegdyś znałam.

– A ty wciąż strachliwa, Aerino, córko Indora, zupełnie jak wtedy, kiedy ciotką cię zwałem i byle pies wywoływał w tobie przerażenie – powiedział Túrin. – Do lepszego życia zostałaś stworzona. Ale ruszaj ze mną, pójdziemy do Morweny!

– Więcej bieli na moich skroniach niż śniegu wokoło – odparła. – Czy z tobą na pustkowiach, czy pośród brutalnych Easterlingów, i tak wkrótce umrę. Co się stało, już się nie odstanie. Idź! Zostając, tylko pogorszysz sprawę, bez potrzeby przysparzając trosk matce. Błagam cię, odejdź prędko!

Túrin skłonił się jej więc nisko i wyszedł z domu Broddy, a wszyscy buntownicy, którzy mieli dość siły, powędrowali za nim. Byli wśród nich i tacy, co dobrze znali ścieżki przez pustkowia. Umknęli zatem ku górom, błogosławiąc padający śnieg, który skrywał ich ślady. Skrzyknięci rychło do pościgu ludzie z końmi i psami nie odnaleźli zbiegów. Ci zaś po długotrwałej ucieczce schronili się w końcu między wzgórza na południu. Wtedy to, spoglądając za siebie, ujrzeli w oddali czerwony blask płomienia.

– Podpalili dom – powiedział Túrin. – Ale po co?

– Oni? Nie, panie, sądzę, że to Aerina uczyniła – odparł jeden z towarzyszy imieniem Asgon. – Zbrojni mężowie często mylą cierpliwość ze strachem. Wiele dobrego dla nas zrobiła, dużym kosztem. Nie była słabego serca, ale każda cierpliwość kiedyś się kończy.

Najwytrwalsi, zdolni znieść trudy zimy zostali wówczas z Túrinem i poprowadzili go zapomnianymi ścieżkami pośród gór do jaskini znanej tylko banitom i odszczepieńcom, gdzie zgromadzono pewne zapasy żywności. Poczekali, aż śnieg przestanie sypać tak gęsto, po czym zaopatrzyli Túrina w prowiant i zaprowadzili na mało uczęszczaną przełęcz wiodącą na południe, do Doliny Sirionu. Tam śnieg nie dotarł. Gdy szlak zaczął zbiegać z gór, rozstali się z Túrinem.

– Żegnaj teraz, panie Dor-lóminu – powiedział Asgon. – Ale nie zapomnij o swych poddanych. Teraz, gdy się pojawiłeś, to wilcze plemię stanie się jeszcze bardziej okrutne, a nas czeka los ściganej zwierzyny. Toteż idź i nie wracaj, chyba że z siłą dość wielką, by nas wyzwolić. Żegnaj!

Przybycie Túrina do Brethilu

Z rozdartym sercem skierował się Túrin ku Sirionowi. Przedtem sądził, że czeka go wybór między dwiema fatalnymi możliwościami, teraz jednak stały przed nim otworem trzy drogi, jego zaś lud, któremu dopiero co tylko nieszczęść przyczynił, oczekiwał odeń pomocy. Jedyną kojącą myślą była świadomość, że Morwena i Nienor dawno już musiały dojść do Doriathu i że to właśnie męstwo Czarnego Miecza z Nargothrondu uczyniło ich drogę bezpieczną. „Bo i gdzież indziej mógłbym je skierować, nawet gdybym przybył wcześniej?" – pomyślał sobie. „Jeśli Obręcz Meliany pęknie, wówczas i tak wszystko dobiegnie kresu.

Tak już jest lepiej, bo gdziekolwiek się pojawię, zaraz gniew mój i porywczość cień rzucają na to miejsce. Niech Meliana je chroni! Na razie nie będę ich niepokoił".

Za późno zaczął jednak Túrin szukać Finduilas i rozglądać się po kniejach u stóp Ered Wethrin, niczym czujne i dzikie zwierzę buszując w ostępach. Przemierzył wszystkie drogi wiodące na północ, ku Przełomowi Sirionu, ale deszcze i śniegi zatarły już ślady. Podążając z biegiem Teiglinu spotkał jednak niegdysiejszych mieszkańców lasu Brethil, zdziesiątkowany przez wojnę lud Halethy. Większość ocalałych skryła się w otoczonej palisadą leśnej osadzie u stóp Amon Obel. Zwali to miejsce Ephel Brandir, od czasu bowiem śmierci Handira władał nimi syn jego, Brandir. Nie był on zapalonym wojownikiem, chromy od dzieciństwa, kiedy to przypadkiem złamał nogę. Za sprawą łagodnego charakteru lubował się raczej w drewnie niż w żelazie i najbardziej interesował się tym wszystkim, co rośnie w ziemi.

Niektórzy jednak z mieszkańców lasu zasadzali się wciąż u granic swych włości na orków i stało się tak, że przyszedłszy w te okolice, Túrin dosłyszał pewnego dnia odgłosy walki. Co sił pospieszył między drzewami, aż ujrzał grupkę ludzi otoczoną przez orków. Bronili się rozpaczliwie, przyparci do rosnącej na polanie kępy drzew, wrogowie jednak znacznie ich przewyższali liczbą i nikła była nadzieja na ucieczkę, o ile nie pojawi się jakaś pomoc. Skrywszy się w zaroślach, Túrin czynić zaczął wielki hałas, stąpając głośno i tratując krzaki, a potem zakrzyknął gromko, jakby prowadząc duży oddział:

— Ha! Mamy ich! Wszyscy za mną! Bij, zabij!

Wielu orków obejrzało się, zaskoczonych, a wówczas Túrin wyskoczył na polanę machając, jakby wzywał biegnących za nim, a ostrze Gurthanga rozgorzało w jego dłoni niczym płomień. Orkowie znali ten miecz aż za dobrze i niejeden uciekł ze strachu, nim jeszcze Túrin dobiegł do gromady. Natenczas ludzie z lasu przyłączyli się do pościgu, przypierając orków do rzeki. Niewielu z nieprzyjaciół zdołało ujść na drugi brzeg.

W końcu pogoń zatrzymała się nad wodą, a Dorlas, dowódca leśnych, powiedział:

— Szybki jesteś, ale twoi ludzie jakoś dziwnie się ociągają.

— Nie — odparł Túrin. — Wszyscy razem biegliśmy i nikt nie zwłóczył.

Wtedy roześmiali się ludzie z lasu Brethil.

— Jeden taki wart jest całej drużyny — powiedzieli. — Winniśmy ci podziękowanie. Ale kim jesteś i co tu robisz?

— To, co zawsze, czyli zabijam orków — odrzekł Túrin. — Tym się trudnię i mieszkam tam, gdzie widzę dla siebie zajęcie. Jestem zaś Dzikim Człowiekiem z Lasu.

— Chodź i zostań z nami — powiedzieli. — Bo i my żyjemy w lesie i potrzeba nam biegłych w wojennym rzemiośle. Chętnie cię przyjmiemy!

Túrin spojrzał na nich osobliwie.

– A więc są jeszcze tacy, którzy ścierpią, bym ciemność wniósł pod ich dachy? Nie, przyjaciele, inne przede mną zadanie. Szukam Finduilas, córki Orodretha z Nargothrondu, lub przynajmniej jakichś o niej wieści. Niestety, wiele tygodni już minęło, odkąd zabrano ją z Nargothrondu, ale nie wolno mi spocząć.

Popatrzyli na niego ze współczuciem, a Dorlas powiedział:

– Próżne twe trudy. Ostrzegano nas przed bandą orków nadciągającą z Nargothrondu ku brodom na Teiglinie. Szli powoli, gdyż wielu jeńców wiedli. Przyszło nam do głowy, żeby na miarę naszych skromnych możliwości też wziąć udział w tej wojnie, tak i zasadziliśmy się na nich ze wszystkimi łucznikami, których dało się znaleźć. Mieliśmy nadzieję ocalić przynajmniej niektórych więźniów. Niestety! Gdy tylko zaatakowaliśmy, plugawi orkowie zaczęli ich zabijać, poczynając od kobiet. Córkę Orodretha przyszpilili włócznią do drzewa.

Túrin stanął nieruchomo, jak śmiercią rażony.

– Skąd to wiesz? – spytał.

– Bo przemówiła do mnie, nim umarła – odparł Dorlas. – Spojrzała na nas, jakby kogoś wypatrywała, a potem powiedziała: „Mormegil! Przekażcie Mormegilowi, że Finduilas jest tutaj". I nic więcej. Jej ostatnie słowa sprawiły, że złożyliśmy ją tam, gdzie umarła. Spoczywa pod kurhanem nad brzegiem Teiglinu. Od tamtej pory minął już miesiąc.

– Zaprowadźcie mnie w to miejsce – poprosił Túrin, a oni zawiedli go na stok wzgórza przy brodach na Teiglinie. Túrin padł na ziemię zamroczony, i pomyśleli nawet, że nie żyje. Dorlas spojrzał nań uważnie i odwrócił się do swych ludzi ze słowami:

– Za późno! Smutne to zrządzenie losu. Patrzcie jednak: oto leży tu sam Mormegil, wielki wódz z Nargothrondu. Po mieczu winniśmy go poznać, jak uczynili to orkowie. – Sława Czarnego Miecza z Południa dotarła do wielu i daleko, nawet w leśne ostępy.

Dźwignęli go zatem z szacunkiem i ponieśli do Ephel Brandir, a ich przywódca wyszedł na powitanie zdumiony, któż to wraca na marach. Odchylił przykrycie i zerknął na twarz Túrina, a mrok spowił jego serce.

– O okrutny ludu Halethy! – zakrzyknął. – Czemuście nie pozwolili umrzeć temu mężowi? Trudząc się wielce przywiedliście tu człowieka, który ostateczną zgubę ściągnie na nasze plemię.

– Ale to Mormegil z Nargothrondu[21], sławny zabójca orków. Jeśli przeżyje, będzie nam wielką pomocą. A gdyby nawet śmierć go już zabrała, to czy mieliśmy zostawić nieszczęściem rażonego człowieka niczym padlinę na poboczu?

– Zaiste, nie mogliście – odparł Brandir. – Los tak nie chciał. – I zabrał nieprzytomnego do swego domu, gdzie pielęgnował go troskliwie.

Gdy nareszcie mroki odstąpiły Túrina, wiosna właśnie rozkwitła i obudziwszy się, ujrzał skąpane w słońcu zielone pąki. Wówczas ocknęła się w nim również i odwaga właściwa rodowi Hadora, wstał zatem i powiedział sobie z przekonaniem:

— Wszystkie me czyny minionych lat mroczne były i złem naznaczone. Ale oto nadchodzi nowa doba. Zostanę tu w pokoju, imienia się wyrzekając i dziedzictwa. Tak i Cień mnie porzuci, a przynajmniej nie ogarnie tych, których kocham.

Przyjął tedy nowe imię, zwąc się Turambarem, co w szlachetnej mowie elfów znaczy Pan Losu, i zamieszkał pomiędzy leśnym ludem otoczony miłością. Zobowiązał wszystkich, by zapomnieli, kim był, i traktowali go tak, jakby urodził się w Brethilu. Jednakże, choć inne nosił miano, temperament został mu podobny, nie zapomniał też całkowicie o dawnych krzywdach zaznanych od sług Morgotha. Zebrawszy kilku podobnie żądnych zemsty, wypuszczał się czasem z nimi na orków. Brandir nie był z tego zadowolony, wolałby raczej siedzieć wraz ze swym ludem cicho w ukryciu, mając nadzieję, że w ten sposób uda im się przetrwać.

— Nie ma już Mormegila — rzekł mu pewnego razu — ale strzeż się, by męstwo Turambara tak samo nie sprowadziło nieszczęścia na Brethil!

Tak i Turambar odłożył Czarny Miecz i nie brał go już do boju, sięgając raczej po łuk i włócznię. Wciąż jednak nie mógł ścierpieć, że orkowie korzystają z brodu na Teiglinie, podchodząc pod kurhan, gdzie pogrzebano Finduilas. Zwał się on teraz Haudh-en-Elleth, Wzgórze Księżniczki Elfów i orkowie rychło zaczęli bać się tego miejsca i raczej omijali je z daleka.

W końcu Dorlas spytał Turambara:

— Zmieniłeś imię, ale wciąż jesteś Czarnym Mieczem. Czy nie powiada prawdy pogłoska, że Czarny Miecz to syn Húrina z Dor-lóminu, włodarz z rodu Hadora?

— Tak słyszałem — odparł Túrin. — Ale skoroś moim przyjacielem, to błagam cię, nie rozpowiadaj tego.

Podróż Morweny i Nienor do Nargothrondu

Wraz z końcem zimy, nowe wieści o Nargothrondzie dotarły do Doriathu. Niektórzy umknąć zdołali bowiem z oblężenia i przetrwawszy zimę na pustkowiach, ruszyli do królestwa Thingola, a straż graniczna przyprowadziła ich przed oblicze władcy. Jedni mówili, że przeciwnik wycofał się z całą siłą ku północy, inni, że Glaurung okupuje wciąż zamek Felagunda. Słyszało się też, jakoby Mormegil został zabity lub ogarnięty smoczym zaklęciem, i że stoi tam wciąż w kamiennej postaci. Wszyscy jednak zgodnie stwierdzali, jak to znane stało się pod koniec w Nargothrondzie, iż Czarny Miecz nikim innym nie jest, jak tylko Túrinem, synem Húrina z Dor-lóminu.

Żal i lęk ogarnęły zatem Morwenę i Nienor, a Morwena powiedziała:

— Bez wątpienia sam Morgoth stoi za tym! Czy nie ma sposobu, by dowiedzieć się prawdy, choćby i gorzkiej, lepszej jednak od niepewności?

Thingol też pragnął nade wszystko poznać szczegóły upadku Nargothrondu i zamierzał nawet wysłać tam cichcem kilku posłańców. Skłonny był jednak liczyć Túrina między poległych lub straconych dla świata. Wzdragał się wszakże przed potwierdzeniem owych domysłów, bojąc się o Morwenę. Tak i rzekł jej:

— Niełatwa to sprawa i wymaga rozważenia. Istnieje ryzyko, że to Morgoth zasiewa w nas owe wątpliwości, mając nadzieję, że skłoni nas tym do nierozważnych i pochopnych czynów.

— Nierozważnych i pochopnych? Ależ, panie! — krzyknęła wzburzona Morwena. — Jeśli mój syn błąka się gdzieś głodny po lasach, jeśli cierpi w więzach lub też ciało jego poniewiera się niepogrzebane, gotowa jestem na wszelką nierozwagę. W tej godzinie ruszyłabym w drogę, by go odszukać.

— Pani Dor-lóminu — odparł Thingol — tego akurat syn Húrina z pewnością by nie pragnął. Uważałby, że pod opieką Meliany bezpieczniejsza jesteś niż w każdym innym zakątku świata. Przez wzgląd na Húrina i Túrina nie pozwolę ci w tych mrocznych czasach oddalać się z mego królestwa.

— Túrina od niebezpieczeństwa nie ustrzegłeś, a mnie zabronisz, bym mu pomogła! — krzyknęła Morwena. — Pod opieką Meliany! Powiedz raczej, że będę więźniem Obręczy! Długo się wahałam, jednak przekroczyłam twe granice, czego szczerze żałuję.

— Skoro tak mówisz, pani Dor-lóminu, to wiedz, że Obręcz stoi przed tobą otworem. Wolno ci tu przyjść, wolno zostać, ale możesz też odejść.

Wówczas odezwała się milcząca do tej pory Meliana:

— Nie odchodź, Morweno. Prawdę powiadasz, że to Morgoth rozsiewa owe sprzeczne pogłoski. Wyruszając w drogę, wypełnisz jego wolę.

— Lęk przed Morgothem nie powstrzyma mnie przed odpowiedzią na zew krwi — odparła Morwena. — A jeśli boisz się o mnie, panie, to użycz mi paru swoich ludzi.

— Tobie niczego rozkazać nie mogę — powiedział Thingol. — Moi poddani jednak muszą mnie słuchać. Sam zdecyduję, czy ich wysłać.

Morwena nic już nie odpowiedziała, tylko odeszła z płaczem, Thingol zaś pogrążył się w zadumie nad stanem umysłu matki Túrina. Wydała mu się bliska obłędu, więc spytał Melianę, czy ta swoimi mocami nie mogłaby powstrzymać Morweny.

– Wiele potrafię zdziałać przeciwko złu, gdy chce tu wtargnąć – stwierdziła Meliana – ale bezradna jestem wobec tych, którzy pragną stąd odejść. To twoje zadanie. Jednak tylko siłą udałoby ci się jej przeszkodzić. A wówczas może się zdarzyć, że ze szczętem oszaleje.

Morwena zaś poszła do Nienor i powiedziała jej:

– Żegnaj, córko Húrina. Idę szukać mego syna lub prawdziwych wieści o nim, skoro tutaj nikt nic nie chce dlań zrobić, a tylko wszyscy zwlekać są gotowi, aż będzie za późno. Czekaj tu na mnie, aż wrócę szczęśliwie.

Przerażona i strapiona Nienor próbowała powstrzymać matkę, ale Morwena nie rzekła już ani słowa, tylko wyszła z komnaty, a wraz z nadejściem poranka wzięła konia i odjechała.

Thingol rozkazał, by nikt nie próbował jej zatrzymywać ni skłaniać do powrotu, ale gdy tylko zniknęła za horyzontem, zebrał kompanię najlepszych i najwytrwalszych strażników pogranicza i oddał ich pod dowództwo Mablunga.

– Ruszajcie żywo za Morweną – polecił – ale niech was nie spostrzeże. Gdyby jednak jakieś niebezpieczeństwo zagroziło jej w głuszy, wówczas ujawnijcie swą obecność. Jeśli nie zechce zawrócić, strzeżcie jej ze wszystkich sił, a kilku niech wysforuje się do przodu i sprawdzi szlak.

Tak oto wysłał Thingol drużynę większą niż pierwotnie zamierzał, a jeźdźcy wiedli ze sobą aż dziesięć luzaków. W ślad za Morweną podążyli na południe, przez Region, aż dotarli do brzegów Sirionu powyżej Stawów Zmierzchu. Tam Morwena przystanęła, nie znając drogi przez szeroką i bystrą rzekę, i strażnicy musieli w tej potrzebie wychynąć z ukrycia.

– Czy Thingol zamierza mnie zatrzymać? – spytała. – Czy też może jednak wysłał tę pomoc, której z początku mi odmówił?

– I jedno, i drugie – odparł Mablung. – Zawrócisz, pani?

– Nie!

– Zatem muszę ci pomóc, chociaż wcale tego nie pragnę. Szeroki i głęboki jest Sirion, niebezpieczny zarówno dla człowieka, jak i dla zwierzęcia.

– No to przenieście mnie na drugi brzeg elfim sposobem, jakkolwiek to czynicie. W przeciwnym razie spróbuję przepłynąć rzekę.

Wobec takich słów Mablung zaprowadził ją do Stawów Zmierzchu, gdzie na południowym brzegu, skryte pośród strug i strumyków, czekały pod strażą promy służące zwykle posłańcom krążącym pomiędzy Thingolem a jego krewniakiem w Nargothrondzie[22]. Poczekawszy, aż zapadnie głęboka, gwiaździsta noc, przeprawili się pod osłoną zwiastującej świt mgły. Gdy słońce wzeszło czerwienią ponad Górami Błękitnymi i silny podmuch wiatru rozpędził opary, strażnicy wspięli się na zachodni brzeg, opuszczając Obręcz Meliany. Byli wszyscy wysokimi elfami z Doriathu. Pod szarymi płaszczami nosili kolczugi. Morwena przyglądała im się z promu, gdy milcząco przechodzili obok, nagle jednak krzyknęła, wskazując na ostatnią postać w szeregu.

— A on tu skąd? – spytała. – Gdy przybyliście, było was trzykroć po dziesięciu, a na brzeg wysiadło trzykroć po dziesięciu i jeden!

Na co wszyscy odwrócili się i w blasku słońca ujrzeli złote włosy wyglądające spod odrzuconego wiatrem kaptura: to była Nienor, która, jak się okazało, podążyła skrycie za kompanią i przyłączyła się do niej w mroku na chwilę przed przeprawą. Zapanowała ogólna konsternacja, najżywiej jednak zareagowała Morwena.

— Wracaj! Rozkazuję ci, wracaj! – krzyknęła.

— Jeśli żona Húrina może wbrew wszelkim radom odpowiedzieć na zew krwi – odparła Nienor – to i córce Húrina wolno to uczynić. Nazwałaś mnie Żałobą, jednak nie zamierzam samotnie opłakiwać ojca, brata, a także matki, chociaż ciebie tylko dane mi było poznać. I ciebie kocham ponad wszystko. Nic, co nie przeraża Morweny, nie natchnie strachem i Nienor.

Oblicze jej mówiło po prawdzie coś innego, zdradzając niejaki lęk, była to jednak dziewczyna wysoka i silna na oko, podobna okazałą postawą do wszystkich potomków rodu Hadora. Niewiele odbiegała przez to wyglądem od strażników, ustępując tylko najroślejszym.

— Co zamierzasz? – spytała Morwena.

— Iść tam, gdzie ty – odrzekła Nienor. – Możesz odprowadzić mnie i oddać pod opiekę Melianie, bo niemądrze jest odrzucać jej radę. W przeciwnym jednak razie wiedz, że pójdę za tobą, bez względu na niebezpieczeństwa. Taki oto wybór ci daję. – W skrytości ducha Nienor liczyła przede wszystkim na to, że matka wiedziona miłością i strachem o córkę jednak zawróci. Morwena zaś była rzeczywiście rozdarta wewnętrznie.

— Odrzucać radę to jedno – powiedziała – a okazać nieposłuszeństwo matce, to co innego. Wracaj zaraz!

— Nie. Dawno już nie jestem dzieckiem i sama potrafię o sobie decydować, chociaż nigdy dotąd ci się nie sprzeciwiałam. Idę z tobą. Przez wzgląd na władców tej krainy, wolałabym zawrócić do Doriathu, ale jeśli przyjdzie ruszyć na zachód, też sama się nie cofnę. Prawdę mówiąc, jeśli któraś z nas winna już tam iść, to ja raczej, będąc w pełni sił.

Wówczas Morwena ujrzała w jej szarych oczach tę samą nieugiętość, która cechowała Húrina, i zawahała się. Wciąż jednak była zbyt dumna i nie chciała, by ktokolwiek odniósł wrażenie, że wygłosiwszy deklarację, Morwena pozwala jednak córce odprowadzić się do domu niczym zdziecinniała staruszka.

— Pójdę dalej, jak zamierzyłam – powiedziała. – Chodź i ty, chociaż wbrew mojej woli.

– Niech będzie i tak – odrzekła Nienor.

– Zaprawdę, nie odwagi, ale rozwagi brakuje potomkom Húrina i przez to właśnie ściągają nieszczęścia na innych! Túrin nie jest inny. Odmienni byli jego ojcowie. Teraz jednak ród Húrina oszalał i wcale mi się to nie podoba. Bardziej obawiam się tej misji, którą powierzył nam król, niż polowania na wilka. Co czynić?

Morwena, który wyszła już na brzeg i zbliżyła się do kompanii, usłyszała tylko ostatnie jego słowa.

– Czyń, jak ci król nakazał – powiedziała. – Nasłuchuj wieści o Nargothrondzie i o Túrinie. Po to właśnie wszyscy wyruszyliśmy.

– Długa jednak i niebezpieczna przed nami droga – odparł Mablung. – Przyjdzie wam obu dosiąść koni, jechać pomiędzy wojownikami i nie oddalać się ani na krok od drużyny.

W pełni dnia ruszyli dalej, powoli i czujnie przemierzając kraj porośnięty trzcinami i niskimi wierzbami, aż dotarli do szarych lasów okrywających większą część południowej równiny na drodze do Nargothrondu. Cały dzień kierowali się ku zachodowi, nie spotykając nikogo pośród martwych i milczących ruin. Zdało się Mablungowi, że strach czai się pośród ciszy. Gdy wiele lat temu Beren przemierzał tę drogę, odprowadzały go skrycie oczy licznych myśliwych, teraz jednak ludzie odeszli znad Narogu, a orkowie, jak się zdawało, nie zapuszczali się aż tak daleko na południe. Noc drużyna spędziła w lasach, nie paląc lamp ni ogniska.

Minęły jeszcze dwa dni. Trzeciego wieczora zbliżyli się do miejsca, gdzie równina kończyła się wschodnim brzegiem Narogu. Mablunga ogarnął wówczas taki niepokój, iż błagać zaczął Morwenę, by nie ruszała dalej. Ta jednak roześmiała się w głos.

– Niedługo już się nas pozbędziesz, najpewniej z radością – powiedziała. – Ale wytrzymaj jeszcze trochę. Za blisko już podeszliśmy, by zawracać ze strachu.

– Obieście zmysły postradały, śmiejąc się z niebezpieczeństwa. Nie tylko nie pomagacie nam w zbieraniu wieści, ale jeszcze rzecz utrudniacie. Słuchajcie! Nie kazano mi powstrzymywać was siłą, ale chronić, jak tylko potrafię, i zamierzam wypełnić to zadanie. Jutro ruszamy na Amon Ethir, Wzgórze Czatów, które wznosi się niedaleko stąd. Tam zostaniecie pod strażą i dopóki ja dowodzę, nigdzie dalej nie pójdziecie.

Amon Ethir był to kopiec wielki jak góra, który Felagund kazał usypać niegdyś na równinie przed Bramą Nargothrondu, o milę na wschód od koryta Narogu. Całe to, wiele pracy kosztujące, wzniesienie porastały drzewa i tylko wierzchołek pozostawał nagi. Było zeń widać dobrze wszystkie drogi wiodące z wielu stron do wielkiego mostu Nargothrondu. Drużyna dotarła tam późnym rankiem, wspinając się od wschodu aż na sam szczyt. Stamtąd spojrzeli na Wysoki Faroth, nagi i brunatny kraj rozciągający się za rzeką[23], a Mablung, jako że elfie miał oczy, dojrzał nawet Nargothrond wznoszący się tarasami na stromym zachodnim brzegu oraz mały, czarny otwór Bramy Felagunda w ścianie wzgórza. Nie słyszał jednak nic, nie widział też ani śladu nieprzyjaciela ni smoka, tylko wokół wrót czerniło się wciąż spalenizną dzieło zniszczenia uczynione przez bestię w dniu napaści. Krajobraz trwał cichy i nieruchomy w bladym blasku słońca.

Zgodnie z zapowiedzią, Mablung rozkazał dziesięciu jeźdźcom strzec Morweny i Nienor na wierzchołku wzgórza i nie ruszać się stamtąd, chyba że w obliczu śmiertelnego niebezpieczeństwa, a wtedy, nie czekając na jego powrót, strażnicy mieli wziąć obie niewiasty pomiędzy siebie i uciekać ile sił w kierunku Doriathu, jednego wysyłając przodem, by zaniósł wieści i wezwał pomoc.

Potem zebrał pozostałych i ruszył z nimi ku polom na zachodzie. Niewiele rosło tu drzew, toteż przekradać się musieli w pojedynkę, by dotrzeć ostatecznie na brzeg rzeki. Mablung przemykał pośrodku, kierując się do mostu, ale gdy tam dotarł, dostrzegł jedynie kamienie leżące w płytkim nurcie, spienionym i bystrym po obfitych deszczach na dalekiej północy.

Glaurung jednak był na miejscu. Przyczaił się w cieniu tunelu za zniszczoną bramą i od dawna już wiedział o pojawieniu się szpiegów. Mało kto w Śródziemiu mógłby ich wypatrzyć, jednak smok lepiej od orłów widział swoimi kaprawymi ślepiami i dalej wzrokiem sięgał niż elfy. Wiedziała też bestia o gromadce pozostawionej na szczycie Amon Ethir.

I gdy tak Mablung ostrożnie posuwał się pomiędzy głazami, wypatrując, czy nie dałoby się jednak przejść po ruinach mostu na drugi brzeg, Glaurung runął do rzeki, ziając ogniem z pyska. Rozległ się ogłuszający syk i kłęby straszliwie smrodliwej pary ogarnęły Mablunga i jego podwładnych. Ci próbowali uciekać, na wyczucie kierując się ku Wzgórzu Czat. Mablung jednak wpełzł pod wielki kamień i trwał w schronieniu, aż Glaurung przeszedł rzekę. Elf uznał, że jeszcze do końca nie wykonał swego zadania. Wiedział już teraz wprawdzie, że smok zaległ w Nargothrondzie, nieznany wszakże pozostawał wciąż los syna Húrina. Dzielne mając serce, Mablung zamierzył odczekać, aż Glaurung odleci, a potem dostać się na drugi brzeg i przeszukać zamek Felagunda. Uważał, że uczynił wszystko, co możliwe, aby ochronić Morwenę i Nienor, boć smok musiał być dobrze widoczny ze wzgórza i oddział winien już od dłuższej chwili galopować w stronę Doriathu.

We mgle zarysowała się wielka sylwetka chyżo pomykającego smoka, bo choć bestia była rosła, to jednak zwinna. Zaraz też, nie bacząc na niebezpieczeństwo, Mablung przeszedł rzekę. Tymczasem strażnicy na szczycie Amon Ethir, gdy tylko dostrzegli wynurzającego się z mroku gada, choć sami zaskoczeni, bez zbędnego gadania kazali Morwenie i Nienor dosiąść wierzchowców i wedle umowy, ruszyli z nimi na wschód. Gdy jednak dotarli na równinę u stóp wzgórza, ogarnęły ich tumany oparów tak smrodliwych, że oślepione mgłą i przerażone smoczym odorem konie wpadły w panikę. Ganiały w tę i nazad, aż grupa się rozproszyła, a część strażników poraniła się dotkliwie, wpadając na drzewa. Pozostali szukali się daremnie, aż rżenie koni i krzyki jeźdźców dotarły w końcu do uszu Glaurunga, który wielce się tymi odgłosami uradował.

Jeden z błądzących we mgle elfów dostrzegł jeszcze Morwenę, mijającą go niczym szara zjawa na oszalałym rumaku, ale zniknęła szybko z okrzykiem „Nienor!" i więcej już jej nie ujrzał.

Koń Nienor potknął się na samym początku, gdy tylko chaos zapanował wśród szeregów, i zrzucił dziewczynę z grzbietu. Spadła na trawę, na szczęście nie doznając poważniejszych obrażeń, jednak gdy podniosła się wreszcie, była sama, zagubiona we mgle, bez wierzchowca i towarzyszy. Nie zlękła się, tylko pomyślała, że nie ma sensu błądzić za rozlegającymi się wszędzie wkoło, coraz słabiej zresztą, krzykami. Stwierdziła, że o wiele mądrzej będzie zawrócić ku wzgórzu. Przecież Mablung nie odjedzie stąd nie sprawdziwszy pierwej, czy nikt nie pozostał na wierzchołku.

Idąc na oślep, znalazła drogę do bliskiego zaiste wzniesienia i zaczęła wspinaczkę wschodnią ścieżką. Im wyżej, tym mniej gęsty był opar. W końcu wyszła na zalany słońcem nagi szczyt. Postąpiła krok i spojrzała ku zachodowi, gdy nagle ujrzała przed sobą wielki łeb Glaurunga, który wdrapał się na Amon Ethir z przeciwnej strony. Zanim zdążyła uczynić cokolwiek, spojrzała mu w ślepia, straszne od wszystkiego zła, które wsączył w potwora jego pan, Morgoth.

Nienor miała dość siły, by stawić opór smokowi, za mało jednak, by nie ulec.

– Czego tu szukasz? – spytał.

– Jednego tylko Túrina – odparła, zmuszona do odpowiedzi. – Mieszkał tu czas jakiś. Ale chyba nie żyje.

– Tego nie wiem – odrzekł Glaurung. – Został, by bronić kobiet i wszelkiej mizeroty, ale gdy przybyłem, porzucił ich i uciekł. Mocny w gębie, ale tchórz. Czemu właśnie jego poszukujesz?

– Kłamiesz – stwierdziła Nienor. – Dzieciom Húrina w żadnym razie nie brak odwagi. Nie boimy się ciebie.

Wtedy Glaurung roześmiał się, mówiąc bowiem te słowa, Nienor odsłoniła się przed nim niebacznie.

– Obojeście głupi, ty i twój brat. Zwykłe, próżne przechwałki. Ja jestem Glaurung!

Potem wpił w nią ślepia i narzucił jej swą wolę, a Nienor zdało się, że słońce zbladło i wszystko wkoło poszarzało. Zaczął ogarniać ją wielki mrok, ciemna pustka, w której dziewczyna niczego już nie wiedziała, niczego nie słyszała, niczego nie pamiętała.

Długo krążył Mablung po salach Nargothrondu, nie znajdując ani jednej żywej duszy. Nic, tylko fetor i cienie. Nawet najmniejszy ruch nie powstał pośród martwych kości, nikt nie odpowiedział na jego krzyki. Wreszcie, przerażony panującą na tej przestrzeni grozą i obawiając się nadejścia Glaurunga, podążył ku bramie. Słońce tonęło już na zachodzie i cień Faroth mrokiem spowijał terasy i rwącą rzekę, ale zdało się Mablungowi, że dostrzega u stóp Amon Ethir złowrogą sylwetkę smoka. Droga powrotna była o wiele cięższa i bardziej niebezpieczna, a to przez pośpiech i targający elfem lęk. Ledwo zdołał Mablung przeprawić się przez rzekę i schronić pod przeciwległym brzegiem, gdy Glaurung ruszył do legowiska. Teraz jednak szedł powoli i ociężale. Ognie w nim ledwie się tliły, moc zeń uszła i jedynym zamiarem bestii było ułożyć się do snu w ciemności. Wykonując skręty cielska, smok przepłynął rzekę i niczym wielki, popielatoszary wąż poszorował brzuchem po ziemi w kierunku bramy.

Zanim jednak zniknął we wnętrzu, odwrócił się jeszcze, spojrzał na wschód i roześmiał się śmiechem Morgotha, a był to rechot cichy, ale straszny, przesycony złem płynącym z najgłębszych czarnych otchłani. Potem zaś rozległ się zimny i niski głos:

– Jako mysz kryjesz się pod skarpą, potężny Mablungu! Źle wypełniasz polecenia Thingola. Pospieszaj na górę, a ujrzysz, co stało się z twoją podopieczną!

I zniknął w legowisku. Słońce zaszło i wraz z szarym wieczorem zapanował przenikliwy chłód. Mablung jednak podążył na Amon Ethir. Nim dotarł na samą górę, gwiazdy zalśniły na niebie i w ich to blasku ujrzał postać mroczną i nieruchomą, jakby z kamienia wyciosaną. To była Nienor, głucha na jego słowa i milcząca. Gdy jednak ujął jej rękę, drgnęła i poszła za nim. Wystarczyło wszakże rozluźnić uchwyt, a przystawała.

Pełen wielkiego żalu i zakłopotania, Mablung, sam i bez pomocy, nic nie mógł uczynić innego, jak tylko poprowadzić Nienor na wschód, choć daleką drogę musieli pokonać. Całą noc maszerowali przez otuloną mrokiem równinę niczym lunatycy, a gdy ranek nastał, Nienor potknęła się i upadła, a zrozpaczony elf przysiadł na ziemi obok nieruchomej postaci.

– Nie bez racji bałem się tej wyprawy – powiedział. – To chyba będzie moja ostatnia. Przepadnę na pustkowiach z tą pechową córką człowieczego rodu, a jeśli dotrą kiedy do Doriathu wieści o naszym losie, to jeszcze imię me okryje się hańbą. Reszta pewnie nie żyje, ją jedną bestia oszczędziła, ale nie z miłosierdzia.

Tak natknęło się na nich trzech jeszcze strażników, którzy umknęli od Narogu, jak tylko smok się pojawił, a gdy mgła opadła, dotarli wreszcie na szczyt wzgórza. Nie znajdując tam nikogo, zaczęli rozglądać się za drogą powrotną. Nadzieja wróciła Mablungowi i razem ruszyli dalej, kierując się na północny wschód, nie było bowiem wstępu do Doriathu od południa. Od czasu upadku Nargothrondu strażnicy promów wzbronione mieli przewozić kogokolwiek z tamtego brzegu i służyli wyłącznie opuszczającym królestwo.

Grupa podróżowała powoli, jako że prowadzono utrudzoną dziewczynę. W miarę jednak, jak oddalali się od Nargothrondu i zbliżali do Doriathu, Nienor zdawała się odzyskiwać siły. Potrafiła maszerować posłusznie całymi godzinami, jeśli tylko wiodło się ją za rękę, chociaż szeroko otwarte oczy niczego wciąż nie dostrzegały. Nieszczęsna nie reagowała też na głosy i nie powiedziała wciąż ani słowa.

Nareszcie po wielu dniach wędrowcy zbliżyli się do zachodnich kresów Doriathu, nieco na południe od Teiglinu. Zamierzali przekroczyć granicę niewielkiego kraju Thingola za Sirionem i dotrzeć do strzeżonego mostu w pobliżu dopływu Esgalduiny. Tam zatrzymali się na krótki popas i ułożyli Nienor na posłaniu z trawy. Po raz pierwszy od fatalnego spotkania zamknęła wówczas oczy i zdało się, że śpi, elfy tedy również ułożyły się na spoczynek, ze zmęczenia zapominając o wystawieniu straży. Totéż zaskoczyła ich napaść bandy orków, jednej z wielu, jakie odważyły się wówczas zapuszczać aż pod same granice Doriathu. Pośród bitewnego zamieszania Nienor zerwała się nagle z posłania i niczym ktoś obudzony nagle śródnocnym alarmem, z krzykiem rzuciła się do ucieczki. Orkowie natychmiast pogonili za nią do lasu, elfy pobiegły ich śladem. Nienor jednak ocknęła się jak nie ta sama i niczym łania umknęła wszystkim, i tylko jej włosy powiewały na wietrze między drzewami. Mablung z kompanami dogonili szybko orków, zabijając ich po kolei, ale Nienor zniknęła im do tego czasu z oczu i nigdzie nie postał po niej najmniejszy ślad. Daremnie szukali dziewczyny przez wiele dni.

W końcu, przytłoczony brzemieniem żalu i zawstydzony Mablung wrócił do Doriathu.

– Wybierz nowego łowczego, panie – powiedział królowi. – Ja okryłem się hańbą.

– Nie masz racji, Mablungu – odparła wszakże Meliana. – Uczyniłeś, co było w twojej mocy i nikt z królewskich sług nie sprawiłby się lepiej. Los zrządził jednak, że z nazbyt wielkim przeciwnikiem przyszło ci się mierzyć. Nie ma obecnie w Śródziemiu nikogo, kto temu wrogowi stawiłby czoło.

– Wysłałem cię, byś zebrał wieści i to zadanie wykonałeś – powiedział Thingol. – Nie twoja wina, że osoby, które najpilniej owych nowin wypatrywały, nie mogą ich teraz wysłuchać. Smutny koniec spotkał ród Húrina, ale nie rzuca to cienia na twe imię.

Nie tylko Nienor bowiem zaginęła w głuszy, ale i Morwena gdzieś przepadła i ani wtedy, ani potem, żadne pewne wieści o jej losie nie dotarły do Doriathu czy do Dor-lóminu. Na darmo Mablung zrezygnował z odpoczynku, by z nieliczną drużyną wyprawić się w dzike ostępy, na próżno przemierzał je przez trzy lata, docierając od Ered Wethrin aż do ujścia Sirionu, bezskutecznie wypatrywał zaginionych i nastawiał ucha.

Nienor w Brethilu

Słysząc za plecami krzyki pogoni, Nienor pobiegła w las. Po drodze zdarła z siebie ubranie i naga umykała przez cały dzień, niczym zwierzę ścigane aż do wyczerpania, nie odważając się nawet przystanąć dla zaczerpnięcia oddechu. Wieczorem jednak szaleństwo przeszło nagle i zamarła, jakby zdumiona, po czym zmęczenie wzięło górę i niczym gromem rażona padła bezwładnie pomiędzy wysokie paprocie. Na nic nie zważając, zasnęła pośród liści starych orlic i młodych, wiosennych pędów.

Obudziła się nad ranem, a blask dnia uradował ją, jakby pierwszy raz ujrzała go na oczy. Wszystko było dla niej nowe i dziwne, i nie znała nazwy żadnej rzeczy, jako że ciemność pochłonęła wszystkie przeszłe chwile i nie docierało z mroków ani żadne wspomnienie, ani echo znajomego słowa. Zostało jej tylko ulotne wrażenie strachu, nakazujące szukać schronienia w konarach drzew i nocować w największym gąszczu. Czujnie rozglądała się wkoło, reagując ucieczką na najlżejszy szelest czy poruszenie, niczym wiewiórka albo lis popatrując potem z ukrycia, nim znowu odważyła się wyjść.

Podążając wciąż w kierunku wytyczonym przez pierwszy, paniczny zryw, dotarła do Teiglinu, gdzie tylko ugasiła pragnienie, szukać bowiem pożywienia w lesie nie potrafiła, a przypadkiem nic nie znalazła, pozostała więc głodna i zziębnięta. Ponieważ wydało się jej, że drzewa na drugim brzegu gęściej rosną i bardziej cienisty jest tam las (co było prawdą, gdyż patrzyła na skraj Brethilu), przepłynęła rzekę i dotarła do zielonego pagórka, gdzie padła na murawę. Skrajnie wyczerpanej dziewczynie zdawało się, że zalegająca w przeszłości ciemność znów ją ogarnia, przyćmiewając słońce.

Naprawdę to burza mroczniała od południa, niosąc zwały czarnych chmur brzemiennych deszczem i błyskawicami. Nienor kuliła się, przerażona hukiem gromów, a ulewa smagała jej nagie ciało.

Zdarzyło się jednak w tej godzinie, że kilku leśnych ludzi z Brethilu zapuściło się aż tutaj w pogoni za orkami. Banda umykała ku brodom na rzece, niewiele dalej mając swą kryjówkę, gdy nagle piorun uderzył potężnie w ziemię, aż kurhan Haudh-en-Elleth rozgorzał białym płomieniem. Prowadzący oddział Turambar obejrzał się, zatrząsł i zakrył oczy, zdało mu się bowiem, że na grobie Finduilas spoczywa ciało zabitej kobiety.

Jeden z ludzi podbiegł do wzgórza i krzyknął:

– Tutaj, panie! To młoda dziewczyna. Jeszcze żyje!

Turambar podszedł i uniósł dziewczę, które zadrżało i zamknęło oczy, ale nie próbowało się uwolnić. Woda pociekła z jasnych włosów. Zdumiony nagością obcej, Turambar okrył ją swoim płaszczem i zaniósł do skrytej w lesie chaty myśliwych. Tam rozpalili ogień i okryli ciepło nieszczęsną, aż uniosła powieki i spojrzała na zgromadzonych. Gdy dostrzegła Turambara, twarz jej się rozjaśniła i wyciągnęła ku niemu rękę, odniosła bowiem wrażenie, że trafiła na coś, czego szukała, błądząc w ciemnościach. Spokój spłynął na nią, gdy Turambar ujął delikatną dłoń, uśmiechnął się i powiedział:

– A teraz, pani, czy wyjawisz nam swoje imię i opowiesz, jakie to nieszczęście cię spotkało?

Ona jednak potrząsnęła tylko głową i załkała w odpowiedzi, zatem nie indagowali jej więcej. Zjadła łapczywie wszystko, co tylko dla niej znaleźli. Gdy nareszcie nasyciła się i odetchnęła, ujęła dłoń Turambara, a ten stwierdził:

– Z nami jesteś bezpieczna. Możesz odpocząć tu przez noc, a nad ranem zaprowadzimy cię do naszej osady w głębi lasu. Chcielibyśmy jednak wiedzieć, jak się nazywasz i skąd pochodzisz, byśmy mogli spróbować odszukać twoich krewnych i zawiadomić ich o twym losie. Niczego nam nie rzekniesz?

Dziewczyna znów się rozpłakała.

– Nie przejmuj się! – powiedział Turambar. – Może zaiste jest to historia zbyt smutna, by ją wypowiedzieć. Ja jednak nadam ci imię, a brzmiało ono będzie Níniel, Dziewczyna we Łzach. – Słysząc nowe imię, złotowłosa spojrzała na Turambara i potrząsnęła głową, ale powtórzyła: Níniel. Tak oto odezwała się po raz pierwszy od nadejścia ciemności i pod tym imieniem już zawsze znana była pomiędzy ludźmi lasu.

Nad ranem poprowadzili ją do Ephel Brandir. Droga wiodła stromo pod górę ku Amon Obel. W końcu dotarli do miejsca, gdzie przekroczyć trzeba było pienisty strumień Celebros. Stał tam drewniany most, pod którym woda przemykała wygładzonym, kamiennym korytem, by runąć licznymi progami do skalnej misy daleko w dole. Powietrze pełne było wodnej mgiełki, wokół trawiastej polany przy progu wodospadu rosły brzozy, z samego jednak mostu roztaczał się widok na odległe o dwie mile jary nad brzegami Teiglinu. W gorący letni dzień wędrowcy zwykli przystawać tu, by zimną wodą ugasić pragnienie. Wodospad zwano Dimrost, Deszczowe Schody, tamtego jednak dnia zmienił nazwę na Nen Girith, Drżąca Woda. Turambar zatrzymał się tam z towarzyszami, gdy tylko jednak Níniel dotarła do tego zakątka, chłód ją ogarnął i dostała dreszczy. Żadnym sposobem nie mogli jej ani ogrzać, ani uspokoić, czym prędzej ruszyli więc w dalszą drogę, ale zanim dotarli do Ephel Brandir, Níniel zagorączkowała.

Długo leżała chora, a Brandir leczył ją, jak umiał najlepiej, i żony leśnych ludzi czuwały przy dziewczynie w dzień i w nocy, jednak uspokajała się tylko w obecności Turambara, wtedy też zasypiała mocno, bez jęków. Wszyscy, którzy się nią opiekowali, na jedno zwrócili uwagę: nawet w gorączce nie wyszeptała ni słowa, ani w języku elfów, ani w żadnej innej mowie. Gdy niepewnie, ale jednak wstała i znów mogła jeść, kobiety z Brethilu zaczęły uczyć ją mówić. Niczym dziecko opanowywała tę sztukę słowo po słowie, szybko czyniąc postępy i radując się tym niczym ktoś, kto odzyskuje odebrane mu niegdyś skarby. Gdy umiała już dość, by rozmawiać z przyjaciółmi, nieraz pytała:

— Jak to się nazywa? Zaginęła mi ta nazwa w mrokach.

Ozdrowiała na tyle, by wyjść za próg, często zachodziła do domu Brandira, najchętniej bowiem poznawała nazwy wszystkiego, co żyje, a on był biegły w tej materii. Niejednokrotnie spacerowali razem po ogrodach i polanach.

W końcu Brandir pokochał ją, a ona, odzyskawszy siły, podsuwała chromemu ramię i zwała go bratem. Serce jednak oddała Turambarowi i tylko na jego widok się uśmiechała, nierzadko nawet chichotem mu odpowiadając.

Pewnego wieczoru złotej jesieni, gdy siedzieli na cichym i zalanym słońcem stoku wzgórza ponad domami Ephel Brandir, Níniel rzekła:

— O wszystko już pytałam i tylko twojego imienia jeszcze nie znam. Jak się nazywasz?

— Turambar.

Zamyśliła się, jakby wsłuchana w dobiegające z oddali echo, w końcu powiedziała:

— A czy to coś znaczy, czy też jest tylko imieniem?

— To znaczy Pan Mrocznego Cienia. Bo i ja, Níniel, znam mroki, w których ginie niejedno bliskie sercu wspomnienie. Jednak zwyciężyłem już chyba Cień.

— Ty także uciekłeś przed nim aż do samego środka tych lasów? Kiedy to było, Turambarze?

— Wiele lat umykałem. Długo ciemność zalegała wkoło mnie i nie zaznałem spoczynku, aż do chwili, gdy cię spotkałem. Jednak od tamtej pory znam światło, bo wciąż zdaje mi się, że oto znalazłem coś, czego długo na próżno szukałem.

A gdy wracał o zmierzchu do domu, powiedział sobie:

— Haudh-en-Elleth! Ten zielony kurhan, na którym ją ujrzałem. Jeśli to jest znak, jak go mam odczytać?

Złocista jesień przeszła w łagodną zimę, po czym znów zawitała pogodna wiosna. Spokój panował w Brethilu, mieszkańcy osady przyczaili się w lasach i nie wychodzili spomiędzy drzew, więc nie dobiegały ich żadne wieści z sąsiednich krain. Tymczasem orkowie dotarli w marszu na południe aż do ponurego królestwa Glaurunga, zapuszczali się też na przeszpiegi pod granice Doriathu. Przechodząc przez brody na Teiglinie, coraz częściej i dalej nawiedzali tereny na zachód od rzeki.

Níniel wyzdrowiała już całkowicie. Była silna i piękna, toteż Turambar nie wstrzymywał się już dłużej, tylko zaproponował jej małżeństwo. Níniel przyjęła oświadczyny z radością, ale gdy Brandir się o tym dowiedział, zasmucił się wielce i powiedział dziewczynie:

– Tylko nie pospieszajcie zbytnio! Nie myśl o mnie źle, ale radzę wam jeszcze poczekać.

– Każde twe słowo przyjmę z wdzięcznością – odparła. – Ale czemu sugerujesz, by odwlec zaślubiny, mądry bracie?

– Mądry bracie? Kulawy raczej, niekochany i niemiły. A niezbyt wiem, czemu. Chyba obawiam się Cienia, który otula wciąż tego męża.

– Cień już przeminął. Turambar sam mi to wyjawił. Tak jak ja, uciekł niegdyś przed nim. Czy nie jest wart miłości? Chociaż spokojny teraz, niegdyś był wielkim wodzem. Umykali wszyscy wrogowie, ledwie go ujrzeli.

– Skąd o tym wiesz?

– Od Dorlasa. Czyżby skłamał?

– Nie, prawdę rzekł – odrzekł Brandir, wielce niezadowolony, Dorlas bowiem właśnie przewodził tym, którzy domagali się wydania orkom wojny. – Ale nie powiedział wszystkiego – dodał po chwili, szukając sposobu, by skłonić Níniel do zwłoki. – Turambar był bowiem wodzem w Nargothrondzie, przedtem zaś przybył z Północy. Powiadają, że to syn Húrina z Dor-lóminu, dziedzic wojowniczego rodu Hadora. – Przy tych słowach cień przemknął przez twarz dziewczyny, ale Brandir odczytał to po swojemu i ciągnął dalej. – Tak, Níniel. Łatwo sobie wyobrazić, jak wyruszy pewnego dnia na wojnę, może gdzieś daleko, a jak ty to wówczas zniesiesz? Rozważ me słowa, czuję bowiem wyraźnie, że jeśli Turambar raz jeszcze stanie do boju, wówczas nie on, tylko Cień wygra ten pojedynek.

– Poradzę sobie – odparła. – I wszystko jedno, czy przyjdzie nam się rozstać przed czy po ślubie. Może zresztą ożenek nieco go utemperuje i odsunie Cień. – Niemniej Brandir zasiał ziarno zwątpienia i Níniel poprosiła Turambara, by poczekał jeszcze trochę. Zdumiał się Turambar tą nagłą przemianą, ale gdy dowiedział się od dziewczyny, że to Brandir doradził jej odsunąć wesele, wówczas wpadł w złość.

Następnej wiosny powiedział Níniel:

– Czas mija. Dość już zwlekaliśmy. Czyń, jak ci serce nakazuje, Níniel ukochana, ale zważ, że i mnie czeka wybór. Albo znowu ruszę na wojnę, albo cię poślubię i nigdy już nie stanę do walki, chyba żeby w twojej obronie, gdyby zło jakieś zagroziło naszemu domowi.

Ucieszyła się szczerze, dała słowo i pobrali się w środku lata, a mieszkańcy lasu urządzili wielką ucztę i ofiarowali im piękny dom wzniesiony specjalnie dla nich na stoku Amon Obel. Tam zamieszkali w szczęściu, cień jednak rzucając na serce Brandira, który posępniał coraz bardziej.

Nadejście Glaurunga

Szybko rosła potęga Glaurunga i coraz większa złość go przepełniała, aż utywszy niepomiernie, zebrał wokół siebie gromady orków i zaczął panować nad nimi jako Smoczy Król, cały obszar Nargothrondu uznając za swoje lenno. Zanim dobiegł końca trzeci rok pobytu Turambara między leśnymi ludźmi, smok zaczął najeżdżać okolice lasu Brethil, dotąd zostawianego w spokoju. Jednak to, że między drzewami żyją jeszcze wolni ludzie, ostatni spośród Trzech Rodów, gotowi przeciwstawić się potędze Północy, nie było tajemnicą ani dla Glaurunga, ani dla jego pana, którzy takiego stanu rzeczy dłużej cierpieć już nie mogli. Pragnący bowiem całego Beleriandu Morgoth zamierzał przetrząsnąć starannie wszystkie zakątki krainy, tak by nie ostał się w jakiejś kryjówce czy norze nikt żywy, kto mógłby mu zagrozić. Nie miało zatem większego znaczenia, czy Glaurung znał schronienie Túrina, czy też, jak utrzymują niektórzy, stracił go wówczas z oczu. Prędzej czy później Turambar i tak musiałby wybierać pomiędzy bezczynnym oczekiwaniem, aż go wykryją i pogonią jak szczura, a jawnym stanięciem do walki. W takiej sytuacji nie zwracał najmniejszej uwagi na rady Brandira.

Gdy dotarły do Ephel Brandir pierwsze wieści o pochodzie orków, Turambar nie wyruszył jednak, ulegając namowom Níniel, która powiedziała:

– Wspomnij swe słowa. Nic nie zagraża jeszcze naszemu domowi. Powiadają, że orków jest niewielu, a Dorlas twierdzi, że i przed twoim przybyciem zdarzały się takie najazdy i leśni ludzie je odpierali.

Tym razem jednak położenie mieszkańców osady było o wiele gorsze, nowi orkowie bowiem pochodzili z paskudniejszego chowu niż poprzedni. Bardziej zajadli i przebiegli, nie zamierzali przemaszerować jedynie skrajem puszczy ku dalszym obszarom, nie interesowało ich też polowanie na małe oddziały. Chcieli podbić las Brethil. Dorlas i jego ludzie ponieśli straty i zmuszeni zostali do odwrotu, a orkowie przeprawili się przez Teiglin i rozpanoszyli między drzewami. Dorlas stanął przed Turambarem, pokazał swe rany i powiedział:

– Sam widzisz, panie, że przyszła na nas pora. Jak przewidywałem, złudny był czas spokoju. Czy nie prosiłeś, byśmy policzyli cię między siebie, a nie traktowali jak obcego? Czy i nad tobą groźba nie zawisła? Jeśli orkowie posuną się jeszcze dalej, miejsce naszej siedziby przestanie być tajemnicą.

Powstał zatem Turambar, raz jeszcze przypasał miecz Gurthang i ruszył do walki. Gdy leśni ludzie się o tym dowiedzieli, radość wstąpiła w ich serca i pociągnęli do niego, aż miał pod swoimi rozkazami wiele setek wojowników. Przemierzyli całą puszczę, uśmiercając wszystkich orków, którzy się w niej kryli, a ciała powiesili na drzewach w pobliżu brodów na Teiglinie. Gdy wysłano przeciwko nim nowy oddział, zasadzili nań pułapkę, zdumieni zaś liczebnością leśnych ludzi i przerażeni powrotem Czarnego Miecza orkowie zostali rozgromieni i w większości zabici. Osadnicy ułożyli wielkie stosy i spalili ciała żołnierzy Morgotha, a świadczący o zemście czarny dym sięgnął wysoko w niebiosa, gdzie wiatr poniósł go na zachód. Niewielu żywych wróciło do Nargothrondu, by o tym wszystkim opowiedzieć.

Glaurung wpadł w prawdziwy gniew, przez czas jakiś leżał jednak jeszcze spokojnie i rozważał to, co usłyszał. Zima minęła więc bez walk, a ludzie powiadali:

— Wielkim jest Czarny Miecz z Brethilu, bo do ostatniego pokonał naszych wrogów.

Níniel też była pogodniejsza i cieszyła się sławą Turambara, on jednak rozmyślał długo, aż rzekł sobie:

— Kości zostały rzucone. Oto nadchodzi próba, w której albo potwierdzę mą reputację, albo przegram z kretesem. Skończył się czas ucieczki. Turambarem będę, ale po swojemu, pokonam wreszcie fatum lub zginę. Z tarczą czy na tarczy wrócę, zabiję przynajmniej Glaurunga.

Targał nim jednak niepokój, więc wysłał ludzi na zwiady, jak daleko się dało. Bo chociaż niby nic się nie zmieniło, to on naprawdę dowodził teraz wszystkim, jakby był władcą Brethilu. Nikt nie zwracał uwagi na Brandira.

Wiosna przyniosła nadzieję i ludzie śpiewali przy pracy. Tejże również wiosny Níniel okazała się brzemienna, zmizerniała przez to i przybladła, a radość jej przygasła. Zwiadowcy, którzy wyprawili się aż za Teiglin, wrócili wkrótce, przynosząc dziwne wieści o wielkim pożarze lasów na równinie po stronie Nargothrondu i wszyscy dziwowali się temu zjawisku.

Nie trwało długo, a przyszło więcej nowin: że ogień kieruje się na północ i że to sam Glaurung go rozniecił. Smok opuścił Nargothrond i udał się gdzieś w sobie tylko znanym celu.

— Armia mu przepadła, toteż poszedł wreszcie po rozum do głowy i wrócił, skąd przybył — powiadali naiwnie co mniej rozgarnięci mieszkańcy lasu. Inni zaś dodawali: — Miejmy nadzieję, że nas ominie.

Turambar jednak nie łudził się, wiedział, że Glaurung jego właśnie szuka. Nie zdradzając się z niczym przed Níniel, rozmyślał całymi dniami, co by tu zaradzić, aż wiosna przeszła w lato.

Pewnego dnia ludzie wrócili przerażeni do Ephel Brandir i donieśli, że widzieli smoczy pomiot na własne oczy.

— Po prawdzie, panie — zdawali sprawę Turambarowi — zbliża się teraz do Teiglinu i nigdzie nie skręca. Zległ pośrodku wielkiej pożogi, drzewa płoną wkoło niego. Cuchnie potępieńczo. Taranując wszystko, brnie jedną linią, która ciągnie się od Nargothrondu. Nijak nie kluczy, tylko mierzy prosto w naszą osadę. Cóż możemy uczynić?

— Niewiele — odparł Turambar. — Ale i to już przewidziałem. Wieści, które przynosicie, nadzieją raczej napawają niż strachem, bo jeśli rzeczywiście, jak powiadacie, zmierza prosto i nie skręci, to daje to pewną szansę mężom o dzielnych sercach.

Zdumieli się ludzie, Turambar bowiem nie dodał już nic więcej, ale jego nieugiętość podniosła wszystkich na duchu[24].

Rzeka Teiglin wypływała spod Ered Wethrin i bystra była jak Narog, ale z początku płynęła pomiędzy niskimi brzegami, dopiero minąwszy brody i zebrawszy nurty innych strumieni, wpadała w wąwozy wyrzeźbione u stóp tej wyżyny, na której wyrastał las Brethil. Stłoczone na dnie wody gnały tu z wielkim łoskotem, a jedna z takich kipieli leżała wprost na drodze Glaurunga. Nie było to miejsce najgłębsze, ale za to wąskie jak żadne inne. Znajdowało się zaraz na północ od dopływu Celebrosa. Turambar wysłał trzech odważnych ludzi, by z brzegu wypatrywali śladu smoka, a sam pojechał nad wodospad Nen Girith, skąd obserwować mógł sporą połać kraju i gdzie wieści miały doń łatwy dostęp.

Najpierw jednak zebrał leśnych ludzi w Ephel Brandir i przemówił do nich:

— Mieszkańcy Brethilu, zawisło nad nami wielkie niebezpieczeństwo, które tylko największym męstwem można pokonać. Samą siłą i liczbą niewiele tu jednak wskóramy, sięgnąć nam trzeba po fortel. Gdybyśmy ruszyli wszyscy przeciwko smokowi niby na spotkanie armii orków, to śmierć jeno znajdziemy, żony nasze i dzieci zostawiając bezbronne. Wam tedy mówię, byście zostali i gotowali się do ucieczki. Gdy Glaurung nadejdzie, porzucicie to miejsce i umkniecie jak najdalej w rozproszeniu, a wówczas może przeżyjecie. Jeśli tylko będzie mógł, przyjdzie tu na pewno, by zniszczyć naszą siedzibę i wszystko, co wypatrzy. Nie zamieszka tu jednak. Zostawił w Nargothrondzie swój skarb, tam też są rozległe komnaty, w których może spać i wzrastać bezpiecznie.

Ludzie poczuli się rozczarowani i przygnębieni, nie takich bowiem słów oczekiwali po Turambarze, któremu wierzyli bezgranicznie. I usłyszeli:

— To najgorsza możliwość. Jeśli jednak powiedzie się, co zamyśliłem, i szczęście nam dopisze, wówczas do tego nie dojdzie. Nie wierzę bowiem, aby smok ten był niezwyciężony, chociaż wyrósł i nabrał sił z latami. Wiem o nim co nieco. Jego potęga płynie raczej z przewrotnej i złośliwej natury, cechującej to wielkie, ale nie tak znów mocarne cielsko. Posłuchajcie tego, co usłyszałem od kogoś, kto walczył w Nirnaeth, kiedy to ja i większość z was dziećmi ledwie byliśmy. Wówczas to krasnoludy osaczyły Glaurunga i Azaghâl z Belegostu zranił go tak głęboko, że bestia uciekła do Angbandu. Oto jednak jest cierń dłuższy i bardziej ostry niż sztylet Azaghâla.

I wyciągnął Gurthanga z pochwy, i uniósł żelazo nad głową, a patrzącym zdało się, że wielopalczaste płomienie strzelają wysoko z rąk Turambara.

– Czarny Cierń Brethilu! – krzyknęli rozgłośnie.

– Czarny Cierń Brethilu – powtórzył Turambar. – Niech lepiej się go strzeże. Jedno wiem: jakkolwiek potężnie obrastałby twardszą od stali rogową powłoką, zawsze zachowa miękki brzuch węża. To jego słabe miejsce, właściwe pono wszystkim smokom. Otóż, mieszkańcy Brethilu, zamierzam wszelkim sposobem razić go w brzuch. Kto wyruszy ze mną? Potrzebuję tylko garstki, za to silnych i najodważniejszych.

– Pójdę z tobą, panie – powiedział stojący tuż przed Turambarem Dorlas. – Uważam, że należy zawsze atakować, a nie czekać na wroga.

Inni jednak nie tak szybko decydowali. Lęk przed Glaurungiem był silniejszy niż kiedykolwiek, jaskółka z opowieści zwiadowców bowiem zdążyła już wrócić wołem. W końcu Dorlas wykrzyknął:

– Słuchajcie, mężowie Brethilu, dobrze widać teraz niestosowność pomysłów Brandira w tych burzliwych czasach. Nic nam po kryjówkach. Czy nikt spośród was nie zajmie miejsca syna Handira, nie uchroni rodu Halethy przed niesławą?

Brandir, który zasiadał wprawdzie podczas tego zgromadzenia na należnym mu miejscu wodza, lecz niczyjej uwagi nie przyciągał, poczuł się boleśnie dotknięty, tym bardziej że Turambar nie zganił Dorlasa. Jeden tylko Hunthor, krewny Brandira, wstał i powiedział:

– Źle czynisz, Dorlasie, powiadając o niesławie władcy, którego nogi, zrządzeniem losu, nie słuchają dzielnego serca. Uważaj lepiej, by nie zrozumiano twych słów na opak! I jak możesz twierdzić, że niestosowne były pomysły Brandira, skoro nigdy go nie posłuchano? Ty, jego poddany, odrzucałeś je z pogardą. Powiadam ci, że Glaurung ciągnie na nas, jak przedtem napadł na Nargothrond, bo sam swymi uczynkami wskazałeś mu drogę. Tego właśnie obawiał się Brandir. Skoro jednak wróg już przybył, to za twoją zgodą, synu Handira, ruszę z tymi śmiałkami w imieniu rodu Halethy.

– Trzech nas starczy! – odezwał się Turambar. – Ciebie jednak, panie, nijak wziąć ze sobą nie mogę, ale nie z pogardy to wynika. Zrozum! Ruszać musimy w pośpiechu i tylko silne nogi podołają drodze. Twe miejsce jest z twoim ludem.

Mądry jesteś i potrafisz uzdrawiać, a może się zdarzyć, że i wiedza, i sztuka leczenia będą niedługo potrzebne bardziej niż dotąd.

Słowa te, chociaż uprzejme, tylko zwiększyły gorzki żal Brandira, który zwrócił się do Hunthora:

— Idź zatem, ale bez mojego upoważnienia. Cień spowija tego człowieka i jeszcze do złego końca cię przywiedzie.

Turambar pragnął wymaszerować czym prędzej, ale gdy przyszedł, by pożegnać się z Níniel, ta wczepiła się weń, cała zapłakana.

— Nie odchodź, Turambarze, błagam cię! — prosiła. — Nie rzucaj wyzwania temu Cieniowi, przed którym umknąłeś! Ucieknij jeszcze dalej, i zabierz mnie ze sobą!

— Níniel, kochana, ani dla ciebie, ani dla mnie nie ma już dalszej drogi ucieczki. Otoczono nas w tym kraju. Gdyby przyszło opuścić tych ludzi, którzy nas przygarnęli, to tylko na pustkowia mógłbym cię poprowadzić, w dzicz bez schronienia. Pewna to śmierć dla kobiety i dziecka. Sto mil dzieli nas od najbliższego kraju, gdzie Cień jeszcze nie zaległ. Odwagi, Níniel. Powiadam ci, nie zginiemy za sprawą smoka, nie dopadnie nas też wróg z północy.

Níniel ucichła, ale chłodny był jej pocałunek, gdy się rozstawali.

Turambar, Dorlas i Hunthor ruszyli szparko ku Nen Girith i dotarli tam o zachodzie, w porze długich cieni. Na miejscu oczekiwali ich dwaj ostatni zwiadowcy.

— Ani trochę za wcześnie nie przybywasz, panie — powiedzieli. — Smok nadciąga. Gdy odchodziliśmy, pojawił się właśnie na brzegu Teiglinu i spoglądał przez rzekę. Wędruje tylko nocą, a zatem możemy się spodziewać, że rychło ruszy.

Turambar spojrzał sponad wodospadu Celebrosa i prócz zachodzącego słońca ujrzał słupy dymu, wznoszące się przy brzegach rzeki.

— Nie ma czasu do stracenia — powiedział. — Wieści są jednak dobre. Najbardziej obawiałem się, że zacznie buszować po okolicy. Gdyby skierował się na północ i znalazł bród, a dalej starą drogę w głąb kraju, byłoby po nas, lecz wściekłość, duma i złość nie pozwalają mu zboczyć. — Mówiąc to jednak, zadumał się i zaniepokoił. — A może jest tak złem przesiąknięty, że jak orkowie, woli unikać brodu? Haudh-en-Elleth! Czyżby Finduilas wciąż trwała między mną a przeznaczeniem?

Po czym zwrócił się do towarzyszy:

— Wszystko już gotowe, musimy tylko poczekać jeszcze chwilkę, bo w tej potrzebie zbyt wczesny atak byłby tak samo szkodliwy, jak opóźnienie. Gdy zapadnie zmrok, przekradniemy się cicho nad rzekę. Zachowajcie ostrożność, Glaurung bowiem ma uszy równie czułe jak oczy, a te są śmiertelnie niebezpieczne. Jeśli zdołamy dotrzeć niepostrzeżenie nad rzekę, trzeba nam będzie zejść do wąwozu, przeprawić się na drugi brzeg i przyczaić na drodze potwora.

— Ale jakim sposobem smok zdoła tam przejść? — spytał Dorlas. — Może i jest zwinny, ale to wielka bestia? Jak niby opuści się po jednej skalnej ścianie, a potem da radę wspiąć się na następną, skoro jego przednie łapy będą musiały wdrapywać się pod górę, gdy ogon będzie zjeżdżał ze stoku? A jeśli nawet, co nam przyjdzie z oczekiwania go na samym dole?

— Może potrafi dokonać takiej przeprawy — odparł Turambar. — Jeśli tak, to źle z nami. Trochę jednak go znam i mam nadzieję, że miejsce, w którym obecnie się usadził, inny zamiar zwiastuje. Jest blisko krawędzi Cabed-en-Aras, a sam kiedyś mi opowiadałeś, jak ścigany przez myśliwych Halethy jeleń przeskoczył tu kiedyś rozpadlinę i umknął. Smok jest teraz tak wielki, że najpewniej spróbuje tego samego. Na to liczymy i musimy ufać, że tak postąpi.

Dorlas stropił się na te słowa, znał bowiem Brethil lepiej niż ktokolwiek inny, a Cabed-en-Aras było zaiste ponurym miejscem. Po wschodniej stronie wznosiła się na jakie dwanaście metrów stroma ściana, tylko u szczytu zwieńczona roślinnością, drugi brzeg zaś, chociaż niższy i mniej spadzisty, porosły krzakami i przekrzywionymi drzewami, trudny był do osiągnięcia za sprawą wartkiego nurtu i kamienistego dna. Odważny i silny mężczyzna mógł pokonać w tym miejscu rzekę za dnia, w nocy jednak ryzyko wzrastało niepomiernie. Tak jednak postanowił Turambar i sprzeciw nie miał nijakiego sensu.

Ruszyli o zmroku, ale nie poszli prosto w kierunku smoka, tylko najpierw podążyli drogą ku brodom. Potem, nim zdołali oddalić się zbytnio, skręcili na południe i ruszyli wąską ścieżką do lasu nad samą wodą[25]. Wokół panowała już prawie całkowita ciemność, gdy krok po kroku, przystając często i nasłuchując, skradali się ku Cabed-en-Aras. W nozdrza uderzyła mężczyzn woń spalenizny i mdlący smród. Było jednak cicho i spokojnie, nawet wiatr ustał. Na wschodzie za ich plecami rozbłysły pierwsze gwiazdy, a na tle zachodniego nieba pięły się wciąż ku górze proste słupy rzadkiego dymu.

Po odejściu Turambara, Níniel zastygła w kamiennym milczeniu. Zjawił się jednak Brandir i powiedział:

— Nie obawiaj się zawczasu najgorszego, Níniel. Ale czy nie doradzałem ci poczekać?

— Owszem — odparła. — Ale co by mi z tego teraz przyszło? Miłość i cierpienie niezależne są od małżeństwa.

— To wiem — stwierdził. — Ale ślub jednak wiele zmienia.

— Od dwóch miesięcy noszę jego dziecko. I nie wydaje mi się, by lęk mój był przez to cięższy do zniesienia. Nie potrafię cię zrozumieć.

— I ja sam też siebie nie rozumiem. Ale strach przepełnia me serce.

— Nie ma co, potrafisz pocieszyć! — krzyknęła. — Brandirze, przyjacielu, zamężna czy nie, matka czy panna, lękam się niepomiernie. Skoro Pan Losu poszedł rzucić wyzwanie swemu przeznaczeniu, to jak mogę czekać tu spokojnie, aż dojdą mnie spóźnione wieści, dobre czy złe? Być może tej nocy spotka się ze smokiem, a co ja mam czynić? Jak znieść te straszne godziny?

– Nie wiem – odpowiedział – ale jakoś przetrwać je musisz, ty i żony tych, którzy z nim poszli.

– Niech robią, jak serca im dyktują! Ja jednak pójdę za ukochanym. Wyruszę na spotkanie wieściom. Nie chcę, by całe mile dzieliły mnie od najdroższego, gdy głowy nadstawia.

Brandir wzburzył się wielce i przeraził, słysząc te słowa.

– Przeszkodzę ci w tym, jeśli tylko zdołam. Narazisz na szwank całe przedsięwzięcie. I nie będziesz miała czasu uciec, jeśli im się nie powiedzie.

– Jeśli im się nie powiedzie, to nie będę chciała uciekać – odrzekła. – Nie powstrzymasz mnie i na nic twe mądrości. – I wystąpiła przed ludzi zebranych wciąż na placu w Ephel. – Mężowie Brethilu! Nie zostanę tu dłużej. Jeśli mój pan zginie, wówczas legnie wszelka nadzieja. Wasze ziemie i lasy zostaną spalone ze szczętem, domy w popiół się obrócą i nikt, ale to nikt nie umknie. I po co czekać? Idę na spotkanie przeznaczeniu, jakiekolwiek by ono było. Niech wszyscy, którzy myślą podobnie, przyłączą się do mnie!

Wielu stanęło u jej boku. Żony Dorlasa i Hunthora z niepokoju o mężów, część zaś dlatego, że żal im było Níniel i pragnęli podtrzymać kobietę na duchu. Inni też ze zwykłej głupoty i beztroski, bo choć słyszeli plotki o smoku, to niewiele wiedzieli o naturze zła i na własne oczy chcieli ujrzeć, jak Czarny Miecz dokona tego wspaniałego i rzadkiego czynu. Taki wielki wyrósł ów wojownik w ich oczach, że mało kto skłonny był sądzić, aby Glaurung zdołał pokonać Turambara. Podążyli więc spiesznie całym tłumem na spotkanie niebezpieczeństwu, którego nie pojmowali. Odpoczywając nieco po drodze dotarli wieczorem do Nen Girith, ale Turambara już tam nie było. Noc ostudziła nieco zapały i niejeden zastanowił się, po co właściwie tu przyszedł, a gdy jeszcze usłyszeli od zwiadowców, jak blisko zległ Glaurung i jak trudne zadanie czeka Turambara, duch opuścił ich zupełnie i nie poważyli się iść dalej. Niektórzy spoglądali trwożnie na Cabed-en-Aras, ale nic nie ujrzeli. Nadstawiali uszu, ale słychać było jedynie niemilknący huk wodospadu. Níniel zaś siadła z dala od grupy i zatrzęsły nią dreszcze.

Gdy Níniel i inni odeszli, Brandir zwrócił się to tych, którzy pozostali:
– Widzicie, jak się mną gardzi, jak lekceważy się moje słowo! Niech Turambar wami rządzi, skoro i tak przejął cały mój autorytet. Wyrzekam się władzy i ludu. Niech nikt nigdy nie prosi mnie już o radę czy uzdrowienie! – I złamał swą laskę, myśląc w duchu: „Nic mi już nie zostało, prócz miłości do Níniel. Miejsce moje

przy niej jest, gdziekolwiek pójdzie, i nieważne, czy na oślep wędruje czy rozważa każdy krok. Nic nie da się przewidzieć w tej mrocznej godzinie, może jednak zdarzyć się i tak, że obronię ją jeszcze przed jakimś złem, jeśli będę obok".

Uzbroił się zatem w krótki miecz, po który przedtem rzadko sięgał, wziął kulę i jak mógł najszybciej minął bramę Ephel, po czym pokuśtykał drogą na zachód ku skrajowi Brethilu.

Śmierć Glaurunga

Noc już zapadła, gdy Turambar doszedł z towarzyszami do Cabed-en-Aras. Z radością powitali huk wody, która choć groźna, skutecznie przecież tłumiła wszelkie inne dźwięki. Dorlas poprowadził nieco ku południu, gdzie spuścili się po ścianie aż do stóp urwiska. Tam jednak odwaga go odeszła, gdy ujrzał usiane wielkimi głazami i bezlikiem drobnych kamieni koryto spienionej rzeki.

– To pewna śmierć – powiedział.

– Ku śmierci lub ku życiu, jedyna to droga – odparł Turambar. – Zwłoka nic nam nie pomoże. Za mną! – I ruszył pierwszy. Dzięki wprawie oraz męstwu, a może także i szczęściu, dotarł na drugi brzeg. Obejrzał się, by sprawdzić, kto idzie za nim. Obok mroczniała jakaś postać.

– Dorlas? – spytał.

– Nie, to ja – odpowiedział Hunthor. – Dorlas stchórzył. Nawet dobry wojownik niejednego się boi. Siedzi pewnie na brzegu i trzęsie się cały. Może powstydzi się teraz słów wypowiedzianych o moim krewnym.

Odpoczęli chwilę, ale rychło zrobiło im się zimno, bo obaj przemoczeni byli od stóp do głów, skierowali się zatem na północ, szukając legowiska Glaurunga. Wąwóz stawał się coraz węższy i mroczniejszy, aż w końcu ujrzeli w górze, na brzegu, poblask jakby tlącego się ognia i do ich uszu doleciało chrapanie czujnie śpiącej bestii. Zaczęli szukać drogi na górę, by dotrzeć pod samą krawędź brzegu, gdyż stamtąd tylko mogli mieć szanse dosięgnięcia czułego miejsca smoka. Od potężnego smrodu mąciło im się w głowach i wspinaczka szła opornie. Ześlizgiwali się, czepiali pni drzew. Targani mdłościami zapomnieli o wszystkim, prócz obawy, by nie runąć w spienioną paszczę rzeki.

– Marnujemy siły – powiedział w pewnej chwili Turambar. – Przecież nie wiemy na pewno, czy ten właśnie szlak smok wybierze.

– Ale gdy już się dowiemy, to za późno będzie na wspinaczkę – odparł Hunthor.

– To prawda. Skoro inaczej nie można, pozostaje zdać się na przypadek.

Zatrzymali się, oczekując nieznanego i spoglądając na jasną gwiazdę, która lśniła na wąskim skrawku nieba ponad rozpadliną. Śmiertelnie zmęczony Turambar zasnął niepostrzeżenie, jednak nie rozluźnił uchwytu.

Nagle rozległ się donośny łoskot, a ściany wąwozu zadrżały i zaniosły się echami. Turambar ocknął się i powiedział:

– Budzi się. Wybiła nasza godzina. Tnij głęboko, bo dwóch musi wystarczyć teraz za trzech!

Glaurung rozpoczął napaść na Brethil. Niemal wszystko poszło tak, jak Turambar przewidział. Smok podpełzł do skraju przepaści i nie skręcił nigdzie, tylko przygotował się do skoku. Chciał wybić się mocno tylnymi łapami, by z pomocą przednich wciągnąć się potem na górę po drugiej stronie. Wraz z bestią nadszedł strach, nie zaczęła ona bowiem przeprawy wprost nad nimi, ale nieco na północ. Dobrze widzieli na tle gwiazd olbrzymi łeb i otwartą paszczę z siedmioma ognistymi językami. Nagle smok omiótł płomieniem przeciwległy brzeg i cały wąwóz wypełnił się czerwonym blaskiem, a cienie zatańczyły między skałami. Drzewa zatliły się i zapłonęły, sypnął się w przepaść grad kamieni. Potem Glaurung rzucił się naprzód, wczepił potężnymi pazurami w drugi skraj urwiska i zaczął przeciągać cielsko nad przepaścią.

Pora była atakować, i to szybko, bo chociaż udało się Turambarowi i Hunthorowi uniknąć ognia, jako że nie stali bezpośrednio pod bestią, to teraz musieli jednak zbliżyć się do niej, zanim zniknie jedyna szansa. Nie bacząc na niebezpieczeństwo, Turambar rzucił się naprzód, ale tak było gorąco i smrodliwie, że potknął się i spadłby, gdyby podążający pewnie z tyłu Hunthor nie chwycił go za ramię.

– Wielkie dzięki! – rzekł Turambar. – Szczęśliwy wybór uczyniłem, biorąc cię ze sobą!

Ale ledwo to powiedział, wielki kamień stoczył się z góry i trafił Hunthora w głowę, strącając go do wody. Tak zginął mąż, nie ostatni jednak pośród wojowników rodu Halethy.

– Niestety! – zakrzyknął Turambar. – Niebezpiecznie jest wstąpić w mój cień! Czemuż szukałem u innych pomocy? Teraz sam zostałeś, Panie Losu, a przecież od początku powinieneś wiedzieć, że inaczej być nie może! Sam teraz zwyciężaj!

Zebrał całą wolę, wspomniał swą nienawiść do smoka oraz jego pana, i nagle zdało mu się, że nowe siły go wypełniają i z nieznaną mu dotąd odwagą ruszył z kamienia na kamień, z korzenia na korzeń, aż zdołał uchwycić się smukłego drzewa rosnącego poniżej skraju przepaści, które choć opalony miało wierzchołek, mocno tkwiło korzeniami w ziemi. Usadowił się pewnie w rozwidleniu gałęzi, gdy tuż nad nim, dotykając niemal głowy Turambara, pojawił się tułów bestii i zawisł ciężko na chwilę, nim smok zaczął wciągać swe cielsko na górę. Brzuch jasny był i pomarszczony, ociekał szarym śluzem, do którego przyczepiały się wszelkie śmiecie. Potwór cuchnął śmiercią. Wtedy to Turambar dobył Czarny Miecz Belega i pchnął nim w górę najsilniej jak potrafił, całą swą wściekłość wkładając w ten jeden cios. Długie ostrze chciwie zanurzyło się w smoczym brzuchu aż po rękojeść.

Czując śmiertelne ukłucie, Glaurung ryknął przepotężnie, aż zatrzęsły się okoliczne lasy, a lica ciekawskich nad Nen Girith okryły się bladością. Turambar zachwiał się, jak trafiony i ześliznął w dół, zostawiając miecz w brzuchu bestii. Glaurung zadrżał cały i jednym rzutem wydobył się na drugi brzeg, gdzie legł, rycząc i wijąc się z boleści, tratując wszystko wokoło. Uczyniwszy olbrzymie zniszczenia, znieruchomiał w końcu, otoczony dymem, pośrodku rumowiska.

Ogłuszony i przytłoczony tym wszystkim Turambar wczepił się w korzenie drzewa, a potem na wpół spełzając, na wpół schodząc, dotarł do rzeki. Raz jeszcze zaryzykował niebezpieczną przeprawę, tym razem na czworakach, aż oślepiony pianą wyszedł na brzeg. Potem wspiął się tą samą ścieżką, którą wcześniej zszedł z towarzyszami. W końcu dobrnął do zdychającego smoka i spojrzał na powalonego przeciwnika z radością, bez śladu współczucia.

Glaurung leżał wyciągnięty na jednym boku. Wypalił się już ogień w otwartej paszczy. Złowrogie ślepia miał zamknięte. Rękojeść Gurthanga sterczała mu z brzucha. Smok dyszał jeszcze, ale mocno podniesiony na duchu Turambar postanowił niezwłocznie odzyskać oręż, który – choć przedtem już cenny – teraz przerastał wartością wszystkie skarby Nargothrondu. Prawdą okazały się słowa wypowiedziane w chwili jego wykucia, że dość jednego ukąszenia tego ostrza, by pozbawić życia wszelkie stworzenie, duże czy małe.

Turambar ujął rękojeść i zaparł się stopą o brzuch potwora, by dobyć miecz z jego trzewi.

– Witaj, robaku Morgotha! – zawołał, szydząc ze słów wypowiedzianych przez Glaurunga w Nargothrondzie. – Miło znów cię widzieć! Zdychaj i niech ciemność cię pochłonie! Pomszczony został Túrin, syn Húrina. – I szarpnął miecz, a z rany trysnęła czarna krew, paląc jadem dłoń Turambara, aż ten krzyknął głośno z bólu. Wtedy Glaurung poruszył się, otworzył zgubne ślepia i popatrzył na swego pogromcę. Tyle było w spojrzeniu bestii nienawiści, że Turambarowi zdało się, jakby strzała go przeszyła i omdlał, porażony i tym, i bólem dłoni. Niczym martwy runął u boku smoka, nakrywając sobą miecz.

Ryki Glaurunga dotarły też do ludzi zgromadzonych nad Nen Girith, mocno ich przerażając, a kiedy zwiadowcy zameldowali, że smok pustoszy i pali kawał lasu, wszyscy byli przekonani, że potwór morduje tych, którzy poważyli się go zaatakować. W owej chwili rzeczywiście pożałowali, że nie są gdzieś o wiele staj dalej. Nie odważyli się jednak ruszyć z miejsca, pamiętali bowiem słowa Turambara, iż jeśli Glaurung zwycięży, najpierw podąży zniszczyć Ephel Brandir. Wypatrywali więc, zalęknieni, jakiegoś znaku, ale nie znalazł się nikt na tyle odważny, by zejść na dół i poszukać wieści u źródła, na polu walki. Níniel siedziała bez ruchu, targana dreszczami, których nie mogła powstrzymać. Serce zamarło w niej, gdy usłyszała głos Glaurunga, i poczuła, jak ciemność znów ją ogarnia.

Taką znalazł ją Brandir, który doszedł w końcu do mostu nad Celebrosem. Długa i męcząca była to droga dla kogoś kulawego, kto sam musiał przekuśtykać o lasce całe pięć staj. Lęk o Níniel gnał go naprzód, a wieści, które usłyszał, nie były wcale gorsze od tych, których się obawiał.

— Smok przeszedł rzekę – powiedziano mu. – Czarny Miecz i jego towarzysze najpewniej nie żyją.

Stanął wówczas Brandir w milczeniu obok Níniel, wbijając oczy w mrok i nasłuchując. Niczego jednak nie dojrzał i tylko huk wodospadu rozlegał się wokoło. Pomyślał wtenczas: „Glaurung poszedł już pewnie w głąb lasu". Nie żałował już jednak swych ludzi, głupców, którzy wzgardzili nim i jego radami. „Niech smok idzie sobie na Amon Obel, dość jest jeszcze czasu na ucieczkę oraz na ocalenie Níniel". Dokąd mieliby się udać, nie miał pojęcia, sam bowiem nigdy nie opuszczał granic lasu Brethil.

Pochylił się i ujął kobietę pod ramię.

— Czas ucieka, Níniel! – powiedział. – Chodź! Pora ruszać. Poprowadzę cię, jeśli pozwolisz.

Wstała w milczeniu i dała mu dłoń. Przeszli przez most i skierowali się ku brodom na Teiglinie. Ci, którzy widzieli ich sylwetki niczym cienie przesuwające się w ciemności, nie mieli pojęcia, kto ich mija, nikogo też to nie obchodziło. Po pewnym czasie księżyc wyłonił się zza Amon Obel i szary blask zalał puszczę. Nagle Níniel przystanęła i spytała:

— Czy to właściwa droga?

— Jaka droga może być jeszcze właściwa? – odparł. – Kresu dobiegła nasza nadzieja w Brethilu. Tylko ucieczka nam została, jak najdalej od smoka, póki jeszcze jest na to czas.

Níniel spojrzała na Brandira zdumiona.

— Czy nie mówiłeś, że zaprowadzisz mnie do Turambara? A może skłamałeś? Czarny Miecz był moim ukochanym i mężem, i tylko dla niego ruszyłam się z miejsca. Co ty sobie pomyślałeś? Rób teraz, jak mówię, ale szybko!

Zdumiony Brandir zamarł w miejscu, zerwała się zatem do biegu.

— Czekaj, Níniel! Nie idź sama! – krzyknął. – Nie wiesz, co cię tam czeka! Pójdę z tobą!

Ona jednak nie zwracała już na Brandira uwagi, tylko gnała, czując ogień zimnej dotąd krwi. Chociaż pokuśtykał za nią, rychło stracił dziewczynę z oczu. Przeklął wówczas swój los i swą słabość, ale nie zawrócił.

Bliski pełni księżyc bielał już wyżej na niebie, gdy Níniel zeszła z wyżyny nad brzeg rzeki. Zdało się jej, że poznaje to miejsce i zlękła się owej pamięci. Dotarła bowiem do brodów, a przed nią jaśniał blado Haudh-en-Elleth, na pół skryty w czarnym cieniu. Groza tchnęła z tego miejsca.

Níniel cofnęła się z krzykiem i pobiegła wzdłuż rzeki, gubiąc po drodze płaszcz, jakby chciała zrzucić z siebie uczepiony jej ciała cień. Strój miała pod spodem biały i dobrze było ją widać w blasku księżyca, gdy pędziła między drzewami. Tak i dojrzał ją Brandir ze zbocza wzgórza i skręcił, by przeciąć jej szlak. Szczęśliwie trafił na tę samą, stromo zbiegającą ku południu ścieżkę, którą wcześniej wybrał Turambar, zatem grunt był tam bardziej wydeptany. Chociaż Brandir znalazł się teraz tuż za Níniel, chociaż wołał ją głośno, nie słyszała go czy słyszeć nie chciała i szybko znów wysforowała się daleko do przodu. W ten sposób dobiegli w pobliże Cabed-en-Aras i miejsca agonii Glaurunga.

Księżyc płynął po bezchmurnym niebie, zalewając ziemię czystą, zimną poświatą. Docierając do skraju spustoszonego przez smoka placu, Níniel ujrzała ciało bestii. Obok pobłyskującego szarawo brzucha potwora leżał człowiek. Zapomniawszy o strachu, dziewczyna pobiegła po tlącym się wciąż rumowisku. Poznała Turambara. Twarz miał śmiertelnie bladą, spoczywał na boku, z mieczem pod sobą. Rzuciła się na ukochanego z łkaniem i ucałowała. Nagle zdawało się jej, że odetchnął słabo, ale uznała to za złudzenie lub wytwór udręczonej wyobraźni, zimny był bowiem, w bezruchu pogrążony i nie odpowiadał na jej wołania. Wodząc palcami po jego ciele odkryła poczerniałą, niby przypieczoną dłoń i obmywszy ją łzami, owinęła paskiem wydartym z własnej szaty. A gdy wciąż nie reagował, ucałowała go znowu i krzyknęła:

– Turambarze, Turambarze, wracaj! Usłysz mnie! Obudź się! To ja, Níniel. Smok nie żyje, zdechł i sama jestem tu z tobą.

Nie odpowiedział.

Jej krzyk dotarł za to do Brandira, który doszedł już do skraju rumowiska, zatrzymał się jednak w ostatniej chwili i nie podążył dalej. Glaurung także usłyszał rozpaczliwe wołanie Níniel. Zdobył się na ostatni wysiłek i drgawki przebiegły przez jego cielsko. Złowrogie ślepia uchyliły się, odbijając blask księżyca, bestia zaś przemówiła z wysiłkiem:

– Witaj, Nienor, córko Húrina. Znów się spotkaliśmy. Dzięki mnie znalazłaś w końcu brata. Winnaś poznać go wreszcie, to wróg zdradliwy, niewierny przyjaciel, po nocy sztylet milczkiem wbijający, przekleństwo dla bliskich. Oto Túrin, syn Húrina! Ale najgorszy z jego czynów jeszcze poczujesz w sobie!

Nienor przysiadła porażona. Glaurung wyzionął ducha, a z jego śmiercią uleciały wszelkie knowania i pamięć wróciła dziewczynie. Przypomniała już sobie każdy dzień z przeszłości, niezmiennie trwał też obraz wszystkiego, co zdarzyło się od czasu, gdy padła na Haudh-en-Elleth. Zatrzęsła się z przerażenia i boleści.

Brandir, który wszystko słyszał, zachwiał się na nogach i musiał poszukać oparcia w najbliższym drzewie.

Nagle Nienor zerwała się na równe nogi i wyprostowała, w blasku księżyca blada jak upiór. Spojrzała na Túrina i rzekła:

– Żegnaj, dwakroć ukochany! *A Túrin Turambar turún' ambartanen*: Panie Losu przez los pokonany! Jak miła jest teraz śmierć! – I przytłoczona nieszczęściem i przerażeniem zerwała się do ucieczki, a Brandir pokuśtykał za nią, głośno błagając, by poczekała.

Przystanęła na chwilę i zwróciła na niego lśniące oczy.

– Czekać? – krzyknęła. – Czekać? Zawsze to jedynie radziłeś. Gdybym cię posłuchała... Ale już za późno. Kresu dobiegł mój żywot w Śródziemiu.

I umknęła Brandirowi[26].

Chyżo dobiegła nad urwisko Cabed-en-Aras i stanęła tam, wpatrzona w grzmiącą wodę.

– Wodo, wodo! – zawołała. – Zabierz Níniel Nienor, córkę Húrina. W żałobie pogrążoną Żałobę, córkę Morweny. Weź mnie i zanieś do Morza!

Z tymi słowami rzuciła się ze skarpy. Przepaść pochłonęła biel szat, krzyk zginął w huku rzeki.

Teiglin dalej toczył swe wody, ale Cabed-en-Aras zmienił za sprawą ludzi nazwę na Cabed Naeramarth i nikt nie poważył się odtąd stąpać po brzegu w tym miejscu. Ostatnim, który spojrzał w czeluść, był Brandir, syn Handira. Zawrócił przerażony, z zamarłym sercem i chociaż nienawidził od tej pory życia, to nie poważył się wyjść upragnionej śmierci naprzeciw[27]. Pomyślał za to o Túrinie Turambarze.

– Nienawidzę cię, czy też ci współczuję?! – zawołał. – Ale już nie żyjesz. Zabrałeś mi wszystko, co miałem lub mieć mogłem. Jednak mój lud winien ci wdzięczność. Dobrze się składa, że ode mnie właśnie o wszystkim usłyszą.

Powoli ruszył z powrotem do Nen Girith, z drżeniem omijając cielsko smoka, a gdy wspinał się ścieżką, ujrzał mężczyznę wyglądającego zza drzewa. Choć tamten schował się szybko, ledwie dostrzeżony, blask księżyca pozwolił rozpoznać jego twarz.

– Ha, Dorlas! – krzyknął Brandir. – Co masz do powiedzenia? Jak przeżyłeś? I co z mym pobratymcem?

– Nie wiem – odparł ponuro Dorlas.

– A to dziwne.

– Gdybym ci powiedział, że Czarny Miecz kazał nam przeprawiać się po nocy w bród przez progi Teiglinu, to czy dalej widziałbyś coś dziwnego w tym, że się cofnąłem? Lepiej od innych władam toporem, ale nie jestem kozicą.

– Tak więc bez ciebie ruszyli na smoka? Jak zatem dokonali swego, skoro smok przeszedł na drugą stronę? Mogłeś przynajmniej zostać w pobliżu i śledzić bieg wypadków.

Dorlas jednak nie odpowiedział, tylko popatrzył z nienawiścią na Brandira, który zrozumiał wówczas, że człowiek ten po prostu opuścił swych towarzyszy, a zawstydzony ucieczką szukał potem kryjówki między drzewami.

– Hańbą okryłeś się, Dorlasie – powiedział Brandir. – Ty sprowadziłeś na mieszkańców lasu Brethil wszystkie nieszczęścia. Namawiałeś Turambara do wojaczki, ściągnąłeś nam na kark smoka, przez ciebie zaczęto mną gardzić, ty w końcu ponosisz odpowiedzialność za śmierć Hunthora, a teraz ukrywasz się tchórzliwie w lesie! – Nagle o jednym jeszcze pomyślał i gniew rozpalił się weń mocniej. – Czemu nie wróciłeś z nowinami? To przynajmniej mogłeś zrobić. Gdybyś tak uczynił, pani Níniel nie poszłaby sama sprawdzić, co się dzieje. Nigdy nie ujrzałaby smoka. Żyłaby dalej. Nienawidzę cię, Dorlasie!

– Nie dbam o twą łaskę! Mizerna to nienawiść, bez wartości rady. Gdyby nie ja, orkowie by nas napadli i powiesili cię w ogrodzie niczym stracha na wróble. To z ciebie nie ma żadnego pożytku!

Zlekceważony, ze szczętem ogarnięty wstydem, dał się ponieść wściekłości i zamierzał uderzyć Brandira pięścią jak bochen, wtedy jednak właśnie, zdumiony niepomiernie, zakończył życie przeszyty mieczem, który przeciwnik zdążył na czas wydobyć. Brandir stał jeszcze przez chwilę nieruchomo, walcząc z wywołanymi krwawym widokiem mdłościami, aż upuścił broń i przygięty pokuśtykał o kuli swoją drogą.

Gdy dotarł do Nen Girith, jasny księżyc zaszedł już i noc miała się ku końcowi. Na wschodzie pojawiły się pierwsze znaki poranka. Kulący się wciąż przy moście, przestraszeni ludzie ujrzeli go, jak niczym szary cień podchodził coraz bliżej, a kilku zawołało w zdumieniu:

– Gdzie się podziewałeś? Widziałeś ją może? Pani Níniel zniknęła.

– Tak, zniknęła – odparł. – Odeszła i nigdy już nie wróci! Ale inne jeszcze niosę wieści. Nadstawcie uszu, ludzie z Brethilu, i sami osądźcie, czy dane wam było kiedy poznać opowieść podobną do tej, którą ja mam dla was! Smok nie żyje, a Turambar legł przy jego boku. Dobre to nowiny. Tak, zaiste, obie są dobre.

Szmer się podniósł. Ludzi zdumiały jego słowa, a niektórzy sądzili wręcz, że wódz oszalał, Brandir jednak krzyknął:

– Wysłuchajcie mnie do końca! Śmierć również zabrała Níniel, piękną kobietę, którą kochaliśmy, którą ja ukochałem najbardziej. Rzuciła się w przepaść przy Jelenim Skoku[28] i Teiglin ją pochłonął. Nie mogła bowiem ścierpieć blasku dnia oraz nader gorzkiej i bolesnej prawdy. Oto, czego się dowiedziała: oboje byli dziećmi Húrina, siostrą i bratem. Jego zwano Mormegil, sam nadał sobie imię Turambar, ukrywając przeszłość, kiedy żył jako Túrin, syn Húrina. Ją zwaliśmy Níniel, nic o niej nie wiedząc, a była to Nienor, córka Húrina. Mroczny cień nie odstąpił ich w Brethilu i tutaj też dopełniło się ich przeznaczenie, przez co tę krainę na zawsze ogarnie smutek. Nie zwijcie jej więcej Brethilem, nie jest to już Halethrim, ale *Sarch nia Hín Húrin*, Grób Dzieci Húrina!

Chociaż nikt nie pojmował, jak mogło dojść do owego szeregu nieszczęść, ludzie zapłakali, a ktoś powiedział:

— Grobem stał się Teiglin dla Níniel ukochanej, grób winien mieć i Turambar, najdzielniejszy z ludzi. Nie godzi się zostawiać wybawcy pod gołym niebem. Chodźmy i urządzimy pochówek, na jaki zasłużył.

Śmierć Túrina

Gdy Níniel odbiegła, Túrin drgnął. Zdało mu się, że ktoś woła go spoza zasłony gęstej ciemności. Gdy Glaurung wydał ostatnie tchnienie, mrok opuścił także Túrina. Odetchnął głęboko, westchnął, po czym zasnął z wielkiego wyczerpania. Ze świtem wszakże nadeszło przenikliwe zimno i Túrin wiercić zaczął się przez sen, aż rękojeść Gurthanga przeszkadzała mu na tyle, że obudził się nagle. Noc ustępowała, powietrze pachniało już porankiem. Zerwał się na równe nogi, przypominając sobie i niedawną wiktorię, i dłoń spaloną jadem. Spojrzawszy na rękę zdziwił się, że obwiązana jest paskiem białej tkaniny, wciąż jeszcze wilgotnym i uśmierzającym ból.

— Czemu ktoś zaczął mnie kurować, ale zostawił potem na pogorzelisku, w smoczym smrodzie? Cóż dziwnego się tu zdarzyło? – zdumiał się głośno.

Zawołał, ale nikt nie odpowiedział. Wokół zalegał odór śmierci, posępna czerń znaczyła okolicę. Schylił się i podniósł niczym nienaruszony miecz. Ostrze lśniło jak przedtem.

— Ohydny był jad Glaurunga – powiedział – lecz ty mocniejszy jesteś ode mnie, Gurthangu! Wszelką krew wypijesz. To twoje zwycięstwo. Ale chodź! Musimy poszukać pomocy. Ciało mam obolałe i przemarzłem do szpiku kości.

Odwrócił się plecami do truchła Glaurunga i zostawił je, by zgniło. Im dalej jednak szedł, tym z większym trudem stawiał stopy, aż pomyślał: „Może przy Nen Girith znajdę czekających na mnie zwiadowców. Obym jak najszybciej dotarł do domu, gdzie dzięki czułym dłoniom Níniel i kuracjom Brandira odzyskam siły!"

Tak, wlokąc się powoli i podpierając mieczem, o szarym świcie dotarł do Nen Girith właśnie w chwili, gdy zebrani tam chcieli wyruszyć po jego zwłoki.

Stanął przed nimi, oni zaś cofnęli się przerażeni, że to niespokojny duch męża powrócił. Kobiety zapiszczały i zakryły oczy. On jednak powiedział:

— Nie płaczcie, tylko się radujcie! Widzicie? Przecież żyję! Czyż nie zabiłem smoka, którego tak się obawialiście?

Wówczas ludzie rzucili się z krzykiem na Brandira.

– Głupi jesteś ze swoim bajaniem, że legł tam martwy! Rację mieliśmy mówiąc, żeś oszalał!

Brandir jednak, blady jak ściana, patrzył na Túrina ze strachem w oczach i słowa nie mógł wydobyć.

– Czy to ty przyszedłeś i opatrzyłeś mi dłoń? – spytał Túrin. – Dziękuję. Jednak słabnie twoja siła, jeśli nie potrafisz odróżnić omdlenia od śmierci. – I zwrócił się do zgromadzonych. – Nie mówcie tak do niego, sami głupcami jesteście. Kto spośród was zrobił coś więcej? On miał przynajmniej tyle odwagi, by zejść tam na dół, podczas gdy wyście tylko jęczeli! Ale mów teraz, synu Handira. Ciekawym, skąd się tu wzięliście, skoro nakazałem wam zostać w Ephel? Liczyłem na posłuch, dla was przecież poszedłem nadstawiać karku? I gdzie jest Níniel? Mam nadzieję, że jej ze sobą nie przywiedliście, ale została w domu, pod dobrą strażą?

Kiedy nikt mu nie odpowiadał, krzyknął:

– Mówcie, gdzie Níniel? Ją pierwszą chcę ujrzeć, jej najpierw opowiem, co zdarzyło się tej nocy.

Oni jednak kryli przed nim twarze, aż Brandir odezwał się wreszcie:

– Níniel tu nie ma.

– No to i dobrze. Wracam zatem do domu. Czy znajdzie się dla mnie jakiś koń? Albo i nosze. Czuję wielkie zmęczenie.

– Nie, nie! – wyrzucił z siebie Brandir. – Pusty jest twój dom. Níniel odeszła. Nie żyje.

Ale jedna z kobiet, żona Dorlasa, która niezbyt lubiła Brandira, zawołała przenikliwym głosem:

– Nie słuchaj tego, panie! Oszalał. Przyszedł tu z wieścią, żeś legł martwy i powiedział, że to dobrze. Ale jesteś. Czemu zatem mielibyśmy uwierzyć w jego historię o Níniel, że nie żyje, a nawet gorzej?

Túrin podskoczył do Brandira.

– A więc ucieszyłeś się moją śmiercią? Tak, zawsze zrażałeś Níniel do mnie, to wiedziałem. A teraz wygadujesz takie okropne rzeczy. Jakież kłamstwo wylęgło się z twojej przewrotności, kuternogo? Czyżbyś chciał nas zabić oszukańczym słowem, skoro nie władasz inną bronią?

Gniew wyparł wszelki żal i współczucie z serca Brandira.

– Oszalałem? Nie, to ty postradałeś zmysły, Czarny Mieczu, wieszczu zguby! Swojej i tego skarlałego ludu. Nie łżę! Níniel nie żyje, martwa jest, martwa, martwa, martwa! Szukaj jej w Teiglinie!

Túrin znieruchomiał.

– Skąd o tym wiesz? – spytał cicho.

– Widziałem, jak skoczyła – odparł Brandir. – Ale tyś to sprawił. Przed tobą uciekała, Túrinie, synu Húrina. Rzuciła się w Cabed-en-Aras, by nigdy już więcej cię nie oglądać. Níniel! Níniel? Nie, Nienor, córka Húrina.

Túrin chwycił go i potrząsnął, czując przytłaczający go ciężar fatum. Przerażony i wściekły, wciąż jednak nie wierzył Brandirowi, gotów jak śmiertelnie ranne zwierzę kąsać wszystko wkoło.

– Tak, jam Túrin, syn Húrina – wrzasnął. – Dawno już to odgadłeś. Ale nic nie wiesz o Nienor, mojej siostrze. Nic! Mieszka w Ukrytym Królestwie i jest tam bezpieczna. Sam wymyśliłeś to podłe kłamstwo, by mą żonę pogrążyć w szaleństwie, a teraz dobrałeś się do mnie. Ty kulawy parszywcu, oboje chcesz nas zaszczuć na śmierć?

Brandir jednak wyzwolił się z uścisku.

– Precz! – powiedział. – Przestań bredzić. Ta, którą zwiesz żoną, znalazła i opatrzyła cię, ale nie odpowiadałeś na jej wołania. Ktoś odezwał się jednak za ciebie. Glaurung. Sądzę, że to on przywiódł was do tego losu. Przemówił, nim zdechł: „Nienor, córko Húrina. Oto twój brat: skrytobójca, zdradliwy wobec wrogów, niewierny dla przyjaciół. Przeklęty on i ród jego. Túrin, syn Húrina!" – Po czym nagły śmiech ogarnął Brandira. – Powiadają, że na łożu śmierci człowiek zawsze mówi prawdę – chichotał. – Ze smokami jest pewnie tak samo! Túrinie, synu Húrina, przeklęty ród twój i zgubieni wszyscy, którzy cię przygarną!

Túrin porwał się do miecza i zły blask rozgorzał w jego oczach.

– A co o tobie mam powiedzieć, kulawcu? – spytał powoli. – Kto przywiódł Níniel do smoka? Kto stał bezczynnie i pozwolił jej umrzeć? Kto przybiegł tu, ile sił w kulasach, by czym prędzej ogłosić te straszne wieści? Kto teraz napawa się mym nieszczęściem? Powiadasz, że ludzie prawdę mówią przed zgonem. No to masz okazję do prawdomówności, tylko się pospiesz.

Odczytując z twarzy Túrina zapowiedź rychłej śmierci, Brandir nie zląkł się jednak, chociaż za całą broń miał jedynie laskę. Wyprostował się i rzekł hardo:

– Długa byłaby opowieść o wszystkim, co się zdarzyło, a ja zbyt jestem już tobą znużony. Dlaczego zarzucasz mi oszczerstwo, synu Húrina? Czy Glaurung kłamał? Jeśli mnie zabijesz, wówczas wszyscy przekonają się, że nie. Ale nie boję się śmierci, bo wyruszę wówczas do Níniel, którą kochałem i być może znajdę ją znów za Morzem.

– Níniel chcesz szukać?! – krzyknął Túrin. – Nie, Glaurunga raczej tam znajdziesz, razem będziecie płodzili kłamstwa. Ze smoczym robactwem się połączysz, tworząc dobraną parę, w jednej ciemności pleśń was stoczy! – Po czym uniósł miecz i usiekł Brandira. Ludzie zaś zakrywali oczy, nie chcąc patrzeć na taką jatkę, a gdy Túrin odwrócił się, by odejść z Nen Girith, wszyscy uciekli przed nim przerażeni.

Jak błędny tułał się potem po lasach, przeklinając Śródziemie i całe życie człowiecze, głośno wzywając Níniel. Gdy jednak opuściło go szaleństwo smutku, przysiadł na chwilę, zadumał się nad swymi czynami i usłyszał własny krzyk: „Mieszka w Ukrytym Królestwie i jest bezpieczna!" Wtedy pomyślał, że chociaż życie jego legło w gruzach, to jednak tam właśnie powinien jeszcze pójść. Ostatecznie Glaurung nigdy nie powiedział mu prawdy, zawsze zwodząc kłamstwami z dobrej drogi. Wstał i ruszył ku brodom na Teiglinie, a gdy mijał Haudh-en-Elleth, zawołał:

– O Finduilas, gorzką cenę zapłaciłem, żem usłuchał smoka! Ześlij mi teraz jakąś radę!

Ujrzał wówczas dwunastu zbrojnych, którzy w pełnym rynsztunku przeprawiali się przez rzekę. Były to elfy, a gdy bliżej podeszli, Túrin poznał jednego z nich, Mablunga, wodza armii Thingola.

– Túrinie! Jakże szczęśliwe to spotkanie! – powitał go Mablung. – Szukałem cię i rad jestem wielce, że żyjesz, chociaż ciężkie miałeś przeżycia minionymi czasy.

– Ciężkie! – sarknął Túrin. – Tak, ciężkie niczym stopa Morgotha. Ale wyście chyba ostatnimi istotami w Śródziemiu, które cieszy mój widok. Czemu właściwie?

– Bo darzymy cię szacunkiem – odparł Mablung. – Wiele niebezpieczeństw pokonałeś, bardzo się też o ciebie martwiliśmy. Widziałem nadejście Glaurunga i myślałem, że zrobi, co w podłości swej zamierza, i wróci do swego pana. Ale on skierował się ku Brethilowi, równocześnie zaś przyszła wieść, że Czarny Miecz z Nargothrondu znów się pojawił i że orkowie unikać zaczęli tych okolic jak samej śmierci. Przeraziłem się i pomyślałem, że oto smok wyrusza tam, gdzie orkowie nie mogą, i że szuka Túrina. Tak i pospieszyłem, ile sił w nogach, by ostrzec cię i wesprzeć.

– Bystro ruszyłeś, ale nie dość szybko – powiedział Túrin. – Glaurung nie żyje.

Elfy spojrzały nań ze zdumieniem i rzekły:

– Zabiłeś wielką bestię?! Po wsze czasy ludzie i elfy wychwalać będą twe imię!

– Mało o to dbam – odparł Túrin. – Mrok zaległ w moim sercu. Ale skoro przychodzicie z Doriathu, powiedzcie, co dzieje się z mymi bliskimi. Usłyszałem w Dor-lóminie, że uciekli właśnie do Ukrytego Królestwa.

Elfy zamilkły.

– W rzeczy samej – odezwał się po dłuższej chwili Mablung. – Rok przed nadejściem smoka. Ale, niestety, nie ma ich tam teraz!

Túrin zdrętwiał, czując, że oto wielkimi krokami zbliża się doń ostateczny nieuchronny wyrok losu.

– Mów dalej! – krzyknął. – Byle zwięźle!

– Poszły obie na pustkowia, by cię szukać – powiedział Mablung. – Wszyscy im to odradzali, ale uparły się dotrzeć do Nargothrondu. Wiadomo już było, że to ty kryłeś się pod imieniem Czarnego Miecza. Ale Glaurung nadciągnął i rozgonił drużynę. Od tamtego dnia nie widziałem już więcej Morweny. Nienor zaś oniemiała i ogłuchła za sprawą smoczego czaru i niczym łania pobiegła na północ, w lasy, gdzie zaginęła.

Ku zdumieniu elfów Túrin roześmiał się głośno i chrapliwie.

– Czy to nie zabawne? – krzyknął. – O, piękna Nienor! Uciekła więc z Doriathu do smoka, a od smoka do mnie. Jaka łaskawość losu! Ciemną miała cerę i czarne włosy, niewysoka i szczupła jak dziecko elfów, każdy by ją poznał!

– Coś się tu nie zgadza – stwierdził zaskoczony Mablung. – Nie tak wyglądała twa siostra. Wysoka była, o błękitnych oczach i złotych włosach, na kobiecy sposób podobna do swego ojca, Húrina. Jej widzieć nie mogłeś!

– Nie mogłem? Naprawdę nie mogłem, Mablungu? Czemu niby? Czemu? Bo ślepy jestem! Nie wiedzieliście? Ślepy, ślepy od dzieciństwa, po omacku wędruję w mrocznej mgle Morgotha! Zostawcie mnie! Idźcie! Wracajcie do Doriathu i niech zima go zmrozi. Przeklęty niech będzie Menegroth! I wasza misja! Miara się przepełniła. Nadchodzi noc!

Rzekłszy to, umknął niczym wiatr, zostawiając ich zdumionych i przerażonych.

– Stało się coś dziwnego, o czym nie wiemy. Chodźmy za nim i spróbujmy mu pomóc, jak oszalały pogonił, bez zmysłów.

Túrin jednak był już daleko. Dotarł do Cabed-en-Aras, gdzie przystanął. Usłyszał huk wody i ujrzał liście opadające z pomizerniałych w całej okolicy drzew, jakby zimowa żałoba nadeszła w pierwszych dniach lata.

– Cabed-en-Aras, Cabed Naeramarth! – krzyknął. – Nie pokalam wód, które Níniel obmyły. Wszystkie bowiem moje uczynki chore się zrodziły, a ostatni był najgorszy.

Wyciągnął miecz i powiedział:

– Pozdrowiony bądź, Gurthangu, śmierci żelazna! Ty jeden mi pozostałeś! Ale czy znasz innego pana, niż ten, który tobą włada? Komu jesteś posłuszny, prócz dłoni, która cię ściska? Nie wzdragasz się przed żadną krwią! Czy zabierzesz Túrina Turambara? Czy szybką śmierć mi zadasz?

Ostrze zadźwięczało chłodną odpowiedzią:

– Tak, wypiję twą krew, by zapomnieć o krwi Belega, mego pana, i krwi Brandira, niesprawiedliwie ubitego. Gładko się z tobą uporam.

Oparł więc Túrin rękojeść miecza o ziemię i rzucił się na klingę, a czarne ostrze pozbawiło go życia.

Gdy Mablung dotarł na to miejsce, ujrzał ohydne ścierwo smoka, zauważył też Túrina i zasmucił się wielce. Przypomniał sobie Húrina takiego, jakiego widział podczas Nirnaeth Arnoediad, zadumał się na strasznym losem jego bliskich.

Elfy stały tam jeszcze, gdy z Nen Girith nadciągnęli ciekawi widoku bestii ludzie. Gdy zobaczyli, do jakiego końca przywiodło życie Túrina Turambara, zapłakali, elfy zaś z przerażeniem poznały sens jego ostatnich słów.

– I mnie też objęła klątwa ciążąca na dzieciach Húrina, słowami zgładziłem tego, którego kochałem – rzekł z goryczą Mablung.

Unieśli Túrina i ujrzeli, że miecz jego rozpadł się na kawałki. Tak odeszła ze świata ostatnia jego własność.

Wysiłkiem wielu rąk ułożono potem wysokie stosy drewna. Spalono trupa smoka, aż tylko popiół po nim pozostał i skruszałe kości. Miejsce, w którym to uczyniono, nagie pozostało na zawsze i jałowe. Túrina zaś pochowano tam, gdzie legł. Obok ciała złożono szczątki Gurthanga, po czym usypano wysoki kopiec nad mogiłą. Potem, gdy minstrele elfów oraz ludzi jęli opiewać męstwo Turambara i urodę Níniel, wielki, szary głaz przydźwigano na szczyt kopca. Elfy wykuły na nim runami Doriathu:

TÚRIN TURAMBAR DAGNIR GLAURUNGA

Poniżej zaś dopisały jeszcze:

NIENOR NÍNIEL

Ale jej ciała tam nie było i nie wiadomo, gdzie poniosły je zimne wody Teiglinu.

Tak kończy się *Opowieść o dzieciach Húrina*, najdłuższa ze wszystkich pieśni Beleriandu.

Dodatek

Od momentu, kiedy Túrin zamieszkał wraz ze swoimi ludźmi w pradawnej siedzibie Poślednich Krasnoludów na Amon Rûdh, opowieść zaczyna się rwać i pełna jest luk i wariacji aż do chwili, kiedy to *Narn* podejmuje wątek podróży Túrina na północ po upadku Nargothrondu. Jednakże liczne szkice, próby i notatki pozwalają dojrzeć pewien zarys opowieści o wiele obszerniejszej, niż skromna relacja pomieszczona w *Silmarillionie*, a nawet przymiarki do kilku powiązanych ze sobą tekstów na skalę *Narn*.

Osobny fragment opisuje życie banitów na Amon Rûdh w czasie tuż po osiedleniu, dokładniej odmalowuje też Bar-en-Danwedh.

Z początku banici zadowoleni byli z życia w kryjówce i stan taki utrzymał się dość długo. Jedzenia mieli dostatek, a miejsca więcej, niżby potrzebowali, odkryli bowiem, że suche i ciepłe jaskinie pomieścić mogłyby w razie potrzeby nawet setkę lub więcej mieszkańców. Głębiej znajdowała się mniejsza komora z paleniskiem pod jedną ścianą i kominem z wylotem zmyślnie ukrytym w szczelinie zbocza. Były jeszcze i inne sale, połączone z główną jaskinią lub bocznymi korytarzami, spośród których jedne służyły za mieszkania, inne za warsztaty lub magazyny. Mîm od lat gromadził w nich wszelkie piękne przedmioty, w tym i naczynia oraz skrzynie z kamienia i drewna, na oko bardzo stare. Większość komór stała jednak obecnie praktycznie niewykorzystywana: rdza i kurz okrywały wiszące w zbrojowniach topory i rozmaity oręż, półki i schowki świeciły pustkami, w kuźniach panowała martwa cisza. Tylko jedna mała komnata wyposażona była w palenisko mające komin wspólny z tym wiodącym z wielkiej sali. Mîm pracował tam czasami, nie pozwalał jednak, by ktokolwiek mu przy tym towarzyszył.

Przez resztę roku nie wyruszali na żadne zbrojne wyprawy, co najwyżej polowali lub zbierali zapasy, małymi grupkami wymykając się z kryjówki. Z początku jednak mieli kłopoty ze znalezieniem drogi powrotnej i poza Túrinem tylko sześciu ludzi zdołało kiedykolwiek zapamiętać szlak. Niemniej przekonawszy się, że ktoś wprawny w tropieniu śladów może dostać się na górę i bez Mîma, zaczęli trzymać dniem i nocą straż przy szczelinie na północnej ścianie. Z południa wroga nie oczekiwali, bezpodstawną byłaby też obawa, że ktoś zaryzykuje wspinaczkę od tej strony, niemniej za dnia wartownik siadał zwykle na szczycie korony, skąd roztaczał się rozległy widok. Zbocze u samego szczytu było bardzo strome, ale pokonanie go ułatwiały stopnie wykute w skale na wschód od wejścia do jaskini.

Rok mijał spokojnie, nie dostarczając okazji do sięgania po broń. Gdy jednak dni zrobiły się krótsze, pełen coraz zimniejszej wody staw poszarzał, brzozy straciły liście i wróciły deszcze, wtedy przyszło banitom więcej czasu spędzać w kryjówce. Mrok i mdła poświata panująca w salach dopiekły im wkrótce i wielu zaczęło szemrać, że o wiele lepiej żyłoby się im bez pomocy Mîma. Zbyt często zdarzało się, że wyglądał z jakiegoś ciemnego kąta czy pustych drzwi, chociaż nikt się go tam nie spodziewał zastać. Cichnąć zaczęły rozmowy w obecności krasnoluda, aż banici nabrali zwyczaju, by cały czas porozumiewać się szeptem.

Ku ich wielkiemu zdziwieniu, Túrin zachowywał się odmiennie, coraz bardziej zaprzyjaźniając się ze starym krasnoludem i wciąż pilniej nastawiając ucha jego radom. Gdy przyszła zima, mógł godzinami siadywać obok Mîma, słuchając jego opowieści i mądrości. Nie ganił przy tym gospodarza, gdy zdarzało mu się mówić źle o Eldarach. Ujęty najpewniej takim traktowaniem, krasnolud okazywał Túrinowi coraz więcej względów, pozwalając nawet niekiedy, by ten jeden człowiek towarzyszył mu w kuźni, gdzie rozmawiali z cicha. Ludziom podobało się to o wiele mniej, a Andróg popatrywał nawet zazdrośnie.

Tekst przedstawiony w *Silmarillionie* nie informuje, jakim sposobem Beleg znalazł drogę do Bar-en-Danwedh, po prostu „pewnego zimowego dnia w mętnym świetle zjawił się między nimi" (s. 244). Inne szkice wspominają, że z powodu braku zapobiegliwości zaczęła się zimą kończyć banitom żywność, a Mîm poskąpił im jadalnych korzonków ze swych zapasów, tak i z początkiem roku wyprawili się ostatecznie na polowanie. Zbliżając się do Amon Rûdh, Beleg trafił na ich ślad i albo poszedł potem za nimi do obozu, który musieli rozbić, by schronić się przed nagłą śnieżycą, albo depcząc im po piętach, wemknął się za wracającą grupą do Bar-en-Danwedh.

W tymże czasie, usiłujący wytropić tajny magazyn Mîmowej żywności Andróg zagubił się w jaskiniach. W końcu trafił na ukryte schody wiodące na płaski wierzchołek Amon Rûdh (to tymi schodami niektórzy z banitów zdołali zbiec, gdy orkowie zaatakowali Bar-en-Danwedh: *Silmarillion*, s. 246). Albo przy okazji wspomnianego wcześniej wypadu, albo kiedyś później, Andróg znów zaczął, mimo klątwy Mîma, używać łuku i strzał, co skończyło się zranieniem go zatrutym grotem. Jedna spośród kilku wzmianek o tym zdarzeniu dopowiada, że była to strzała orka.

Beleg wyleczył Andróga, ale nieufność i niechęć tego drugiego do elfów nie zmalała przez to ani na jotę; Mîm nienawidził Belega tym bardziej, w tenże bowiem sposób klątwa została odczyniona. Rzekł na to krasnolud: „Ukąsi cię raz jeszcze", ale dotarło do Mîma, że lembasy Meliany mogłyby przywrócić mu siłę i młodość. Nie mogąc ich wykraść, udał chorobę i poprosił przeciwnika o poczęstowanie. Gdy Beleg odmówił, Mîm zamknął się w swej nienawiści wzmaganej jeszcze przez serdeczne uczucia okazywane elfowi przez Túrina.

Ponadto można nadmienić, że gdy Beleg wyciągnął lembasy z torby (*Silmarillion*, s. 242, 245), Túrin nie chciał ich przyjąć.

Srebrzyste liście lśniły czerwienią w blasku ognia. Gdy Túrin ujrzał pieczęć, oczy mu pociemniały.

– Co tu masz? – spytał.

– Największy dar, jakiego nie otrzymałeś dotąd od kogoś, kto cię kocha – odparł Beleg. – To lembasy, chleb elfów, którego nie próbował dotąd żaden człowiek.

– Hełm ojca wezmę – powiedział Túrin – z wdzięcznością, że go przechowałeś, ale nie przyjmę niczego, co pochodzi z Doriathu.

– Jeśli tak, to oddaj miecz i wszelką broń. Zwróć to, czegoś się nauczył w młodości. Dla zachcianki czystej pozwól, by twoi ludzie pomarli na pustyni. Tak czy inaczej, ja otrzymałem ten chleb w darze i mogę rozporządzać nim wedle życzenia. Nie jedz, skoro ma ci stawać kością w gardle, ale inni mogą być mniej pyszni i bardziej przy tym głodni.

Wówczas Túrin zmieszał się i poskromił dumę na takie dictum.

Istnieją też dalsze wskazówki dotyczące Dor-Cúartholu, Kraju Łuku i Hełmu, gdzie Beleg i Túrin przewodzili przez czas jakiś z warowni na Amon Rûdh silnemu hufcowi działającemu w krainach na południe od Teiglinu (*Silmarillion*, s. 246).

Túrin chętnie przyjmował wszystkich, którzy się doń zgłosili, ale za radą Belega nie wpuszczał nikogo z nowo przybyłych do swego schroniska na Amon Rûdh (które zwane było teraz Echad i Sedryn, Obozowisko Wiernych). Drogę tutaj znali tylko członkowie dawnej kompanii. Wokoło założono jednak inne strzeżone obozowiska i umocnienia: w lasach na wschodzie, na płaskowyżu, na południowych moczarach, od Methed-en-Glas („Końca Lasu") po Bar-erib kilka staj na południe od Amon Rûdh, a ze wszystkich tych miejsc widać było wierzchołek Amon Rûdh, z którego sygnałami przekazywano wieści i rozkazy.

W ten oto sposób, nim lato minęło, rzesza zwolenników Túrina urosła w siłę i oddziały Angbandu zostały odparte. Wieści o tym dotarły nawet do Nargothrondu i wielu tamtejszych zaczęło rozglądać się za orężem, powiadając, że skoro byle banita może tak napsuć wojska Nieprzyjacielowi, to co dopiero Władca Narogu. Orodreth jednak nie zmienił decyzji. We wszystkim słuchał Thingola, z którym potajemnie wymieniał posłańców, a że był mądrym władcą, tak i przede wszystkim pragnął ocalić życie i majątek własnego ludu przed zakusami Północy. Nie dozwolił zatem nikomu ze swoich poddanych dołączyć do Túrina, tylko wysłał mu gońców z wiadomością, że cokolwiek przedsięweźmie w ramach wojny, nie powinien postawić stopy na ziemiach Nargothrondu ni wpędzać na nie orków. Zaoferował jednak Dwóm Wodzom wszelką inną pomoc, prócz zbrojnej, gdyby zaszła taka potrzeba (jak się uważa, uczynił to za namową Thingola i Meliany).

Kilkakrotnie zostało podkreślone, że Beleg wspierał wprawdzie Túrina, jednak sprzeciwiał się jego wielkim planom, twierdząc, iż inaczej Smoczy Hełm podziałał na przyjaciela, niż było to zamierzone. Belega ogarniał niepokój, przewidywał bowiem, co przyniesie przyszłość. Zachowały się fragmenty ich rozmów na tenże temat. Podczas jednej z nich siedzą obaj w Echad i Sedryn, a Túrin powiada do Belega:

— Czemu jesteś smutny i zamyślony? Czy wszystko nie obróciło się na lepsze, odkąd do mnie wróciłeś? Czy moje dążenia nie dowiodły swych racji?

— Wszystko idzie dobrze — odparł Beleg. — Wrogowie nie mogą otrząsnąć się ze zdumienia i strachu. Przez pewien czas pomyślność będzie nam jeszcze sprzyjała.

— A potem?

— Nadejdzie zima. A następnie nowy rok. Przynajmniej dla tych, którzy dożyją tej chwili.

— A jeszcze potem?

— Gniew Angbandu. Czarna Ręka sparzyła się na nas, ale tyle tylko. Nie wycofa się.

— Ale czy właśnie nie o rozgniewanie Angbandu nam chodziło? — spytał Túrin.

— Czegóż innego się po mnie spodziewałeś?

— Sam wiesz najlepiej, ale nie wolno mi o tym wspominać. Niemniej posłuchaj mnie teraz. Władca wielkiej siły ma równie wielkie potrzeby. Musi szukać schronienia, musi być bogaty i musi mieć też takich poddanych, którzy bezpośredniego udziału w wojnie nie biorą. Im więcej owych sług będzie, tym więcej trzeba żywności, a na pustkowiach aż tyle jej nie ma. Coraz trudniej też utrzymać niektóre sprawy w tajemnicy. Amon Rûdh jest dobrym miejscem, ale dla garstki ledwie. Udana to warownia, ale stoi na uboczu, zewsząd widoczna. Nie trzeba wielkiej siły, by ją otoczyć.

— Tak czy inaczej, będę wodzem mych własnych wojsk — powiedział Túrin — a jeśli padnę, to padnę. Stanąłem Morgothowi na drodze i póki trwam tutaj, nie może skorzystać z południowego traktu. Za takie działanie Nargothrond winien mi choć trochę wdzięczności. Mógłby też pomóc, dostarczając potrzebnych rzeczy.

W innym krótkim urywku rozmowy Túrin takimi słowami odpowiedział Belegowi, gdy ten ostrzegł go przed mizernością stworzonej armii:

— Pragnę władać jakąś krainą, ale nie tą. Tutaj chcę jedynie zebrać siły. Serce moje zwraca się do ojcowizny w Dor-lóminie i tam podążę, gdy tylko będę mógł.

Stwierdza się tam także, że Morgoth wycofał się na pewien czas, pozorując jedynie ataki, „tak aby przez łatwe zwycięstwo nabrali buntownicy przesadnego mniemania o swej potędze, co istotnie się stało".

Andróg pojawia się ponownie w szkicu dotyczącym napaści na Amon Rûdh. Dopiero wówczas ujawnił przed Túrinem fakt istnienia wewnętrznych schodów. Sam też wydostał się nimi na szczyt. Miał walczyć najdzielniej ze wszystkich, ale padł w końcu, zraniony śmiertelnie strzałą i tak wypełniła się klątwa Mîma.

Nie da się nic dodać do pomieszczonej w *Silmarillionie* opowieści o poszukiwaniu Túrina przez Belega, jego spotkania z Gwindorem w Taur-nu-Fuin, uratowania Túrina i śmierci Belega z ręki Túrina. O posiadaniu przez Gwindora jednej z „Fëanoryjskich lamp" wspomniałem wcześniej w przypisie 2 do rozdziału pierwszego.

Można jednak dodać, że ojciec zamierzał rozwinąć historię Smoczego Hełmu Dor-lóminu, sięgając aż do okresu pobytu Túrina w Nargothrondzie, a nawet dalej, nigdy jednak nie przerodził się ów zamiar w opowieść. W istniejących wersjach hełm znika ze sceny wraz z końcem Dor-Cúartholu i zniszczeniem warowni banitów na Amon Rûdh, niemniej jakimś sposobem nadal znajduje się w posiadaniu Túrina w czasach Nargothrondu. Musiałby zatem zostać wzięty przez tych orków, którzy zawiedli Túrina do Angbandu, jednak uznanie, że Túrin odzyskał go przy okazji ratowania Belega i Gwindora, wymagałoby niejakich uzupełnień w tekście.

Osobny urywek powiada, że podczas pobytu w Nargothrondzie Túrin nie chciał już przywdziewać hełmu, „żeby nie zdradzić, kim jest", jednak założył go idąc do Bitwy o Tumhalad (*Silmarillion*, s. 254, kiedy to osłonił oblicze krasnoludzką maską znalezioną w zbrojowniach Nargothrondu). A oto ciąg dalszy tego fragmentu:

> Zlęknieni owym hełmem nieprzyjaciele omijali Túrina, tak że nietknięty wyszedł z największego zamętu bitewnego. Wrócił ze Smoczym Hełmem na głowie do Nargothrondu, a Glaurung, pragnąc pozbawić Túrina wsparcia i osłony (też bowiem bał się hełmu), szydził z syna Húrina, że wasalem jest smoczym i poddanym Glaurunga, skoro nosi na hełmie podobiznę swego pana.
>
> Túrin odparł jednak:
>
> – Kłamiesz i świadomie to czynisz. Wizerunek ten zrodził się z pogardy wobec ciebie. Jak długo ktoś będzie wciąż nosił ten hełm, tak długo i ty spokoju nie zaznasz, pewności nie mając, czy tenże mąż zagłady na cię nie sprowadzi.
>
> – Tak i trzeba będzie hełmowi nowego pana – stwierdził Glaurung – Túrina, syna Húrina, bowiem wcale się nie lękam. Wręcz przeciwnie, to on nie ma śmiałości spojrzeć mi otwarcie w oczy.
>
> I rzeczywiście tak wielką grozę smok roztaczał, że Túrin nie poważył się unieść przyłbicy hełmu, by popatrzeć jawnie na bestię i przez cały czas rozmowy nie odrywał oczu od stóp smoka. Ostatecznie jednak duma i porywczość przeważyły i pod wpływem owych szyderstw Túrin podniósł przyłbicę i spojrzał Glaurungowi w ślepia.

Gdzie indziej pojawia się wzmianka, że gdy do mieszkającej w krainie Doriathu Morweny dobiegły wieści o pojawieniu się Smoczego Hełmu w Bitwie o Tumhalad, od razu poznała, że prawdziwa to nowina i że Mormegil jest właśnie jej synem.

Odnalazłem również sugestię, by Túrin nosił Smoczy Hełm w trakcie zabicia Glaurunga. Miałby wówczas szydzić z konającej bestii, przypominając wypowiedziane w Nargothrondzie słowa o konieczności znalezienia dla hełmu nowego pana. Nie ma wszakże żadnych wzmianek o takich przekształceniach fabuły, aby pomysł ów urzeczywistnić.

Istnieje fragment traktujący o istocie i przedmiocie sprzeciwu Gwindora wobec polityki prowadzonej przez Túrina w Nargothrondzie, która to sprawa została w *Silmarillionie* potraktowana nader pobieżnie (s. 253). Ustęp ten nie ma postaci opowieści, ale można go przedstawić następująco:

Na naradach u króla Gwindor przeciwstawiał się zawsze Túrinowi, powiadając, że był sam w Angbandzie i wie nieco o potędze i zamysłach Morgotha.

– Takie mizerne zwycięstwa niczego nam w ostatecznym rachunku nie przyniosą – powiedział – dowie się bowiem dzięki nim Morgoth, gdzie kryją się najdzielniejsi spośród jego przeciwników i zbierze siły dość wielkie, by ich zniszczyć. Cała potęga elfów i Edainów starczyła ledwo, by go powstrzymać i zapewnić pokój. Rozejm trwał długo, ale tylko do chwili, kiedy Morgoth gotów był już do unicestwienia tego przymierza. Nigdy już nie dojdzie do podobnego sojuszu. Zostało nam już tylko przeczekać, nie ujawniając się, aż przybędą Valarowie.

– Valarowie! – wykrzyknął Túrin. – Zapomnieli oni już o was, ludźmi zaś pogardzają. Co przyjdzie z wpatrywania się w zachodni horyzont? Tutaj dość nam jednego Valara, z którym musimy się uporać, to Morgoth, a jeśli nie możemy go ostatecznie pokonać, pozostaje dokuczyć mu i powstrzymać jego pochód. Zwycięstwo, nawet małe, zawsze pozostaje zwycięstwem i to niezależnie od tego, co dalej z owej wiktorii ma wynikać. Ale znaczy też więcej, jeśli bowiem niczego nie zrobicie, by przeszkodzić Morgothowi, jego cień zalegnie rychło nad całym Belieriandem, a potem was, jednego po drugim, z wolna wykurzy z siedzib. A co dalej? Żałosne grupy niedobitków ucieknę na południe i na zachód, by szukać schronienia nad brzegiem Morza, schwytani w pułapkę między Morgothem a Ossëm. Lepiej już zatem wywalczyć sobie nieco chwały, choćby nawet i krótkotrwałej, bo koniec nasz gorszym już i tak być nie może. Mówisz o tajemnym przeczekiwaniu, mówisz, że jedyna to nadzieja, ale czy jesteś w stanie przechwycić każdego, najmarniejszego nawet szpiega Morgotha, aby nikt ani słowa o nas nie poniósł do Angbandu. Ale i to by wystarczyło, by Nieprzyjaciel zorientował się, gdzie czai się jego wróg. I to jeszcze powiem: chociaż życie człowiecze krótkim jest wobec trwania elfów, to jednak śmiertelnicy wolą raczej spędzić je w walce, niż uciekać czy oddawać się w niewolę. Opór stawiony przez Húrina Thaliona to wielki wyczyn, którego nawet Morgoth, choć bardzo by chciał, nie może wymazać z pamięci. Czyż nie zapisał się on w dziejach Ardy w historii, której ani Morgoth ani Manwë nie mogą unicestwić?

– O wielkich sprawach mówisz – odparł Gwindor – i widomym jest, że żyłeś między Eldarami. Ale chyba mrok zaległ w twoich myślach, skoro jednym tchem wymieniasz imiona Morgotha i Manwëgo, czy też uznajesz Valarów za wrogów elfów i ludzi. Valarowie nie znają pogardy, równo traktują najlichsze nawet z dzieci Ilúvatara. Nie wiesz też wszystkiego o nadziejach Eldarów. Z dawna przekazywane jest wśród nas proroctwo, że pewnego dnia wysłannik ze Śródziemia przeniknie cienie skrywające Valinor i Manwë wysłucha go, a Mandos da się przebłagać. Czy nie winniśmy przechować nasienia Noldorów, a także i Edainów, w oczekiwaniu owego czasu? Círdan zamieszkał na Południu i znów buduje okręty, ale co ty wiesz o nich czy o Morzu? Siebie tylko dostrzegasz i własną chwałę, od nas zaś żądasz, byśmy tak samo czynili. Ale naszą powinnością jest myśleć także o innych, nie każ-dy bowiem może walczyć, nie wszystkim trzeba ginąć i tych właśnie musimy jak najdłużej zachować od wojennej pożogi.

– Załadujcie ich zatem na statki, póki jeszcze pora – powiedział Túrin.

– Nie zechcą od nas odejść – stwierdził Gwindor – nawet gdyby Círdan zdołał ich wyżywić. Musimy trzymać się razem, jak długo będzie nam to dane, i nie kusić śmierci.

– Na to wszystko dałem już odpowiedź – powiedział Túrin. – Mężna obrona gra-nic i miażdżące wypady na wroga, nim ten zbierze siły – oto najlepszy sposób, aby dalej wspólnie przemieszkiwać. Czy ci, o których mówisz, bardziej miłują kryją-cych się w lasach i polujących jako te wilki, czy też takich, co hełm przywdziewają, biorą tarczę i ruszają na wroga, choćby nawet i o wiele liczniejszego? Nawet ko-biety Edainów nie powstrzymywały swych mężów, gdy ci wyruszali na Nirnaeth Arnoediad.

– I cierpiały potem większą niedolę, niż gdyby bitwa owa nigdy się nie odbyła – stwierdził Gwindor.

Wątek miłości Túrina do Finduilas również miał zostać jeszcze rozwinięty:

Finduilas, córka Orodretha, miała złote włosy, jak wszyscy w rodzie Finarfina i wi-dok jej oraz towarzystwo zaczęły być Túrinowi miłe, jako że przypominała mu pokrewne kobiety z domu jego ojca w Dor-lóminie. Z początku spotykał ją tylko w obecności Gwindora, potem jednak i ona zaczęła wypatrywać okazji i widy-wali się czasami na osobności, niby to przypadkiem. Potem jeszcze wypytywała go o Edainów, o których do tej pory prawie nic nie wiedziała, oraz o kraj jego i pobratymców.

Túrin odpowiadał jej chętnie, chociaż nie wymieniał nazwy miejsca swoich naro-dzin ani imion bliskich, w końcu zaś powiedział:

– Miałem niegdyś siostrę, Lalaith ją zwałem. Przypominasz mi ją. Ale ona dziec-kiem tylko była, żółtym kwiatem na zielonych łąkach wiosny, a gdyby żyła dzisiaj, zapewne smutek odebrałby jej radość życia. Lecz ty nosisz się jak królowa, jesteś jak złociste drzewo. Pragnąłbym mieć tak piękną siostrę.

– Ale i ty wyglądasz jak król – odparła – a nawet jak wódz spośród ludu Fingolfina. Chciałabym mieć tak dzielnego brata. Sądzę, że nie nazywasz się wcale Agarwaen, bo imię to do ciebie nie pasuje. Nazwę cię Thurin, Tajemnica.

Wzdrygnął się Túrin, lecz powiedział:

– Nie tak brzmi moje imię i nie jestem królem, nasi władcy bowiem wywodzą się od Eldarów, ja zaś nie.

Túrin zauważył, że przyjaźń łącząca go z Gwindorem ostygła. Zdumiał się ponad-to, o ile bowiem z początku pamięć upiorności Angbandu zdawała się nie nękać

Gwindora, to teraz przygnębienie i smutek znów go dopadły. Snuł domysły: „Może dlatego chodzi smutny, bo pokonałem go i pogardziłem radami; tego bym nie chciał". Kochał bowiem Gwindora jako mędrca i uzdrawiacza. Bardzo mu współczuł. W owych dniach jednak zbladła również radość Finduilas. Twarz się jej zachmurzyła, krok utracił sprężystość. Túrin przypuszczał, że to słowa Gwindora zasiały w jej sercu lęk przed tym, co mogła przynieść przyszłość.

W istocie Finduilas popadła w rozterkę. Owszem, ceniła Gwindora i współczuła mu, nie chciała przydać mu smutków ni łez, ale mimo woli pokochała Túrina i z każdym dniem uczucie stawało się coraz silniejsze. Pomyślała nawet o historii Berena i Lúthien. Ale Túrin nie przypominał Berena! Nie pogardzał nią i mile witał jej towarzystwo, ale wiedziała też, że nie darzy jej miłością taką, jakiej by oczekiwała. Gdzie indziej był i sercem, i myślami, wciąż wspominając dawne wiosny.

Wówczas Túrin przemówił do Finduilas:

– Nie pozwól, aby słowa Gwindora napełniły cię strachem. Wiele przecierpiał w mrokach Angbandu, a jako że dzielnym jest mężem, ciężko mu znosić takie okaleczenie i przymusową bezczynność. Pocieszenia potrzebuje i długo potrwa, nim wyzdrowieje.

– Dobrze o tym wiem.

– Ale my wywalczymy dla niego ten czas! – powiedział Túrin. – Nargothrond wytrwa! Nigdy już Morgoth Nikczemny nie wyjrzy z Angbandu, polegać mu przyjdzie tylko na swych sługach, tak powiada Meliana z Doriathu. Oni są jako palce czarnych dłoni, a my przytrzaśniemy je, a potem odetniemy, aż Nieprzyjaciel cofnie łapę. Nargothrond wytrwa!

– Może – powiedziała Finduilas. – Jeśli dopniecie swego, to tak się stanie. Ale uważaj, Adanedhelu, z ciężkim sercem żegnam cię, gdy wyruszasz do walki. Boję się, by Nargothrond nie został bez wodza.

Potem Túrin poszukał Gwindora i tak mu rzekł:

– Gwindorze, drogi przyjacielu, znów pogrążasz się w smutku, nie czyń tego! Pobyt wśród krewnych i blask Finduilas przywrócą ci jeszcze zdrowie.

Gwindor spojrzał na Túrina i chociaż nie odpowiedział, to oblicze miał chmurne.

– Czemu tak na mnie patrzysz? – spytał Túrin. – Często ostatnimi czasy dziwnie wodzisz za mną wzrokiem. Czym cię zasmuciłem? Sprzeciwiłem się twym radom, ale mężczyzna winien mówić, co myśli, miast dla prywaty skrywać prawdę. Wolałbym, żebyśmy byli jednego zdania. Nie zapomnę, że jestem twoim dłużnikiem.

– Zaprawdę? Niemniej swoimi czynami i słowami odmieniłeś mój dom i moich bliskich. Rzuciłeś na nich cień. Czemu miałbym się cieszyć, gdy tracę wszystko na twoją korzyść?

Túrin jednak nie pojął tych słów, przypuszczając, że Gwindor zazdrości mu posłuchu u króla i monarszej serdeczności.

W następnym urywku Gwindor ostrzega Finduilas, czym grozi miłość do Túrina, i ujawnia, kim jest ów człowiek. Tekst ten jest dość zbieżny z fragmentem przedstawionym w *Silmarillionie* (s. 252), jednak pod koniec natykamy się na odpowiedź Finduilas, dłuższą niż w innych wersjach:

– Chyba wzrok ci przyćmiło, Gwindorze – powiedziała. – Nie widzisz lubo nie rozumiesz, co nadchodzi. Czy muszę po dwakroć wstyd przecierpieć, by prawdę ci uświadomić? Bo kocham cię, Gwindorze, i wstyd mi, że nie bardziej, ale uległam uczuciu potężniejszemu, przed którym nie ucieknę. Nie szukałam go i długo odpychałam. Ale skoro ja szczerze boleję nad twoimi ranami, to i ty miej dla mnie litość. Túrin nie kocha mnie i tak już pozostanie.

– Mówisz to, aby uwolnić ukochanego od winy. Czemu zatem szuka twej obecności, przesiaduje z tobą i coraz mu to milsze?

– Bo i on potrzebuje pocieszenia. Sam został, bez swoich. Obaj jesteście w potrzebie. A co z Finduilas? Nie dość, że przychodzi mi, niekochanej, wyznać tę okrutną prawdę, to jeszcze sądzisz, że chcę cię oszukać?

– Nie. Niewiele kobiet przyzna się, że nie są kochane, jeśli tak jest w istocie.

– Jeśli ktokolwiek winę tu ponosi, to ja, ale odstępstwo poczyniłam mimowolnie. A twe przeznaczenie i plotki o Angbandzie? A śmierć i zniszczenie? Adanedhel wciąż ważne miejsce zajmuje w księdze świata i sięgnie on jeszcze kiedyś Morgotha.

– Jest dumny.

– Ale i miłosierny – powiedziała Finduilas. – Nie przebudził się jeszcze, ale litość zawsze znajdzie drogę do jego serca, a on nigdy jej nie odtrąci. Może tylko to pozostanie. Ale ty nie lituj się nade mną. Traktuj mnie z czcią, jakbym zarazem matką i królową mu była!

Może Finduilas prawdę powiadała, więcej widząc bystrymi oczami Eldarów. Túrin zaś, nie mając pojęcia o tej rozmowie, odnosił się do Finduilas jeszcze łagodniej, widząc jej smutek. W końcu jednak dziewczyna rzekła:

– Túrinie Adanedhelu, czemu skrywasz przede mną swe prawdziwe imię? Gdybym wiedziała, kim jesteś, wcale bym przez to mniej cię nie szanowała, za to lepiej rozumiałabym twój ból.

– Co chcesz powiedzieć? Kogo we mnie dostrzegasz?

– Túrina, syna Húrina Thaliona, wodza Północy.

Wówczas Túrin zganił Gwindora za ujawnienie jego prawdziwego imienia, jak podaje to *Silmarilllion* (s. 252).

Istnieje jeszcze jeden fragment tej opowieści, pełniejszy niż wersja przytoczona w *Silmarillionie* (o Bitwie o Tumhalad i napaści na Nargothrond nie ma więcej wzmianek, rozmowy zaś Túrina ze smokiem zostały tak obszernie przedstawione w *Silmarillionie*, iż wątpliwym się wydaje, by zostały jeszcze rozwinięte). Fragment ów jest o wiele pełniejszą relacją tyczącą przybycia elfów Gelmira i Arminasa do Nargothrondu w roku jego upadku (*Silmarillion*, s. 253–254). Kwestia ich wcześniejszego spotkania z Tuorem w Dor-lóminie, do której znajdujemy tu odniesienia, została poruszona w pierwszej opowieści niniejszej książki.

Wiosną przybyło dwóch elfów, którzy zwali się Gelmir i Arminas i pochodzili z ludu Finarfina. Powiedzieli, że mają sprawę do Władcy Nargothrondu, zostali zatem zaprowadzeni przed Túrina, Gelmir jednak zaprotestował:

– To przed obliczem Orodretha, syna Finarfina, winniśmy stanąć.

A gdy przyszedł Orodreth, Gelmir rzekł mu:

– Panie, wywodzimy się z ludu Angroda i długą drogę przebyliśmy od Dagor Bragollach, ale ostatnio mieszkamy pośród zwolenników Círdana przy ujściu Sirionu. Pewnego dnia wezwał nas Círdan i kazał udać się do ciebie, sam bowiem Ulmo, Pan Wód, pojawił się i ostrzegł go przed wielkim niebezpieczeństwem, które zawisło nad Nargothrondem i jest coraz bliższe.

Orodreth jednak był ostrożny i spytał:

– Czemu zatem przybywacie z północy? A może mieliście jeszcze inną misję do wypełnienia?

– Panie, od dni Nirnaeth szukamy bez powodzenia Ukrytego Królestwa Turgona. Obawiam się, że opóźniłem przez to nasze posłanie ponad miarę. Círdan wysłał nas statkiem wzdłuż wybrzeża, by w sekrecie naszą misję utrzymać i przyspieszyć dotarcie do Nargothrondu. Na brzeg wysiedliśmy w Drengist. Jednak wśród ludzi morza było kilku mężów z południa, którzy przybyli tam jako wysłannicy Turgona i z ich oszczędnych słów wywnioskowałem, że Turgon żyje wciąż na Północy, a nie na Południu, jak sądzi się powszechnie. Nie znaleźliśmy jednak ani jednego znaku, nie dotarła do nas jakakolwiek pogłoska, która by naprowadziła nas na jego ślad.

– Czemu szukacie Turgona? – spytał Orodreth.

– Bo powiada się, że jego królestwo najdłużej wytrzyma napór Morgotha – odrzekł Arminas i słowa te wydały się Orodrethowi złą wróżbą, przez co nie krył niezadowolenia.

– Jeśli tak, to nie marnujcie czasu w Nargothrondzie. Nie usłyszycie tu żadnych wieści o Turgonie. Nie trzeba mi mówić, że Nargothrond znalazł się w niebezpieczeństwie.

– Nie miej nam za złe, panie – rzekł Gelmir – że szczerze ci odpowiadamy. Zboczyliśmy z prostego szlaku ku tobie wiodącego, ale nie na darmo, dotarliśmy bowiem dalej niż twoi zwiadowcy. Przeszliśmy przez Dor-lómin i kraje u stóp Ered Wethrin, zapuściliśmy się w dolinę Przełomu Sirionu, szpiegując zamysły Nieprzyjaciela. Zbiera się obecnie w tamtych stronach wielka siła orków i złowrogich istot, armia zaś gromadzi się w rejonie Wyspy Saurona.

– O tym wiem – powiedział Túrin. – Wczorajsze to wieści. Jeśli posłanie od Círda-na miało posłużyć czemukolwiek, winno dotrzeć do nas wcześniej.

– Niemniej choć z opóźnieniem, to jednak przekażemy ci, co nam kazano, panie – zwrócił się Gelmir do Orodretha. – Wysłuchaj słów Pana Wód! Tak oto przemó-wił do Círdana Budowniczego Okrętów: „Zło z Północy splugawiło źródła Sirio-nu i władza moja zaniknęła w rozwidleniach tych wód. Najgorsze jednak dopiero nadchodzi. Powiedz zatem Władcy Nargothrondu: Zamknij bramy fortecy i nie wychodź na zewnątrz. Wrzuć kamienie swej dumy do grzmiącej rzeki, by zło peł-zające nie znalazło bramy".

Niejasno słowa te zabrzmiały Orodrethowi, toteż zwrócił się do Túrina o radę, jak zwykł to czynić. Túrin jednak nie dowierzał posłańcom, rzekł zatem pogardliwie:

– Co Círdan wiedzieć może o naszych wojnach z Nieprzyjacielem, którego mamy pod bokiem? Niech żeglarz pilnuje swoich statków. Jeśli Pan Wód chce nas ostrzec, musi wyrażać się bardziej przejrzyście. W przeciwnym bowiem razie lepiej byśmy chyba uczynili zbierając wojska i ruszając śmiało na spotkanie wrogów, zanim ci podejdą pod nasze drzwi.

Wówczas Gelmir skłonił się Orodrethowi i powiedział:

– Przekazałem, com miał przekazać, panie. – I odwrócił się, Arminas spojrzał zaś jeszcze na Túrina.

– Czy naprawdę pochodzisz z rodu Hadora, jak powiadają?

– Tutaj zwę się Agarwaenem, Czarnym Mieczem z Nargothrondu – odparł Túrin.

– Chyba uwielbiasz nadstawiać ucha pogłoskom, przyjacielu. Dobrze zatem się sta-ło, że nie znasz sekretu Turgona, bo wówczas jeszcze i w Angbandzie by o nim usłyszeli. Każdy sam piastuje swe imię i jeśli syn Húrina miałby dowiedzieć się, że ujawniłeś jego imię, chociaż on wcale tego nie pragnął, to niech już lepiej Morgoth cię schwyta i wypali język!

Arminas zlękł się nagłego gniewu Túrina, Gelmir rzekł jednak:

– My go nie zdradzimy, Agarwaenie. Ale czy nie odbywamy narady za zamknięty-mi drzwiami po to właśnie, by otwarcie móc rozmawiać? Domyślam się powodu, dla którego Arminas zadał ci owo pytanie. Wiadomym jest, że wszyscy mieszkający nad Morzem wielką estymą i miłością darzą ród Hadora, a niektórzy mówią nawet, że Húrin i Huor, brat jego, dotarli niegdyś do Ukrytego Królestwa.

– Gdyby tak było, to Húrin nikomu by o tym nie powiedział, ani wielkim, ani ma-luczkim, a na pewno już nie swojemu małemu synkowi – odrzekł Túrin. – Tak i nie dowierzam, by Arminasem kierowała nadzieja, iż dowie się wreszcie, gdzie szukać Turgona. Nie ufam tak zwodniczym posłańcom!

– Brak wiary zachowaj dla siebie – powiedział gniewnie Arminas. – Gelmir źle rzecz ocenił. Spytałem, zwątpiłem bowiem w to, w co on najwyraźniej uwierzył. Mało bowiem przypominasz potomków Hadora, jakiekolwiek imię nosisz.

— A co ty o nich wiesz? – spytał Túrin.

— Widziałem Húrina – odparł Arminas – i jego ojca. A na pustkowiach Dor-
-lóminu spotkałem Tuora, syna Huora, brata Húrina. Był jak ojcowie, tyś inny.

— To być może, chociaż do dziś nie słyszałem o Tuorze. Jeśli nawet mam ciemne
włosy, a nie złote, nie jest to powód do wstydu. Nie ja pierwszy bowiem spośród
wszystkich synów w matkę się wdałem, miast w ojca, a zrodziła mnie Morwena
Eledhwen z rodu Bëora i krewna Berena Camlosta.

— Nie mówię o różnicach w barwie włosów – powiedział Arminas. – Potomkowie
rodu Hadora, w tym i Tuor, inaczej zwykli się nosić. Uprzejmi są i słuchają dobrych
rad, szacunkiem darząc Władców Zachodu. Ty jednak, jak się zdaje, jedynie na własnej mądrości i na mieczu zwykłeś polegać. Wyniosły jesteś. I powiadam ci, Agarwaenie Mormegilu, że jeśli dalej będziesz tak czynił, wówczas innym będzie twe przeznaczenie niż to, czego mógłby wypatrywać potomek rodów Hadora i Bëora.

— Zawsze było odmienne – odrzekł Túrin. – Lecz skoro i tak cierpieć muszę nienawiść Morgotha, który za sprawą męstwa mego ojca zagiął na mnie parol, to czy
trzeba jeszcze, bym znosił drwiny i oskarżenia, którymi obrzuca mnie włóczęga,
choćby twierdził ów nawet, że z królewskim rodem jest spokrewniony? Ja też dam
wam radę: wracajcie nad bezpieczne brzegi Morza.

Wówczas Gelmir i Arminas odeszli i wrócili na Południe, choć mimo słów Túrina
chętnie poczekaliby wraz ze swoimi na bitwę. Wrócili dlatego jedynie, że Círdan
(na rozkaz Ulma) kazał im przynieść wieści o Nargothrondzie i o tym, jak przyję-
to jego posłanie. Orodreth zmartwił się słowami posłów, Túrin zaś stał się jeszcze
bardziej ponury, nie chcąc zastosować się do otrzymanych rad, a już najmniej ze
wszystkich był skłonny zburzyć wielki most. Na tyle bowiem zdołano odczytać
słowa Pana Wód.

Nie zostało nigdzie wyjaśnione, czemu wysłani z tak pilnym posłaniem Gelmir i Arminas zdążali do Nargothrondu dłuższym szlakiem wokół wybrzeża do zatoki Drengist.
Arminas zaznaczył, że uczyniono to, by utrzymać ich misję w sekrecie i dla pośpiechu, ale
temu celowi bardziej posłużyłoby obranie drogi w górę Narogu, by dotrzeć do celu od południa. Można przypuszczać, że Círdan uczynił tak, wypełniając wolę Ulma (który chciał,
by posłańcy spotkali w Dor-lóminie Tuora i przeprowadzili go przez Bramę Noldorów),
ale nigdzie nie znajdujemy potwierdzenia tego domysłu.

Część II

Druga Era

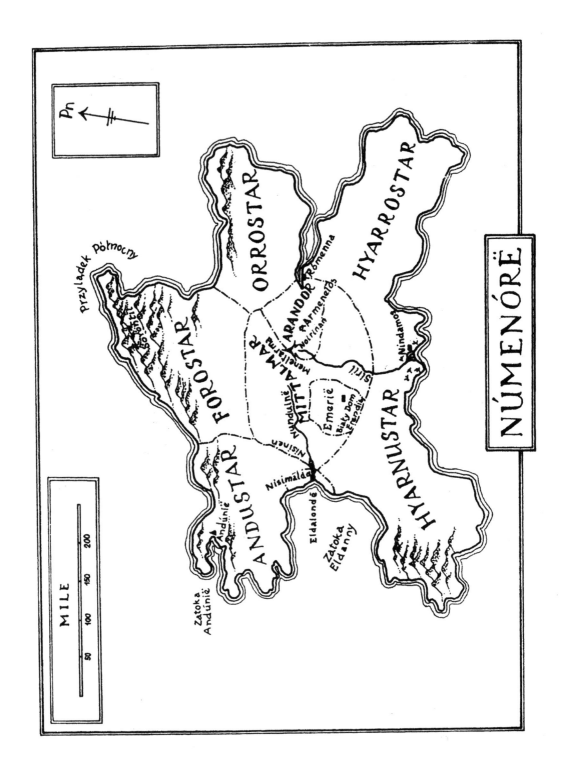

NÚMENÓRË

MILE

50 100 150 200

Pn

Przylądek Północny

FOROSTAR

ORROSTAR

ANDUSTAR

Zatoka
Andúnië

Andúnië

Nisimaldar

Eldalondë

Zatoka
Eldanny

Nisínen

Nísinen

Nindulnië

MITTALMAR

Émarië

Biały Dom
Erendis

ARANDOR

Armenelos

Menel Tarma

Noirinan

Rómenna

Siril

Nindamos

HYARROSTAR

HYARNUSTAR

Rozdział I

Opis wyspy Númenor

Przytoczone tutaj informacje o Númenorze pochodzą z zapisów i prostych map przechowywanych od dawna w archiwach królów Gondoru. Tekst ten jest jedynie małą częścią pism niegdyś istniejących – wiele sekretów natury zostało niegdyś opisanych przez ludzi z Númenoru, poznali oni liczne krainy i niejedno odkryli – jednak wszystko niemal, podobnie jak dorobek nauki i sztuki Númenoru z okresu jego rozkwitu, przepadło wraz z Upadkiem.

Nawet takie dokumenty, jak te przechowywane w Gondorze czy w Imladris (gdzie pod opieką Elronda złożono ocalałe skarby númenorejskich królów Północy), były tracone lub zaniedbywane. Wprawdzie uchodźcy w Śródziemiu „tęsknili", jak powiadali, za Akallabêth – Upadłym, mimo to nigdy, nawet po upływie długich stuleci, nie przestali uznawać siebie za wygnańców. Kiedy zaś stało się jasnym, że Kraina Daru została im odebrana i że Númenor zniknął na zawsze, garstka ledwie kontynuowała badania nad zamierzchłą historią, podczas gdy większość uznawała takie zajęcie za bezużyteczne, przynoszące jedynie daremny smutek. W późniejszych wiekach powszechnie znano już tylko opowieść o Ar-Pharazônie i jego świętokradczej armadzie.

Wyspa Númenor przypominała zarysem pięcioramienną gwiazdę, której część centralna miała średnicę około dwustu pięćdziesięciu mil. Od tej to części odchodziło pięć wielkich półwyspów uznawanych za osobne krainy: Forostar (Ziemie Północne), Andustar (Ziemie Zachodnie), Hyarnustar (Ziemie Południowo-Zachodnie), Hyarrostar (Ziemie Południowo-Wschodnie) i Orrostar (Ziemie Wschodnie). Krainę centralną zwano Mittalmar (Ziemie Wewnętrzne). Nie graniczyła ona z morzem, prócz okolic Rómenny u krańca zatoki. Z Mittalmaru wydzielony został pewien obszar o nazwie Arandor (Ziemia Królewska). W tym obrębie leżała właśnie przystań Rómenny, Meneltarma oraz Armenelos (Miasto Królów). Centrum zawsze stanowiło najludniejszy region Númenoru.

Mittalmar położony był znacznie wyżej niż półwyspy (o ile nie brać pod uwagę rozciągających się na nich wzgórz i pasm górskich). W krainie tej rozciągały się łąki, wznosiły pagórki, drzew rosło niewiele. W pobliżu środka wyspy wypiętrzała się wysoka góra zwana Meneltarma (Kolumna Niebios), miejsce oddawania czci Eru Ilúvatarowi. Chociaż niższe, łagodne stoki porastała trawa, to powyżej wznosiła się stromizna i sam wierzchołek pozostawałby niedostępny, gdyby nie droga, która mając swój początek u stóp góry od południa, biegła spiralą tuż pod sam szczyt, podchodząc doń od północy. Sam wierzchołek stanowił płaski teren, a w niecce pośrodku pomieścić mogło się prawdziwe ludzkie mrowie, jednak przez cały czas trwania Númenoru pozostał niezmieniony przez człowieka. Nie wzniesiono tam ani żadnej budowli, ani ołtarza, nie usypano nawet kopca z nieciosanych kamieni, chociaż było to jedyne miejsce świątynne na całej wyspie w dniach jej chwały, to znaczy do nadejścia Saurona. Nigdy nie wniesiono tu narzędzia ni broni i nikt inny prócz królów nie miał prawa wypowiedzieć tu słowa. Każdego roku na szczycie król tylko trzykrotnie przemawiał: witając nowy rok w Erukyeremë w pierwszych dniach wiosny, zanosząc modły do Eru Ilúvatara w Erulaitalë w połowie lata i czyniąc mu dziękczynienie w Eruhantalë z końcem jesieni. W owych czasach królowie wspinali się na górę pieszo, ubrani na biało i przystrojeni, ale milczący, a w ślad za nimi maszerowała wielka rzesza. W innych chwilach wstęp na wierzchołek dozwolony był każdemu, w pojedynkę czy w grupie, ale powiadano, że cisza panowała tam tak wielka, że nawet przybysz, nieznający zwyczajów wyspy i jej historii, nie ważył się odezwać, zaprowadzony w owo miejsce. Żaden ptak, prócz orłów jeno, nigdy tam nie wzlatywał, i ilekroć ktoś pojawiał się na szczycie, zaraz na skałach nad zachodnią krawędzią przysiadały trzy orły. Natomiast w czasie każdego z trzech świąt nie lądowały, tylko krążyły nad ludzką ciżbą. Zwano je Świadkami Manwëgo i wierzono, że to on wysyła je z Amanu, by trzymały straż nad Świętą Górą i całą krainą.

Stoki przechodziły łagodnie w równinę, jednak niczym korzenie Meneltarma wysyłała w pięć stron świata pięć długich grzbietów zwanych Tarmasundar (Korzenie Filaru). Droga ku górze wiodła granią południowo-zachodniego grzbietu, a pomiędzy tą a południowo-wschodnią odnogą leżała płytka dolina Noirinan (Dolina Grobów), gdzie w skale u podnóża wykuto grobowce królów i królowych Númenoru.

Przede wszystkim jednak Mittalmar uchodził za krainę pasterską. Pośród łąk na południowym zachodnie, w Emerië, mieścił się główny ośrodek Pasterzy.

Forostar to obszar najmniej urodzajny, kamienisty, z nielicznymi drzewami wyrastającymi bujniej jedynie na zachodnich stokach wyżynnych, podmokłych wrzosowisk, gdzie spotkać można było jodły i modrzewie. Ku Przylądkowi Północnemu kraina wznosiła się przechodząc w skaliste góry, gdzie wysoki szczyt Sorontilu wyrastał pionową ścianą wprost z morza. Tu miało swą siedzibę wiele orłów. W tejże również okolicy Tar-Meneldur Elentirmo wybudował pokaźną wieżę, by obserwować z niej ruchy gwiazd.

Andustar też był kamienisty na północy, gdzie lasy wysokich jodeł spoglądały ku morzu. Trzy, ku zachodowi skierowane, niewielkie zatoczki głęboko wżynały się w ląd, pasmo plaży odgradzało strome zbocza od brzegu. Położona najbardziej na północ zatoka zwana była Andúnië, tam bowiem mieściła się wielka przystań Andúnië (Zachodu Słońca) z miastem tuż nad brzegiem morza i wieloma innymi osiedlami rozłożonymi na stromych stokach powyżej. Większość jednak południowych okolic Andustaru była urodzajna, gdzieniegdzie porosła wielkimi lasami brzozowo-bukowymi w rejonach wyżynnych oraz dębowo-wiązowymi w dolinach. Pomiędzy wyniosłościami Andustaru i Hyarnustaru leżała ogromna zatoka zwana Eldanna, jako że otwierała się wprost na Eressëę, a krainy wokół osłonione były od północy i otwarte na zachodnie morza, skąd wiatr przynosił ciepłe powietrze i liczne deszcze. Pośrodku zatoki rozłożył się najpiękniejszy z portów Númenoru, Eldalondë Zielony. Tutaj właśnie w dawniejszych czasach zawijały najczęściej śmigłe, białe statki Eldarów z Eressëi.

Nad zatoką i dalej w głąb lądu bujnie rozrastały się wiecznie zielone, wonne drzewa sprowadzone z Zachodu. Eldarowie powiadali nawet, iż te okolice niemal dorównują pięknością przystani na Eressëi. Wspomniane drzewa zaś bardzo ceniono na wyspie. Pamięć o nich trwała w pieśniach na długo jeszcze po tym, jak zniknęły na zawsze, bowiem oiolairë, lairelossë, nessamelda, vardarianna, taniquelassë i yavannamirë o krągłych i szkarłatnych owocach tylko nielicznie występowały na wschód od Krainy Lasu. Kwiaty, liście i kora tych drzew roztaczały słodki zapach, który wypełniał krainę, dlatego nazwano ją Nísimaldar (Wonne Drzewa). Wiele z nich zasadzono też w innych częściach Númenoru, gdzie przyjęły się, jednak nie rozwinęły tak wspaniale, jedynie zaś tutaj ujrzeć można było potężne, złociste drzewo malinornë, po pięciu stuleciach wzrostu niewiele ustępujące roślinom tego gatunku na Eressëi. Korę miało srebrzystą i gładką, konary wygięte lekko ku górze na podobieństwo buka, rozrastało się zaś wyłącznie ku górze, wydłużając strzelisty pień. Liście jego też przypominały bukowe, z tym że większe były i bladozielone z góry, a srebrzyste od dołu. Lśniły jasno w słońcu, a jesienią nie opadały, tylko okrywały się barwą jasnego złota. Wiosną, na całe lato pojawiało się żółte kwiecie, rosnące gęsto niczym na wiśni. Gdy tylko rozchylały się pączki kwiatów, liście opadały z gałęzi, zatem wiosną i latem zagajniki malionorni złociły się górą i dołem, zaś pnie drzew pozostawały szarosrebrzyste[1]. Owocem drzewa był orzech o srebrzystej łupinie. Tar-Aldarion, szósty król Númenoru, podarował kilka takich królowi Gil-galadowi z Lindonu, gdzie wszakże drzewa nie zapuściły korzeni, jednak Gil-galad odstąpił część orzechów swej krewnej, Galadrieli. Pod jej troskliwym okiem malinornë rozkwitły w strzeżonej krainie Lothlórien nad rzeką Anduiną i rosły tam, aż Elfy Wysokiego Rodu opuściły Śródziemie. Nigdy jednak nie wybujały tak wysoko ani urodziwie jak drzewa z Númenoru.

Rzeka Nunduinë wpadała do morza w Eldalondë, po drodze jednak tworząc niewielkie jezioro Nísinen, nazwane tak od porastających jego brzegi słodko pachnących kwiatów i krzewów.

Hyarnustar był w zachodniej części górzysty, z nader wysokimi, klifowymi brzegami na zachodzie i południu, wschodnią jednak, ciepłą i urodzajną część krainy zajmowały winnice. Odnogi Hyarnustaru i Hyarrostaru rozbiegały się szeroko, a pomiędzy nimi rozciągało się długie, łagodnie obniżające się ku morzu wybrzeże, jakiego próżno by szukać gdzie indziej na całej wyspie. Tutaj właśnie znajdowało się ujście Siril, największej rzeki Númenoru (wszystkie inne bowiem, wyjąwszy Nunduinë na zachodzie, były krótkie i bystrym nurtem dążyły ku morzu). Źródła Siril tryskały spod Meneltarmy w dolinie Noirinan. Płynąc dalej wartko ku południowi przez Mittalmar, w dolnym biegu rzeka rozlewała się leniwie licznymi zakolami. Ostatecznie pośród rozległych moczarów i porośniętych szuwarami płycizn wpadała do morza, a jej liczne odnogi rzeźbiły nieustannie nowe koryta w piaskach, cała delta bowiem otoczona była białymi plażami, poprzetykanymi gdzieniegdzie szarymi plamami kamienistych łach. U ujścia rzeki zamieszkiwali głównie rybacy. Najważniejsza z wiosek, wzniesionych na pagórkach wśród moczarów i rozlewisk, to Nindamos.

W Hyarrostarze rosło wiele gatunków drzew, a między nimi i laurinquë, cenione przez wzgląd na piękne kwiaty i żadnego innego zastosowania niemające. Nazwę drzewa te otrzymały od zwisających, długich kiści żółtych kwiatów. Ci, którzy słyszeli od Eldarów o Laurelinie (Złotym Drzewie Valinoru), mylnie uważali, że widzą odrośle wielkiego Drzewa, zasadzone tu przez Eldarów. Za czasów Tar-Aldariona rozpoczęto w Hyarrostarze wielkie zalesianie terenu, by zyskać drewno do budowy statków.

Orrostar był krainą chłodniejszą. Jednak wznoszące się na krańcach cypla góry chroniły tę krainę od zimnych, północno-wschodnich wiatrów, zatem w głębi lądu, a szczególnie w okolicach graniczących z Arandorem, uprawiano zboże.

Cała wyspa Númenor robiła wrażenie lądu olbrzymią siłą wydźwigniętego z morza. Lekko pochylała się ku południowi i wschodowi, jej brzegi zaś, prócz południowych, w całości niemal miały postać stromych klifów. Ptaki morskie zasiedlały nadbrzeżne rejony całymi stadami i mnożyły się bez miary. Marynarze powiadali, że nawet straciwszy wzrok poznaliby, że statek ich zbliża się do Númenoru, a to po ptasim jazgocie, ile razy bowiem jakaś jednostka podpływała do wyspy, ptaki całą chmurą wylatywały jej na spotkanie. Krążyły przyjaźnie nad pokładem, jako że nikt ich tutaj nie prześladował ani rozmyślnie nie zabijał. Czasem zdarzało się, że pierzaści kompani towarzyszyli statkom w podróżach nawet do Śródziemia. Podobnie i w głębi lądu spotykało się nieprzeliczone wielogatunkowe stada ptactwa, poczynając od kirinki, nie większych od strzyżyka, ale szkarłatnych i popiskujących głosem ledwo słyszalnym dla ludzkiego ucha, na wielkich orłach, świętych ptakach Manwëgo, kończąc. Orły żyły spokojnie na wyspie aż do chwili, gdy pojawiło się zło i nienawiść do Valarów. Przez dwa tysiące lat, od dni Elrosa Tar-Minyatura do czasów Tar-Atanamira, na szczycie wieży królewskiego pałacu w Armenelos znajdowało się orle gniazdo, w którym zawsze przemieszkiwała para ptaków korzystających z gościnności króla.

W Númenorze ludzie zwykli podróżować wierzchem, i mężczyźni, i kobiety bowiem z radością dosiadali konie, które kochali ponad zwykłą miarę i otaczali niecodzienną troską. Zwierzęta tak nauczono, że rozpoznawały z daleka dobiegające wołanie i przybiegały w potrzebie. Stare opowieści mówiły nawet, iż ludzie szczerze kochający i siebie wzajem, i swoje wierzchowce, potrafili przyzywać rumaki samą myślą. Drogi zatem, specjalnie przystosowane dla jeźdźców, w większości nie miały utwardzonej nawierzchni. Powozów i karet rzadko używano we wcześniejszych stuleciach, a cięższe ładunki przewożono morzem. Najważniejsza i najdawniejsza droga, po której mogły się poruszać pojazdy kołowe, prowadziła z największego portu, Rómenny na wschodzie, do królewskiego miasta Armenelos, a dalej do Doliny Grobów do Meneltarmy. Stosunkowo wcześnie przedłużono ten gościniec do Ondosto w granicach Forostaru, a stamtąd do Andúnië na zachodzie. Ciągnęły tędy wozy wiozące z Ziem Północnych kamień, najlepszy budulec na wyspie, i drewno, będące głównym bogactwem Ziem Zachodnich.

Wśród Edainów na Númenor przybyło wielu mistrzów różnego rzemiosła, którzy pobierali nauki u Eldarów, pielęgnując ponadto własną wiedzę i tradycje. Niewiele jednak mogli zabrać ze sobą surowców, tak więc przez długi czas na Númenorze używano jedynie metali szlachetnych. Edainowie przywieźli sporo złotych i srebrnych skarbów oraz drogocennych kamieni, nie trafili jednak na wyspie na podobne kopaliny. Umiłowali owe skarby dla ich urody, aż zrodziła się z tego chciwość, a później, w czasach Cienia, nawet pogarda dla pomniejszego ludu Śródziemia, który oszukiwać zaczęli przy handlu. W dniach przyjaźni z elfami z Eressëi otrzymywali od nich czasem podarunki w postaci złota, srebra i klejnotów, rzadkimi były jednak takie rzeczy (i wyżej przez to cenionymi) we wcześniejszych stuleciach, dopóki władza królów nie rozciągnęła się na wybrzeża Wschodu.

Nabywszy wprawy w sztuce kopalnianej Númenorejczycy znaleźli na wyspie kilka rodzajów metali. Nauczyli się je wytapiać i obrabiać, aż rychło powszechnie dostępne stały się przedmioty z żelaza i miedzi. Wśród kowali Edainów byli także tacy, którzy dzięki Noldorom umieli robić miecze, żeleźce toporów, groty włóczni i noże. Cech płatnerzy wciąż wykuwał oręż, aby sztuka ta nie zaginęła, jednakże większość czasu poświęcano na wytwarzanie narzędzi o pokojowym zastosowaniu. Król i wielcy wodzowie posiadali miecze otrzymane wraz z dziedzictwem ojców[2], ale czasem zdarzało się, że obdarowywali nimi swoich spadkobierców. Nowy miecz wykuwano zawsze dla następcy tronu, by wręczyć mu go w dniu koronacji, ale w Númenorze nie noszono miecza u boku i przez długie lata nie dobywano tu broni. Nikt też nie przejawiał żadnej wojowniczości. Númenorejczycy mieli topory i włócznie, a przede wszystkim łuki, łucznictwo bowiem, tak z postawy stojącej, jak i siodła było ulubionym sportem i rozrywką mieszkańców wyspy. W późniejszych czasach, gdy wojny rozgorzały w Śródziemiu, to właśnie Númenorejskie łuki budziły największą grozę. Powiadano, że „Ludzie Morza wysyłali przed siebie ogromną chmurę przynoszącą deszcz węży lub grad ze stalowymi ostrzami". W owych dniach liczne oddziały królewskich łuczników używały łuków z profilowanej stali i długich na łokieć strzał o brzechwach z czarnych piór.

Przez długi jednak czas załogi wielkich, númenorejskich statków wyprawiały się do Śródziemia nieuzbrojone i chociaż na pokładzie znajdowały się topory potrzebne do obróbki drewna i łuki do polowań na dzikich wybrzeżach, to nikt nie brał ze sobą oręża, ruszając na spotkanie z mieszkańcami stałego lądu. Potem, gdy Cień ogarnął wybrzeża i ludzie, niegdyś przyjaźni, stali się bojaźliwie lub wrogo nastawieni, tym większy był żal Númenorejczyków, że żelaza używać zaczęli przeciwko nim ci, którzy przedtem od wyspiarzy właśnie posiedli sekret obróbki tego metalu.

Ponad wszystko jednak silni, dobrze zbudowani Númenorejczycy radowali się Morzem. Pływali, nurkowali, ścigali się małymi łódkami o wiosłach lub żaglach. Największą tężyzną wykazywali się rybacy. Łowili wokół wybrzeży, nigdy nie wyciągając pustych sieci, ryby zatem stanowiły na Númenorze główne pożywienie. Wszystkie co bardziej ludne miasta skupiały się na wybrzeżach i spośród rybaków właśnie wywodziła się większość marynarzy, którzy z latami zaczęli cieszyć się szczególną estymą. Powiadano, że gdy Edainowie po raz pierwszy wyruszyli na Wielkie Morze, szlakiem Gwiazdy kierując się do Númenoru, wiozące ich statki elfów dowodzone były i sterowane przez Eldarów wyznaczonych do tej misji przez Círdana. Kiedy zaś załogi elfów odpłynęły, zabierając znaczną część statków, wiele czasu musiało upłynąć, nim Númenorejczycy odważyli się samodzielnie przemierzać morskie przestrzenie. Byli jednak wśród nich mistrzowie pobierający nauki od Eldarów, tak i udoskonaliwszy swój kunszt własną pracą, zaczęli się w końcu zapuszczać daleko w morze. Po upływie sześciu stuleci od początku Drugiej Ery Vëantur, kapitan królewskiej floty za panowania Tar-Elendila, pierwszy dobił do

166

brzegów Środziemia. Korzystając z zachodnich wiatrów, dotarł swym statkiem „Entulessë" (co znaczy „Powrót") do Mithlondu, po czym wrócił jesienią roku następnego. Od tamtej pory żegluga stała się wyzwaniem najczęściej podejmowanym przez najśmielszych i najwytrwalszych mieszkańców Númenoru, a Aldarion, syn Meneldura, którego żona była córką Vëantura, założył Gildię Podróżników, zrzeszającą wszystkich wypróbowanych matrosów Númenoru, o których opowiada następna opowieść.

Rozdział II

Aldarion i Erendis
Żona marynarza

Meneldur był synem Tar-Elendila, czwartego króla Númenoru. Miał dwie siostry imionami Silmariën i Isilmë. Starsza z nich poślubiła Elatana z Andúnië. Ich syn Valandil został władcą Andúnië i od niego wywodzi się późniejsza dynastia królów Gondoru i Arnoru w Śródziemiu.

Meneldur był człowiekiem łagodnego usposobienia, pozbawionym fałszywej dumy i wyżej cenił sobie wysiłek umysłu niż ciała. Ukochał wyspę Númenor całym sercem, ale nie zwracał uwagi na oblewające ją morze, jako że zwykł patrzeć dalej niż tylko na Śródziemie: urzekły go gwiazdy i nieboskłon. Przestudiował wszystko, co tylko udało mu się odnaleźć w zapiskach Eldarów i Edainów na temat Eä i otaczających królestwo Ardy otchłaniach, najbardziej jednak uwielbiał obserwować odległe ciała niebieskie. Zbudował w Forostarze (najbardziej na północ wysuniętej części wyspy, gdzie powietrze było najczystsze) wieżę, z której mógł nocą podziwiać niebo, śledząc ruchy świetlnych punktów na firmamencie[1].

Otrzymawszy berło, porzucić musiał Forostar i zamieszkał wówczas w wielkim pałacu królewskim w Armenelos. Okazał się królem dobrym i mądrym, chociaż nigdy nie przestała go nękać tęsknota za dniami, kiedy zgłębiał tajemnice nieba. Piękna żona Meneldura miała na imię Almarian. Była córką Vëantura, kapitana królewskich statków za czasów Tar-Elendila, i chociaż jak większość kobiet Númenoru nie wykazywała szczególnego zainteresowania morzem i okrętami, jej syn podążył śladem dziadka raczej niż ojca.

Ze związku Melendura i Almarian urodził się Anardil, wymieniany później z czcią wśród królów Númenoru jako Tar-Aldarion. Miał dwie siostry, obie młodsze: Ailinel i Almiel. Starsza z nich poślubiła Orchaldora, dziedzica rodu Hadora, syna Hatholdira, który pozostawał w bliskiej przyjaźni z Meneldurem, syn zaś Orchaldora i Ailinel zwał się Soronto i pojawia się później w tej historii[2].

Aldarion, tak bowiem nazywa się go we wszystkich opowieściach, wyrósł rychło na mężczyznę postawnego, silnego, o bystrym umyśle i sprawnym ciele. Po matce odziedziczył złociste włosy, podobnie jak ona cechował się radosnym i wielkodusznym usposobieniem, dumniejszy jednak okazał się niźli ojciec, własnymi woląc chodzić drogami. Szybko ukochał morze i bez reszty pochłonęła go sztuka budowania statków. Północne krainy nie pociągały Aldariona, cały czas, jaki ojciec mógł mu poświęcić, spędzał na wybrzeżu, szczególnie w pobliżu Rómenny, gdzie znajdował się główny port Númenoru, największe stocznie i najbieglejsi szkutnicy. Ojciec przez lata całe nie powstrzymywał jego zapędów, rad, że Aldarion zmężnieje dzięki ciężkiej pracy, ćwicząc i dłonie, i umysł.

Szczególnie upodobał sobie Aldariona Vëantur, ojciec matki. Często użyczał wnukowi gościny w swym domu na południu zatoki Rómenny. Dom ten miał własną przystań, w której cumowało zawsze wiele niedużych łodzi, Vëantur bowiem nigdy nie podróżował lądem, jeśli zachodziła taka konieczność. Tam, dzieckiem jeszcze będąc, Aldarion nauczył się wiosłować, a potem i panować nad żaglem. Nim jeszcze osiągnął dojrzałość, mógł dowodzić wieloosobową załogą, żeglując wzdłuż wybrzeża.

Pewnego razu Vëantur powiedział wnukowi:

– Anardilya, wiosna coraz bliżej, niedługo więc wejdziesz w wiek męski. – W kwietniu Aldarion kończył dwadzieścia pięć lat. – Chciałbym uczcić godnie ten dzień. Nieporównanie starszy jestem od ciebie i chyba już nieczęsto będę miał ochotę opuścić ten piękny dom i błogosławione brzegi Númenoru, ale przynajmniej raz jeszcze wyruszę na Wielkie Morze, by stawić czoło północnym i wschodnim wiatrom. W tym roku zabiorę cię ze sobą. Popłyniemy do Mithlondu, gdzie ujrzysz wysokie i błękitne góry Śródziemia, wyrastające pośród zieleni kraju Eldarów. Serdecznie powitają cię i Círdan Budowniczy Okrętów, i Gil-galad. Spytaj tylko ojca o zgodę[3].

Gdy Aldarion powiedział ojcu o planowanej podróży i poprosił o zgodę na wyruszenie, wraz ze sprzyjającymi wiosennymi wiatrami, Meneldur wahał się z podjęciem decyzji. Dreszcz go przeszedł, jakby domyślał się, że od jego dyspensy więcej będzie zależało, niż człowiek może przewidzieć. Kiedy jednak spojrzał w pełną wyczekiwania twarz syna, nie dał poznać po sobie troski.

– Czyń, jak ci serce każe, *onya* – powiedział. – Będę okrutnie tęsknił za tobą, ale wiedząc, że płyniesz z Vëanturem i że Valarowie wam sprzyjają, z nadzieją pozostanę, wypatrując waszego powrotu. Nie pozwól tylko, by kontynent cię zauroczył, pisane ci jest bowiem zostać królem i Ojcem tej wyspy!

Pewnego słonecznego ranka, kiedy wiatr zelżał wiosną w siedemsetnym i dwudziestym piątym roku Drugiej Ery, Następca Tronu Númenoru[4] pożeglował z wyspy; nim dzień się ten skończył, ląd zniknął za horyzontem. Tylko szczyt Meneltarmy niczym samotny palec czerniał na tle wieczornego nieba.

Powiadają, że Aldarion sam spisał kronikę swej podróży do Śródziemia, które to notatki długo przechowywano potem w Rómennie, chociaż ostatecznie i tak wszystkie przepadły. O tej pierwszej wyprawie niewiele dziś wiadomo, tyle tylko, że młodzieniec zawarł wówczas przyjaźń z Círdanem i Gil-galadem, dotarł w głąb Lindonu i daleko na zachód od Eriadoru, podziwiając cuda tamtego świata. Nie wracał przez dwa lata, niepokojem napełniając Meneldura. Powiadają też, że opóźnienie nastąpiło za sprawą wielkiej ochoty pobrania nauk u Círdana, poznania tajników budowy statków i sterowania nimi, jak i zaznajomienia się ze sztuką wznoszenia falochronów zdolnych wytrzymać napór zachłannego morza.

Radość zapanowała w Rómennie i Armenelos, gdy ujrzano płynący ku przystani wielki statek „Númerrámar" (co wykłada się jako „Zachodnie skrzydła") z poczerwieniałymi od zachodzącego słońca, złotymi żaglami. Lato miało się już ku końcowi i blisko było Eruhantalë[5].

Gdy Meneldur witał syna w domu Vëantura, odniósł wrażenie, że młodzieniec zmężniał i oczy mu pojaśniały, wydawał się jednak jakiś nieobecny.

— Cóż ujrzałeś, *onya*, w swych dalekich podróżach, że nie możesz tego zapomnieć?

Aldarion spojrzał bez słowa na wschód, gdzie noc już zaległa. W końcu zdobył się na odpowiedź cichą, jakby do siebie mówił:

— Piękny lud elfów? Zielone brzegi? Góry, których wierzchołki giną w chmurach? Wyobraźni umykające krainy mgieł i cienia? Nie wiem.

Umilkł, ale Meneldur wiedział, że nie wszystkie swe myśli syn jego wyjawił. Uległ on bowiem czarowi Wielkiego Morza, urokowi żeglugi po otwartym oceanie, skąd nie widać lądu, gdzie piana fal i wiatr niosą ku nowym brzegom i przystaniom nieznanym. Ta miłość i tęsknota miały z nim pozostać aż do śmierci.

Vëantur nie ważył się już więcej opuścić Númenoru, oddał więc swój statek Aldarionowi. Po pewnym czasie młodzieniec znów poprosił o zgodę na kolejną wyprawę i pożeglował do Lindonu. Nie było go trzy lata, a ledwie wrócił, znów zniknął na wiele, wiele miesięcy. Powiada się, że nie wystarczały mu już rejsy do Mithlondu i zaczął badać wybrzeża leżące bardziej na południu. Minął ujścia Baranduiny, Gwathló i Angren, okrążył mroczny przylądek Ras Morthil i ujrzał wielką zatokę Belfalas i góry krainy Amrotha, gdzie wciąż przemieszkiwały Nandorskie Elfy[6].

W trzydziestym dziewiątym roku swego życia Aldarion zawinął do Númenoru, przywożąc ojcu dary od Gil-galada, a w roku następnym, zgodnie z zapowiedzią, Tar-Elendil przekazał berło synowi i Tar-Meneldur został królem. Aldarion powstrzymał wówczas nieco swe zapędy, wedle woli ojca czas jakiś spędzając w domu. Zrobił wówczas użytek ze zdobytej u Círdana wiedzy szkutniczej, sam też dodał niejedno do owej sztuki, aż zaczął modernizację przystani i portów, marzył bowiem od dawna o budowie większych statków. W końcu jednak na nowo ogarnęła go tęsknota za morzem i wypływał raz za razem, ale myśl jego zwracała się z wolna ku wyprawom, których samotny statek nie zdołałby podjąć. Powołał do życia Gildię Podróżników, sławne w późniejszych latach bractwo zrzeszające najtwardszych i najbardziej zapalonych do żeglugi marynarzy. Młodzieńcy ściągali doń nawet z głębi wyspy. Aldarion zyskał miano Wielkiego Kapitana. W owym czasie, dość mając domu na lądzie, opuścił on Armenelos i zamieszkał na pokładzie specjalnie zbudowanego dlań statku, zwanego przez to „Eämbar". Od czasu do czasu przepływał nim z jednego portu Númenoru do innego, jednak większość czasu jednostka ta stała na kotwicy przy Tol Uinen, niewielkiej wyspie w zatoce Rómenny, skrawku lądu umieszczonym w tym miejscu przez Uinenę, Panią Mórz[7].

Na „Eämbarze" mieściła się też siedziba gildii, tam przechowywano zapiski z ich wielkich wypraw[8]. Tar-Meneldur chłodnym okiem spoglądał na poczynania syna i nie interesowały go żadne opowieści o dalekich podróżach. Uważał, że zasiać mogą one jedynie nasienie tęsknoty i wzbudzić pragnienie podboju innych krain.

Aldarion zniechęcił się wówczas do ojca, nie rozmawiał z nim otwarcie o swych planach ni marzeniach. Natomiast Almarian, królowa, wspierała syna we wszystkim i Meneldur musiał z konieczności pozwolić sprawom toczyć się swoim torem. Żeglarze tworzyli już liczne grono i cieszyli się w Númenorze szacunkiem. Zwano ich *Uinendili*, umiłowanymi Uineny. Kapitana bardzo trudno było powstrzymać przed realizacją nowych pomysłów. W Númenorze budowano już ogromne statki. Rosła ich wyporność, coraz dalej się wyprawiały i woziły sporo pasażerów i ładunków. Aldarion często znikał na długie miesiące z Númenoru. Tar-Meneldur, niezmiennie przeciwny poczynaniom syna, w końcu zabronił nadmiernego przerzedzania lasów, ograniczając w ten sposób dostęp do materiału niezbędnego przy budowie okrętów. Pomyślał wówczas Aldarion, że przecież drewno znaleźć można w Śródziemiu i tam też da się remontować statki. W swoich podróżach wzdłuż wybrzeża z podziwem spoglądał na olbrzymie puszcze. Ostatecznie u ujścia rzeki, zwanej przez Númenorejczyków Gwathir, Rzeka Cienia, założył Vinyalondë, Nową Przystań[9].

Kiedy jednak blisko osiem setek lat upłynęło od początków Drugiej Ery, Tar-
-Meneldur zażądał od syna, by ten pozostał w Númenorze i zaniechał na czas jakiś
swych podróży na wschód. Zamierzał bowiem ogłosić Aldariona Następcą Tronu,
jak czynić to zwykli poprzedni królowie, gdy ich potomstwo osiągało stosowny
wiek. Na ten okres Meneldur pojednał się z synem i zapanowała między nimi
zgoda. Podczas wspaniałej, radosnej uroczystości Aldarion został w setnym roku
swego żywota ogłoszony Następcą i otrzymał godność Władcy Okrętów i Przystani Númenoru. Na ucztę w Armenelos przybył także niejaki Beregar, mieszkaniec
zachodniej części wyspy, a wraz z nim pojawiła się córka jego, Erendis. Królowa
zwróciła uwagę na jej piękno w typie rzadko spotykanym w Númenorze. Beregar
pochodził bowiem z pradawnego rodu Bëora, chociaż nie był spowinowacony
z królewską linią Elrosa, a Erendis miała ciemne włosy, smukłą sylwetkę i szare
oczy charakterystyczne dla jej przodków[10].

Gdy Erendis spojrzała na nadjeżdżającego Aldariona, zauważyła jedynie
dumną postawę i cudne lico. Ostatecznie Erendis zamieszkała w monarszym
domu u boku królowej, ciesząc się też łaskami samego króla. Aldariona jednak
widywała z rzadka, pilnował bowiem sadzenia nowych lasów, by w Númenorze
nie brakło już nigdy tarcicy. Tymczasem żeglarze z Gildii Podróżników szum poczęli podnosić, gdyż w ogóle nie cieszyły ich coraz rzadsze, skromne wycieczki
pod dowództwem pośledniejszych kapitanów i ledwo sześć lat minęło od dnia
proklamowania Następcy, Aldarion postanowił znowu ruszyć do Śródziemia.
Wcześniej odmówił usilnym prośbom ojca, by na stałe osiąść w Númenorze
i poszukać sobie żony. Król niechętnie więc wyraził zgodę na kolejną wyprawę.
Aldarion wypłynąć miał wczesną wiosną, ale gdy przyszedł pożegnać się z matką, ujrzał Erendis pośród jej świty. Podziwiając urodę dziewczyny, dostrzegł też
drzemiącą w niej siłę.

– Musisz nas znów opuszczać, Aldarionie, mój synu? – spytała Almarian. –
Czy nic nie zatrzyma cię w najpiękniejszej spośród krain śmiertelników?

– Jeszcze nie – odparł – ale widzę, że można w Armenelos ujrzeć to, czego
próżno by szukać gdzie indziej, nawet w krainach Eldarów. Jednakże żeglarze to
ludzie w dwóch światach naraz żyjący, mężowie sami ze sobą toczący wojnę nie-
ustanną, a we mnie tęsknota za morzem wciąż jeszcze zwycięża.

Erendis uznała, że słowa te przeznaczone były także dla jej uszu i od tego czasu
całym sercem poczuła się oddana Aldarionowi, chociaż nadziei nie miała żadnej.
Nie było wprawdzie w owych czasach ani prawa, ani zwyczaju, by członkowie
rodu królewskiego, nawet następcy tronu, szukali żony tylko pośród cór rodu Elrosa Tar-Minyatura, Erendis jednak mniemała, że zbyt wysokie to dla niej progi.
Niemniej nie spojrzała od tego dnia na jakiegokolwiek innego mężczyznę, odpra-
wiając wszystkich zalotników.

Siedem lat minęło, nim Aldarion wrócił, przywożąc rudy srebra, złota i wiele cudownych opowiadań o przebiegu swej podróży. Meneldur odparł jednak:

— Twa obecność u mego boku milsza mi niż wieści czy podarunki z Mrocznych Krajów. Zwożenie takich nowinek to zadanie dla kupców i odkrywców, a nie dla Następcy. Po cóż nam więcej srebra czy złota? Chyba żebyśmy w pychę wbici, chcieli stosować kruszce tam, gdzie i inne materiały się nadają. Nade wszystko dom monarszy potrzebuje męża, znającego ten kraj i kochającego lud, którym będzie rządził.

— Czy nie zgłębiam nieustannie tajników sztuki rządzenia ludźmi? — spytał Aldarion. — Umiem władać nimi wedle mej woli.

— Panujesz tylko nad tobie podobnymi mężami — odparł król. — Ale w Númenorze są też kobiety, chociaż w znacznie mniejszej liczbie niż mężczyźni, a powiedz mi, która prócz matki ulegnie twej woli? Co ty o nich wiesz? A przecież pewnego dnia musisz sobie wziąć żonę.

— Pewnego dnia! — krzyknął Aldarion. — Ale ani chwili wcześniej, niż to okaże się konieczne, a jeśli będziesz przymuszał mnie do żeniaczki, to nawet później. Wokół ważniejszych spraw krążą moje myśli. Powiadają, że gorzki jest żywot żony marynarza, a żeglarz, który nie musi przejmować się, że coś wiąże go z lądem, dalej wypływa i lepiej radzi sobie z morzem.

— Przemierza odleglejsze morskie przestrzenie, ale żadnego więcej z tego pożytku — powiedział Meneldur. — I nie mów, że radzisz sobie z morzem, Aldarionie, mój synu. Czyżbyś zapomniał, że Edainowie mieszkają tutaj dzięki łasce Władców Zachodu, że Uinena nam sprzyja, że chronią nas przed Ossëm? Statki nasze są strzeżone, lecz przez innych. Unikaj zatem nadmiernej dumy, inaczej stracimy łaski, nie oczekuj też, że rozciągnie się ta opieka i na tych, którzy bez potrzeby ryzykują u obcych, skalistych wybrzeży lub w krainach ludzi żyjących w mroku.

— Jeśli tak, to czemu niby służy sprawowanie pieczy nad naszymi okrętami, jeśli nie mają przybijać do żadnych wybrzeży, jeśli nie jest im pisane szukać tego, czego nikt jeszcze nie widział?

Nigdy już z ojcem o tych sprawach nie rozmawiał, spędzając dni na pokładzie „Eämbara" w towarzystwie Podróżników jak i w stoczni, gdzie budowano statek większy niż jakikolwiek dotąd. Nazywał się „Palarran" („Wędrowiec, który daleko dociera"). Częściej teraz jednak spotykał Erendis (w dyskretny sposób przyczyniła się do tego królowa), a gdy król dowiedział się o tej znajomości, okazał lekkie zaniepokojenie, chociaż ani śladu niezadowolenia.

— Lepiej byłoby pierwej wyleczyć Aldariona z jego tęsknoty, a potem niech zdobywa serce kobiety — powiedział.

— A jak niby chcesz go wyleczyć, jeśli nie poprzez miłość? — spytała królowa.

— Erendis wydaje się jeszcze zbyt młoda — rzekł Meneldur, ale Almarian mu przerwała:

– Ród Erendis nie jest równie długowieczny jak potomkowie Elrosa, a jej serce dokonało już wyboru[11].

Wszakże kiedy wielki statek „Palarran" był gotów, Aldarion znów miał wyruszyć. Meneldur wpadł w złość, jednak królowa wyperswadowała mu pomysł wykorzystania władzy królewskiej do zatrzymania syna. Tutaj trzeba wspomnieć o zwyczaju, że kiedy statek odbijał od brzegów Númenoru, wypływając na Wielkie Morze ku Śródziemiu, wówczas kobieta, zwykle z rodziny kapitana, winna zawiesić na dziobie jednostki Zieloną Gałąź Powrotu ściętą z drzewa oiolairë (co znaczy „wieczne lato"), podarowanego Númenorejczykom przez Eldarów[12] wraz ze słowami, że i oni zwykli umieszczać ten znak na swoich okrętach jako symbol przyjaźni z Ossëm i Uinoną. Drzewo to nigdy nie zrzucało liści, które lśniące były i wonne, a morskie powietrze służyło mu najlepiej. Meneldur zaś zakazał królowej i siostrom Aldariona brać rzeczoną gałąź do Rómenny, gdzie cumował „Palarran". Powiedział też, że nie pozwala na błogosławienie syna, wbrew jego woli podejmującego wyprawę. Słysząc to, Aldarion rzekł:

– Trudno, wyruszę bez błogosławieństwa i gałęzi.

Żal ogarnął królową, ale Erendis stwierdziła:

– *Tarinya*, jeśli zetniesz gałąź z drzewa elfów, to ja wezmę ją do przystani, za twym pozwoleniem, król bowiem uczynić tego mi nie zabronił.

Marynarze uznali za zły omen, że tak właśnie przychodzi wypływać ich kapitanowi, ale gdy wszystko było już przygotowane i załoga szykowała się do podniesienia kotwicy, przybyła Erendis, chociaż nie przepadała ona za gwarem i zamieszaniem wielkiego portu ni krzykiem mew. Zdumiony Aldarion przywitał ją radośnie.

– Przyniosłam ci Gałąź Powrotu, panie. Przychodzę od królowej – powiedziała dziewczyna.

– Od królowej? – spytał zmienionym głosem Aldarion.

– Tak, panie, ale spytałam ją wprzódy o pozwolenie. Nie tylko rodzinę ucieszy twój, oby jak najszybszy, powrót.

W tejże chwili Aldarion po raz pierwszy spojrzał na Erendis z miłością. Długo potem stał na rufie, wpatrzony w ląd, gdy „Palarran" wychodził w morze. Powiadają, że przyspieszył swój powrót, spędzając na wyprawie mniej czasu, niż zamierzył, a przybywszy, przywiózł podarunki dla królowej i dam dworu, jednak najpiękniejszy prezent – diament – dostała Erendis. Przywitanie syna z ojcem było oziębłe, a Meneldur zbeształ go, mówiąc, że nie przystoi, aby Następca wręczał takie upominki, chyba że jest to dar zaręczynowy, i zażądał od Aldariona jasnej deklaracji.

– Przywiozłem jej to z wdzięczności – powiedział tenże – za serce gorące pośród chłodu serc innych.

– Chłodne serca nie pobudzają otoczenia do okazywania ciepła przy rozstaniach i powitaniach – stwierdził Meneldur i raz jeszcze ponaglił Aldariona w kwestii małżeństwa, chociaż nie wspomniał przy tym o Erendis. Aldarion jednak zlekceważył napomnienia, był bowiem we wszystkim coraz bardziej skłonny przeciwstawiać się ojcu i nawet Erendis traktować zaczął teraz z większą rezerwą, aż postanowił opuścić Númenor i zająć się realizacją własnych planów w Vinyalondë. Życie na lądzie mierziło go, na pokładzie statku bowiem był panem samego siebie i do niczyjej woli nie musiał się naginać, otaczający zaś go Podróżnicy darzyli swego Wielkiego Kapitana miłością i podziwem. Meneldur kategorycznie zabronił synowi wypływać, ale Aldarion, nie czekając nawet końca zimy, i tak wyruszył z flotą siedmiu statków niosących na pokładach większość Podróżników, rzucając tym wyzwanie królowi. Almarian nie ważyła się narażać na gniew Meneldura, mimo to nocą jakaś okryta szczelnie płaszczem kobieta przyszła do przystani i wręczyła Aldarionowi gałąź.

– Przynoszę to od Pani z Zachodnich Ziem (tak nazywano wówczas Erendis) – powiedziała i zniknęła w ciemności.

Wobec otwartego buntu syna, król odebrał Aldarionowi godność Władcy Statków i Przystani Númenoru i rozkazał zamknąć siedzibę Gildii Podróżników na pokładzie „Eämbara”. Unieruchomiono też stocznie w Rómenie i zakazano wyrębu drzew. Tak minęło pięć lat, aż Aldarion wrócił z dziewięcioma statkami, z których dwa zbudowane zostały w Vinyalondë, z pięknego drewna pochodzącego z puszczy na wybrzeżu Śródziemia. Wielki był gniew Aldariona, gdy dotarło doń, co król uczynił. Powiedział wówczas ojcu:

– Jeśli źle jestem widziany w Númenorze i nie ma tu dla mnie zajęcia, a okręty nie mogą doczekać się reperacji w stoczniach wyspy, to niezadługo znów wypłynę. Nieprzyjazne wiatry[13] napotkaliśmy i nasze jednostki wymagają remontu. Czy syn króla ma tylko niewiasty oglądać, żony pośród nich wypatrując? Dobrze się sprawiłem, dbając o lasy i do końca dni moich będzie w Númenorze więcej drewna niż za twego panowania.

Zgodnie ze swymi słowami, Aldarion jeszcze tego samego roku znów wypłynął, biorąc trzy statki i najwytrwalszych spośród Podróżników. Wyruszył bez błogosławieństwa ni gałęzi. Wszystkim kobietom z domu monarszego jak i niewiastom z rodzin Podróżników, Meneldur zabronił wychodzić do portu. Ponadto otoczył Rómennę kordonem straży.

Ta podróż Aldariona trwała tak długo, że lud Númenoru zaczął się aż niepokoić. Trwoga też ogarniała samego Meneldura niezależnie od tego, iż miał on świadomość łaski Valarów, którzy zawsze chronili statki Númenoru[14].

Gdy minęło dziesięć lat, zrozpaczona Erendis nabrała przekonania, że Aldariona spotkać musiało jakieś nieszczęście lub też postanowił zamieszkać w Śródziemiu. Tak zatem, chcąc ponadto umknąć natrętnym zalotnikom, dziewczyna poprosiła królową o zgodę i odeszła z Armenelos, wracając do swoich na Ziemie Zachodnie. Po kolejnych czterech latach Aldarion przybił wreszcie do Rómenny, a statki jego nosiły liczne ślady walki z żywiołem. Okazało się, że najpierw popłynął do Vinyalondë, a potem wyruszył wzdłuż wybrzeża daleko na południe, docierając tam, gdzie nigdzie dotąd nie zbłądziły okręty z Númenoru. Wracając ku północy, napotkał przeciwne wiatry i silne sztormy, a gdy ledwo unikając zagłady w Haradzie zawinął do Vinyalondë, znalazł przystań zniszczoną przez żywioł morza i splądrowaną przez wrogich ludzi. Trzy razy zachodnie wiatry cofały go z drogi do rodzinnej przystani, a jego własny statek trafiony został przez piorun i stracił maszt. Tylko ciężka praca i wytrwałość nie dały mu zginąć na pełnym morzu i pozwoliły wrócić ostatecznie do Númenoru. Meneldur odetchnął wreszcie, zganił jednak syna za nieposłuszeństwo. Przeciwstawienie się woli ojca pozbawiło okręty opieki Valarów, a Aldarion naraził na gniew Ossëgo nie tylko siebie, ale też swoich wiernych towarzyszy. Utemperowany nieco Aldarion uzyskał ostatecznie przebaczenie króla, który przywrócił mu tytuł Władcy Statków i Przystani, dodając jeszcze do tego miano Pana Lasów.

Aldarion ze smutkiem odkrył, że Erendis odeszła z Armenelos, był jednak zbyt dumny, by jej szukać, zresztą odnalazłszy dziewczynę, powinien poprosić ją o rękę, a wiązać jeszcze się nie chciał. Zajął się naprawą tego, co zaniedbał, wędrując po oceanie. Okazało się, że podczas jego prawie dwudziestoletniej nieobecności zostały wstrzymane wszystkie prace w przystaniach, szczególnie w Rómennie. Wycinano też lasy dla celów budowlanych i na potrzeby różnych rzemiosł, a że czyniono to bez planu, niewiele młodych drzew posadzono, by wyrównać straty. Aldarion objechał cały Númenor, pragnąc osobiście zbadać stan puszcz.

Pewnego dnia, przemierzając lasy na zachodzie, ujrzał kobietę o ciemnych, unoszonych wiatrem włosach, w zielonym płaszczu spiętym pod szyją jasnym klejnotem. Wziął ją za jedną z Eldarów, którzy pojawiali się czasem w tej części wyspy, ale gdy podeszła bliżej, poznał Erendis. Klejnot na szacie był podarowanym jej wiele lat temu diamentem. Aldarion poczuł nagle, że kocha ją od dawna i pustymi zdały mu się wszystkie dni minione. Erendis zbladła na jego widok i chciała uciekać, ale Aldarion szybko pochwycił dziewczynę.

— Aż nazbyt zasłużyłem sobie na to, byś ode mnie uciekła — powiedział. — To ja, który tak często umykał za horyzont! Ale wybacz mi i zostań. — Potem razem pojechali do domu Beregara, jej ojca, a tam Aldarion jasnym uczynił swój zamiar poślubienia Erendis. Ona jednak wahała się teraz, chociaż zgodnie ze zwyczajami swego ludu rychło już powinna wychodzić za mąż. Miłość do Następcy nie zwiędła w niej, nie było też owo niezdecydowanie żadnym wybiegiem. W głębi serca dziewczyna obawiała się jedynie, że nie zdoła wygrać z Morzem walki o Aldariona i w ten sposób wszystko utraci. Tak i lękając się Morza, i obwiniając statki o śmierć umiłowanych drzew, postanowiła, że albo ze szczętem pokona Morze i okręty, albo sama legnie, bez miary przegrana.

Aldarion jednak szczerze miłował Erendis i podążał za nią wszędzie, dokądkolwiek się udała. Zaniedbywał i przystanie, i stocznie, i wszystkie sprawy Gildii Podróżników, sadząc nowe drzewa jedynie i żadnych nie ścinając, a dostarczyły mu owe dni więcej radości niż jakiekolwiek dotąd, chociaż to akurat zrozumiał dużo później, gdy w starczych latach spojrzał na swoje życie. Pewnego razu Aldarion spróbował przekonać Erendis, by popłynęła z nim na „Eämbarze" w podróż dookoła wyspy, setka lat bowiem już minęła, odkąd założył Gildię Podróżników i we wszystkich portach Númenoru szykowano z tej okazji biesiady. Erendis przystała na ten plan, tłumiąc w sobie niechęć i strach, tak i wypłynęli z Rómenny i zawinęli do Andúnië na zachodzie wyspy. Tam Valandil, książę Andúnië i bliski krewny Aldariona[15] wyprawił wielką ucztę, podczas której wzniósł toast za Erendis, nazywając ją Uinéniel, córką Uineny, nową Panią Morza. Wtedy Erendis siedząca obok żony Valandila, powiedziała głośno:

— Nie nazywaj mnie tak! Nie jestem córką Uineny. Raczej ją między nieprzyjacioły swoje liczę!

Potem na czas jakiś znów wątpliwości ogarnęły Erendis, Aldariona bowiem ponownie pochłonęły zajęcia w Rómennie, szczególnie zaś dopilnowywał budowy olbrzymich falochronów oraz wysokiej wieży na Tol Uinen. Nazywała się Calmindon, Wieża Światła. Jednak gdy owe prace zostały ukończone, Aldarion wrócił do Erendis i poprosił ją o rękę, ona jednak nadal zwlekała, mówiąc:

— Podróżowałam na pokładzie twego statku, panie. Chciałabym teraz wiedzieć, czy podążysz wraz ze mną do tych miejsc na lądzie, które ja ukochałam szczególnie? Niewiele wiesz o tej wyspie, jak na kogoś, kto będzie jej królem. — Tak i wybrali się na trawiaste stoki Emerië, największe pastwiska Númenoru. Tam ujrzeli białe chaty rolników oraz pasterzy i usłyszeli beczenie stad.

— Tutaj mogę zaznać spokoju! — powiedziała Erendis do Aldariona.

— Jako żona Następcy możesz zamieszkać, gdziekolwiek zechcesz — stwierdził Aldarion. — I mieć wiele pięknych domów.

— Zestarzeję się, zanim ty zostaniesz królem — rzekła Erendis. — A gdzie do tego czasu będzie mieszkał Następca?

— Tam, gdzie i żona jego, o ile tylko obowiązki pozwolą, a ona się doń nie przyłączy.

— Nie zamierzam dzielić się mężem z Panią Uineną — rzekła Erendis.

— Pokrętne to słowa. Równie dobrze ja mógłbym rzec, że nie będę się dzielił mą żoną, która umiłowała puszczańskie mateczniki, z Panem Lasów, Oromëm.

— Zaiste tego byś nie uczynił — stwierdziła Erendis. — Prędzej już wyciąłbyś wszelki las, by złożyć go w darze Uinenie, gdy tylko przyjdzie ci na to ochota.

– Powiedz tylko, które drzewa kochasz szczególnie, a dotrwają nietknięte do kresu swoich dni.

– Uwielbiam każdą roślinę na wyspie.

Przez chwilę jechali w ciszy, a gdy dzień minął, rodzielili się i Erendis wróciła do domu ojca. Ani słowem nie wspomniała mu o rozmowie, matce jednak wyznała, co zaszło między nią i Aldarionem.

– Wszystko lub nic, Erendis – rzekła Núneth. – Taka też byłaś w dzieciństwie. Ale kochasz tego mężczyznę, który wielkim jest, i to niezależnie od urodzenia. Nie wyrzucisz tej miłości ze swego serca łatwo ni bez krzywdy dla siebie samej. Kobieta musi żyć pasjami męża, inaczej miłość sczeźnie. Wątpię jednak, byś kiedykolwiek zechciała zrozumieć głęboki sens takiej porady, i boleję nad tym, bo pora już tobie iść za mąż. Urodziłam cudne dziecko i miałam nadzieję ujrzeć równie piękne wnuki i wcale by mnie nie martwiło, gdyby zamieszkiwały w domu króla.

W istocie, rada owa nie poruszyła Erendis, mimo to dziewczyna odkryła, że nie jest już panią swego serca i pusto zaczęły mijać jej dni i gorszy był ten czas niż owe lata, kiedy Aldarion przebywał na wyprawach. On bowiem, chociaż przemieszkiwał wciąż w Númenorze, nie zaglądał już w zachodnie strony.

Gdy królowa dowiedziała się od Núneth, co zaszło, pełna obaw, by Aldarion nie poszukał znów ukojenia w żegludze, wysłała słowo do Erendis, prosząc ją, by przyjechała do królewskiej siedziby. Erendis ponaglana zarówno przez Núneth, jak i przez własne serce, wróciła do Armenelos. Tam też pojednała się z Aldarionem i wiosną, gdy nadszedł czas Erukyermë, wspięli się wraz z królewskim orszakiem na szczyt Meneltarmy, Świętej Góry Númenorejczyków[16]. Gdy wszyscy zeszli już, tych dwoje zostało jeszcze, spoglądając na rozciągającą się w dole zieloną wyspę Westernesse i na zachodni horyzont, gdzie lśnił odległym blaskiem Avallónë[17]. Widzieli też cienie, które zaległy na Wschodzie nad Wielkim Morzem, a nad nimi Menel trwało błękitem. Nie zamienili ani słowa, ponieważ nikomu prócz króla nie wolno było przemawiać na szczycie Meneltarmy. Jednak gdy opuścili święte miejsce, Erendis przystanęła na chwilę i obróciła wzrok na Emerië i dalej, ku jej rodzinnym lasom.

– Czy nie kochasz Yôzâyanu? – spytała.

– Kocham szczerze, chociaż ty chyba w to powątpiewasz. Myślę bowiem również o przyszłości, o dostatku tego ludu i sądzę, że taki dar nie powinien leżeć bezużytecznie w skarbcu.

– Dary od Valarów, a za ich pośrednictwem od Jedynego, winne w każdej chwili i zawsze być kochane takimi, jakie są – zaprzeczyła mu Erendis. – Nie dano nam ich, byśmy je wymieniali na coś więcej czy na coś lepszego. Edainowie, bez względu na swe osiągnięcia, zawsze pozostaną śmiertelni, Aldarionie. Nie nam sięgać w czas, który nadejdzie, jeśli nie chcemy stracić chwili teraźniejszej na rzecz mirażu przyszłych zamiarów. – Nagle wzięła w palce diament noszony na szyi. – Czy pragnąłbyś, abym zamieniła go na inne dobra przeze mnie pożądane?

– Nie! – wykrzyknął. – Ale ty nie zamykasz go w skarbcu. Myślę jednak, że zbyt wysoko go nosisz, blask twoich oczu bowiem przyćmiewa jego urodę. – Potem pocałował jej powieki i w tejże chwili Erendis pozbyła się obaw i przyjęła go, po czym wyznali sobie miłość na stromej ścieżce na stoku Meneltarmy.

Wrócili do Armenelos, gdzie Aldarion przedstawił Erendis Tar-Meneldurowi jako narzeczoną Następcy Tronu. Król uradował się i wesele zapanowało w mieście oraz na całej wyspie. W darze zaręczynowym Meneldur ofiarował Erendis spory płat ziemi w Emerië, gdzie wybudował dla niej biały dom. Aldarion jednak powiedział narzeczonej:

– Inne jeszcze klejnoty chowam w skarbcu. Statki Númenoru udzieliły niegdyś wsparcia królom z dalekich krain, którzy w podzięce ofiarowywali różne precjoza. Są wśród nich kamienie tak zielone, jak ogarnięte słońcem liście twych ukochanych drzew.

– Nie – odparła Erendis. – Otrzymałam już od ciebie dar zaręczynowy, chociaż nieco za wcześnie trafił on w moje ręce. To jedyny klejnot, który chcę mieć, a będę go nosiła jeszcze wyżej. – Wówczas ujrzał Aldarion, że Erendis kazała umieścić kamień niczym gwiazdę pośrodku srebrnej przepaski. Na prośbę dziewczyny Następca nałożył przepaskę na jej głowę. Erendis nosiła potem ową ozdobę w ten sposób przez wiele lat i wszyscy znali ją jako Tar-Elestirnë, Panią z Gwiazdą na Czole[18]. Nastał tedy czas radości i pokoju w Armenelos, w domu króla i na całej wyspie, a w dawnych księgach zapisano, że wielka była obfitość owoców latem owego złotego roku, osiemsetnego i pięćdziesiątego dziewiątego Drugiej Ery.

Jedynie wśród matrosów Gildii Podróżników pojawili się tacy, których nie radował podobny obrót spraw. Piętnaście lat Aldarion pozostawał w Númenorze, nie wiodąc żadnej wyprawy na dalekie morza i chociaż wielu wyszkolił wyśmienitych kapitanów, to jednak bez wsparcia szkatuły i autorytetu królewskiego syna rzadziej i na krócej wypływano, nieczęsto gdziekolwiek indziej się kierując, jak tylko do kraju Gil-galada. Co więcej, stoczniom zaczęło brakować drewna, Aldarion bowiem zaniedbał lasy i Podróżnicy zaklinali go, by wrócił do dawnych zajęć. Aldarion wysłuchał ich błagań. Z początku Erendis razem z nim odwiedzała puszcze, ale smutek ogarniał ją na widok dumnych drzew powalonych i obrabianych potem piłą i toporem, tak nie trwało długo, a Aldarion począł wyruszać samotnie, przez co spędzali ze sobą mniej czasu.

Nadszedł rok spodziewanych zaślubin Następcy Króla, zwyczaj bowiem nakazywał, by narzeczeństwo nie trwało dłużej niż trzy lata. Pewnego wiosennego ranka Aldarion opuścił przystań w Andúnië i udał się w gościnę do domu Beregara, gdzie czekać już go miała Erendis, wcześniej podążająca drogami z Armenelos. Gdy Aldarion wspiął się na wielkie urwisko osłaniające zatokę od północy, odwrócił się i spojrzał na morze. Jak często o tej porze roku, wiał wiatr zachodni, sprzymierzeniec żeglarzy udających się do Śródziemia. Zwieńczone białymi grzebieniami fale atakowały brzeg. Nagle dopadła Aldariona tęsknota za morzem tak wielka, że aż tchu nie mógł złapać, a serce waliło mu jak młotem. Opanował się wszakże wielkim wysiłkiem i w końcu stanął plecami do wody i ruszył dalej. Rozmyślnie wybrał drogę przez te same lasy, w których niegdyś, piętnaście lat wcześniej, ujrzał Erendis podobną Eldarom. Myślał, że znów ją tam zobaczy, ale dziewczyny nie było, a pragnienie, by spojrzeć na jej oblicze, sprawiło, że przyspieszył kroku i tak dotarł do domu Beregara jeszcze przed wieczorem.

Erendis powitała go radośnie i Aldarion poczuł się szczęśliwy, nie podjął jednak rozmowy na temat zaślubin, chociaż wszyscy sądzili, że po to właśnie przybył w ich strony. W miarę jak dni mijały, Erendis coraz częściej widywała go milczącym pośród rozbawionego towarzystwa. Gdy spoglądała na narzeczonego i napotykała nagle jego wzrok, serce jej zamierało, błękitne bowiem oczy Aldariona zdawały się teraz szare i zimne. Czaił się w nich jakiś głód. Nazbyt dobrze uprzednio poznała już to spojrzenie i bała się tego, co oznaczało, nic jednak nie mówiła. Núneth, dostrzegłszy sytuację, nie kryła zadowolenia z milczenia córki, jak bowiem stwierdziła, „słowa potrafią ranić". W końcu Aldarion i Erendis odjechali, kierując się do Armenelos, a im dalej byli od morza, tym weselszy stawał się Aldarion. Wciąż nie zwierzał się Erendis ze swych kłopotów, choć raczej nie tyle one kłopotami były, co wojną wewnętrzną, toczoną ze zmiennym szczęściem.

Czas płynął, a Aldarion nie wspominał ani o morzu, ani o weselu, często za to przebywał w Rómennie w towarzystwie Podróżników. W końcu, gdy nadszedł następny rok, król wezwał Aldariona do swej komnaty. Pokój panował obecnie między nimi i nic nie mąciło ich wzajemnej miłości.

– Synu mój – powiedział Tar-Meneldur – kiedy wreszcie doczekam się upragnionej córy? Minęły już ponad trzy lata i starczy tego zwlekania. Zastanawiam się, jak ty to wytrzymujesz?

Aldarion milczał z początku, ostatecznie zdobył się na taką odpowiedź:

– Znów mnie naszła tęsknota za morzem, *atarinya*. Osiemnaście lat to długi post. Z trudem mogę w łożnicy spoczywać, ledwo na koniu usiedzę, a twarda, kamienista ziemia rani mi stopy.

Posmutniał Meneldur i żal mu się zrobiło syna, nie pojął jednak jego rozterki, sam bowiem nigdy nie miłował statków.

– Niestety, jużeś zaręczony! Według praw Númenoru i zwyczajów Eldarów i Edainów mężczyźnie nie wolno mieć dwóch żon. Nie możesz poślubić morza, skoro przeznaczony jesteś Erendis.

Serce zhardziało Aldarionowi na te słowa, przypomniał sobie bowiem dawną rozmowę z Erendis, tę toczoną w lasach Emerië, mylnie podejrzewał też, że dziewczyna uzgodniła to wszystko z jego ojcem. Aldarion zawsze reagował nadwrażliwie za każdym razem, gdy zdawało mu się, że ktoś usiłuje nakłonić go do danego wyboru. Wtedy gotów był stawić opór za wszelką cenę.

— Nikt nie zabrania kowalom pracować w kuźniach, jeźdźcom dosiadać koni, górnikom drążyć korytarzy ze względu na to, że są zaręczeni — powiedział. — Czemu zatem marynarzom nie dozwala się żeglować?

— Gdyby kowale przez pięć lat nieustannie tkwili przy kowadłach, mało która kobieta chciałaby zostać żoną kowala — odparł król. — Tak i marynarze rzadko żony miewają, a i one cierpią niejedno, bo taki los już im pisany. Następcy króla nic nie wiąże, by został marynarzem. Nie musi nim być.

— Nie tylko konieczności kierują poczynaniami człowieka — stwierdził Aldarion. — Poza tym zostało mi jeszcze wiele lat.

— Nie, nie — powiedział Meneldur. — Mierzysz innych swoją miarą. Erendis nie wytrwa tak długo, jej życie szybciej upływa niż twoje. Nie pochodzi z linii Elrosa, a kocha cię już od wielu lat.

— Ale wcześniej, gdy wykazywałem chęć do żeniaczki, przetrzymywała mnie lat dwanaście. A ja nie proszę teraz nawet o trzecią część tego czasu.

— Wtedy nie byliście zaręczeni — odparł Meneldur. — Obecnie żadne z was nie jest wolne. A jeśli odwlekała decyzję, to z obawy przed tym, co może się zdarzyć, gdybyś stracił panowanie nad swymi tęsknotami. A tej groźby wciąż jeszcze nie zażegnałeś. Musiałeś jednak jakoś uśmierzyć jej lęk i chociaż pewnie nie powiedziałeś tego wprost, to moim zdaniem, nałożyłeś na siebie pewne zobowiązanie.

— Lepiej będzie, jak sam porozmawiam z moją narzeczoną — odparł ze złością Aldarion. — Bez pośrednika. — I opuścił ojca. Wyznał Erendis, że pragnie raz jeszcze wyprawić się na dalekie morza i że ta tęsknota odbiera mu sen i wszelki spokój. Erendis siedziała blada i milcząca, aż w końcu powiedziała:

— Myślałam, że przybywasz, aby porozmawiać o naszym ślubie.

— Owszem. Nastąpi on po moim powrocie, jeśli zechcesz zaczekać. — Ujrzał jednak na twarzy dziewczyny nagły smutek, a wówczas przyszła mu do głowy pewna myśl. — Dobrze, pobierzemy się, zanim rok dobiegnie końca. A potem zbuduję statek, jakiego Podróżnicy nigdy jeszcze dotąd nie zwodowali, prawdziwy pływający pałac królowej. Popłyniesz ze mną, Erendis, otoczona łaską Valarów, oraz umiłowanych przez ciebie: Yavanny i Oromëgo. W obcych krainach ujrzysz lasy, w których wciąż jeszcze rozlega się śpiew Eldarów, zobaczysz puszcze bardziej rozległe niż cały Númenor, mateczniki trwające niezmiennie od dni stworzenia, gdzie usłyszeć można dźwięk wielkiego rogu pana Oromëgo.

Erendis wszakże zapłakała gorzko.

– Nie, Aldarionie – powiedziała. – Cieszę się, że są na świecie wspomniane przez ciebie miejsca, ale ja ich nigdy nie ujrzę, tego bowiem nie pragnę. Moje serce należy do lasów Númenoru. I niestety! Gdybym z miłości do ciebie wsiadła na statek, już bym nie wróciła. Ponad moje siły taka wyprawa, zmarłabym, nie mogąc stąpać po naszej ziemi. Morze darzy mnie nienawiścią, a teraz jeszcze ma powód do zemsty, to ja bowiem zatrzymałam cię na brzegu, jednocześnie umykając przed tobą. Ruszaj, mój panie! Miej jednak miłosierdzie i nie zabawiaj w podróży tyle lat, ile ja wiosen niegdyś zaprzepaściłam.

Aldarion zawstydził się, ponieważ tak jak on odezwał się przedtem do ojca w gniewie, tak teraz miłość przemawiała przez Erendis. Nie wypłynął w owym roku, ale mało zaznał radości czy spokoju.

– Umrze, straciwszy ląd z oczu! – powiedział do siebie. – A ja umrę, mając go wciąż przed oczyma. Jeśli pisane nam wspólne życie, to trzeba mi wyruszyć samemu, i to rychło. – Poczynił zatem przygotowania, by wypłynąć wiosną, a Podróżnicy bardzo się ucieszyli, chociaż nikt inny na wyspie nie podzielał ich zadowolenia. Uszykowano trzy statki, które odbiły w miesiącu Víressë. Erendis zawiesiła na dziobie „Palarrana" zieloną gałąź oiolairë i kryła łzy, patrząc jak statek mija nowy, wielki falochron portu.

Ponad sześć lat minęło, aż Aldarion wrócił w rodzinne strony. Wtedy nawet królowa przyjęła go chłodno. Podróżnicy wypadli z łask, wielu bowiem mieszkańców Númenoru uważało, że Następca niegodnie obszedł się z Erendis. W rzeczy samej przebywał w obcych krajach dłużej, niż zamierzał, ale przybiwszy do przystani Vinyalondë, znalazł ją kompletnie zniszczoną, fale zaś wniwecz obracały wszystkie wysiłki odbudowy portu. Mieszkańcy wybrzeży bali się Númenorejczyków lub też otwarcie uznawali ich za wrogów, a do uszu Aldariona dobiegły pogłoski o jakimś władcy ze Śródziemia, pałającym nienawiścią do ludzi ze statków. Gdy flotylla kierowała się już z powrotem do Númenoru, wielki wiatr nadszedł z południa i zagnał Aldariona daleko na północ. Zabawił on potem nieco w Mithlondzie, a kiedy wypłynął na pełne morze, wicher znów pognał okręty na północ, między niebezpieczne, lodowe pola, gdzie załogi wycierpiały wiele od srogiego zimna. W końcu wiatr osłabł i wygładziły się fale. Kiedy jednak stojący na dziobie „Palarrana" Aldarion wypatrzył wreszcie z dali wierzchołek Meneltarmy, wzrok jego padł także na zieloną gałąź oiolairë. Spostrzegł, że roślina zwiędła i obumarła. Było to niespotykane wcześniej zjawisko, gdyż oiolairë zachowywało świeżość, dopóki zraszały je bryzgi morskiej wody.

– Zamarzło, kapitanie – rzekł jeden z marynarzy. – Zbyt wielkie zimno panowało. Cieszę się, że widzę Kolumnę.

Gdy Aldarion odszukał Erendis, ta przyjęła go mile, ale nie kwapiła się z serdecznym powitaniem. Przez dłuższą chwilę stał, nie wiedząc, co powiedzieć, straciwszy kontenans.

– Siadaj, mój panie – odezwała się w końcu Erendis. – Przede wszystkim opowiedz mi, czego dokonałeś. Wiele musiałeś widzieć i niemało przeżyć podczas tylu długich lat!

Wówczas Aldarion zaczął niezborną relację, a choć przerywał co chwilę, ona słuchała w milczeniu o wszystkich wysiłkach i przyczynach opóźnienia. Gdy skończył, stwierdziła:

– Wdzięczna jestem Valarom, że cało powróciłeś. Ale dziękuję im także za to, że nie popłynęłam z tobą, ja bowiem zwiędłabym wcześniej niż zielona gałąź.

– Nie z mojej woli zielona gałąź zbłądziła w lodowe krainy – odparł Aldarion. – Odpraw mnie teraz, jeśli chcesz, a najpewniej nikt nie będzie cię winił. Wszelako jednak śmiem żywić nadzieję, że miłość twa okaże się trwalsza niż oiolairë.

– Bo i taką zaiste się okazała – rzekła Erendis. – Jeszcze nie zamarzła na śmierć, Aldarionie! Niestety! Jakże mogłabym cię odrzucić, gdy widzę, że powracasz piękny jako słońce po mrokach zimy!

– Zatem niech zacznie się teraz wiosna i lato żywota!

– I żeby zima już nie wracała – dodała Erendis.

Ku wielkiej radości Meneldura i Almarian ogłoszono, iż Następca weźmie ślub na wiosnę. I tak też się stało. W siedemsetnym i siedemdziesiątym roku Drugiej Ery Aldarion i Erendis pobrali się w Armenelos i we wszystkich domach rozbrzmiewała muzyka, na każdej ulicy słychać było śpiew. Potem Następca Króla i jego świeżo poślubiona żona pojechali w niespieszny objazd wyspy, w pełni lata docierając do Andúnië, gdzie czekała ich ostatnia uczta przygotowana przez Valandila. Zebrali się na niej ludzie z całych Ziem Zachodnich, przywiedzeni miłością do Erendis i dumą, że wyrosła pośród nich kobieta będzie królową Númenoru.

Rankiem przed ucztą Aldarion spoglądał ku morzu przez wychodzące na zachód okno sypialni, gdy krzyknął nagle:

– Erendis, patrz! Jakiś statek podąża do przystani i nie należy do flotylli Númenoru. Nigdy żadne z nas nie postawi stopy na jego pokładzie, nawet gdybyśmy mogli.

Erendis też zerknęła za okno i ujrzała biały, smukły okręt otoczony chmurą ptaków bielejących w promieniach słońca. W ten to sposób Eldarowie uczcili wesele Erendis, kochali bowiem mieszkańców Ziem Zachodnich i szczególnie cenili ich przyjaźń[19]. Statek pełen był zabranych na tę okazję kwiatów, tak zatem, gdy wieczorem wszyscy zasiedli do biesiady, we włosy wplecione mieli elanor[20] i wonne lissuin o zapachu przynoszącym ukojenie sercu. Eldarom towarzyszyli ich minstrele znający pieśni elfów i ludzi jeszcze z dni Nargothrondu i Gondolinu. Wielu rosłych i pięknych Eldarów zasiadało przy stole, jednak mieszkańcy Andúnië powiadali, że nikt z gości piękniejszy nie był od Erendis, której oczy lśniły niczym u żyjącej wieki temu Morweny Eledhwen[21] czy nawet u Avallóněńczyków.

Eldarowie przywieźli też wiele darów. Aldarion dostał młode, pozbawione jeszcze liści drzewko o śnieżnobiałej korze i prostym, twardym jak stal pniu.

– Dziękuję wam, Eldarowie. Drewno z takiego pnia zaiste musi być drogocenne. – rzekł Następca.

– Może, trudno nam powiedzieć, nie ścięto bowiem nigdy dotąd żadnego z tych drzew – odparły elfy. – Liście jego przynoszą ochłodę latem, kwitnie zaś w zimie i za to wyłącznie je cenimy.

Erendis dali parę ptaków o złotych dziobach i nóżkach. Podśpiewywały sobie, nigdy nie powtarzając kadencji i nie dawały się rozdzielić. Ledwo próbowano to zrobić, milkły i zaraz zlatywały się, jakby nie mogły dobyć głosu, będąc w pojedynkę.

– Jak je mam utrzymać? – spytała Erendis.

– Niech latają wolne – odparli Eldarowie. – Wskazaliśmy im ciebie i odtąd cię nie opuszczą, gdziekolwiek zamieszkasz. Kojarzą się w pary raz na całe swoje długie życie. Pewnie w ogrodach twoich dzieci śpiewało będzie wiele takich ptaków.

Tej nocy Erendis obudziła się niespodzianie, kiedy księżyc zawisł na zachodzie, i poczuła wkoło słodką woń. Wstała wówczas i wyjrzała za okno, gdzie srebrzyła się pogrążona we śnie kraina. Dwa ptaki, niespłoszone obecnością kobiety, siedziały obok siebie na parapecie.

Gdy czas uczty się skończył, Aldarion i Erendis zajrzeli na czas jakiś do jej domostwa, a ptaki znów nadleciały za swą panią. W końcu jednak małżonkowie pożegnawszy Beregara i Núneth wrócili do Armenelos, gdzie zgodnie z życzeniem króla, zamieszkać miał jego Następca i gdzie w ogrodzie przygotowano dom dla nowożeńców. Tam też zasadzono podarowane drzewo, a ptaki elfów śpiewały w jego gałęziach.

Dwa lata później Erendis stała się brzemienną i z wiosną następnego roku powiła Aldarionowi córkę. Już od chwili narodzin dziecko wyróżniało się wielką urodą, później zaś wyrosło na piękność. Stare opowieści mówią, iż była to najcudniejsza kobieta zrodzona kiedykolwiek w linii Elrosa (jeśli nie liczyć ostatniej Ar--Zimraphel). Gdy przyszła pora, by nadać dziecku imię, wybrano dlań miano Ancalimë. Erendis cieszyła się w głębi serca, ponieważ uważała, że teraz Aldarion oczekując syna, swojego następcy, dłużej zabawi z żoną. Po cichu bowiem wciąż lękała się Morza i jego władzy nad sercem męża. Starała się tego nie okazywać, rozmawiając z Aldarionem o dawnych wyprawach, nadziejach i planach, zerkała jednak zazdrośnie, ilekroć odwiedzał pływający dom czy spędzał więcej czasu z Podróżnikami. Raz zdarzyło się, że Aldarion zaprosił Erendis na „Eämbar", ale zaraz dojrzawszy w jej oczach niechęć, nie ponawiał propozycji. Obawy Erendis nie były bezpodstawne. Gdy minęło pięć lat spędzonych wyłącznie na lądzie, ponownie zajął się lasami, nierzadko wiele dni pozostając poza domem. W rzeczy samej, zwiększone zostały zasoby drewna w Númenorze (głównie dzięki roztropności Aldariona), jednak i ludzi przybyło, więc potrzebowano dużych ilości tego materiału do budowania domów i do wielu innych celów. W tych dawnych czasach, chociaż wiedziano sporo o obróbce kamienia i metalu (odkąd Edainowie nauczyli się tego od Noldorów), Númenorejczycy jednak w drewnie się kochali, zarówno ze względu na jego funkcjonalność, jak i na piękno. Aldarion zaś raz jeszcze pomyślał o przyszłości, sadząc młodniaki wszędzie tam, gdzie powalono stare drzewa, i tworząc nowe lasy na każdym stosownym spłachetku gruntu. Wtedy to stał się najszerzej znany jako Aldarion i pod tym właśnie imieniem zapisał się między berłodzierżcami Númenoru. Wielu jednak (łącznie z Erendis) uważało, że Następca nie widzi w nich piękna, a tylko surowiec mogący posłużyć do realizacji jego planów.

Nie inaczej rzecz się miała z Morzem. Prawdę powiedziała niegdyś Núneth w rozmowie z Erendis: „Może i kocha on statki, bo są dziełami ludzkich rąk i umysłów, jednak ja sądzę, że to nie wiatry ni fale tak pociągają jego serce, ani też widoki odległych krain, ale że jest to jakaś gorączka myśli, jakieś marzenie, za którym goni". Istotnie Aldarion był człowiekiem dalekowzrocznym i dostrzegał obraz przyszłych dni, kiedy mieszkańcom Númenoru zbraknie miejsca na wyspie i sięgnąć zechcą po leżące poza granicami wyspy bogactwa. Najpewniej śniła mu się wielka chwała Númenoru i jego królów, dlatego próbował przecierać im drogę ku nowym lennom. Tak się i stało, że porzucił w końcu lasy i ponownie zajął się szkutnictwem, mając przed oczami wizję statku wielkiego niczym zamek, z wysokimi masztami oraz żaglami jak chmury, okrętu mogącego unieść ludzi i dobra w ilości wystarczającej do założenia miasta. Żwawo chwycono potem w stoczniach Rómenny za piły i młotki, aż pomiędzy wieloma pomniejszymi jednostkami wyrosły wręgi szkieletu potężnego kadłuba. Ludzie patrzyli nań z podziwem i zwali „Turuphanto", „Drewniany Wieloryb", inaczej jednak brzmiało imię statku.

Aldarion nie powiedział nic Erendis, ona jednak i tak dowiedziała się o jego przedsięwzięciu i ogarnęła ją bojaźń. Pewnego zaś dnia spytała spokojnie, z uśmiechem:

— Po co budujesz wciąż statki, Panie Przystani? Czyż nie mamy ich dość? Ileż to pięknych drzew zginęło przedwcześnie tylko w tym roku?

— Nawet u boku pięknej żony mężczyzna nie powinien siedzieć bezczynnie. Drzewa rosną i drzewa padają. Sadzę więcej, niż ścinam — odparł Aldarion beztrosko, ale nie spojrzał przy tym w twarz małżonki. Nigdy nie poruszali już owego tematu.

Gdy Ancalimë miała prawie cztery lata, Aldarion przyznał się wreszcie głośno do zamiaru ponownego opuszczenia Númenoru. Erendis przyjęła to milcząco. Z dawna spodziewała się podobnej decyzji i wiedziała, że słowami niczego tu nie zmieni. Aldarion odczekał do dnia urodzin Ancalimë, kiedy to spędził z córką wiele czasu. Dziewczynka śmiała się, szczęśliwa, chociaż reszta domowników nie widziała żadnych powodów do radości. Idąc spać, spytała ojca:

– Czy weźmiesz mnie tego lata ze sobą, *tatanya*? Chciałabym zobaczyć biały dom w krainie owiec, o której opowiada *mamil*.

Aldarion nic nie odrzekł, a następnego dnia opuścił domostwo na kilka dni. Gdy wszystko było już gotowe, zjawił się, by pożegnać Erendis. Niechciane łzy pojawiły się w oczach żony. Widok ten wzbudził w Aldarionie żal, ale też irytację, podjął już bowiem decyzję i serce znów mu zhardziało.

– Uspokój się, Erendis! – powiedział. – Osiem lat tkwiłem na wyspie. Nie możesz nijak uwiązać na zawsze w jednym miejscu królewskiego syna, skoro w żyłach jego płynie krew Tuora i Eärendilla! Poza tym, nie wyruszam jeszcze śmierci na spotkanie. Niebawem znów mnie ujrzysz.

– Niebawem? Nierówne są nasze lata, a ty nie wrócisz mi ich, gdy ponownie zawiniesz do portu. Krótsze mi życie pisane. Moja młodość ucieka, a gdzież są dzieci, gdzież twój następca? Od nazbyt dawna i nazbyt często chłodnym pozostaje nasze łoże[22].

– Wydawało mi się, że to ci odpowiada. Nie sprzeczajmy się jednak, nawet jeśli nie istnieje między nami zgoda. Spójrz w lustro, Erendis. Jesteś piękna i lata nie odcisnęły jeszcze na tobie swojego piętna. Masz dość czasu, by dozwolić mi na spełnienie pragnień. O dwa lata tylko proszę!

– Powiedz raczej, że dwa lata ci to zajmie i moja zgoda, czy jej brak, niczego tu nie zmieni – odparła Erendis. – Bierz je zatem! Ale nie więcej. Królewski syn, potomek Eärendila, winien być również człowiekiem słownym.

Następnego ranka Aldarion pospiesznie opuścił dom. Przedtem wziął na ręce Ancalimë i ucałował gorąco, ale chociaż wczepiała się weń rączkami, szybko odstawił córkę i odjechał. Niedługo potem wielki statek odbił od nabrzeża Rómenny. Zwał się „Hirilondë", „Zawsze Wracający do Przystani", ale wypływał bez błogosławieństwa Tar-Meneldura, a Erendis nie przybyła do portu, by zawiesić na jego dziobie Zieloną Gałąź Powrotu, nikogo też nie przysłała w zastępstwie. Z mrocznym i zatroskanym obliczem stał Aldarion na pokładzie, blisko miejsca, gdzie tkwiła gałąź oiolairë zawieszona przez żonę kapitana, i nie obejrzał się, aż Meneltarma zniknęła niemal w szarym zmroku.

Przez cały dzień Erendis siedziała samotnie w swej komnacie, pogrążona w żalu, który przerodził się w końcu w zimny gniew. Jej miłość do Aldariona doznała uszczerbku. Erendis z dawna nie cierpiała Morza, a teraz znienawidziła również drzewa, niegdyś ukochane, przypominały jej bowiem maszty wielkich okrętów. Tak zatem nie trwało długo, a opuściła Armenelos i wybrała się do Emerië, krainy leżącej pośrodku wyspy. Tutaj, niesione wiatrem, rozlegało się nieustannie beczenie owiec.

– Milsze ono moim uszom niźli krzyk mew – powiedziała, stojąc w drzwiach swego białego domu, daru od króla. Dom wzniesiono u stóp wzgórza, frontem na zachód, a ze wszystkich stron otaczały go łąki przechodzące swobodnie, bez jakiegokolwiek muru czy żywopłotu, w pastwiska. Erendis zabrała ze sobą Ancalimë i nikogo więcej, a za całe towarzystwo miały służbę, wyłącznie kobiety. Od tej pory matka próbowała wszczepić córce swe zgorzknienie i niechęć do mężczyzn, kształtując dziewczynkę wedle swej woli. W rzeczy samej, Ancalimë rzadko widywała płeć przeciwną, Erendis bowiem nie gościła nikogo. Nieliczni jej pasterze i rolnicy zamieszkiwali w odrębnych, odległych zabudowaniach. Czasem tylko zjawił się posłaniec od króla, a i on krótko zabawiał w domu, który wszystkim mężczyznom wydawał się chłodny i aż tak wrogi, że ledwie szeptem odzywali się w jego ścianach.

Pewnego ranka wkrótce po sprowadzeniu się do Emerië, Erendis obudziły śpiewne trele ptaków. Na parapecie siedziały dary elfów. Przyleciały z ogrodu w Armenelos, gdzie przemieszkiwały, zapomniane przez opiekunkę.

– Odlatujcie, głuptaski! – powiedziała. – Nie ma tu miejsca na waszą radość.

Wówczas ucichł śpiew. Ptaki wzleciały ponad drzewa i zatoczywszy trzykrotnie krąg nad dachami, poszybowały na zachód. Jeszcze tego samego wieczoru dotarły do domu ojca Erendis i przysiadły na parapecie komnaty, gdzie dziewczyna spędziła z Aldarionem noc po uczcie w Andúinië. Tam też znaleźli je rankiem Núneth i Beregar. Kiedy jednak Núneth wyciągnęła do nich ręce, ptaki zerwały się do lotu, aż jako drobne plamki na słonecznym niebie skierowały się ponad morzem ku krainie, z której kiedyś przybyły.

– Zatem odpłynął i znów ją opuścił – powiedziała Núneth.

– Zatem dlaczego nie mamy od niej żadnych wieści? – spytał Beregar. – Dlaczegóż nie wraca do domu?

– Wystarczająco dużo już się dowiedzieliśmy – odparła Núneth. – Odprawiła ptaki elfów i źle uczyniła. Niczego dobrego to nie wróży. Czemu, czemu, córko moja, tak postępujesz? Przecież wiedziałaś chyba, na co się porywasz? Zostawmy ją w spokoju, Beregarze, gdziekolwiek przebywa. Nasz dom przestał już być domem Erendis, pobyt z nami nie uzdrowi zbolałego serca. A on wróci, a wtedy może Valarowie użyczą jej swej mądrości. Lub przynajmniej sprytu!

Gdy nadszedł drugi rok od wypłynięcia Aldariona, król wyraził życzenie, aby Erendis nakazała uszykować stosownie dom w Armenelos, ona jednak nijakich przygotowań na powrót męża nie poczyniła. Królowi zaś wysłała odpowiedź: „Przybędę, jeśli mi rozkażesz, *atar aranya*, ale czemuż miałabym się spieszyć? Zdążę ze wszystkim, gdy jego statek ukaże się na Wschodzie". Sama natomiast pomyślała: „Czyżby król myślał, że będę niczym dziewka marynarza wyczekiwać na nabrzeżu? Nie. Tę rolę mam już za sobą".

Rok wszakże minął, a na horyzoncie nie pojawiły się żagle okrętów Aldariona. Gdy kolejna jesień nie przyniosła zmiany, Erendis pogrążyła się już w całkowitym milczeniu, ogarnięta okrutnym gniewem. Rozkazała zamknąć na głucho dom w Armenelos i nigdy teraz nie oddalała się zbytnio od domostwa w Emerië. Wszelką miłość przelewała na córkę, przywiązując ją do siebie na wszelkie sposoby. Nie pozwalała dziewczynce na żadne wycieczki, nawet zakazała odwiedzać Núneth i rodzinę w Ziemiach Zachodnich. Nauki pobierała Ancalimë tylko od matki, aż posiadła umiejętność czytania i pisania. Rozmawiała z Erendis w mowie elfów, jak było to przyjęte między możnymi Númenoru. W domach Ziem Zachodnich, na przykład u Beregara, używano tego języka na co dzień, a samej Erendis rzadko zdarzało się posługiwać númenorejskim, mową ukochaną przez Aldariona. Ancalimë zgłębiała wiedzę o historii Númenoru, korzystając z domowych ksiąg i zwojów, które mogła odczytać. Od kobiet w domostwie słyszała zaś opowieści innego jeszcze rodzaju, jednak o poznawaniu przez córkę tych „ludowych mądrości" Erendis nie miała pojęcia, jako że służące ostrożnie postępowały, kontaktując się z dzieckiem, nazbyt bowiem obawiały się swej pani. Tak i mało śmiechu zaznała Ancalimë w białym domu w Emerië. Żałobna cisza tam panowała. Brakowało muzyki, ponieważ w owych czasach na instrumentach grali wyłącznie mężczyźni i jedynymi melodiami, czasem docierającymi do uszu dziewczynki, były śpiewy kobiet pracujących na polach, z dala od Białej Pani Emerië. Ancalimë miała już siedem lat, więc kiedy tylko mogła, wymykała się w rozległe doliny, gdzie biegała do woli, niekiedy zaś dołączała do pasterek, dopatrując owiec i ucztując pod gołym niebem.

Pewnego letniego dnia owego roku przybył do Białego Domu z odległej farmy pewien posłaniec, młody chłopak, starszy nieco od Ancalimë. Dziewczynka spotkała go, gdy posilał się chlebem i popijał mleko na podwórcu gospodarstwa za domem. Spojrzał na nią obojętnie i ponownie zajął się jedzeniem. Potem jednak odstawił kubek i powiedział:

— A gap się na mnie, wielkooka, jeśli już musisz! Piękna z ciebie dziewczynka, ale jakaś chuda. Może chcesz trochę? — Wyciągnął z torby bochen chleba.

— Precz stąd, Îbal! — krzyknęła starsza niewiasta, która wyszła akurat z mleczarni. — I wyciągaj dobrze swoje długie nogi, bo inaczej zapomnisz, co kazałam ci powtórzyć matce i z niczym wrócisz do domu!

– Nie trzeba psa łańcuchowego, gdzie ty jesteś, mateczko Zamîn! – krzyknął chłopak, po czym, szczekając, wypadł przez furtkę i zbiegł ze wzgórza. Zamîn była starą wieśniaczką o ciętym języku i rzadko traciła rezon, nawet w obliczu Białej Pani.

– Co to za hałaśliwe stworzenie? – spytała Ancalimë.

– Chłopak – odparła Zamîn. – O ile rozumiesz znaczenie tego słowa. Większość z nich to łobuzy i żarłoki. Ten akurat opycha się cały czas i nie bez powodu. Gdy jego ojciec powróci, zastanie w domu gładkiego młodzika. A jeżeli nie przybędzie wkrótce, nie pozna własnego dzieciaka. Nie on jeden zresztą zdziwi się na widok swojej pociechy.

– Ten chłopak też ma ojca? – spytała Ancalimë.

– Oczywiście. Jest nim Ulbar, jeden z pasterzy wielkiego pana na południu, nazywanego przez nas „Owczym władcą". Łączy go pokrewieństwo z samym królem.

– Dlaczego zatem Ulbar opuścił stada i dom?

– Czemu, *hérinkë*? Bo usłyszawszy o tych całych Podróżnikach przystał do nich i popłynął z twoim ojcem, panem Aldarionem, ale Valarowie tylko wiedzą dokąd i po co ich poniosło.

Tego wieczoru Ancalimë spytała nagle matkę:

– Czy mój ojciec zwany też bywa panem Aldarionem?

– Owszem – odparła Erendis głosem cichym i lodowatym, zdumiona wielce i zakłopotana, nigdy bowiem dotąd nie rozmawiały o Aldarionie. – Ale czemu pytasz?

Ancalimë nie dała matce odpowiedzi, chciała za to dowiedzieć się czegoś więcej.

– A kiedy wróci?

– Nie wiem. Pewnie nigdy. Nie martw się jednak, masz matkę, a ona nie ucieknie, jak długo ją kochasz.

Ancalimë nie wspomniała już o ojcu.

Dni upływały, nadszedł kolejny rok i jeszcze jeden. Ancalimë skończyła wiosną dziewięć lat. Jagnięta urodziły się i urosły, pora strzyżenia przyszła i minęła, gorące letnie słońce wypaliło trawy. Jesień przyniosła deszcze, a wówczas wschodni wiatr, pędzący ponad szarym morzem zwały chmur, przygnał wreszcie Aldariona do Rómenny. Wysłano zaraz gońców do Emerië, ale Erendis nie zareagowała na wiadomość. Nikt nie witał Aldariona na przystani, a gdy po długiej drodze w deszczu dotarł do Armenelos, zastał drzwi zamknięte i dom pusty. Chociaż zasmucony, nikogo o nic nie pytał, tylko podążył do króla, uznał bowiem, że ma ojcu wiele do powiedzenia.

Oczekiwał nieco cieplejszego przyjęcia niż to, z jakim się spotkał. Meneldur rozmawiał z synem jak król z podejrzanym o niegodne czyny kapitanem.

– Długo cię nie było – stwierdził chłodnym głosem. – Ponad trzy lata minęły od czasu twego planowanego powrotu.

– Niestety! – odparł Aldarion. – Nawet mnie morze znużyło i z dawna już tęskniłem za Númenorem. Musiałem jednak zostać w odległych krainach, bo wiele było do zrobienia, a bez mego udziału wszystko szło na opak.

– Nie wątpię – powiedział Meneldur. – Obawiam się jednak, że w twej ojczyźnie sprawy mają się nader podobnie.

– Tutaj może jeszcze da się cokolwiek naprawić. Jednak świat się zmienia. Ponad tysiąc lat minęło, odkąd Władcy Zachodu stanęli do walki z potęgą Angbandu i ludzie w Śródziemiu zapomnieli już wszystko, lubo tylko w legendach przekazywali mgliste relacje o owych dniach. Obecnie znów są ogarnięci strachem. Niespokojne ich krainy. Zatem gorąco pragnę naradzić się z tobą, zdać sprawę z tego, co czyniłem, i zastanowić się, co jeszcze uczynić trzeba.

– Tak też się stanie – orzekł Meneldur. – W rzeczy samej, tyle przynajmniej spodziewam się po tobie. Ale czekają tu jeszcze inne sprawy, które oceniam jako pilniejsze. Powiada się, że król winien doglądać najpierw własnego domostwa, potem dopiero poprawiać cudze błędy. Słuszna to zasada i na równi stosuje się do wszystkich ludzi. Dam ci teraz radę, synu Meneldura. Pomyśl o własnej osobie, o tej części swego życia, której istnienie zawsze dotąd negowałeś. Powiadam ci: jedź do domu.

Aldarion zamarł i grymas wykrzywił mu twarz.

– A nie wiesz przypadkiem, gdzie jest mój dom?

– Tam, gdzie przebywa twa żona – odparł Meneldur. – Jakkolwiek by patrzeć, złamałeś dane jej słowo. Mieszka teraz w Emerië, w swym domu z dala od morza.

– Gdyby zostawiła mi choć słowo, dokąd się udała, pojechałbym do niej wprost z przystani – powiedział Aldarion. – Ale przynajmniej nie muszę już pytać obcych ludzi o wieści. – Odwrócił się, by odejść, ale przystanął jeszcze i dodał: – Kapitan Aldarion zapomniał o czymś, co w swej samowoli uznaje za pilne. Ma list, który polecono mu doręczyć królowi w Armenelos. – Podał pismo Meneldurowi, skłonił się i opuścił komnatę. Nim minęła godzina, wziął konia i odjechał, chociaż noc zapadała. Wziął ze sobą tylko dwóch towarzyszy, członków załogi jego statku: Hendercha z Ziem Zachodnich i Ulbara z Emerië.

Galopowali bez odpoczynku, wszystkie siły wyciskając z siebie i wierzchowców. W końcu o zmierzchu następnego dnia dotarli do Emerië. Ostatnie promienie zachodu przedzierały się przez powłokę chmur i oświetlały emanujący chłodem biały dom na wzgórzu. Ledwo ujrzawszy domostwo, Aldarion zadął w róg.

Zeskakując z konia na podjeździe, zobaczył Erendis. Spowita w biel stała na szczycie schodów wiodących do drzwi skrytych za kolumnadą. Trzymała dumnie podniesioną głowę, jednak gdy podszedł bliżej, dostrzegł bladość jej oblicza i błysk smutku w oczach.

– Spóźniłeś się, mój panie – powiedziała. – Przestałam już wyglądać twojego powrotu. Obawiam się, że nie zdołam przywitać cię tak, jakbym uczyniła to, gdybyś przybył o czasie.

– Marynarze nie są wymagający – odparł Aldarion.

– To i dobrze – stwierdziła krótko, po czym obróciła się i zniknęła we wnętrzu domu. Wówczas wyszły dwie kobiety w wieku średnim i jedna mocno posunięta w latach. Gdy Aldarion ruszył do środka, usłyszał, jak ta ostatnia przemawia do jego towarzyszy:

– Nie ma tu dla was miejsca! Idźcie do zabudowań u stóp wzgórza! – Mówiła to specjalnie na tyle głośno, by jej słowa dotarły także do uszu Następcy.

– Nie, Zamîno – odparł Ulbar. – Za zgodą pana Aldariona udaję się do domu. Wszystko tam w porządku?

– Nie najgorszym – mruknęła starucha. – Twój syn obżartuch tak urósł, że pewnie go nie poznasz. Ale jedź i sam zobacz! Cieplej cię tam przyjmą niż tu twojego kapitana.

Erendis nie zasiadła wraz z Aldarionem do kolacji. Został on obsłużony w osobnym pokoju. Zanim jednak skończył jeść, stanęła w drzwiach i nie krępując się obecnością służących, powiedziała:

– Zmęczony musisz być, panie, po tak wyczerpującej podróży. Skorzystaj z pokoju gościnnego. Moje kobiety są na twe usługi. Jeśli będzie ci zimno, każ rozpalić ogień.

Aldarion nie odpowiedział. Wcześnie udał się do sypialni, czując naprawdę wielkie znużenie. Runął na łoże i rychło zapadł w głęboki sen, zapominając doszczętnie o cieniach gromadzących się w Śródziemiu i o Númenorze. O pianiu koguta obudził się jednak zły i niezadowolony. Wstał natychmiast, zastanawiając się, czy by nie opuścić po cichu tego domu. Bez trudu mógłby odnaleźć Hendercha i konie, potem pojechać do swego krewniaka Hallatana, „Owczego władcy" z Hyarastorni. Następnie wezwałby Erendis, by przywiozła córkę do Armenelos. Nie chciał bowiem toczyć boju z małżonką na jej własnym gruncie. Kiedy jednak postąpił ku drzwiom, w progu stanęła Erendis. Nie spała wcale tej nocy.

– Szybciej wyjeżdżasz, niż przybyłeś, panie – rzekła. – Mam nadzieję, że widok wyłącznie kobiecego domu nie obrzydł ci jeszcze na tyle, by ruszać w drogę, niczego nie załatwiwszy? A właśnie, jaki to interes przywiódł cię tutaj? Czy mógłbyś mi zdradzić tę tajemnicę, nim się rozstaniemy.

– Powiedziano mi w Armenelos, że moja żona zamieszkała w tym domu i że zabrała tu córkę. Żony nie znalazłem, ale chyba miałem jeszcze dziecko?

– Owszem. Kilka lat temu – stwierdziła Erendis. – Ale moja córka jeszcze śpi.

– To niech się obudzi, a ja tymczasem pójdę po konia.

Erendis wolałaby nie dopuścić do spotkania Ancalimë z ojcem, w każdym razie jeszcze nie teraz, obawiała się jednak gniewu króla, na dodatek Rada[23] już dawno okazała niezadowolenie z faktu, że dziecko wychowywane jest na wsi. Tak zatem, gdy Aldarion wrócił z Henderchem, Ancalimë stała obok Erendis na progu domu. Była równie sztywna i wyniosła jak matka i nie dygnęła nawet, gdy Aldarion zsiadł z wierzchowca i wszedł na schody.

– Kim jesteś? – spytała. – I czemu każesz budzić mnie wcześniej od pozostałych domowników?

Aldarion spojrzał na nią przenikliwie, a chociaż twarz jego zachowała surowy wyraz, to w głębi ducha uśmiechnął się, widząc, że dziecko jego raczej niż matki miało charakter, niezależnie od wszelkich starań Erendis.

– Kiedyś dobrze mnie znałaś, panno Ancalimë – powiedział. – Ale nieważne. Dzisiaj przybywam jedynie jako posłaniec z Armenelos, by przypomnieć ci, że jesteś córką Następcy Króla i wszystko wskazuje obecnie na to, że w stosownej chwili zostaniesz jego Następczynią. Nie zawsze będziesz tu mieszkała. Teraz jednak, jeśli chcesz, wracaj do łóżka, moja panno. Spieszę się, by stanąć przed królem. Żegnaj! – Ucałował dłoń Ancalimë i zszedł po schodach, potem dosiadł konia i odjechał, pomachawszy jeszcze na pożegnanie ręką.

Jedna Erendis patrzyła za oddalającym się Aldarionem i zauważyła, że podąża w stronę Hyarastorni, a nie Armenelos. Potem zapłakała, po trosze z żalu, przede wszystkim jednak ze złości. Oczekiwała pokornego powrotu małżonka, by uczyniwszy szereg gorzkich wyrzutów, móc w końcu mu wybaczyć, gdyby o to zaczął błagać. On jednak potraktował żonę niczym winowajczynię i zignorował ją w obecności córki. Zbyt późno przypomniała sobie Erendis słowa wypowiedziane niegdyś przez Núneth. Teraz Aldarion wydał jej się nieprzejednanym żywiołem, mężczyzną obdarzonym wolą tym bardziej nieugiętą, im silniejszy był jego gniew. Wstała i odeszła od okna, rozpamiętując każdą krzywdę, którą jej wyrządził.

– Twardy jest! – powiedziała. – Ale mnie równie ciężko jak stal złamać. Przekona się o tym, choćby nawet został królem Númenoru.

Aldarion pojechał do Hyarastorni, do domu swego kuzyna, Hallatana, chciał bowiem odpocząć tam nieco i pomyśleć. Gdy znalazł się już blisko, usłyszał muzykę. To pasterze cieszyli się z powrotu Ulbara, który przywiózł wiele cudownych podarunków i takichże opowieści. Przybrana w kwietne wieńce żona Ulbara tańczyła z nim przy wtórze piszczałkowego grania. W pierwszej chwili nikt nie zauważył Aldariona, on jednak tylko siedział na grzbiecie wierzchowca i przyglądał się zabawie z uśmiechem. Nagle dostrzegł go Ulbar i krzyknął:

– Kapitanie!

Îbal, jego syn, podbiegł do strzemienia Aldarionowego rumaka i zawołał z przejęciem:

– Wielki Kapitanie.

– Cóż jest? Spieszę się – rzucił Aldarion, ulegając gwałtownej zmianie nastroju. Pełen był teraz gniewu i goryczy.

– Chciałbym się tylko dowiedzieć – odezwał się chłopak – ile lat musi liczyć mężczyzna, abyś wziął go, panie, na pokład?

– Musi być zmurszały jak wzgórza i wyprany ze wszelkiej nadziei w życiu – odparł Aldarion. – Starczy też, że zapragnie w dowolnej chwili, bym go zabrał! Ale, synu Ulbara, czy twoja matka mnie nie przywita?

Gdy żona Ulbara podeszła, Aldarion ujął jej dłoń.

– Czy przyjmiesz to ode mnie? – spytał. – Niewiele to w zamian za sześć lat pracy dzielnego męża, którego ci zabrałem. – Potem ze schowanego pod tuniką mieszka wyjął kamień czerwony jak płomień, osadzony w przepasce ze złota i wcisnął dar w dłoń kobiety. – Pochodzi od króla elfów. Wszakże, gdy ów monarcha dowie się, komu przekazałem jego dar, uzna, że w godne ręce trafił ten drogocenny przedmiot.

Potem Aldarion pożegnał się ze wszystkimi i odjechał, nie zamierzając skorzystać z gościny. Gdy Hallatan usłyszał o dziwnym przybyciu i zniknięciu gościa, zdumiał się i trwał w tym stanie, aż wieści o ostatnich wydarzeniach rozeszły się po okolicy.

Ledwie oddaliwszy się od Hyarastorni, Aldarion zatrzymał konia i spojrzał na Hendercha.

– Jeśli ktoś czeka na ciebie gdzieś na Zachodzie, ruszaj nie zwlekając. Przyjmij me podziękowanie i wracaj do domu. Nie chcę już towarzystwa w dalszej drodze.

– To nie przystoi, Kapitanie – odparł Henderch.

– Możliwe, ale tak właśnie będzie. Żegnaj!

Potem odjechał samotnie do Armenelos i nigdy więcej noga jego nie postała w Emerië.

Gdy Aldarion wyszedł z komnaty, Meneldur spojrzał na otrzymany od syna list i zdumiał się, poznając, że pismo pochodzi od króla Gil-galada w Lindonie. Było zapieczętowane i opatrzone jego znakiem przedstawiającym białe gwiazdy na błękitnym okręgu[24]. Na zewnętrznej stronie złożonego arkusza widniał napis:

„Powierzon w Mithlondzie w ręce Pana Aldariona, Następcy Króla Númenórë dla samego Najwyższego Króla w Armenelos”.

Meneldur złamał pieczęć i odczytał następujący tekst:

„Ereinion Gil-galad, syn Fingona, pozdrawia Tar-Meneldura z rodu Eärendila. Niech Valarowie cię wspierają i chronią Wyspę Królów od cienia. Z dawna winien jestem Waszej Wysokości podziękowania za to, żeś tyle razy przysyłał mi syna swego, Anardila Aldariona. Mniemam, że największy to obecnie pośród ludzi przyjaciel elfów. Tym razem proszę o wybaczenie, jeśli zbyt długo zatrzymałem go na swej służbie, ale nade wszystko była nam potrzebna jego znajomość ludzi i ich języków, którymi on jeden włada. Stawił czoło wielu niebezpieczeństwom, by służyć mi radą. Sam opowie, w jakiej znalazłem się potrzebie, chociaż nie odgadnie wielkości groźby, młody jest bowiem i pełen nadziei. Treść tego listu kieruję wyłącznie do króla Númenórë. Nowy cień zasnuwa krainy Wschodu. Nie jest to tyrania powstała za sprawą złych ludzi, jak mniema twój syn, ale dzieło sługi Morgotha, budzącego znów mroczne moce. Z każdym rokiem nabiera on sił, większość ludzi bowiem dojrzała już do jego zamysłów. Obawiam się, że nieodległy jest dzień, gdy wróg stanie się zbyt potężny dla pozbawionych wsparcia Eldarów. Tak zatem, ilekroć dojrzę smukły statek ludzkich królów, widok ten raduje moje serce. Teraz zaś ośmielam się szukać u Waszej Wysokości pomocy. Jeśli tylko zbywa Ci zbrojnych, błagam o ich użyczenie. Twój syn, jeśli zechcesz go wysłuchać, zda dokładnie sprawę z naszej sytuacji. W skrócie wszelako jego rada (jak zawsze mądra) do tego się sprowadza, by w godzinie ataku, a nastąpi on na pewno, spróbować utrzymać Krainy Zachodnie, wciąż zamieszkane przez Eldarów i ludzi twej rasy, których serca jeszcze nie okryły się mrokiem. W ostateczności zaś musimy walczyć o Eriador, wzdłuż naszej głównej linii obronnej biegnącej brzegiem długich rzek na zachód od gór zwanych przez nas Hithaeglir. Jest jednak w łańcuchu tych gór wielka przerwa, rozciąga się na południu, w krainie Calenardhon, tamtędy właśnie nadejdzie niechybnie napaść ze Wschodu. Już teraz wrogowie wyraźnie kierują się ku temu miejscu, zbliżając się szlakiem wybrzeża. Trzeba obsadzić ową lukę i odeprzeć atak, o ile mamy utrzymać w naszej władzy pobliski skrawek lądu graniczącego z morzem. Pan Aldarion dostrzegał to już dawno. W Vinyalondë przy ujściu Gwathló próbował założyć przystań bezpieczną od morza i od lądowej napaści, ale wszelkie jego działania i ogrom pracy poszły na marne. Wielką jest jego wiedza o podobnych sprawach, sporo nauczył go Círdan, lepiej też, niż ktokolwiek inny, pojmuje Aldarion, jak bardzo potrzeba wam floty, nigdy jednak nie miał dość ludzi, a Círdan nie użyczył mu ni cieśli, ni murarzy, bo i jemu takowych brakuje. Król sam wszystko rozważy, a jeśli zechce wysłuchać z uwagą Pana Aldariona i wesprzeć go, o ile będzie taka możliwość, wówczas wzrośnie nadzieja dla świata. Wiedza o Pierwszej Erze zanika i chłód niepamięci ogarnia Śródziemie. Nie pozwólmy, aby pradawna przyjaźń pomiędzy Eldarami i Dúnedainami takoż zanikła. Zapamiętaj! Ciemność, która nadejdzie, żywi się nienawiścią do nas, wam jednak nie mniej jest wroga. Wielkie Morze też jej nie powstrzyma, gdy wzrosła w siłę skrzydła rozpostrze. Niech Manwë ma was w opiece z woli Jedynego i niech sprzyjającym wiatrem wypełnia wasze żagle".

Meneldur upuścił list na kolana. Zwały chmur niesione wiatrem ze Wschodu przedwcześnie pociemniły nieboskłon, a stojące obok króla smukłe świece jakby skarlały wobec inwazji mroku.

— Niechby Eru zabrał mnie, nim nadejdzie ten czas! — krzyknął głośno król, a potem mruknął do siebie: — Niestety! Jego duma i mój chłód serca sprawiły, że nie stanowimy już jedności. Wcześniej niż zamyślałem, oddam mu berło. Rozum podpowiada, by tak właśnie uczynić, przerasta mnie bowiem to wszystko. Kiedy Valarowie przekazali nam Krainę Daru, nie ustanowili nas swoimi namiestnikami, otrzymaliśmy królestwo Númenoru, a nie cały świat. To Oni nim rządzą. My zaś mieliśmy żyć tutaj bez nienawiści i wojen, zbrojnym konfliktom bowiem kres położono, wyrzucając Morgotha z Ardy. Tak zawsze sądziłem i tak mnie uczono.

Jednak jeśli mroki znów gęstnieją, to Oni muszą o tym wiedzieć, czemu zatem nie dali mi znaku? Chyba że to jest znak. Cóż zatem czynić? Nasi ojcowie nagrodzeni zostali za pomoc w pokonaniu Wielkiego Cienia. Czy ich synowie ponownie winni powstać, skoro Zło podnosi znów głowę?

Zbyt wiele wątpliwości mną targa, bym mógł dalej rządzić. Podjąć przygotowania, czy pozwolić sprawom toczyć się swoim torem? Szykować się do wojny, która wciąż niepewna? W czasach pokoju uczyć rzemieślników i rolników przelewać krew i walczyć? Dać kapitanom żelazo do ręki, aby pokochali podboje i zaczęli licytować się, kto ma więcej istnień na sumieniu? Czy powiedzą oni Eru: „Wszak byli między nimi twoi wrogowie"? Albo założyć ręce, gdy przyjaciele umierali będą w obronnym boju, pozwolić nieświadomym zagrożenia ludziom bytować w pokoju, aż łupieżcy staną u bram? Co im wówczas zostanie? Z gołymi dłońmi rzucać się na żelazo i umierać daremnie lub uciekać, krzyk kobiet słysząc za plecami. Czy rzekną wówczas Eru: „Przynajmniej nie splamiła nas cudza krew"?

Cóż warta wolna wola, gdy wszelkie wybory do złego prowadzą? Niech Valarowie rządzą, Eru mając za władcę! Ja przekażę berło Aldarionowi. Chociaż... to też oznacza wybór, wiem bowiem, jaką drogę on obierze. Chyba żeby Erendis...

Wówczas Meneldur pomyślał z niepokojem o tkwiącej w Emerië żonie syna.

— Nikła nadzieja, o ile w ogóle jeszcze takowa istnieje. Erendis nie ugnie się nawet w wielkiej potrzebie. Wystarczająco dobrze ją znam. Jeśli zechce wysłuchać dość, by cokolwiek zrozumieć, to nie sięgnie myślą poza Númenor, nie pojmie, o jak wysoką stawkę idzie. Umrze godnie w swym własnym czasie, ale w jaki sposób spożytkuje swoje życie i cóż uczyni z żywotami innych? Tego nie wiem ani ja, ani żaden z Valarów, więc czekać nam trzeba.

Aldarion wrócił do Rómenny w czwartym dniu od przybicia „Hirilondë" do przystani. Zdrożony i zakurzony udał się od razu na „Eämbar", na którego pokładzie zamierzał teraz zamieszkać. Z goryczą odkrył, że miasto huczy już od plotek. Następnego dnia zebrał ludzi i poprowadził ich do Armenelos. Tam nakazał ściąć wszystkie, prócz jednego, drzewa w ogrodzie i zabrać pnie do stoczni. Potem zrównano z ziemią dom. Gdy drwale już poszli, Aldarion spojrzał na białe drzewo elfów stojące samotnie na polu zniszczenia i po raz pierwszy dostrzegł jego piękno. Drzewo rosło powoli, po elfiemu i miało dopiero trzy i pół metra, proste przy tym było, smukłe i młode, z celującymi w niebo gałęziami, na których kwitły zimowe kwiaty. Pomyślał wówczas Aldarion o córce i powiedział, kierując swe słowa do daru elfów:

– Ciebie też nazwę Ancalimë. Niechby udało się wam dotrwać w dumnej postawie sędziwych lat swobody i oby nie przygięły was ani wichry, ani cudza wola!

Trzeciego dnia po powrocie z Emerië Aldarion udał się do króla. Tar-Meneldur siedział wciąż na tronie i czekał. Z lękiem spojrzał na syna, Aldarion bowiem zjawił się odmieniony. Twarz miał poszarzałą, zimną i jakby wrogą, niczym morze pogrążone nagle w cieniu, gdy grube chmury skryją słońce. Stojąc przed ojcem, zaczął przemowę, a ton jego głosu niósł wzgardę raczej niż gniew.

– Sam wiesz najlepiej, jaką rolę w tym wszystkim odegrałeś. Król jednak winien ważyć dobrze, ile znieść mogą jego poddani, nawet gdy rzecz tyczy Następcy. Jeśli zamierzałeś przykuć mnie do tej krainy, to źle wybrałeś więzy. Nie mam już żony, żadna miłość nie łączy mnie z Númenorem. Opuszczę tę opętaną złym czarem wyspę marzeń na jawie, zamieszkiwaną przez pełne wyniosłej buty kobiety, które pragną, by mężczyźni przed nimi się płaszczyli. Gdzie indziej wypełnię moje dni nową treścią. Popłynę tam, gdzie się mną nie pogardza, tylko wita z szacunkiem. Może jakiś inny Następca lepiej nada się na uniżonego sługę. Z całego mego dziedzictwa żądam tylko „Hirilondë" i tylu ludzi, ilu zmieści się na jego pokładzie. Córkę też bym zabrał, gdyby była starsza, ale teraz powierzam ją matce. Jeśli cenisz jeszcze cokolwiek prócz owiec, to nie ścierpisz dłużej, by dziecko wzrastało między niemymi kobietami w zimnej pysze i wzgardzie dla krewnych. Pochodzi z linii Elrosa, a twój syn nie da już żadnego więcej spadkobiercy, zamierza bowiem zająć się czymś bardziej pożytecznym.

Przez cały ten czas Meneldur trwał nieruchomo, słuchając cierpliwie ze spuszczonymi oczami. Potem westchnął i spojrzał na syna.

– Aldarionie. Król powiedziałby, że ty także okazujesz zimną butę oraz pogardę dla krewnych i sam potępiasz innych, nie wysłuchawszy ich pierwej, ale kochający ojciec owo postępowanie wybaczy. Tym tylko zawiniłem, że aż do tej chwili nie rozumiałem, do czego dążysz. Natomiast jeśli chodzi o twoje cierpienia (zbyt wiele by o nich mówić!), to jestem bez winy. Kochałem Erendis, a ponieważ podobnie skłaniały się nasze serca, uważałem, że zbyt wielkie brzemię przypadło jej dźwigać. Teraz jednak widzę cel twej wędrówki. Jeśli wszakże zdołasz wysłuchać czegokolwiek prócz pochwał, to dodam jeszcze, że moim zdaniem z początku kierowałeś się innymi pobudkami. Za przyjemnością i przygodą goniłeś. Może inaczej wszystko by się potoczyło, gdybyśmy już dawno temu pomówili otwarcie.

– Król może nad tym boleć – krzyknął Aldarion, coraz bardziej ożywiony – ale nie ta, o której wspomniałeś! Z nią bowiem rozmawiałem długo i często, ale ona pozostawała głucha. Równie dobrze mógłby młody urwis opowiadać swej niańce o łażeniu po drzewach, a opiekunka i tak będzie myślała tylko o tym, by chłopak spodni nie podarł i wrócił w porę na obiad! Kocham Erendis, inaczej nie martwiłbym się tak bardzo. Przeszłość wycisnęła piętno na mym sercu i ślad pozostanie, przyszłość zaś jest martwa. Erendis albo mnie nie kocha, albo o coś innego jeszcze tu chodzi. Miłuje samą siebie, z Númenorem jako oprawą dla jej osoby i ze mną pod postacią oswojonego ogara, który drzemał będzie przy kominku, aż jego pani zapragnie przejść się po własnych polach. Odkąd jednak wierny pies zhardział nadto, przyszła pora, by zabrać mu wszystko. Zamknęła w klatce popiskującą cicho Ancalimë. Ale dość. Czy król pozwoli mi odpłynąć? Czy chce mi coś nakazać?

– Król rozważał tę sytuację – odparł Tar-Meneldur. – Myślał o tym przez cały długi czas, jaki upłynął od twej ostatniej wizyty w Armenelos. Przeczytał list od Gil-galada, szczery i poważny w tonie. Niestety! Jego prośbom i twoim pragnieniom król Númenoru powiedzieć musi: nie. Uznaje, że zarówno podjęcie przygotowań do wojny, jak i zaniechanie tychże wiąże się z pewnymi niebezpieczeństwami, zatem stwierdza, że inaczej uczynić nie może.

Aldarion wzruszył ramionami i odstąpił krok, jakby zamierzał odejść, Meneldur skinął jednak dłonią, żądając od syna posłuchu, i kontynuował:

– Niemniej, chociaż król ten rządzi w Númenorze już od stu i czterdziestu dwóch lat, nie ma pewności, czy pojmuje całą materię dość dobrze, aby podjąć decyzję w sprawie na tyle istotnej.

Tutaj przerwał i uniósłszy do oczu trzymany w dłoni dokument, odczytał mocnym głosem:

– „Tym samym, po pierwsze dla honoru ukochanego syna, po drugie zaś dla lepszych rządów w królestwie, którego problemy tenże rozumie lepiej, król postanowił złożyć rezygnację, oddając berło synowi, aby odtąd panował jako król Tar-Aldarion".

Gdy to ogłoszę, wszyscy dowiedzą się, że nie ja będę już wytyczał drogi państwa. Wyniesiony zostaniesz ponad ludzką wzgardę i otrzymasz władzę dość potężną, by łatwiej przeboleć wszystkie straty. Skoro zaś zasiądziesz na tronie, to przystoi, byś sam odpowiedział na list Gil-galada.

Aldarion zastygł, zdumiony. Oczekiwał, że przyjdzie mu stawić czoło ojcowskiemu gniewowi, jako że świadomie go podsycił. Teraz czuł konfuzję. Nagle, niczym ktoś zwalony z nóg przez niespodziewany poryw wichru, runął na kolana przed królem. Po chwili jednak uniósł głowę i roześmiał się, jak zawsze, gdy docierała doń wieść o szlachetnym czynie, takie bowiem porywy serca cenił najwyżej.

– Ojcze – powiedział – poproś króla, by zechciał zapomnieć moje zniewagi. To wielki bowiem władca, a jego pokora wyższej jest próby niż moja duma. Nie do pomyślenia, by mądry król składał berło, jak długo ciało i umysł mu dopisują.

– Niemniej to już postanowione – stwierdził Meneldur. – Natychmiast zwołam Radę.

Gdy po siedmiu dniach Rada zebrała się w komplecie, Tar-Meneldur przedstawił im swą decyzję i oddał dokument. Nie wiedząc jeszcze, o jakich to plagach właściwie wspomniał król, wszyscy bardzo zdumieni poczęli błagać, by odwlekł odejście z urzędu, jeden tylko Hallatan z Hyarastorni postąpił inaczej. Darzył bowiem Aldariona wielkim szacunkiem, chociaż sam wiódł odmienne życie i obce mu były upodobania krewniaka. Uznał zatem, że król postąpił szlachetnie i w dobrym momencie ogłosił rezygnację, skoro już tak postanowił.

Reszta członków Rady wysuwała rozmaite argumenty przeciwko abdykacji, lecz Meneldur powiedział:

– Nie podjąłem tej decyzji bez zastanowienia. Rozważyłem już wnikliwie kwestie, teraz mądrze przez was poruszane. Chwila obecna jest najstosowniejszą i nie ścierpię żadnej zwłoki w realizacji mego zamysłu, a to z powodów, które wszyscy już chyba odgadli, chociaż nikt głośno o nich nie wspomniał. Jeśli jednak chcecie, poczekam do Erukyermë. Zachowam berło do wiosny.

Gdy dotarły do Emerië wieści o proklamowaniu królewskiego dekretu, Erendis przyjęła rzecz z przerażeniem, uznając, iż jest to znak utracenia poparcia króla, a na jego pomoc bardzo liczyła. Dostrzeżenie czegokolwiek ze spraw większych, leżących u podstaw decyzji, przekraczało jej możliwości. Niedługo potem przybył od Tar-Meneldura posłaniec z prośbą, rozkazem właściwie, chociaż uprzejmie sformułowanym, aby Erendis wróciła z Ancalimë do Armenelos i zamieszkała tam przynajmniej do koronacji nowego króla.

– Szybko uderza – pomyślała. – Powinnam to przewidzieć. Odrze mnie teraz ze wszystkiego. Ale mojej osobie rozkazywać nie będzie, nawet poprzez usta swojego ojca.

Taką ułożyła odpowiedź:

„Królu i ojcze, moja córka Ancalimë musi zaiste posłuchać twego wezwania. Błagam jednak, byś miał wzgląd na jej młode lata i dopilnował, by dano dziewczynce spokojny kąt za mieszkanie. Ja zaś błagam wybaczenia, ale dowiedziałam się, że mój dom w Armenelos został zniszczony, a niechętnie już w tym wieku korzystam z gościny, szczególnie na statku pełnym marynarzy. Pozwól mi zatem pozostać w mej samotni, chyba że nowy król postanowi zabrać mi i to domostwo".

Tar-Meneldur przeczytał list uważnie, jednak argumenty Erendis nie trafiły mu do serca. Pokazał pismo Aldarionowi, do którego zresztą było tak naprawdę adresowane. Aldarion długo wpatrywał się w te kilka zdań, a król obserwował jego twarz.

– Bez wątpienia zmartwiła cię taka odpowiedź – rzekł do syna. – Ale chyba niczego innego nie oczekiwałeś?

– A jednak liczyłem, że zdobędzie się na coś więcej. Wyraźnie skarlał w niej duch. Zaiste ciężko zawiniłem, jeśli stało się to za moją sprawą. Czyżby nawet wielkich ludzi przeciwności losu skłaniały do małości? Przecież nawet nienawiść ni pragnienie zemsty nie czynią takich spustoszeń! Powinna zażądać, by postawiono dla niej wielki dom, jako królowa upomnieć się o świtę i wrócić do Armenelos piękna i podziwiana, po monarszemu, z gwiazdą na czole. Wówczas bez trudu przeciągnęłaby na swoją stronę mieszkańców Númenoru, mnie przedstawiając jako szaleńca i gbura. Ludzie by jej uwierzyli i Valarowie mi świadkami, że pragnąłbym, aby tak właśnie się stało. Wolałbym znosić groźby i szyderstwa ze strony pięknej królowej, niż władać niepodzielnie, wiedząc, że pani Elestirnë pogrąża się coraz bardziej w mroku swego świata.

Potem roześmiał się gorzko i oddał list królowi.

– Cóż, nie zmienię tego – powiedział. – Ale jeśli napawa kogoś wstrętem wizja gościny między marynarzami na pokładzie statku, to ktoś inny może wzdragać się przed gospodarstwem pełnym owiec i kobiet. Nie pozwolę jednak na tresurę mojej córki. Niech chociaż ona ma swobodę wyboru.

Wstał i poprosił o pozwolenie odejścia.

Dalszy przebieg opowieści

Od miejsca, w którym to Aldarion odczytuje list odmawiającej powrotu do Armenelos Erendis, przebieg opowieści można jedynie fragmentarycznie odtworzyć na podstawie strzępków zapisków i marginalnych wzmianek, notatek i uwag. Nie tworzą jednak one spójnej historii, jako że pisane były w różnych czasach i często zawarte w nich informacje są ze sobą sprzeczne.

Według wszelkich znaków, kiedy w roku 883 Aldarion został królem Númenoru, bez zwłoki postanowił złożyć wizytę w Śródziemiu i tego samego roku (lub następnego) wypłynął z Mithlondu. Zapisano wówczas, że gałąź oiolairë nie zdobiła dziobu „Hirilondë", miast tego pyszniła się w tym miejscu podobizna orła ze złotym dziobem i oczami z klejnotów, dar Círdana.

Przysiadł tam, a maestria jego twórcy sprawiła, że ptak zdawał się zrywać do lotu ku jakiemuś odległemu celowi, który właśnie był dostrzegł. – Dzięki temu znakowi doprowadzeni zostaniemy do miejsca przeznaczenia – powiedział Aldarion. – O nasz powrót bowiem niech zatroszczą się Valarowie, o ile uznają, że godnie postępujemy.

Wiadomo również, że „nie pozostały już dzisiaj żadne zapiski na temat późniejszych podróży Aldariona", niemniej „pewnym jest, iż równie wiele wędrował lądem, jak morzem. Dotarł rzeką Gwathló aż do Tharbadu, gdzie spotkał Galadrielę". Nigdzie więcej nie wspomina się o tym spotkaniu, w owym czasie jednak Galadriela i Celeborn mieszkali w Eregionie, czyli niezbyt daleko od Tharbadu.

Wszelkie jednak dzieła Aldariona obróciły się wniwecz. Wznowione przez niego prace w Vinyalondë nie zostały ukończone, a morze dopełniło dzieła zniszczenia[25]. Niemniej położył on podwaliny pod o wiele późniejsze dokonania Tar-Minastira podczas pierwszej wojny z Sauronem. Gdyby nie dalekowzroczne dzieło Aldariona, flota Númenoru nigdy nie dotarłaby we właściwym czasie na miejsce. Wrogość narastała już i mroczne ludy z gór wdzierały się do Enedwaith. W dniach Aldariona wszelako Númenorejczycy nie pragnęli jeszcze nowych ziem, a Podróżnicy pozostawali nieliczną grupą, otoczoną podziwem, lecz rzadko uznawaną za wzór do naśladowania.

Nie wiadomo nic o dalszych losach sojuszu z Gil-galadem ni o ewentualnym wsparciu wysłanym w odpowiedzi na list do Tar-Meneldura, powiada się wszakże, iż:

Aldarion pojawił się za późno i za wcześnie zarazem. Za późno, nie cierpiąca bowiem Númenoru moc już się przebudziła, za wcześnie zaś, gdyż nie nadszedł jeszcze czas, by Númenor okazał całą swą potęgę, włączając się do bitwy o przyszłość świata.

W Númenorze zawrzało, gdy w roku 883 lub 884 Aldarion zdecydował się wybrać do Śródziemia. Nigdy jeszcze dotąd żaden król nie opuszczał wyspy i Rada nie wiedziała, co czynić. Wydaje się, że zaproponowano wówczas namiestnikostwo Meneldurowi, a gdy ten odmówił, za zgodą Rady jak i Tar-Aldariona regentem został Hallatan z Hyarastorni.

O latach młodości Ancalimë trudno orzec coś pewnego. Nie ulega wszakże wątpliwości fakt, iż charakter miała nieco rozchwiany i że matka wywarła na nią znaczny wpływ. Ancalimë była bardziej naturalna w zachowaniu niż Erendis i uwielbiała przepych, klejnoty, muzykę, a także podziw oraz szacunek ze strony innych, nie zatracała się jednak w zabawie. Wyprawy do białego domu matki w Emerië traktowała jako wymówkę, by zmieniać czasem tryb życia. Wykazywała zrozumienie zarówno dla sposobu potraktowania przez Erendis Aldariona po spóźnionym powrocie, jak i dla gniewu ojca oraz jego braku skruchy. Znajdowała też usprawiedliwienie dla wymazania żony z serca i z myśli. Nie kryła przy tym niechęci do instytucji małżeństwa czy jakiegokolwiek, przez tego typu związek narzucanego, ograniczenia wolnej woli. Erendis wciąż trwała przy swoim osądzie mężczyzn. Zachował się wymowny fragment nauk, które Erendis udzielała córce w tej materii:

Mężczyźni w Númenorze są jak półelfy [stwierdziła Erendis], szczególnie ci wysoko urodzeni, nie należą bowiem ani do jednych, ani do drugich. Wizja długiego życia działa na nich zwodniczo, marnotrawią zatem czas, wciąż dziećmi w głębi duszy będąc, aż starczy wiek ich dopada, a i wówczas wielu zamienia jedynie hulanki na świeżym powietrzu w igrce pośród czterech ścian domu. Zabawy te traktują bardzo serio, lekceważą zaś rzeczy istotne. Chcieliby być jednocześnie rzemieślnikami, mędrcami i herosami. Kobiety postrzegane są przez nich jeno jako ogień w palenisku, niech ktoś inny go dogląda, póki wieczorem nie zmęczą ich igraszki. Wszystko na świecie widzą dla siebie stworzonym: góry zmieniają w kamieniołomy, rzeki w źródło wody lub moc poruszającą koła, drzewa w deski, niewiasty uznając za dodatek do własnych ciał, a te piękniejsze służą do ozdoby stołu i domu. Dzieci są po to, by im dokuczać, gdy nic innego już nie ma do roboty, wszelako niewielką różnicę czynią mężczyźni między własnymi malcami a szczeniętami ogarów. Dla otoczenia mili i serdeczni, radośni niczym skowronki o poranku (o ile słońce świeci), zawsze bowiem starają się nie dopuszczać do siebie złości. Mówi się, że mężczyźni winni być weseli, szczodrzy jak bogacze i rozdawać wszystko, co im niepotrzebne. Gniew okazują wówczas tylko, gdy dotrze do nich niespodzianym objawieniem, iż nie tylko ich wola liczy się w świecie. Okazują się równie bezlitośni jak wicher od morza, jeśli ktoś im się przeciwstawi.

Tak już jest, Ancalimë, i nie zmienimy tego. Númenor urządzony został przez mężczyzn, tych dawnych bohaterów, o których śpiewają. Rzadziej słyszymy cokolwiek więcej o ich kobietach prócz wieści, że płakały rzewnymi łzami, gdy zabijano im mężów. Númenor miał być miejscem wytchnienia po zakończonej walce. Gdy jednak zmęczą się odpoczywaniem i znużą rozrywkami, wrócą rychło do swej najwspanialszej zabawy: zabijania i wojny. Tak już jest, a nam wyznaczono miejsce między mężczyznami. Nie musimy jednak zgadzać się na to wszystko w milczeniu. Jeśli też kochamy Númenor, to winnyśmy nacieszyć się nim, póki jeszcze oni nie zniszczyli całej wyspy. Są wśród nas godne córy, mamy też dość silnej woli i odwagi. Nie poddawaj się zatem, Ancalimë. Jeśli raz ugniesz się trochę, wówczas nie dadzą ci spokoju, aż zostawią do ziemi przygarbioną. Zapuść korzenie w skałę, twarz wystaw na wiatr, nawet jeśli porwie on wszystkie liście.

Co więcej, Erendis przyzwyczaiła Ancalimë do towarzystwa kobiet. Zimny chów pośród ciszy i monotonii Emeriё zostawił swój ślad. Chłopcy, tacy jak Îbal, byli tylko krzykliwymi istotami. Mężczyźni dosiadali koni, dęli w rogi o dziwnych porach, posilali się, mlaszcząc głośno. Płodzili dzieci, potem zostawiali je pod opieką kobiet, ledwie tylko coś innego ich zaabsorbowało. Chociaż porody w Númenorze przebiegały zwykle w miarę łagodnie i zdrowo się kończyły, to jednak wyspa ta nie była rajem na ziemi. Znano tu zmęczenie ciężką pracą i wszelkimi życiowymi trudami.

Podobnie jak ojciec, Ancalimë cechowała się wytrwałością w dążeniu do celu i uporem. Postępowała też zawsze odwrotnie, niż jej radzono. Emanowała odrobiną tego samego chłodu co matka. Dawał się w niej zauważyć ślad cierpiętnictwa, w głębi serca bowiem tkwiło nikłe wspomnienie tej chwili, gdy Aldarion zdecydowanie odczepił dłoń córki od swego ubrania i odstawił dziecko na ziemię, by zaraz potem oddalić się pospiesznie. Ancalimë kochała doliny otaczające dom w Emeriё i twierdziła, że nie może zasnąć spokojnie, nie słysząc w pobliżu beczenia owiec. Nie odmówiła jednak godności Następczyni i postanowiła, że gdy nadejdzie jej dzień, zostanie królową i zamieszka w dowolnie wybranym przez siebie miejscu.

Wydaje się, że w ciągu osiemnastu lat panowania, Aldarion często opuszczał Númenor. Ancalimë zaś spędzała ten czas zarówno w Emeriё, jak i w Armenelos, królowa Almarian bowiem ukochała ją sobie i pobłażała dziewczynie, podobnie jak Aldarionowi w okresie jego młodości. W Armenelos szanowali dziewczynę wszyscy, nie tylko Aldarion, i chociaż z początku źle znosiła oderwanie od szerokich przestrzeni wokół białego domu, to stopniowo zwalczyła nieśmiałość i zaczęła zauważać, jakim okiem mężczyźni patrzą na jej rozkwitłą już w pełni urodę. W miarę upływu lat stawała się coraz bardziej samodzielna i drażnić zaczęło ją towarzystwo Erendis, która zachowywała się niczym wdowa, nie chcąc być królową. Wciąż jednak córka zaglądała do matki po to, by odpocząć od Armenelos, a także dlatego, by dokuczyć Aldarionowi. Była bystra, złośliwa i nader cieszyła się, że matka i ojciec walczą o jej względy.

W roku 892, gdy Ancalimë miała dziewiętnaście lat, ogłoszono ją Następczynią króla (znacznie wcześniej, niż przewidywał zwyczaj), a Tar-Aldarion zmienił wówczas obowiązujące w Númenorze prawo sukcesji. Podkreśla się, że Tar-Aldarion uczynił to bardziej „ze względów osobistych niż dla dobra państwa", i że stało za tym „z dawna żywione pragnienie pokonania Erendis". Na czym owa zmiana polegała, dowiadujemy się z Dodatku A do *Władcy Pierścieni*: „Szósty król zostawił tylko jednego potomka – córkę. Została ona pierwszą królową Númenoru, stało się bowiem prawem domu panującego, że najstarszy potomek króla, syn czy córka, otrzymywał berło królestwa".

W innych miejscach ustalenia te sformułowano w sposób odmienny. Najpełniejsza i najbardziej przejrzysta wersja powiada, że tak zwane „nowe prawo" nie było w gruncie rzeczy „prawem", ale dawnym zwyczajem, tyle tylko, że dotąd okoliczności nie wymagały jego zastosowania. Zgodnie z ową tradycją, berło dziedziczył najstarszy syn króla. Przyjmowano, że jeśli władca nie miał potomka płci męskiej, wówczas Następcą winien

zostać najbliżej spokrewniony z królem młodzieniec z męskiej linii dziedziców Elrosa Tar-
-Minyatura. Zatem, gdyby Tar-Meneldur nie doczekał się syna, Następcą zostałby nie jego
siostrzeniec, Valandil (zrodzony z Silmariën), ale kuzyn, Malantur (wnuk młodszego brata
Tar-Elendila, Eärendura). Jednak według „nowego prawa" berło dziedziczyła (najstarsza)
córka panującego, o ile nie miał on syna (co pozostaje w sprzeczności z wykładem po-
czynionym we *Władcy Pierścieni*). Zgodnie z opinią Rady dodano jeszcze, że Następczyni
może odmówić przyjęcia tego honoru[26].

W takim wypadku, zgodnie z „nowym prawem", berło należało przekazać najbliższe-
mu męskiemu potomkowi rodu królewskiego, niezależnie od tego, czy pochodził z męskiej czy z żeńskiej linii. Gdyby więc Ancalimë zrzekła się tronu, następcą zostałby Soronto, syn siostry Tar-Aldariona, Ailinel, on też byłby sukcesorem, gdyby Ancalimë zechciała
w pewnym momencie oddać władzę lub umarłaby bezdzietnie.

Rada postanowiła także, że Następczyni musi złożyć rezygnację, jeżeli nie wyjdzie za
mąż przed upływem określonego czasu, Tar-Aldarion zaś uzupełnił ów przepis, że Następcy (czy Następczyni) nie wolno poślubić nikogo spoza rodu Elrosa, a jeśli to uczyni, traci
wówczas prawo do dziedziczenia władzy. Powiadano, iż to ostatnie obostrzenie wzięło
się z rozmyślań Aldariona nad jego nieudanym małżeństwem z Erendis. Ona bowiem nie
pochodziła z rodu Elrosa, krótszym była obdarzona żywotem i Aldarion mniemał, że to
właśnie legło u podstaw wszelkich kłopotów.

Bez wątpienia przepisy „nowego prawa" zostały tak szczegółowo spisane, gdyż miały wy-
wrzeć wpływ na rządy późniejszych panujących, o czym jednak niewiele da się powiedzieć.

Nieco później Tar-Aldarion uchylił zasadę dotyczącą zamążpójścia lub abdykacji królowej (a z pewnością wiązało się to z niechęcią Ancalimë do obu tych rozwiązań), jednak
zakaz zawarcia związku z partnerem spoza rodu Elrosa pozostał w mocy[27].

Niezależnie od rozporządzeń wkrótce zaczęli się pojawiać w Emerië kandydaci do
ręki Ancalimë, skuszeni nie tylko pozycją dziewczyny, ale także pogłoskami o jej urodzie
oraz o dziwnym wychowaniu, które odebrała ta pełna rezerwy i pogardy dla innych kobieta. W owym czasie zaczęto zwać ją Emerwena Aranel, Księżniczką Pasterek. By uciec
przed ludzką natarczywością, Ancalimë poszukała (z pomocą starej Zamîn) schronienia
w gospodarstwie na granicy ziem Hallatana z Hyarastorni, gdzie wiodła przez czas jakiś
życie pasterki. Skąpe zapiski różnią się co do tego, jak jej rodzice przyjęli ów stan rzeczy.
Według jednych źródeł Erendis znała miejsce ukrycia Ancalimë i uznawała ucieczkę córki
za w pełni zasadną, Aldarion zaś powstrzymał Radę przed podjęciem poszukiwań, ponieważ popierał daleko idącą niezależność dziewczyny. Według innych notatek, Erendis
poczuła się zbulwersowana uczynkiem Ancalimë, król zaś wpadł w gniew. Erendis próbowała przy tej okazji znaleźć z mężem wspólny język, przynajmniej w sprawach tyczących
Ancalimë. Na Aldarionie starania te nie wywarły żadnego wrażenia i stwierdził tylko, że
król nie ma żony, a jedynie córkę będącą jednocześnie jego Następczynią. Nie dawał też
wiary w zapewnienia Erendis, iż nie wie ona, gdzie skryła się Ancalimë.

Pewnym jest tylko, że Ancalimë nawiązała wtedy znajomość z pasterzem, który strzegł stad w tej samej okolicy i przedstawił się jako Mámandil. Nieprzywykła do takiego towarzystwa Ancalimë z wielką przyjemnością słuchała jego śpiewu. Chłopak biegły był w tej sztuce, a intonował pieśni pochodzące jeszcze z dawnych dni, kiedy to Edainowie wypasali swoje trzody w Eriadorze, nie znając jeszcze Eldarów. Młodzi spotykali się coraz częściej na pastwiskach, a on zmieniał słowa pieśni, podstawiając imiona Emerweny i Mámandila w miejsce imion niegdysiejszych kochanków, ale Ancalimë udawała, że nijak tych aluzji nie pojmuje. W końcu otwarcie wyznał dziewczynie miłość, ona zaś z miejsca zwiększyła dystans i powiedziała, że inne jest jej przeznaczenie, została bowiem Następczynią Króla. Mámandila wszakże to nie zraziło, wyjawił tylko swe prawdziwe imię, a był ów pasterz Hallacarem, synem Hallatana z Hyarastorni, spadkobiercy rodu Elrosa Tar-Minyatura.

— A niby jak inaczej zalotnik miałby cię tu znaleźć? – spytał.

Ancalimë wpadła w gniew, ponieważ poczuła się oszukana przez kogoś, kto od początku znał jej tożsamość, on wtedy odparł:

— Rzeczywiście, umyśliłem sobie, by podejść w ten sposób panią, na tyle niezwykłą, że z czystej ciekawości bardzo chciałem ją ujrzeć. Potem jednak pokochałem Emerwenę i przestało mnie obchodzić, kim ona jest. Nie pociągają mnie zaszczyty, wolałbym zwykłą Emerwenę bez królewskich tytułów. Cieszę się zaś z faktu, że też pochodzę z linii Elrosa, bo w przeciwnym razie nie moglibyśmy się pobrać.

— Małżeństwo w ogóle mnie nie pociąga – odparła Ancalimë. – Gdybym zrezygnowała z dziedzictwa na rzecz wolności, wówczas według własnego uznania, wybrałabym za męża Únera (czyli „Żadnego z mężczyzn"), jego bowiem przedkładam nad wszystkich innych.

Ostatecznie jednak Ancalimë wyszła za Hallacara. Według jednej wersji nastąpiło to w wyniku nalegań zalotnika niezrażonego odmową, jak i nacisków Rady, aby królowa wybrała sobie wreszcie męża i spokój zapanował w państwie, przez co wesele odbyło się niewiele lat po spotkaniu obojga pośród rogacizny w Emerië. Gdzie indziej jednak powiada się, że Ancalimë pozostawała panną dopóty, dopóki jej kuzyn Soronto, opierając się na nowym prawie, nie wezwał jej do abdykacji ze stanowiska Następczyni. Poślubiła zatem Hallacara na złość kuzynowi. Jeszcze inna krótka wzmianka sugeruje, iż wyszła za mąż już po tym, jak Aldarion uchylił warunek konieczności zawarcia związku, a uczynić to miała dla ukrócenia królewskich nadziei Soronta, gdyby umarła bezdzietnie.

Jakkolwiek było, przekazy jednoznacznie dowodzą, że Ancalimë nie szukała miłości i wcale nie pragnęła zrodzić syna, powiedziała bowiem:

— Czy mam, jak królowa Almarian, jedynie rozpieszczać go bezgranicznie?

Pożycie Ancalimë z Hallacarem nie toczyło się szczęśliwie, a próba odizolowania od ojca syna ich, Anáriona, spowodowała otwarty konflikt między małżonkami. Ancalimë pragnęła podporządkować sobie Hallacara. Twierdząc, że jest właścicielką jego ziem, zakazała mu na nich zamieszkiwać, nie chciała bowiem, jak się wyraziła, mieć chłopa za męża.

Z tego właśnie okresu pochodzą ostatnie zapiski streszczające owe niepomyślne wieści. Ancalimë nie pozwalała żadnej ze swoich służek i dam do towarzystwa na zamążpójście i większość kobiet lęk przed gniewem pani skłaniał do posłuszeństwa, mimo iż miały one w różnych stronach narzeczonych, których pragnęły poślubić. Przeto Hallacar w tajemnicy zorganizował im wesela, wszem i wobec stwierdzając, że pragnie wydać jeszcze ostatnią ucztę w swym domu, nim go opuści. Zaprosił też Ancalimë, mówiąc, że należące do rodziny domostwo należy dwornie pożegnać.

Ancalimë przybyła z całą swą kobiecą świtą, ponieważ nie chciała, by mężczyźni usługiwali jej przy stole. Budynek ujrzała jasno oświetlony i przygotowany jak do wielkiej biesiady, domownicy zaś czekali przystrojeni w girlandy kwiatów, niczym na wesele, a każdy trzymał jeszcze drugą girlandę dla swej oblubienicy.

– Chodźcie! – zawołał Hallacar. – Wszystko już przyszykowane, nawet sypialnie dla nowożeńców. Skoro jednak nie możemy zaproponować pani Ancalimë, Następczyni króla, by zległa z chłopem, to niestety! Ona spędzi tę noc sama.

Ancalimë została z konieczności, za późno było bowiem, by odjechać, nie dałoby się też uczynić tego chyłkiem. Nikt, ani mężczyźni, ani kobiety, nie ukrywał radości, Ancalimë jednak nie przyszła na ucztę, leżała tylko na łożu, słuchając dobiegających z dali śmiechów, gotowa przysiąc, że to ona jest obiektem żartów. Następnego dnia opuściła dom wściekła, a Hallacar wysłał jeszcze za nią trzech ludzi w charakterze eskorty. Tak oto dokonał zemsty, Ancalimë bowiem nigdy więcej nie zajrzała już do Emerië, bojąc się, że nawet owce zaczną z niej szydzić. Wszelako nienawiść Następczyni ścigała Hallacara przez długie lata.

O późniejszych latach życia Tar-Aldariona powiedzieć można tyle tylko, że nadal zapewne wyprawiał się do Śródziemia i niejednokrotnie zostawiał przy tym Ancalimë jako regentkę. Ostatnia jego podróż odbyła się około końca pierwszego tysiąclecia Drugiej Ery, a w roku 1075 Ancalimë wstąpiła na tron jako pierwsza królowa Númenoru. Mówi się, że po śmierci Tar-Aldariona w 1098 roku Tar-Ancalimë całkowicie zmieniła politykę i Númenor przestał wspierać Gil-galada. Jej syn, Anárion, który został później ósmym władcą Númenoru, miał najpierw dwie córki. Nie lubiły one królowej, wręcz obawiały się jego matki i obie odmówiły godności Następczyni, pozostając niezamężnymi, jako że królowa z zemsty nie dozwoliła im zawrzeć związków małżeńskich[28]. Ostatni urodził się jedyny syn Anáriona, Súrion, i on odziedziczył berło.

O Erendis powiadają, że gdy zestarzała się, porzucona przez Ancalimë i zgorzkniała w samotności, raz jeszcze zatęskniła za Aldarionem. Dowiedziawszy się, iż opuścił on Númenor udając się w swoją pewnie już ostatnią podróż, i rychło należy oczekiwać jego powrotu, opuściła w końcu Emerië i w tajemnicy, incognito, udała się do przystani Rómenny. Tam zapewne dopełnił się jej los, ale tylko krótka notatka „woda zabrała Erendis w 985 roku" sugeruje, jak zakończyła żywot.

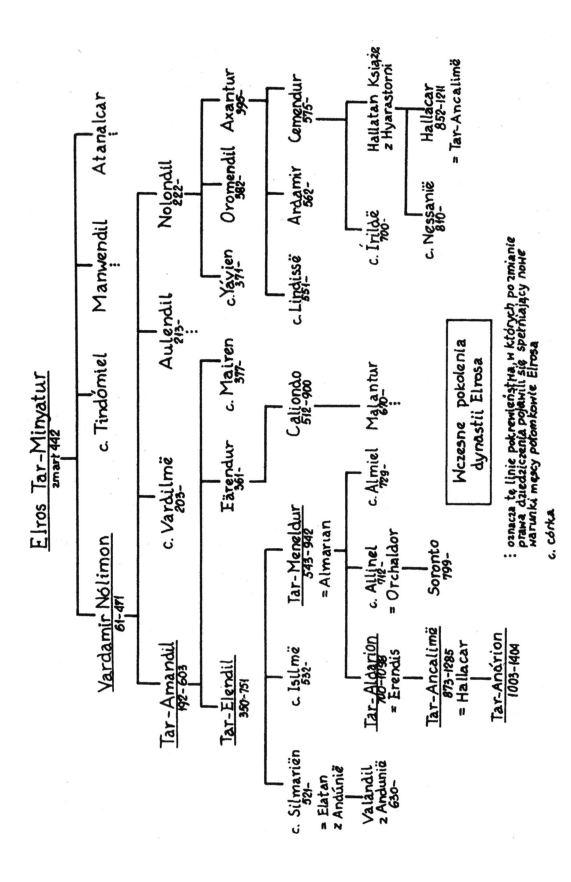

Wczesne pokolenia
dynastii Elrosa

Elros Tar-Minyatur
zmarł 442

Vardamir Nólimon
61-471

Atanalcar

Manwendil
:

c. Tindómiel

Tar-Amandil
442-603

c. Vardilmë
203-

Aulendil
213- :

Nolondil
222-

Axantur
395-

Oromendil
382-

Cemendur
575-

Hallatan Książę
z Hyarastorni

Hallacar
852-1211
= Tar-Ancalimë

c. Yávien
374-

Ardamir
562-

c. Lindissë
551-

c. Írildë
700-

c. Nessanië
840-

Tar-Elendil
350-751

Eärendur
361-

c. Mairen
377-

Caliondo
512-900

Malantur
670- :

c. Silmariën
521-
= Elatan
z Andúnië

Valandil
z Andúnië
630-

c. Istilmë
532-

Tar-Meneldur
543-942

c. Almiel
729-

c. Ailinel
712-
= Orchaldor

Soronto
799-

Tar-Aldarion
700-1098
= Erendis

Tar-Ancalimë
873-1285
= Hallacar

Tar-Anárion
1003-1404
= Almarian

: oznacza te linie pokrewieństwa, w których po zmianie
prawa dziedziczenia pojawili się spełniający nowe
warunki męscy potomkowie Elrosa

c. córka

Rozdział III

Dynastia Elrosa:
królowie Númenoru od założenia
miasta Armenelos do Upadku

Uznaje się, że królestwo Númenoru zostało założone w trzydziestym drugim roku Drugiej Ery, kiedy to Elros, syn Eärendila, zasiadł w wieku lat dziewięćdziesięciu na tronie w Armenelos. W *Zwojach Królewskich* pojawia się jako Tar-Minyatur, ponieważ zgodnie ze zwyczajem królowie przybierali imiona pochodzące z quenejskiego lub mowy Elfów Wysokiego Rodu, najszlachetniejszego języka świata. Postępowali tak wszyscy, aż do dni Ar-Adûnakhôra (Tar-Herunúmena). Elros Tar-Minyatur władał Númenorejczykami przez czterysta dziesięć lat, dane było bowiem mieszkańcom wyspy długie życie, przy czym starzeli się po trzykroć później, niż ludzie w Śródziemiu. Jednak syn Eärendila obdarzony został żywotem dłuższym niż jakikolwiek człowiek. Jego potomkowie zaś, chociaż już nie tak długowieczni, też wyróżniali się pod tym względem nawet między Númenorejczykami. Dopiero wraz z nadejściem Cienia kurczyć zaczęły się lata życia Númenorejczyków[1].

I Elros Tar-Minyatur

Urodził się pięćdziesiąt osiem lat przed Drugą Erą i pozostawał sprawny na ciele i umyśle aż do wieku lat pięciuset, po czym odszedł na zawsze w roku 442, rządząc przez 410 lat.

II Vardamir Nólimon

Urodził się w 61 roku Drugiej Ery i zmarł w roku 471. Zwano go Nólimonem, jako że miłował się w starodawnych mądrościach, które zdobywał od elfów i ludzi. Po ustąpieniu Elrosa, mając 381 lat, nie zasiadł na tronie, tylko przekazał berło synowi. Niemniej liczy się go jako drugiego spośród królów, według przekazów bowiem władał przez rok[2]. Stało się potem zwyczajem, że król winien przekazać przed śmiercią berło swemu następcy, by samemu umrzeć w wybranej przez się chwili, mając jeszcze jasny umysł.

III Tar-Amandil

Był synem Varamira Nólimona i urodził się w 192 roku. Rządził przez 148 lat[3]. Zrezygnował z berła w 590 roku, a umarł trzynaście lat później.

IV Tar-Elendil

Był synem Tar-Amandila, urodził się w 350 roku. Rządził przez lat 150. Berło przekazał w roku 740, umarł w 751. Nazywano go też Parmaitë, jako że własnoręcznie spisał wiele ksiąg i legend, korzystając z mądrości zebranych przez dziadka. Ożenił się późno, a jego najstarszym dzieckiem była córka, Silmariën, urodzona w roku 521[4]. Jej syn zaś, Valandil, dał początek rodowi książęcemu Andúnië. Ostatnim z książąt był Amandil, ojciec Elendila Smukłego, który przybył po Upadku do Śródziemia. Za rządów Tar-Elendila po raz pierwszy statki Númenorejczyków przybiły do brzegów Śródziemia.

V Tar-Meneldur

Był trzecim dzieckiem (i jedynym synem) Tar-Elendila, urodził się w roku 543, rządził 143 lata, ustąpił w roku 883, zmarł w 942. Naprawdę na imię miał Írimon, jednak przez miłość do wiedzy o gwiazdach przybrał miano Meneldura. Poślubił Almarian, córkę Vëantura, Kapitana Statków za czasów Tar-Elendila. Cechowała go mądrość, cierpliwość i łagodność. Abdykował na rzecz syna, a uczynił to niespodzianie i przed czasem. Posunięcie to miało charakter czysto polityczny, stanowiło reakcję na niepokój wyrażony przez Gil-galada z Lindonu, kiedy tenże dostrzegł powstające w Śródziemiu niebezpieczeństwo odrodzenia się złego ducha wrogiego Eldarom i Dúnedainom.

VI Tar-Aldarion

Był najstarszym dzieckiem i jedynym synem Tar-Meneldura, urodził się w roku 700. Rządził przez 192 lata i abdykował na rzecz swojej córki w 1075 roku, zmarł w 1098. Właściwe jego imię brzmiało Anardil, wcześnie jednak zasłynął jako Aldarion, wiele uwagi bowiem poświęcał drzewom, sadząc wielkie lasy dla potrzeb wykorzystujących drewno stoczni. Był wielkim marynarzem i budowniczym statków, sam żeglował często do Śródziemia, a Gil-galad uznał go za przyjaciela i doradcę. Długie wyprawy do obcych krajów wywołały złość jego małżonki Erendis, przez co w 882 roku doszło między nimi do separacji. Mieli tylko jedno dziecko, piękną córkę imieniem Ancalimë. Dla niej to Aldarion zmienił prawo sukcesji, tak by córka (najstarsza) mogła dziedziczyć władzę, o ile monarcha nie miał synów. Modyfikacja spotkała się z niechętnym przyjęciem ze strony potomków Elrosa, szczególnie że według dotychczasowych praw na tronie miał zasiąść Soronto, krewniak Aldariona, syn jego starszej siostry Ailinel[5].

VII Tar-Ancalimë

Była jedynym dzieckiem Tar-Aldariona i pierwszą panującą (nie tytularną) królową Númenoru. Urodziła się w 873 roku, rządziła 205 lat, dłużej niż ktokolwiek po Elrosie, abdykowała w roku 1280, zmarła pięć lat później. Długo obywała się bez męża, kiedy jednak Soronto zaczął wywierać presję, by zrezygnowała z godności, wówczas jemu na złość wyszła w roku 1000 za mąż za Hallacara, syna Hallatana, potomka Vardamira[6]. Po urodzeniu syna Anáriona doszło do otwartego konfliktu między małżonkami, a to za sprawą dumy i przekornego uporu królowej. Po śmierci Aldariona zmieniła politykę Númenoru, odmawiając Gil-galadowi dalszego wsparcia.

VIII Tar-Anárion

Był synem Tar-Ancalimë, urodził się w 1003 roku. Rządził przez 114 lat, abdykował w roku 1394, zmarł w 1404.

IX Tar-Súrion

Był trzecim dzieckiem Tar-Anáriona. Obie jego siostry odmówiły przyjęcia berła[7]. Urodził się w 1174 roku, rządził przez 162 lata, abdykował w roku 1556, zmarł w 1574.

X Tar-Telperien

Wstąpiła na tron jako druga królowa Númenoru. Żyła długo (jako że númenorejskie kobiety były bardziej długowieczne niż mężczyźni, czy też raczej, trudniej przychodziło im rozstać się z życiem) i nie wyszła za mąż. Tak zatem po jej śmierci berło przeszło na Minastira, syna Isilmo, drugie dziecko Tar-Súriona[8]. Tar-Telperien urodziła się w 1320 roku, rządziła 175 lat, do 1731 roku, kiedy też zmarła[9].

XI Tar-Minastir

Takie zyskał miano, gdyż wzniósł wieżę na wzgórzu Oromet blisko Andúnië na zachodnim wybrzeżu, gdzie spędzał wiele czasu, wpatrując się w zachodni horyzont. W owych czasach coraz większa tęsknota narastała w sercach Númeno-rejczyków. Tar-Minastir kochał Eldarów i zazdrościł im jednocześnie. To on wysłał flotę na pomoc Gil-galadowi podczas pierwszej wojny z Sauronem. Urodził się w 1474 roku, władał przez 138 lat, abdykował w roku 1869, a zmarł w 1873.

XII Tar-Ciryatan

Urodził się w 1634 roku, rządził 160 lat, złożył berło w roku 2029, zmarł sześć lat później. Był potężnym królem, chciwym jednak bogactw. Stworzył własną, wiel-ką flotę, a jego poddani uciskali mieszkańców Śródziemia, skąd zwozili na wyspę ogromne ilości metali i kamieni szlachetnych. Tar-Ciryatan pogardzał tęsknotami ojca i by ukoić niepokój własnego serca, podróżował sporo na wschód, północ i po-łudnie, przynajmniej do chwili przejęcia berła. Miał przymusić ojca do wcześniejsze-go niż planowano przekazania władzy synowi. W tym właśnie (jak powiadają) po raz pierwszy objawił się wpływ Cienia padającego na chwałę Númenoru.

XIII Tar-Atanamir Wielki

Urodził się w 1800 roku, rządził 192 lata, do 2221 roku, w którym też nastą-piła jego śmierć. Wiele miejsca poświęcono temu władcy w annałach (szczęśliwie przetrwały one Upadek). Był bowiem jak ojciec dumny i chciwy, a służący mu Númenorejczycy bezlitośnie zdzierali haracz z ludzi zamieszkałych na wybrzeżu Śródziemia. Za jego czasów Cień padł na Númenor. Król wraz ze swymi poplecz-nikami otwarcie opowiedział się przeciwko Zakazowi Valarów, odwracając serce zarówno od nich, jak i od Eldarów, jednak zachował dawną wiedzę i bał się wciąż Władców Zachodu, nie występując przeciwko nim otwarcie. Atanamira często zwano także Niechętnym, był bowiem pierwszym królem Númenoru, który nie chciał odejść dobrowolnie ni przekazać berła. Żył tak długo, póki śmierć nie zabra-ła go, gdy był już w starczym zdziecinnieniu[10].

XIV Tar-Ancalimon

Urodził się w 1986 roku, rządził 156 lat, aż do śmierci w roku 2386. Za jego czasów pogłębiła się przepaść dzieląca zwolenników króla od tych ludzi, którzy kul-tywowali pradawną przyjaźń z Eldarami. Wielu podwładnych zarzuciło wówczas mowę elfów, przestając wpajać ją potomstwu. Jednak tytuły królewskie wciąż nada-wano w języku quenejskim, co wynikało raczej z tradycji, niż z przywiązania do El-darów. Obawiano się również, że naruszenie zwyczaju może przynieść nieszczęście.

XV Tar-Telemmaitë

Urodził się w 2136 roku, rządził 140 lat, aż do śmierci w roku 2526. Odtąd królowie Númenoru władali oficjalnie od odejścia ojca aż po kres swoich dni, chociaż rzeczywista władza zwykle już wcześniej przechodziła w ręce synów lub kanclerzy. Lata życia potomków Elrosa kurczyły się pod wpływem Cienia. Imię Tar-Telemmaitë zawdzięczał umiłowaniu srebra, swoim sługom nakazywał nieustannie poszukiwać mithrilu.

XVI Tar-Vanimeldë

Była trzecią panującą królową. Urodziła się w 2277 roku i rządziła 111 lat, do śmierci w roku 2637. Mało uwagi poświęcała obowiązkom monarszym, wyżej ceniąc sobie muzykę i tańce, władaniem zajmował się raczej jej mąż, Herukalmo, młodszy wprawdzie od niej, ale na równi spokrewniony z Tar-Atanamirem. Herukalmo przejął berło po śmierci żony i obwołał się Tar-Andukalem, nie dopuszczając do tronu swego syna Alcarina. Wszelako niektórzy nie uznają go za siedemnastego króla Númenoru, przyznając ten tytuł Alcarinowi. Tar-Andukal urodził się w roku 2286, zmarł w 2567.

XVII Tar-Alcarin

Urodził się w 2406 roku, rządził 80 lat, do śmierci w roku 2737, chociaż prawowicie winien być królem przez lat sto.

XVIII Tar-Calmacil

Urodził się w roku 2516, panował 88 lat, aż zmarł w roku 2825. W młodości będąc Wielkim Kapitanem, zdobył dla Númenoru znaczną część wybrzeży Śródziemia. Wzbudził tym nienawiść Saurona, który wszelako wycofał się, by budować swą potęgę na Wschodzie i czekać stosownego czasu. W dniach Tar-Calmacila po raz pierwszy zaczęto używać adûnaickiej formy imienia królewskiego, tak i przez swoich zwany był Ar-Belzagar.

XIX Tar-Ardamin

Urodził się w 2618 roku, rządził 74 lata do śmierci w roku 2899. W języku adûnaickim imię jego brzmiało Ar-Abattârik[11].

XX Ar-Adûnakhôr (Tar-Herunúmen)

Urodził się w 2709 roku, władał 63 lata, aż umarł w roku 2962. Był pierwszym królem Númenoru, który objął tron pod imieniem w języku adûnaickim, chociaż wspomniane już uprzednio lęki sprawiły, że imię jego zapisano w *Zwojach* po quenejsku. Wierni uznali wszakże oba te miana za bluźniercze, znaczyły bowiem tyle, co „Władca Zachodu", który to tytuł przynależał wyłącznie Valarom, szczególnie zaś Manwëmu. Za panowania Ar-Adûnakhôra język elfów wyszedł ostatecznie z użycia, zakazano też jego nauki (Wierni dalej jednak kultywowali w sekrecie znajomość szlachetnej mowy), a statki z Eressëi rzadko i ukradkiem przybijały do zachodnich wybrzeży Númenoru.

XXI Ar-Zimrathôn (Tar-Hostamir)

Urodził się w 2798 roku, rządził 71 lat do śmierci w roku 3033.

XXII Ar-Sakalthôr (Tar-Falassion)

Urodził się w roku 2873, rządził przez 69 lat, aż zmarł w roku 3102.

XXIII Ar-Gimilzôr (Tar-Telemnar)

Urodził się w roku 2960, rządził 75 lat do śmierci w roku 3177. Był największym ze wszystkich nieprzyjacielem Wiernych, zabronił surowo posługiwania się mową Eldarów i nie zezwalał elfom na odwiedzanie Númenoru, karząc tych, którzy witali takich gości. Nie czcił niczego i nie odwiedził nigdy Świętego Miejsca Eru. Ożenił się z Inzilbêth, wywodzącą się od Tar-Calmacila[12], która potajemnie przynależała do Wiernych, matką jej bowiem była Lindórië z rodu książąt Andúnië. Małżonkowie niezbyt się kochali, a między ich synami panowała niezgoda. Inziladûn[13], starszy z nich, szczególnie zżyty był z matką i szybko stał się jej poplecznikiem pod każdym względem, wszelako ojciec ukochał sobie nade wszystko młodszego syna, Gimilkhâda i uczyniłby go chętnie swoim następcą, gdyby tylko prawo na to zezwalało. Gimilkhâd urodził się w roku 3044, zmarł w 3243[14].

XXIV Tar-Palantir (Ar-Inziladûn)

Urodził się w roku 3035, rządził lat 78, aż do śmierci w roku 3235. Żałując postępków poprzedników, chętnie odnowiłby przyjaźń z Eldarami i Władcami Zachodu. Inziladûn przyjął imię Tar-Palantira, był bowiem człowiekiem dalekowzrocznym, tak dosłownie, jak i w przenośni. Przeciwnicy króla obawiali się jego zdolności przewidywania. Wiele czasu spędzał w Andúnië, jako że jego babka ze strony matki, Lindórië, należała do książęcego rodu i była siostrą Eärendura, piętnastego księcia Andúnië, i dziadka Númendila, który był w czasach Tar-Palantira księciem Andúnië i zarazem kuzynem władcy. Tar-Palantir nie raz wspinał się na pradawną wieżę króla Minastira i tęsknie spoglądał na Zachód z nadzieją, że może ujrzy żagiel statku przybywającego z Eressëi. Wszelako nigdy już żaden okręt nie nadpłynął z tamtych stron, a to za sprawą zuchwałości królów oraz pogłębiającej się degeneracji mieszkańców Númenoru. Gimilkhâd bowiem kontynuował dzieło Ar--Gimilzôra, stając się przywódcą Stronnictwa Królewskiego i przeciwstawiał się woli Tar-Palantira na tyle jawnie, na ile starczało mu śmiałości, częściej wszak działając skrycie. Przez jakiś czas wszakże Wiernych zostawiono w spokoju, a król zachodził czasami na Święte Miejsce na szczycie Meneltarmy. Ponownie też otoczono troską i szacunkiem Białe Drzewo. Tar-Palantir wywieszczył bowiem, że kiedy Drzewo umrze, wówczas też znikną ze świata królowie Númenoru.

Tar-Palantir ożenił się późno i nie miał syna, tylko córkę, której nadał w języku elfów imię Míriel. Kiedy jednak umarł, wziął ją za żonę Pharazôn, syn nieżyjącego już wówczas Gimilkhâda. Uczynił to wbrew woli dziewczyny i przeciwko prawom Númenoru, jako że była ona córką brata jego ojca. Potem przejął berło, ogłaszając się Ar-Pharazônem (Tar-Calionem), a Míriel nazywając Ar-Zimraphel[15].

XXV Ar-Pharazôn (Tar-Calion)

Najpotężniejszy i ostatni król Númenoru. Urodził się w roku 3118, rządził 64 lata. Zginął w Upadku w roku 3319. Uzurpator, odebrał tron żonie, której się on prawnie należał.

Tar-Míriel (Ar-Zimraphel)

Urodziła się w 3117 roku, śmierć poniosła w Upadku.

O wszystkich czynach Ar-Pharazôna, zarówno tych chwalebnych, jak i szalonych, wzmiankuje szerzej opowieść o Upadku Númenoru, spisana przez Elendila i przechowywana w Gondorze[16].

Rozdział IV

Historia Galadrieli i Celeborna, i Amrotha, władcy Lórien

Nie ma w historii Śródziemia drugiej równie zawiłej opowieści, jak ta traktująca o Galadrieli i Celebornie. Trzeba też zaznaczyć, że tradycyjne przekazy im poświęcone zawierają sporo zasadniczych niekonsekwencji, chociaż spojrzawszy na sprawę inaczej, można powiedzieć, że po prostu rola Galadrieli w dziejach Śródziemia ujawniała się stopniowo, tak zatem opowieść o niej ulegała kolejnym modyfikacjom.

Z całą pewnością według wcześniejszej koncepcji Galadriela miała sama ruszyć z Beleriandu poprzez góry na wschód, przed końcem Pierwszej Ery, i spotkać Celeborna w jego własnej krainie, w Lórien. Taką dokładnie wersję zawierają niepublikowane pisma, według niej skomponowana została również wypowiedź Galadrieli w rozmowie z Frodem (*Drużyna Pierścienia*, s. 337), kiedy to powiada o Celebornie: „Żyje on na Zachodzie od zarania świata, a ja towarzyszę mu od niezliczonych lat. Jeszcze przed upadkiem Nargothrondu i Gondolinu przeszłam przez góry i odtąd przez całe wieki walczymy, próbując pokrzyżować szyki zła". Według wszelkiego prawdopodobieństwa Celeborn miał w tej wersji być jednym z Nandorów (czyli tych Telerich, którzy odmówili przekroczenia Gór Mglistych podczas Wielkiej Wędrówki z Cuiviénen).

Z drugiej jednak strony, w Dodatku B do *Władcy Pierścieni* (*Powrót Króla*, s. 328) pojawia się późniejszy zapis tej opowieści, według której na początku Drugiej Ery: „W Lindonie, na południe od Lune, mieszkał przez pewien czas Celeborn, krewny Thingola; jego żoną była Galadriela, najsławniejsza z kobiet elfów". W przypisach zaś do *The Road Goes Ever On* (1968, s. 60) znajdujemy informację, że Galadriela „przeszła wraz z mężem Celebornem (jednym z Sindarów) Góry Eredluin i udała się do Eregionu".

W *Silmarillionie* widnieje wzmianka o spotkaniu Galadrieli z Celebornem w Doriacie oraz o jego pokrewieństwie z Thingolem (s. 135), jak i o tym, że Galadriela i Celeborn byli pomiędzy Eldarami, którzy nie opuścili Śródziemia, gdy końca dobiegła Pierwsza Era (s. 303).

Podaje się przeróżne powody pozostania Galadrieli w Śródziemiu. W przytoczonym już cytacie z *The Road Goes Ever On* mówi się dalej: „Po obaleniu Morgotha pod koniec Pierwszej Ery zakazano jej wracać, ona zaś dumnie odparła, że wcale nie żywi takiego pragnienia". Nie znajdujemy jasnego potwierdzenia tych słów we *Władcy Pierścieni*, wszelako w liście napisanym w roku 1967 mój ojciec stwierdził:

> Wygnańcom dozwolono wracać, wszystkim prócz najważniejszych przywódców rebelii, o których w czasach, gdy dzieje się akcja *Władcy Pierścieni*, jedna Galadriela już tylko pamiętała. Śpiewając swój *Lament* w Lórien była przekonana, iż wygnanie jest wieczne i dobiegnie kresu trwania Ziemi. Tak i zakończyła pieśń wyrażeniem pragnienia (lub modłami), by Frodo mógł doświadczyć owej szczególnej łaski, prawa do oczyszczającego (a nie pokutnego) pobytu na Eressëi, samotnej wyspie leżącej w zasięgu wzroku z Amanu, chociaż dla niej, czyli Galadrieli, droga tam była zamknięta. Jej modły zostały wysłuchane, przy czym unieważniono również zakaz dotyczący samej Galadrieli, a to w nagrodę za wierną służbę w batalii przeciwko Sauronowi. Przede wszystkim jednak dlatego, że zwalczyła pokusę, „by wziąć Pierścień, gdy został on jej dobrowolnie ofiarowany". Tak więc pod koniec widzimy Galadrielę wsiadającą na statek.

Stwierdzenie to, chociaż jednoznaczne, nie dowodzi jeszcze, że pomysł istnienia zakazu powrotu Galadrieli na Zachód istniał już wiele lat wcześniej, gdy pisany był rozdział *Pożegnanie z Lórien*. Osobiście skłonny jestem sądzić, że tak nie było.

W bardzo późnej, zasadniczo filologicznej rozprawie, napisanej z pewnością już po publikacji *The Road Goes Ever On*, cała opowieść brzmi zupełnie inaczej:

> Galadriela i jej brat Finrod byli dziećmi Finarfina, drugiego syna Indis. Finarfin we wszystkim wrodził się w matkę, miał złociste włosy Vanyarów, ich szlachetność i łagodność charakteru, jak oni kochał też Valarów. Gdy tylko mógł, trzymał się z dala od awantur powodowanych przez jego braci, którzy odsunęli się od Valarów, i często szukał spokoju pomiędzy Telerimi, których języka się nauczył. Poślubił Eärwenę, córkę króla Olwëgo z Alqualondë, przez co dzieci jego łączyło pokrewieństwo z królem Elu Thingolem z Doriathu w Beleriandzie, był on bowiem bratem Olwëgo i ten związek krwi wywarł wpływ na podjęcie decyzji o pozostaniu na Wygnaniu i nader istotny okazał się potem w Beleriandzie. Finrod przypominał ojca tak obliczem, jak i złocistymi włosami, podobnie też nosił w piersi szlachetne i szczodre serce, chociaż w młodości odważny i niespokojny był jak Noldorowie. Po matce

zaś, pochodzącej z Telerich, odziedziczył uwielbienie morza i tęsknotę za odległymi krajami, których nigdy nie ujrzał. Galadriela to najznamienitsza postać wśród Noldorów, może wyjąwszy samego Fëanora, chociaż wykazywała się większą mądrością niż on, a mądrość ta pogłębiała się z latami. Matka nadała jej imię Nerwena („męska panna"), wyrosła też ponad zwykłą miarę kobiecą, nawet tę cechującą Noldorów[1]. Była silna, bystra i zdecydowana, w dniach młodości mierzyć mogła się na równi z uczonymi, jak i z atletami Eldarów. Nawet wśród Eldarów uchodziła za piękność, a jej włosy uznawano za niezrównanie cudne – złociste, jak u ojca i babki Indis, bardziej jednak gęste i błyszczące, wspomnienie bowiem o gwiezdnym srebrze jej matki ożywiało ich złoto. Eldarowie powiadali, że to blask Dwóch Drzew, Laurelinu i Telperiona, uwięziony został w jej warkoczach. Wielu uważało, iż właśnie te spostrzeżenia podsunęły Fëanorowi pomysł, by zamknąć i zmieszać światło obu Drzew, co później przybrało w jego rękach postać silmarilów. Fëanor bowiem z podziwem i wielką przyjemnością spoglądał na Galadrielę. Po trzykroć błagał ją o kosmyk, ale ona nie chciała mu dać ani włosa. Tych dwoje krewniaków, największych Eldarów w Valinorze, zawsze już zostało nieprzyjaciółmi. Galadriela urodziła się w okresie chwały Valinoru, ale nie trwało długo, według rachuby Błogosławionego Królestwa, a chwała ta zbladła i Galadriela nigdy już nie zaznała spokoju. W czasie bowiem próby i konfliktów między Noldorami wahała się, przyciągana przez jedną lub drugą stronę. Była dumna, silna i uparta. Nie różniła się tym od każdego innego potomka Finwëgo (prócz Finarfina). Podobnie jak brat, Finrod, najbliższy jej sercu ze wszystkich krewnych, marzyła o odległych krainach i lennach. Pragnęła nimi władać sama, bez niczyjej kurateli. Mocniej wszakże zakorzeniła się w niej szlachetność i szczodrość Vanyarów, a także szacunek wobec Valarów, których nie mogła zapomnieć. Od najmłodszych lat potrafiła cudownym sposobem zaglądać do cudzych umysłów, czyniła to jednak ze zrozumieniem dla innych, oceny ferując miłosierne i nigdy nie odmawiała pomocy nikomu, prócz Fëanora. W nim bowiem dostrzegła znienawidzoną i grozę budzącą ciemność, nie zauważywszy wszakże tego samego złego Cienia zalegającego nad myślami wszystkich Noldorów, jej samej nie wyłączając. Tak zatem, gdy zgasło światło Valinoru (Noldorowie sądzili, że na zawsze), przyłączyła się do buntu przeciwko Valarom, którzy kazali Noldorom tam zostać, a gdy raz już postawiła stopę na drodze wiodącej do Wygnania, nie chciała się cofnąć. Odrzuciła ostatnie posłanie Valarów i przyjęła Wyrok Mandosa. Nie zawróciła nawet po okrutnym ataku na Telerich i zniszczeniu ich statków, chociaż nie szczędząc sił, walczyła z Fëanorem w obronie plemienia swej matki. Honor nie pozwalał jej na powrót w roli pokonanego, błagającego teraz wybaczenia. Płonęła gniewem, gotowa ścigać Fëanora, gdziekolwiek by się udał, aby udaremniać wszelkie jego zamysły. Duma Galadrieli nie wygasła nawet pod koniec Dawnych Dni, tak i po ostatecznym obaleniu Morgotha, odrzuciła wybaczenie oferowane przez Valarów wszystkim, którzy kiedyś przeciwko nim wystąpili, i pozostała w Śródziemiu. Dopiero gdy minęły dwie długie ery i kiedy to, czego pragnęła w młodości, znalazło się przed nią na wyciągnięcie ręki, wówczas, kierując się dojrzałą przez wieki mądrością, odrzuciła zarówno dar Pierścienia Władzy, jak i możliwość zapanowania nad Śródziemiem (o czym marzyła). Pomyślnie przeszedłszy ten ostatni test, na zawsze opuściła Śródziemie.

Ostatnie zdanie nawiązuje bezpośrednio do owej sceny w Lothórien. Wtedy właśnie Frodo chciał oddać Jedyny Pierścień Galadrieli (*Drużyna Pierścienia*, s. 345): „I oto wreszcie się pojawił. Ty zaś dajesz mi go z własnej woli! Na miejscu Mrocznego Władcy chcesz postawić królową".

Silmarillion (na s. 96) podaje, że podczas buntu Noldorów w Valinorze, Galadriela „...zapaliła się do planów Fëanora. Nie złożyła wprawdzie przysięgi, lecz słowa Fëanora o Śródziemiu znalazły oddźwięk w jej sercu, gdyż marzyła, by zobaczyć rozległe niestrzeżone przestrzenie i rządzić jakimś królestwem według własnej woli".

Jest jednak w tym tekście kilka wskazówek niepojawiających się w *Silmarillionie*: pokrewieństwo dzieci Finarfina z Thingolem jako czynnik decydujący o przyłączeniu się do buntu Fëanora; niechęć i nieufność, którymi Galadriela od początku darzyła Fëanora, i wpływ, jaki nań wywarła; walka między samymi Noldorami w Alqualondë – Angrod zapewnił Thingola w Menegrocie o tym jedynie, że krewni Finarfina nie byli winni zabójstwa Telerich (*Silmarillion*, s. 154). Najbardziej godny jednak uwagi jest cytowany już fragment, stwierdzający, że Galadriela odrzuciła wybaczenie oferowane przez Valarów pod koniec Pierwszej Ery.

W dalszym ciągu rozprawy mówi się o tym, że chociaż nazwana przez matkę Nerweną, przez ojca zaś Artanis („szlachetną kobietą"), sama wybrała sobie w sindarińskim imię Galadriela „najbardziej bowiem jej się podobało i otrzymała je od swego kochanka, Teleporna z Telerich, którego poślubiła później w Beleriandzie". Teleporno to Celeborn, centralna postać przytoczonej poniżej historii. O jego imieniu traktuje Dodatek E do niniejszej książki.

Zupełnie odmienna opowieść, naszkicowana, lecz nigdy nieopracowana, odnosi się do postępowania Galadrieli w czasie buntu Noldorów. Jest to notatka bardzo późna, częściowo nieczytelna (ostatnia mówiąca o Galadrieli i Celebornie, jak i zapewne całym Śródziemiu oraz Valinorze), spisana w ostatnim miesiącu życia mego ojca. Przedstawił tam przywódczą rolę sprawowaną przez Galadrielę już w Valinorze. Podkreślił jej umiejętności dorównujące talentom Fëanora, chociaż z gruntu odmienne. Powiada również, że nie chciała przyłączyć się do jego buntu i we wszystkim mu się przeciwstawiała. Naprawdę wolała od Valinoru szerokie przestrzenie Śródziemia, gdzie znalazłaby dla siebie pole do popisu, bowiem „będąc nader bystrego umysłu, szybka też w działaniu, wcześnie przyswoiła sobie wszystkie nauki, które Valarowie uznali za stosowne przekazać Eldarom" i czuła się ograniczona

217

opiekuńczością Amanu. Manwë znał najpewniej pragnienia Galadrieli i nie zakazał jej odejścia, chociaż nie udzielił też oficjalnego pozwolenia. Zastanawiając się nad dalszymi poczynaniami, pomyślała o statkach Telerich i zamieszkała na czas jakiś z krewnymi matki w Alqualondë. Tam spotkała Celeborna, który pojawia się tu ponownie jako książę Telerich, wnuk Olwëgo z Alqualondë i tym samym bliski jej krewny. Razem postanowili zbudować statek, po czym pożeglować do Śródziemia. Już mieli poprosić Valarów o dyspensę na ową eskapadę, gdy Melkor uciekł z Valmaru i wróciwszy z Ungoliantą, unicestwił światło Drzew. W buncie Fëanora (rebelia nastąpiła po zalegnięciu mroków w Valinorze) Galadriela nie brała udziału, wręcz przeciwnie, z wielkim poświęceniem walczyła u boku Celeborna, by obronić Aqualondë przed napaścią Noldorów. Szczęśliwie udało im się uratować przed nimi statek Celeborna. Galadriela, doprowadzona do rozpaczy wydarzeniami w Valinorze, jak i przerażona gwałtownością i okrucieństwem Fëanora, pożeglowała w ciemność i nie czekała na pozwolenie Manwëgo, który zapewne nie udzieliłby takowego w tejże godzinie bez względu na prawość jej pobudek. Dlatego Galadrielę również objęła klątwa nałożona na wszystkich i nie miała powrotu do Valinoru. Razem jednak z Celebornem dotarła do Śródziemia nieco wcześniej niż Fëanor i zawinęła do przystani Círdana, a on powitał ich z radością jako krewnych Elwëgo (Thingola). W późniejszych latach nie włączyli się do wojny z Angbandem, uważali bowiem walkę za beznadziejną, przynajmniej jak długo obowiązuje klątwa Valarów, gdyż nie mogli liczyć na pomoc. Radzili wycofać się z Beleriandu i rozbudować potęgę Eldarów ku wschodowi (skąd, jak się obawiali, Morgoth zdoła ściągnąć posiłki), zaprzyjaźniając się z mieszkającymi tam Elfami Ciemnymi i ludźmi. Ponieważ jednak takiej polityki nie zaakceptowałyby elfy z Beleriandu, Galadriela i Celeborn przed końcem Pierwszej Ery przekroczyli Ered Lindon i kiedy otrzymali od Valarów zgodę, by wrócić na Zachód, nie chcieli z niej skorzystać.

Ta opowieść, negująca wszelkie związki Galadrieli z rebelią Fëanora, mówiąca o opuszczeniu przez Galadrielę Amanu na pokładzie osobnego statku (w towarzystwie Celeborna), znacznie różni się od wszystkich gdzie indziej pomieszczonych relacji. Wyrosła z „filozoficznych" raczej niż z „historycznych" rozważań dotyczących, z jednej strony samej istoty nieposłuszeństwa Galadrieli w Valinorze, z drugiej zaś – jej statusu i władzy posiadanych w Śródziemiu. Oczywistym jest, że wymagałoby to w dalszym ciągu pracy wprowadzenia wielu zmian w tekście *Silmarillionu* i mój ojciec niewątpliwie zamierzał to uczynić. Można zauważyć, że w pierwotnej wersji opowieści o buncie i ucieczce Noldorów, Galadriela nie pojawia się wcale. Opowieść ta była starsza niż postać Galadrieli, w jasny zatem sposób po zaistnieniu Galadrieli w historii Pierwszej Ery tok jej działań mógł jeszcze ulegać modyfikacjom, przynajmniej do czasu publikacji *Silmarillionu*. Jednak na ów tom złożyły się teksty dopracowane i nie mogłem wówczas brać pod uwagę naszkicowanych ledwie projektów zmian.

Uczynienie zaś z Celeborna elfa Telerich z Amanu przeczy nie tylko twierdzeniom zawartym w *Silmarillionie*, ale także przytoczonym już cytatom z *The Road Goes Ever On* i Dodatku B do *Władcy Pierścieni*, gdzie Celeborn zostaje przedstawiony jako Sindarin z Beleriandu. Chęć dokonania tak zasadniczej zmiany mogła wyniknąć z uprzedniego wprowadzenia nowego wątku – sposobu opuszczenia Amanu przez Galadrielę, czyli pożeglowania niezależnie od zbuntowanych Noldorów. Wszelako Celeborn stał się Telerim już w cytowanej uprzednio wersji, kiedy to Galadriela brała jeszcze udział w rewolcie Fëanora i razem z nim opuściła Valinor, nie ma jednak w tym wariancie wzmianki o tym, jak właściwie Celeborn przybył do Śródziemia.

Wcześniejsza opowieść (poza kwestią klątwy i przebaczenia), do której odnoszą się wszelkie nawiązania obecne w *The Road Goes Ever On*, w Dodatku B do *Władcy Pierścieni*, jest dość klarowna: Galadriela przybyła do Śródziemia jako jedna z przywódczyń buntu Noldorów, w Doriacie spotkała Celeborna, za którego potem wyszła. Był on wnukiem brata Thingola, Elma, dość mglistej postaci. Wiadomo o nim tylko, że był to młodszy brat Elwëgo (Thingola) i Olwëgo, a „pozostał on przy Elwëm, który go miłował” (Syn Elma na imię miał Galadhon, a jego synami byli Celeborn i Galathil; Galathil miał córkę Nimloth. Wzięła ona sobie za męża Diora, dziedzica Thingola, i urodziła Elwingę. Według tej genealogii Celeborn był krewnym Galadrieli, wnuczki Olwëgo z Alqualondë, nie tak bliskim wszakże, jak według wersji uznającej go za wnuka Olwëgo). W naturalny sposób nasuwa się przypuszczenie, że Celeborn i Galadriela widzieli zniszczenie Doriathu (w pewnym miejscu jest mowa o tym, że Celeborn „umknął podczas plądrowania Doriathu”) i zapewne pomagali unoszącej silmaril Elwindze w ucieczce do Przystani Sirionu. O tym ostatnim nie ma jednak żadnej wzmianki. O Celebornie wspomina się w Dodatku B do *Władcy Pierścieni*, iż mieszkał on przez jakiś czas w Lindonie na południe od Lune[2], lecz na początku Drugiej Ery przedostał się wraz z Galadrielą przez góry do Eriadoru. Dalszy ciąg ich historii, tak jak prezentowała się ona w tej właśnie fazie tworzenia przez mojego ojca, pomieszczony został poniżej.

O Galadrieli i Celebornie

Pod tym tytułem kryje się tekst krótki, pospiesznie naszkicowany, wręcz chropawy, który jest jednak jedynym niemal źródłem informacji o wydarzeniach, które miały miejsce na zachodzie Śródziemia aż do czasu pokonania Saurona i wypędzenia go z Eriadoru w roku 1701 Drugiej Ery. Poza tym temat ów poruszają tylko zdawkowe i nieliczne wzmianki w *Kronice Lat* oraz ogólnikowa, niepełna relacja przedstawiona w *Silmarillionie* (rozdział *Pierścienie Władzy i Trzecia Era*). Bez wątpienia tekst ten powstał po wydaniu *Władcy Pierścieni*, co można sądzić zarówno po występujących tu odniesieniach do książki, jak i z faktu, że Galadriela zwana jest tutaj córką Finarfina i siostrą Finroda Felagunda (a są to późniejsze imiona owych książąt, wprowadzone do poprawionego wydania, por. przypis 20). Tekst nosi ślady wielokrotnego poprawiania, więc nie zawsze można odróżnić, co przynależy do wersji pierwotnej rękopisu, a co zostało dodane później. To właśnie dotyczy stwierdzenia, iż Amroth był synem Galadrieli i Celeborna. Tak czy inaczej, uważam, że owa opowieść napisana została po *Władcy Pierścieni*, gdyby bowiem pomysł, aby Amroth był ich synem, zrodził się wcześniej, bez wątpienia znaleźlibyśmy o tym wzmiankę w powieści.

Warto zauważyć, iż tekst ten pomija nie tylko kwestię objęcia Galadrieli zakazem powrotu na Zachód, ale w początkowych akapitach sugeruje wręcz, że taka sytuacja w ogóle nie zaistniała. Dalej zaś mowa jest o tym, iż Galadriela została w Śródziemiu po pokonaniu Saurona w Eriadorze wiedziona wyłącznie poczuciem obowiązku, by nie porzucać tej krainy, skoro wróg nie został całkowicie zwyciężony. Stanowi to zasadniczy powód wyrażonego powyżej (ostrożnego) mniemania, iż pomysł onego zakazu powstał później niż *Władca Pierścieni*; por. także odpowiedni fragment w podrozdziale *Elessar*.

Poniżej przedstawiam tekst oparty na wspomnianym rękopisie. Komentarze uzupełniające wyróżnione zostały kwadratowymi nawiasami.

Galadriela była córką Finarfina i siostrą Finroda Felagunda. Mile widziano ją w Doriacie, jej matka bowiem, Eärwena, córka Olwëgo, pochodziła z Telerich i była bratanicą Thingola, ponadto lud Finarfina nie uczestniczył w bratobójstwie w Alqualondë, tak i została przyjaciółką Meliany. W Doriacie spotkała Celeborna, wnuka Elma, brata Thingola. Z miłości do Celeborna, który nie chciał opuścić Śródziemia (jak i zapewne za sprawą własnej dumy, uprzednio bowiem garnęła się do tej krainy), nie odpłynęła na Zachód po Upadku Melkora, ale przekroczyła z Celebornem Ered Lindon i przybyła do Eriadoru. Gdy już się tam osiedlili, wielu innych Noldorów podążyło ich śladem, a z nimi też Elfy Szare i Leśne. Przez pewien czas przemieszkiwali w krainie wokół Jeziora Nenuial (Evendim, na północ od Shire). Celeborn i Galadriela uznani zostali za Pana i Panią Eldarów w Eriadorze, za swoich zaś poddanych mieli również wędrowne plemiona pochodzenia nandorskiego, które nigdy nie podążyły na zachód przez Ered Lindon i nie zeszły do Ossiriandu [por. *Silmarillion*, s. 109]. Tam właśnie, w pobliżu Nenuial, urodził się w okresie pokoju między latami 350 a 400 ich syn, Amroth [czas i miejsce narodzin Celebríany, czy nastąpiły w owym przedziale czasowym, czy później, w Eregionie, czy nawet w Lórien, nie zostały precyzyjnie określone].

Ostatecznie jednak Galadriela zdała sobie sprawę z faktu, że jak kiedyś, w dniach pojmania Melkora [por. *Silmarillion*, s. 58], tak i tym razem przeoczono osobę Saurona. Właściwie należy powiedzieć, że wyczuła wówczas jedynie wpływ złej siły sprawczej, emanującej ze źródła położonego daleko na Wschodzie, poza Eriadorem i za Górami Mglistymi, a to dlatego, że nie kojarzono wówczas Saurona z tym jedynie imieniem i nikt nie przypisywał rozmaitych zdarzeń (którym on był winien) jednemu tylko złemu duchowi.

Tak zatem około roku 700 Drugiej Ery Celeborn i Galadriela ruszyli na wschód, zakładając w Eregionie królestwo Noldorów (głównie Noldorów, choć nie wyłącznie). Być może uczynili to tam właśnie, Galadriela bowiem wiedziała o krasnoludach z Khazad-dûmu (Morii). Krasnoludowie mieszkali wówczas (i później) po wschodniej stronie Ered Lindon[3], niedaleko Nenuial, gdzie leżały niegdyś starożytne miasta Nogrod i Belegost, największa jednak ich siła była w Khazad-dûmie. Celeborn nie przepadał za krasnoludami dowolnej rasy (jak okazał to Gimliemu w Lothlórien) i nigdy nie wybaczył im roli, jaką odegrały w zniszczeniu Doriathu, wszelako w tej napaści wzięli udział jedynie zbrojni z Nogrodu, wybici zresztą w bitwie pod Sarn Athrad [*Silmarillion*, s. 281–282]. Krasnoludy z Belegostu przelękły się klęski i jej skutków, co przyspieszyło ich odejście na Wschód, do Khazad-dûmu[4]. Tym samym można było sądzić, iż krasnoludy z Morii nie ponosiły odpowiedzialności za zagładę Doriathu i nie miały wrogiego stosunku do elfów. Tak czy inaczej, Galadriela wykazała się w tej materii większą zdolnością przewidywania niż Celeborn i już wtedy pojęła, że nie da się Śródziemia ocalić przed „posiewem Morgotha" inaczej, jak tylko dzięki zjednoczeniu wszystkich ludów zdolnych na swój sposób przeciwstawić się złu. Tak zatem spojrzała na krasnoludów okiem wodza, dostrzegając w nich wyśmienitych wojowników, zdolnych z powodzeniem zwalczać orków. Co więcej, Galadriela wywodziła się z Noldorów, więc i odpowiadał jej sposób myślenia krasnoludów oraz ich umiłowanie dla rzemiosł, znacznie przewyższające podobne pasje przejawiane przez Eldarów. Krasnoludy były Dziećmi Aulëgo, a Galadriela, podobnie jak pozostali Noldorowie, należała w Valinorze do grona uczniów Aulëgo i Yavanny.

Wśród poddanych Galadrieli i Celeborna znajdował się noldorski rzemieślnik Celebrimbor. [Tutaj pada wzmianka, że był on jednym z ocalałych z Gondolinu, gdzie nader wysoko cenił go Turgon; wszakże tekst został przerobiony zgodnie z późniejszą wersją, która czyni zeń potomka Fëanora, jak podano to w Dodatku A do *Władcy Pierścieni* (tylko w wydaniu poprawionym), bardziej szczegółowo rzecz relacjonując w *Silmarillionie* (str. 211, 338), gdzie mowa jest o tym, iż Celebrimbor to syn Curufina, piątego syna Fëanora, i że odżegnawszy się od ojca pozostał w Nargothrondzie po wygnaniu stamtąd Celegorma i Curufina]. Celebrimbor ogarnięty był „niemal krasnoludzką pasją rzemiosła" i wkrótce został największym artystą Eregionu i zawarł znajomość z krasnoludami z Khazad-dûmu, najbliżej zaprzyjaźniając się z Narwim. [Odczytany przez Gandalfa napis na Zachodniej Bramie Morii głosił: *Im Narvi hain echant: Celebrimbor o Eregion teithant i thiw hin*, czyli: „Zrobiłem te drzwi ja, Narwi. Znaki wykuł Celebrimbor z Hollinu" (*Drużyna Pierścienia*, s. 290). Zarówno elfy, jak też krasnoludowie wiele zyskali na połączeniu wysiłków. Eregion urósł dzięki temu w siłę, a Khazad-dûm wypiękniał, a nie stałoby się tak za sprawą tylko jednej strony.

[Ta wersja genezy Eregionu zgodna jest z relacją zamieszczoną w *Silmarillionie* (rozdział *Pierścienie Władzy i Trzecia Era*, s. 338), jednak ani tutaj, ani w Dodatku B do *Władcy Pierścieni* nie ma żadnej wzmianki o obecności Galadrieli i Celeborna, chociaż w tym drugim źródle (znów jedynie w poprawionym wydaniu) Celebrimbor zwany jest Władcą Eregionu].

Budowa głównego miasta Eregionu, Ost-in-Edhil ruszyła około roku 750 Drugiej Ery [data wymieniona w Kronice Lat jako rok założenia Eregionu przez Noldorów]. Wieści o tych poczynaniach doszły do uszu Saurona i spotęgowały jego lęki rozbudzone faktem dotarcia Númenorejczyków do Lindonu oraz do wybrzeży na południu, jak też ich przyjaźnią z Gil-galadem. Usłyszał również, że Aldarion, syn Tar-Meneldura, króla Númenoru, wyrósł na wielkiego budowniczego okrętów i że dotarł już w swoich wyprawach aż do przystani Haradu. Zatem Sauron zostawił na czas jakiś Eriador w spokoju, wybierając Mordor (jak później nazwano tę krainę) na swą warownię, stanowiącą przeciwwagę dla zagrożenia powodowanego przez númenorejskich żeglarzy [według *Kroniki Lat* było to około roku 1000]. Gdy poczuł się bezpieczny, wysłał do Eriadoru emisariuszy, ostatecznie zaś, około roku 1200 Drugiej Ery, sam się tam pofatygował, przybrawszy najpiękniejszą postać, w jaką potrafił się wcielić.

W tym czasie jednak potęga Galadrieli i Celeborna urosła znacznie, a Galadriela, z pomocą zaprzyjaźnionych krasnoludów z Morii, nawiązała kontakt z nandorskim królestwem w Lórinandzie po drugiej stronie Gór Mglistych[5]. Zaludniały je elfy, które odłączyły się od Wielkiej Wędrówki Eldarów z Cuiviénen i osiedliły się w lasach Doliny Anduiny [*Silmarillion*, s. 109], zajmując lasy po obu stronach Wielkiej Rzeki, włącznie z okolicą, gdzie później wzniesiono Dol Guldur. Nie było między nimi książąt ni władców. Wiodły życie beztroskie w czasie, gdy cała potęga Morgotha skupiała się na północnym zachodzie Śródziemia[6]; „wszakże wielu Sindarów i Noldorów zamieszkało między nimi, przez co zaczęła się pod wpływem kultury Beleriandu sindaryzacja tych ludów". [Nie jest jasne, kiedy nastąpiła owa migracja do Lórinandu; możliwe że przybysze pochodzili z Eregionu i pod patronatem Galadrieli przedostali się przez Khazad-dûm]. Galadriela usiłowała przeciwstawić się machinacjom Saurona, co w Lórinandzie udało jej się uczynić. Tymczasem Gil-galad nie wpuszczał do Lindonu ani wysłanników Saurona, ani jego samego [jak opisano to dokładnie w *Pierścieniach Władzy*, *Silmarillion*, s. 347]. Lepiej powiodło się Sauronowi z Noldorami z Eregionu, a szczególnie z Celebrimborem, który w głębi serca pragnął dorównać mistrzostwu Fëanora [O tym, jak Sauron zwiódł rzemieślników Eregionu, przybierając imię Annatara, Pana Darów, czytamy w *Pierścieniach Władzy*, nie ma tam jednak mowy o Galadrieli].

W Eregionie Sauron podał się za emisariusza Valarów. Mieli wysłać go oni do Śródziemia („antycypując w ten sposób przybycie Istarich"), nakazawszy pozostać tam i wspierać elfy. Z miejsca spostrzegł, że Galadriela będzie jego najgroźniejszym przeciwnikiem i przeszkodą w przyszłości, więc próbował ją sobie zjednać, z udawaną cierpliwością i uprzejmością znosząc jej szyderstwa. [Brakuje w szkicu wyjaśnienia, czemu właściwie Galadriela tak pogardzała Sauronem. Gdyby przyjąć, że rozszyfrowała jego postać, to nasuwa się pytanie, czemu pozwoliła mu jednak pozostać w Eregionie?][7]. Sauron użył całej swej przebiegłości wobec Celebrimbora i jemu podobnych mistrzów sztuki kowalskiej, którzy utworzyli stowarzyszenie czy bractwo, Gwaith-i-Mírdain, nader potężne w Eregionie. Działał jednak w sekrecie, ukrywając się przed Galadrielą i Celebornem. Nie trwało długo, a podporządkował sobie Gwaith-i-Mírdain, jako że zrzeszenie wielce zyskało dzięki ujawnionym przez Saurona tajnikom sztuki obróbki metali[8]. Tak wielki był jego wpływ na Mírdain, że z czasem przekonał ich do otwartego buntu przeciwko Galadrieli i Celebornowi, po czym przejął władzę w Eregionie. Nastąpiło to gdzieś między 1350 a 1400 rokiem Drugiej Ery. Skutkiem tego Galadriela opuściła Eregion i przez Khazad-dûm udała się do Lórinandu, biorąc ze sobą Amrotha i Celebríanę, Celeborn jednak odmówił wejścia do siedziby krasnoludów. Pozostał zatem w Eregionie, lekceważony wszak przez Celebrimbora. Galadriela, objąwszy rządy nad Lórinandem, zaczęła przygotowania do obrony przed Sauronem.

Sauron zaś odszedł z Eregionu około roku 1500, kiedy to bractwo Mírdain zaczęło wykuwać Pierścienie Władzy. Wówczas to Celebrimbor, który uczciwy z gruntu dawał się zwodzić stwarzanym przez Saurona pozorom, odkrył w końcu istnienie Jedynego Pierścienia i zwrócił się przeciwko Sauronowi. Potem podążył do Lórinandu, by naradzić się z Galadrielą. Powinni byli wówczas zniszczyć wszystkie Pierścienie Władzy, „jednak nie mieli dość siły". Galadriela doradziła mu, aby ukryć Trzy Pierścienie elfów, nie używać ich nigdy i rozproszyć, wywożąc jak najdalej z Eregionu, gdzie Sauron gotów byłby ich szukać. Wówczas to dostała od Celebrimbora Nenyę, Biały Pierścień, by wzmocnić dzięki niemu Lórinand. Pierścień ten miał na Galadrielę wpływ wielki, trudny do przewidzenia, rozbudził w niej bowiem utajoną tęsknotę za Morzem oraz pragnienie powrotu na Zachód, tak że zbladła jej radość z pobytu w Śródziemiu[9]. Celebrimbor posłuchał rady Galadrieli, by odesłać Pierścień Powietrza i Pierścień Ognia z Eregionu. Powierzył oba Gil-galadowi z Lindonu. [Powiada się tutaj, że Gil-galad przekazał zaraz Narnyę, Czerwony Pierścień, Círdanowi, Władcy Przystani, dalej jednak pojawia się na marginesie notatka, że Gil-galad zatrzymał ten pierścień dla siebie aż do chwili, gdy wyruszał na wojnę Ostatniego Sojuszu].

Gdy Sauron dowiedział się o wywołanym późną skruchą buncie Celebrimbora, odrzucił przebranie. Pełen gniewu zebrał wielkie siły, z którymi w roku 1695 ruszył przez Calenardhon (Rohan) na podbój Eriadoru. Gdy wieści o tym dotarły do Gil-galada, ten wysłał oddziały pod wodzą Elronda Półelfa, ten jednak miał długą drogę do przebycia, Sauron zaś skręcił na północ i zaatakował Eregion. Zwiadowcy oraz czołówka wojsk Saurona znajdowali się już blisko, gdy Celeborn przeprowadził atak i odrzucił wroga, ale chociaż zdołał połączyć się z oddziałami Elronda, to jednak nie mogli już wrócić do Eregionu, siły Saurona bowiem były znacznie liczniejsze, dość potężne, by oblegać Eregion, a jednocześnie powstrzymywać odsiecz. W końcu napastnicy wdarli się do Eregionu, niszcząc doszczętnie i przechwytując główny cel ataku Saurona, Siedzibę Mírdain, wraz z mistrzami kowalskimi i skarbami. Zdesperowany Celebrimbor sam zastąpił Sauronowi drogę na stopniach przed wielkimi drzwiami Mírdain, został jednak obezwładniony i pojmany, a dom splądrowano. Potem Sauron zabrał Dziewięć Pierścieni, a także inne, pomniejsze dzieła bractwa, jednak Siedmiu i Trzech nie znalazł. Dopiero wziąwszy Celebrimbora na męki, usłyszał, gdzie ukryto Siedem. Celebrimbor wyjawił ów sekret, nie cenił bowiem Siedmiu ni Dziewięciu tak wysoko jak Trzy. Te pierwsze wykute zostały z pomocą Saurona, Trzy zaś były samodzielnym dziełem Celebrimbora, który odmiennymi mocami przy ich tworzeniu się posługiwał i inne cele mu przyświecały. [Nie zostało tu jasno powiedziane, że Sauron posiadł wówczas Siedem Pierścieni, chociaż zdaje się to jasno wynikać z opowieści. W Dodatku A do *Władcy Pierścieni* widnieje wzmianka, iż krasnoludy z plemienia Durina wierzyły, że Durin III, król Khazad-dûmu, miał otrzymać swój pierścień bezpośrednio od kowali elfów, a nie od Saurona, w tym tekście nie ma jednak żadnej wzmianki, jakim sposobem Siedem dostało się w ręce krasnoludów]. O Trzech Pierścieniach Sauron nie dowiedział się od Celebrimbora niczego, tak więc kazał go zgładzić. Domyślił się jednak prawdy i słusznie podejrzewał, że skoro powierzone zostały one straży elfów, to musiały trafić do Galadrieli i Gil-galada.

W dzikim gniewie Sauron rzucił się ponownie w wir bitwy, nacierając na siły Elronda. Na czele swych oddziałów kazał ponieść przeszyte strzałami orków i nadziane na pal ciało Celebrimbora. Wprawdzie Elrond zebrał niedobitki elfów z Eregionu, to jednak nie mógł stawić czoło hordom Saurona i zostałby przez nie pobity, gdyby nie atak wyprowadzony na tyły wroga przez oddziały krasnoludów wysłane przez Durina z Khazad-dûmu. Razem z nimi nadciągnęły pod przewodnictwem Amrotha elfy z Lórinandu. Elrond uszedł tym sposobem cało z opresji, został jednak zepchnięty na północ, skutkiem czego założył wówczas [według *Kroniki Lat* w roku 1697] schronienie i warownię w Imladris (Rivendell). Sauron zaniechał pościgu za Elrondem. Zwrócił się natomiast przeciwko krasnoludom oraz elfom z Lórinandu, których oddziały odparł; wszelako nie zdołał pokonać zatrzaśniętych w porę bram Morii. Zawsze już odtąd darzył Khazad-dûm nienawiścią i przykazywał orkom nękać krasnoludy przy każdej okazji.

Póki co jednak skupił się na podboju Eriadoru, tymczasowo wstrzymując się z wszelkimi napaściami na Lórinand. Kiedy pustoszył krainę, zabijając lub wypędzając pozostałe jeszcze nieliczne grupki ludzi, jak też polując na ocalałe elfy, wielu umykało mu jednak i wzmacniało siły Elronda na północy. Ostatecznie za najważniejsze zadanie uznał zdobycie Lindonu, gdzie miał nadzieję przechwycić jeden albo i więcej z Trzech Pierścieni. Tak zatem, zwoławszy swe rozproszone siły, pomaszerował na zachód, ku krainie Gil-galada, paląc i łupiąc po drodze. Musiał wszakże zostawić część armii, by powstrzymywała Elronda przed zbrojnymi wycieczkami na tyły jego wojsk.

Númenorejczycy od wielu już lat wprowadzali swe statki do Szarych Przystani, gdzie byli miłymi gośćmi. Gdy tylko Gil-galad zaczął obawiać się ataku Saurona na Eriador, wysłał słowo do Númenoru. Mieszkańcy wyspy zaczęli gromadzić na wybrzeżu Lindonu wszystko, czego trzeba na wojnę. Potem król Tar-Minastir wysłał wielką flotę; spóźniła się ona i nie dotarła do Śródziemia, aż nadszedł rok 1700. Do tego czasu Sauron opanował w pełni Eriador (prócz obleganego Imladris) i dotarł do rzeki Lhûn, skąd wezwał posiłki. Te nadciągały z południowego wschodu i były już w Enedwaith u Przeprawy w Tharbadzie, słabo zresztą bronionej. Gil-galad i Númenorejczycy bronili się rozpaczliwie na linii rzeki Lhûn, by nie dopuścić wroga do Szarych Przystani. W ostatniej zaiste chwili nadciągnęła ogromna rzesza zbrojnych Tar-Minastira. Oddziały Saurona zostały pobite, zdziesiątkowane i odparte. Númenorejski admirał Ciryatur wysłał część statków bardziej na południe.

Po wielkiej rzezi u Brodu Sarn (przeprawa przez Baranduinę) Sauron został przepędzony na południowy wschód i chociaż wzmocnił swe siły w Tharbadzie, to jednak zaskoczyła go obecność wojsk númenorejskich na tyłach. Wysłane przez Ciryatura jednostki wyładowały bowiem spore siły u ujścia rzeki Gwathló (Szare Rozlewisko), „gdzie był niewielki, númenorejski port" [chodzi o założoną przez Tar-Aldariona przystań Vinyalondë, później zwaną Lond Daer, por. Dodatek D do niniejszej książki]. W Bitwie nad Gwathló został pobity i sam ledwie uciekł z mocno przerzedzonymi oddziałami, które zostały doszczętnie pokonane na wschód od Calenardhonu. Z garstką ledwie straży przybocznej umknął następnie w okolice zwane później Dagorlad („Pole Bitwy"), skąd załamany i poniżony wrócił do Mordoru, gdzie poprzysiągł zemścić się na Númenorze. Oblegająca Imladris armia znalazła się w kleszczach między siłami Elronda i Gil-galada i uległa zagładzie. Eriador został wyzwolony, jednak kraina była w znacznym stopniu zniszczona.

W tymże czasie po raz pierwszy zebrała się Rada[10], która ustaliła, że wschodnia warownia elfów powinna mieścić się raczej w Imladris niż w Eregionie. Wtedy też Gil-galad oddał Vilyę, Błękitny Pierścień, Elrondowi i ustanowił go swoim namiestnikiem w Eriadorze. Sam zatrzymał Czerwony Pierścień aż do czasu, gdy wyruszyć mu przyszło z Lindonu w dniach Ostatniego Sojuszu. Dopiero wówczas przekazał go Círdanowi[11]. Na wiele lat pokój zapanował na zachodzie Śródziemia. Mieszkańcy tej krainy mieli zatem dość czasu na leczenie ran. Númenorejczycy zasmakowali jednak władzy i od tej pory [około roku 1800 według *Kroniki Lat*] zaczęli zakładać osiedla na zachodnich wybrzeżach Śródziemia, dość urastając w siłę, by na długi okres powstrzymać parcie Mordoru na zachód.

W ostatnim akapicie opowieść wraca do Galadrieli i powiada, że tęsknota za Morzem narosła w jej sercu tak bardzo (chociaż nie chciała porzucić swej powinności strzeżenia Śródziemia, jak długo Sauron nie zostanie całkowicie pokonany), że aż postanowiła porzucić Lórinand i zamieszkać na wybrzeżu. Powierzyła zatem Lórinand Amrothowi i raz jeszcze przeszła przez Morię, by w poszukiwaniu Celeborna przybyć wraz z Celebríaną do Imladris. Tam (jak się zdaje) znalazła męża i osiedliła się wraz z nim w Imladris. Dopiero wówczas Celeborn po raz pierwszy ujrzał Celebríanę i pokochał ją, chociaż nie zdradzał swego uczucia. Właśnie podczas pobytu Galadrieli w Imladris odbyło się zebranie Rady i zapadła wspomniana już decyzja. Wszelako jakiś czas później [data nieznana] Galadriela i Celeborn opuścili Imladris razem z Celebríaną. Osiedli na rzadko zamieszkałych ziemiach pomiędzy ujściami Gwathló a Ethir Anduin, a konkretnie w Belfalas, w miejscu zwanym później Dol Amroth. Odwiedzał ich tam czasem syn, Amroth, a Nandorowie Elfy z Lórinandu powiększały grono domowników. Dopiero wiele lat później, w Trzeciej Erze, gdy Amroth zginął i Lórinand znalazł się w niebezpieczeństwie, Galadriela wróciła do dawnej siedziby, a stało się to w roku 1981. Tak kończy się tekst *O Galadrieli i Celebornie*.

Można zauważyć, że brak we *Władcy Pierścieni* jakichkolwiek wskazówek, co do innych kolei losu Galadrieli i Celeborna, przywiódł komentatorów do zrozumiałego całkiem wniosku, iż oboje spędzili połowę Drugiej Ery i całą Trzecią Erę w Lothlórien. Było jednak inaczej, chociaż ich historia zarysowana w tekście *O Galadrieli i Celebornie* została mocno zmieniona w późniejszym okresie, o czym każdy się zaraz przekona.

Amroth i Nimrodel

Wspomniałem wcześniej, że gdyby zamysł uczynienia Amrotha synem Galadrieli i Celeborna istniał już w czasie powstawania *Władcy Pierścieni*, nie pominięto by tak istotnego szczegółu. Jakkolwiek było, to wspomniana koncepcja musiała zostać później odrzucona. Jako następną zamieszczam powiastkę (napisaną w roku 1969 lub później) zatytułowaną: *Fragment streszczonej pokrótce legendy o Amrocie i Nimrodel*.

Po tym, jak Amdír zginął w Bitwie na Równinie Dagorlad [w 3434 roku Drugiej Ery], królem Lórien został jego syn, Amroth. Pokonanie Saurona przyniosło krainie wiele lat pokoju. Chociaż był potomkiem Sindarów, Amroth żył zgodnie ze zwyczajami Elfów Leśnych i mieszkał w koronach wielkich drzew rosnących pomiędzy wyniosłymi, zielonymi wzgórzami, w okolicy nazwanej później Cerin Amroth. Czynił to z miłości do Nimrodel, którą kochał przez całe lata i nie poszukał sobie innej żony, gdy Nimrodel go odrzuciła. Ona wprawdzie również darzyła go wielką sympatią, był bowiem piękny, nawet jak na Eldara, dzielny ponadto i mądry, wszakże Nimrodel pochodziła z Elfów Leśnych i niechętnie patrzyła na przybycie Elfów z Zachodu, przynieśli oni bowiem ze sobą (jak powiadała) wojny i zniszczyli tym panujący z dawna pokój. Godziła się używać tylko języka Elfów Leśnych, nawet w czasie, gdy wyszedł on już z życia między mieszkańcami Lórien[12]; mieszkała też samotnie nad wodospadami Nimrodel, której to rzece użyczyła swego imienia. Kiedy jednak krasnoludowie opuścili Khazad-dûm, a na ich miejsce nadciągnęli orkowie, plugawiąc Morię, Nimrodel samotnie uciekła przerażona na południowe pustkowia [w roku 1981 Trzeciej Ery]. Amroth ruszył w trop, znajdując ją w końcu na skraju Fangornu, którego granice w owych dniach znajdowały się znacznie bliżej Lórien[13]. Nimrodel nie odważyła się wejść do lasu, drzewa bowiem, jak mówiła, groziły jej, a niektóre nawet zastępowały drogę. Amroth i Nimrodel rozmawiali tam długo, aż w końcu wyznali sobie wszystko i złożyli pewne obietnice.

— Pozostanę wierna przyrzeczeniu — powiedziała Nimrodel — i pobierzemy się, kiedy zawiedziesz mnie do kraju, gdzie panuje pokój.

Amroth przysiągł, że opuści dla niej swój lud (chociaż chwila była po temu zupełnie niestosowna) i poszuka takiego zakątka.

— Jednak w Śródziemiu nie ma spokojnego miejsca — stwierdził — i nigdy już nie będzie, a to za sprawą elfów. Musimy poszukać drogi przez Wielkie Morze na pradawny Zachód.

Potem opowiedział jej o przystani na południu, gdzie wielu jego pobratymców osiedliło się dużo wcześniej.

— Są już nieliczni, jako że większość pożeglowała na Zachód, jednak ci, co zostali, wciąż budują statki i oferują przewóz wszystkim elfom ściągającym do nich, zmęczonym Śródziemiem. Powiada się, że Valarowie w swej łaskawości pozwalają teraz przebyć Morze także i tym, którzy wzięli udział w Wielkiej Wędrówce, nawet jeśli przed wiekami nie przybili do wybrzeży Błogosławionego Kraju i nigdy go nie widzieli.

Nie ma co rozwodzić się tutaj nad przebiegiem ich wędrówki do Gondoru. Działo się to w dniach króla Eärnila II, przedostatniego króla Południowego Królestwa, i zamęt panował na jego ziemiach [Eärnil II rządził Gondorem w latach 1945– 2043]. Gdzie indziej opowiedziane zostało [chociaż te zapiski się nie zachowały], że Amroth i Nimrodel zostali rozdzieleni. Potem Amroth, długo i na próżno szukając ukochanej, zawędrował w końcu do przystani elfów, gdzie pozostała ich już ledwie garstka, mniej niż mieściło się na pokładzie statku, przy czym mieli tylko jedną pełnomorską jednostkę do dyspozycji. Tak i przygotowywali się do odpłynięcia na zawsze ze Śródziemia. Ciepło przyjęli Amrotha, uradowani, że wzmocni on skromną załogę, nie chcieli jednak czekać na Nimrodel, nie wierząc w jej przybycie.

— Gdyby wędrowała ku nam przez zamieszkałą część Gondoru — powiedzieli — nikt by jej nie napastował i mogłaby liczyć na pomoc, ludzie z Gondoru bowiem to dobre istoty, rządzą nimi potomkowie dawnych przyjaciół elfów, wciąż władający na swój sposób naszą mową. Góry jednak pełne są wrogich ludzi i złych stworów.

Zbliżała się jesień, a wraz z nią silne wichury, niebezpieczne nawet dla statków elfów, przynajmniej jak długo żeglowały jeszcze blisko Śródziemia. Rozpacz Amrotha była tak wielka, że mimo wszystko odłożyli jeszcze wyprawę na wiele tygodni. Mieszkali w tym czasie na statku, ich domy bowiem na wybrzeżu stały już puste i ogołocone z wszelkich dóbr. Pewnej jesiennej nocy nadeszła wielka burza, jedna z najgwałtowniejszych, o jakiej wspomniano w annałach Gondoru. Nadciągnęła z zimnego Pustkowia Północnego i z wielkim hukiem przetoczyła się przez Eriador, docierając do Gondoru, gdzie uczyniła wiele spustoszeń. Białe Góry nie chroniły przed wietrzną nawałnicą i wiele statków zepchniętych zostało do zatoki

Belfalas, gdzie potonęły. Lekką jednostkę elfów wiatr zerwał z cum, po czym poniósł przez rozszalałe żywioły ku wybrzeżom Umbaru. Nigdy więcej nie słyszano już o niej w Śródziemiu, jednak statki budowane przez elfy na ostatnią podróż nie tonęły, więc także ten musiał widać opuścić Kręgi Świata i dopłynąć w końcu do Eressëi. Amroth jednak tam nie dotarł. Kiedy sztorm spadł na wybrzeża Gondoru, świt właśnie przedzierał się przez powłoki gnanych wiatrem chmur. Po przebudzeniu Amroth dostrzegł, że statek oddalił się już znacznie od lądu. Krzyknął wówczas w rozpaczy: „Nimrodel!" i rzuciwszy się do wody, popłynął ku ledwie widocznej linii brzegu. Obdarzeni bystrym wzrokiem elfów marynarze długo śledzili jego walkę z falami, aż wschodzące słońce przebiło się przez chmury i jasne włosy Amrotha zalśniły w dali niczym złota iskra. Od tamtej pory nikt, ani elf, ani człowiek, nie ujrzał go już w Śródziemiu. Nie wiadomo też, co właściwie spotkało Nimrodel, chociaż powstało wiele legend mówiących o jej losie.

Tekst powyższy powstał w zasadzie na marginesie dysputy etymologicznej poświęconej nazwom niektórych rzek Śródziemia. W tym przypadku chodziło o Gilrainę, rzekę płynącą przez Lebennin w Gondorze, wpadającą do zatoki Belfalas na zachód od Ethir Anduin. Jeszcze jeden aspekt legendy o Nimrodel wyłania się zaś z roztrząsania znaczenia cząstki *rain*. Wywodzi się ona prawdopodobnie z rdzenia *ran-* „wędrować, błąkać się, iść niepewnym szlakiem" (jak w Mithrandir czy *Rána*, słowie będącym nazwą Księżyca).

Nazwa ta nie wydaje się pasować do żadnej z rzek Gondoru, jednak pewne miana rzek mogą dotyczyć tylko części ich biegu (źródeł, dolnego biegu) lub nawiązywać do cech, które szczególnie rzuciły się w oczy ich odkrywcom. W tym wypadku ów fragment legendy o Amrocie i Nimrodel zawiera równocześnie wyjaśnienie.

Podobnie jak inne rzeki w tej okolicy, Gilraina spływała wartkim nurtem z gór, docierając do krańca Ered Nimrais, miejsca oddzielającego ją od Celos [por. mapka dołączona do trzeciego tomu *Władcy Pierścieni*], tam też wpływała w płytką i rozległą dolinę. U jej południowego skraju tworzyła niewielkie rozlewisko, po czym przedzierała się przez pasmo wzgórz i ponownie bystrym strumieniem wpadała do Serni. Gdy Nimrodel uciekła z Lórien, podobno zgubiła się w Białych Górach, gdzie szukała drogi do Morza, aż w końcu doszła (jakim szlakiem czy przełęczą, tego nie wiadomo) do rzeki, która przypominała jej strumień płynący przez Lórien. Podniosło to dziewczynę na duchu. Przysiadła na brzegu rozlewiska, patrząc w odbijające się w wodzie gwiazdy i słuchając grzmotu wodospadów w dolnym biegu rzeki. Potem zasnęła mocno ze zmęczenia. Spała tak długo, że do Belfalas dotarła dopiero po zniesieniu statku Amrotha na morze i po zaginięciu ukochanego pośród fal, gdy próbował wracać wpław na ląd. Ta legenda była szeroko znana w Dor-en-Ernil (Ziemi Księcia)[14] i niewątpliwie nazwę tę nadano za sprawą owej historii.

W dalszym ciągu rozprawa wyjaśnia pokrótce relację pomiędzy Amrothem, jako królem Lórien, a panującymi tam Celebornem i Galadrielą:

Mieszkańcy Lórien byli już wówczas [tj. w czasie, gdy zaginął Amroth] tacy sami, jak pod koniec Trzeciej Ery. Pochodzili z Elfów Leśnych, ale rządzili nimi książęta z Sindarów (tak jak w królestwie Thranduila w północnej części Mrocznej Puszczy, chociaż nie wiadomo, czy Thranduil i Amroth byli spokrewnieni)[15]. Znajdowało się wśród nich wielu Noldorów (używających języka sindarińskiego), którzy przybyli przez Morię po zniszczeniu Eregionu przez Saurona w roku 1697 Drugiej Ery. Wówczas to Elrond ruszył na zachód [zapewne znaczy to po prostu, że nie przeszedł przez Góry Mgliste] i założył schronienie w Imladris. Celeborn jednak udał się najpierw do Lórien i umocnił krainę na wypadek, gdyby Sauron próbował przeprawić się przez Anduinę. Kiedy jednak Sauron wycofał się do Mordoru i skupił uwagę (jak podają) na podboju wschodu, Celeborn dołączył do Galadrieli w Lindonie. Nadeszły potem dla Lórien długie lata pokoju i izolacji, które trwały pod rządami króla Amdíra aż do Upadku Númenoru i raptownego powrotu Saurona do Śródziemia. Amdír odpowiedział na wezwanie Gil-galada i wraz z największym oddziałem, jaki tylko zdołał zebrać, przyłączył się do Ostatniego Sojuszu, zginął jednak w Bitwie na Równinie Dagorlad, a wraz z nim większość jego towarzyszy. Potem królem został syn jego, Amroth.

Fragment ten odbiega znacznie od relacji zamieszczonej w tekście *O Galadrieli i Celebornie*. Amroth nie jest tu ich synem, tylko Amdíra, księcia wywodzącego się z Sindarów. Wydaje się, że dawniejsza sieć powiązań Galadrieli i Celeborna z Eregionem i Lórien uległa daleko idącym modyfikacjom, nie da się jednak powiedzieć, ile by z niej pozostało w ukończonym tekście. Związki Celeborna z Lórien zostały teraz przedstawione jako znacznie wcześniejsze (według tekstu bowiem *O Galadrieli i Celebornie*, nie zbłądził do Lórien przez całą Drugą Erę). Dowiadujemy się też nagle, że wielu Noldorów przeszło przez Morię do Lórien po zniszczeniu Eregionu. W uprzedniej relacji nie ma żadnej wzmianki na ten temat, a migracja „beleriandzkich" elfów do Lórien następuje w okresie pokoju przed wojną. Przytoczony powyżej fragment implikuje przypuszczenie, że właśnie Celeborn po upadku Eregionu prowadził uchodźców do Lórien, podczas gdy Galadriela dołączyła do Gil-galada w Lindonie. W innym rękopisie wyłożone to zostało explicite, że oboje w tym samym czasie „przeszli przez Morię, a za nimi podążyło wielu uchodzących Noldorów i zamieszkali na długie lata w Lórien". W późniejszych pismach brak zarówno potwierdzenia, jak i zaprzeczenia, by Galadriela (lub Celeborn) byli w jakiś sposób związani z Lórien przed rokiem 1697. Nigdzie też, poza tekstem *O Galadrieli i Celebornie* nie ma żadnej wzmianki o buncie Celebrimbora (gdzieś pomiędzy rokiem 1350 a 1400) przeciwko ich władztwu nad Eregionem ani też o przeniesieniu się w owym czasie Galadrieli do Lórien i objęciu rządów tamże. Nie wspomniano również o pozostaniu Celeborna w Eregionie. Późniejsze zapiski nie precyzują, gdzie Galadriela i Celeborn spędzili okres Drugiej Ery po pokonaniu Saurona w Eriadorze, w każdym razie nie mówi się już więcej o ich pobycie w Belfalas, trwającym całą erę.

A oto ciąg dalszy rozprawy o Amrocie:

Jednak w miarę, jak upływała Trzecia Era, Galadrielę zaczęły nawiedzać złe przeczucia i razem z Celebornem wybrała się do Lórien, gdzie zostali na dłużej z Amrothem, szczególnie pilnie łowiąc wszystkie wieści i plotki o Cieniu narastającym w Mrocznej Puszczy i ponurej warowni Dol Guldur. Ich lud zadowolony był z rządów Amrotha, okazał się bowiem władcą dzielnym i mądrym. Dobrze się wszystkim wiodło w jego małym, ale pięknym królestwie. Tak zatem po odbyciu długich podróży wywiadowczych po Rhovanionie, od Gondoru i granic Mordoru po ziemie Thranduila na północy, Celeborn wraz z Galadrielą przeszli przez góry do Imladris i osiedli tam na wiele lat, Elrond bowiem należał do ich rodziny, jako że na początku Trzeciej Ery [według *Kroniki Lat* w roku 1909] poślubił Celebríanę. Po klęsce w Morii [w roku 1980] i żałobie w Lórien, która to kraina została bez władcy (Amroth bowiem utonął w morzu w zatoce Belfalas i nie zostawił następcy), Celeborn i Galadriela wrócili do Lórien, gdzie zostali z chęcią przyjęci. Panowali tam aż do kresu Trzeciej Ery, ale nie przyjęli tytułów króla czy królowej, mówiąc, że są tylko strażnikami tego małego, ale pięknego królestwa, najdalej na wschód wysuniętej placówki elfów.

Gdzie indziej napotykamy jeszcze jedną wzmiankę o ich podróżach w tamtych latach:

Do Lórien Celeborn i Galadriela wracali dwakroć, nim skończyła się Druga Era i zawiązał Ostatni Sojusz, w Trzeciej Erze zaś, kiedy znów urósł Cień Saurona, mieszkali tam przez długi czas. W swej mądrości Galadriela dojrzała strategiczne znaczenie Lórien jako warowni powstrzymującej Cień przed przekroczeniem Anduiny podczas nieuniknionej wojny, która poprzedzi zniszczenie Saurona (o ile uda się go pokonać). Aby jednak ten plan urzeczywistnić, trzeba było owej krainie władcy silniejszego i mądrzejszego, niż ci wywodzący się z Elfów Leśnych. Tak czy inaczej, dopiero po klęsce w Morii, kiedy to siły Saurona przekroczyły Anduinę (czego Galadriela żadnym sposobem nie mogła przewidzieć) i zagroziły Lórien w czasie bezkrólewia, Galadriela i Celeborn osiedli tam na stałe, przejmując rządy nad ludem gotowym już uciekać, kraj zostawiając na pastwę orków. Nie przyjęli jednak tytułów króla ni królowej, tylko w roli strażników przeprowadzili Lórien nietknięte przez Wojnę o Pierścień.

W innej rozprawie etymologicznej z tego samego okresu znajdujemy wyjaśnienie, iż imię Amroth było przezwiskiem wywiedzionym z tego, iż król miał zwyczaj przemieszkiwać na wysoko zawieszonych platformach nadrzewnych, zwanych talan lub flet, które Galadhrimowie budowali w Lothlórien (por. *Drużyna Pierścienia*, księga druga, rozdział *Lothlórien*);

słowo to oznaczało „wspinającego się wysoko"[16]. Wspomina się tutaj, że zwyczaju mieszkania w koronach drzew nie miały wszystkie Elfy Leśne, jednak przyjął się w Lórien jako przydatny w warunkach tej krainy, płaskiej i pozbawionej kamieni, prócz tych skał, które można było dobywać w górach na zachodzie i spławiać Srebrną Żyłą, co wszakże nie należało do łatwych zadań. Główne bogactwo stanowiły tu drzewa, pozostałości wielkiej puszczy z Dawnych Dni. Jednak nawet w Lórien nie każdy mieszkał wśród konarów, telain i flety zaś były z początku jedynie schronieniami przygotowanymi na wypadek ataku oraz punktami oberwacyjnymi (szczególnie te na wyższych drzewach), z których bystre oczy elfów przepatrywać mogły cały kraj oraz jego granice. Pod koniec bowiem pierwszego tysiąclecia Trzeciej Ery rozpoczął się dla Lórien czas czujności i bez wątpienia od chwili wzniesienia w Mrocznej Puszczy twierdzy Dol Guldur narastać musiał niepokój Amrotha.

> Na takim właśnie punkcie obserwacyjnym, zwanym flet, wykorzystywanym przez strażników północnego pogranicza, spędził noc Frodo. Domostwo Celeborna w Caras Galadhon miało takie samo pochodzenie. Jego najwyższe flet, której Drużyna Pierścienia nie widziała, stanowiło też punkt górujący nad całą krainą. Wcześniej najwyżej położonym było flet Amrotha, zbudowane na szczycie usypanego wysiłkiem wielu rąk, okazałego kopca czy wzgórza Cerin Amroth. Platformę tę wykonano głównie z myślą o możliwości obserwacji Dol Guldur po drugiej stronie Anduiny. Dopiero później przebudowano owe telain na stałe siedziby i jedynie w Caras Galadhon występowały w większej liczbie. Jednak Caras Galadhon było fortecą, więc tylko nieliczni Galadhrimowie mieszkali w jej murach. Z początku przebywanie w nadrzewnych domostwach niewątpliwie uważano za coś niezwykłego. Zapewne też Amroth był pierwszym, który się na to poważył. I tak właśnie, sugerując się jego zwyczajem przemieszkiwania w koronie drzewa, urobiono mu zapewne imię. Jako jedyne przetrwało później w legendzie.

Stwierdzenie „zapewne Amroth był pierwszym, który się na to poważył" opatrzone jest przypisem:

> Jeśli nie brać pod uwagę Nimrodel, inne motywy kierowały jej postępowaniem. Kochała wody i fale Nimrodel, od której to rzeki nie chciała nigdy na długo się oddalać. Przyszły gorsze czasy, a strumień płynął zbyt blisko północnej granicy i niewielu Galadhrimów mieszkało już nad nim. Może to właśnie Nimrodel natchnęła Amrotha ideą zamieszkania w wysoko wzniesionym flet[17].

Wracając do przytoczonej powyżej legendy o Amrocie i Nimrodel, nasuwa się pytanie: cóż to była za „przystań na południu", w której Amroth oczekiwał Nimrodel i gdzie (jak jej powiedział) „wielu jego pobratymców osiedliło się dużo wcześniej"? Odpowiedź sugerują dwa fragmenty zawarte we *Władcy Pierścieni*. Jeden, to stwierdzenie Legolasa, który po odśpiewaniu pieśni o Amrocie i Nimrodel (*Drużyna Pierścienia*, s. 323) wspomina o zatoce Belfalas, „gdzie postawili żagle elfowie z Lórien". Drugi zaś dotyczy chwili, kiedy to Legolas spogląda na księcia Imrahila z Dol Amroth, poznaje „człowieka, w którego żyłach płynie krew elfów" i rzecze mu: „Dużo czasu minęło, odkąd lud Nimrodel opuścił lasy Lórien, ale widać, że nie wszyscy pożeglowali z Amrothem na zachód". Książę Imrahil zaś odpowiada: „Tak powiadają legendy mego kraju" (*Powrót Króla*, s. 137).

Późniejsze, oderwane zapiski starają się nieco sprawę wyjaśnić. W rozprawie poświęconej zagadnieniom lingwistyki i stosunków politycznych w Śródziemiu (powstałej w roku 1969 lub później) znajdujemy drobną wzmiankę, że w dniach wczesnego osadnictwa w Númenorze, wybrzeża zatoki Belfalas były w większości wciąż niezamieszkane „z wyjątkiem przystani i niewielkiej osady elfów na południe od zbiegu Morthondu i Ringló" (tj. zaraz na północ od Dol Amroth).

> Według tradycji Dol Amroth została ona założona przez żeglujących po morzu Sindarów z zachodnich przystani Beleriandu, którzy trzema małymi statkami uciekli przed potęgą Morgotha, gdy ten pokonał Eldarów i Atanich; później jednak rozbudowały ją Elfy Leśne, a te dotarły do morza, wędrując wzdłuż Anduiny.

Elfy Leśne (jak zostało tu zaznaczone) „nigdy nie uwolniły się całkowicie od niepokoju i tęsknoty za Morzem, która od czasu do czasu kazała niektórym spośród nich opuszczać domostwa". Odnosząc wzmiankę o „trzech małych statkach" do opowieści przytoczonych w *Silmarillionie*, można przypuścić, że na pokładach znajdowali się uciekinierzy z Brithombaru lub Eglarestu (przystani w Falas na zachodnim wybrzeżu Beleriandu), którzy opuścili te miejsca po ich zniszczeniu w rok po Nirnaeth Arnoediad (*Silmarillion*, s. 235). Znaczy to, że podczas gdy Círdan i Gil-galad schronili się na wyspie Balar, flotylla tych trzech statków popłynęła wzdłuż brzegów o wiele dalej na południe, docierając aż do Belfalas.

Jednak inna, niedokończona notka mówiąca o pochodzeniu nazwy Belfalas, sugeruje inny zupełnie przebieg wydarzeń i przesuwa założenie przystani przez elfy na znacznie późniejsze czasy. Powiada się tam, że wprawdzie przedrostek *Bel-* na pewno wywodzi się z nazewnictwa prenúmenorejskiego, to pierwotne jego pochodzenie jest w gruncie rzeczy sindarińskie. Notka urywa się, nie dochodząc do dalszych wyjaśnień w kwestii prefiksu *Bel-*, jednak podaje, iż powodem uznania źródłosłowu za sindariński jest fakt, że „istniała w Gondorze osada Eldarów, niewielka wprawdzie, ale już samo w sobie było to coś niezwykłego i nader istotnego". Po zniszczeniu Thangorodrimu elfy z Beleriandu popłynęły za Morze albo zostały w Lindonie, lubo też poszły przez Góry Błękitne na wschód do Eriadoru; wydaje się wszakże, że istniała jeszcze i taka grupa Sindarów, która na początku Drugiej Ery skierowała się na południe. Byli to nieliczni ocaleni z Doriathu, wciąż zapamiętali w niechęci do Noldorów. Na jakiś czas zatrzymali się w Szarych Przystaniach. Tam nauczyli się szkutnictwa. Potem „z biegiem lat zaczęli szukać miejsca, gdzie mogliby wieść własne życie, w końcu osiedlając się u ujścia Morthondu. Rybacy, którzy uciekli ze strachu przed Eldarami, zostawili tam prymitywną przystań"[18].

Notatka powstała w grudniu 1972 roku lub później, jak i część ostatnich zapisków, które ojciec poświęcił Śródziemiu. Skupiają one uwagę na kwestii wpływu posiadania elfich przodków na kondycję człowieka. Objawiało się to brakiem zarostu u takich ludzi (co wyróżniało wszystkie elfy). W odniesieniu zaś do rodu książęcego z Dol Amroth powiada się, że „według legend, ród ten dziedziczył szczególnie wiele elfich przymiotów" (co jest nawiązaniem do cytowanego już fragmentu opisującego spotkanie Legolasa i Imrahila w *Powrocie Króla*).

Jak sugerują słowa Legolasa opowiadającego o Nimrodel, istniał z dawna w pobliżu Dol Amroth port elfów i niewielka osada założne przez Elfy Leśne z Lórien. Według legendy przekazywanej w rodzie książęcym, jeden z praojców dających początek tej linii miał ożenić się z półelfką. Według jednej wersji była to sama Nimrodel (wysoce nieprawdopodobne), w innej jakaś towarzyszka Nimrodel, która zagubiła się w wysoko położonych dolinach. W to łatwiej już uwierzyć.

Ten drugi wariant legendy pojawia się w bardziej szczegółowej formie w notatce dołączonej do nieopublikowanej genealogii dynastii Dol Amroth, zaczynającej się od Angelimara, dwudziestego księcia, ojca Adrahila, ojca Imrahila, księcia Dol Amroth podczas Wojny o Pierścień.

Według tradycji rodu Angelimar był w prostej linii dwudziestym potomkiem Galadora, pierwszego władcy Dol Amroth (w latach około 2004–2129 Trzeciej Ery). Według tego samego przekazu Galador był synem Imrazôra Númenorejczyka, który mieszkał w Belfalas, i kobiety elfów imieniem Mithrellas. Należała ona do kompanii Nimrodel i razem z wieloma innymi elfami uciekła na wybrzeże około roku 1980 Trzeciej Ery, kiedy zło ujawniło się w Morii. Nimrodel wraz ze swą świtą zabłądziła między lesistymi wzgórzami. Wszelako ta opowieść podaje, że Imrazôr przygarnął Mithrellas i wziął ją za żonę. Kiedy jednak urodziła mu ona syna, Galadora, i córkę, Gilmith, wymknęła się pewnej nocy z domu i nikt jej więcej nie widział. Chociaż Mithrellas pochodziła z pomniejszego plemienia Elfów Leśnych (a nie z Elfów Wysokiego Rodu czy Elfów Szarych), to jednak zawsze utrzymywano, że przedstawiciele rodu władców Dol Amroth godni byli miana szlachetnych, tak poprzez więzy krwi, jak i dzięki urodzie i zaletom umysłów.

Elessar

Nieopublikowane prace ojca nie zawierają już prawie żadnych więcej informacji o Celebornie i Galadrieli. Jedyny w zasadzie wyjątek stanowi czterostronicowy rękopis zatytułowany *Elessar*. Jest to wyraźnie dopiero szkic, czynione ołówkiem poprawki są bardzo nieliczne, nie ma też innych wersji. Oto tenże tekst, poddany tylko niewielkiej obróbce redakcyjnej:

Był w Gondolinie pewien złotnik zwany Enerdhil, największy spośród rzemieślników Noldorów po śmierci Fëanora. Enerdhil ukochał wszelką żywą zieleń, a największą radość sprawiał mu widok słońca przeświecającego przez listowie drzew. W przypływie natchnienia postanowił stworzyć klejnot pełen uwięzionego blasku słońca, zielony wszakże jak liście. I zrobił, co zamierzył. Nawet Noldorowie nie mogli wyjść z podziwu. Powiada się bowiem, że ci, którzy spojrzeli w kamień, dostrzegali rzeczy zniszczone lub spalone znowu całymi lub zupełnie nowymi. Dłonie trzymające klejnot nabywały mocy uzdrawiania dotykiem zranień. Enerdhil podarował kamień Idril, córce królewskiej, ona zaś nosiła go na piersi, i w ten sposób uratowała się z pożogi Gondolinu. Zanim wszakże Idril pożeglowała w podróż, powiedziała Eärendilowi, swemu synowi:

– Zostawiam ci Elessar, wiele bowiem jest w Śródziemiu serc bolejących. Może je uleczysz. Nie wolno ci jednak przekazać daru nikomu innemu.

Rzeczywiście, wielu było w Przystani Sirionu cierpiących, a wśród nich ludzie, elfy i zwierzęta, które uciekły od grozy wydarzeń na Północy. Jak długo Eärendil mieszkał między nimi, zdrowie i pomyślność panowały w krainie, a wszystka zieleń soczysta była i jasna. Kiedy jednak Eärendil zaczął wypuszczać się w długie podróże po morzu, zawsze nosił Elessar na piersi, w każdej bowiem wyprawie przyświecała mu jedna nadzieja: że może odnajdzie jeszcze Idril. Pierwszą rzeczą zapamiętaną z dzieciństwa w Śródziemiu, kiedy matka śpiewała nad jego kołyską w czasach świetności Gondolinu, był właśnie zielony kamień na jej piersi. I stało się tak, że Elessar też odszedł, gdy Eärendil nie wrócił więcej do Śródziemia.

Całe wieki później pojawił się jeszcze jeden Elessar i różnie się o tym mówi, a prawdę mogliby rzec jedynie dawno nieżyjący już Mędrcy. Niektórzy bowiem twierdzą, że ów drugi klejnot to w istocie ten pierwszy. Powiadają, iż wrócił do Śródziemia dzięki łasce Valarów, że Olórin (znany w Śródziemiu jako Mithrandir) przywiózł go ze sobą z Zachodu. Pewnego dnia Olórin odwiedził Galadrielę, która mieszkała wówczas pod drzewami Wielkiego Zielonego Lasu i długo ze sobą rozmawiali. Pani Noldorów ciążyć już bowiem zaczynały długie lata wygnania i stęskniła się za wieściami o swych pobratymcach żyjących w błogosławionej krainie jej narodzin, jednak nie chciała porzucić Śródziemia [to zdanie zostało poprawione, pierwotnie brzmiało: jednak nie było jej wolno porzucić Śródziemia]. Kiedy Olórin przekazał już Galadrieli wszelkie nowinki, westchnęła i powiedziała:

– Boleść ogarnia mnie w tej krainie, bo liście tu opadają, a kwiaty więdną. Serce me tęskni za stronami, gdzie drzewa i trawa są wiecznie zielone. Chciałabym widzieć takie właśnie rośliny za progiem mego domu.

– Czy przyjmiesz zatem Elessar? – spytał Olórin.

– Gdzież jest teraz klejnot Eärendila? – spytała Galadriela. – Nie ma już Enerdhila, twórcy kamienia.

– Kto wie? – odparł Olórin.

– Niewątpliwie wraz z innymi odszedł za morze, jak niemal wszystko, co piękne – westchnęła Galadriela. – Czy musi zatem Śródziemie zwiędnąć i zniknąć na zawsze?

– Taki los – stwierdził Olórin. – Jednak na krótki czas można by to jeszcze zmienić, gdyby Elessar wrócił do Śródziemia. Nie na długo, tylko do nadejścia Czasu Ludzi.

– Gdyby... Ale jak tego dokonać? – spytała Galadriela. – Bez wątpienia Valarowie odsunęli się od nas i nie myślą już o Śródziemiu, które coraz głębszy Cień spowija.

– To nie tak – powiedział Olórin. – Wciąż widzą wszystko dobrze i serca im nie skamieniały. Spójrz tylko, a przekonasz się, że mówię prawdę!

I pokazał jej Elessar, a ona spojrzała z podziwem na klejnot.

– Przynoszę ci go od Yavanny. Wykorzystaj go, jak potrafisz, a na pewien czas twa kraina stanie się najpiękniejszym zakątkiem Śródziemia. Nie dostajesz jednak tego kamienia na własność. We właściwej chwili przekażesz go dalej. Zanim bowiem ogarnie cię znużenie i porzucisz Śródziemie, pojawi się ktoś, komu klejnot będzie pisany i kto otrzyma miano właśnie od tego kamienia: zwać go będą Elessarem[19].

Inna opowieść tak przedstawia sprawę:

Dawno, dawno temu, zanim jeszcze Sauron omamił kowali z Eregionu, przybyła tam pewnego dnia Galadriela i powiedziała Celebrimborowi, najważniejszemu spośród kowali:

– Boleść ogarnia mnie w Śródziemiu, gdzie liście opadają i więdną me ukochane kwiaty, aż żal wypełnia mą krainę i żadna wiosna go nie koi.

– A jakże inaczej czuć się mogą Eldarowie, skoro trwają uparcie w Śródziemiu? – odparł Celebrimbor. – Czy zamierzasz zatem odpłynąć za Morze?

– Nie. Angrod odszedł, Aegnor odszedł, nie ma już Felagunda. Ja jedna zostałam z dzieci Finarfina[20], ale duma jeszcze we mnie nie wygasła. Cóż takiego uczynił złotowłosy ród Finarfina, bym miała błagać Valarów o wybaczenie czy też zadowolić się wyspą na morzu, skoro mą ojczyzną jest Błogosławiony Aman? Tutaj jestem potężniejsza.

– Czego zatem pragniesz? – spytał Celebrimbor.

– Chciałabym, aby drzewa i trawa wkoło mnie nie umierały, by nie więdły w tej krainie, którą władam. Co stało się z dawną sztuką Eldarów?

– A gdzie jest teraz kamień Eärendila? – spytał Celebrimbor. – Gdzież jest Enerdhil, który go stworzył?

– Odeszli za Morze. A wraz z nimi niemal wszystko, co piękne. Czy musi zatem Śródziemie zwiędnąć i zniknąć na zawsze?

– Obawiam się, że taki los mu już pisany – odparł Celebrimbor. – Ale wiesz, że cię kocham (chociaż ty wybrałaś Celeborna od Drzew) i dla tej miłości uczynię, co potrafię, by moja sztuka osłodziła twój żal.

Nie powiedział Galadrieli, że sam też pochodzi z Gondolinu i że był przyjacielem Enerdhila, chociaż zawsze pozostawał w jego cieniu. Jednak gdyby nie maestria Enerdhila, imię Celebrimbora już wówczas stałoby się głośne. Tak zatem pomyślał chwilę, po czym siadł do długiej niełatwej pracy, aż ukończył dla Galadrieli największe ze swych dzieł (jeśli nie liczyć Trzech Pierścieni). Powiada się, że jego kamień był bardziej subtelny i przejrzysty niż ten stworzony przez Enerdhila, miał wszakże mniejszą moc, pierwszy Elessar bowiem zawierał blask młodego słońca, a w czasie, gdy Celebrimbor po wiekach tworzył klejnot, nigdzie już w Śródziemiu nie spotykało się takiego światła jak niegdyś. Wprawdzie ciśnięto już Morgotha w Pustkę i w żaden sposób nie mógł on wrócić do świata, to jednak jego odległy cień kładł się na wszystkim. Niemniej i tak promienny był Elessar Celebrimbora. Kowal osadził kamień w wielkiej srebrnej broszy upodobnionej do wzlatującego orła[21]. Dzierżąc Elessar, Galadriela czyniła wszystko wkoło pięknym. Działo się tak, aż Cień padł na Puszczę. Potem jednak, kiedy Celebrimbor przysłał Galadrieli Nenyę, najważniejszy z Trzech[22], Elessar nie był już jej potrzebny. Oddała go więc córce Celebríanie, którym to sposobem klejnot trafił w ręce Arweny, a dalej do Aragorna, który zwany był Elessarem.

Na końcu zaś tekstu widnieje akapit:

Elessar powstał w Gondolinie i zrobił go Celebrimbor, potem zaś kamień przekazano Idril, a następnie Eärendilowi i wraz z nim odszedł z tego świata. Wszakże Celebrimbor zrobił później drugiego Elessara, a uczynił to w Eregionie na prośbę Pani Galadrieli (którą kochał). Klejnot nie podlegał władzy Jedynego, powstał bowiem przed odrodzeniem się Saurona.

Ta opowieść ma wiele wspólnego z tekstem *O Galadrieli i Celebornie*. Powstała zapewne w tym samym czasie lub nieco wcześniej, Celebrimbor jest tu bowiem znowu złotnikiem z Gondolinu, a nie potomkiem Fëanora, a Galadriela niechętnie wypowiada się o opuszczeniu Śródziemia, chociaż w późniejszych poprawkach dodana została sprawa zakazu, a w dalszej części mówi się o przepraszaniu Valarów.

Postać Enerdhila nie ukazuje się nigdzie indziej, a ostatnie zdania tekstu sugerują, że jego miejsce jako twórcy Elessara w Gondolinie zająć miał Celebrimbor. O miłości Celebrimbora do Galadrieli też nie odnajdujemy żadnych więcej wzmianek. W tekście *O Galadrieli i Celebornie* pojawia się sugestia, że przybył on do Eregionu razem z nimi, tutaj wszakże, tak jak i w *Silmarillionie*, czytamy, iż Galadriela spotkała Celeborna w Doriacie. Trudno więc pojąć sens słów Celebrimbora, gdy mówi on: „chociaż ty wybrałaś Celeborna od Drzew". Niejasna jest też uwaga o zamieszkaniu Galadrieli „pod drzewami Wielkiego Zielonego Lasu". Można to uznać za swobodne użycie tej nazwy (nie powtórzone nigdzie indziej) również wobec lasów Lórien na drugim brzegu Anduiny; stwierdzenie zaś o tym, że „Cień padł na Puszczę" odnosi się niewątpliwie do wzrostu potęgi Saurona w twierdzy Dol Guldur, co w Dodatku A do *Władcy Pierścieni* określa się jako „Cień z lasu" [*Powrót Króla*, s. 318]. Może to sugerować, że w owym czasie władza Galadrieli rozciągała się i na południowe krańce Wielkiego Zielonego Lasu, co potwierdzałby cytat z tekstu *O Galadrieli i Celebornie*, powiadający, że królestwo Lórinand (Lórien) miało obejmować „lasy po obu stronach Wielkiej Rzeki, włącznie z okolicą, gdzie później wzniesiono Dol Guldur". Możliwe też, że tę samą koncepcję prezentuje notatka zamieszczona w *Kronice Lat*, w części dotyczącej Drugiej Ery (według pierwszego wydania): „liczni Sindarowie odeszli dalej na wschód i niektórzy z nich założyli królestwa w odległych lasach. Thranduil, król północnej części Wielkiego Zielonego Lasu był jednym z takich władców, a także Celeborn na południu puszczy". W wydaniu poprawionym usunięto wzmiankę o Celebornie, miast tego osadzając go w Lindonie [*Powrót Króla*, s. 328].

Na zakończenie można jeszcze zauważyć, że uzdrawiająca moc przypisana Elessarowi (podczas pobytu Eärendila w Przystani Sirionu) została w *Silmarillionie* powiązana raczej z silmarilem (s. 294).

Dodatki

Dodatek A
Elfy leśne i ich mowa

Według informacji zawartych w *Silmarillionie* (s. 109), niektórzy z Nandorów Telerich, którzy odłączyli się od wędrówki Eldarów po wschodniej stronie Gór Mglistych, „długie wieki przebywali w lasach Doliny Wielkiej Rzeki" (podczas gdy inni mieli udać się w dół Anduiny aż do jej ujścia, jeszcze inni zaś przejść do Eriadoru. Z tych ostatnich wywodzą się Elfy Zielone z Ossiriandu).

W późnej etymologicznej rozprawie traktującej o imionach własnych, takich jak Galadriela, Celeborn i Lórien, Elfy Leśne z Mrocznej Puszczy zostały określone precyzyjnie jako potomkowie Telerich, którzy zostali w Dolinie Anduiny:

Elfy Leśne (*Tawarwaith*) pochodziły od Telerich, przez co łączyło ich dalekie pokrewieństwo z Sindarami, chociaż dłużej pozostawały z nimi w separacji niż Teleri z Valinoru. Były potomkami tych Telerich, którzy podczas Wielkiej Wędrówki zlękli się Gór Mglistych i pozostali w Dolinie Anduiny, nigdy nie dochodząc ani do Beleriandu, ani do Morza. W ten sposób łączyło ich bliższe pokrewieństwo z Nandorami (zwanymi inaczej Elfami Zielonymi), którzy ostatecznie przeszli góry i dotarli w końcu do Beleriandu.

Elfy Leśne skryły się w puszczy za Górami Mglistymi, tworząc niewielkie, żyjące w rozproszeniu plemiona, trudne do odróżnienia od Avarich;

ale wciąż pamiętali, że pochodzą od Eldarów, członków Trzeciego Szczepu, i z radością witali tych Noldorów, a szczególnie Sindarów, którzy nie odpłynęli za Morze, tylko podążyli na wschód [na początku Drugiej Ery]. Pod ich to przewodnictwem stali się znów zorganizowaną społecznością i poszerzyli swą wiedzę. Thranduil, ojciec Legolasa, jednego z Dziewięciu Wędrowców, był Sindarem i język sindariński używany był w jego domu, chociaż jego poddani nim nie władali.

W Lórien, którego mieszkańcy wciąż w znacznej części pochodzili od Sindarów lub ocalałych z Eregionu Noldorów, język sindariński był w powszechnym użyciu. W jakim stopniu różnił się od dialektu stosowanego w Beleriandzie, tego oczywiście nie wiadomo (por. *Drużyna Pierścienia*, s. 324, kiedy to Frodo dochodzi do wniosku, że mowa leśnego ludu choć podobna jest do tej, której używa się na Zachodzie, to wszakże tylko podobna). Zapewne różnice nie ograniczały się tylko do odmiennego sposobu „akcentowania", jak to się obecnie mawia (czyli do wymowy samogłosek i intonacji), ale było to dość, by zwieść kogoś nieobeznanego, jak Frodo, z bardziej poprawnym sindarińskim. Oczywiście, mogły występować też regionalizmy i inne oboczności związane z wpływami dawnej mowy Elfów Leśnych. Kraina Lórien była dość długo odizolowana od świata. Niektóre imiona, jak Amroth czy Nimrodel, zachowane w niezmienionej formie, nie dawały się bezpośrednio wywieść z sindarińskiego, chociaż pod względem formalnym pasowały do tego języka. Caras zdaje się być dawnym słowem określającym fortecę otoczoną fosą, jednak w sindarińskim nie ma takiego wyrażenia. Lórien jest zapewne przetworzoną formą dawniejszej, zapomnianej już, nazwy [wcześniejszej jednak niż określenie w języku Elfów Leśnych czy też w języku Nandorów brzmiące: Lórinand, por. przypis 5 do poprzedniego rozdziału].

Te uwagi dotyczące nazw w języku Elfów Leśnych współgrają z informacjami zawartymi w Dodatku F do *Władcy Pierścieni*, w przypisie do części zatytułowanej *O elfach* (tylko w wydaniu poprawionym, *Powrót Króla*, s. 371–372).

Inna ogólna wzmianka o Elfach Leśnych znajduje się w lingwistyczno-historycznej rozprawie pochodzącej z tego samego okresu, co dzieło dopiero co cytowane:

Chociaż dialekty Elfów Leśnych, gdy znów po latach spotkał się ów lud z krewniakami, na tyle były już odległe od sindarińskiego, że stały się ledwo zrozumiałe, to ustalenie ich pokrewieństwa z językami Eldarów nie nastręczało wielu trudności. Wprawdzie porównywanie leśnych dialektów z ich własną mową nader pasjonowało uczonych, szczególnie noldorskiego pochodzenia, to jednak niewiele dziś wiadomo o mowie Elfów Leśnych. Nie wynaleźli oni żadnych sposobów zapisu, a ci, którzy przyjęli znaki graficzne od Sindarów, pisali, jak mogli, w sindarińskim. Pod koniec Trzeciej Ery języki Elfów Leśnych wyszły z użycia w obu tych regionach odgrywających istotną rolę w Wojnie o Pierścień, czyli w Lórien i królestwie Thranduila na północy Mrocznej Puszczy. Przetrwało po nich jedynie parę rzeczowników pospolitych oraz kilka nazw własnych zapisanych niegdyś w kronikach.

Dodatek B
Sindarińscy książęta Elfów Leśnych

W Dodatku B do *Władcy Pierścieni*, we wprowadzeniu do *Kroniki Lat* (podrozdział *Druga Era*), widnieje wzmianka, że „zanim wybudowano Barad-Dûr, liczni Sindarowie odeszli dalej na wschód i niektórzy założyli królestwa w odległych lasach. Ich poddanymi były zazwyczaj Elfy Leśne. Thranduil, król północnej części Wielkiego Zielonego Lasu był jednym z takich władców".

W późnych filologicznych pracach ojca znaleźć można nieco więcej na ten temat. I tak, według pewnej rozprawy:

Królestwo Thranduila sięgało lasów rosnących wzdłuż zachodnich brzegów Długiego Jeziora i wokoło Samotnej Góry i granice jego nie zmieniły się, aż do nadejścia wygnanych z Morii krasnoludów i pojawienia się Smoka. Zamieszkujący to królestwo lud elfów przywędrował z południa i był spokrewniony z sąsiadami z Lórien. Mieszkał jednak w Wielkim Zielonym Lesie na wschód od Anduiny. W Drugiej Erze król tego ludu, Orofer [ojciec Thranduila, ojca Legolasa] wycofał się na północ za pola Gladden. Uczynił to, by uwolnić się od sąsiedztwa rosnących w siłę, agresywnych krasnoludów z Morii, która stała się największą siedzibą tego plemienia w całych dziejach. Miał za złe Celebornowi i Galadrieli, że nie pytając nikogo o zdanie, osiedli w Lórien. Niemniej w owym czasie żadne niepokoje nie nawiedzały jeszcze terenów między Zielonym Lasem a Górami i aż do Wojny Ostatniego Sojuszu jego lud utrzymywał łączność z pobratymcami po drugiej stronie Rzeki. Mimo pragnienia Elfów Leśnych, by jak najmniej mieszać się w sprawy Noldorów, Sindarów, krasnoludów, ludzi czy orków, Orofer potrafił przewidzieć, że pokój nie powróci, o ile nie pokona się Saurona. Tak zatem zebrał wielką armię (ponieważ wielu już miał wtedy poddanych) i przyłączył się do mniejszej armii Malgalada z Lórien i razem z nim poprowadził oddziały Elfów Leśnych do bitwy. Jego podwładni byli dzielni i wytrzymali, słabo jednak uzbrojeni w porównaniu z Eldarami z Zachodu, uznawali się też za lud niezależny i nie poddali się pod naczelne dowództwo Gil-galada. Tym samym ponieśli straty większe niż te nieuniknione w owej strasznej wojnie. Malgalad poległ wraz z ponad połową podkomendnych, kiedy to podczas wielkiej bitwy na równinie Dagorlad został odcięty od głównych sił i zagnany na Martwe Bagna. Orofer zginął w trakcie pierwszego ataku na Mordor. Na czele najdzielniejszych wojowników ruszył do walki, zanim jeszcze Gil-galad dał sygnał do szturmu. Jego syn, Thranduil, ocalał, ale gdy wojna dobiegła końca i zabito (jak się wówczas wydawało) Saurona, poprowadził z powrotem do domu ledwie trzecią część tej armii, która wymaszerowała na bój.

Malgalad z Lórien nie pojawia się nigdzie indziej, a i tutaj nie mówi się o tym, że był ojcem Amrotha. Z drugiej jednak strony Amdír, ojciec Amrotha, miał zginąć na równinie Dagorlad (co zostało wspomniane już dwukrotnie w tej książce) i wydaje się, że można tym samym utożsamiać Malgalada z Amdírem. Nie potrafię jednak orzec, które z tych imion jest pierwotne, a które później wprowadzone. Tekst zaś prowadzi nas dalej:

Nastał potem długi czas pokoju i Elfy Leśne znów stały się liczne, gnębił je wszakże lęk i niepokój, czuły bowiem, że Trzecia Era niesie liczne zmiany dla świata. Ludzi też było coraz więcej i rośli w siłę. Númenorejscy królowie Gondoru sięgali coraz dalej na północ, ku granicom Lórien i Zielonego Lasu. Wolni Ludzie z Północy (zwani tak przez elfy, jako że nie poddawali się oni władzy Dúnedainów oraz w większości nie składali hołdu Sauronowi ni jego sługom) stopniowo przemieszczali się na południe: głównie na wschód od Zielonego Lasu, chociaż niektórzy osiedlili się również na skraju puszczy i na trawiastych równinach w Dolinie Anduiny. O wiele gorsze wieści dochodziły z dalekiego wschodu, gdzie siali zamęt Dzicy Ludzie. Niegdysiejsze sługi i czciciele Saurona przestali odczuwać nad sobą bat tyrana, ale wciąż ciemność i zło zalegały w ich sercach. Szalały między nimi okrutne wojny, przez co niektóre plemiona wycofywały się na zachód, przy czym pełni nienawistnych myśli Dzicy Ludzie uznawali wszystkich mieszkańców Zachodu za swoich wrogów. Uważali, że trzeba ich zabić, a siedziby złupić. Wszakże Thranduila nękała troska jeszcze gorsza. Wciąż nie mógł zapomnieć potworności, jakie ujrzał w Mordorze i chociaż wiedział, że potęga ta została już złamana, a kraina opuszczona i królowie ludzi strzegą jej pilnie, to jednak strach nie odchodził i podszeptywał nieustannie, iż tymczasowym było to zwycięstwo i że zło jeszcze się odrodzi.

W innym fragmencie, pochodzącym z tego samego okresu co poprzedni, mowa jest, iż po tysiącu lat Pierwszej Ery, gdy Cień znów padł na Wielki Zielony Las, rządzone przez Thranduila Elfy Leśne:

Wycofały się przed Cieniem, gdy ten pełzł niezmiennie na północ, aż w końcu Thranduil ustanowił królestwo na północny wschód od puszczy i wydrążył tam obszerną, podziemną fortecę. Orofer był sindarińskiego pochodzenia i bez wątpienia jego syn wziął przykład z żyjącego niegdyś w Doriacie króla Thingola, chociaż jego dzieło nie umywało się do Menegrothu. Nie miał dość biegłości ani bogactwa ani też pomocy krasnoludów, w zestawieniu zaś z mieszkańcami Doriathu jego lud wydawał się nieokrzesany i prostacki. Orofer przybył między nich jedynie z garstką Sindarów, którzy szybko stopili się z miejscowym żywiołem, przyjmując język i imiona Elfów Leśnych. Uczynili to z rozmysłem, bowiem (tak jak inni, podobni wędrowcy, zapomniani już lub tylko wzmiankowani w legendach) dotarli z Doriathu po jego zagładzie i nie chcieli opuszczać Śródziemia ani mieszać się z innymi Sindarami z Beleriandu, zdominowanymi przez noldorskich Wygnańców, których mieszkańcy Doriathu nie darzyli specjalnymi względami. Zaiste, nade wszystko pragnęli stać się leśnym ludem i powrócić, jak powiadali, do prostego życia elfów, bytowania zgodnego z rytmem przyrody, jak to było w zwyczaju, zanim jeszcze zaproszenie wystosowane przez Valarów zmąciło dawny porządek.

Nigdzie (według mnie) nie zostało jednoznacznie wyjaśnione, jak ma się opisane tutaj przejęcie mowy poddanych przez sindarińskich władców Elfów Leśnych z Mrocznej Puszczy do wspomnianego wcześniej stwierdzenia, że pod koniec Trzeciej Ery język Elfów Leśnych wyszedł z użycia w królestwie Thranduila.

Dodatek C
Granice Lórien

W Dodatku A do *Władcy Pierścieni* królestwo Gondoru u szczytu swej chwały za czasów króla Hyarmendakila I (Trzecia Era 1015–1149) miało rozciągać się na północy „ku rzece Celebrant i ku południowym skrajom Mrocznej Puszczy" [*Powrót Króla*, s. 296]. Mój ojciec kilkakrotnie wytykał ten błąd, za poprawną wersję uznając: „do Pola Celebrantu". Zgodnie z jego późną pracą poświęconą wzajemnym związkom między językami Śródziemia:

Rzeka Celebrant (Srebrna Żyła) płynęła w obrębie królestwa Lórien, faktyczną zaś granicę Gondoru na północy (na zachód od Anduiny) wytyczała rzeka Limlight. Cała trawiasta równina pomiędzy Srebrną Żyłą a Limlight, na której południu rozciągały się niegdyś lasy Lórien, znana była w Lórien jako Parth Celebrant (tj. pole lub pastwisko Srebrnej Żyły) i traktowano ją jako część tego królestwa, chociaż elfy nie zamieszkiwały tam, poza granicami lasu. W późniejszych latach Gondor spiął brzegi Limlight mostem (w górnym biegu) i często obsadzał swoimi wojownikami wąski skrawek ziemi między dolnym biegiem Limlight i Anduiną, czyniąc w ten sposób wschodni przyczółek obronny, jako że w wielkich zakolach Anduiny (tam, gdzie minąwszy bystrym nurtem Lórien, spływała na równinę, by w dalszym biegu znów przyspieszyć między urwiskami Emyn Muil) pełno było płycizn i rozległych ławic, dzięki którym co bardziej zdeterminowany i dobrze wyekwipowany nieprzyjaciel mógłby przeprawić się na tratwach lub pontonach, szczególnie przez dwa ku zachodowi wygięte zakola, znane jako Północna i Południowa Płycizna. Ten właśnie teren nazywano w Gondorze Parth Celebrant i stąd właśnie użyto owej nazwy dla określenia dawnej północnej granicy królestwa. W czasie Wojny o Pierścień, kiedy to wszystkie kraje na północ od Gór Białych (prócz Anórien) aż do Limlight stały się częścią królestwa Rohanu, nazwa Parth Celebrant została wykorzystana tylko do opisania bitwy, w której Eorl Młody pokonał zagrażających Gondorowi napastników.

W innym artykule mój ojciec zauważył, że chociaż wschodnią i zachodnią granicę Lórien wytyczała Anduina oraz góry (a nic nie powiada przy tym, by terytorium Lórien rozciągało się po drugiej stronie Anduiny), to jednak granice na północy i południu nie były jasno określone.

Z dawien dawna Galadhrimowie uznawali się za władców lasów, które sięgały aż do wodospadów Srebrnej Żyły, gdzie przemywano rany Froda; na południe ich władza wykraczała daleko za Srebrną Żyłę, do rzadszych lasów mniej rosłych drzew. Tereny te przechodziły płynnie w las Fangorn. Niemniej serce królestwa biło zawsze w zakątku pomiędzy Srebrną Żyłą a Anduiną, gdzie stał Caras Galadhon. Nie istniała żadna w widoczny sposób wytyczona granica między Lórien a Fangornem, jednak ani entowie, ani Galadhrimowie nigdy nie przestępowali umownej linii. Według legendy sam Fangorn miał niegdyś spotkać się z królem Galadhrimów i powiedzieć: „Ja wiem, co moje, ty znasz swoje; niech żadna ze stron nie niepokoi drugiej na jej terenie. Jeśli jednak jakiś elf zapragnie zażyć miłego spaceru po moich ziemiach, przyjmiemy go z ochotą. Jeśli zaś jakiś ent zawita w twoim kraju, niech nikt się jego nie lęka". Musiały wszakże minąć długie lata, nim entowie czy elfy poważyli się postawić stopę na terenach sąsiada.

Dodatek D
Port w Lond Daer

Jak podaje tekst *O Galadrieli i Celebornie*, podczas wojny przeciwko Sauronowi w Eriadorze pod koniec siedemnastego wieku Drugiej Ery, númenorejski admirał Ciryatur wysadził wojska na brzeg u ujścia Gwathló (Szare Rozlewisko), gdzie była „niewielka númenorejska przystań". Wszystko wskazuje na to, że wówczas to po raz pierwszy wspomniano o tym porcie, znacznie wyprzedzając późniejsze zapiski.

Pełniejsza relacja znajduje się w filologicznej rozprawie dotyczącej nazw rzek (cytowanej już w związku z legendą o Amrocie i Nimrodel). W tej pracy nazwę Gwathló komentuje się następująco:

Nazwa rzeki Gwathló tłumaczona jest jako „Szare Rozlewisko". Jednak w języku sindarińskim *gwath* oznacza „cień", rozumiany jako półmrok powodowany przez chmury czy mgłę lub zalegający na dnie głębokiej doliny. To wszakże nie pasuje do fizycznego ukształtowania tamtych stron. Rozległe tereny, które Gwathló rozdzielała na krainy zwane przez Númenorejczyków Minhiriath („Pomiędzy Rzekami", chodzi o Baranduinę i Gwathló) oraz Enedwaith (Pustkowie Zachodnie*) były głównie równinami pozbawionymi wyższych wzniesień. W miejscu, gdzie łączyły się nurty Glanduiny i Mitheithel [Hoarwell] teren był niemal zupełnie płaski i wody płynęły leniwie, często tworząc moczary[23]. Kilkaset kilometrów poniżej Tharbadu spadek terenu stawał się większy, nurt Gwathló wszakże nie przyspieszał i statki o mniejszej wyporności mogły docierać nią (pod żaglami lub dzięki wiosłom) aż do Tharbadu. Źródeł nazwy Gwathló trzeba szukać w historii. W czasie Wojny o Pierścień krainy te wciąż porastał miejscami bujny las, szczególnie Minhiriath i południowo-wschodni Enedwaith, równiny jednak w większości były trawiaste. Od czasu Wielkiego Moru w roku 1636 Trzeciej Ery prawie nikt nie zamieszkiwał Minhiriathu, chociaż po lasach kryło się kilka plemion myśliwych. Na wschodzie krainy Enedwaith osiedliły się niedobitki Dunlendingów, ich siedziby mieściły się u stóp Gór Mglistych. Bardzo liczny zaś, ale barbarzyński lud rybacki zajmował tereny u ujścia Gwathló i Angrenu (Iseny). Wcześniej, w okresie pierwszych wypraw Númenorejczyków, wszystko wyglądało zupełnie inaczej. Minhiriath i Enedwaith porośnięte były potężnymi puszczami, rzednącymi tylko w okolicy Wielkich Moczarów. Późniejsze zmiany wynikały przede wszystkim z działalności Tar-Aldariona, króla-marynarza, który zawiązał przyjaźń i sojusz z Gil-galadem. Aldarion nade wszystko potrzebował drewna do budowy statków, pragnął bowiem uczynić z Númenoru potęgę morską, a postępujący wyrąb drzew na wyspie budził coraz większe niezadowolenie jego ojca. Puszcze, które wypatrzył podczas wypraw wzdłuż wybrzeża, wzbudziły jego zachwyt. Wybrał ujście rzeki Gwathló na miejsce nowej przystani należącej wyłącznie do Númenorejczyków (Gondor powstać miał dopiero w przyszłości). Rozpoczęto wielkie roboty, które kontynuowano po śmierci Aldariona. Posiadanie przyczółka w Eriadorze okazało się nader ważne podczas wojny z Sauronem (Druga Era 1693–1701), pierwotnie był to jednak port przeładunkowy tarcicy i stocznia. Tubylcy byli liczni i wojowniczo nastawieni. Jednak ów lud leśny żył w rozproszeniu i nie posiadał centralnych struktur władzy. Bał się Númenorejczyków, ale nieprzyjazny stosunek objawił dopiero, gdy puszcza zaczęła się kurczyć. Rdzenni mieszkańcy tych okolic zaczęli atakować przybyszów i zastawiać na nich pułapki przy każdej okazji. Númenorejczycy zaś uznali ich za nieprzyjaciół i rozpoczęli rabunkowy wyrąb, zapominając o zadrzewianiu pustych połaci i innych zasadach gospodarowania leśnym bogactwem.

---

* Nazwa występująca w polskim tłumaczeniu, dosłowny przekład oryginalny nazwy to „środek-lud" (przyp. tłum.).

Z początku ścinali drzewa rosnące na obu brzegach Gwathló, spławiając pnie do przystani (Lond Daer), potem jednak wycięli w puszczy drogi wiodące na północ i na południe od Gwathló, a ocalali tubylcy uciekli z krainy Minhiriath do mrocznych lasów porastających wielki Przylądek Eryn Vorn, na południe od ujścia rzeki Baranduiny, której nie śmieli przekroczyć (gdyby nawet było to możliwe), a to ze strachu przed elfami. Mieszkańcy Enedwaith umknęli w góry na wschodzie, tam gdzie później rozciągał się Dunland. Nie przeprawili się przez Isenę ani nie osiedlili na wielkim cyplu między Iseną a Lefnui, tworzącym północne ramię Zatoki Belfalas [Ras Morthil lub Andrast: por. przypis 6 do rozdziału *Aldarion i Erendis*], a to za sprawą ludu Púkelów... [więcej na ten temat w rozdziale *Istari*].

Númenorejczycy poczynili straszliwe spustoszenia. Przez długie lata pozyskiwali w tych krainach drewno nie tylko dla Lond Daer i innych stoczni, ale także na potrzeby samego Númenoru. Niezliczone statki z tarcicą odpłynęły na wyspę. Tempo niszczenia lasu zwiększyło się jeszcze podczas wojny w Eriadorze, toteż wygnani ze swych terenów tubylcy przywitali Saurona jako sojusznika w walce z ludźmi zza Morza. Sauron doskonale wiedział, jak ważna jest dla jego przeciwników Wielka Przystań oraz jej stocznie, więc wykorzystywał rozeźlonych tubylców jako szpiegów i przewodników swych oddziałów czyniących zbrojne wypady. Nie miał dość sił, by otwarcie napaść na umocnienia przystani czy forty nad brzegami rzeki Gwathló, ale i te nękające najazdy czyniły wielkie szkody na skraju puszczy, podpalano bowiem wówczas las i ogromne składy drewna zgromadzonego przez Númenorejczyków.

Kiedy Sauron został w końcu pokonany i wygnany na wschód, większość puszczy już zniknęła. Na obu brzegach Gwathló rozciągały się pozbawione drzew, pustynne ugory. Inaczej to wyglądało, gdy nadawali jej nazwę pierwsi, dzielni odkrywcy z załogi statku Tar-Aldariona, którzy małymi łódkami wybrali się w górę rzeki. Ledwie minęli tereny leżące w bezpośredniej bliskości morza, gdzie widać było wpływ słonej bryzy i sztormowych wichrów, puszcza przysunęła się do koryta rzeki, a pnie wielkich drzew rzucały długie cienie na wodę. Łodzie przemykały cicho pod rozłożystymi koronami w głąb nieznanej krainy. Dlatego właśnie z początku nazwali tę wodę Rzeką Cienia, *Gwath-hîr*, Gwathir. Dalszy bieg zbadali dopiero później, docierając na północ aż do linii wielkich mokradeł, chociaż wciąż jeszcze nie mieli dość ludzi i sporo czasu musiało minąć, nim rozpoczęli intensywne prace przy odwadnianiu, przygotowując teren pod wielki port w miejscu, gdzie za czasów Dwóch Królestw znajdował się Tharbad. Mokradła określali wówczas sindarińskim słowem *lô*, wcześniej *loga* [od *log-*, co znaczy „mokry, przesiąknięty, podmokły"]; z początku myśleli, że z olbrzymich bagnisk wypływa leśna rzeka, nie wiedzieli nic o Mitheithel spływającej z gór na północy, łączącej się z nurtami Bruinen [Grzmiącej Wody] oraz Glanduiny, i dalej rozlewającej się po równinie. W ten sposób nazwa Gwathir zmieniona została na Gwathló, cienista rzeka z moczarów.

Gwathló było jedną z nielicznych nazw geograficznych, które znali nie tylko marynarze Númenoru i zostały przełożone na adûnaicki. Tak powstała nazwa *Agathurush*.

Do historii Lond Daeru i Tharbadu rozprawa powraca raz jeszcze przy okazji nazwy Glanduin:

Glanduin znaczy „granica-rzeka". Nazwę tę rzeka otrzymała jako pierwszą (w Drugiej Erze), jako że jej koryto wyznaczało południową granicę Eregionu, za którą przemieszkiwali Prenúmenorejczycy, a także ludy nieprzyjazne, jak antenaci Dunlendingów. Dalej (połączona z Gwathló i Mitheithel) wytyczała południowe granice Północnego Królestwa. Krainę po drugiej stronie, między Gwathló a Iseną (Sîr Angren), zwano Enedwaith (Pustkowie Zachodnie). Nie należała ona do żadnego królestwa, a ludzie pochodzenia númenorejskiego nie osiedlali się tam na stałe. Biegł jednak tamtędy Stary Gościniec Południowy, główna droga łącząca oba królestwa (nie licząc szlaku morskiego), wiodąca z Tharbadu do brodu na Isenie (Ethraid Engrin). Przed upadkiem Północnego Królestwa i klęskami, które przetoczyły się przez Gondor, a dokładnie do nadejścia Wielkiego Moru w Trzeciej Erze (1636 roku), oba królestwa wykazywały zainteresowanie tymi terenami, więc wspólnym wysiłkiem wzniosły i utrzymywały Most Tharbadu oraz długie groble wiodące doń po obu stronach Gwathló i Mitheithel przez moczary na równinach krain Minhiriath i Enedwaith[24]. Aż do siedemnastego wieku Trzeciej Ery utrzymywano tam spory garnizon składający się z żołnierzy, marynarzy i budowniczych okrętów. Potem jednak cała okolica podupadła i na długo przed czasem akcji *Władcy Pierścieni* znów zamieniła się w bezludne bagniska. Kiedy Boromir wybierał się w wielką podróż z Gondoru do Rivendell (a wymagało to ogromnej odwagi i męstwa, o czym książka wspomina dość marginalnie), Stary Północny Gościniec był już tylko wspomnieniem, a z grobli zostały jedynie szczątki. Drogą tą jakiś śmiałek mógłby jednakże (z wielkim dla siebie ryzykiem) zbliżyć się do Tharbadu, by ujrzeć wietrzejące stosy gruzów i stanąć przed ruinami mostu, po których od biedy przeprawiłby się na drugi brzeg szerokiej rzeki, w tym miejscu bowiem szczęśliwie była płytka i płynęła leniwie.

Jeśli pamiętano gdziekolwiek nazwę Glanduiny, to jedynie w Rivendell, a i wówczas odnoszono ją tylko do górnego, bystrego biegu rzeki, która dalej spływała na równinę i niknęła wśród moczarów. Jedynymi mieszkańcami tych obfitujących w grzęzawiska, wodne oczka i wysepki terenów były nieprzebrane stada łabędzi oraz wiele innych ptaków wodnych. Jeśli rzeka miała tam jakąś nazwę, to tylko w języku Dunlendingów. W *Powrocie Króla*[25] zwana jest Rzeką Łabędzi spływającą do Nîn-in-Eilph, „Wodnej Krainy Łabędzi"[26].

Mój ojciec miał poprawić mapę dołączoną do *Władcy Pierścieni*, dodając nazwę Glanduina dla oznaczenia górnego biegu rzeki i zaznaczyć na niej moczary jako Nîn-in-Eilph (lub Rzeka Łabędzi). Wszelako jego intencje zostały opacznie zrozumiane, na mapie bowiem w książce nazwy przypisano niewłaściwej rzece.

Można odnotować, że Tharbad został w *Drużynie Pierścienia* określony jako „leżące w gruzach miasto" (s. 262), a Boromir stwierdził w Lothlórien, że u brodu na Szarym Rozlewisku w Tharbadzie stracił konia (tamże, s. 353). W *Kronice Lat* zniszczenie i opuszczenie Tharbadu datowane jest na rok 2912 Trzeciej Ery, kiedy to wielkie powodzie pustoszyły Enedwaith i Minhiriath.

Widać z tych tekstów, że pomysł umiejscowienia númenorejskiej przystani u ujścia Gwathló został znacznie rozwinięty od czasu powstania relacji *O Galadrieli i Celebornie*, na miejscu bowiem „niewielkiej númenorejskiej przystani" mamy już Lond Daer, Wielką Przystań. Cały czas chodzi oczywiście o Vinyalondë, Nową Przystań opisaną w legendzie *Aldarion i Erendis*, chociaż ta akurat nazwa nie pojawia się nigdzie w cytowanych powyżej materiałach. We wspomnianej legendzie czytamy, że prace, które Aldarion wznowił w Vinyalondë otrzymawszy już berło, „nie zostały nigdy ukończone". Oznacza to zapewne tyle tylko, że nie on finalizował dzieło, późniejsze bowiem losy Lond Daer pozwalają przypuszczać, iż przystań w końcu odbudowano i stosownie zabezpieczono przed wściekłością morza. I rzeczywiście, legenda podaje trochę dalej, iż Aldarion „położył podwaliny pod późniejsze dokonania Tar-Minastira podczas pierwszej wojny z Sauronem. Gdyby nie dalekowzroczne dzieło Aldariona, flota Númenoru nigdy nie dotarłaby we właściwym czasie na miejsce".

Wspomniane powyżej twierdzenie, jakoby port nazywał się Lond Daer Enedh, Wielka Środkowa Przystań, jako że leżał pomiędzy Lindonem na Północy i Pelargirem nad Anduiną, musi odnosić się do czasu o wiele późniejszego niż númenorejska interwencja podczas wojny z Sauronem, według bowiem *Kroniki Lat* dopiero w roku 2350 rozpoczęła się budowa Pelargiru, który „staje się głównym portem Wiernych Númenorejczyków" (*Powrót Króla*, s. 477).

Dodatek E
Imiona Celeborna i Galadrieli

W artykule poświęconym zwyczajowemu nazewnictwu stosowanemu przez Eldarów z Valinoru mowa jest, iż elfy te miały po „dwa imiona" (*essi*), z których pierwsze nadawał ojciec zaraz po narodzinach i było to imię podobne brzmieniem lub znaczeniem do imienia ojca (lub nawet było to dokładnie imię ojca), potem zaś, gdy dziecko już wyrosło, dołączano do jego miana jakiś wyróżniający je stosowny przedrostek. Natomiast drugie imię nadawano później (czasem wiele lat po urodzeniu, a czasem od razu) i czyniła to matka. Imiona wybrane przez rodzicielki miały wielkie znaczenie, kobiety Eldarów bowiem w okresie macierzyństwa miały dar jasnowidzenia i trafnie przewidywały charaktery oraz zdolności swoich dzieci. Dodatkowo każdy Eldar mógł jeszcze zdobyć *epessë* (przydomek), niekoniecznie nadawany przez bliskich krewnych, zwykle stanowiący wyraz podziwu czy szacunku okazywanego jego osobie. *Epessë* mógł stać się powszechnie stosowanym imieniem używanym również w pieśniach czy legendach (jak stało się to, na przykład, z Ereinionem, znanym niemal jedynie pod swym *epessë* Gil-galad).

W tenże sposób imię Alatáriel, które według późnej wersji opowieści o jej więzach pokrewieństwa Celeborn nadał Galadrieli w Amanie, było w istocie rzeczy *epessë* (etymologię tego imienia wyjaśnia dodatek do *Silmarillionu*, hasło *kal-*) obranym przez nią w Śródziemiu, ale w formie sindarińskiej, czyli Galadriela, miast nadanego przez ojca imienia Artanis i matczynego Nerwen.

Dopiero w późniejszej wersji opowieści Celeborn pojawia się nie pod swym imieniem sindarińskim, tylko pod mianem wywodzącym się z języka Elfów Wysokiego Rodu: Teleporno. Uznaje się, że jest to forma wzięta z języka Telerich. Dawny rdzeń słowa elfów oznaczającego „srebro" brzmiał *kyelep-*, zmieniając się w *celeb* w sindarińskim, *telep-* i *telpe* w języku Telerich i *tyelep-*, *tyelpe* w quenejskim. Jednak w quenejskim upowszechniła się pod wpływem języka Telerich forma *telpe*, Teleri bowiem przedkładali srebro nad złoto i umiejętności ich wykorzystujących srebro rzemieślników ceniono wysoko nawet wśród Noldorów. W ten sposób Telperion stało się formą bardziej popularną niż Tyelperion – imię Białego Drzewa w Valinorze (Alatáriel też było słowem pochodzącym z języka Telerich, jego quenejska forma brzmiała Altáriel).

Imię Celeborna miało z początku znaczyć „Srebrne Drzewo" i było także imieniem Drzewa na Tol Eressëi (*Silmarillion*, s. 67). Bliscy krewni Celeborna nosili „drzewne imiona": Galadhon, jego ojciec; brat Galathil; bratanica Nimloth, zwąca się tak samo, jak Białe Drzewo Númenoru. W ostatnich pracach filologicznych ojca znaczenie „Srebrnego Drzewa" zostało wszakże odrzucone, a drugi składnik imienia Celeborn został wywiedziony z pradawnej formy przymiotnikowej *orna* „wznoszący się, wysoki", a nie z pokrewnego rzeczownika *orne* „drzewo". (*Orne* było pierwotnie stosowane wobec drzew szczególnie prostych i smukłych, jak brzozy, podczas gdy bardziej przysadziste, o rozłożystych koronach, jak dęby czy buki, zwano w dawnym języku *galada* „wielki wzrost", wszakże to rozróżnienie nie zawsze obecne było w quenejskim i zniknęło w sindarińskim, który wszystkie drzewa określał jako *galadh*, przy czym *orn* wyszło z powszechnego użycia i przetrwało jedynie w wierszach i pieśniach, oraz w licznych imionach i nazwach drzew). Wysoki wzrost Celeborna został odnotowany w Dodatku poświęconym númenorejskim miarom długości.

O zdarzającym się pomyłkowym kojarzeniu imienia Galadrieli ze słowem *galadh*, ojciec pisał:

> Gdy Celeborn i Galadriela zostali władcami elfów w Lórien (w większości Elfów Leśnych określających siebie Galadhrimami), imię Galadrieli zaczęto kojarzyć z drzewami, szczególnie że miano jej męża też zawierało w sobie „drzewne słowo";

tak i poza granicami Lórien, wśród ludów nie pamiętających już dawnych dni ani historii Galadrieli, imię jej często zmieniano na Galadhriela, jednak w samym Lórien tego nie czyniono.

Można wspomnieć, że Galadhrim to poprawna forma nazwy elfów z Lórien, podobnie jak Caras Galadhon. Ojciec zamienił pierwotnie dźwięczną formę *th* (brzmiącą tak, jak we współczesnym angielskim *then*), która występuje w imionach elfów na *d*, bowiem (jak pisał) zbitka *dh* nie istnieje w angielskim i wygląda przez to niezręcznie. Potem porzucił ów pomysł, wszakże nazwy Galadrim i Caras Galadon pozostały bez zmiany nawet w poprawionym wydaniu *Władcy Pierścieni* (uczyniono to dopiero w ostatnich wznowieniach). W *Silmarillionie* (Dodatek, hasło *alda*) też podano je błędnie.

Część III

Trzecia Era

Rozdział I

Klęska na polach Gladden

Po upadku Saurona syn i dziedzic Elendila, Isildur, powrócił do Gondoru. Tam jako król Arnoru przejął Elendilmir[1] i ogłosił swe władztwo nad wszystkimi Dúnedainami na Północy oraz Południu, był bowiem mężem dumnym i energicznym. Pozostał w Gondorze przez rok, przywracając porządek i umacniając sojusze[2], większość armii Arnoru powróciła zaś do Eriadoru, odchodząc númenorejską drogą wiodącą od brodów na Isenie do Fornostu.

Gdy w końcu Isildur stwierdził, że może już udać się do swego królestwa, wyruszył w pośpiechu, najpierw kierując się do Imladris, gdzie zostawił uprzednio żonę i najmłodszego syna[3], pragnął też czym prędzej naradzić się z Elrondem. Tak zatem postanowił ruszyć z Osgiliath na północ Doliną Anduiny do Cirith Forn en Andrath, wysoko położonej przełęczy Północy, z której szlak opadał ku Imladris[4]. Dobrze znał te okolice, jako że przemierzał je nieraz przed Wojną Ostatniego Sojuszu, tędy też u boku Elronda maszerował na wojnę wraz ze zbrojnymi wschodniego Arnoru[5].

Drugi możliwy szlak wiodący na zachód, a potem na północ, aż do spotkania dróg w Arnorze i dalej, na wschód do Imladris, był dłuższy[6], choć droga wydawała się dogodniejsza dla szybkich jeźdźców. Isildur nie miał jednak odpowiednich wierzchowców[7]. W dawnych dniach trasa ta może była też bezpieczniejsza, ale Sauron został pokonany, a ludzie z Doliny Anduiny walczyli po stronie Gondoru. Isildur lękał się jedynie kaprysów pogody i znużenia, ale tyle ścierpieć musiał każdy, kogo potrzeba skłaniała do wędrówki po dalekich szlakach Śródziemia[8].

I tak właśnie, jak powiadają dawne legendy, pod koniec drugiego roku Trzeciej Ery Isildur wyruszył z Osgiliath, a działo się to na początku miesiąca Ivanneth[9].

Przewidywał, że podróż do Imladris zabierze mu czterdzieści dni, więc dotrze na miejsce w połowie miesiąca Narbeleth, zanim zima nadciągnie z północy. Jasnym porankiem Meneldil[10] pożegnał go przy Wschodniej Bramie Mostu.

– Ruszaj zatem i niechaj to słońce, co świeci teraz na niebie, nigdy nie zgaśnie nad twoją drogą!

Isildur zabrał ze sobą trzech swoich synów, Elendura, Aratana i Ciryona[11], a także eskortę składającą się z dwustu rycerzy, dzielnych i zaprawionych na wojnie mężów z Arnoru. O następnych dniach wędrówki opowieść milczy do momentu, gdy przeszli Dagorlad oraz rozległe pustkowia na południe od Wielkiego Zielonego Lasu, by dwudziestego dnia podróży ujrzeć w oddali wieńczący wyżyny las, a także poblask czerwieni i złota Ivanneth. Niebo zaniosło się wówczas chmurami, wiatr przygnał deszcz znad morza Rhûn. Padało przez cztery dni, tak że kiedy dotarli wreszcie do doliny (między Lórien a Amon Lanc[12]), Isildur oddalił się od wezbranej i bystrej rzeki, by odszukać na wschodnim stoku biegnące skrajem puszczy pradawne ścieżki Elfów Leśnych.

Po południu trzydziestego dnia podróży mijali północny skraj pól Gladden[13]. Maszerowali ścieżką wiodącą do królestwa Thranduila[14], które wówczas istniało w tamtej okolicy. Blask dnia szarzał z wolna, nad odległymi górami zbierały się chmury, a zachodzące słońce tonęło pośród nich, roztaczając czerwony blask. Dúnedainowie śpiewali, spodziewając się rychłego końca marszu i nocnego odpoczynku. Pokonali już trzy czwarte drogi. Po prawej mieli strome, porosłe lasem aż do grani stoki doliny, łagodniejące wszakże po lewej, gdzie w dole płynęła rzeka.

Nagle, gdy słońce skryło się za chmurą, usłyszeli przeraźliwe wrzaski orków, którzy wypadli spomiędzy drzew i zaczęli zbiegać po zboczu, wywrzaskując swe okrzyki wojenne[15]. Trudno było ich policzyć w zapadającym zmroku, lecz bez wątpienia było ich dziesięciokrotnie więcej niż Dúnedainów. Isildur rozkazał uformować *thangail*[16], mur z tarcz ustawiony w dwóch zwartych szeregach, który można wyginać z obu końców, jeśli nieprzyjaciel zaszedłby z boku, a w potrzebie przekształcić w krąg obronny. Gdyby walka toczyła się na płaskim terenie lub też atak nadchodził z dołu, wówczas Isildur ustawiłby swe oddziały w *dírnaith*[17], a potem zaszarżował na orków, z nadzieją, że siła Dúnedainów i oręż z Północy utorują drogę pośród nieprzyjaciół i orkowie pierzchną w panice. Tego wszak nie mógł uczynić. Ogarnęły go złe przeczucia.

– Zemsta Saurona przeżyła swego pana – powiedział Elendurowi, który stał obok. – Przebiegły to plan! Znikąd pomocy, bo Moria i Lórien daleko już za nami, a do Thranduila jeszcze cztery dni drogi.

– Poza tym dźwigamy niewyobrażalne bogactwa – powiedział Elendur, wtajemniczony wcześniej przez ojca.

Orkowie byli coraz bliżej. Isildur zwrócił się do swego giermka:

– Ohtarze[18], powierzam to twojej opiece. – I wręczył mężczyźnie wielką pochwę i szczątki Narsila, miecza Elendila. – Uratuj ten skarb za wszelką cenę, nawet gdybyś miał zostać okrzyczany tchórzem, który mnie opuścił. Weź ze sobą kilku ludzi i uciekajcie! Ruszaj! To rozkaz!

Ohtar przyklęknął, ucałował dłoń Isildura i wraz z dwoma młodzieńcami zniknął w mroku doliny[19].

Jeśli nawet bystroocy orkowie zauważyli jego ucieczkę, to nie wszczęli pogoni. Zatrzymali się na krótko, gotując do szturmu. Najpierw wystrzelili chmurę strzał, a zaraz potem uczynili to, co gotów przedsięwziąć byłby na ich miejscu sam Isildur, czyli runęli z góry wielką masą, zamierzając skruszyć mur z tarcz. Ten jednak wytrzymał napór. Strzały odbijały się od númenorejskich zbroi. Wysocy mężowie górowali nad najrośłejszymi orkami, a ich miecze i włócznie okazały się o wiele skuteczniejsze niż broń wroga. Atak zwolnił tempo, potem załamał się, aż szeregi orków poszły w rozsypkę i rozpoczęły odwrót, niewiele krzywdy czyniąc Dúnedainom, stojącym wciąż w zwartym szyku za wałem ubitych nieprzyjaciół.

Wydało się Isildurowi, że orkowie odstępują ku puszczy. Spojrzawszy za siebie, ujrzał czerwony skrawek słonecznej tarczy zapadającej się już za góry. Zbliżała się noc. Nakazał niezwłocznie wznowić marsz. Tym razem mieli poruszać się bliżej rzeki, gdzie stok był łagodniejszy i przewaga orków przez to mniejsza[20]. Może sądził, że przerażeni takimi stratami wrogowie ustąpią pola, nawet jeśli wyślą w ślad za Dúnedainami zwiadowców, by namierzyć po nocy obozowisko Isildura. Orków faktycznie często ogarniał strach, gdy ich potencjalna ofiara zaczynała dotkliwie kąsać.

Isildur mylił się jednak. Napastnicy byli nie tylko przebiegli, ale również zajadli i pełni nienawiści. Jeszcze w dawnych czasach wysyłano zawziętych żołdaków z Barad-dûr, by czuwali na drogach[21], i oni to teraz dowodzili orkami z Gór, znacznie wzmacniając ich szeregi. Nie wiedzieli wprawdzie nic o Pierścieniu, dwa lata wcześniej odciętym od czarnej dłoni, jednak to Pierścień właśnie, wciąż przesycony złem Saurona, wzywał wszystkie sługi swego pana na pomoc. Dúnedainowie uszli ledwie milę, gdy orkowie znów zaatakowali, tym razem nie podejmując typowego szturmu, tylko spływając szeroką ławą na przeciwnika. Ich szyk wygiął się następnie w półksiężyc, w końcu otoczył oddział Dúnedainów szczelnym kręgiem. Orkowie zaprzestali wrzasków, pilnowali tylko, by trzymać się poza zasięgiem śmiertelnie groźnych stalowych łuków z Númenoru[22], chociaż ostatki dnia już pierzchały, a Isildurowi nie stawało łuczników[23].

Isildur kazał się zatrzymać. Przez chwilę jakby nic się nie działo, jednak obdarzeni najbystrzejszym wzrokiem Dúnedainowie oznajmili, że orkowie krok po kroku podkradają się coraz bliżej. Elendur podszedł do ojca samotnie stojącego w mroku. Isildur wyglądał na głęboko zamyślonego.

— *Atarinya* – powiedział Elendur – a co z ową potęgą, która mogłaby zastraszyć te nikczemne stwory i nakazać im posłuszeństwo wobec twej osoby? Czy żadnego z Pierścienia nie będzie pożytku?

— Niestety, nie, *senya*. Tego użyć nie mogę. Śmiertelnie boję się bólu, jaki niesie każde jego dotknięcie[24]. Nie wiem też, co uczynić, by nagiąć go do mojej woli. Tu trzeba kogoś o wiele potężniejszego niż ja, przynajmniej teraz. Duma mnie zwiodła. Powinienem oddać go Powiernikom Trzech.

W tejże chwili rozległ się nagle dźwięk rogów i orkowie podeszli ze wszystkich stron, rzucając się w ślepym zapamiętaniu na Dúnedainów. Nastała już noc. Wszelka nadzieja na pokonanie wroga pierzchła. Mężowie padali, gdy co rośłejsi orkowie skakali na nich, i martwi lub żywi przygniatali Dúnedainów do ziemi, a następnie, wbijając mocne szpony, uśmiercali. Nieprzyjaciel składał ciężką daninę z krwi, pięciu orków ginęło na jednego człowieka, ale to i tak było za mało. Tak zabity został Ciryon. Aratan zaś, który usiłował pospieszyć bratu na ratunek, otrzymał śmiertelne rany.

Wciąż jeszcze niedraśnięty Elendur poszukał Isildura wspierającego zbrojnych po wschodniej stronie, gdzie nieprzyjaciel silniej napierał. Orkowie bali się Elendilmira, który to klejnot władca nosił na czole, i schodzili mu z drogi. Elendur dotknął ramienia ojca, a ten odwrócił się raptownie, sądząc, że to ork podszedł go z tyłu.

— Mój królu – powiedział Elendur – Ciryon zabity, Aratan umiera. Twój ostatni kanclerz musi ci doradzić, a nawet nakazać to, co ty wcześniej rozkazałeś Ohtarowi. Idź! Weź swe brzemię i za wszelką cenę zanieś je Powiernikom. Nawet jeśli będziesz musiał opuścić swych ludzi i mnie!

— Królewski synu – odparł Isildur. – Wiedziałem, że przyjdzie mi tak uczynić, bałem się jednak bólu. Nie mogę też odejść bez twojego przyzwolenia. Wybacz mi dumę, która przywiodła cię do takiego końca[25].

Elendur ucałował ojca.

— Idź! Idź już! – powiedział.

Isildur, zwróciwszy się ku zachodowi, wyciągnął Pierścień, który nosił na szyi, zawieszony na cienkim łańcuszku i skryty w puzdrze. Potem z okrzykiem bólu założył go na palec. Nigdy więcej niczyje oczy nie widziały już Isildura w Śródziemiu. Elendilmir pochodził z Zachodu, więc jego blask odporny był na działanie Pierścienia. Nagle klejnot rozgorzał niczym gwiazda gniewną czerwienią, aż ludzie i orkowie cofnęli się przerażeni. Isildur naciągnął zatem kaptur na głowę i zniknął w ciemności nocy[26].

Dopiero długo później dowiedziano się, jaki koniec spotkał Dúnedainów. Nie trwało długo, a niemal wszyscy legli martwi. Ocalał tylko jeden młody giermek, który ogłuszony leżał pod zwałami zwłok. Zginął Elendur, a to on winien jako następny zostać królem. Wcześniej wielu zgodnie przepowiadało mu przyszłość jednego z najświetniejszych potomków Elendila, najbardziej przypominającego wielkiego dziada, bowiem Elendur był silny i mądry, pełen pozbawionego pychy majestatu[27].

O Isildurze mówi się, że obolały i cierpiący, pobiegł niczym jeleń zmykający przed sforą, aż dotarł na samo dno doliny. Tam przystanął, by upewnić się, czy nie wysłano za nim pogoni, jako że orkowie potrafili tropić nawet w ciemności, posługując się samym tylko węchem, wzrok zaś miał dla nich mniejsze znaczenie. Potem Isildur ruszył dalej przez rozległe, pozbawione ścieżek płaskie ugory. Szedł tamtędy ostrożnie, bowiem teren obfitował w bruzdy i zapadliska.

Zmęczony forsownym marszem, dotarł głęboką nocą nad brzeg Anduiny. Żaden Dúnedain nie przebyłby tej drogi szybciej, nawet gdyby podążał bez przystanków i w pełni dnia[28]. Rzeka mroczniała przed nim bystrym nurtem. Isildur zatrzymał się na chwilę, samotny i zrozpaczony. Potem pospiesznie zdjął pancerze, odłożył cały oręż, zostawiając tylko krótki miecz u pasa[29] i rzucił się do wody. Był mężczyzną silnym oraz bardziej wytrzymałym niż większość Dúnedainów w jego wieku, jednak nie miał większej nadziei, że zdoła dotrzeć na drugi brzeg. Nie upłynął daleko, a już musiał skierować się niemal dokładnie na północ, by przeciwstawić się prądowi, mimo to woda i tak znosiła go ku rozlewiskom pól Gladden, które były bliżej, niż przypuszczał[30]. Mężowi prawie już udało się dotrzeć na drugi brzeg, gdy zaplątał się w wodorosty. Wówczas to zauważył nagle, że Pierścień zniknął. Przypadkiem, a może korzystając z okazji, zsunął się z palca i przepadł tam, gdzie nie było najmniejszej szansy, by go odnaleźć. W pierwszej chwili Isildur, przerażony ową stratą, zaprzestał walki z wodnym żywiołem, przez co o mały włos by utonął. Szybko jednak to załamanie minęło, jako że wraz z Pierścieniem odeszło także cierpienie. Wielkie brzemię spadło z barków Isildura. W końcu wymacał pod stopami dno rzeki. Wyciągając stopy z mułu, zaczął przedzierać się przez trzciny do małej, podmokłej wysepki blisko zachodniego brzegu. Gdy wydostał się z wody, był już tylko śmiertelnym człowiekiem, samotną istotą zagubioną pośród pustkowi Śródziemia. Wszakże czuwający nad brzegami rzeki orkowie dostrzegli przede wszystkim przenikliwy blask jego klejnotu. Na nieprzyjaciół padł blady strach, tak że wystrzeliwszy w kierunku gorejącej gwiazdy zatrute strzały, uciekli. Uczynili to niepotrzebnie, jako że aż dwa groty przebiły niczym niechronione szyję i serce Isildura, który bez krzyku padł z powrotem do wody. Ani elfom, ani ludziom nie udało się później odnaleźć jego ciała. Tak dokonała żywota pierwsza ofiara złośliwych knowań pozbawionego pana Pierścienia: Isildur, drugi i ostatni w tej erze władca Arnoru i Gondoru, król wszystkich Dúnedainów.

Źródła legendy o śmierci Isildura

Przeżyli świadkowie tego zdarzenia. Ohtar wraz z towarzyszami zdołali uciec, unosząc ze sobą szczątki Narsila. W opowieści wspomina się o młodzieńcu, który ocalał z rzezi, był to giermek Elendura, chłopak zwany Estelmo. Runął na ziemię jako jeden z ostatnich, ale cios maczugi nie zabił go, tylko ogłuszył. Znaleziono go żywego pod ciałem Elendura. Słyszał słowa wypowiedziane przez ojca i syna przy rozstaniu. Pomoc nadeszła zbyt późno, by ocalić kogokolwiek więcej, na czas wszakże, aby przeszkodzić orkom w posiekaniu zwłok. Mieszkańcy lasu wysłali bowiem chytrych umyślnych, którzy przekazali wieści Thranduilowi. Sami też zebrali siły, by zasadzić się na orków. Ci ostatni, zwiedziawszy się o tym, umknęli w rozsypce, bo chociaż zwyciężyli na polach Gladden, to jednak ponieśli olbrzymie straty (zginęli niemal wszyscy wielcy orkowie) i przez długie lata nie próbowali potem podobnych napaści.

Przebiegu ostatnich godzin życia Isildura możemy się tylko domyślać, jednak są to przypuszczenia solidnie umotywowane. Legenda zaczęła krążyć w pełnej formie dopiero za panowania Elessara w Czwartej Erze, kiedy to pojawił się szereg nowych dowodów przemawiających za jej prawdziwością. Do tamtej pory wiedziano tylko, że, po pierwsze, Isildur miał Pierścień i że uciekł ku rzece, oraz, po drugie, iż jego kolczugę, hełm i długi miecz (ale nic więcej) znaleziono na brzegu nieco ponad polami Gladden, a także – i to po trzecie – wiedziano o uzbrojonych w łuki nieprzyjaciołach pilnujących zachodniego brzegu. Stojący tam na posterunku orkowie mieli za zadanie przechwycić każdego, kto umknąłby z pola bitwy (znaleziono ślady ich obozowisk, w tym jeden blisko skraju pól Gladden); stąd też wysnuto wniosek – i to jest czwarta przesłanka – o zaginięciu Isildura i Pierścienia (razem lub osobno) w nurcie Anduiny. Gdyby bowiem Isildur z Pierścieniem na palcu dotarł do zachodniego brzegu, zmyliłby straże, a ktoś równie wytrzymały jak on bez wątpienia znalazłby dość siły, by dojść potem jeszcze do Lórien lub do Morii. Wprawdzie byłaby to długa droga, ale każdy Dúnedain nosił w zapieczętowanym mieszku u pasa flakonik kordiału i skrojone skibki chleba wypiekanego dla podróżnych, które to wiktuały umożliwiały przeżycie wielu dni na pustkowiach. Nie był to miruvor[31] ani lembas Eldarów, wszakże przypominały tamte, bowiem medycyna oraz inne sztuki númenorejskie nie zostały jeszcze ze szczętem zapomniane. Wśród rzeczy porzuconych na brzegu nie znaleziono ani pasa, ani mieszka.

Długo później, kiedy to Trzecia Era, a także świat elfów miały się ku końcowi i zbliżała się Wojna o Pierścień, rada Elronda uzyskała informacje o odnalezieniu Pierścienia w rzece, blisko skraju pól Gladden u zachodniego brzegu. Nie było jednak mowy o szczątkach Isildura. Wówczas to zorientowano się, że od jakiegoś czasu Saruman cichcem przeszukuje te okolice. Nie znalazł wprawdzie Pierścienia (który zabrano dużo wcześniej), ale na co jeszcze mógł trafić, tego nikt nie wiedział.

Kiedy król Elessar, ukoronowany w Gondorze, zaczął zaprowadzać porządki w swym królestwie, jednym z pierwszych jego zadań była odbudowa Orthanku. Zamierzał umieścić tam palantír, odzyskany niegdyś od Sarumana. Przeszukano wówczas skrupulatnie całą wieżę, znajdując wiele wartościowych rzeczy, jak klejnoty i dziedzictwo Eorla wykradzione z Edoras przez sługę Sarumana, zwanego Robaczywym Językiem, w czasie gdy król Théoden pogrążony był w apatii. Znajdowały się tam również inne, dawniejsze i piękniejsze skarby wybrane z kurhanów oraz grobowców różnych krain. Saruman stoczył się tak nisko, że gromadził błyskotki niczym sroka. W końcu za tajemnymi drzwiami (których nigdy by nie odnaleziono, o otwarciu nie mówiąc, gdyby nie pomoc krasnoluda Gimlego) trafiono na stalową szafkę. Może zamierzano w niej umieścić Pierścień, jednak tylko dwa przedmioty spoczywały na najwyższej półce. Jednym z nich było małe złote puzderko na cienkim łańcuszku, puste wszakże, bez napisów czy znaków, ale bez wątpienia w tym właśnie puzderku nosił niegdyś Isildur Pierścień na szyi. Tuż obok leżał skarb bezcenny, opłakany już dawno jako na zawsze przepadły: sam Elendilmir, biała gwiazda z kryształu elfów osadzona w mithrilu[32], dziedzictwo rodu przekazywane od Silmariën po Elendila, uznane przez tego ostatniego za znak monarszy Północnego Królestwa[33]. Wszyscy późniejsi królowie i wodzowie w Arnorze, również Elessar, nosili wprawdzie Elendilmir, jednak chociaż był to klejnot piękny, wykonany przez elfy z Imladris w darze dla Valandila, syna Isildura, nie miał już tej pradawnej mocy co tamten, zagubiony w ową noc, kiedy Isildur umknął samotnie w ciemność.

Elessar przyjął klejnot z szacunkiem; kiedy wrócił na Północ i objął na nowo władztwo Arnoru, a Arwena nałożyła mu Elendilmir na skronie, wówczas zgromadzeni umilkli, zachwyceni urokiem znaku królewskiego. Elessar nigdy już nie narażał cennego przedmiotu na niebezpieczeństwa. Zakładał go jedynie w dni szczególnie ważne dla Północnego Królestwa. Poza tym nosił ten drugi klejnot, który odziedziczył po bezpośrednich przodkach.

— On też godzien jest szacunku — powiadał. — Cenię go wysoce, gdyż nosiło go przede mną aż czterdziestu władców[34].

Zastanowiwszy się nad sprawą gruntowniej, wszyscy wtajemniczeni poczuli się nieswojo. Wydawało im się bowiem, że oba te skarby, a szczególnie Elendilmir, nigdy się nie odnajdą. Jeśli Isildur miał je ze sobą w chwili śmierci i jeśli zginął na głębokiej wodzie, wówczas silny prąd musiałby znieść je z czasem w odległe strony. Jeśli jednak Saruman trafił na klejnot oraz na puzderko, to oznaczało, że Isildur musiał zginąć w płytkiej wodzie, sięgającej mu co najwyżej do ramienia. A skoro tak, to gdzie podziały się szczątki króla? Wprawdzie cała era minęła, ale powinny zachować się przynajmniej kości. Czy Saruman znalazł je, a potem zniszczył, paląc bez szacunku w jednym ze swoich pieców? Byłby to czyn haniebny, nie najgorszy wszakże z postępków Sarumana.

Dodatek

Númenorejskie miary odległości

Notka ta jest uzupełnieniem przypisu 6 i dołączona była jako komentarz do tego fragmentu *Klęski na Polach Gladden*, gdzie mowa o różnych drogach wiodących z Osgiliath do Imladris.

Miary odległości zostały, na ile to możliwe, zamienione na współcześnie stosowane. Mowa jest o „stajach", ponieważ była to obecnie najdłuższa miara odległości [4,83 km]: według dziesiętnego systemu númenorejskiego pięć tysięcy rangar (pełnych kroków) dawało lár, co równe było blisko trzem milom angielskim. Lár oznacza „przerwę", bo wyjąwszy forsowne marsze, po przebyciu tej właśnie odległości zarządzano zwykle przystanek [por. przypis 9 powyżej]. Númenorejska miara ranga była nieco dłuższa niż nasz jard [0,9144 m], około trzydziestu ośmiu cali [tu 0,95 m], co wiązało się ze znacznym wzrostem ówczesnych ludzi (dających spore kroki). Tak zatem pięć tysięcy rangar odpowiadałoby niemal dokładnie 5280 jardom, czyli „stajom" (precyzyjnie rzecz biorąc, chodzi o 5277 jardów, 2 stopy i 4 cale [4895,3 m]). Wszelako trudno przesądzić tu o dokładności obliczeń dokonanych na podstawie jednostek miar z różnych opowieści z analogicznymi miarami stosowanymi w naszych czasach. Pamiętać trzeba zarówno o słusznym wzroście Númenorejczyków (wzorcami bowiem dla podstawowych miar są zwykle łokcie, stopy, palce i kroki), jak i przekształceniach tych przybliżeń czy miar wzorcowych podczas standaryzacji systemu zarówno do codziennego użytku, jak i do dokładnych obliczeń. Tak zatem dwa rangar określały zwykle „wzrost męża" [„ludzki wzrost"], co przy 38 calach daje średnią wysokość 6 stóp i 4 cali [193 cm]. Odnosi się to jednak do czasów późniejszych, kiedy to Dúnedainowie byli już niżsi i wspomniane określenie miało nie tyle opisywać ówczesny średni wzrost mężczyzn, co wyrażać pewną miarę długości w powszechnie znanej jednostce ranga. (Ranga oznaczać ma też często długość kroku liczonego od pięty tylnej stopy do palców stopy przedniej dorosłego mężczyzny idącego szybkim tempem, ale bez nadmiernego wysiłku; pełny krok „mógł równie dobrze liczyć półtorej rangi"). Wszelako powiada się, że wielcy ludzie minionych czasów wyżsi byli ponad „wzrost męża". Elendil miał „o blisko pół rangi ponad ludzki wzrost", był on jednak uznawany za najwyższego Númenorejczyka, który uszedł z Upadku [i w rzeczy samej nazywano go Elendil Smukły]. Za Dawnych Dni nader wysocy byli również Eldarowie. Galadriela, „najwyższa ze wszystkich wspomnianych w opowieściach kobiet Eldarów", miała być „ludzkiego wzrostu", wszakże istnieje wzmianka, że „odnosi się to do wzrostu Dúnedainów i dawnych ludzi", co ma oznaczać miarę około 6 stóp i 4 cali [193 cm].

Rohirrimowie byli z reguły niżsi, bowiem ich przodkowie wymieszali się z ludami o budowie cięższej i bardziej przysadzistej. Éomer dorównywał wzrostem Aragornowi, wszakże oni wszyscy, potomkowie króla Thengela, znacznie przekraczali typową dla Rohanu średnią wzrostu, zawdzięczając to (jak i kilka jeszcze innych cech, w tym ciemniejsze włosy) Morwenie, żonie Thengela, damie z Gondoru, dziedziczącej cechy Númenorejczyków.

Notatka wzbogaca też podane we *Władcy Pierścieni* (Dodatek A) informacje o Morwenie:

Znana była jako Morwena z Lossarnach, tam bowiem mieszkała, wszakże nie wywodziła się spośród ludu swego kraju. Jej ojciec sprowadził się tutaj z Belfalas wiedziony miłością do kwietnych dolin. Pochodził od niegdysiejszego księcia tego lenna i krewnego księcia Imrahila zarazem. Imrahil uznał owo pokrewieństwo, jakkolwiek odległe, i zrodziła się między nimi wielka przyjaźń. Éomer poślubił córkę Imrahila [Lothiriel] i ich syn, Elfwine Piękny, był uderzająco podobny do ojca swej matki.

O Celebornie wspomina się tutaj jako o „Lindarze z Valinoru" (czyli jednym z tych Telerich, którzy sami nazywali się Lindarami, Pieśniarzami).

Uznawany on był wśród swoich za wysokiego, jak samo imię jego wskazuje („srebrzysty wysoki"), wszakże plemię Telerich było nieco niższe niż Noldorów.

Jest to późne nawiązanie do historii o pochodzeniu Celeborna i znaczeniu jego imienia.

W innym miejscu ojciec zajmuje się porównywaniem wzrostu hobbitów i Númenorejczyków oraz pochodzeniem nazwy niziołki:

Te niejasne wzmianki [o wzroście hobbitów] pojawiające się w *Prologu* do *Władcy Pierścieni* zostały niepotrzebnie skomplikowane uwagami o ostatnich przedstawicielach tej rasy przetrwałych do późniejszych czasów. Sprawę streścić można zatem następująco: hobbici z Shire mierzyli od trzech do czterech stóp [90–120 cm], nigdy mniej i rzadko więcej. Sami, rzecz jasna, nie nazywali siebie niziołkami, to imię zawdzięczają Númenorejczykom. Bez wątpienia odnosi się ono do ich wzrostu

porównanego ze wzrostem Númenorejczyków i wydaje się, że w chwili gdy po-
wstawało, doskonale oddawało istotę sprawy. Najpierw dotyczyło to Harfootów,
z którymi władcy Arnoru zetknęli się w jedenastym wieku [por. opis roku 1050
w *Kronice Lat*], później również Fallohidów i Stoorów. Królestwa Północy i Południa utrzymywały wówczas, i długo jeszcze później, bliski kontakt, informując się
wzajemnie o wszystkim, co zaszło na ich terytoriach, szczególnie zaś o wędrówkach
wszelkich ludów. Stąd zatem, chociaż o ile wiadomo, żaden niziołek nie pojawił się
w Gondorze aż do przybycia tam Peregrina Tooka, fakt istnienia takich stworzeń
w królestwie Arthedain znany był w Gondorze, używano też miana „niziołek", *perian* po sindarińsku. Gdy tylko Boromir zauważył Froda [podczas narady u Elronda],
rozpoznał w nim niziołka. Do owej pory uważał zapewne perian za wytwór legend
lub postaci z ludowych bajań. Sposób przyjęcia Pippina w Gondorze zdaje się jednoznacznie wskazywać, iż pamiętano tam jeszcze o niziołkach.

W innej wersji tejże notatki powiada się nieco więcej o karleniu zarówno hobbitów,
jak i Númenorejczyków:

Karlenie Dúnedainów nie wynikało z normalnej tendencji przejawianej przez
wszystkie ludy zamieszkujące Śródziemie, ale wiązało się z utraceniem dawnej ojczyzny na Zachodzie, wyspy najbliższej Nieśmiertelnym Krajom. O wiele późniejsze skarlenie hobbitów musi być wynikiem ich trybu życia. Coraz liczniejsi ludzie
(Duzi Ludzie) zagarniali żyzne i nadające się do zamieszkania ziemie, zmuszając
hobbitów do ucieczki w lasy i na pustkowia, aż ów lud stał się płochliwy i skryty.
Wciąż wędrujące, ubożejące plemię zapomniało o swej świetności, zajęte nieustan-
nym zdobywaniem pożywienia i ukrywaniem się przed cudzym wzrokiem.

Rozdział II

Cirion i Eorl
Przyjaźń Gondoru z Rohanem

1. Ludzie Północy i Woźnicy

Kronika Ciriona i Eorla[1] zaczyna się dopiero wraz z pierwszym spotkaniem Ciriona, namiestnika Gondoru, z Eorlem, władcą Éothéodów, a miało to miejsce po Bitwie na Polach Celebrantu i pokonaniu tych, którzy napadli na Gondor. Istniały jednak w Gondorze i Rohanie przekazy oraz legendy o wielkiej odsieczy Rohirrimów z Północy. Z relacji tych niejedno w późniejszych kronikach[2] wykorzystano, w tym i wiele rozmaitych informacji o Éothéodach. Oto owe zapiski zebrane i przedstawione pokrótce pod postacią kroniki.

Éothéodzi znani byli pod tą nazwą od czasów króla Gondoru, Calimehtara (który zmarł w roku 1936 Trzeciej Ery), jako niewielki lud żyjący w dolinach Anduiny pomiędzy Carrock a polami Gladden, głównie na zachodnim brzegu rzeki. Stanowili oni grupę niedobitków Ludzi Północy, niegdyś licznej i potężnej konfederacji plemion zamieszkujących szerokie równiny między Mroczną Puszczą a Bystrą Rzeką, znamienitych hodowców koni i jeźdźców sławnych z kunsztu oraz wytrwałości. Domy swe stawiali oni na obrzeżach Puszczy, szczególnie we Wschodnim Zakolu, głównie zresztą przez nich utworzonym skutkiem wyrębu drzew[3].

Owi Ludzie Północy byli potomkami tej samej rasy człowieczej, która w Pierwszej Erze przeszła na zachód Śródziemia, wiążąc się sojuszem z Eldarami podczas wojen z Morgothem[4]. Tym samym łączyło ich dalekie pokrewieństwo z Dúnedainami czy Númenorejczykami i wielce zaprzyjaźnili się z mieszkańcami Gondoru. W istocie rzeczy tworzyli przedmurze Gondoru, chroniąc północne i wschodnie granice tej krainy przez najazdem, chociaż królowie nie byli w pełni tego świadomi, aż bastion ów osłabł, a w końcu padł. Schyłek Ludzi Północy z Rhovanionu rozpoczął się wraz z Wielką Zarazą, która nawiedziła te tereny zimą 1635 roku i wkrótce przeniosła się do Gondoru, gdzie śmierć zebrała obfite żniwo, szczególnie wśród mieszkańców miast. Jeszcze gorzej miały się sprawy w Rhovanionie, bo chociaż nie było tam wielkich skupisk, a znaczna część ludzi żyła na otwartych przestrzeniach, to zaraza uderzyła zimą i długie drewniane domy oraz stajnie stanowiące schronienie przed chłodem były zatłoczone. Na dodatek lud ów niewiele znał się na sztuce uzdrawiania, wciąż kultywowanej wzorem Númenoru w Gondorze. Powiada się, że kiedy okres zarazy dobiegł końca, spośród wszystkich ludzi w Rhovanionie nie została nawet połowa, podobny los spotkał też ich konie.

Sytuacja wracała do normy powoli, wszakże przez długi czas nikt nie wystawił ich słabości na próbę. Bez wątpienia mieszkańcy terenów położonych bardziej na wschód ucierpieli w nie mniejszym stopniu, tak że wrogowie Gondoru pojawiali się w owych czasach głównie z południa lub z morza. Kiedy jednak zaczął się najazd Woźników, który uwikłał Gondor w trwającą niemal sto lat wojnę, Ludzie Północy przyjęli na siebie pierwszy impet napaści. Król Narmacil II poprowadził wielką armię na równiny położone na południe od Mrocznej Puszczy, zebrał też, kogo zdołał spośród pozostałych przy życiu, rozproszonych Ludzi Północy. Został jednak pokonany i sam padł w boju. Zdziesiątkowana armia wycofała się przez Dagorlad do Ithilien, a Gondor opuścił ziemie na wschód od Anduiny prócz Ithilien[5].

Co zaś tyczy się Ludzi Północy, to podobno garstka ich zdołała uciec przez Celduinę (Bystrą Rzekę) i wymieszała się z mieszkańcami Dali pod Ereborem (z którymi byli spokrewnieni), inni uszli do Gondoru, pozostałych zebrał wkoło siebie Marhwini, syn Marhariego (który padł podczas potyczki straży tylnej po Bitwie na Równinach)[6]. Podążając na północ między Mroczną Puszczą a Anduiną, dotarli oni do Doliny Anduiny, gdzie osiedli. Tam dołączyło do nich wielu uciekinierów, którzy przedarli się przez Puszczę. Taki był początek Éothéodów[7], chociaż jeszcze przez wiele lat nic nie wiedziano o nich w Gondorze. Większość Ludzi Północy popadła w niewolę, a ich dawne ziemie zajęli Woźnicy[8].

Z czasem jednak król Calimehtar, syn Narmacila II, zażegnawszy inne groźby[9], postanowił pomścić klęskę Bitwy na Równinach. Przybyli od Marhwiniego wysłannicy ostrzegli go, że Woźnicy potajemnie przygotowują się do najazdu na Calenardhorn od strony Płycizn[10], przekazali także, iż szykuje się rewolta zniewolonych Ludzi Północy, która pogrąży ziemię Woźników w chaosie, o ile tylko ci ostatni zdecydują się ruszyć na wojnę. Tak zatem Calimehtar czym prędzej wyprowadził armię z Ithilien, pilnie bacząc, by nieprzyjaciel dowiedział się o przemarszu wojsk. Woźnicy ruszyli całą siłą, a wówczas Calimehtar rozpoczął odwrót, odciągając wroga od jego terenów. W końcu obie armie zwarły się w bitwie na Dagorlad, ale szala zwycięstwa długo nie mogła się przeważyć na niczyją stronę. Jednak w największym ogniu walki wysłani przez Calimehtara jeźdźcy przebyli Płycizny (które wróg zostawił bez straży), połączyli się z wielkim éoredem[11] dowodzonym przez Marhwiniego, po czym uderzyli na tyły i flanki Woźników. Zwycięstwo Gondoru było całkowite, chociaż nie decydowało jeszcze o wyniku całej wojny. Kiedy pękły szeregi nieprzyjaciół, którzy w rozsypce zaczęli uciekać na północ, dobrze rozumiejący swą rolę Calimehtar nie ruszył w pościg. Trzecia część napastników legła martwa na polu bitwy, a kości zabitych zapadły się z czasem w ziemię obok szczątków wojowników padłych tu podczas dawnych, bardziej doniosłych bitew. Niemniej jeźdźcy Marhwiniego runęli na gnających przez równiny uciekinierów, powodując, iż odnieśli ciężkie straty. Kiedy wreszcie pokazały się w dali obrzeża Mrocznej Puszczy, Marhwini zaniechał pogoni i zostawił swe ofiary w spokoju, szydząc z pokonanych:

— Na wschód, a nie na północ wam droga, pomiocie Saurona! Widzicie? Domy przez was ukradzione stoją w płomieniach!

W istocie, nad horyzontem wiły się olbrzymie kłęby dymu.

Bunt, zaplanowany i wspomożony przez Marhwiniego, wybuchł rzeczywiście. Zdesperowani banici z Puszczy podburzyli niewolników i razem z nimi ruszyli na siedziby Woźników, paląc wiele z nich, niszcząc magazyny i ufortyfikowane obozy składające się z wielkich wozów. Większość jednak zginęła podczas tych rozpaczliwych akcji, byli bowiem słabo uzbrojeni, a i nieprzyjaciel nie zostawił wszystkiego bez obrony. Młodzikom oraz starcom pospieszyły na pomoc co młodsze kobiety, które pośród swego ludu też ćwiczyły się w sztuce walki i zajadle broniły teraz swych domów i dzieci. Tak zatem ostatecznie Marhwini musiał powrócić do swego kraju nad Anduiną i Ludzie Północy, żyjący wśród jego poddanych, nigdy więcej nie ujrzeli ojczystych stron. Calimehtar wycofał się do Gondoru, który przez czas jakiś (od roku 1899 do 1944) zaznawał dobrodziejstw pokoju przerwanego dopiero wielkim najazdem, kiedy to nieomal wygasła dynastia rządzących królów.

Niemniej sojusz Calimehtara i Marhwiniego nie był układem daremnym. Gdyby w owym czasie nie złamano potęgi Woźników z Rhovanionu, przypuściliby oni atak później i w większej sile, być może nawet niszcząc Gondor. Najważniejszy pożytek miał on przynieść w przyszłości, chociaż nikt nie mógł jeszcze wtedy przewidzieć dwóch wielkich odsieczy Rohirrimów ratujących Gondor, przybycia

Eorla na pola Celebrantu i rogów króla Théodena brzmiących nad polami Pelennoru. Bez tego wszystkiego daremny byłby powrót króla[12].

Tymczasem Woźnicy lizali rany i snuli plany o zemście. Usadowiony w krainach na wschód od morza Rhûn, skąd żadne wieści nie docierały do królów Gondoru, lud Woźników mnożył się i zasiedlał nowe tereny, paląc się do podbojów i rabunku, pielęgnując przy tym nienawiść do stojącego na drodze do nowych zdobyczy Gondoru. Jednak nieprędko się ruszyli. Z jednej strony bali się potęgi Gondoru, a nie mając najmniejszego pojęcia, co też dzieje się na zachód od Anduiny, widzieli to królestwo o wiele większym i ludniejszym, niż było w rzeczywistości. Z drugiej zaś strony, wschodni Woźnicy kierowali się na południe, za Mordor, gdzie toczyli wojny z mieszkańcami Khandu i jeszcze dalszymi ich sąsiadami. Ostatecznie zawarli pokój z tymi ludami, również wrogimi Gondorowi, i zaczęli szykować równoczesną napaść z dwóch stron, z północy i z południa.

Rzecz jasna, nic lub prawie nic nie wiedziano w Gondorze o tych planach. Wszystko, co tu powiedziano na ten temat, to wynik późniejszych domysłów oraz rekonstrukcji zdarzeń podjętej przez historyków, którzy też jasno wywiedli, że nienawiść wobec Gondoru, sojusz wrogów królestwa i ich wspólna akcja (której sami nie byliby w stanie przedsięwziąć) to wynik machinacji Saurona. Forthwini, syn Marhwiniego, ostrzegał króla Ondohera (tenże wstąpił na tron po swoim ojcu w roku 1936), że Woźnicy z Rhovanionu przychodzą do siebie po okresie strachu i słabości. Podejrzewał, że nowa ich siła przybyła ze Wschodu, gdyż wiele kłopotów sprawiały mu najazdy na południowe krańce jego krainy, przy czym napastnicy przybywali zarówno rzeką, jak i Przewężeniem Mrocznej Puszczy[13]. Gondor nie mógł zrobić w owym czasie nic ponad zebranie oraz wyćwiczenie niewielkiej armii i chociaż atak, gdy już nastąpił, nie zaskoczył królestwa, to jednak zbrojna odpowiedź była słabsza, niż wymagała tego sytuacja.

Ondoher zdawał sobie sprawę z wojny gotowanej za południową granicą, miał też dość rozsądku, by podzielić swe siły na armię północną i południową. Ta druga była mniejsza, bowiem i nie tak wielkiemu, jak sądzono, zagrożeniu miała stawić czoło[14]. Dowodził nią Eärnil, członek rodu królewskiego, potomek króla Telumehtara, ojca Narmacila II. Na bazę obrał sobie Pelargir. Armią północną dowodził sam król Ondoher, zgodnie ze zwyczajem Gondoru, iż król, jeśli tylko zapragnie, może objąć komendę nad armią podczas większych bitew (o ile pierwej dostarczył krajowi następcę o niekwestionowanym prawie do tronu; regent zaś zostawał bezpiecznie na tyłach). Ondoher pochodził z linii wojowników, a żołnierze uwielbiali go i szanowali. Miał dwóch synów, obu w wieku stosownym do noszenia broni. Artamir był starszy, Faramir o jakieś trzy lata młodszy.

Wieści o nadciągającym wrogu dotarły do Pelargiru dziewiątego dnia miesiąca Cermië w roku 1944. Eärnil uczynił już stosowne przygotowania: wraz z połową swych sił przeprawił się przez Anduinę i z rozmysłem zostawiając brody na Porosie bez obrony, rozłożył się obozem jakieś czterdzieści mil na północ od Południowego Ithilien. Król Ondoher pociągnął z wojskiem na północ przez Ithilien i zaległ na polu Dagorlad, co miało stanowić złą wróżbę dla wrogów Gondoru (w owym czasie forty wzniesione przez Narmacila I wzdłuż Anduiny na północ od Sarn Gebir były jeszcze w naprawie, niemniej obsadzono je wystarczającą liczbą żołnierzy z Calenardhonu, by przeszkodzić wrogowi w pokonaniu rzeki po Płyciznach). Wieści o ataku na północy dotarły do Ondohera dopiero rankiem dwunastego dnia miesiąca Cermië, kiedy to nieprzyjaciel znajdował się już blisko, podczas gdy armia Gondoru poruszała się o wiele wolniej, niżby czyniła to, znając sytuację, a straż przednia nie dotarła jeszcze do Bram Mordoru. Na czele szły główne siły z królem i przybocznymi monarchy, dalej zaś ciągnęły oddziały prawego i lewego skrzydła, które miały wysunąć się na pozycje po minięciu Ithilien, a przed podejściem pod Dagorlad. Spodziewano się ataku z północy lub północnego wschodu, jak było to podczas Bitwy na Równinach i zwycięstwa Calimehtara na równinie Dagorlad.

Stało się wszakże inaczej. Woźnicy zebrali wielką armię u południowych brzegów śródlądowego morza Rhûn. Szeregi ich wzmacniali pobratymcy z Rhovanionu i nowi sojusznicy z Khandu. Kiedy byli już gotowi, ruszyli na Gondor ze wschodu, z maksymalną szybkością przemieszczając się wzdłuż pasma Ered Lithui. Przemarsz wrogich oddziałów został dostrzeżony o wiele za późno. Czoło armii Gondoru ledwo zrównało się z Bramami Mordoru (Morannon), gdy wielki tuman kurzu podniósł się na wschodzie, oznajmiając przybycie straży przedniej przeciwnika[15]. Nieprzyjaciel nadciągał nie tylko na rydwanach bojowych, ale także w towarzystwie konnicy, o wiele liczniejszej niż oczekiwano. Ondoher miał jedynie tyle czasu, by zwrócić się ku atakującym (z prawej będąc przypartym do Morannonu) i wysłać Minohtarowi słowo, żeby pociągnął jak najszybciej z prawym skrzydłem armii i zajął miejsce na lewej flance. Minęła ledwie chwila, a rydwany i jeźdźcy uderzyli na prowizorycznie zwarte szyki Gondorczyków. Niewiele meldunków dotarło do Gondoru o zamieszaniu i klęsce, które nastąpiły później.

Ondoher był kompletnie nieprzygotowany do odparcia szarży jeźdźców oraz ciężkich rydwanów. Wraz z przybocznymi i sztandarem zajął miejsce na niskim wzgórzu, wszystko to jednak na próżno[16]. Główna furia ataku skierowała się ku sztandarowi, który został szybko zdobyty. Straż królewska została niemal dosłownie rozniesiona, a sam król zginął z synem Artamirem u boku. Ich ciał nigdy nie odnaleziono. Fala napastników, przewaliwszy się po nich, opłynęła z obu stron wzgórze, wcinając się głęboko w nieuszykowane oddziały Gondoru i zmuszając je do bezładnej ucieczki wprost na postępujące z tyłu dalsze szeregi, wielu innych zaś spychając na zachód, w Martwe Bagna.

Dowodzenie przejął Minohtar, mąż dzielny i doświadczony w wojaczce. Pierwszy impet napaści już minął, jednak przeciwnik osiągnął o wiele więcej, niż przypuszczał, mniejsze też od spodziewanych poniósł straty. Jazda i rydwany wycofywały się w kierunku nadciągających już głównych sił Woźników. Minohtar, podniósłszy wówczas własny sztandar, zebrał wkoło siebie niedobitki czołowych oddziałów i tych własnych ludzi, którzy byli niedaleko. Bez zwłoki wysłał też wiadomość do Adrahila z Dol Amroth[17], dowódcy lewego skrzydła (postępującego na samym końcu), nakazując mu wycofać się jak najszybciej ze swoimi oddziałami oraz tymi tylnymi szeregami należącymi do prawego skrzydła, które nie zostały jeszcze uwikłane w walkę. Z owymi siłami Adrahil miał zająć pozycje obronne między Cair Andros (już obsadzoną) a górami Ephel Dúath, gdzie za przyczyną wygiętej ku wschodowi pętli Anduiny przejście było najwęższe, co umożliwiało zagrodzenie drogi do Minas Tirith. Minohtar tymczasem zamierzał dać mu dość czasu na manewr odwrotu, formując z dostępnych mu sił straż tylną, mającą spróbować przynajmniej powstrzymać marsz głównych sił Woźników. Minohtar nakazał też Adrahilowi natychmiast wysłać umyślnych z rozkazem odnalezienia Eärnila i poinformowania go, o ile poszukiwania zostaną zwieńczone sukcesem, o klęsce pod Morannonem oraz pozycji wycofującej się północnej armii.

Główne siły Woźników ruszyły do ataku dwie godziny po południu. Minohtar wycofał się uprzednio do początków wielkiego Północnego Traktu Ithilien, pół mili za miejscem, gdzie droga skręcała na wschód, wiodąc dalej ku wieżom strażniczym Morannonu. Triumfalne zwycięstwo w pierwszej potyczce miało dla Woźników fatalne skutki. Nie znając liczebności ni sposobu uszykowania zmuszonych do nagłej obrony oddziałów, przypuścili pierwszy szturm zbyt wcześnie, nie czekając aż większa część oddziałów przeciwnika przejdzie przez wąskie gardło Ithilien. Druzgocące zwycięstwo straży przedniej nadeszło zbyt szybko, a główny atak zbyt późno, by przyzwyczajeni do potykania się na otwartym terenie Woźnicy mogli dalej skutecznie i zgodnie z przyjętą taktyką wykorzystywać swą przewagę liczebną. Istnieje wszakże prawdopodobieństwo, iż upojeni radością z powodu zabicia króla i rozgromienia znacznej części pierwszego zgrupowania wroga doszli do przekonania, że bitwa jest już wygrana, więc nadciągającym głównym siłom pozostanie tylko dokonać inwazji, a następnie zagarnąć Gondor. Jeśli tak zaiste sądzili, to byli w dużym błędzie.

Ryczący pieśń zwycięstwa, wciąż pełni euforii Woźnicy parli w luźnym szyku, nie widząc ani śladu obrońców skłonnych im się przeciwstawić. W końcu ujrzeli, że droga do Gondoru skręca na południe w wąski, cienisty pas lasu, nad którym mrocznieją grzbiety Ephel Dúath. Dalszy marsz (bez rozbijania formacji) możliwy był jedynie traktem biegnącym w głębokim wąwozie...

Tutaj tekst urywa się nagle, a zapiski i notatki mające posłużyć jako podstawa do napisania dalszego ciągu są w większości nieczytelne. Można jednak ustalić, że Éothéodzi walczyli u boku Ondohera i że drugi syn króla, Faramir, został rozkazem pozostawiony w Minas Tirith jako regent, gdyż prawo nie zezwalało, aby wszyscy synowie króla ruszali jednocześnie do bitwy (wcześniej podobna sugestia pojawia się w opowieści). Faramir jednak postąpił inaczej, poszedł w przebraniu na wojnę i zginął. W tym miejscu tekst ledwo daje się odczytać, można się tylko domyślać, że Faramir dołączył do Éothéodów, a następnie został razem z ich grupą zaskoczony podczas odwrotu ku Martwym Bagnom. Wódz Éothéodów (którego imienia nie daje się odcyfrować prócz pierwszej sylaby *Marh-*) ruszył im na ratunek, jednak Faramir zmarł mu na rękach. Dopiero później dowódca odnalazł przy trupie dowody, iż z księciem miał do czynienia. Potem onże wódz przyłączył się do Minohtara zaczajonego u początku Północnego Gościńca w Ithilien, a uczynił to dokładnie w chwili, gdy Minohtar kazał przesłać do Minas Tirith wiadomość dla księcia, który po śmierci ojca został królem. Dowódca Éothéodów przekazał zatem smutną nowinę, że książę ruszył w przebraniu do walki i zginął.

Obecność Éothéodów i rola odegrana przez ich wodza wyjaśnia zapewne, dlaczego w relacji o początkach przyjaźni Rohirrimów z Gondorem pojawia się tak obszerny fragment opisujący bitwę wojsk Gondoru z Woźnikami.

Końcowy fragment spisanego tekstu sugeruje, że wejście na biegnącą w wąwozie drogę miało położyć kres radosnemu nastrojowi Woźników, jednak zapiski pod koniec powiadają, że dowodzona przez Minohtara tylna straż nie wytrzymała długo. „Woźnicy wlali się niepowstrzymanym strumieniem do Ithilien" i „pod koniec trzynastego dnia miesiąca Cermië pobili Minohtara", który poległ trafiony strzałą. Powiada się tutaj, że był on synem siostry króla Ondohera. „Jego ludzie wynieśli władcę z potyczki. Wszyscy, którzy ocaleli ze składu tylnej straży, uciekli na południe, by odszukać Adrahila". Wódz Woźników tymczasem zarządził popas i wyprawił ucztę. Więcej już nie daje się odczytać, tylko krótki urywek pomieszczony w Dodatku A do *Władcy Pierścieni* (*Powrót Króla*, s. 299) powiada, że Eärnil nadciągnął z południa i rozgromił nieprzyjaciół Gondoru:

W roku 1944 król Ondoher wraz z dwoma synami, Artamirem i Faramirem, poległ w bitwie na północ od Morannonu, a nieprzyjaciel wtargnął do Ithilien. Jednakże Eärnil, dowódca Armii Południa, odniósł w południowej części Ithilien wielkie zwycięstwo, niszcząc wojska Haradu, które przeprawiły się przez rzekę

Poros. Spiesząc na północ, Eärnil zebrał rozproszone resztki Armii Północy, po czym zaskoczył główny obóz nieprzyjacielski w chwili, gdy Woźnicy, upojeni triumfem, przekonani o całkowitej bezsilności Gondoru, ucztowali, myśląc, że już nic nie pozostało im do roboty, prócz rabunku w pobitym kraju. Eärnil rozbił grupę wroga pierwszym impetem, podpalił wozy i wypędził ogarniętych paniką najeźdźców z Ithilien. Wielu z nich, uciekając przed Gondorczykami, potonęło w Martwych Bagnach.

> W *Kronice Lat* wyczyn Eärnila zwany jest Bitwą o Obóz. Po śmierci Ondohera i jego dwóch synów, Arvedui, ostatni król Północnego Królestwa, zgłosił pretensje do korony Gondoru, nie uznano ich wszakże i w rok po Bitwie o Obóz królem został Eärnil. Syn Eärnila, Eärnur, który potem zginął w Minas Morgul po przyjęciu wyzwania wodza Nazgûli, był ostatnim królem Południowego Królestwa.

2. Odsiecz Eorla

Mieszkających jeszcze w swych dawnych domostwach[18] Éothéodów znano w Gondorze jako ludzi godnych zaufania. Przekazywali oni wszelkie nowiny o zdarzeniach, które miały miejsce w ich okolicy. Wywodzili się od Ludzi Północy, uznawanych za odległych, niegdysiejszych krewnych Dúnedainów i ich sprzymierzeńców w czasach wielkich królów. Sami też zmieszali się w znacznym stopniu z ludem Gondoru. Gondor z uwagą śledził ich poczynania, gdy za panowania Eärnila II, ostatniego już władcy Południowego Królestwa[19], przenieśli się na daleką Północ.

Nowe ziemie Éothéodów leżały na północ od Mrocznej Puszczy, po zachodniej ich stronie znajdowały się Góry Mgliste, a na wschodzie płynęła Leśna Rzeka. Ku południowi sięgały do połączenia dwóch krótkich rzek zwanych odtąd Greylin i Langwell. Greylin brał swój początek z Ered Mithrin, Gór Szarych, natomiast Longwell z Gór Mglistych, a nazwę zawdzięczał temu, iż stanowił źródło Anduiny, od połączenia z Greylinem zwanym Langflood[20].

Posłańcy krążyli niezmiennie między Gondorem a Éothéodami nawet po odejściu tych drugich. Teraz jednak mieli do przebycia około czterystu pięćdziesięciu mil, licząc od ujścia Greylinu do Longwell (gdzie Éothéodzi założyli swój jedyny ufortyfikowany *burg*) do miejsca, gdzie Limlight wpadała do Anduiny, a nawet więcej, tyle bowiem wynosiła odległość w linii prostej, lotem ptaka, podróżujący lądem zaś musieli znacznie nadkładać drogi, toteż od Minas Tirith dzieliło ich z osiemset mil.

Kronika Ciriona i Eorla nie mówi nic o zdarzeniach poprzedzających Bitwę na Polach Celebrantu, można jednak zrekonstruować je na podstawie innych źródeł.

Rozległe krainy na południe od Mrocznej Puszczy, rozciągające się od Brunatnych Pól po morze Rhûn, stały otworem przed wszelkimi napastnikami (pierwszą przeszkodę na ich drodze stanowiła wówczas dopiero Anduina), dlatego przede wszystkim te tereny przysparzały trosk władcom Gondoru. Jednak podczas Niespokojnego Pokoju[21] opuszczono i zaniedbano forty wzdłuż Anduiny[22] (szczególnie na zachodnim brzegu Płycizn), potem zaś napadli na Gondor równocześnie orkowie z Mordoru (przez długi czas niestrzeżonego) i korsarze z Umbaru. Nie było dość ludzi, ani sposobności, by obsadzić linię Anduiny na północ od Emyn Muil.

Cirion został namiestnikiem Gondoru w 2489 roku. Nigdy nie zapomniał o zagrożeniu z Północy, a w miarę jak potęga Gondoru malała, tym więcej uwagi poświęcał poszukiwaniu metod zażegnania niebezpieczeństwa napaści z owej strony. Obsadził stare forty garstką ludzi mających strzec Płycizn. Wysłał zwiadowców i szpiegów do krajów między Mroczną Puszczą a Dagorladem. W tenże sposób rychło dowiedział się o nowych, groźnych wrogach nadciągających ze wschodu, zza morza Rhûn. Systematycznie wybijali oni lub spychali w górę Bystrej Rzeki i do Puszczy niedobitki Ludzi Północy, przyjaciół Gondoru mieszkających wciąż na wschód od Mrocznej Puszczy[23]. Nie mógł ich jednak wesprzeć, jako że nawet samo zbieranie wiadomości stawało się coraz mniej bezpieczne i zbyt wielu zwiadowców nie wracało.

Dopiero gdy dobiegła końca zima 2509 roku, Cirion pojął, że oto szykuje się wielka napaść na Gondor: zastępy wroga zbierały się wzdłuż całego południowego skraju Mrocznej Puszczy. Byli to ludzie dość prymitywnie uzbrojeni, pozbawieni większej liczby rumaków pod wierzch na rzecz koni pociągowych. Zaprzęgali je do ogromnych wozów, podobnie jak czynili to Woźnicy (bez wątpienia spokrewnieni z nowymi napastnikami), którzy najechali Gondor za ostatnich królów. Jednak wszystkie swe militarne niedostatki nadrabiali liczebnością, tak przynajmniej można sądzić.

Myśli Ciriona zwróciły się w tej potrzebie ku Éothéodom. Zdeterminowany, wysłał umyślnych, którzy wszakże mieli do przebycia Calenardhon, Płycizny, a potem jeszcze krainy strzeżone i patrolowane przez Balków[24], dzielące ich od Doliny Anduiny. Oznaczało to konieczność pokonania najpierw około czterystu pięćdziesięciu mil do Płycizn, a następnie jeszcze pięciuset do Éothéodów. Na dodatek od Płycizn trzeba było poruszać się czujnie i głównie nocą, by bezpiecznie minąć cień Dol Guldur. Cirion nie miał wielkiej nadziei, by jego ludzie zdołali dojść do celu. Wezwawszy ochotników, sam wybrał sześciu szczególnie odważnych i wytrzymałych jeźdźców, wysyłając ich po dwóch w odstępach jednego dnia. Każdy niósł wyuczoną

na pamięć wiadomość oraz kamyk naznaczony pieczęcią namiestników[25], do oddania wyłącznie władcy Éothéodów, o ile uda się do niego dotrzeć. Wiadomość adresowana była do Eorla, syna Léoda, bowiem jak Cirion wiedział, on właśnie przejął kilka
lat wcześniej schedę po ojcu. Miał wówczas ledwie szesnaście lat, a chociaż obecnie
liczył nie więcej niż dwadzieścia pięć lat, wyróżniał się odwagą i mądrością ponad
młody wiek – takie przynajmniej słuchy chodziły w Gondorze. Cirion wszakże nie
liczył zbytnio, by wiadomość dotarła, gdzie trzeba, nie spodziewał się też odpowiedzi.
Na nic więcej nie mógł powołać się wobec Éothéodów, jak tylko na ich pradawną
przyjaźń z Gondorem. Jedynie w ten sposób wesprzeć mógł wezwanie, by przybyli
z daleka w możliwie największej sile. Pewne wsparcie argumentacji stanowiły
wprawdzie wieści, że Balkowie wybijają ostatki krewniaków Éothéodów na Południu, ale po pierwsze: niewykluczone, że Éothéodzi już o tym wiedzieli; po drugie
zaś: sami też mogli być zagrożeni. Cirion, nic już nie rzekłszy[26], zebrał te skromne
siły, które mu zostały, by stawić czoło nawałnicy. Sam objął nad nimi dowodzenie
i pospiesznie przygotował oddziały do marszu na północ, do Calenardhon. W Minas
Tirith u władzy pozostawił syna swego, Hallasa.

Pierwsza para wysłanników wyruszyła dziesiątego dnia miesiąca Súlimë i jeden
z nich właśnie (jedyny spośród wszystkich sześciu) dotarł do Éothéodów. Zwał
się Borondir; był znamienitym jeźdźcem z rodziny wywodzącej się podobno od
samego wodza Ludzi Północy służących dawnym królom[27]. O pozostałych posłańcach słuch zaginął. Wiadomo tylko, co stało się z towarzyszem Borondira. Wpadł
w zasadzkę i zginął od strzał w pobliżu Dol Gulduru. Borondir zdołał umknąć,
mając sporo szczęścia i bardziej śmigłego wierzchowca. Pościg ciągnął za nim aż
do granicy pól Gladden; często też niepokoili go ludzie z Puszczy, zmuszając do
nadkładania drogi. W końcu, po piętnastu dniach (z czego ostatnie dwa przebył
bez jedzenia) dotarł do Éothéodów tak wyczerpany, że ledwo zdołał wykrztusić
wiadomość dla Eorla.

Był dwudziesty piąty dzień miesiąca Súlimë. Eorl sam rozważył sytuację, nie
namyślał się wszakże długo. Wstał i powiedział:

– Wyruszę. Jeśli Mundburg padnie, gdzież umkniemy przed Ciemnością?

Potem uścisnął dłoń Borondira na znak obietnicy.

Zaraz też wezwał swą Radę Starszych, po czym zaczął przygotowania do wyprawy. Trwało to jednak wiele dni, gdyż trzeba było zebrać i uszykować oddziały,
ponadto należało stosownie zorganizować pozostałych mieszkańców i pomyśleć
o obronie kraju. W owym czasie Éothéodzi zaznawali pokoju, więc nie lękali się
wojny, ale różnie mogłyby się sprawy potoczyć, gdyby nagle gruchnęła wieść, że
ich władca ruszył do walki w odległych krajach południa. Tak czy inaczej, Eorl dobrze rozumiał, że przyda się na coś jedynie z całą swą armią. Pozostawało mu albo
zaryzykować, stawiając wszystko na jedną szalę, albo nie dotrzymać obietnicy.

W końcu wojska były gotowe. W kraju zostało ledwie parę setek zbrojnych mających wesprzeć nienadających się do tak ryzykownej wyprawy młodzików i starców. Szóstego dnia miesiąca Víressë wielki *éoherë* ruszył w drogę. Uczynił to w milczeniu, w strachu zostawiając cały kraj, i niewielką ze sobą uwożąc nadzieję. Nikt bowiem nie wiedział, co armię spotka po drodze ani co czekać będzie na nią u krańca szlaku. Powiada się, że Eorl Młody prowadził z siedem tysięcy dobrze uzbrojonych jeźdźców i kilkuset konnych łuczników. Przy jego prawym boku jechał Borondir mający służyć za przewodnika, jako że niedawno przemierzał już ten szlak. Przez całą drogę Doliną Anduiny nie napotkano żadnych przeciwników skłonnych niepokoić czy napastować wielką armię. Ktokolwiek widział nadciągające wojska, zły czy dobry, zmykał im z drogi zdjęty strachem przed taką siłą zbrojnych i ich splendorem. Podążając dalej, przeszli przez południowe krańce Mrocznej Puszczy (poniżej wielkiego Wschodniego Zakola), tereny zwykle rojące się od Balków, nadal jednak nie widząc żywej duszy. Ani zwarty oddział, ani czujka nie zastąpiły im drogi, nikt też nie szpiegował ich przemarszu. Był to skutek wydarzeń, zaszłych już po wyruszeniu Borondira z Gondoru, o których Éothéodzi nie mieli pojęcia. Wpływały na to jeszcze inne siły. Kiedy bowiem oddziały zbliżyły się do Dol Guldur, Eorl skręcił na zachód, lękając się mrocznego cienia oraz dymu dobywającego się z twierdzy. Dalej jechali, mając Anduinę w zasięgu wzroku. Wielu jeźdźców spoglądało w kierunku rzeki, po części z lękiem, a po części z nadzieją, że uda się ujrzeć w dali łunę nad Dwimordene, niebezpieczną krainą z legend, która wiosną podobno słała blask niczym złoto. Teraz jednak wszędzie tam zalegał jasny opar mgły. Nagle ku zdumieniu zbrojnych, przepłynął on ponad rzeką i zaległ przed maszerującą armią.

Eorl nie zatrzymał się ani na chwilę.

– Jechać dalej! – rozkazał. – Nie ma innej drogi. Czy po tak długim marszu pozwolimy, aby mgła wstrzymała nas od walki?

Gdy podeszli bliżej, ujrzeli, że blady tuman odpycha mroki Dol Guldur. Wniknęli więc w opar, zrazu czujnie i powoli, chociaż pod osobliwym baldachimem było jasno. Wszystko trwało skąpane w nierzucającym cieni blasku, zaś gęstniejące po bokach ściany mgły skrywały szczelnie całe wojsko.

– Pani ze Złotego Lasu chyba nam sprzyja – powiedział Borondir.

– Może – odparł Eorl. – Ja zaś zwykłem ufać mądrości mego Felarófa[28]. Nie wietrzy tu zła. Duch jego urósł nagle, jakby odjęto mu całe zmęczenie. Rwie się do przodu. Niech tak będzie! Nigdy bardziej nie zależało mi na tajności i szybkim tempie przemarszu.

Wówczas Felaróf wyrwał z kopyta, a wszystkie oddziały za nim zerwały się niczym wichura, jednak odbywało się to w dziwnej ciszy, jakby kopyta koni w ogóle nie dotykały ziemi. Gnali tak całe dwa dni, pełni sił i chętni do walki niczym w ranek wyjazdu. Świtem dnia trzeciego, gdy wstali po nocnym popasie, mgła znikła. Ujrzeli, że są już na rozległej równinie, z prawej mając bliską Anduinę. Nieświadomie minęli niemal jej wielkie wschodnie zakole[29] i Płycizny leżały już w zasięgu wzroku. Dotarli tu rankiem piętnastego dnia miesiąca Víressë, prędzej, niżby śmieli marzyć[30].

> W tym miejscu tekst się kończy i dalej widnieje już tylko notatka, że w następnych akapitach powinien pojawić się opis Bitwy na Polach Celebrantu. W Dodatku A do *Władcy Pierścieni* (s. 312) odnajdujemy skrótową informację o owej wojnie: „Wielka rzesza dzikich ludzi z północnego wschodu zajęła Rhovanion i posuwając się od strony Brunatnych Pól, przepłynęła Anduinę na tratwach. Jednocześnie przez przypadek, albo w myśl tajemniczego planu, orkowie (którzy w owym czasie przed wojną z krasnoludami, rozporządzali jeszcze wielką potęgą), zeszli z gór. Najeźdźcy zajęli Calenardhon, a wtedy Cirion, Namiestnik Gondoru, posłał na północ po pomoc..."
> W chwili gdy Eorl wraz z jeźdźcami dotarli na pola Celebrantu:

północnej armii Gondoru groziła klęska; pobita na Płaskowyżu, odcięta od południa, zmuszona przekroczyć rzekę Limlight, została tutaj nagle zaatakowana przez orków i zepchnięta nad Anduinę. Zdawało się, że wszelka nadzieja już stracona, gdy niespodziewanie z północy przybyli z odsieczą jeźdźcy i natarli na nieprzyjacielskie tyły. Losy bitwy odmieniły się błyskawicznie; orkowie, zdziesiątkowani, umykali za Limlight. Eorl na czele swych wojowników ścigał ich, a taki postrach budzili powszechnie jeźdźcy Północy, że napastnicy na Płaskowyżu również ulegli panice; rzucili się do ucieczki, Rohirrimowie zaś, nie ustając w pogoni, wytępili rozproszonych po równinie Calenardhonu niedobitków.

> Podobna, krótsza jednak relacja pojawia się jeszcze w innej części Dodatku A. Żadna z nich nie przedstawia jasno przebiegu bitwy, wydaje się wszakże, że jeźdźcy przebyli Płycizny, potem Limlight (por. przypis 27 do tego rozdziału) i spadli na tyły nieprzyjaciela na polach Celebrantu. Stwierdzenie, że wrogowie „zdziesiątkowani umykali za Limlight", oznacza, iż Balkowie zostali wyparci z powrotem na południe, na Płaskowyż.

3. Cirion i Eorl

Opowieść poprzedzona jest notatką o Halifirien. Tak nazywało się wzgórze sygnałowe Gondoru, najbardziej wysunięte na północ w łańcuchu Ered Nimrais.

Halifirien[31], najwyższe ze wszystkich wzgórz sygnałowych, podobnie jak Eilenach, drugie co do wysokości, zdawało się wyrastać samotnie z rozległego lasu. Zaraz za nim rozciągała się głęboka rozpadlina, mroczna Dolina Firien w długim, ciągnącym się ku północy paśmie Ered Nimrais, którego Halifirien było najwyższym wzniesieniem. Zbocza wyrastały z rozpadliny niczym pionowa ściana. Pozostałe jednak stoki, a zwłaszcza północne, były łagodne i drzewa porastały je niemal do samego wierzchołka. Szczególnie gęsty las rozciągał się wzdłuż strumienia Mering (wypływającego z rozpadliny) i dalej ku północy na równinie, którą strumień docierał do Entwash. Wielki Gościniec Zachodni biegł tu wielką przecinką, omijając podmokłe tereny na północy. Jednak ów szlak powstał w pradawnych czasach[32] i po śmierci Isildura zaprzestano wyrębu drzew w lesie Firien, jeśli nie liczyć tych powalonych przez strażników stosu sygnałowego. Oni bowiem mieli także czuwać nad przepustowością gościńca i ścieżki wiodącej na szczyt. Droga ta odgałęziała się od gościńca w pobliżu skraju lasu i biegła między drzewami aż do nagiego wierzchołka, gdzie przechodziła w pradawnej roboty kamienne schody prowadzące na okrągły, szeroki plac sygnałowy na samym szczycie, wyrównany niegdyś przez te same dłonie, które zbudowały schody. Strażnicy byli jedynymi mieszkańcami lasu (o dzikich zwierzętach nie wspominając) i zajmowali domy z bali, wzniesione w pobliżu wierzchołka. Służbę pełnili na zmianę, jednak nie zabawiali tam zbyt długo, chyba że zmuszała ich do tego zła pogoda. Chętnie wracali do domostw i nie dlatego, żeby groziły im dzikie bestie czy zły cień zalegał nad lasem, ale za przyczyną panującej na górze martwej ciszy przerywanej jedynie świstem wiatru, odgłosami ptaków i innych zwierząt lub krzykiem spieszącego drogą jeźdźca. W takiej ciszy ludzie szybko zaczynali zwracać się do siebie szeptem w obawie, by nie zbudzić potężnego echa z dawnych czasów i obcych stron.

W języku Rohirrimów „Halifirien" znaczyło tyle co „święta góra"[33]. Przed przybyciem tego ludu szczyt był znany pod sindarińską nazwą Amon Anwar, Wzgórze Grozy, jednak czemu pod taką właśnie, tego w Gondorze nie wiedział nikt (może z wyjątkiem, jak później się okazało, panującego aktualnie króla czy namiestnika). Mało kto odważał się wszakże zejść z gościńca między drzewa, kto zaś to uczynił, uznawał sam las za wystarczająco odstraszający. We Wspólnej Mowie zwano go Szepczącym Lasem. W okresie świetności Gondoru nie było na górze żadnego stosu sygnałowego, jako że palantíry umożliwiały bezpośrednią łączność między Osgiliath a trzema wieżami królestwa[34]. W późniejszych czasach nie można było oczekiwać z północy żadnego wsparcia, jako że mieszkańcy Calenardhonu stali się nieliczni, nie wysyłano tam też wojska, ponieważ Minas Tirith z coraz większym trudem utrzymywało linię Anduiny, strzegąc przy tym południowych wybrzeży. Mieszkający wciąż w Anórien ludzie czuwali nad północnymi przejściami, zarówno przez Calenardhon, jak i przez Anduinę przy Cair Andros.

W celu komunikacji z nimi zbudowano właśnie trzy najstarsze placówki sygnałowe[35] (Amon Dîn, Eilenach i Min-Rimmon) i chociaż wzniesiono umocnienia wzdłuż koryta strumienia Mering (między nieprzebytymi bagnami u ujścia strumienia do Entwash a mostem, po którym gościniec biegł na zachód do lasu Firien), nie dozwolono, by jakikolwiek fort czy stos sygnałowy pojawił się na szczycie Amon Anwar.

W czasach namiestnika Ciriona doszło do wielkiego najazdu Balków, którzy sprzymierzyli się z orkami, przeszli Anduinę, dotarli na Płaskowyż i zaczęli podbój Calenardhonu. Dopiero przybycie Eorla Młodego i jego Rohirrimów uratowało królestwo Gondoru od niechybnej zagłady.

Kiedy wojna dobiegła końca, ludzie poczęli się zastanawiać, jak namiestnik uhonoruje i nagrodzi Eorla. Oczekiwano wydania w Minas Tirith wielkiej uczty, podczas której sprawa się wyjaśni. Cirion jednak postąpił po swojemu. Kiedy tylko mocno uszczuplona armia Gondoru ruszyła z powrotem na południe, on wyprawił się na północ w towarzystwie Eorla oraz jego éoredu[36] jeźdźców. Przy strumieniu Mering Cirion odwrócił się do Eorla i ku zdumieniu wszystkich powiedział:

– Żegnaj teraz, Eorlu, synu Léoda. Wrócę do domu, gdzie uładzić muszę jeszcze niejedno. Na ten czas twojej opiece powierzam Calenardhon, o ile nie zamierzasz pospieszyć do swego królestwa. Za trzy miesiące będę znów czekał tu na ciebie, a wtedy wspólnie się naradzimy.

– Przybędę – odparł Eorl; i tak się rozstali.

Ledwie Cirion przybył do Minas Tirith, wezwał kilku najbardziej zaufanych służących.

– Ruszajcie do Szepczącego Lasu – rozkazał. – Musicie oczyścić ścieżkę wiodącą na Amon Anwar. Zarosła już dawno, lecz jej początek można wciąż poznać po kamieniu przy gościńcu, tam gdzie północny skraj lasu dochodzi do drogi. Ścieżka wije się mocno, ale na każdym zakręcie leży kamień. Idąc tym tropem dojdziecie do kamiennych schodów wiodących na samą górę. Dalej nie uczynicie ani kroku. Wykonajcie swą powinność jak najszybciej i wracajcie prosto do mnie. Nie ścinajcie drzew, oczyśćcie tylko ścieżkę tak, by mogło nią przejść bez trudu kilku pieszych mężów. Sam początek zostawcie zamaskowany, żeby nie kusiło nikogo przechodzącego gościńcem skierować kroki na górę, póki ja tam nie przybędę. Trzymajcie w tajemnicy, dokąd się udajecie i co zrobiliście. Gdyby pytali, mówcie, że pan namiestnik kazał przygotować miejsce spotkania z Władcą Jeźdźców.

W stosownym czasie Cirion wziął swego syna Hallasa, władcę Dol Amroth, oraz jeszcze dwóch członków Rady i wraz z nimi wyruszył na spotkanie Eorla na moście nad strumieniem Mering. Z Eorlem przybyli trzej jego najważniejsi dowódcy.

– Chodźmy teraz do miejsca, które kazałem przygotować – powiedział Cirion.

Postawiwszy jeźdźców na warcie przy moście, skierowali się zacienionym drzewami gościńcem aż do stojącego na poboczu kamienia. Tam zsiedli z koni, zostawiając je wraz z silną strażą Gondorczyków. Stanąwszy przy kamieniu, Cirion zwrócił się do towarzyszy z tymi słowami:

– Pójdę teraz na Wzgórze Grozy. Idźcie za mną, jeśli chcecie. Ja z Eorlem bierzemy tylko dwóch giermków. Poniosą nasz oręż. Pozostali winni podążyć bez broni jako świadkowie naszych słów i czynów. Ścieżka na górę została już oczyszczona, chociaż nikt nie używał jej od czasów, gdy lata temu byłem tu z ojcem.

Potem Cirion poprowadził Eorla między drzewami, a reszta kolejno ruszyła ich śladem. Minąwszy pierwszy z wytyczających leśny szlak kamieni, przyciszyli głosy i zaczęli ostrożnie stawiać stopy, jakby chcieli uniknąć robienia jakiegokolwiek hałasu. Kiedy w końcu przeszli pas białych brzóz okalających wierzchołek, ujrzeli kamienne schody wiodące na szczyt. Było tu ciepło i jasno, szczególnie w porównaniu z półmrokiem lasu, chociaż trwał już miesiąc Úrimë. Trawa wciąż zieleniła się, jakby jeszcze nie dobiegł końca Lótessë.

U podnóża schodów widniała otoczona niskim wałem darni niewielka półka lub wnęka w zboczu wzgórza. Tutaj wszyscy przysiedli na chwilę, aż w końcu Cirion wstał i wziął od giermka białą różdżkę, znak swego urzędu, oraz takiż płaszcz namiestników Gondoru. Wkraczając na pierwszy stopień schodów, rozproszył ciszę, mówiąc głosem przytłumionym, lecz wyraźnym:

– Ogłoszę teraz, com postanowił. W uznaniu męstwa jego ludu i w podzięce za nieocenioną pomoc udzieloną Gondorowi w chwili największej potrzeby, ja, Namiestnik królów, z własnej woli ofiarowuję Eorlowi, synowi Léoda, władcy Éothéodów, całą wielką krainę Calenardhonu od Anduiny po Isenę. Tam, jeśli zechce, niech ogłosi się królem, a jego wierni mogą mieszkać w tej krainie wolni, jak długo trwać będzie władza namiestników lub do powrotu króla[37]. Nikt z zewnątrz nie narzuci im praw ani woli nie ograniczy. Muszą przestrzegać tylko jednej zasady nakazującej życie z Gondorem w nieustannej przyjaźni; wrogowie Gondoru będą ich wrogami, póki nie przestaną istnieć oba królestwa. Takie samo zobowiązanie przyjmie też lud Gondoru.

Wówczas Eorl wstał, przez kilka chwil milczał wszakże, zdumiony wielką szczodrością daru i szlachetnymi warunkami, które mu przedstawiono. Dojrzał w Cirionie mądrego namiestnika, myślącego o bezpieczeństwie Gondoru, pragnącego ocalić jak najwięcej z podupadającego królestwa, ale także zobaczył w nim wielkiego przyjaciela Éothéodów, rozumiejącego ich potrzeby. Byli oni bowiem już zbyt liczni, by żyć dalej na Północy, ponadto bardzo tęsknili za powrotem na południe, do dawnych domostw, wstrzymywał ich wszakże lęk przed Dol Guldur.

W Calenardhonie zaś mielibyśmy wreszcie wystarczająco dużo miejsca i pozostawalibyśmy z dala od cienia Mrocznej Puszczy.

Jednak układ ten świadczył nie tylko o mądrości obu przywódców. Było w nim coś, co wykraczało poza rachuby polityczne. U podstaw decyzji leżała wielka przyjaźń spajająca ich ludy oraz miłość, którą darzyli się ci dwaj prawdziwi mężowie. Cirion ze swej strony dawał wyraz uczuciu, jakie mądry i postarzony troskami świata ojciec mógłby żywić do silnego i pełnego nadziei syna. Eorl zaś widział w Cirionie najszlachetniejszego i najdostojniejszego człowieka znanego mu kawałka świata, kogoś najmądrzejszego, obdarzonego majestatem dawnych królów ludzkiego plemienia.

W końcu, gdy Eorl przemyślał już pospiesznie wszystkie te sprawy, zwrócił się do Ciriona tymi słowami:

– Panie Namiestniku Wielkiego Króla, z wdzięcznością przyjmuję ofiarowany przez ciebie dar. O wiele przewyższa on nagrodę, na którą zapewne zasłużyliśmy, lecz nasze czyny wypływały wyłącznie z czystej przyjaźni. Teraz jednak przypieczętuję szczere oddanie Gondorowi przyrzeczeniem, które nigdy nie zostanie zapomniane.

– Chodźmy zatem na samą górę – powiedział Cirion. – Tam złożysz przed tymi tu świadkami taką przysięgę, jaką sam uznasz za stosowną.

Wówczas Cirion ruszył po schodach, za nim zaś podążyli pozostali z Eorlem na czele. Na górze ujrzeli rozległy owalny plac pokryty darnią. Nie było tu żadnych wałów ni ogrodzeń, tylko po wschodniej stronie widniało niewielkie wzniesienie porośnięte białymi kwiatami alfirinu[38], a zachodzące słońce naznaczało ich płatki jasnym złotem. Władca Dol Amroth, dowódca przybocznych Ciriona, podszedł do pagórka, u którego stóp leżał wśród trawy nietknięty przez mrozy, deszcze ni rośliny czarny kamień z wyrytymi nań trzema literami.

– Czy to grób? – spytał Ciriona. – Ale któż znamienity w nim spoczywa?

– Czy nie odczytałeś liter?

– Owszem – odparł książę[39] – i tym bardziej się zdumiewam, bowiem były to: *lambe, ando, lambe*, a przecież Elendil nie ma grobu, nikt też od dawnych czasów nie ważył się ponownie nosić tego imienia[40].

– Niemniej to jest miejsce spoczynku Elendila – powiedział Cirion. – Stąd właśnie wywodzi się groza zalegająca nad tym wzgórzem i rozciągającymi się poniżej lasami. Od Isildura, który kurhan ten usypał, po Meneldila, a dalej przez pokolenia namiestników, przekazywano ów sekret, na rozkaz Isildura utajnione umiejscowienie grobu, aż i ja się o nim dowiedziałem. Isildur powiedział bowiem: „Oto sam środek Królestwa Południa[41] i jak długo ono istnieje, tutaj pod opieką Valarów niech trwa pomnik Elendila Wiernego. Wzgórze to pozostanie święte i niech żaden człowiek nie zakłóca jego ciszy i spokoju, chyba że będzie to spadkobierca Elendila". Przyprowadziłem was na szczyt, by przysięga zyskała szczególną moc w pamięci nas samych i naszych potomków.

Potem zgromadzeni pochylili na chwilę głowy, aż Cirion rzekł do Eorla:

– Jeśli jesteś już gotów, złóż ślubowanie. Uczyń to w sposób najstosowniejszy według zwyczajów twego ludu.

Eorl wystąpił o krok i wziąwszy od giermka włócznię, wbił ją pionowo w ziemię. Potem sięgnął po miecz i rzucił go w górę, aż klinga błysnęła w słońcu, a złapawszy oręż, podszedł do wzgórka i położył miecz na kurhanie, nie puszczając wszakże rękojeści. Odezwał się wówczas głosem silnym, wymawiając w języku Éothéodów Przysięgę Eorla. W przekładzie na Wspólną Mowę brzmiała ona następująco[42]:

„Słuchajcie mnie teraz wszyscy ludzie, którzy nie skłaniacie się przed Cieniem na Wschodzie. Oto dzięki darowi władcy Mundburga zamieszkamy w krainie zwanej Calenardhon, a ja przysięgam we własnym imieniu i w imieniu Éothéodów z Północy, że między nami a Wielkimi Ludźmi z Zachodu trwała będzie po wsze czasy przyjaźń: ich wrogów uznamy za naszych własnych, ich potrzeby staną się naszymi i jakiekolwiek zło, groźba lub napaść zawiśnie nad nimi, wesprzemy Gondor ze wszystkich sił. Przysięga ta wiąże też moich następców, którzy po mnie zapanują w nowej krainie, i niech dotrzymają słowa, by nie padł na nich Cień i by sami nie zostali przeklęci".

Potem schował miecz, skłonił się i wrócił do swojej świty.

Przyszła pora na odpowiedź Ciriona. Stanąwszy prosto, położył jedną dłoń na kurhanie, w drugiej zaś uniósł wysoko białą różdżkę namiestników. Jego słowa przepełniły obecnych podziwem, gdy tak bowiem stał, pożoga zachodzącego słońca oblała jego płaszcz płomienistym szkarłatem. Ogłosiwszy, iż Gondor podobnie przyjmuje ze swej strony więzy przyjaźni i też wspierał będzie drugą stronę we wszelkiej potrzebie, jeszcze silniejszym głosem odezwał się w języku quenejskim:

– *Vanda sina termaruva Elenna•nóreo alcar enyalien ar Elendil Vorondo voronwë. Nai tiruvantes i hárar mahalmassen mi Númen ar i Eru i or ilyë mahalmar eä tennoio*[43].

A we Wspólnej Mowie dokończył: „Ta przysięga istniała będzie na pamiątkę chwały Kraju Gwiazdy i losu Elendila Wiernego. Strzec jej będą władcy zasiadający na tronach Zachodu i Ten, który jest ponad wszelkimi tronami na wieczność".

Takiej przysięgi nie słyszano w Śródziemiu od czasu, gdy sam Elendil ślubował sojusz z Gil-galadem, królem Eldarów[44].

Kiedy już wszystko się dokonało i rosnąć zaczęły cienie zachodu, Cirion i Eorl w milczeniu zeszli wraz z całym towarzystwem ze wzgórza, przez mroczniejący las docierając do obozu przy strumieniu Mering, gdzie przygotowano dla nich namioty. Gdy już zjedli, Cirion wraz z Eorlem, księciem Dol Amroth i Éomundem, dowódcą oddziałów Éothéodów, usiedli razem i wyznaczyli zasięg władzy króla Éothéodów i namiestnika Gondoru.

Oto jak miały przebiegać granice królestwa Eorla: na zachodzie wzdłuż rzeki Angren od miejsca, gdzie łączy się ona z rzeką Adorn i dalej ku północy do zewnętrznych umocnień Angrenostu, stąd zaś ku zachodowi i północy wedle skraju lasu Fangorn do rzeki Limlight, która miała stanowić granicę północną, ponieważ ziemie po drugiej stronie owej rzeki nigdy nie należały do Gondoru[45]. Na wschodzie granicę wytyczały Anduina i zachodnie urwiska Emyn Muil aż do trzęsawisk ujścia Onodló [Entwash], a za tą rzeką strumień Glanhír [Mering] płynący przez las Anwar [las Firien], by połączyć się z Onodló. Na południu kraniec królestwa stanowiło Ered Nimrais aż do swego północnego ramienia włącznie, jednak wszystkie te doliny i jary, które otwierały się na północ, należeć miały do Éothéodów, podobnie jak i ziemie na południe od Hithaeglir [Gór Mglistych] leżące pomiędzy Angreną a Adornem[46].

Na wszystkich tych terenach Gondor zatrzymywał pod swoją komendą tylko fortecę Angrenostu, w obrębie murów której wznosiła się Trzecia Wieża Gondoru, niewzruszony Orthank, kryjący czwarty palantír Południowego Królestwa. W czasach Ciriona Angrenost wciąż obsadzony był przez gondorską załogę, jednak wojsko to stało się już bardziej zwykłym ludem osadniczym rządzonym przez sprawującego dziedziczną władzę kapitana, a klucze do Orthanku przechowywali namiestnicy. „Zewnętrzne umocnienia" wspomniane w opisie granic królestwa Eorla oznaczały groblę biegnącą ze dwie mile na południe od bram Angrenostu, pomiędzy wzgórzami kończącymi Góry Mgliste. Dalej rozciągały się tereny uprawne mieszkańców fortecy.

Zgodzono się również, by Wielki Gościniec, który uprzednio biegł przez Anórien i Calenardhon do Athrad Angren (brodów na Isenie)[47] – i dalej na północ do Arnoru, został udostępniony wszystkim podróżnym obu ludów bez jakichkolwiek ograniczeń za czasów pokoju, jego zaś utrzymanie we właściwym stanie od strumienia Mering po brody na Isenie miało być zadaniem Éothéodów.

Według tego uzgodnienia tylko niewielka część lasu Anwar na zachód od strumienia Mering miała zostać włączona do królestwa Eorla, Cirion wszakże uznał, że wzgórze Anwar będzie świętym miejscem obu ludów i że Eorlingowie oraz namiestnicy winni odtąd wspólnie go strzec, a także pielęgnować. Niemniej w późniejszych czasach, gdy Rohirrimowie urośli w siłę, Gondor zaś podupadał zagrożony nieustannie ze wschodu i z morza, straż Anwar składała się wyłącznie z wojów Wschodniego Fałdu, a las stał się częścią domeny królów Marchii. Wówczas to nazwano wzgórze Halifirien, las natomiast Firienholt[48].

Wieki potem dzień Ślubowania uznano za początek istnienia nowego królestwa, kiedy to Eorl przyjął tytuł króla Marchii Jeźdźców. W rzeczywistości trwało jeszcze trochę, zanim jeźdźcy objęli nowe ziemie w posiadanie, a za życia Eorl znany był jako władca Éothéodów i król Calenardhonu. Określenie Marchia oznaczało obszar graniczny, służący obronie wewnętrznych terytoriów królestwa. Sindarińskie nazwy Rohanu (oznaczająca Marchię) i Rohirrimowie (mieszkańcy tej Marchii) zostały po raz pierwszy zastosowane przez Hallasa, syna i następcę Ciriona, były jednak w częstym użyciu nie tylko w Gondorze, ale i wśród samych Éothéodów[49].

Następnego dnia po Ślubowaniu Cirion i Eorl uścisnęli się i nader niechętnie pożegnali. Eorl powiedział przy rozstaniu:

— Panie Namiestniku, wiele pilnej pracy mnie czeka. Kraj wolny jest od wrogów, ale jeszcze nie zostali oni dobici w swym gnieździe i nie wiemy, jakie niebezpieczeństwa czają się za Anduiną i na skraju Mrocznej Puszczy. Wczoraj wieczorem wysłałem na północ trzech posłańców, jeźdźców dzielnych i wprawnych, mam więc nadzieję, że przynajmniej jeden z nich dotrze przede mną do naszych domostw. Sam też muszę już wracać i to z pewną siłą, w kraju bowiem zostało niewielu mężów, głównie młodziki i starcy, a w przypadku tak wielkiej wyprawy, z kobietami, dziećmi, z dobrami, których nie możemy zostawić, pochód musi być strzeżony. Nie pójdą też za nikim innym, jak tylko za władcą Éothéodów. Zostawię tu tylu zbrojnych, ilu mogę, czyli blisko połowę oddziałów popasających w Calenardhonie, a także kilka kompanii konnych łuczników, gotowych podążyć na wezwanie, gdyby jakaś banda wroga wciąż kryła się po okolicy. Wszakże główne siły będą rozmieszczane na północnym wschodzie, by ponad wszystko strzec tego miejsca, gdzie Balkowie przeprawili się z Brunatnych Pól przez Anduinę, tam bowiem czai się największe niebezpieczeństwo, a chciałbym, jeśli wrócę, wiodąc mój lud do nowego kraju, aby wędrówka sprawiła mym poddanym jak najmniej bólu i nie pociągnęła za sobą ofiar. Powiedziałem: „jeśli wrócę", jednak nie miejcie wątpliwości, że zjawię się tu ponownie, chyba że klęska nas spotka i co do jednej zginiemy w długim marszu. Bowiem szlak nasz będzie biegł wedle wschodniego brzegu Anduiny w groźnym cieniu Mrocznej Puszczy, a pod koniec przyjdzie nam jeszcze przemierzyć dolinę nawiedzaną przez mroki dobywające się z owego wzgórza, które wy nazywacie Dol Guldur. Na zachodnim brzegu nie ma traktu stosownego dla jeźdźców ani dla wielkiej ludzkiej ciżby z wozami. Tamtędy nie przeszlibyśmy, nawet gdyby w górach nie roiło się od orków. Nikt, w masie czy w pojedynkę, nie przedrze się przez Dwimordene, gdzie Biała Pani włada i tka sieci, które zatrzymują wszystkie istoty śmiertelne[50]. Nadejdę wschodnią drogą, tak jak dotarłem do Celebrantu, i niech powołani przez ciebie świadkowie przysięgi mają nas w swej opiece. Pożegnajmy się, nadzieję tuląc w sercach! Czy otrzymuję twe pozwolenie?

— Oczywiście — odparł Cirion. — Sam widzę teraz, że nie może być inaczej. Pojmuję już, że przejęty zawisłym nad nami niebezpieczeństwem, zapomniałem niemal o groźbach, którym musiałeś stawić czoło, nie doceniłem tego niespodziewanego cudu, jakim był wasz długi przemarsz z Północy. Radość ocalonego serca dyktowała mi ofiarowanie Calenardhonu, lecz teraz mizerną wydaje się ta nagroda. Wierzę jednak, że przysięga, nie obmyślona wcześniej, nie padła z ust moich na próżno. Rozstańmy się zatem, ale nie porzucajmy nadziei.

Biorąc pod uwagę styl kronik, wiele spośród słów wypowiedzianych, według tej relacji, podczas pożegnania, tak naprawdę padło z ust Ciriona i Eorla podczas debaty toczonej poprzedniego wieczora. Pewnym jest wszakże, że Cirion dokładnie w ten sposób określił w owej chwili pobudki skłaniające go do złożenia przysięgi, był bowiem człowiekiem pozbawionym fałszywej dumy, odważnym za to i szczodrym, najszlachetniejszym spośród namiestników Gondoru.

4. Nakaz Isildura

Powiada się, że kiedy Isildur powrócił z Wojny Ostatniego Sojuszu, pozostał przez czas jakiś w Gondorze, zaprowadzając porządek w królestwie oraz kształcąc swego krewniaka, Meneldila, a dopiero potem wyruszył, by objąć tron w Arnorze. Przedtem jednak wraz z Meneldilem i drużyną zaufanych przyjaciół wybrał się w objazd granic wszystkich krain, które Gondor uznawał za swoje. Wracając z północnego pogranicza do Anórien, przybyli pod wysokie wzgórze zwane wówczas Eilenaer, potem zaś Amon Anwar, Wzgórze Grozy[51]. Wznosiło się ono blisko centralnych krain Gondoru. Wycięli wówczas w gęstym lesie ścieżkę wiodącą północnym zboczem aż na sam szczyt. Tam wyrównali trawiasty, pozbawiony drzew grunt, a po wschodniej stronie usypali kopiec, pod którym Isildur złożył przywiezioną ze sobą szkatułę. Potem zaś powiedział:

— Oto grób i pomnik Elendila Wiernego. Trwał będzie strzeżony przez Valarów, pośrodku Królestwa Południa, dopóki nie przestanie istnieć owo królestwo. Miejsce to stanie się świętym. Nikt nie ma prawa go sprofanować. Niech żaden człowiek nie waży się zmącić jego ciszy i spokoju, chyba że będzie to spadkobierca Elendila.

Zbudowali kamienne schody wiodące od skraju lasu u szczytu na sam wierzchołek, a Isildur rzekł:

— Nikomu nie wolno wchodzić po tych schodach, prócz króla i tych, których on przyprowadzi i jasno im nakaże podążać za sobą.

Potem wszyscy obecni przysięgli dochować tajemnicy, wszakże Isildur doradził Meneldilowi, żeby król co jakiś czas odwiedzał święte miejsce, szczególnie gdyby szukał natchnienia w dniach grożącego niebezpieczeństwa. Winien przywieść tu swego następcę, gdy ten dorośnie do wieku męskiego, i opowiedzieć mu o świętości wzgórza, przekazując również tajemnice królestwa oraz inne sprawy ważne dla dziedzica tronu.

Meneldil usłuchał rady Isildura, podobnie jak i wszyscy następni królowie, aż do Rómendacila I (piątego po Meneldilu). Za jego czasów Gondor został po raz pierwszy zaatakowany przez Easterlingów[52], tak zatem, aby nakaz Isildura nie został naruszony za sprawą wojny, nagłej śmierci władcy lub innego nieszczęśliwego przypadku, Rómendacil zadbał, aby treść przekazu została spisana i zapieczętowana. Zwój ten namiestnik wręczał nowemu królowi przed koronacją[53]. Tak właśnie robiono od owej pory, chociaż niemal każdy władca Gondoru utrzymywał zwyczaj odwiedzania Amon Anwar z następcą u boku.

Kiedy końca dobiegły dni królów, a władzę przejęli namiestnicy wywodzący się od Húrina, namiestnika króla Minardila, uznano, że prawa i obowiązki władców do nich należą aż „do powrotu Wielkiego Króla". Niemniej w kwestii „nakazu Isildura" sami musieli sprawę rozsądzić, jako że nikt inny, poza nimi, nie wiedział o tej tradycji. Uznali zatem, że mówiąc o „spadkobiercy Elendila", Isildur myślał o dziedzicu tronu, potomku królewskiej linii wywodzącej się od Elendila. Nie mógł on wszakże przewidzieć rządów namiestników. Jeśli zatem Mardil sprawował władzę absolutną pod nieobecność króla[54], również potomkowie Mardila dziedziczący godność namiestnika mieli te same prawa i obowiązki aż do powrotu króla. Tak więc każdy namiestnik mógł udać się do świętego miejsca, kiedy tego pragnął, a także dozwolić innym tam wstąpić, jeśli uznawał to za stosowne. Co zaś do słów: „dopóki nie przestanie istnieć owo królestwo", uznali, że rządzony przez namiestników Gondor nadal jest „królestwem", słowa te znaczą zatem: „dopóki nie przestanie istnieć państwo Gondoru".

Tak czy inaczej, częściowo z lęku, a częściowo za sprawą troski o sprawy królestwa, namiestnicy rzadko chadzali na szczyt wzgórza Anwar, zwykle tylko wówczas, gdy zgodnie z królewskim zwyczajem chcieli pokazać to miejsce swoim następcom. Czasem przez wiele lat niczyja stopa nie stanęła na szczycie, jednak modły Isildura zostały wysłuchane i Valarowie strzegli świętego zakątka. Las rósł coraz gęściej, ludzie omijali go za sprawą panującej w nim ciszy, aż w końcu zarosła pradawna ścieżka. Wszakże gdy znów ją udrożniono, święte miejsce trwało niesprofanowane oraz nietknięte przez zmiany pogody, wiecznie zielone pod spokojnym, otwartym niebem i pozostało takie, aż nie odmieniło się królestwo Gondoru.

Zdarzyło się bowiem, że Cirion, dwunasty władający namiestnik, stanął wobec nowej i o wiele poważniejszej groźby: najeźdźcy byli blisko zagarnięcia należących do Gondoru terenów na północ od Gór Białych, a gdyby to uczynili, upadek całego królestwa stałby się nieunikniony. Jak wiadomo z kronik, niebezpieczeństwo zostało wówczas zażegnane tylko i wyłącznie dzięki pomocy Rohirrimów. Im to właśnie Cirion podarował z wielkiej wdzięczności wszystkie ziemie na północy prócz Anórien. Mieli tam rządzić się sami, zachowując wierność własnemu królowi, niemniej mieli żyć w trwałym sojuszu z Gondorem. W królestwie nie było już wtedy dość ludzi, by zasiedlić północne okolice, brakowało nawet mężczyzn do obsadzenia strzegących wschodniej granicy fortów nad Anduiną. Cirion dogłębnie przemyślał sprawę, nim przekazał Calenardhon Mistrzom Koni z Północy. Uznał też, że dokonanie takiej cesji odmienić musi również i tradycję związaną z nakazem Isildura, przynajmniej jeśli chodzi o sposób traktowania świętego miejsca na Amon Anwar. Zabrał tam władcę Rohirrimów, by na kurhanie Elendila złożył solenną Przysięgę Eorla, która poprzedziła Przysięgę Ciriona, obie zaś związały królestwa wiecznym sojuszem. Kiedy jednak już się rzecz dokonała i Eorl wrócił na Północ w celu sprowadzenia swojego ludu do nowych siedzib, Cirion usunął grób Elendila. Uznał bowiem, że nakaz Isildura stracił pierwotny sens. Wzgórze bowiem nie leżało już „pośrodku Królestwa Południa" tylko na jego granicy z innym królestwem. Co więcej, słowa: „dopóki nie przestanie istnieć owo królestwo" odnosiły się do takiego kształtu państwa, jakim było ono w czasach Isildura, kiedy to ustalał i lustrował jego granice. Od tamtej pory stracono niejedno: Minas Ithil znajdowało się w rękach Nazgûli, Ithilien zostało opuszczone, choć Gondor nie zrzekł się swoich praw do tych miejsc. Calenardhon oddał natomiast dobrowolnie, potwierdzając to przysięgą. Szkatułę, którą Isildur umieścił pod wzgórzem, Cirion przeniósł do Grobów Królewskich w Minas Tirith, wszakże zielony kurhan pozostał jako pamiątka po pomniku. Niemniej nawet wówczas, gdy stanął na wzgórzu Anwar stos sygnałowy, wciąż darzono to miejsce szacunkiem tak w Gondorze, jak i w Rohanie, gdzie nazwano je Halifirien, co w mowie Rohirrimów znaczyło Świętą Górę.

Rozdział III

Wyprawa do Ereboru

Pełne zrozumienie poniższego tekstu zależy od znajomości historii przytoczonej w Dodatku A do *Władcy Pierścieni* (*Plemię Durina*), którą tutaj przytaczam w streszczeniu.

Thrór i jego syn Thráin (razem z synem Thráina, Thorinem, zwanym później Dębową Tarczą) podczas napadu smoka Smauga uciekli spod Samotnej Góry (Ereboru) tajemnymi drzwiami. Thrór oddał Thráinowi ostatni z Siedmiu Krasnoludzkich Pierścieni i wrócił do Morii, gdzie zginął z ręki orka Azoga, który wypalił swe imię na czole Thróra. To właśnie doprowadziło w 2799 roku do wojny między krasnoludami a orkami. Konflikt zakończony został wielką Bitwą w Azanulbizarze (Nanduhirionie) przed wschodnią bramą Morii. Thráin i Thorin Dębowa Tarcza zamieszkali potem w Ered Luin, jednak w 2841 roku Thráin wyruszył stamtąd pod Samotną Górę. W czasie wędrówki przez kraje na wschód od Anduiny został porwany i uwięziony w Dol Guldur, gdzie odebrano mu Pierścień. W roku 2850 Gandalf, wniknąwszy do twierdzy, przekonał się, że to Sauron nią włada, tam też spotkał umierającego Thráina.

Istnieje więcej niż jedna wersja „Wyprawy do Ereboru", jak wyjaśnia zresztą dołączony do opowieści Dodatek, gdzie pojawiają się również urywki wersji wcześniejszej.

Nie znalazłem żadnych zapisków poprzedzających zdanie otwierające poniższy tekst: „Więcej już tego dnia nie chciał nic powiedzieć". Owym niechętnym jest Gandalf. Wśród pozostałych *dramatis personae* „my" oznacza

Froda, Peregrina, Meriadoca i Gimlego, „ja" odnosi się zaś do Froda, który zanotował ową rozmowę. Miejsce akcji: dom w Minas Tirith; czas akcji: po koronacji króla Elessara.

Więcej już tego dnia nie chciał nic powiedzieć. Później jednak znów poruszył temat i usłyszeliśmy całą tę dziwną historię, jak to zorganizował podróż do Ereboru, czemu pomyślał wówczas o osobie Bilba i jakim sposobem udało mu się namówić dumnego Thorina Dębową Tarczę, by ten włączył hobbita do kompanii. Nie pamiętam już całej opowieści, ale zrozumieliśmy wówczas, że Gandalfa od początku interesowała obrona Zachodu przed Cieniem.

– Byłem wówczas mocno niespokojny – powiedział – bowiem Saruman krzyżował wszystkie moje plany. Wiedziałem, że Sauron znów powstał i że wkrótce ujawni swą obecność. Zdawałem sobie także sprawę, że gotuje się do wielkiej wojny. Od czego zacznie? Czy najpierw spróbuje odzyskać Mordor, czy może uderzy na główne twierdze swych przeciwników? Pomyślałem wówczas, dokładnie to pamiętam, że według oryginalnego planu zamierzał, osiągnąwszy dostateczną siłę, zaatakować Lórien i Rivendell. Byłoby to dlań o wiele lepsze rozwiązanie, dla nas zaś znacznie gorsze.

Może wam się wydaje, że Rivendell znajdowało się poza jego zasięgiem, ale ja tak nie uważałem. Źle miały się sprawy na Północy. Nie istniało już Królestwo pod Górą, zabrakło silnych mężów z Dale. Tylko krasnoludowie z Żelaznych Wzgórz zostali, by przeciwstawić się Sauronowi pragnącemu odzyskać górskie przełęcze i dawne tereny Angmaru. Za plecami zaś mieli spustoszone tereny oraz smoka, którego zresztą Sauron mógł wykorzystać ze strasznym skutkiem. Często powiadałem sobie: „Muszę jakoś uporać się ze Smaugiem. Bardziej wszak potrzebny jest bezpośredni atak na Dol Guldur. Trzeba nam udaremnić zamiary Saurona. Muszę przekonać Radę do tego pomysłu".

Takie to właśnie mroczne myśli mną władały, gdy wlokłem się drogą. Czułem się zmęczony i zmierzałem na krótki odpoczynek do Shire, gdzie nie byłem od ponad dwudziestu lat. Myślałem, że może jeśli zajmę choć na trochę umysł czymś innym, to w końcu uporam się z kłopotami. Tak też uczyniłem, chociaż nie udało mi się zapomnieć o troskach.

Ledwie bowiem dotarłem w okolice Bree, natknąłem się na Thorina Dębową Tarczę[1], który żył na wygnaniu u północno-zachodnich granic Shire. Ku memu zdumieniu krasnolud odezwał się do mnie i wówczas sprawy przybrały inny obrót.

Thorin był tak bardzo zaniepokojony, że ostatecznie poprosił mnie o radę. Poszedłem zatem razem z nim do grot w Górach Błękitnych, gdzie wysłuchałem długiej opowieści. Wkrótce zrozumiałem, że krasnolud ciężko boleje nad swymi krzywdami, że nie może zapomnieć o utraconym skarbie ojców i aż nadto ciąży mu brzemię spoczywającego na jego barkach obowiązku dokonania zemsty na Smaugu, który skarby te zagarnął. Krasnoludowie traktują takie powinności niezwykle poważnie.

Obiecałem mu pomoc, w miarę możliwości. Równie mocno, jak Thorinowi, zależało mi na zgładzeniu Smauga, jednak wszelkie plany krasnoluda opierały się na bitewnych i wojennych zamiarach, tak jakby naprawdę był królem Thorinem II, ja zaś uważałem taką strategię za nierokującą nadziei. Zostawiłem go zatem i poszedłem do Shire, zbierając po drodze wieści. Dziwnie to przebiegało. W zasadzie nic nie czyniłem, tylko pozwalałem się prowadzić „przypadkowi", popełniając w ten sposób wiele błędów.

Bilbo zainteresował mnie już wcześniej, jako dziecko, a potem młody hobbit. Gdy ostatni raz go widziałem, nie był jeszcze zupełnie dorosły. Dobrze zapamiętałem jego zapał, błyszczące oczy i uwielbienie, z którym wysłuchiwał wszystkich opowieści, wciąż zadając przy tym pytanie o świat rozciągający się poza granicami Shire. Gdy tylko wszedłem do Shire, zaraz usłyszałem o Bilbie. Wyglądało na to, że stawał się głośną postacią. Oboje jego rodzice umarli młodo, jak na hobbitów, mając ledwie około osiemdziesięciu lat; on sam zaś się nie ożenił. Powiadano, że zaczynał już osobliwie dziwaczeć, a czasem wypuszczał się na długie, wielodniowe samotne wędrówki. Widziano, jak rozmawiał z obcymi, nawet z krasnoludami.

„Nawet z krasnoludami!" Nagle te trzy rzeczy połączyły mi się w jedną: wielki, chciwy Smok o czułym słuchu i wspaniałym węchu; wytrwali, ciężko obuci krasnoludowie żywiący zapiekłą do Smoka nienawiść i zwinny, cicho stawiający stopy hobbit chorujący (jak się domyślałem) z tęsknoty do dalekich podróży. Uśmiechnąłem się pod nosem i z miejsca ruszyłem na spotkanie z Bilbem, by sprawdzić, jak zniósł ostatnie dwadzieścia lat i czy obiecujące plotki powiadały prawdę. Nie zastałem go jednak w domu. Rozpytałem o Bilba w Hobbitonie, ale wszyscy tylko potrząsali głowami.

— Znów gdzieś poszedł — wyjaśnił jakiś hobbit, zapewne Holman, ogrodnik[2]. — Jeśli nie będzie uważał, to któregoś dnia przepadnie na dobre. Spytałem go nawet, dokąd idzie i kiedy wróci, ale on tylko popatrzył na mnie dziwnie. „Nie wiem — odparł — to zależy od tego, czy spotkam kogoś, Holmanie. Elfy obchodzą jutro Nowy Rok!"[3] Szkoda go, bo to miły chłopak. Lepszego nie znajdziesz od Wzgórz aż do Rzeki.

„Dobra nasza!", pomyślałem. „Chyba zaryzykuję". Miałem coraz mniej czasu, najpóźniej w sierpniu musiałem zjawić się na posiedzeniu Białej Rady, w przeciwnym razie Saruman osiągnąłby swoje i skłonił Radę do bezczynności. Niezależnie od większych przeszkód, to również mogłoby okazać się fatalne dla wyprawy, ponieważ potężny Dol Guldur nie ścierpiałby żadnej próby odzyskania Ereboru, chyba żeby inne kłopoty dopadły akurat Saurona.

Czym prędzej więc wróciłem do Thorina, by podjąć trudne zadanie wybicia mu z głowy przedsięwzięć militarnych i skłonienia do działań sekretnych – i z Bilbem. To, że nie spotkałem się najpierw z Bilbem, było błędem i omal nie pokrzyżowało wszystkich planów. Bilbo bowiem zmienił się bardzo: przytył, pofolgował obżarstwu, dawne tęsknoty zaś zmalały do rozmiarów skromnych marzeń. Nic nie mogło przerazić go bardziej niż perspektywa ich ziszczenia! Był kompletnie oszołomiony i wyszedł na durnia. Gdyby nie jeszcze jeden dziwny przypadek, o którym za chwilę, Thorin opuściłby jego dom, trzaskając drzwiami.

Wiecie wszakże, jak sprawy się miały, a przynajmniej jak postrzegał je Bilbo. Ta opowieść przedstawiałaby się nieco odmiennie, gdybym ją spisał. Bilbo w ogóle nie zdawał sobie sprawy, że krasnoludowie uważali go za kompletnego głupca, nie wiedział też, że byli na mnie wściekli. Thorin pogardzał Bilbem o wiele bardziej, niż się hobbitowi zdawało, od początku zresztą krasnolud odnosił się niechętnie do całego pomysłu, potem zaś uznał, że zaplanowałem wszystko po to jedynie, by z niego zakpić. Sytuację uratowały mapa i klucz.

Zupełnie o nich zapomniałem. Dopiero przybywszy do Shire, znalazłem chwilę, aby zastanowić się nad opowieścią Thorina i wówczas przypomniałem sobie ów dziwny przypadek, który włożył obie te rzeczy w moje ręce. Wobec nowych wieści nie wyglądało mi to już na zwykłe zrządzenie losu. Wspomniałem pełną niebezpieczeństw podróż odbytą dziewięćdziesiąt jeden lat wcześniej, kiedy pod przebraniem wniknąłem do Dol Guldur, gdzie znalazłem nieszczęsnego krasnoluda umierającego w lochu. Nie wiedziałem wówczas, kim jest. Miał ze sobą mapę należącą do plemienia Durina z Morii i klucz, który zdawał się tworzyć z mapą jakąś całość. Więzień znajdował się jednak u kresu sił i niczego mi nie wytłumaczył. Powiedział tylko, że niegdyś posiadał też potężny Pierścień.

Niemal tylko o tym majaczył. „Ostatni z Siedmiu", powtarzał nieustannie. Ale jakim sposobem te przedmioty trafiły w jego ręce, tego nie wiedziałem. Mógł być posłańcem schwytanym podczas ucieczki lub nawet złodziejem przyłapanym przez większego jeszcze rzezimieszka. Wszakże dał mi mapę oraz klucz. „Dla mego syna" – powiedział i umarł, a ja wkrótce stamtąd uciekłem. Wyniosłem oba dary i wiedziony jakimś dziwnym impulsem nosiłem je zawsze ze sobą, chociaż szybko o nich zapomniałem. Innymi sprawami zajmowałem się w Dol Guldur, o wiele bardziej niebezpiecznymi i istotnymi niż wszystkie skarby Ereboru.

Gdy teraz wspominam tamte chwile, rozumiem wreszcie, że dane było mi słyszeć ostatnie słowa Thráina II[4], chociaż on sam nie podał ani swego, ani syna imienia. Thorin, rzecz jasna, nie miał pojęcia, co stało się z jego ojcem, nigdy też nie wspomniał o „ostatnim z Siedmiu Pierścieni". Posiadałem zatem mapę i klucz do tajemnego wejścia do Ereboru, tego samego, którym według opowieści Thorina umknęli Thrór i Thráin. Nosiłem je przy sobie aż do chwili, gdy okazały się niezwykle użyteczne.

Szczęśliwie, wykorzystałem te przedmioty we właściwy sposób. Trzymałem je w zanadrzu, jak mawiacie w Shire, aż sprawy zaczęły przybierać zupełnie beznadziejny obrót. Gdy tylko Thorin ujrzał klucz i mapę, zmienił całkowicie zdanie. Bez oporów przystał na mój plan, przynajmniej w kwestii utajnienia wyprawy. Istnienie ukrytych drzwi, które tylko krasnoludowie mogli odnaleźć, dawało szansę śledzenia poczynań Smoka, a może nawet stwarzało nadzieję na odzyskanie odrobiny złota czy części dziedzictwa Thorina, co ukoiłoby obolałe serce krasnoluda.

Ale mnie to nie wystarczało. W głębi duszy byłem przekonany, że Bilbo musi iść razem z Thorinem, w przeciwnym razie wyprawa okaże się jednym wielkim niepowodzeniem czy też, jak dziś mogę powiedzieć, nie dojdzie do pewnych, o wiele istotniejszych zdarzeń. Tak więc wytrwale przekonywałem Thorina. Potem spotkało nas jeszcze wiele innych przeciwności, dla mnie jednak ta właśnie część przedsięwzięcia była najtrudniejsza. Chociaż nasza dysputa przeciągnęła się długo w noc, gdy Bilbo poszedł już spać, to dopiero nad ranem Thorin przestał oponować. Przepełniała go podejrzliwość i wzgarda.

– To mięczak – sarknął. – Głupi i podatny jak błoto w tym ich Shire. Jego matka umarła przedwcześnie. Dziwnie się nami zabawiasz, panie Gandalfie. Pewien jestem, iż masz w tym jeszcze inny interes, prócz niesienia pomocy mej osobie.

– I nie mylisz się, Thorinie – odparłem. – Gdybym go nie miał, w żadnym przypadku bym cię nie wspierał. Twoje sprawy mogą ci się wydawać doniosłymi, ale drobnymi są w porównaniu z całym splotem historii. A mnie interesuje wiele jej wątków, jednak to tylko przydaje wagi moim radom, a nie odwrotnie. Słuchaj zatem uważnie, Thorinie Dębowa Tarczo! – dodałem z zapałem. – Jeśli ten hobbit pójdzie z tobą, odniesiecie sukces. W przeciwnym razie czeka was klęska. Rozważ przeto owo ostrzeżenie, a pamiętaj, że posiadam dar przepowiadania.

– Wiem, idzie za tobą taka fama – odrzekł Thorin. – Mam nadzieję, że zasłużona. Ale ten szalony pomysł, aby wziąć za kompana Bilba, każe mi się zastanowić, czy to jasnowidzenie tobą powoduje, czy może raczej zwykły obłęd. Tak ogromne brzemię trosk mogło zamącić ci w głowie.

– Z pewnością jest ich aż za wiele – przyznałem. – Niepoślednie miejsce pośród nich zajmuje pewien dumny krasnolud, który prosi mnie o radę (chociaż, o ile wiem, nic go do tego nie upoważnia), a potem nagradza mnie obelgami. Rób, co chcesz, Thorinie Dębowa Tarczo, wolna wola. Ale źle skończysz, jeśli wzgardzisz moimi radami. W końcu padnie na ciebie Cień. Weź się w karby, powściągnij pychę i chciwość, bo inaczej każda droga, którą obierzesz, doprowadzi cię do upadku, chociaż ręce będziesz miał pełne złota.

Zbladł nieco na te słowa, ale oczy rozgorzały mu jeszcze mocniej.

– Nie próbuj mi grozić! – warknął. – Sam stosownie ocenię tę sprawę, podobnie jak wszystko, co mnie tyczy.

– To na co czekasz!? – zawołałem. – Nic więcej nie powiem, może tyle tylko: nie rozdaję lekką ręką zaufania, ani miłości, Thorinie, a jednak bliski mi jest ten hobbit i dobrze mu życzę. Traktuj go należycie, a zyskasz mą przyjaźń do końca swych dni.

Rzekłem te słowa, nie mając już nadziei, że go przekonam, ale okazało się, że to była najlepsza z możliwych kwestii. Krasnoludy świetnie czują takie rzeczy jak gotowość poświęcenia dla przyjaciół i wdzięczność za okazaną pomoc.

– Niech i tak będzie – powiedział w końcu Thorin po dłuższej chwili ciszy. – Pójdzie ze mną, jeśli starczy mu odwagi (w co wątpię). Skoro jednak nalegasz, bym wziął go sobie na kark, to ruszysz z nami, by doglądać swego pupilka.

– Zgoda! – odparłem. – Przyłączę się i zostanę przynajmniej do chwili, gdy docenisz wartość Bilba.

I dobrze uczyniłem, jak się potem okazało, chociaż wtedy inne sprawy miałem na głowie i nade wszystko chciałem wpłynąć na tok obrad Białej Rady.

Tak zatem wyruszyła wyprawa do Ereboru. Nie przypuszczam, by z początku Thorin żywił jakiekolwiek nadzieje, że uda się zabić Smauga. Bo trudno było w to uwierzyć. Niemniej tak właśnie się stało. Niestety! Thorin nie pożył na tyle długo, by cieszyć się triumfem i skarbami. Mimo mej przestrogi dał się pokonać własnej dumie i chciwości.

– Ale przecież – rzekłem, gdy Gandalf skończył – i tak mógł zginąć w bitwie? Nawet największa szczodrość Thorina nie zapobiegłaby napaści orków.

– To prawda – odparł Gandalf. – Nieszczęsny Thorin! Jakiekolwiek błędy popełnił, był mężnym krasnoludem i pochodził z wielkiego rodu. Chociaż stracił życie pod koniec wyprawy, to jednak głównie dzięki niemu właśnie udało się doprowadzić do odrodzenia Królestwa pod Górą, czego tak pragnąłem. Wszelako Dáin Żelazna Stopa okazał się godnym następcą. A teraz słyszymy, że poległ również Dáin, walcząc w tej samej dolinie Dale, właśnie wówczas, gdy my tutaj toczyliśmy boje. Nazwałbym jego śmierć niepowetowaną stratą, gdyby nie był to cud raczej, że Dáin w sędziwym wieku[5] tak dzielnie władał toporem, jak o tym powiadają posłańcy, i stał nad ciałem króla Branda u bram Ereboru z bronią w ręku, aż noc zapadła.

Mogło stać się inaczej, znacznie gorzej. Gdy myślicie o bitwie na polach Pelennoru, nie zapominajcie też o bitwie w Dale i o męstwie plemienia Durina. Zastanówcie się, co mogło się zdarzyć. Smoczy ogień i szable dzikusów w Eriadorze, ciemności nad Rivendell. Nie byłoby może królowej Gondoru. Moglibyście po zwycięstwie wrócić tu do ruin i zgliszcz. Uniknęliśmy jednak tego wszystkiego, bo w pewien przedwiosenny wieczór w Bree spotkałem Thorina Dębową Tarczę. Szczęśliwy przypadek, jak mówią w Śródziemiu (por. *Powrót Króla* s. 326).

Dodatek

Komentarz do tekstu *Wyprawa do Ereboru*

Trudno rozplątać wszystkie zawiłości związane z tym tekstem. Najwcześniejsza wersja, chociaż została ukończona, to jednak ma postać niedopracowanego, mocno pokreślonego rękopisu, dalej zwanego przeze mnie wersją A. Nosi tytuł *Historia kontaktów Gandalfa z Thráinem i Thorinem Dębową Tarczą*. Z tego uczyniony został następnie maszynopis (wersja B), w znacznym stopniu zmieniony, chociaż w większości były to stosunkowo mało istotne poprawki. Zatytułowany został *Poszukiwania w Ereborze*, niżej zaś widnieje podtytuł *Relacja Gandalfa wyjaśniającego genezę wyprawy do Ereboru i przyczyny wysłania Bilba z krasnoludami.* Poniżej zacytowałem kilka obszernych fragmentów z tego tekstu.

Oprócz wersji A i B istnieje jeszcze jeden rękopis, bez tytułu. Choć opisuje on tę samą historię, czyni to jednak w sposób bardziej „ekonomiczny", skrótowy, omijając wiele spraw poruszanych w pierwszej wersji i dodając kilka nowych elementów, jednocześnie też (głównie pod koniec) cytując oryginalny tekst. Jestem niemal pewny, że wersja C powstała później niż B i to właśnie wersję C przytoczyłem powyżej, pomimo że początkowa część rękopisu najwyraźniej zaginęła (fragment osadzający rozmowę w Minas Tirith).

Pierwszy akapit wersji B (podanej poniżej) jest niemal identyczny z fragmentem zamieszczonym w Dodatku A do *Władcy Pierścieni* (*Powrót Króla*, s. 323) i bez wątpienia nawiązuje do historii Thróra i Thráina przedstawionej w Dodatku nieco wcześniej; podczas gdy zakończenie *Wyprawy do Ereboru* zawiera prawie te same kwestie, tutaj wygłoszone przez Gandalfa (do Froda i Gimlego w Minas Tirith), które pojawiają się w Dodatku A (tamże, s. 326). Jeśli wziąć jeszcze pod uwagę cytowany we wstępnej notce [na początku tej książki] list, jasnym się staje, że *Wyprawa do Ereboru* powstała pierwotnie jako fragment tekstu *Plemię Durina* i miała się znaleźć w Dodatku A do *Władcy Pierścieni*.

Wyjątki z wcześniejszej wersji

Maszynopis wersji B zaczyna się następująco[6]:

Tak więc spadkobiercą Durina został Thorin, lecz nie dostała mu się w spadku nadzieja. Podczas napaści na Erebor był zbyt młody, by nosić broń, ale podczas bitwy w Azanulbizarze stawał w pierwszych szeregach atakujących. Miał dziewięćdziesiąt pięć lat, gdy zginął Thráin, był krasnoludem wspaniałej i dumnej postawy. Nie miał Pierścienia i (być może dlatego właśnie) nie zamierzał opuścić Eriadoru. Pracował tam od dawna, zdobywając niejaki majątek; plemię jego rozrosło się, bo liczni tułający się krasnoludowie przybywali, znęceni wieścią o nowej siedzibie założonej na wschodzie. W górach pobudowali piękne podziemne sale, składy zapełniły się wyrobami krasnoludzkiej sztuki, życie płynęło znośnie, chociaż pieśni wciąż przypominały o straconej, dalekiej Samotnej Górze, o skarbach i o jasności Wielkiej Sali skąpanej w blasku Arcyklejnotu.

Mijały lata. Ogień w sercu Thorina „z czasem rozpalał się coraz żywiej, gdy król rozpamiętywał krzywdy swego rodu i odziedziczony obowiązek zemsty na Smoku. Waląc ciężkim młotem w kuźni, król myślał o broni, armiach i sojuszach. Armie jednak były rozproszone, sojusze zerwane, a jego lud miał niewiele wojennych toporów. Toteż straszny gniew i brak nadziei paliły jego pierś, gdy Thorin kuł rozżarzone żelazo na kowadle”.

Gandalf nie odegrał, jak dotąd, żadnej roli w dziejach Durinowego plemienia. Niewiele łączyło go z krasnoludami, chociaż przyjaźnie odnosił się do wszystkich istot o dobrej woli i podobały mu się siedziby krasnoludzkich wygnańców na Zachodzie. Przypadek zrządził kiedyś, że podróżując przez Eriador (zmierzał wówczas do Shire, gdzie nie był od paru ładnych lat), spotkał pewnego dnia Thorina Dębową Tarczę i pogadali wówczas trochę na drodze, a potem zatrzymali się na noc w Bree.

Rano Thorin tak rzekł do Gandalfa:

– Wiele spraw zaprząta mi głowę, a powiadają, że mądry jesteś i wiesz więcej niż rzesze tych, co chodzą po świecie. Czy zechcesz pójść ze mną do mego domostwa, by wysłuchać mnie i udzielić rady?

Gandalf przystał na to, a przybywszy do jaskiń Thorina, zasiadł wraz z gospodarzem, który przedstawił długą opowieść o swych niedolach.

Wiele ważkich czynów i zdarzeń było skutkiem owego spotkania. Dzięki niemu właśnie odnaleziono Jedyny Pierścień, który zawędrował następnie do Shire, stąd też wynikł wybór Powiernika. Wielu przypuszczało potem, że Gandalf przewidział te wypadki i że starannie wybrał czas spotkania z Thorinem. My jednak sądzimy inaczej, bowiem w swej relacji z Wojny o Pierścień Powiernik Frodo zapisał słowa Gandalfa, który wypowiedział się na ten temat. Oto co utrwalił:

Zamiast słów: „Oto co utrwalił” w najwcześniejszej wersji A pojawia się zapisek: „Fragment ten został usunięty z opowieści, ponieważ zdawał się nazbyt długi, jednak teraz wstawiamy tu większą jego część”.

Po koronacji zamieszkaliśmy wraz z Gandalfem w pięknym domu w Minas Tirith. Gandalf był bardzo rozradowany i chociaż zasypywaliśmy go pytaniami o wszystko, co tylko przyszło nam do głowy, to pokłady zarówno jego cierpliwości, jak i wiedzy okazały się niewyczerpane. Nie potrafię już odtworzyć większości z tego, co nam opowiedział, często też nie rozumieliśmy jego relacji. Tę rozmowę wszakże pamiętam bardzo dobrze. Był wtedy z nami Gimli. W pewnej chwili krasnolud rzekł do Peregrina:

– Jedno jeszcze muszę zrobić w najbliższym czasie: zajrzeć do waszego Shire[7]. Nie po to, żeby zaznajomić się z większą liczbą hobbitów! Wątpię, bym mógł dzięki nim poznać was lepiej niż dotychczas. Ale żaden krasnolud z rodu Durina nie powinien pozostać obojętny wobec owej krainy. Czyż nie tam właśnie zaczęły się wszystkie wypadki, które doprowadziły do odrodzenia władzy Królestwa pod Górą i zagłady Smauga? Nie mówiąc już o zniszczeniu Barad-dûr, chociaż dziwnym wydaje się związek obu tych spraw. Dziwne to, zaiste nader dziwne – mruknął i umilkł na chwilę.

Potem, patrząc znacząco na Gandalfa, pociągnął dalej:

– Ale któż te sprawy powiązał? Chyba nigdy dotąd o tym nie myślałem w ten sposób. Czy zaplanowałeś to wszystko, Gandalfie? Jeśli nie, to czemu zawiodłeś Thorina Dębową Tarczę w tak dziwne dlań miejsce? Czy nie zamierzyłeś sobie, by odnaleźć Pierścień, a następnie ukryć go daleko na Zachodzie i wybrać Powiernika? A przy okazji, od niechcenia, odrodzić Królestwo pod Górą. Czy nie taki był twój zamysł?

Gandalf nie od razu odpowiedział. Wstał, popatrzył przez okno ku zachodowi, w kierunku morza. Słońce już zachodziło, kąpiąc w pozłocie jego twarz. Przez dłuższą chwilę stał tak, milcząc. W końcu odwrócił się do Gimlego i odparł:

– Nie znam na to odpowiedzi. Zmieniłem się już od tamtych dni, kiedy to uginałem się pod brzemieniem troski o Śródziemie. Wówczas powiedziałbym ci to samo, co wiosną zeszłego roku usłyszał ode mnie Frodo. Niedawno, ledwie zeszłego roku! Ale zwykła miara lat tu zawodzi. W tych zamierzchłych czasach pewien mały i przerażony hobbit dowiedział się, że Bilbo miał znaleźć Pierścień, że skoro pisane było to jemu, a nie twórcy Pierścienia, to i Frodo winien zostać Powiernikiem. Mogłem dodać jeszcze: moim zaś zadaniem było doprowadzić do jednego i drugiego. Budząc się do nowej rzeczywistości, tylko z takich środków korzystałem, jakich używać mi dozwolono, i czyniłem, co mogłem, zgodnie z najlepszą, dostępną mi wiedzą. Jednak co w głębi serca czułem czy co wiedziałem, nim jeszcze zstąpiłem na te szare brzegi, to już zupełnie inna sprawa. Olórin, tak mnie zwano na Zachodzie, wymazany jest już z pamięci. Tylko ci, którzy tam zostali, usłyszą wszystko do końca.

W wersji A zdanie to brzmi: „Tylko ci, którzy tam zostali (lub ci, którzy, być może, wrócą tam razem ze mną), usłyszą wszystko do końca".

Wówczas powiedziałem:

– Teraz rozumiem cię trochę lepiej, Gandalfie. Chociaż nadal przypuszczam, że niezależnie od tego, co komu było pisane, Bilbo mógł odmówić powrotu do domu, podobnie jak i ja mogłem odmówić przyjęcia na siebie brzemienia. Nie powinieneś, a nawet nie wolno ci było próbować zmuszać nas do czegokolwiek. Wciąż jednak zastanawiam się, czemu właściwie siwowłosy starzec, którego udawałeś, postąpił tak, jak postąpił.

Gandalf wyjaśnia im następnie wątpliwości, jakie targały nim wówczas, gdy zastanawiał się nad pierwszym posunięciem Saurona; zdaje sprawę z niegdysiejszych obaw o bezpieczeństwo Lórien i Rivendell. W tej wersji, stwierdziwszy, że uderzenie na samego Saurona było pilniejsze niż nawet zabicie Smauga, kontynuuje:

– I oto dlaczego, streszczając sprawę, gdy tylko wyprawa wyruszyła, ja podążyłem namówić Radę do uderzenia na Dol Guldur, zanim wyjdzie z twierdzy atak na Lórien. Udało się i Sauron umknął. Jednak wciąż wyprzedzał nas o krok. Muszę przyznać, że sądziłem, iż wycofa się, dając nam czas jakiś czujnego wprawdzie, ale pokoju. Nie trwało jednak długo, a uczynił kolejny ruch. Raz jeszcze wrócił do Mordoru i po dziesięciu latach ogłosił swą obecność.

Mroki zgęstniały, jednak nie tego dotyczył oryginalny plan Saurona i koniec końców okazało się, że popełnił błąd. Jego przeciwnicy mieli wciąż gdzie szukać rady i pomocy, nadal bowiem istniały miejsca wolne od Cienia. Powiernik Pierścienia nie wymknąłby się Sauronowi, gdyby nie było Lórien i Rivendell. A sądzę, że oba te bastiony mogłyby upaść, gdyby Sauron najpierw rzucił wszystkie swoje siły właśnie tam, miast posyłać ponad połowę armii do ataku na Gondor.

Teraz znacie już motywy mego postępowania. Inną rzeczą jest wiedzieć, co należy czynić, a inną wiedzieć, jak to uczynić. Zaczynałem się poważnie martwić sytuacją na północy, gdy pewnego dnia spotkałem Thorina Dębową Tarczę. Zdarzyło się to chyba w połowie marca 2941 roku. Wysłuchałem jego opowieści i pomyślałem: „Bądź co bądź mam tu wroga Smauga! I to takiego, któremu warto pomóc. Muszę zrobić, co w mej mocy. Winienem wcześniej pomyśleć o krasnoludach".

A potem pojawił się jeszcze ludek z Shire. Nosiłem ich ciepło w sercu od czasu Długiej Zimy, której nikt z was nie może pamiętać[8]. Naprawdę kiepsko było wtedy z nimi, popadli w tarapaty jak rzadko. Najpierw umierali z zimna, a potem nadeszły dni wielkiego głodu. Przy tej okazji niejeden mógł poznać ich wielki hart ducha i gotowość, z jaką wspierali się wzajemnie. Przetrwali tylko dzięki solidarności i nieskłonnej do narzekań wytrwałości. Chciałem, by żyli sobie dalej, ale widziałem już, że prędzej czy później znów przyjdzie zły czas dla ziem na Zachodzie, chociaż inny tym razem: okrutna wojna. Uznałem, że aby przejść ten okres bezpiecznie, potrzebują czegoś więcej niż do tej pory. Ale czego? Cóż, winni być nieco bardziej ciekawi, rozumieć więcej z tego, co ich otaczało, poznać swe miejsce w świecie.

Oni zaś zaczęli zapominać o początkach swego plemienia; gubili gdzieś legendy, tracili nawet tę odrobinę wiedzy o wielkim świecie, którą niegdyś posiedli. Jeszcze nie wszystko przepadło, ale pamięć o tym, co wspaniałe i straszne, z każdym dniem zanikała. Nie da się jednak całego narodu szybko nauczyć takich rzeczy. Nie było na to czasu, ale przecież zawsze trzeba od czegoś zacząć, od konkretnej osoby. Śmiem twierdzić, że ktoś taki został już wcześniej „wybrany", ja wszakże czułem się powołany, by wybierać, tak i zdecydowałem się na Bilba.

— To właśnie chciałem wiedzieć — wtrącił Peregrin. — Czemu to zrobiłeś?

— A jak ty wybierałbyś hobbita stosownego do takiego zadania? — spytał Gandalf. — Nie zdołałem przyjrzeć się wszystkim, Shire jednak znałem wówczas całkiem dobrze, chociaż w chwili gdy spotkałem Thorina, dwadzieścia lat już nie odwiedzałem tego zakątka, zajęty mniej miłymi sercu sprawami. Naturalną koleją rzeczy, gdy wspomniałem znanych mi hobbitów, powiedziałem sobie: „Potrzebna mi domieszka krwi Tooków (ale nie za wielka, mości Peregrinie) i jeszcze solidna podstawa powściągliwości, może jakiś Baggins". To z miejsca skierowało moją uwagę na Bilba. Znałem go niegdyś nie najgorzej, o wiele lepiej niż on mnie. Obserwowałem Bilba prawie do jego dorosłości. Lubiłem go wtedy, a potem usłyszałem jeszcze, że z nikim się nie związał — znów wybiegam myślą naprzód, bo przecież o tym dowiedziałem się dopiero, gdy zajrzałem do Shire. Pomyślałem, że to dziwne, chociaż domyślałem się przyczyn. Inni hobbici błędnie uważali, że Bilbo nie ożenił się, ponieważ wcześnie został całkiem sam, więc przywykł być panem własnego losu. Ja przypuszczałem, że unika wiązania się z kimkolwiek z innych zgoła, głębszych powodów, i że zapewne sam dobrze siebie nie rozumie. Albo i nie chciał rozumieć, gdyż bał się tych myśli. Równocześnie pragnął zachować możliwość wyboru, aby pewnego dnia, gdy przytrafi się okazja i odwaga dopisze, wyruszyć w drogę. Pamiętałem Bilba — młodzika zasypującego mnie pytaniami o tych hobbitów, którym zdarzało się „wywędrować", jak mawiano w Shire. Przynajmniej dwóch jego wujków (ze strony Tooków) tak właśnie uczyniło.

Byli to: Hildifons Took, który „wyruszył w podróż i nie wrócił", oraz Isengar Took (najmłodszy z dwanaściorga dzieci Starego Tooka) — ten „podobno za młodu wyruszył w morze" (*Powrót Króla*, s. 345: genealogia Tooków z Wielkich Smialów).

Potem Gandalf przyjął zaproszenie Thorina i ruszył z nim do Gór Błękitnych. Jak mówi:

Po drodze przechodziliśmy przez Shire, ale Thorin nie chciał zatrzymać się tam na dość długo, by można było z tego przystanku zrobić jakiś użytek. W rzeczy samej sądzę, że to właśnie jego wyniosła pogarda wobec hobbitów po raz pierwszy podsunęła mi pomysł, by go z nimi skojarzyć. On wiedział jedynie, że to tylko rolnicy, wieśniacy pracujący czasem na polach po obu stronach dawnej krasnoludzkiej drogi wiodącej w góry.

W tej wcześniejszej wersji Gandalf opisuje szczegółowo, jak to po wizycie w Shire wrócił do Thorina, by „podjąć trudne zadanie wybicia mu z głowy przedsięwzięć militarnych i skłonienia go do działań sekretnych – i z Bilbem". W późniejszej wersji to jedno zdanie zastąpiło cały poniższy fragment:

W końcu podjąłem decyzję i wróciłem do Thorina. Siedział akurat na naradzie z kilkoma pobratymcami. Byli tam Balin, Glóin i jeszcze inni.

– I co masz do powiedzenia? – spytał mnie Thorin, ledwo wszedłem.

– Po pierwsze tyle – odparłem – że choć królewskie zgoła miewasz pomysły, Thorinie Dębowa Tarczo, to królestwo twoje już nie istnieje. Żeby je odrodzić, chociaż wątpię, czy to możliwe, trzeba zacząć od rzeczy skromnych. Zastanawiam się, jak niby z tak daleka zdołasz w pełni ocenić ogrom i siłę Smoka. Jednak to nie wszystko: jest jeszcze o wiele straszniejszy Cień, który coraz szybciej ogarnia świat. Jedno będzie wspierać drugie.

I tak też niewątpliwie by się stało, gdybyśmy równocześnie nie zaatakowali Dol Guldur.

– Otwarta wojna do niczego nas nie przywiedzie, zresztą wypowiedzenie jej leży poza zasięgiem twoich możliwości. Musisz spróbować czegoś prostszego i bardziej śmiałego zarazem, działań zaiste desperackich.

– Niepokoisz nas tylko niejasnymi słowy – rzekł Thorin. – Jaśniej, proszę.

– Cóż, przede wszystkim – powiedziałem – lepiej, abyś wyruszył w tej potrzebie osobiście i w tajemnicy. Bez posłańców, heroldów czy gromkich wyzwań, Thorinie Dębowa Tarczo. Zabierzesz ze sobą co najwyżej paru krewnych lub dzielnych towarzyszy. Będziesz wszakże potrzebował jeszcze czegoś zaskakującego.

– Co masz na myśli?

– Jedna chwila! Chcesz uporać się ze Smokiem, a jest on obecnie nie tylko wielki, ale też wiekowy i bardzo przebiegły. Od samego początku wyprawy brać musicie pod uwagę przede wszystkim jego pamięć oraz węch.

– To oczywiste – stwierdził Thorin. – Krasnoludowie z doświadczenia więcej wiedzą o smokach niż ktokolwiek inny, nie rozmawiasz z ignorantami.

– Owszem – odparłem – ale wydaje mi się, że widzę jednak lukę w twoich planach. Ja proponuję metodę bardziej złodziejską. Działanie ukradkiem[9]. Leżąc na górze klejnotów, Smok nigdy nie zapada w czarny sen bez marzeń. On śni. O krasnoludach! Możesz spokojnie przyjąć, że co dzień i co noc sprawdza wszystkie zakamarki i nie pójdzie wcześniej na spoczynek, nim upewni się, że nigdzie nie ma najmniejszego śladu krasnoluda. A i sen jego jest czujny. Uszy łowią każdy dźwięk, a nade wszystko – odgłos krasnoludzkich kroków.

– Wychodzi na to, że proponowane przez ciebie działanie ukradkiem jest równie trudne jak otwarty atak – skomentował Balin. – Wręcz niewykonalne!

– Owszem, jest niełatwe – odrzekłem – ale wykonalne, bo inaczej nie marnowałbym z wami czasu. Powiedziałbym tylko, że osobliwie trudne zadanie wymaga nietypowego rozwiązania. Weźcie ze sobą hobbita! Smaug pewnie nigdy nie słyszał o hobbitach, a na pewno już nigdy żadnego nie wąchał.

– Co?! – krzyknął Glóin. – Jednego z tych prostaków z Shire? A jaki niby mielibyśmy z niego pożytek? Jakkolwiek będzie pachniał, nigdy nie odważy się zbliżyć nawet do najmniejszego smoczka, który dopiero wykluł się z jaja! On nie da się powąchać i już!

– Chwilę, spokojnie! – powiedziałem. – Jesteście niesprawiedliwi. Niewiele wiesz o mieszkańcach Shire, Glóinie. Przypuszczam, że uważasz ich za prostaczków, ponieważ są szczodrzy i o nic się nie targują, masz ich za lękliwych, bo żaden nie kupił nigdy od ciebie ani sztuki broni. Mylisz się jednak. Jest pewien, którego upatrzyłem sobie na twojego towarzysza, Thorinie. To młodzieniec zręczny, bystry i przebiegły, ale roztropny. Poza tym jak na hobbita zapewne bardzo odważny. Oni bywają dzielni, chociaż, można powiedzieć, tylko „z konieczności". Żeby poznać wartość hobbitów, trzeba widzieć, jak zachowują się w naprawdę ciężkiej chwili.

– Nie ma czasu na sprawdzanie – orzekł Thorin. – Z tego, co wiem, to mają wielką wprawę w unikaniu wszelkich kłopotów.

– Właśnie – powiedziałem. – Są nader rozsądni. Wszelako ten jeden hobbit jest raczej niezwykły. Sądzę, że da się namówić na odrobinę ryzyka. Chyba w głębi serca pragnie poznać to, co sam określił niegdyś jako „smak przygody".

– Nie moim kosztem! – krzyknął Thorin, po czym wstał gniewnie i zaczął krążyć niespokojnie. – To nie rada, ale szyderstwo! Nie dostrzegam, jak niby dowolny hobbit, dobry czy zły, mógłby mi się przydać na tyle, by opłacić swymi usługami jednodniowe utrzymanie. Założywszy, że ruszyłby się za próg.

– Nie dostrzegasz! Raczej nie chcesz niczego dostrzegać – odparłem. – Hobbici bez trudu stąpają o wiele ciszej niż jakikolwiek krasnolud w obliczu największego nawet zagrożenia. Uważam, że żadna śmiertelna istota nie stawia stóp równie bezgłośnie. Chyba nigdy im się nie przyjrzałeś, Thorinie Dębowa Tarczo, przechodząc przez Shire z takim łomotem (jak oni by powiedzieli), że słychać cię było na milę wkoło. Jeśli mówię, że trzeba będzie się skradać, mam na myśli kogoś, kto naprawdę umie to robić.

– Profesjonalnego złodzieja? – spytał podniesionym głosem Balin, biorąc moją wypowiedź nieco zbyt dosłownie. – Masz na myśli zaprawionego w penetracji poszukiwacza skarbów? Istnieją jeszcze tacy?

Zawahałem się przez chwilę. To było coś nowego, chociaż nie wiedziałem, w jaki sposób wykorzystać ten pomysł.

– Chyba tak – mruknąłem w końcu. – Za odpowiednią nagrodę pójdą tam, gdzie wy się nie odważycie zapuścić lub gdzie nie możecie wejść, i przyniosą, co trzeba.

Oczy Thorina zalśniły na wciąż żywe wspomnienie utraconych skarbów.

– Mówisz o najemnym złodzieju – rzekł z pogardą. – Propozycja warta rozważenia, o ile nie zażąda zbyt wiele za usługę. Ale co to ma wspólnego z owymi wieśniakami? Pijają z glinianych kufli, nie odróżniają szkiełka od klejnotu.

– Byłbym wdzięczny, gdybyś nie wypowiadał się tak zdecydowanie o sprawach, na których się nie znasz – uciąłem ostro. – Ci wieśniacy zamieszkują Shire od tysiąca czterystu lat i wiele się przez ten czas nauczyli. Już dziesięć stuleci przed przybyciem Smauga do Ereboru oni handlowali z elfami i z krasnoludami. Żaden z nich nie jest tak bogaty jak twoi ojcowie, ale w swych siedzibach mają rzeczy o wiele piękniejsze niż te, którymi wy tutaj się chełpicie, Thorinie. Wspomniany przeze mnie hobbit posiada złote ozdoby i jada srebrnymi sztućcami, a wino pija z rżniętego kryształu.

– Aha, wreszcie pojmuję aluzję. To złodziej, nieprawdaż? Dlatego go polecasz?

Obawiam się, że w tym momencie straciłem cierpliwość. Krasnoludowie uważali, że nikt prócz nich samych nie potrafi wytwarzać, czy gromadzić, niczego „wartościowego". Jeśli natomiast ktoś obcy posiadał jakiekolwiek precjoza, to musiał te dobra kupić od krasnoludów albo im je ukraść. Nie mogłem ścierpieć takiego sposobu rozumowania.

– Cóż, owszem, jest zawodowym złodziejem – odparłem ze śmiechem. – A jak niby inaczej hobbit dorobiłby się srebrnej łyżki? Nakreślę na jego drzwiach znak włamywacza, po tym je poznacie.

Wypowiedziawszy te słowa, wstałem. Byłem zły i aż sam się zdziwiłem, że ciepło ich pożegnałem.

– Musisz poszukać tych drzwi, Thorinie Dębowa Tarczo. Nie żartuję.

I nagle poczułem, że faktycznie sprawa jest najwyższej wagi i nie można sobie pozwolić na żarty. Było nader istotne, by przedsięwzięcie się powiodło. Nadeszła pora, by krasnoludowie ugięli dumne karki.

– Słuchajcie, ludu Durina! – krzyknąłem. – Jeśli namówicie tego hobbita, by poszedł z wami, odniesiecie zwycięstwo. W przeciwnym razie zostaniecie pokonani. Jeśli zaś nie spróbujecie nawet, to nie otrzymacie już ode mnie ni rady, ni pomocy, aż w końcu padnie na was Cień!

Thorin obrócił się i spojrzał mi w oczy z całkowicie uzasadnionym zdumieniem.

– Mocne to słowa! – powiedział. – Niech i tak będzie, pójdę, dokąd chcesz. Albo zupełnie oszalałeś, albo faktycznie masz dar jasnowidzenia.

– Dobrze! – stwierdziłem. – Ale trzeba wam odwiedzić owego hobbita w dobrej wierze, a nie z zamiarem udowodnienia, jaki ze mnie głupiec. Zachowajcie cierpliwość i nie zrażajcie się łatwo, jeśli nie dostrzeżecie w nim zrazu ani tej odwagi, ani żądzy przygód, o których wspominałem. Będzie udawał, że nie zna niczego podobnego. Nie pozwólcie mu się wykręcić.

– Może się targować, ale nic w ten sposób nie wskóra. Wiesz, o czym myślę – rzekł Thorin. – Zaproponuję mu godziwą nagrodę, o ile odzyska dla nas cokolwiek, ale na nic więcej niech nie liczy.

– Nie o zapłatę chodzi, ale dobrze będzie i o tym wspomnieć. Wcześniej jednak trzeba wszystko przygotować i zaplanować. Dokładnie wszystko! Gdy uda się go raz przekonać, nie wolno już zostawiać mu czasu do namysłu, bo jeszcze zmieni zdanie. Będziecie musieli wyruszać wprost z Shire, od razu na wschód.

– Coraz dziwniej prezentuje się ten twój złodziej – powiedział młody krasnolud imieniem Fili (krewniak Thorina). – A jak się nazywa, albo jak go wołają?

– Hobbici noszą zwykle prawdziwe imiona i nazwiska. Tego zwą Bilbo Baggins i nie inaczej.

– Co za imię! – roześmiał się Fili.

– On uważa je za godne szacunku – stwierdziłem. – I całkiem dobrze do niego pasuje, jest bowiem kawalerem w średnim wieku, z coraz wyraźniej zarysowanym brzuszkiem. Najbardziej ze wszystkiego zapewne interesuje go jedzenie. Słyszałem, że ma dobrze zaopatrzoną spiżarnię, może nawet niejedną. Przynajmniej ugości was jak trzeba.

– Dość tego – przerwał Thorin. – Gdyby nie to, że dałem już słowo, teraz nigdzie bym już nie poszedł. Dość wygłupów. Ja nie żartuję. Jestem poważny, śmiertelnie poważny, i serce mi płonie.

Puściłem to mimo uszu.

– Słuchaj, Thorinie – powiedziałem. – Kwiecień się kończy. Zaplanuj wszystko dobrze i szybko. Mnie wzywają jeszcze pewne sprawy, ale wrócę tu za tydzień, a wtedy, jeśli będzie już można, pojadę przodem, by przygotować grunt. Następnego dnia razem odwiedzimy Bilba.

I zaraz też ich pożegnałem, nie chcąc dać Thorinowi ani trochę więcej czasu do namysłu. Wiecie dobrze, co wydarzyło się dalej, a przynajmniej jak postrzegał te sprawy Bilbo. Gdybym to ja spisał tę opowieść, przedstawiłaby się ona nieco odmiennie. Bilbo o wielu rzeczach nie miał pojęcia, na przykład, ile kosztowały mnie starania, by nie dowiedział się przedwcześnie, że spora grupa krasnoludów przybyła do Bywater, do miejsca leżącego z dala od ich zwykłych szlaków i głównych dróg. Do Bilba wybrałem się rano we wtorek, dwudziestego piątego kwietnia roku 2941. Chociaż wiedziałem ogólnie, czego się spodziewać, to i tak czekał mnie nie lada wstrząs. Sprawa okazała się o wiele trudniejsza, niż myślałem. Niemniej uparcie dążyłem do celu. Następnego dnia, we środę, dwudziestego szóstego kwietnia zaprowadziłem Thorina i jego towarzyszy do Bag End, co też było niełatwe, bowiem krasnolud opierał się do końca. Zupełnie zaskoczony Bilbo zachowywał się trochę nieprzytomnie. Wszystko zresztą od początku układało się niezbyt pomyślnie dla mnie. A ten nieszczęsny pomysł z „zawodowym włamywaczem" tylko pogorszył

sprawę, krasnoludowie bowiem wbili sobie owego „włamywacza" do głów i przepadło. Szczęśliwie uprzedziłem Thorina, że winniśmy zostać w Bag End na noc,
by spokojnie omówić wszelkie możliwe rozwiązania. To była moja ostatnia szansa.
Gdyby Thorin opuścił Bag End przed rozmową ze mną (w cztery oczy), cały plan
runąłby w gruzy.

Pewne fragmenty tej rozmowy zostały wykorzystane w późniejszej wersji, w dyspucie
toczonej między Gandalfem a Thorinem w Bag End.

Od tego miejsca późniejsza wersja jest zasadniczo identyczna z wcześniejszą, toteż
nie cytuję jej tutaj, wyjąwszy końcowy fragment. We wcześniejszej, kiedy Gandalf umilkł,
Frodo odnotowuje, iż Gimli, roześmiawszy się, powiedział:

– Wciąż za grosz w tym sensie. Nawet teraz, gdy wszystko skończyło się lepiej niż
dobrze. Znałem Thorina, rzecz jasna, i żałuję, że mnie tam nie było, ale wyjecha-
łem akurat w trakcie twej pierwszej wizyty. Na wyprawę mi iść nie dozwolono ze
względu na zbyt młody wiek, mimo iż ja sądziłem, że sześćdziesięciodwuletni mężczyzna jest wystarczająco dorosły, by podejmować dowolne wyprawy. Cóż, cieszę
się, że usłyszałem tę historię w całości, chociaż podejrzewam, że nie mówisz nam
wszystkiego.

– Oczywiście, że nie – odparł Gandalf.

Zaraz potem Meriadoc zaczyna wypytywać Gandalfa o mapę Thráina i klucz, w odpowiedzi zaś (w większości zachowanej w późniejszej wersji, choć wstawionej w innym
miejscu) Gandalf mówi:

– Thráina znalazłem dziewięć lat po tym, jak opuścił swoich ludzi. Przynajmniej
pięć lat przebywał już wtedy w lochach Dol Guldur. Nie wiem, jakim cudem zdołał wytrzymać tak długo ani w jaki sposób ukrywał te przedmioty podczas tortur.
Sądzę, że Mroczna Siła chciała odeń tylko Pierścienia, a kiedy go już dostała, przestała się interesować krasnoludem i tylko cisnęła załamanego więźnia do lochu, by
popadał tam w poprzedzające śmierć szaleństwo. Małe przeoczenie, fatalne wszakże
w skutkach. Takie drobiazgi często się mszczą.

Rozdział IV

Poszukiwania Pierścienia

1. O podróży Czarnych Jeźdźców – relacja oparta na opowieści, którą Frodo usłyszał od Gandalfa

Gollum został porwany do Morderu w 3017 roku. W Barad-dûr wzięto go na męki i przesłuchano. Wyciągnąwszy możliwie dużo informacji, Sauron uwolnił Golluma. Nie ufał mu wszakże, wyczuwając w tej istocie coś niaposkromionego, niepoddającego się nawet Cieniowi Strachu, coś, co można było zniszczyć jedynie z samym Gollumem. Sauron zdołał przeniknąć głębie Gollumowej nienawiści wobec tego, który go „obrabował". Domyślił się, że Gollum ruszy na poszukiwanie pomsty, i miał nadzieję, że w ten sposób wskaże on drogę do posiadacza Pierścienia.

Gollum dość szybko wpadł w ręce Aragorna i trafił do północnej części Mrocznej Puszczy, gdzie znalazł się pod strażą, więc tropiciele nie zdołali go uwolnić. Sauron nigdy nie zwracał uwagi na niziołków, jeśli w ogóle o nich słyszał. Nie wiedział, gdzie leży ich ojczysta kraina. Od Golluma, nawet poddanego torturom, nie dowiedział się w tej materii niczego konkretnego, zarówno dlatego, iż Gollum sam mało miał na ten temat informacji, jak i dlatego, że przekręcał posiadane wiadomości. Zaiste, było to nieugięte stworzenie, które jedynie śmierć mogłaby złamać, jak słusznie Sauron się domyślił. Niezłomność częściowo wynikała z hobbickiego pochodzenia Golluma, a częściowo z przyczyny, której Sauron w zasadzie nie pojmował, będąc zaślepionym pragnieniem zdobycia Pierścienia. Tymczasem w więzieniu wyrosła nienawiść do Saurona większa nawet niż lęk przed Ciemnością. Gollum dostrzegł bowiem w Sauronie największego swego wroga i poważnego rywala. Stąd też przysięgał, że kraina niziołków leży gdzieś w pobliżu miejsca jego niegdysiejszego zamieszkania nad brzegami rzeki Gladden.

Dowiedziawszy się, że przywódcy przeciwników uwięzili Golluma, Sauron wpadł w popłoch. Jednak żadne wieści nie dobiegały go od zwykłych szpiegów i wysłanników, co wynikało zarówno z czujności Dúnedainów, jak i knowań Sarumana. Jego słudzy zwodzili i zbijali z tropu poddanych Saurona, który w końcu zdał sobie z tego sprawę, ale wciąż miał za krótkie ręce, by sięgnąć Sarumana w Isengardzie. Tak zatem zataił świadomość podwójnej gry Sarumana i pohamował gniew, by zyskać na czasie i przygotować się do wielkiej wojny. Miała ona zmieść wszystkich wrogów do zachodniego morza. Ostatecznie uznał, że w tej potrzebie dobrze sprawić się mogą jego najpotężniejsi słudzy, Upiory Pierścienia, istoty pozbawione własnej woli i w pełni podporządkowane, każdy własnemu pierścieniowi, które z kolei kontrolował Sauron.

Niewielu było w stanie oprzeć się owym ponurym stworzeniom, a nikt (jak mniemał Sauron) nie zdołałby powstrzymać ich, zebranych pod komendą straszliwego dowódcy, króla Morgulu. Cechowała ich jednak słabość, w tej misji nader wadząca, rozbudzali bowiem tak wielki strach (nawet niewidzialni i bezszelestni), że ich pochód mógł z łatwością zostać zauważony przez Mędrców, zdolnych rychło odgadnąć cel tej peregrynacji.

Tak zatem Sauron przygotował dwa ataki, przez wielu uznane potem za początek Wojny o Pierścień. Oba przeprowadzono równocześnie. Orkowie natarli na królestwo Thranduila, by uwolnić Golluma, a król Morgulu ruszył do otwartej walki z Gondorem. Działo się to pod koniec czerwca 3018 roku. W ten sposób Sauron sprawdzał siły i przygotowanie Denethora, który okazał się o wiele trudniejszym przeciwnikiem, niż Sauron początkowo sądził. Nie zmartwił się wszakże zbytnio, jako że małych sił użył w tym ataku, a był on i tak przykrywką, mającą uzasadnić wypad Nazgûli ogólną strategią przyjętą wobec Gondoru.

Gdy zatem padł Osgiliath i zniszczono most, Sauron wstrzymał atak, nakazując Nazgûlom udać się na poszukiwania Pierścienia. Doceniając potęgę i czujność Mędrców, polecił sługom działać możliwie skrycie. W owym czasie Wódz Upiorów Pierścienia mieszkał wraz z sześcioma swymi kompanami w Minas Morgul, podczas gdy drugi rangą, Khamûl, Cień Wschodu, przebywał jako porucznik Saurona w Dol Guldur, trzymając przy sobie jednego z podwładnych w charakterze posłańca[1].

Król Morgulu poprowadził swą kompanię przez Anduinę i choć pozbawieni cielesnej powłoki, niewidzialni dla oczu i spieszeni, to jednak oznajmili swe przybycie, zsyłając aurę strachu na wszystkie żywe stworzenia w pobliżu ich trasy. Wyruszyć mogli pierwszego dnia lipca. Powoli i skrycie przeszli przez Anórien, pokonując Bród Entów, aż dotarli do Rohanu. Poprzedzały ich pogłoski o ciemności oraz grozie nie wiedzieć skąd i czemu spadającej na ludzi. Zachodnie brzegi Anduiny osiągnęli nieco na północ od Sarn Gebir, zgodnie z wcześniejszymi ustaleniami. Tam dostali konie i szaty, w tajemnicy przewiezione dla nich przez rzekę. Było to (jak się sądzi) około siedemnastego lipca. Potem ruszyli na północ w poszukiwaniu Shire, krainy niziołków.

Około dwudziestego drugiego lipca spotkali na polach Celebrantu resztę swej drużyny, Nazgûli z Dol Guldur. Dowiedzieli się wówczas, że Gollum zmylił wszystkich: wyrwał się orkom, którzy go porwali, uszedł pogoni elfów i gdzieś przepadł[2]. Khamûl powiedział im też, że w Dolinie Anduiny nie ma żadnej siedziby niziołków i że wioski Stoorów nad rzeką Gladden stoją już z dawna opuszczone. Nie widząc lepszego rozwiązania, wódz Nazgûli postanowił szukać na północy, mając nadzieję, że znajdzie albo Golluma, albo Shire. Uznał, że kraina niziołków może leżeć całkiem blisko Lórien lub nawet w granicach królestwa Galadrieli. Nie byłby w stanie jednak przeciwstawić się mocy Białego Pierścienia ani wtargnąć do Lórien. Przemykając więc między Lórien a Górami, Dziewięciu podążało cały czas na północ, a strach ich poprzedzał i groza zalegała za nimi, niczego jednak nie znaleźli, na żadne wieści nie trafili.

W końcu ruszyli z powrotem. Lato już miało się ku końcowi, a wściekłość i przerażenie Saurona osiągały apogeum. Z początkiem września Upiory Pierścienia dotarły na stepy Rohanu, gdzie spotkały wysłanników z Barad-dûr, niosących pełne pogróżek przesłanie od ich pana. Nawet król Morgulu przeląkł się tych słów, bowiem Sauron poznał już przepowiednię słyszaną w Gondorze, dowiedział się też o wyruszeniu Boromira, poczynaniach Sarumana i uwięzieniu Gandalfa. Wszystko to doprowadziło Saurona do wniosku, że ani Saruman, ani żaden z Mędrców nie dopadł jeszcze Pierścienia, jednakże Saruman wie przynajmniej, gdzie Pierścień może się kryć. Teraz ważna była szybkość działania; należało dać sobie spokój z dyskrecją.

Upiory Pierścienia miały zatem podążyć wprost do Isengardu. Przemknęły przez Rohan, wzbudzając taki popłoch, że wielu ludzi porzuciło nawet swe domostwa, uciekając na północ i na zachód w przekonaniu, że tętent kopyt czarnych koni jest zwiastunem nadciągającej ze Wschodu wojny.

Dwa dni po ucieczce Gandalfa z Orthanku król Morgulu stanął przed bramą Isengardu. Wówczas Saruman, już wściekły i przerażony ucieczką Gandalfa, dostrzegł niebezpieczeństwo wynikające z tkwienia pomiędzy dwoma przeciwnikami, którzy jednakowo uznawali go za zdrajcę. Opanował go wielki strach, ponieważ właśnie opuściła go nadzieja na oszukanie Saurona lub przynajmniej wkradnięcie się w jego łaski, gdyby ten zwyciężył. Saruman wiedział, że albo zdobędzie Pierścień, albo przepadnie ze szczętem, gotując sobie los straszniejszy od śmierci. Nie stracił wszakże nic ze sprytu i przebiegłości. Dobrze przyszykował twierdzę na wypadek, gdyby najgorsze miało się ziścić. Nawet król Morgulu wraz z kompanami nie byli w stanie zdobyć Kręgu Isengardu bez pomocy wielkiej armii. Tak zatem na wszystkie swe wyzwania i żądania Wódz Nazgûli usłyszał jedynie głos Sarumana, dzięki jakiejś sztuczce dobiegający wprost z samej bramy.

– To nie jest miejsce, którego szukasz – powiedział głos. – Bo wiem, za czym podążasz, chociaż ty sam nie potrafisz nazwać obiektu będącego twoim celem. Ja tego nie mam, jak z pewnością czują to dobrze Nazgûle. Gdybym bowiem to posiadał, sami pokłonilibyście się mej osobie, zwąc mnie Władcą. Jeśli zaś wiedziałbym, gdzie owa rzecz się kryje, wówczas nie siedziałbym tutaj, tylko ruszył, by schwytać ją przed wami. Jedna jest tylko osoba, która najpewniej wie to wszystko: Mithrandir, wróg Saurona. A ponieważ ledwie dwa dni temu opuścił on Isengard, szukajcie go blisko.

Taka moc dźwięczała w głosie Sarumana, że nawet Wódz Nazgûli nie dopytywał o nic, tylko jakby przekonany o prawdziwości tych słów odjechał spod bramy i zaczął tropić Gandalfa po Rohanie. W ten właśnie sposób wieczorem następnego dnia Czarni Jeźdźcy spotkali Grímę, zwanego Robaczywym Językiem, gdy ten jechał do Sarumana z wiadomością, że Gandalf zawitał do Edoras i przestrzegł króla Théodena przed podstępnymi machinacjami Isengardu. Robaczywy Język omal nie umarł w tej godzinie ze strachu, chociaż przywykły do wszelkiej zdrady, nawet wobec mniejszego zagrożenia, i tak wyznałby wszystko do ostatniego słowa.

– Oczywiście, powiem ci prawdę, panie – rzekł. – Podsłuchałem, jak rozmawiali w Isengardzie. Gandalf przybył z krainy niziołków i pragnie teraz tam wrócić. Potrzeba mu tylko konia. Wybaczcie! Nie mogę mówić już szybciej. Najpierw musicie jechać na zachód, przez Wrota Rohanu, potem na północ i trochę na zachód, aż do następnej wielkiej rzeki. To Szare Rozlewisko. Potem od przeprawy w Tharbadzie, a stary gościniec zaprowadzi was już prosto nad granicę Shire, bo tak się ten kraik nazywa. No jasne, że Saruman to wie. Sprowadza stamtąd gościńcem różne dobra. Daruj, panie! Oczywiście, że nie pisnę ani słowa o naszym spotkaniu.

Wódz Nazgûli nie zabił Robaczywego Języka, chociaż nie z litości. Widział wyraźnie, że przeraził Grímę wystarczająco, więc ten naprawdę nie odważy się wspomnieć nikomu o spotkaniu z Czarnymi Jeźdźcami (i miał rację, jak się okazało). Dostrzegł też zło tkwiące w Robaczywym Języku, był zatem pewien, że taki sługa (żywy) przysporzy jeszcze Sarumanowi niejednej troski. Tak i zostawiwszy go rozpłaszczonego na ziemi, odjechał, nie trudząc się zawracaniem do Isengardu. Zemsta Saurona mogła poczekać.

Rozdzielili się teraz na cztery pary. Sam Wódz wysforował się naprzód w towarzystwie dwóch najszybszych jeźdźców. Przebyli Rohan w drodze na zachód, przeszukali pustkowia Enedwaith, aż dotarli do Tharbadu. Stamtąd podążyli przez Minhiriath, a chociaż wciąż byli rozdzieleni, to i tak szybko rozeszły się pogłoski o nadciągającej chmurze grozy. Wszelka dzika zwierzyna kryła się po norach, a samotni ludzie uciekali. Niemniej Upiory Pierścienia zdołały schwytać na drodze kilku uciekinierów. Ku wielkiej uciesze Wodza, dwóch z nich okazało się szpiegami i sługami Sarumana. Jeden szczególnie często kursował między Isengardem a Shire, a chociaż sam nigdy nie dotarł dalej niż do Południowej Ćwiartki, miał ze sobą sporządzone przez Sarumana mapy dokładnie określające położenie i ukształtowanie tego kraiku. Nazgûle zabrały owe szkice i wysłały go, by dalej szpiegował w Bree, ostrzegając wszakże, że teraz służy już Mordorowi i że jeśli kiedykolwiek spróbuje wrócić do Isengardu, wówczas przypilnują, aby spotkała go okrutna śmierć w męczarniach.

Tuż przed świtem dwudziestego drugiego dnia września Czarni Jeźdźcy, znów razem, dotarli do Brodu Sarn u południowych granic Shire. Tutaj drogę zagrodzili im Strażnicy. Powstrzymanie Nazgûli było jednak zadaniem ponad siły Dúnedainów, chociaż może wyparliby intruzów, gdyby u ich boku stał Aragorn. On jednak przebywał akurat na północy, przy Wschodnim Gościńcu pod Bree, i nie stało ducha Dúnedainom. Niektórzy umknęli na północ w nadziei zaniesienia wieści Aragornowi, zostali jednak wyśledzeni i zabici lub zapędzeni w głuszę. Część blokowała wciąż bród, za dnia nawet z powodzeniem, ale nocą król Morgulu odepchnął resztę Strażników i Czarni Jeźdźcy wjechali do Shire. Nim jeszcze koguty obwieściły bliski dwudziesty trzeci dzień września, kilku Nazgûli jechało już na północ kraiku, podczas gdy Gandalf dopiero galopował na Cienistogrzywym przez stepy Rohanu.

2. Inne wersje tej samej historii

Powyższą wersję wybrałem do publikacji, ponieważ była najbliższa klasycznej opowieści, jednakże jest jeszcze wiele innych zapisków opisujących owe zdarzenia, notatek dodających to i owo lub zmieniających istotne szczegóły. Rękopisy te są niejasne, a związki pomiędzy tekstami zagmatwane, chociaż niewątpliwie wszystkie powstały w tym samym okresie. Wystarczy wspomnieć, że oprócz tej przytoczonej (zwanej dalej dla wygody wersją A) istnieją dodatkowo dwie obszerniejsze relacje. Konstrukcja drugiej z nich (wersja B) przypomina wersję A, jednakże trzecia (wersja C), mająca postać szkicu, wprowadza kilka zasadniczych różnic. Skłonny jestem sądzić, że jest to wersja późniejsza od dwóch poprzednich. Ponadto znalazłem jeszcze materiał (wersja D) szczególnie dokładnie przedstawiający udział Golluma w tych wypadkach i rozmaite notatki odnoszące się do roli tej postaci w całej historii.

W wersji D powiada się, że kiedy Gollum ujawnił przed Sauronem prawdę o Pierścieniu i o miejscu jego znalezienia, było to dość, by uświadomić Sauronowi, iż musiał to być Jedyny. Jednak co do dalszych losów klejnotu Sauron dowiedział się tyle tylko, że Pierścień został skradziony przez istotę imieniem Baggins, że miało to miejsce w Górach Mglistych i że Baggins przybył z kraju zwanego Shire. Obawy Saurona zmalały nieco, gdy z opowieści więźnia wywnioskował, że ów Baggins musiał być osobnikiem tego samego rodzaju co Gollum.

Gollum nie znał określenia „hobbit", ponieważ – jako regionalizm – nie występowało ono w ogólnie używanym języku westron. Sam będąc niziołkiem, nie stosował zapewne tej nazwy, za którą i hobbici nie przepadali. Oto dlaczego, jak się wydaje, Czarni Jeźdźcy kierowali się w swoich poszukiwaniach tylko dwoma, oderwanymi wskazówkami: jechać do Shire i znaleźć Bagginsa.

> Ze wszystkich relacji jasno wynika, że Gollum wiedział przynajmniej, w jakim kierunku należy szukać Shire, jednak chociaż niewątpliwie wydarto zeń torturami o wiele istotniejsze informacje, to Sauron wyraźnie nie miał pojęcia, że Baggins przybył z okolic nader odległych od Gór Mglistych. Nie przypuszczał też chyba, aby Gollum wiedział dokładnie skąd; sam zaś podejrzewał, że chodzi o Dolinę Anduiny, czyli tereny, w których zamieszkiwał niegdyś sam Gollum.
> Błąd drobny i całkiem zrozumiały – jednak była to zapewne największa pomyłka Saurona w całej jego karierze. Gdyby nie to, Czarni Jeźdźcy dotarliby do Shire o ładne parę tygodni wcześniej.

W wersji B powiada się o podróży Aragorna ze schwytanym Gollumem na północ, do królestwa Thranduila. Więcej miejsca też poświęca się tam wahaniom Saurona, czy wykorzystać Upiory Pierścienia do poszukiwań Jedynego.

> [Po uwolnieniu z Mordoru] Gollum rychło skrył się na Martwych Bagnach, gdzie tropiciele Saurona nie mogli za nim nadążyć. Pozostali wysłannicy nie przynieśli żadnych nowin (Sauron zapewne niewielką miał władzę w Eriadorze i niewielu działało tam jego szpiegów, a tych często powstrzymywali i zwodzili poddani Sarumana). Tak zatem postanowił ostatecznie wykorzystać Upiory Pierścienia. Czynił to niechętnie, nie znając jeszcze dokładnej kryjówki Pierścienia. Nazgûle były najpotężniejsze spośród jego sług i nadawały się do takiej misji doskonale, o ile pozostawały w niewoli Dziewięciu Pierścieni, które teraz Sauron trzymał mocno w garści. Pozbawione były własnej woli i gdyby którykolwiek z nich, nawet sam Wódz, zdobył Jedyny Pierścień, bez najmniejszego sprzeciwu odniósłby zdobycz swemu panu. Mieli też jednak swoje słabości, mocno wadzące w czasie pokoju (a Sauron nie był jeszcze gotów do wojny). Żaden z Nazgûli (poza Czarnoksiężnikiem) nie potrafił, jadąc samotnie za dnia utrzymać azymutu, wszyscy też (znów oprócz Czarnoksiężnika) bali się wody i nigdy, wyjąwszy najpilniejszą potrzebę, nie kwapili się do przebycia strumienia w bród, zawsze rozglądając się za mostem[3]. Co więcej, ich najważniejszą broń stanowił

rozsiewany strach, tym większy, gdy poruszali się niewidzialni, bez powłoki cielesnej i im liczniejszą grupą podróżowali. Żadna więc ich misja nie mogła długo pozostać w tajemnicy, a przekroczenie Anduiny i innych wielkich rzek uznać należało za spory problem. Dlatego właśnie Sauron długo się wahał, ponieważ nie pragnął wcale, by jego najwięksi wrogowie dowiedzieli się, jakie to zadanie zlecił swoim sługom. Z początku Sauron prawdopodobnie nie przypuszczał, by ktokolwiek prócz Golluma i „tego złodzieja Bagginsa" wiedział coś o Pierścieniu. Gollum zaś, aż do chwili gdy Gandalf wziął go na spytki[4], nie miał pojęcia ani o związkach Gandalfa z Bilbem, ani nawet o istnieniu samego Mithrandira.

Gdy jednak do Saurona dotarła wieść o uwięzieniu Golluma przez nieprzyjaciół, sytuacja drastycznie się zmieniła. Kiedy i jak Sauron dowiedział się o porwaniu Golluma, tego dokładnie powiedzieć nie można, zapewne dość długo po tym zdarzeniu. Według słów Aragorna, Gollum został ujęty o zmroku pierwszego lutego. Mając nadzieję ujść uwadze szpiegów Saurona, Aragorn poprowadził Golluma do północnego krańca Emyn Muil, a Anduinę przeszli tuż ponad Sarn Gebir. Ponieważ na płyciznach przy wschodnim brzegu leżało pełno zniesionych przez wodę kawałków drewna, Aragorn przywiązał Golluma do kłody i wraz z nim przepłynąwszy rzekę, kontynuował podróż najbardziej na zachód oddalonymi traktami biegnącymi u skrajów Fangornu. Tak przebyli Limlight, a potem Nimrodel i Srebrną Strugę[5], docierając do granic Lórien. Potem ominęli Morię i Dolinę Ciemnego Strumienia. Wędrowali przez Gladden, aż doszli blisko Carrock. Tam z pomocą Bëorningów znów przeprawili się przez Anduinę i weszli do Puszczy. Cała ta piesza wędrówka (prawie dziewięćset mil) była nader męcząca i trwała pięćdziesiąt dni. Do królestwa Thranduila Aragorn przybył dwudziestego pierwszego marca[6].

W takiej sytuacji najbardziej prawdopodobnym wydaje się, że pierwsze nowiny o Gollumie dotarły do sług Dol Guldur już po tym, jak Aragorn znalazł się w Puszczy. Wprawdzie sądzono, że Dol Guldur nie ma już władzy nad Starą Drogą Leśną, to jednak w lesie wciąż roiło się od szpiegów. Wyraźnie trwało trochę, nim wieści zostały przekazane dowodzącemu wojskami Dol Guldur Nazgûlowi, a on z kolei nie poinformował od razu Barad-dûr, pragnąc najpierw dowiedzieć się czegoś więcej o miejscu pobytu Golluma. Tak zatem Sauron dopiero pod koniec kwietnia musiał usłyszeć, iż widziano Golluma i że tym razem był on więźniem jakiegoś człowieka. Samo w sobie znaczyło to niewiele. Ani Sauron, ani żaden z jego sług nie miał wówczas jeszcze pojęcia, kim jest Aragorn. Jednakże nieco później (bowiem od owej pory królestwo Thranduila pozostawało pilnie obserwowane) Sauron został zaniepokojony wieścią, że Rada zwróciła uwagę na Golluma i że Gandalf przybył do królestwa Thranduila.

Sauron musiał wówczas wpaść w złość i mocno zaniepokojony postanowił bezzwłocznie wykorzystać Upiory Pierścienia, gdyż szybkość działania wydawała się w tych okolicznościach ważniejsza od zachowania tajemnicy. Chcąc przerazić swoich wrogów i pomieszać im szyki lękiem przed bliską wojną (której wtedy jeszcze nie zamierzał wszczynać), przypuścił niemal równoczesny atak na Thranduila i na Gondor[7]. Prócz celów czysto militarnych miał jeszcze dwa dodatkowe: porwać lub zabić Golluma, w ostateczności umożliwić mu przynajmniej ucieczkę z rąk wroga oraz (po drugie) opanować dojście do mostu w Osgiliath, by Nazgûle mogły tamtędy wyjechać. Przy okazji zamierzał sprawdzić siły Gondoru.

Ostatecznie Gollum umknął, ale z mostem się udało. Sauron wykorzystał do tego siły o wiele słabsze zapewne, niż Gondorczycy sądzili. Panika wywołana pierwszym natarciem, kiedy to Czarnoksiężnik otrzymał pozwolenie, by ukazać na chwilę całą swą tchnącą grozą postać[8], pozwoliła Nazgûlom przejść nocą przez most, a potem pomknąć ku północy. Nie umniejszając w niczym waleczności Gondoru, który zresztą okazał się o wiele potężniejszy, niż sądził Sauron, to właśnie dzięki temu, iż cały atak służył tylko jednemu celowi, udało się następnie Boromirowi i Faramirowi odepchnąć wroga i zniszczyć most.

Ojciec nigdzie nie wyjaśnił, czemu właściwie Upiory Pierścienia bały się wody. Według cytowanego powyżej fragmentu, właśnie ta ich ułomność była głównym powodem dokonania ataku na Osgiliath. Motyw ten pojawia się także w szczegółowych notatkach opisujących ruchy Czarnych Jeźdźców na terenie Shire. Tak właśnie Jeździec (w istocie rzeczy Khamûl z Dol Guldur; por. przypis 1), widziany na drugim brzegu przy promie Bucklebury zaraz po przejściu tamtędy hobbitów, „zdawał sobie sprawę, że Pierścień znajduje się po drugiej stronie rzeki, ale dla niego była to przeszkoda nie do pokonania". Ponadto Nazgûle trzymały się z daleka od „elfich" wód Baranduiny. Nie wiadomo dokładnie, jak przebywali inne rzeki, które pojawiały się na ich drodze, chociażby Szare Rozlewisko, gdzie był jedynie ryzykowny bród utworzony przez ruiny mostu. W istocie ojciec sam też zauważył, że trochę to wszystko nielogiczne.

Relacja z bezowocnej wyprawy Nazgûli do Doliny Anduiny zamieszczona w wersji B jest niemal identyczna z opublikowaną (wersją A), tyle tylko że w wersji B powiada się, że osady Stoorów nie zostały ze szczętem opuszczone i dopiero Nazgûle zabiły lub rozgoniły ich mieszkańców[9]. Daty podane w poszczególnych wersjach różnią się nieco, jak też inne są od dat wymienianych w *Kronice Lat*. Nie zajmowałem się jednak tymi rozbieżnościami.

Wersja D zawiera fragment opowiadający o poczynaniach Golluma w okresie od ucieczki przed orkami z Dol Guldur aż do chwili, gdy Drużyna przeszła zachodnią bramę Morii. Tekst był w dość surowym stanie i wymagał niejakiej obróbki redaktorskiej.

Wydaje się pewne, że ścigany zarówno przez elfy, jak i przez orków, Gollum przebył Anduinę, zapewne wpław, i zmylił pogonie Saurona, jednak elfy wciąż podążały tropem uciekiniera. Nie śmiąc zbliżyć się do Lórien (później uczynił to jedynie wiedziony pragnieniem odzyskania Pierścienia), skrył się w Morii[10]. Stało się to zapewne jesienią, wtedy też przepadł po nim wszelki ślad.

Co dalej działo się z Gollumem, tego dokładnie nie wiadomo. Był osobliwie przystosowany do przetrwania w tak ciężkich warunkach, chociaż wiele kosztowało go znoszenie mizerii owego bytu. Groziło mu jednak wykrycie przez sługi Saurona, które czaiły się w Morii[11], szczególnie że jedynym sposobem zaspokojenia głodu pozostawała ryzykowna kradzież. Bez wątpienia wniknął do Morii po to jedynie, by tędy potajemnie przejść na zachód i jak najszybciej samemu odszukać Shire. Zgubił się jednak i długo trwało, nim odnalazł drogę. Można zatem z dużym prawdopodobieństwem sądzić, że dotarł do zachodniej bramy mniej więcej w tym samym czasie co Dziewięciu Wędrowców. Nie miał, rzecz jasna, najmniejszego pojęcia, jak działają te wrota, wydające się potężne i nieruchome. Chociaż nie były zaopatrzone w zamek, ani w rygiel i otwierały na zewnątrz ledwie pchnięte, tego ostatniego Gollum nie odkrył. Zresztą oddalił się znacznie od wszelkich źródeł pożywienia (bowiem orkowie skupili się głównie we wschodniej Morii), ponadto był słaby i zrozpaczony. Nawet gdyby znał sekret, brakowało mu sił, aby pchnąć wrota[12]. Miał zatem wiele szczęścia, że równocześnie z nim dotarło do bramy Dziewięciu Wędrowców.

Historia o przybyciu Czarnych Jeźdźców do Isengardu we wrześniu roku 3018, a następnie o pojmaniu przez nich Grímy, Robaczywego Języka, jednakowo brzmiąca w wersjach A i B, została znacznie zmieniona w wersji C, która podejmuje wątek dopiero po powrocie Nazgûli na Południe, za Limlight. Według wersji A i B Czarni Jeźdźcy dotarli do Isengardu w dwa dni po ucieczce Gandalfa z Orthanku. Saruman powiedział im, że Gandalfa już tu nie ma, i zaprzeczył, aby sam wiedział cokolwiek o Shire[13], został jednak zdradzony przez Grímę, którego Czarni Jeźdźcy pojmali nazajutrz, gdy spieszył do Isengardu z wieściami o przybyciu Gandalfa do Edoras. W wersji C Czarni Jeźdźcy zastukali do bramy Isengardu jeszcze podczas pobytu Gandalfa na wieży. Według tej relacji, przerażony i zrozpaczony Saruman dostrzegł wówczas, jak niebezpieczną może być służba Mordorowi, i postanowił nagle ukorzyć się przed Gandalfem, błagając go o wybaczenie oraz pomoc. Grając na zwłokę, czekającym u bramy Jeźdźcom wspomniał jedynie, że ma Gandalfa w wieży i że zaraz pójdzie wysondować, co ten wie. Dodał też, że jeśli Gandalf nie będzie skory do współpracy, to Nazgûle dostaną go jak swego. Zaraz potem pospieszył na szczyt Orthanku, gdzie odkrył, że Gandalf zniknął. Tylko daleko na południu udało się jeszcze dojrzeć przemykającą na tle przesłoniętej chmurami księżycowej tarczy sylwetkę orła lecącego do Edoras.

Sprawy przybrały zaiste bardzo zły obrót. Ucieczka Gandalfa oznaczała, że Sauronowi może się naprawdę nie udać odzyskać Pierścienia, a zatem klęska jest wciąż prawdopodobna. W głębi serca Saruman dobrze zdawał sobie sprawę z potęgi Mithrandira i towarzyszącego mu „szczęścia". Teraz jednak został sam na sam z Dziewięcioma. Wściekły z powodu ucieczki Gandalfa z „niezdobytego" Isengardu, znów wbił się w dumę, a dodatkowo wezbrała w nim zazdrość. Wrócił do bramy i skłamał gościom, twierdząc, że skłonił Gandalfa do mówienia. Nie wspomniał nic o posiadanych przez siebie informacjach, nie wiedząc, na ile Sauron zdołał przeniknąć jego umysł i serce[14].

– Sam przekażę to władcy Barad-dûr – rzekł wyniośle. – Słyszymy się z daleka i rozprawiamy o wielkich, tyczących nas sprawach. Wam zaś do wypełnienia misji wystarczy wiedzieć, gdzie leży Shire. Jak powiedział Mithrandir, to około sześciuset mil na północ, u granic nadmorskich krain elfów.

Saruman ujrzał z radością, że Czarnoksiężnik wcale nie był tym zachwycony.

– Musicie przebyć w bród Isenę, potem okrążyć Góry i w Tharbadzie dojść do Szarego Rozlewiska. Ruszajcie czym prędzej, a ja powiadomię waszego pana, że jesteście już w drodze.

Omamiony piękną mową nawet Czarnoksiężnik uwierzył na chwilę, że Saruman to szczery sprzymierzeniec, cieszący się na dodatek wielkim zaufaniem Saurona. Nie zwlekając, Jeźdźcy odjechali od bramy i co koń wyskoczy skierowali się ku brodom na Isenie. Zaraz za nimi Saruman rozesłał wilki i orków w daremnej pogoni za Gandalfem, poza tym chciał też zademonstrować Nazgûlom swą potęgę i zapewne zniechęcić ich do kręcenia się zbyt blisko Isengardu. Pałając gniewem, pragnął również zadać nieco szkód Rohanowi, by uzasadnionym i coraz większym był w tej krainie strach przed jego osobą. Nad rozbudzaniem lęku już od dawna pracował w Edoras jego szpieg, Robaczywy Język, sączący jad w serce Théodena. Gríma od dłuższego czasu nie odwiedzał Isengardu, bawiąc w Edoras; kilku z wysłanych z pościgiem zbrojnych miało zanieść mu wieści.

Pozbywszy się Jeźdźców, Saruman wrócił do Orthanku i pogrążył się w ponurych rozmyślaniach. Zapewne postanowił nadal grać na zwłokę, mając nadzieję zdobyć jednak Pierścień dla siebie. Pomyślał, że skierowanie Jeźdźców do Shire nie ułatwi im sprawy, raczej odwrotnie, Saruman wiedział bowiem o Strażnikach i sądził też (znając proroctwo ze snu i wiedząc o misji Boromira), że Pierścień jest już zapewne w drodze do Rivendell. Natychmiast też zebrał wszystkich dostępnych mu tropicieli, szpiegów oraz obserwujące wszystko ptactwo, poinstruował ich odpowiednio i wysłał do Eriadoru.

Ta wersja omija wątek ujęcia Grímy przez Upiory Pierścienia. Robaczywy Język nie zdradza więc tu Sarumana, jako że w tak zmienionej fabule Czarni Jeźdźcy znikają z Rohanu, zanim Gandalf dociera do Edoras z ostrzeżeniem dla Théodena (zatem i Gríma o wiele później rusza w drogę[15]). Kłamstwa Sarumana wychodzą na jaw dopiero przy pojmaniu osobnika wyposażonego w mapy Shire; więcej też pojawia się tu informacji o poczynaniach tego wysłannika, oraz samego Sarumana, w kraju hobbitów.

Czarni Jeźdźcy przebyli już Enedwaith i zbliżali się w końcu do Tharbadu, gdy szczęście im dopisało. Ten sam traf, pomyślny dla nich, był jednak pechowy dla Sarumana[16] i niebezpieczny wręcz dla Froda.

Saruman od dawna zerkał na Shire, a czynił to dlatego, że Gandalf interesował się owym kraikiem, Gandalfa zaś Saruman traktował podejrzliwie. Drugi powód stanowiło

(także wynikające z sekretnego naśladowania Gandalfa) upodobanie do „ziela hobbitów"
i potrzeba regularnych dostaw, przy czym duma nie pozwalała Sarumanowi sprawy ujawnić (szczególnie iż kiedyś pokpiwał z palącego ziele Gandalfa). Potem pojawiły się jeszcze
inne motywy. Saruman lubił zwiększać zasięg swych wpływów, zwłaszcza na tereny tra-
dycyjnie związane z Gandalfem. Pieniądze, którymi płacił za ziele, stawiały go w pozycji
uprzywilejowanej, dawały mu niejaką władzę nad pewnymi kręgami hobbitów, przede
wszystkim nad rodem Bracegirdlów, posiadającym liczne plantacje, oraz nad Sackville-
-Bagginsami[17]. Zyskiwał też coraz większą pewność, że Gandalf dostrzegł jakiś związek
Shire z Pierścieniem. Wskazywała na to straż wystawiona wokół całej krainy. Tak i Saruman zaczął gromadzić szczegółowe informacje o Shire, o najważniejszych tu osobistoś-
ciach i rodach, o drogach i tym podobnych rzeczach. W samym Shire wykorzystywał do
tego hobbitów opłacanych przez Bracegirdlów oraz Sackville-Bagginsów, ponadto w charakterze jego szpiegów działali także ludzie, Dunlendingowie z pochodzenia. Gdy Gandalf odmówił współpracy, Saruman zdwoił wysiłki. Strażnicy, choć podejrzliwi, nie bronili
jednak sługom Sarumana dostępu, nie otrzymawszy od Gandalfa żadnej wiadomości ani
ostrzeżenia, a w dniu gdy Mithrandir wyruszał do Isengardu, Saruman był wciąż uznawany
za sprzymierzeńca.

Nieco wcześniej jeden z najbardziej zaufanych podwładnych Sarumana (prawdziwy
rzezimieszek wygnany z Dunlandu przez pobratymców; wielu powiadało, że był półkrwi
orkiem) zawrócił właśnie od granic Shire, gdzie umawiał się co do dalszych dostaw ziela
i innych towarów. Saruman zaczynał zaopatrywać Isengard na czas wojny. W interesującej
nas chwili wysłannik ów podążał właśnie dalej, by załatwić parę spraw, w tym także i trans-
port wielu dóbr jeszcze przed końcem jesieni[18]. Według rozkazów miał, między innymi,
wniknąć do Shire i dowiedzieć się, czy ostatnimi czasy nie opuścił tej miejscowości ktoś
znany. Zwiadowca był dobrze wyposażony w mapy, wykazy nazwisk i notatki opisujące
Shire.

W pobliżu Tharbadu został przechwycony przez Czarnych Jeźdźców. Skrajnie przerażony znalazł się rychło przed obliczem Czarnoksiężnika. W trakcie przesłuchań ocalał tylko dzięki zdradzeniu Sarumana. W ten sposób Czarnoksiężnik przekonał się, iż Saruman
z dawna wie, gdzie leży Shire, a na dodatek zna nieźle ten zakątek. A przecież prawdziwy
sojusznik mógłby a nawet powinien podzielić się tymi informacjami ze sługami Saurona.
Czarnoksiężnik usłyszał teraz niejedno, w tym i sporo o hobbicie noszącym jedyne interesujące go w Shire nazwisko: Baggins. Natychmiast postanowił ruszać do Hobbitonu, by
na miejscu dokładnie zbadać sprawę.

Wódz Nazgûli miał coraz jaśniejszy obraz sytuacji. Znał nieco te okolice z dawnych
czasów wojen z Dúnedainami, szczególnie dobrze zaś pamiętał Tyrn Gorthad w Car-
dolanie, obecne Kurhany, pełne złych mocy, które Czarnoksiężnik sam niegdyś tam ze-
słał[19]. Przypuszczając, że jego pan spodziewa się osobliwego ruchu na drodze między Shire
a Rivendell, Wódz Nazgûli uznał za stosowne przypilnować także Bree, by zdobyć tam

przynamniej informacje[20]. Nałożył zatem Cień Strachu na pojmanego Dunlendinga i wysłał go do Bree w charakterze szpiega. On to właśnie był tym zezowatym południowcem, który pojawił się w gospodzie[21].

W wersji B zauważa się, iż Czarny Wódz nie wiedział, czy Pierścień znajduje się jeszcze w Shire, więc musiał to dopiero sprawdzić.

Shire było zbyt duże, by potraktować je podobnie jak osady Stoorów, zbrojna napaść nie wchodziła w grę. Pozostawało działać ukradkiem, wzbudzając możliwie jak najmniej paniki, strzegąc przy tym wschodniej granicy. Wysłał kilku Jeźdźców do Shire, rozkazując im podróżować osobno. Spośród nich Khamûl (por. przypis 1) miał odszukać Hobbiton, gdzie według zapisków Sarumana mieszkał Baggins. Czarny Wódz rozbił obóz w Andrath, w miejscu, w którym Zielony Trakt przechodził między Kurhanami a Wzgórzami Południowymi[22]; stamtąd wysłał kilku następnych podwładnych, by patrolowali wschodnie granice, sam tymczasem odwiedził Kurhany. Notatki relacjonujące jego ówczesne działania powiadają, że Czarny Wódz został tam przez kilka dni, wywołując wielkie poruszenie pod Kurhanami. Wszelki zły duch począł hulać między wzgórzami i w Starym Lesie, wypatrując śladu wrogiego elfa czy człowieka.

3. O Gandalfie, Sarumanie i Shire

Inny plik pochodzących z tego samego okresu notatek zawiera wiele niedokończonych relacji opisujących wcześniejsze kontakty Sarumana z Shire, szczególnie te związane z „zielem hobbitów" (o czym wzmiankowano już wcześniej przy okazji „zezowatego południowca"). Poniższy tekst, chociaż nie najdłuższy spośród wielu istniejących wersji, jest jednak najbardziej dopracowany.

Saruman rychło zaczął zazdrościć Gandalfowi. Rywalizacja obróciła się ostatecznie w nienawiść, tym głębszą, że skrywaną i bardziej zapiekłą, gdyż w głębi serca Saruman dobrze wiedział, że Szary Wędrowiec dysponuje znaczniejszą potęgą i większy ma wpływ na mieszkańców Śródziemia, nawet jeśli moc swą skrywa i nie pragnie wzbudzać strachu, ani szczególnego szacunku. Nie darząc Gandalfa czcią, Saruman zaczął się go jednak bać, niepewny, ile właściwie Mithrandir odgaduje z jego prawdziwych zamiarów. Nie niepokoiły go słowa Gandalfa, lecz jego milczenie. W końcu zaczął traktować przeciwnika z mniejszym szacunkiem niż pozostali Mędrcy. Zawsze gotów był też szydzić z Gandalfa czy pomniejszać wagę jego rad. W tajemnicy jednak notował pilnie i roztrząsał wypowiedzi Szarego Wędrowca, w miarę możliwości śledził każdy jego krok.

Dzięki temu zainteresował się również obojętnymi mu dotąd niziołkami i Shire. Z początku nie domyślał się nawet, że istnieje jakikolwiek związek między poczynaniami Gandalfa w Shire a wielkimi sprawami poruszanymi przez Radę, o kwestii Pierścieni Władzy nie wspominając. Rzeczywiście, w pierwszych latach żadnej tego typu zależności nie było, a Gandalfem kierowała jedynie miłość do Małych Ludzi, zupełnie jakby głębią serca czuł więcej, niż rozum na razie mógł mu podpowiedzieć. Przez długi czas otwarcie odwiedzał Shire i opowiadał o tym każdemu, kto tylko chciał słuchać. Saruman kwitował te historie uśmiechem, niczym bajania starego włóczęgi, jednak na wszelki wypadek pilnie nadstawiał ucha.

Zauważywszy wszakże, że Gandalf uważa Shire za warte odwiedzania, Saruman zajrzał tam osobiście, potajemnie jednak i pod przebraniem. Przemierzył kraj wzdłuż i wszerz, sprawdził, dokąd biegnie która droga, jak co wygląda, aż uznał, że wie już wszystko, co o Shire wiedzieć można. Ale nawet wówczas, gdy nie widział już żadnego sensu ani pożytku w dalszej eksploracji, wciąż wysyłał tam szpiegów i swych podwładnych, by krążyli po kraju i mieli oko na jego granice. Nie wyzbył się bowiem podejrzliwości, a upadł na tyle nisko, iż pozostałych członków Rady uznał za podobnych sobie: prowadzących zawiłą i dalekowzroczną politykę mającą tak czy inaczej wywyższyć ich ponad maluczkich. Kiedy zatem długo później usłyszał o odnalezieniu Gollumowego Pierścienia przez niziołka, doszedł do wniosku, że Gandalf musiał wiedzieć o tym przez cały czas. Dolało to tylko oliwy do ognia, zwiększając gniew Sarumana, który wszelką wiedzę o Pierścieniach uważał za swoją domenę. Fakt, że Gandalf słusznie nie ufał Sarumanowi, w niczym oczywiście nie załagodził pretensji tego drugiego.

W gruncie rzeczy jednak szpiegowanie i tajne działania Sarumana nie służyły z początku złej sprawie, były tylko objawem łagodnego szaleństwa wynikłego z rozdętej dumy. Wszelako to, co świtem przedstawia się jako niewarty spojrzenia drobiazg, może ku wieczorowi okazać się sprawą najwyższej wagi. Saruman szydził z Gandalfa, obserwując zamiłowanie, z jakim ten oddawał się paleniu „ziela fajkowego" (mawiając, że już tylko za ten jeden wynalazek Mały Lud godzien jest szacunku). Saruman kpił jednak tylko jawnie, w odosobnieniu zaś wypróbował ową używkę i rychło sam zaczął popalać, przez co Shire pozostało w kręgu jego zainteresowań. Bał się jednak, że zostanie przez kogoś nakryty i wyśmiany za ukradkowe naśladowanie Gandalfa. Oto dlaczego Saruman od początku otaczał tajemnicą swe kontakty z Shire, nawet wówczas jeszcze, gdy wstęp do kraju był wolny dla chętnych i nie zalegał tu żaden podejrzany cień. Z czasem Saruman zaprzestał osobistych wypraw do Shire, dotarło doń bowiem, że jego postać nie uchodziła bystrym oczom niziołków. Niektórzy, widząc starca w szarej lub rdzawej szacie, przekradającego się przez las czy mijającego wioski o zmroku, brali go za Gandalfa.

Saruman nie zawitał już więcej w Shire, obawiając się plotek mogących przecież dojść do uszu Gandalfa. Ten wszakże wiedział już o tajemniczych wyprawach, domyślił się ich przyczyny i uśmiał jedynie, uznając je za najbardziej nieszkodliwy z Sarumanowych sekretów. Nikomu o wypadach Sarumana nie wspomniał, nie lubił bowiem szydzić z innych. Niemniej został mile zaskoczony, gdy wizyty ustały. Skłonny był coś podejrzewać chociaż nie mógł jeszcze przewidzieć, że przyjdzie taki czas, gdy wiedza Sarumana o Shire okaże się niebezpieczna i sprawi, że nieprzyjaciel znajdzie się o włos od zwycięstwa.

Inna wersja zawiera opis chwili, kiedy to Saruman otwarcie szydzi z Gandalfa popalającego „ziele fajkowe":

W późniejszych czasach, wiedziony niechęcią i strachem, Saruman unikał Gandalfa. Widywali się rzadko, jedynie podczas posiedzeń Białej Rady. O „zielu niziołków" wspomniano po raz pierwszy w trakcie zebrania w roku 2851, co wzbudziło wówczas niejakie rozbawienie. Dopiero później zaczęto postrzegać rzecz w innym świetle. Rada spotkała się w Rivendell. Gandalf siedział osobno i nie odzywając się ani słowem, kopcił zawzięcie (czego przy takiej okazji nigdy wcześniej nie robił), podczas gdy Saruman dowodził głośno, że wbrew radom Gandalfa należy jeszcze zostawić Dol Guldur w spokoju. Zarówno milczenie, jak i dym zdawały się mocno drażnić Sarumana, który tuż przed rozejściem się Rady powiedział do Gandalfa:

— Dziwi mnie trochę, Mithrandirze, że zabawiasz się z ogniem i dymem, gdy pozostali roztrząsają tak ważkie sprawy.

Ale Gandalf tylko roześmiał się i stwierdził:

— Nie dziwiłbyś się, gdybyś sam też palił owo ziele. Wiedziałbyś, że wydmuchiwany dym rozjaśnia umysł. Tak czy inaczej, pozwala on cierpliwie i bez złości wysłuchiwać podobnych bzdur. Poza tym to nie zabawa, ale prawdziwa sztuka rozwinięta przez Małych Ludzi daleko na zachodzie. Wiele wart jest ów wesoły ludek, chociaż ty zajęty ważkimi sprawami zapewne nie zwracasz nań uwagi.

Sarumanowi riposta Gandalfa nie przypadła do gustu (bo nie cierpiał, gdy ktokolwiek podśmiewał się z niego, nawet łagodnie) i odpowiedział chłodno:

— Żartujesz, panie Mithrandirze, jak zwykle zresztą. Dobrze wiem, jaki z ciebie odkrywca i badacz wszelakiego drobiazgu. A to jakieś ziele, a to dzikie zwierzę, a to jakiś zdziecinniały ludek. Jeśli nie masz nic lepszego do roboty, proszę bardzo, twoja sprawa, sam wybieraj sobie przyjaciół. Dla mnie jednak nastały zbyt mroczne czasy, by wysłuchiwać bajań podróżników. Nie zamierzam w takich okolicznościach zgłębiać rozrywek plebsu.

Tym razem Gandalf już się nie roześmiał, spojrzał tylko uważnie na Sarumana, pociągnął z fajki i wypuścił najpierw jeden wielki krąg dymu, a następnie szereg drobniejszych pierścieni. Potem uniósł rękę, jakby chciał je pochwycić, a wówczas znikły. Ostatecznie wstał i bez słowa zostawił Sarumana; ten wszakże trwał jeszcze przez chwilę milczący, z twarzą pociemniałą od gniewu i zdumienia.

Historia ta opisana została w kilku różnych rękopisach, jeden dodaje:

Saruman nie był pewien, czy dobrze odczytał gest Gandalfa usiłującego łapać pierścienie z dymu (przede wszystkim zastanawiał się, czy ma to dowodzić związku istniejącego między niziołkami a Pierścieniami Władzy, chociaż pomysł taki wydawał mu się mało prawdopodobny). Nie wiedział też, czy tak szlachetne zgromadzenie winno w ogóle interesować się podobnym ludkiem, który nie wnosi do sprawy nic prócz swej niziołkowatości.

Inny fragment (przekreślony) wykłada jasno zamiary Gandalfa:

Zirytowany obraźliwym zachowaniem Sarumana, dziwnym zrządzeniem losu Gandalf w ten właśnie sposób wyraził swe podejrzenia, iż pragnienie wejścia w posiadanie Pierścieni zaczyna dominować we wszystkich działaniach Sarumana, że temu tylko służą jego studia nad dawną wiedzą o magicznych klejnotach. Ostrzegł go też, że zwodnicze to marzenia. Można bowiem sądzić, że Gandalf nie przypuszczał jeszcze wówczas, by niziołki (a zwłaszcza ich sztuka palenia fajki) miały cokolwiek wspólnego z Pierścieniami[23]. Gdyby tak mniemał, wówczas podobnej aluzji by nie uczynił. Jednak później, gdy niziołki rzeczywiście znalazły się w centrum uwagi, Saruman gotów był przysięgać, iż Gandalf albo musiał wiedzieć o takim związku, albo rzecz przewidzieć i że skrył posiadane informacje przed Radą, a to dla własnych celów (jak uczyniłby to Saruman), czyli aby ubiec rywala i samemu zdobyć Pierścień.

Kronika Lat (*Powrót Króla*, s. 333) powiada, że owo posiedzenie Rady odbyło się w 2851 roku i że Gandalf, doradzający atak na Dol Guldur, został wtedy przegadany przez Sarumana. Zaś w przypisie do owej notki czytamy: „Znacznie później stało się jasne, że Saruman już wtedy pragnął dla siebie Jedynego Pierścienia; liczył na to, że Pierścień sam się objawi, poszukując swojego pana i dlatego chciał przez czas jakiś oszczędzić Saurona". Przytoczona opowieść dowodzi, że Gandalf podejrzewał już wówczas, w trakcie obrad Rady w 2851 roku, że Saruman o tym właśnie marzy. Ojciec stwierdził jednak w późniejszych komentarzach, że postępowanie Gandalfa podczas spotkania z Radagastem (relacjonowane na naradzie u Elronda) sugeruje raczej, iż do chwili uwięzienia w Orthanku Gandalf absolutnie nie podejrzewał Sarumana o zdradę (ani o pragnienie wejścia w posiadanie Pierścienia).

Rozdział V

Bitwy u Brodów na Isenie

Głównymi przeszkodami na drodze do łatwego podboju Rohanu byli dla Sarumana Théodred i Éomer: mężowie energiczni i w pełni oddani królowi, bardzo też przez niego umiłowani, Théodred jako jedyny syn, Éomer jako siostrzeniec. Czynili wszystko co tylko w ich mocy, aby umniejszyć wpływy Grímy, który wkradł się w łaski króla, gdy ten podupadł na zdrowiu. Stało się to na początku 3014 roku; Théoden miał wtedy sześćdziesiąt sześć lat i jego choroba mogła wynikać z naturalnych przyczyn, chociaż Rohirrimowie dożywali zwykle przynajmniej osiemdziesiątki. Niewykluczone jednak, że została wywołana lub spotęgowana truciznami podawanymi w małych dawkach przez Grímę. Tak czy inaczej, słabość Théodena i jego poczucie zależności od Grímy były w znacznej mierze owocem sprytnych działań i podszeptów złego doradcy, który dyskredytował swoich przeciwników w oczach władcy, a w miarę możliwości nawet się ich pozbywał. Jednak poróżnienie króla z tymi dwoma mężami zdawało się niewykonalne: w czasach przed „chorobą" Théoden był władcą umiłowanym tak przez lud, jak i najbliższych, a lojalność Théodreda i Éomera pozostawała niewzruszona nawet teraz, gdy król zniedołężniał na ciele i umyśle. Na dodatek Éomera nie trawiły żadne chore ambicje i darzył (trzynaście lat starszego) Théodreda miłością i szacunkiem dorównującym niemal atencji, którą miał dla przybranego ojca[1]. Gríma podjął zatem próby, by Théoden postrzegał syna i siostrzeńca jako skłóconych ze sobą przyjaciół, mówiąc jak to Éomer aż pali się do samowolnych poczynań podejmowanych bez konsultacji z królem czy następcą tronu. Osiągnął pewne sukcesy, które się uwidoczniły, gdy Saruman uśmiercił wreszcie Théodreda.

W Rohanie, gdzie znano świetnie prawdziwe relacje z bitew o brody, nikt nie miał wątpliwości, że Saruman za wszelką cenę pragnął zabić Théodreda. Podczas pierwszej bitwy wszyscy najlepsi wojownicy Sarumana rzucili się na Théodreda i jego straż, nie zwracając najmniejszej uwagi, co poza tym dzieje się na polu; ostatecznie wyszło to na dobre, ponieważ w przeciwnym razie Rohirrimowie zostaliby pokonani. Kiedy Théodred został już zabity, dowódca wojsk Sarumana (z pewnością działając według stosownych rozkazów) na pewien czas pofolgował. Saruman zaś uczynił wielki błąd (jak potem się okazało), nie ruszając od razu większymi siłami celem zajęcia Zachodniego Fałdu[2]; chociaż trzeba przyznać, że męstwo Grímbolda i Elfhelma też znacznie zaważyło na opóźnieniu ataku. Gdyby inwazja zaczęła się pięć dni wcześniej, można spokojnie przyjąć, że posiłki z Edoras z pewnością nie zdołałyby dotrzeć do Helmowego Jaru, tylko zostałyby otoczone i zniszczone na równinach. Oczywiście o ile samo Edoras nie byłoby opanowane jeszcze przed przybyciem Gandalfa[3].

Wspomniano, że męstwo Grímbolda i Elfhelma przyczyniło się do opóźnienia ataku wroga, które zemściło się na Sarumanie. Jednakże takie stwierdzenie zapewne w pełni nie oddaje wagi poświęcenia obu mężów.

Od źródeł powyżej Isengardu Isena płynęła wartko, jednak przed skręceniem ku zachodowi zwalniała nieco na równinie Wrót. Dalej przemierzała kraj opadający łagodnie ku nisko położonym nadbrzeżnym ziemiom, najdalszym zakątkom Gonduru i Enedwaith. Tam znów stawała się rzeką bystrą i głęboką. Miejsce znane jako brody na Isenie znajdowało się tuż przed kierującym ją na zachód zakolem. Rzeka rozlewała się tu szeroko i płytko, dwoma ramionami opływając wielką wyspę. Dno miała kamieniste, wysłane materiałem skalnym naniesionym z północy. Tylko w tej okolicy, na południe od Isengardu, większe siły wojska, szczególnie ciężkozbrojna konnica, były w stanie przeprawić się na drugi brzeg. Saruman stał zatem na pozycji uprzywilejowanej, mógł bowiem wysłać swoje oddziały na oba brzegi i (gdyby zaistniała taka potrzeba) zaatakować brody z dwóch stron. Wojska z zachodniego brzegu miały na dodatek możliwość, w razie czego, spokojnego wycofania się do Isengardu. Gdyby zaś Théodred postanowił wysłać przez brody większe siły, by stawić czoło oddziałom Sarumana i utrzymać zachodni przyczółek, to w przypadku porażki dla wojsk Rohanu istniała tylko jedna droga odwrotu – przez brody, i to z nieprzyjacielem na karku, a może też oczekującym na wschodnim brzegu. Droga na południe i na zachód wzdłuż brzegów Iseny wiodła donikąd, a na pewno już nie z powrotem do domu[4], chyba że było się zaopatrzonym w zapasy żywności wystarczające na długą drogę przez zachodni Gondor.

Atak Sarumana nie przyszedł niespodzianie, jednak nastąpił wcześniej, niż go oczekiwano. Zwiadowcy ostrzegli Théodreda przed wojskami zbierającymi się u bram Isengardu, głównie (jak się zdawało) na zachodnim brzegu Iseny. Théodred obsadził zatem oba podejścia, wschodnie i zachodnie, pieszymi z oddziałów Zachodniego Fałdu. Zostawiając trzy oddziały konnicy wraz z koniuchami i luzakami na wschodnim brzegu, sam przeszedł brody z główną siłą jazdy liczącą osiem éoredów i jeden oddział łuczników. Zamierzał rozgromić armię Sarumana, zanim ta będzie w pełni gotowa do bitwy.

Saruman nie ujawnił ani swych prawdziwych zamiarów, ani pełni sił zbrojnych, które wyruszyły na spotkanie Théodredowi. Udało mu się wprawdzie roznieść napotkaną awangardę wroga, jednak im dalej postępował ku głównej armii, tym silniejszy opór napotykał. Nieprzyjaciel był w istocie rzeczy gotowy na jego przyjęcie i czekał za linią okopów obsadzonych przez wojowników z pikami. Théodred, wraz z prowadzącym éoredem, został zatrzymany i niemal otoczony, gdyż nowe grupy konnicy, która wypadła z Isengardu, zaczęły zajeżdżać od zachodu.

Z opresji wybawiły go kolejne oddziały nadciągające od brodów, jednak gdy spojrzał na wschód, mocno się zaniepokoił. Poranek był mroczny i mglisty, ale podmuch z zachodu wtłoczył właśnie opary do Bramy i daleko, na wschodnim brzegu rzeki, Théodred wypatrzył następne zgrupowanie spieszące ku brodom. Nie udało mu się ustalić jego liczebności, jednak z miejsca nakazał odwrót. Dobrze wyćwiczeni w wykonywaniu tego manewru jeźdźcy przeszeregowali się bez większych strat, jednak nie zdołali oderwać się od nieprzyjaciela i tylna straż (dowodzona przez Grimbolda) musiała często zawracać i odpierać ataki najzagorzalszych spośród ścigających.

Do brodów Théodred dotarł niedługo przed wieczorem. Nakazał Grimboldowi objąć dowództwo nad oddziałami zostawionymi na zachodnim brzegu (dodawszy mu pięćdziesięciu spieszonych jeźdźców), resztę zaś konnicy i wierzchowców odsyłając czym prędzej za rzekę. Sam ze swymi spieszonymi ludźmi obsadził wysepkę, by osłaniać odwrót Grimbolda, gdyby ten został wyparty. Ledwo to uczynił, zdarzyło się nieszczęście. Wschodnie oddziały Sarumana zaatakowały nieoczekiwanie szybko; była to siła mniejsza niż ta na zachodnim brzegu, znacznie jednak groźniejsza. Jej awangardę tworzyli jeźdźcy z Dunlandu i wielka rzesza orków usadzonych na grzbietach wilków siejących popłoch wśród koni[5]. Za nimi ciągnęły dwa bataliony zażartych Uruków, ciężkozbrojnych, lecz przywykłych do długiego oraz szybkiego marszu. Straż przednia spadła na koniuchów, zabijając i rozganiając spętane konie. Zaskoczona nagłą i zmasowaną napaścią Uruków załoga na wschodnim brzegu została odrzucona od rzeki, a jeźdźcy, którzy dopiero co przebyli brody, znaleźli się w pułapce. Chociaż walczyli zawzięcie, musieli wycofać się wzdłuż Iseny, mając Uruków na karku.

Gdy tylko nieprzyjaciel opanował wschodni brzeg, na scenie zdarzeń pojawił się oddział utworzony z ludzi lub półkrwi orków (wyraźnie trzymany w odwodzie na tę okazję), istot groźnych, odzianych w kolczugi, z toporami w dłoniach. Z obu stron pospieszyli ku wysepce. W tym samym czasie inne siły zaatakowały Grimbolda na zachodnim brzegu. Gdy spojrzał on ku wschodowi, zdumiony dobiegającymi stamtąd odgłosami walki i zwycięskimi wrzaskami orków, ujrzał toporników odpychających podkomendnych Théodreda od brzegów ku małemu wzniesieniu pośrodku wysepki. Usłyszał także gromki głos Théodreda: „Do mnie, Eorlingowie!" W jednej chwili Grimbold, zebrawszy kilku tych, którzy znajdowali się najbliżej, ruszył ku rzece. Będąc mężem silnym i słusznej postury, tak gwałtowny atak przypuścił na tyły przeciwnika, że wraz z dwoma jeszcze towarzyszami zdołał przebić się na sam szczyt wysepki, gdzie stał osaczony Théodred. Za późno. W tejże samej chwili Théodred padł pod ciosem wielkiego orka. Grimbold zabił napastnika i stanął nad ciałem Théodreda, mając go za martwego. Sam też rychło by tam poległ, gdyby nie nadejście Elfhelma.

Elfhelm pospieszał konnym traktem z Edoras, prowadząc cztery oddziały, po które posyłał Théodred. Oczekiwał, że bitwa rozegra się dopiero za kilka dni, wszakże zbliżywszy się do zbiegu konnego traktu z gościńcem wiodącym od jaru, otrzymał od zwiadowców na prawym skrzydle meldunek o dostrzeżonych na polach jeźdźcach dosiadających wilków. Wyczuwając, co się święci, nie skręcił do Helmowego Jaru na nocleg (jak pierwotnie zamierzał), tylko co koń wyskoczy podążył ku brodom. Konny trakt kierował się za gościńcem na północny zachód, jednak na wysokości brodów skręcał ostro w zachodnią stronę, mając jeszcze jakieś dwie mile prostej drogi do rzeki. W ten sposób Elfhelm nie widział ani nie słyszał nic z walki między wycofującą się konnicą a masą Uruków na południe od brodów. Wreszcie o zachodzie słońca, gdy światło zaczynało już zamierać, zbliżył się do zakrętu, gdzie spotkał kilka spłoszonych koni i uciekinierów niosących wieść o klęsce. Mimo zmęczenia ludzi i koni, przyspieszył. Ledwo wschodni brzeg znalazł się w polu jego widzenia, Elfhelm dał hasło do szarży.

Isengardczycy zostali kompletnie zaskoczeni. Nagle usłyszeli tętent kopyt i zaraz zalała ich nadciągająca z mroczniejącego wschodu wielka fala czarnych cieni (jak im się zdało) wiedziona przez Elfhelma. Obok niego, niczym drogowskaz dla tylnych szeregów, niesiono białą chorągiew. Mało kto stawił mu czoło, większość uciekła na północ, ścigana przez dwa éoredy Elfhelma. Pozostałym kazał zsiąść z koni, by strzec wschodniego brzegu, sam jednak niezwłocznie ruszył ze swymi przybocznymi ku wysepce. Topornicy znaleźli się teraz między ocalałymi obrońcami a odsieczą Elfhelma, przy czym oba brzegi znów znalazły się w rękach Rohirrimów. Nie poddali się, zostali wszakże wybici do nogi. Sam Elfhelm rzucił się ku szczytowi wysepki, gdzie znalazł Grimbolda walczącego z dwoma wielkimi topornikami o poległego Théodreda. Elfhelm od razu zabił jednego, drugi uległ Grimboldowi.

Elfhelm schylił się, by podnieść ciało, ale okazało się, że Théodred jeszcze oddycha, jednak życia zostało mu już tylko tyle, by wypowiedzieć tych kilka ostatnich słów: „Pochowajcie mnie tutaj, bym strzegł brodów, aż Éomer nadejdzie!" Zapadła noc. Chropawo zagrały rogi, potem zaległa cisza. Napór na zachodnim brzegu ustał, nieprzyjaciel zniknął w ciemnościach. Rohirrimowie utrzymali brody na Isenie, ale ponieśli przy tym nader ciężkie straty. Zginął syn króla, brakowało dowódcy i nikt nie wiedział, co zdarzy się dalej.

Gdy po zimnej, bezsennej nocy blady świt rozjaśnił niebo, jedynym śladem obecności Isengardczyków byli liczni polegli porzuceni na polu walki. Gdzieś daleko wyły wilki czekające, aż żywi odejdą z pobojowiska. Wielu tych, którzy zostali rozproszeni nagłym atakiem, wracało z wolna, niektórzy konno, inni prowadzili odzyskane wierzchowce. Późnym rankiem pojawili się jeźdźcy Théodreda wyparci przez czarnych Uruków na południe wzdłuż rzeki; byli sterani walką, ale nie poszli w rozsypkę. Mieli niejedno do opowiedzenia. Zajęli posterunek na niskim wzgórzu i przygotowali je do obrony. Chociaż odparli ataki sił Isengardu, odwrót na południe bez zapasów, nie miał szans na powodzenie. Urukowie uniemożliwiali jakikolwiek manewr ku wschodowi, spychając ich ku wrogiemu obecnie krajowi zachodniej Marchii Dunlendingów. Gdy jednak nocą jeźdźcy szykowali się do odparcia kolejnego szturmu, rozległ się dźwięk rogu i rychło okazało się, że nieprzyjaciel odstąpił. Rohirrimowie mieli za mało koni, by próbować pościgu czy nawet wysyłać zwiadowców, z których w nocy niewielki byłby zresztą pożytek. Po jakimś czasie ruszyli ostrożnie na północ, ale nie spotkali przeciwnika. Pomyśleli, że Urukowie wrócili, by wzmocnić siły przy brodach. Oczekując nowej potyczki, Rohirrimowie ze zdumieniem natrafili tylko na swoje oddziały. Dopiero później dowiedzieli się, gdzie właściwie przepadli Urukowie.

Tak skończyła się pierwsza Bitwa u Brodów na Isenie. Druga nie została nigdy opisana w podobnie szczegółowy sposób, jako że zaraz po niej nastąpiły o wiele istotniejsze wypadki. Erkenbrand z Zachodniego Fałdu przejął właśnie dowództwo nad Zachodnią Marchią, gdy następnego dnia dopadły go w Rogatym Kasztelu wieści o śmierci Théodreda. Wysłał do Edoras umyślnych, by przekazali Théodenowi ostatnie słowa syna, i dodał jeszcze własną prośbę, iżby bez zwłoki wysłano Éomera z największymi siłami, jakie tylko da się wydzielić[6].

– Niech obrona Edoras dokona się tutaj, na Zachodzie – powiedział. – Nie czekajmy, aż oblężenie podejdzie pod mury miasta.

Gríma wszakże wykorzystał spokojny ton owej prośby, by spowodować opóźnienie wymarszu. Aż do chwili zdemaskowania szpiega przez Gandalfa nie uczyniono dosłownie nic, a po południu owego dnia, drugiego marca, kiedy Éomer i sam król wyruszyli wreszcie z wojskiem, druga Bitwa u Brodów zakończyła się już klęską i najazd na Rohan był w pełnym toku.

Erkenbrand nie od razu podążył na pole bitwy. Nie wiedział, jakie siły zdoła zebrać w pośpiechu, nie był też w stanie oszacować strat oddziałów Théodreda. Słusznie uznał, że napaść jest już bliska, ale Saruman nie odważy się skierować na wschód, ku Edoras, nie zajmując pierwej Rogatego Kasztelu. Takie właśnie rozumowanie, jak i gromadzenie możliwie największej liczby ludzi z Zachodniego Fałdu zajęło mu trzy dni. Dowództwo wojsk stojących u brodów powierzył tymczasem Grimboldowi, nie przejmując jednak komendy nad Elfhelmem i jego jeźdźcami, którzy należeli do zaciągu Edoras. Obaj dowódcy byli jednak serdecznymi przyjaciółmi, ludźmi mądrymi i lojalnymi, dlatego nie doszło między nimi do żadnych tarć, a rozkazy wydawane wojskom stanowiły kompromis między opiniami jednego i drugiego. Elfhelm uważał, że brody straciły istotne znaczenie, że tylko uwiążą ludzi, a tych z większym pożytkiem można by skierować gdzie indziej. Dowodził, że Saruman rychło wyśle swe oddziały wzdłuż obu brzegów Iseny z niewątpliwym zamiarem ogarnięcia Zachodniego Fałdu i zajęcia Rogatego Kasztelu, zanim przybędzie pomoc z Edoras. Przewidywał, że nieprzyjacielska armia (lub większa jej część) nadejdzie wzdłuż wschodniego brzegu Iseny. Wybierając trasę przez bezdroża, napastnicy godzili się wprawdzie na spowolnienie marszu, jednak uwalniało ich to od konieczności wywalczenia sobie przejścia przez brody. Elfhelm radził porzucić brody i zebrać wszystkich pieszych na wchodnim brzegu w ten sposób, aby mieli przewagę nad zbliżającym się przeciwnikiem: chciał ustawić ich w długiej, ze wschodu na zachód biegnącej linii, na wzniesieniu położonym kilka mil na północ od brodów; jazdę zaś proponował wycofać ku wschodowi aż do miejsca, skąd mogłaby z wielkim impetem zaszarżować na skrzydło uwikłanego w obronę przeciwnika i zepchnąć go do rzeki.

— Niech Isena stanie się pułapką dla nich, a nie dla nas!

Grimbold wszakże nie kwapił się do opuszczenia brodów. Zarówno on, jak i Erkenbrand wychowywali się w Zachodnim Fałdzie, którego mieszkańcy zwykli myśleć, że brodów należy bronić za wszelką cenę. I nie był to sąd tak zupełnie niedorzeczny.

— Nie wiemy — powiedział — jakimi jeszcze siłami dysponuje Saruman. Jeśli jednak zamierza najechać Zachodni Fałd, zapędzić jego obrońców do Helmowego Jaru i tam ich oblegać, to musi być naprawdę potężny. Wątpię, by zamierzał od razu okazać całą swą moc. Gdy tylko domyśli się lub odkryje, jaką obronę uszykowaliśmy, z pewnością wyśle czym prędzej liczne oddziały drogą wprost z Isengardu, przekroczy niestrzeżone brody i zajdzie nas od tyłu. Tak będzie, jeśli przesuniemy się ku północy.

Ostatecznie Grimbold obstawił zachodni brzeg większością swoich pieszych wojowników. Tam zajmowali mocną pozycję na ziemnych fortach strzegących podejść do brodów. On sam natomiast, wraz z resztą swoich ludzi (jak i z tym, co zostało z konnicy Théodreda) pozostał na wschodnim brzegu. Ostrowa pośrodku rzeki nie obsadzono[7]. Elfhelm zaś wycofał się z jeźdźcami w miejsce, gdzie zamyślał wcześniej ustanowić główną linię obrony. Jego zadaniem było zażegnać w razie potrzeby groźbę ataku ze wschodu i rozbić oddziały nacierającego wzdłuż rzeki nieprzyjaciela, zanim ten dotrze do brodów.

Wszystko jednak poszło nie tak i zapewne nie mogło stać się inaczej, niezależnie od przyjętego planu. Wojska Sarumana były zbyt liczne.

Bitwa zaczęła się za dnia. Przed południem drugiego marca siła najlepszych wojowników Sarumana nadeszła drogą z Isengardu i zaatakowała forty na zachodnim brzegu Iseny. W gruncie rzeczy natarła tylko drobna część wojsk, tak dobrana, by znieść wcześniej osłabionych obrońców. Jednak załoga u brodów, chociaż bita już samą liczbą nieprzyjaciół, stawiła mężnie opór. W końcu, gdy oba forty związane zostały w walce, oddział Uruków przedarł się między nimi i zaczął pokonywać brody. Grimbold, ufając, że Elfhelm powstrzyma atak ze wschodu, poszedł ze wszystkimi podlegającymi mu ludźmi i na krótko zdołał odeprzeć napastników. Wszakże wówczas dowódca wroga rzucił do walki nowy oddział, który nie udzielał się dotąd w bitwie, i złamał obronę Rohirrimów. Tuż przed zachodem słońca Grimbold musiał wycofać się za Isenę. Poniósł wielkie straty, o wiele większe spustoszenie poczynił jednak w szeregach nieprzyjaciół (głównie orków) i wciąż mocno trzymał się na wschodnim brzegu. Przeciwnik jeszcze nie próbował przekroczyć brodów ani wywalczyć sobie drogi na stromych zboczach, by znieść Grimbolda – jeszcze nie.

Elfhelm nie mógł wziąć w tym wszystkim udziału. O zmroku postąpił w tył ku Grimboldowi, rozstawiając oddziały w pewnej odległości od obozowiska, by strzegły go przed napaścią z północy i ze wschodu. Z południa nie wypatrywano żadnej groźby, pilnie natomiast oczekiwano posiłków. Po wycofaniu się za Isenę wysłano zaraz do Erkenbranda gońców z meldunkami o rozwoju sytuacji. Obawiając się większej siły zła, będąc wręcz pewnymi, że zwali im się ona niedługo na głowy (o ile nie nadejdzie szybka pomoc, na którą nikt nie liczył), obrońcy zrobili wszystko, by jak najdłużej dotrzymać pola Sarumanowi, chociaż wiedzieli, że w końcu i tak będą musieli ulec[8]. Większość wojowników czuwała z bronią u nogi, tylko nieliczni spróbowali złapać nieco snu. Grimbold i Elfhelm bezsennie oczekiwali świtu, pełni obaw, co też on przyniesie.

Nie musieli czekać długo. Trwała jeszcze głęboka noc, gdy dostrzegli ogniki nadciągające od północy i zbliżające się do zachodniego brzegu rzeki. To awangarda całej reszty armii Sarumana ruszała na podbój Zachodniego Fałdu[9]. Maszerowali bardzo szybko i nagle zdało się, że wrogie hordy buchnęły płomieniem. Od pochodni niesionych przez dowódców odpalono setki innych i całość ze strasznym wrzaskiem nienawiści przelała się ognistym strumieniem przez brody. Wielka kompania łuczników mogłaby solidnie przetrzebić nieprzyjaciela, celując w pochodnie, ale łuczników Grimbold miał ledwie garstkę. Nie będąc w stanie utrzymać wschodniego brzegu, wycofał się, formując wielki mur tarcz wokół obozowiska. Rychło został otoczony, a napastnicy poczęli rzucać pochodnie między jego wojowników i wysoko ponad ich głowami, chcąc podpalić zgromadzone zapasy oraz spłoszyć konie. Mur tarcz wytrzymał, zatem orków, którzy z racji postury niezbyt nadawali się do takiej walki, zastąpili bitni dunlandzcy górale. Jednak mimo palącej nienawiści, Dunlendingowie wciąż bali się stanąć twarzą w twarz z Rohirrimami, mniej też byli wprawni w walce i gorzej uzbrojeni[10]. Osłona z tarcz stała wciąż twardo.

Na próżno Grimbold wypatrywał pomocy z Rogatego Kasztelu. Nikt nie przybył. Ostatecznie postanowił zrealizować (na ile się da) plan, który ułożył sobie już wcześniej, przewidując, że może znaleźć się w podobnie beznadziejnym położeniu. Rozumiał postępowanie Elfhelma i wiedział, że nawet najdzielniejsza walka jego własnych ludzi, nawet ich chwalebna śmierć, jeśli padnie rozkaz trwania do końca, nie pomoże Erkenbrandowi. Każdy, kto żywy zdoła się wyrwać i uciec na południe, będzie o wiele cenniejszy, jakkolwiek można by uznać taki postępek za mało honorowy.

Dookoła panował gęsty mrok, ale zza chmur zaczął wyglądać przybierający Księżyc. Ruszył się wiatr ze wschodu, zwiastun nadciągającej nad Rohan burzy, która następnej nocy miała rozszaleć się nad Rogatym Kasztelem. Grimbold pojął nagle, że większość pochodni zgasła i atak utracił swój impet[11]. Czym prędzej nakazał siadać na koń jeźdźcom posiadającym jeszcze wierzchowce (utworzyło się ledwie pół éoredu) i powierzył ich dowództwu Dúnhere'a[12]. Mur tarcz rozwarł się po wschodniej stronie i jeźdźcy wyjechali, odpychając w tym miejscu napastników. Następnie rozdzielili się, po czym zawróciwszy, natarli na wroga z północy i południa. Manewr okazał się chwilowo skuteczny. W pomieszane szyki wojsk Sarumana wkradło się przerażenie, wielu myślało nawet, że oto wielki oddział jeźdźców przybył ze wschodu. Grimbold pozostał spieszony wraz z tylną strażą złożoną ze starannie dobranych uprzednio ludzi i przez moment osłaniał, wraz z dowodzonymi przez Dúnhere'a jeźdźcami, resztę wycofujących się pospiesznie wojowników. Lecz dowódca wojsk Sarumana zauważył rychło, że oto ściana tarcz pękła i że obrońcy uchodzą. Szczęśliwie chmury znów przesłoniły Księżyc i zapadły ciemności, na dodatek wspomnianemu dowódcy bardzo zależało na czasie i nie pozwolił, by jego oddziały zapuszczały się w mroki nocy w pościgu za nieprzyjacielem, szczególnie teraz, gdy udało się już przechwycić brody. W miarę możliwości uporządkował swe siły i czym prędzej skierował się gościńcem na południe. W ten sposób większość ludzi Grimbolda uszła z życiem. Rozproszyli się wprawdzie w ciemnościach, ale zgodnie z wcześniejszym rozkazem wszyscy podążyli ku zakrętowi gościńca przed brodami. Z ulgą i zdumieniem nie napotkali przeciwnika, nie wiedząc, że cała wielka armia już kilka godzin temu pomaszerowała na południe, zostawiając Isengard osłaniany niemal wyłącznie przez mocną bramę i mury[13].

Dlatego też nie nadeszła żadna pomoc od Elfhelma. Ponad połowa wojsk Sarumana została wysłana wschodnim brzegiem w dół Iseny. Poruszali się wolniej, jako że teren był trudniejszy i pozbawiony dróg, nie palili też świateł. Poprzedzała ich jednak szybka a cicha straż złożona z kilku drużyn groźnych wilczych jeźdźców. Zanim Elfhelm zdołał zorientować się, że nieprzyjaciel nadciąga, wilki były już między jego wojownikami a obozowiskiem Grimbolda. Atakujący próbowali otoczyć każdą grupę jeźdźców z osobna. Było zupełnie ciemno i wojsko poszło w rozsypkę. Elfhelm zebrał w zwarty oddział kogo tylko mógł, ale musiał wycofać się na wschód. Wiedział, że nie zdoła dołączyć do Grimbolda, choć zdawał sobie sprawę, że tamten jest w trudnym położeniu. Najazd wilczych jeźdźców nastąpił dokładnie w chwili, gdy Elfhelm miał ruszyć ku brodom na pomoc. Słusznie domyślił się wszakże, iż wilki stanowią tylko awangardę o wiele większych sił ciągnących ku drodze na południe i że sam tej potędze nie podoła. Noc dobiegała końca i jedyne, co mu pozostało, to czekać na świt.

Co było dalej, tego nie wiadomo dokładnie, jako że jeden Gandalf zgłębił cały bieg wypadków. Wiadomość o klęsce otrzymał późnym popołudniem trzeciego dnia marca[14]. Król znajdował się wówczas niedaleko miejsca, w którym gościniec łączył się z drogą do Rogatego Kasztelu, około dziewięćdziesięciu mil od siedziby Sarumana. Skłaniając Cienistogrzywego do jak najszybszego galopu, Gandalf dotarł tam wczesnym wieczorem[15]. Zabawił u bramy nie więcej niż dwadzieścia minut. Zarówno w drodze do Isengardu (kiedy podążając prostym szlakiem, znalazł się w pobliżu brodów), jak i podczas powrotu na południe (w poszukiwaniu Erkenbranda) nie mógł nie spotkać Grimbolda i Elfhelma. Obaj byli przekonani, że Gandalf działa w imieniu króla, nie tylko za sprawą wierzchowca czarodzieja, ale i dlatego, że Mithrandir znał imię ich gońca, Ceorla, a także treść posłania, które tamten niósł. Rady Gandalfa przyjęli zatem jak rozkazy[16]. Grimbold wysłał swoich ludzi na południe, by dołączyli do Erkenbranda...[17]

Dodatek

I

W pismach towarzyszących powyższemu tekstowi znaleźć można więcej szczegółów na temat marszałków Marchii, według stanu z 3019 roku i po zakończeniu Wojny o Pierścień:

Marszałek Marchii (albo Riddermarchii) to najwyższa szarża w armii Rohanu i jednocześnie godność zastępcy króla (pierwotnie było trzech marszałków), miano dowódcy monarszej gwardii złożonej z doskonale wyposażonych i wyćwiczonych jeźdźców. Pierwszy marszałek sprawował pieczę nad Edoras (stolicą) i przyległymi Ziemiami Królewskimi (włącznie z Harrowdale). Dowodził jeźdźcami zaciągu Edoras i podległych mu terenów oraz niektórych okolic Marchii Zachodniej i Wschodniej[18], dla których Edoras było najdogodniejszym miejscem zbiórki. Marszałkowie drugi i trzeci obejmowali dowództwo wedle potrzeby. Na początku 3019 roku, kiedy to znacząco wzrosło zagrożenie ze strony Sarumana, drugi marszałek, królewski syn Théodred, sprawował pieczę nad Zachodnią Marchią, siedzibę mając w Helmowym Jarze. Trzecim marszałkiem był siostrzeniec króla, Éomer, i on odpowiadał za Wschodnią Marchię. Jego baza znajdowała się w rodzinnym Aldburgu[19].

W czasach Théodena nie mianowano nikogo na stanowisko pierwszego marszałka. Théoden objął tron w młodym wieku (trzydziestu dwóch lat); był przy tym energiczny, dobrze jeździł konno i uwielbiał wojaczkę. W razie wojny sam miał objąć dowództwo nad zaciągiem Edoras, ale przez wiele lat pokój panował w jego królestwie, tak zatem pokazywał się ze swoimi żołnierzami jedynie na ćwiczeniach i paradach, chociaż przez całe jego życie nieustannie rósł rozbudzony na nowo cień Mordoru. W czasie pokoju jeźdźcy i inni zbrojni garnizonu Edoras pozostawali pod dowództwem oficera w randze marszałka (w latach 3012–3019 był nim Elfhelm). Sytuacja nie uległa zmianie nawet po przedwczesnym, jak można sądzić, zestarzeniu się Théodena. Nadal nie istniało żadne efektywne centrum dowodzenia, po części za sprawą królewskiego doradcy, Grímy. Coraz bardziej niedołężny król rzadko opuszczał pałac i z czasem zwykł przekazywać swe polecenia dla Hámy (kapitana gwardii), Elfhelma, a nawet dla marszałków Marchii, za pośrednictwem Grímy, zwanego Robaczywym Językiem. Nadal słuchano tych rozkazów, przynajmniej w obrębie Edoras, chociaż czyniono to bez zachwytu. Gdy zaczęła się wojna z Sarumanem, Théodred z własnej inicjatywy przejął naczelne dowództwo, zarządzając zaciąg w Edoras, po czym wysłał sporą liczbę jeźdźców (dowodzonych przez Elfhelma), by wzmocnili zaciąg Zachodniego Fałdu i pomogli odeprzeć napaść.

W okresie wojny czy innych niepokojów każdy z marszałków Marchii miał pod swoją komendą jeden éored pozostający w stanie gotowości do wykorzystania w pilnej potrzebie według uznania dowodzącego. (Oddział ten był częścią „gospodarstwa" marszałka, czyli kwaterował pod bronią w jego siedzibie). Éomer w gruncie rzeczy nie uczynił niczego więcej[20], jednak (za podszeptem Grímy) oskarżony został o samowolę, król bowiem zabronił mu w tym przypadku wyprowadzać jakiekolwiek siły Wschodniej Marchii z Edoras, które pozbawione było stosownej obrony. Ponadto zarzucono mu, że wiedział o klęsce u brodów na Isenie oraz o śmierci Théodreda, a mimo to ruszył za orkami na północ odległego Emnetu Wschodniego. Poza tym złamał zakaz puszczania wolno obcych wędrujących po stepach Rohanu, a co gorsza, użyczył im koni.

Po śmierci Théodreda dowództwo nad Zachodnią Marchią (ponownie przy braku jakichkolwiek rozkazów z Edoras) przejął Erkenbrand, władca Helmowej Roztoki i rozległych ziem w Zachodnim Fałdzie. W młodości, jak większość możnych, służył jako oficer w gwardii królewskiej, ale tę funkcję już porzucił. Niemniej był najważniejszą postacią Zachodniej Marchii i w razie niebezpieczeństwa grożącego jego ludowi miał prawo wezwać wszystkich zdolnych do noszenia broni, aby odeprzeć atak. Na tej zasadzie przejął również dowództwo nad jeźdźcami zachodniego zaciągu, zostawiając Elfhelmowi komendę nad wezwanymi przez Théodreda jeźdźcami zaciągu Edoras.

Sytuacja zmieniła się, gdy tylko Gandalf uzdrowił Théodena. Król osobiście objął dowództwo i uwolniono Éomera, który stał się w gruncie rzeczy pierwszym marszałkiem, gotowym przejąć komendę, gdyby król zginął lub opadł z sił. Nie używano wszakże tego tytułu, a Éomer mógł jedynie (w obecności króla) służyć radą, bez prawa wydawania rozkazów. Odegrał niemal dokładnie tę samą rolę co Aragorn, ucieleśniając ideały waleczności i rycerskości w otoczeniu króla Théodena[21].

Kiedy pełny zaciąg zebrał się w Harrowdale i zdecydowano już o trasie przemarszu oraz taktyce[22], Éomer zachował swą pozycję, wyruszając wraz z królem jako dowódca wiodącego éoredu, czyli drużyny królewskiej, i pełniąc obowiązki doradcy króla. Elfhelm został marszałkiem Marchii i poprowadził pierwszy éored zaciągu Wschodniej Marchii. Grimbold (przedtem niewymieniony w opowieści) sprawował jedynie funkcję trzeciego marszałka, nie nosząc tego tytułu, i dowodził zaciągiem Zachodniej Marchii[23]. Grimbold padł w Bitwie na Polach Pelennoru, Elfhelm został zaś potem przybocznym Éomera, już jako króla. Wyruszając do Czarnej Bramy, jemu to właśnie powierzył Éomer dowództwo nad wszystkimi Rohirrimami w Gondorze, on też odparł wrogą armię, która najechała Anórien (*Powrót Króla,* księga piąta, koniec rozdziału dziewiątego i początek dziesiątego). Został również wskazany jako jeden z ważnych świadków koronacji Aragorna (tamże, s. 220).

Odnotowano, że po pogrzebie Théodena, kiedy Éomer zaprowadził porządek w królestwie, uczynił Erkenbranda marszałkiem Zachodniej Marchii, a Elfhelma marszałkiem Wschodniej Marchii, wprowadzając te równoważne tytuły na miejsce określeń: drugi i trzeci marszałek, przez co nie mogło już być mowy o jakiejkolwiek podległości. Na wypadek czasu wojny stworzono nowe stanowisko wicekróla, który rządził królestwem, gdy władca wyprawiał się w pole wraz z armią, lub przejmował komendę nad uszykowanym wojskiem, jeśli król z jakiegoś powodu zostawał w pałacu. W czasach pokoju urząd ten obsadzano wyłącznie w wypadku choroby albo starczej niedołężności monarchy. Naturalną koleją rzeczy wicekrólem zostawał wówczas następca tronu (o ile był w stosownym wieku). Rada niechętnie jednak odnosiła się do pomysłu, by posunięty w latach król wysyłał swego następcę na wojnę poza granice królestwa (o ile nie miał więcej niż jednego syna).

II

Podaję tutaj długi przypis dołączony do tego fragmentu tekstu, który omawia zaistniałą między dowodzącymi różnicę zdań w kwestii obsadzenia brodów na Isenie. Początkowo powtarzają się wprawdzie rzeczy wspominane już gdzie indziej w tej książce, uznałem jednak, że najlepiej będzie przytoczyć całość.

W dawnych czasach południowe i wschodnie granice Północnego Królestwa przebiegały wzdłuż Szarego Rozlewiska, zachodnią granicą Południowego Królestwa była Isena. Ziemie pomiędzy nimi (Enedwaith [„tereny środkowe"], inaczej Pustkowie Zachodnie) rzadko odwiedzali Númenorejczycy i nikt tam się nie osiedlał. W czasach królów obszar ten należał do Gondoru[24], małe miał wszakże znaczenie dla władców, którzy kazali jedynie patrolować i utrzymywać w dobrym stanie wielką Drogę Królewską prowadzącą z Osgiliath i Minas Tirith do Fornostu na dalekiej Północy. Droga pokonywała brody na Isenie, dalej zaś biegła przez wyżej położone tereny w centrum na północnym wschodzie Enedwaith, aż w dolnym biegu Szarego Rozlewiska schodziła ku zachodnim ziemiom. Szare Rozlewisko pokonywała po wysokiej grobli wiodącej do dużego mostu w Tharbadzie. W owych dniach bagna u ujścia Szarego Rozlewiska do Iseny zasiedlone były jedynie przez kilka plemion Dzikich Ludzi, rybaków i myśliwych polujących na ptactwo, przypominających mową i urodą Drúedainów z lasów Anórien[25]. U stóp zachodnich zboczy Gór Mglistych żyli jeszcze ci, których Rohirrimowie nazwali później Dunlendingami: lud ponury, spokrewniony z pradawnymi (i przeklętymi przez Isildura[26]) mieszkańcami dolin w Górach Białych. Nie darzyli oni Gondoru miłością, jednak byli nieliczni i nazbyt bali się potęgi królów, by ich niepokoić, czy przestać czujnie wypatrywać ku wschodowi, skąd zawsze nadciągały ku nim największe plagi. Podobnie jak wszyscy mieszkańcy Arnoru i Gondoru, Dunlendingowie też ucierpieli podczas Wielkiej Zarazy w latach 1636–37 Trzeciej Ery, jednak nie tak srodze, mieszkali bowiem w sporym oddaleniu od innych ludzi i niewiele z nimi mieli kontaktów. Kiedy dni królów dobiegły końca (1975–2050) i Gondor począł słabnąć, w gruncie rzeczy przestali być jego poddanymi. Biegnąca przez Enedwaith Droga Królewska niszczała, zaniedbana, a most w Tharbadzie runął i tylko brodząc po jego szczątkach ktokolwiek zdołałby (ze sporym ryzykiem) przejść przez rzekę. Granicę Gondoru wyznaczały Isena i Wrota Calenardhonu (jak je wówczas zwano). Wrót strzegły fortece Aglarond (Rogaty Kasztel) i Angrenost (Isengard). Brodów na Isenie, jedynego łatwego dojścia do Gondoru, pilnowano nieustannie przed atakiem z Dzikich Krajów.

Jednak podczas Niespokojnego Pokoju (2063–2460) znacznie spadła liczebność mieszkańców Calenardhonu. Co bardziej energiczni spośród nich rok w rok wyruszali na wschód, bronić linii Anduiny. Reszta zaś przeistaczała się z wolna w zwykłych wieśniaków, którym obce były sprawy Minas Tirith. Nie obsadzano już fortów, powierzając je pieczy miejscowych dziedzicznych kacyków. Ich poddani natomiast w coraz mniejszym stopniu przypominali dawny lud, mieszając się z Dunlendingamii migrującymi tu nieustannie (i bez jakiejkolwiek kontroli) zza Iseny. Dopiero gdy Gondor znów został zaatakowany ze wschodu i orkowie wraz z Easterlingami zalali Calenardhon oraz obległi forty (które nie mogły się długo utrzymać), pojawili się Rohirrimowie. Po zwycięstwie Eorla na polach Celebrantu w 2510 roku ten bitny i liczny lud (wielce bogaty w konie) opanował Calenardhon, wypędzając lub wybijając najeźdźców ze wschodu. Namiestnik Cirion darował im Calenardhon, zwany odtąd Riddermarchią, w Gondorze zaś Rochandem (później Rohanem). Rohirrimowie od razu zaczęli zasiedlać te tereny, chociaż za panowania Eorla nieprzyjaciel wciąż napadał na wschodnie granice wzdłuż Emyn Muil i Anduiny. Jednak za Brega i Aldora usunięto ostatecznie Dunlendingów za Isenę, przy której brodach znów zaczęto czuwać. W ten to sposób Dunlendingowie znienawidzili Rohirrimów. Wrogość ta nie wygasła aż do powrotu króla, w odległej przyszłości. Ilekroć Rohirrimowie słabli lub popadali w jakieś kłopoty, tylekroć Dunlendingowie ponawiali ataki.

Żaden sojusz w historii ludzi nie był nigdy równie pilnie dotrzymywany przez obie strony, jak przymierze Gondoru z Rohanem zawarte słowami Ślubowania Ciriona i Eorla. Nie mogły też zyskać rozległe stepy Rohanu lepszych strażników niż Jeźdźców Marchii. Niemniej sytuacja ta miała również pewne minusy, co okazało się podczas Wojny o Pierścień, kiedy Gondorowi i Rohanowi groziło unicestwienie. Nade wszystko, Gondor zawsze czujnie śledził wydarzenia na wschodzie, skąd zawsze pochodziło największe niebezpieczeństwo; niedobitki „dzikich" Dunlendingów nie przyciągały większej uwagi namiestników. Po drugie, namiestnicy zachowali pod swymi rozkazami wieżę Orthanku i Krąg Isengardu (Angrenost), wieżę jednak zamknięto na głucho, a klucze od niej zabrano do Minas Tirith, Krąg Isengardu zaś został obsadzony jedynie przez dziedzicznego wodza Gondoru i jego skarlały lud uzupełniony o dawną załogę Aglarondu. Tę drugą fortecę wyremontowano (z pomocą murarzy z Gondoru) i przekazano Rohirrimom[27]. Stamtąd szło zaopatrzenie dla straży u brodów. Rohirrimowie osiedlili się głównie u stóp Gór Białych oraz w dolinach na południu. Zachodnie granice Zachodniego Fałdu odwiedzali tylko w wyraźnej potrzebie, lękając się zbliżać do skrajów Fangornu (Lasu Entów) i ponurych murów Isengardu. W zasadzie unikali kontaktów z „Panem

Isengardu", a także z jego skrytym ludem, uważając ich wszystkich za parających się czarną magią. Coraz rzadziej również przybywali do Isengardu wysłannicy z Minas Tirith, w końcu zupełnie przestali się pojawiać. Zdawać by się mogło, że namiestnicy zupełnie zapomnieli o wieży, chociaż wciąż trzymali do niej klucze.

Niemniej Isengard wydawał się wręcz stworzony na fortecę panującą nad zachodnią granicą i linią Iseny, co królowie Gondoru niewątpliwie świetnie rozumieli. Isena płynęła wzdłuż wschodnich murów Kręgu, dalej kierowała się na południe, ale ponieważ źródła tej rzeki biły blisko Isengardu, nie stanowiła tu jeszcze wielkiej przeszkody dla najeźdźców, chociaż wody jej były bystre i dziwnie zimne. Jednak w związku z tym, że Wielka Brama Angrenostu otwierała się na zachód od Iseny, a sama twierdza miała porządną obsadę, dowolny wróg z zachodu musiałby nadciągnąć naprawdę w wielkiej liczbie, aby wniknąć do Zachodniego Fałdu. Co więcej, Angrenost znajdował się w dużo mniejszej odległości od brodów niż Aglarond i łączyła go z nim szeroka droga, niemal cały czas biegnąca po równym terenie. Strach wzbudzany przez wielką wieżę oraz mroki Fangornu były skutecznymi strażnikami, ale tylko na jakiś czas. Gdyby porzucić wspomniane posterunki i zaniechać czuwania (co też nastąpiło w późnych czasach namiestników), droga stanęłaby otworem.

Za panowania króla Déora (2699–2719) Rohirrimowie uznali, że sama straż u brodów to za mało. Ponieważ ani Rohan, ani Gondor nie wyrażały zainteresowania tym odległym zakątkiem królestwa, nikt długo jeszcze nie wiedział, co właściwie tam się dzieje. Ród gondorskich wodzów Angrenostu wymarł, a władza nad twierdzą przeszła w ręce ich krewnych, wywodzących się z prostego ludu. Podobno byli oni już z dawna mieszanego pochodzenia, dlatego traktowali Dunlendingów o wiele przyjaźniej niż „dzikusów z Północy", uzurpujących sobie prawa do tej krainy. O odległym Minas Tirith w ogóle zapomnieli. Po śmierci króla Aldora, który wypędził ostatki Dunlendingów, a nawet najechał dla przestrogi ich ziemie w Enedwaith, Dunlendingowie zaczęli w tajemnicy przed Rohanem, jednak za zgodą Isengardu, przenikać znów do Zachodniego Fałdu. Osiedlali się w górskich kotlinach na zachód i na wschód od Isengardu, jak też na południowych obrzeżach Fangornu. Za panowania Déora ujawnili otwartą wrogość, napadając na stada bydła i koni Rohirrimów w Zachodnim Fałdzie. Ci zrozumieli wkrótce, że złoczyńcy nie przybywają ani przez brody, ani z żadnego miejsca daleko na południe od Isengardu, brody bowiem były strzeżone[28]. Tak zatem Déor poprowadził wyprawę ku północy, gdzie spotkał nieprzyjaźnie nastawionych Dunlendingów, czego się nawet spodziewał, zaskoczyła go za to agresja okazywana przez mieszkańców Isengardu. Mniemając, że uwalnia swoim działaniem Isengard od towarzystwa Dunlendingów, wysłał tam gońca z dobrym słowem, wszelako ten zastał bramę zamkniętą, a w ramach odpowiedzi wypuszczono doń strzałę. Jak stwierdzono później, uznawani za przyjaciół Dunlendingowie przechwycili Krąg Isengardu, zabijając tych nielicznych potomków dawnych strażników, którzy nie chcieli (jak większość) stopić się z ich plemieniem. Déor zawiadomił od razu namiestnika w Minas Tirith (w roku 2710 był to Egalmoth), ale ten nie mógł wysłać żadnej pomocy, więc Dunlendingowie okupowali Isengard, aż przetrzebieni wielkim głodem po Długiej Zimie (2758/59), z nędzy skapitulowali przed Fréaláfem (przyszłym pierwszym królem drugiej linii). Déor nie miał jednak dość sił, by zaatakować czy nawet oblegać Isengard i przez wiele lat Rohirrimowie musieli trzymać na północy Zachodniego Fałdu spore siły jeźdźców, które pozostawały tam aż do wielkiej napaści w roku 2758[29].

Łatwo tym samym pojąć, czemu propozycja Sarumana, że przejmie Isengard, wyremontuje go i przywróci twierdzę systemowi obronnemu Zachodu, spotkała się z pełną akceptacją zarówno króla Fréaláfa, jak i namiestnika Berena. Kiedy zatem Saruman zamieszkał w Isengardzie, a Beren przekazał mu klucze do Orthanku, Rohirrimowie zajęli się ponownie jedynie strzeżeniem brodów na Isenie, najbardziej podatnego na napaści odcinka ich zachodniej granicy.

Niewątpliwie Saruman uczynił ową propozycję w dobrej wierze lub przynajmniej ze szczerym zamiarem wspomożenia obrońców Zachodu, o ile jego samego uznano by za kluczową postać owej obrony i szefa odnośnego sztabu. Był dość mądry, by zauważyć, że Isengard jest bardzo istotnym punktem strategicznym jako twierdza solidna dzięki naturze oraz pracy ludzkich rąk. Linia Iseny między Isengardem a Rogatym Kasztelem stanowiła swoiste przedmurze przeciwko napaści ze wschodu (niezależnie od tego, kto wszcząłby atak), mającej na celu otoczenie Gonduru lub najechanie Eriadoru. Ostatecznie Saruman dał się ogarnąć złu i wyrósł na wroga. Nadal jednak Rohirrimowie, chociaż byli ostrzegani przed wzrastającą w Isengardzie niechęcią do ich plemienia, trzymali główne siły straży na zachodnim brzegu Iseny. Dopiero w trakcie otwartej wojny z Sarumanem przekonali się, że bez pomocy Isengardu straż przy brodach nie może spełnić swego zadania, a już tym bardziej nie stanowi żadnej niemal obrony przed inwazją z twierdzy.

Część IV

Rozdział I

Drúedainowie

Lud Halethy obcy był pozostałym Atanim i chociaż wraz z nimi trwał w sojuszu z Eldarami, to porozumiewając się innym językiem, zachował swą odrębność. Z konieczności nauczył się wprawdzie mowy sindarińskiej (niezbędnej w kontaktach z Eldarami i resztą Atanich), jednak większość wypowiadała się w niej z trudem, a niektórzy, z rzadka jedynie wyglądając poza granice ojczystych lasów, w ogóle nią nie władali. Lud ten niechętnie witał nowe rzeczy czy zwyczaje, kultywując wiele praktyk dziwnych wręcz dla Eldarów czy znacznej części Atanich. Nie utrzymywał też zwykle jakichkolwiek związków ze światem zewnętrznym bez wojennej potrzeby. Ceniono go wszakże wysoko za dotrzymywanie sojuszy, podziwiano mężnych wojowników, mimo że oddziały wysyłane poza granice kraju nigdy nie liczyły wielu głów, bo i sam lud Halethy był, i do końca pozostał, niewielkim plemieniem zainteresowanym głównie obroną własnych puszcz, celującym zresztą w leśnych kampaniach. Przez długi czas nawet specjalnie wyćwiczeni w walce między drzewami orkowie nie ważyli się postawić nogi w granicach ziem ludu Halethy. Jedną z owych wspomnianych osobliwości stanowiło to, że sporą część ich armii tworzyły kobiety, chociaż do bitew poza rodzinnym terenem wysyłano je z rzadka. Zwyczaj ten niewątpliwie wywodził się z dawnych czasów[1], gdyż przywódczyni owego ludu, Haletha, była sławną amazonką i otaczała się doborową gwardią przyboczną złożoną z niewiast[2].

Za najdziwniejszy z obyczajów ludu Halethy uważano utrzymywanie pośród własnego plemienia ludzi zupełnie odmiennego pochodzenia[3], nieznanych dotąd ani Eldarom z Beleriandu, ani pozostałym Atanim. Przemieszkiwało ich tam może kilka setek, żyli w grupach rodzinnych lub plemiennych, w przyjaźni jednak, jak członkowie tej samej społeczności[4]. Lud Halethy zwał ich *drûg*, które to słowo pochodziło z języka obcych. Elfom i innym ludziom przedstawiała się owa mniejszość jako nad wyraz szpetna: byli to ludzie niscy (około czterech stóp wzrostu) i krępi, szczególnie rozrośnięci w pośladkach, z krótkimi, grubymi nogami. Twarze mieli szerokie, oczy głęboko osadzone pod ciężkimi brwiami, nosy płaskie. Natura poskąpiła im zarostu poniżej linii brwi i tylko nieliczni mężczyźni wyróżniali się (i wyraźnie byli z tego dumni) rachitycznymi kosmykami czarnych włosów pośrodku brody. Twarze mieli nieodgadnione, co najwyżej szerokie usta zdradzały czasem ich emocje, zaś wyraz czujnych oczu odczytać można było jedynie z bliska, tak ciemne mieli tęczówki zlewające się ze źrenicami. Tylko w gniewie wzrok ich pałał czerwienią. Chociaż odzywali się głosem niskim i gardłowym, zdumiewali śmiechem, bogatym w tony i donośnym, a brzmiało w nim tyle nieskażonej złośliwością czy szyderstwem radości, że udzielał się wszystkim, tak elfom, jak i ludziom[5]. W czasie pokoju dało się słyszeć ów śmiech dość często, gdy pracowali lub spędzali czas na zabawie zastępował im śpiew. Jako wrogowie byli wszakże straszni i raz rozpalony, ich szkarłatny gniew stygł bardzo powoli, chociaż stan ducha tych osobników odbijał się wówczas wyłącznie w spojrzeniu. Walkę toczyli w ciszy i nie fetowali zwycięstw, nawet nad orkami, jedynymi istotami, których nie tolerowali.

Eldarowie zwali ich Drúedainami. Darzyli oni Atanich powszechną miłością i traktowali Drúedainów na równi z nimi[6]. Niestety, plemię to nigdy nie było ani liczne, ani też długowieczne, ponosiło ponadto ciężkie straty w potyczkach z orkami, wzajemnie nienawidzącymi Drúedainów i z wielką radością witającymi każdą okazję, by poddać torturom wziętego spośród nich jeńca. Gdy zwycięstwa Morgotha położyły kres istnieniu królestw elfów i ludzi w Beleriandzie, kiedy zabrakło już przyjaznych warowni, liczebność Drúedainów podobno spadła tak znacznie, że zostało ich ledwie kilka rodzin składających się głównie z kobiet i dzieci. Część z nich schroniła się w ostatniej bezpiecznej placówce w ujściu Sirionu[7].

W dawnych czasach oddawali wielkie przysługi tym, wśród których przemieszkiwali, potem też byli nader pożądani, chociaż niewielu zdecydowało się wywędrować kiedykolwiek poza tereny należące do ludu Halethy[8]. Okazali się świetnymi tropicielami wszelkich żywych stworzeń i chętnie przekazywali przyjaciołom swą wiedzę, jednak uczniowie nie potrafili im dorównać, Drúedainowie bowiem korzystali głównie z węchu, a ten mieli równie czuły jak ogary, chociaż wykazywali się też świetnym wzrokiem. Mówili, że potrafią wyczuć orka z większej odległości, niż inni ludzie sięgają spojrzeniem, i mogą trzymać się tropu tych kreatur nawet przez kilka tygodni, chyba że jakiś strumień czy rzeka stanie na przeszkodzie. O każdej roślinie wiedzieli niemal tyle samo co elfy (chociaż nigdy nie byli ich uczniami). Jeśli przenieśli się do nowego kraju, rychło znali już całą jego roślinność, tak okazałą, jak i drobną, nadając nowe nazwy odkrytym świeżo okazom oraz dzieląc je na trujące lub zdatne do jedzenia[9].

Podobnie jak cały lud Atanich, aż do spotkania z Eldarami Drúedainowie nie znali pisma, a nawet potem nie przyswoili sobie ich runów. Nie posunęli się nigdy dalej, poza kreślenie prostych znaków mających oznaczać drogę czy ostrzegać przed niebezpieczeństwem. Wiele wskazuje na to, że już w odległej przeszłości posługiwali się prymitywnymi rylcami i nożami z krzemienia, przy których pozostali, pomimo że Atani potrafili obrabiać metale i parali się w ograniczonym stopniu kowalstwem przed przybyciem do Beleriandu[10], gdzie trudno było o ten surowiec, a kuta broń oraz narzędzia osiągały wysokie ceny. Kiedy jednak dzięki związkom z Eldarami i handlowi z krasnoludami z Ered Lindon wyroby z metalu znalazły się w powszechnym użyciu, Drúedainowie objawili wielki talent, rzeźbiąc w drewnie i kamieniu. Wcześniej posiedli już sporą wiedzę o barwnikach, uzyskiwanych głównie z roślin. Malowali zatem obrazki oraz wzory na deskach lub płaskich kamieniach. Często strugali kawałki drewna na podobieństwo oblicza, a następnie kolorowali taką maskę. Z wielkim upodobaniem używali też ostrzejszych i mocniejszych narzędzi, by rzeźbić postacie zwierząt i ludzi – niewielkie zabawki czy ozdoby, jak również spore posągi – przy czym najzdolniejsi potrafili tak dzieło wypieścić, że sprawiało ono wrażenie żywej istoty. Czasem były to twory zgoła fantastyczne, niekiedy nawet przerażające. W ramach ponurych żartów rzeźbili także postaci orków i potem ustawiali te figurki wzdłuż granic kraju; przedstawiały one orków uciekających w panice, z krzykiem przerażenia na ustach. Tworzyli też własne podobizny, które rozmieszczali u początków gościńców czy na zakrętach leśnych szlaków. Zwali je „kamieniami strażniczymi", najokazalsze z nich stały w pobliżu przeprawy na Teiglinie. Każdy z tych posągów przedstawiał Drúedaina, większego niż w rzeczywistości i siedzącego, jakby dla odpoczynku, na cielsku ubitego orka. Nie było to jedynie czcze szyderstwo z przeciwnika, orkowie bowiem naprawdę bali się tych kamieni i wierzyli, że otacza je aura złości *Oghor-hai* (jak mówili na Drúedainów) i że potrafią one porozumiewać się ze swymi twórcami. Rzadko zatem starczało im odwagi, by ruszyć takie posągi, a natykając się na kamień w mniejszej grupie, odwracali odeń spojrzenie i nie śmieli postąpić dalej.

Najniezwyklejszą jednak cechę owego plemienia stanowiła zdolność trwania przez długie dni w kompletnym milczeniu i bezruchu. Siadali wówczas ze skrzyżowanymi nogami, dłonie kładąc na kolanach lub na podołku, zamykali oczy lub wbijali spojrzenie w ziemię. Wśród Ludu Halethy krążyła pewna opowieść odnosząca się do tej właśnie umiejętności:

Pewnego razu jeden z najzdolniejszych rzeźbiarzy Drûgów stworzył podobiznę swego niedawno zmarłego ojca i ustawił ją przy ścieżce w pobliżu własnej siedziby. Potem sam usiadł obok i milcząc, pogrążył się we wspomnieniach. Niedługo później pewien mieszkaniec lasu podążał tamtędy ku odległej wiosce. Widząc dwóch Drûgów skłonił się i życzył im dobrego dnia. Nie usłyszawszy odpowiedzi, zatrzymał się zdumiony i popatrzył na nich z bliska. Następnie ruszył dalej, powtarzając sobie: „Świetni są, gdy idzie o robotę w kamieniu, ale nigdy jeszcze nie widziałem czegoś tak podobnego do żywych postaci". Trzy dni potem wracał tą samą drogą. Zmęczony przysiadł u stóp jednego z posągów i oparł oń plecy, swój mokry płaszcz zaś zawiesił na ramionach postaci, by wysechł, bo słońce przygrzewało zdrowo po deszczu. Zasnął tak, ale po chwili obudził go dobiegający z tyłu głos: „Mam nadzieję, że odpocząłeś, ale jeśli chcesz jeszcze spać, to bardzo cię proszę, przenieś się w inne miejsce. On już nigdy nie będzie chciał rozprostować nóg, a twój płaszcz nazbyt grzeje mnie w tym słońcu".

Powiada się, że Drúedainowie często przyjmowali taką pozycję, gdy trapił ich jakiś żal lub boleść po stracie, czasem jednak praktykowali to również dla przyjemności, w celu spokojnego snucia myśli czy układania planów. Podobnie zastygać potrafili także pełniąc wartę, siedzieli wówczas albo stali skryci w cieniu i chociaż można by sądzić, że oczy mają zamknięte lub niewidząco wpatrują się w przestrzeń, to jednak nic przechodzącego w pobliżu nie umykało ich uwadze i pamięci. Niejednokrotnie z dala wyczuwało się aurę stwarzaną intensywnym czuwaniem, która budziła w wielu intruzach strach na tyle silny, że rozpoznając wrogość, zawracali, zanim jeszcze padło głośne ostrzeżenie. Jeśli jednak pojawiło się jakieś niebezpieczeństwo, wtedy Drúedainowie dawali sygnał. Przenikliwy gwizd boleśnie świdrował bliskie uszy i dawał się słyszeć z dużej odległości. W niespokojnych czasach lud Halethy cenił wysoko usługi Drúedainów-strażników, a jeśli ci akurat nie znajdowali się w pobliżu, wówczas ludzie stawiali wkoło swoich domów posągi Drûgów, wierząc, że rzeźby (wyrzeźbione przez samych Drûgów w tym właśnie celu) zachowują część groźnych cech żywych istot.

Niemniej, chociaż lud Halethy darzył Drúedainów miłością i zaufaniem, to jednak wielu podejrzewało ich o zdolności magiczne oraz paranie się tajemnymi sztukami. Oto jedna z opowieści, w których pozostał ślad takich sądów.

Wierny kamień

Żył niegdyś pewien Drûg imieniem Aghan, dobrze znany jako uzdrowiciel. Wielka przyjaźń łączyła go z należącym do ludu Halethy Barachem, mieszkającym w lesie w odległości około dwóch mil, albo i więcej, od najbliższej wioski. Niedaleko znajdowała się siedziba Aghana, który spędzał wiele czasu z Barachem i jego żoną, a ich dzieci go uwielbiały. Nadszedł jednak ciężki czas, ponieważ wielu zuchwałych orków przekradło się do okolicznych lasów. Rozdzielali się na grupki po dwóch, po trzech i napadali na każdego, kto sam zapuścił się między drzewa, nocą zaś atakowali stojące w odosobnieniu domostwa. Rodzina Baracha nie lękała się zbytnio, gdyż Aghan zostawał z nimi na noc i trzymał straż na zewnątrz. Pewnego ranka przyszedł wszakże do Baracha i powiedział:

— Przyjacielu, otrzymałem od swoich złe wieści. Obawiam się, że na jakiś czas muszę cię opuścić. Mój brat został ranny i leży teraz na łożu boleści, wzywając mnie na pomoc, bo potrafię dobrze leczyć rany zadane przez orków. Wrócę, gdy tylko będę mógł.

Barach zmartwił się wielce, a jego żona i dzieci zalali się łzami, Aghan jednak stwierdził:

— Zrobię co w mojej mocy. Kazałem przynieść kamień strażniczy i ustawić go blisko waszego domu.

Barach poszedł obejrzeć rzeźbę. Wielki posąg stał pod krzakami niedaleko drzwi. Aghan położył dłoń na kamieniu i po chwili ciszy powiedział:

— Zobacz, zostawiam mu część mojej mocy. Niech strzeże was od złego!

Następne dwie noce upłynęły spokojnie, ale trzeciej Barach usłyszał przenikliwy, ostrzegawczy gwizd Drûga, lub przyśnił mu się ten odgłos, nikt bowiem prócz gospodarza się nie obudził. Wstał z łoża, zdjął łuk ze ściany i podszedł do wąskiego okna. Wtedy ujrzał dwóch orków. Układali podpałkę pod ścianą jego domu, by zaraz wzniecić ogień. Strach zdjął Baracha, ponieważ grasujący orkowie miewali ze sobą siarkę czy inny diabelski środek, który szybko się rozpalał i nie dawał ugasić za pomocą wody. Barach opanował się wszakże i napiął łuk, jednak w tejże chwili, gdy strzeliły już pierwsze płomienie, ujrzał Drûga zachodzącego orków od tyłu. Jeden padł od razu, uderzony pięścią, a drugi uciekł. Zaraz potem Drûg rozrzucił podpałkę i gołymi stopami zadeptał pełgające pod ziemi orkowe ogniki. Barach rzucił się do drzwi, ale gdy odryglował je i wyskoczył na zewnątrz, po Drûgu nie było już śladu. Przepadł też gdzieś ogłuszony ork. Wokół unosiło się tylko nieco dymu.

Barach wrócił do domu. Uspokoił obudzoną hałasami i wonią spalenizny rodzinę. Za dnia wszakże rozejrzał się dokładnie. Kamień strażniczy zniknął, ale gospodarz zatrzymał tę wiadomość dla siebie. „Dzisiejszej nocy sam muszę objąć straż", pomyślał, jednak później tego samego dnia wrócił Aghan. Wszyscy powitali go z radością. Miał na nogach wysokie sznurowane buty, jakie Drûgowie nosili czasem w podróży, wymagającej przedzierania się przez ierniste krzewy i gołoborza. Mimo zmęczenia uśmiechał się pogodnie i wyglądał na zadowolonego.

– Przynoszę dobre nowiny – rzekł. – Mój brat czuje się lepiej i nie umrze, przybyłem na czas, by powstrzymać działanie trucizny. A teraz dowiaduję się, że grasanci zostali zabici lub uciekli. Jak tego dokonałeś?

– Uszliśmy z życiem – odparł Barach – ale chodź ze mną, a coś ci pokażę i dopowiem resztę. – Poprowadził Aghana do miejsca, gdzie płonął ogień, i zrelacjonował przebieg nocnego ataku. – Kamień strażniczy zniknął. Najpewniej za sprawą orków. I co na to powiesz?

– Najpierw muszę sobie wszystko obejrzeć – odparł Aghan i pogrążony w myślach zaczął krążyć, przepatrując ślady. Barach podążył za przyjacielem. W końcu Aghan zaprowadził go w gęstwinę na skraju polany, pośrodku której stał dom. Tam znaleźli kamień przedstawiający Drûga siedzącego na martwym orku, jednak nogi strażniczej figury były poczerniałe i popękane, a nawet jedna stopa odpadła i leżała teraz obok. Aghan spojrzał ze smutkiem na to zniszczenie, ale powiedział:
– No cóż! Uczynił, co mógł. I tak jego nogi lepiej nadawały się do duszenia orkowego ognia niż moje.

Potem przysiadłszy, rozsznurował swe buty, a Barach ujrzał, że Aghan ma nogi całe w bandażach. Drûg zaczął je rozwijać.

– Rany już się goją – oznajmił. – Dwie doby czuwałem przy moim bracie, ostatniej nocy przysnąłem. Tuż przed świtem obudził mnie ból poparzonych nóg. Potem pojąłem, co się stało. Niestety, jeśli przekazujesz swojemu dziełu część własnej mocy, musisz wówczas dzielić jego niedole[11].

Dalsze uwagi o Drúedainach

Ojciec nader skrupulatnie podkreślał różnice dzielące Drúedainów od hobbitów. Byli zupełnie odmiennej postury i prezencji. Drúedainowie wyrastali wyżej, cechowała ich cięższa budowa oraz większa siła. Według ogólnoludzkich standardów uznawano ich twarze za brzydkie. Podczas gdy hobbici mieli bujne owłosienie głowy (włos to był jednak krótki i kędzierzawy), Drúedainom rosły na czaszkach (i nigdzie więcej) proste rzadkie włosy. Podobnie jak hobbici bywali radośni, jednak wyróżniały ich charaktery o wiele poważniejsze. Wykazywali też skłonność do bezwzględności i złośliwych zachowań. Dysponowali, lub tylko ich o to oskarżano, magicznymi mocami. Prowadzili życie oszczędne i nawet w czasie obfitości jedli niewiele, nie pijając nic oprócz wody. Do pewnego stopnia przypominali raczej krasnoludów, szczególnie postawą, wytrzymałością, jak i umiejętnością obróbki kamienia oraz ponurym z gruntu usposobieniem. Jednak krasnoludom przypisywano inne zgoła „moce magiczne" niż Drûgom. Poza tym krasnoludowie byli tak naprawdę o wiele bardziej zamknięci w sobie i długowieczni, podczas gdy Drúedainowie umierali o wiele wcześniej niż członkowie innych plemion człowieczych.

Tylko raz, w oderwanej notatce, pojawia się kilka uwag o związkach łączących Drúedainów żyjących podczas Pierwszej Ery w Beleriandzie (tych, którzy strzegli domostw ludu Halethy w lesie Brethil) z dalekimi przodkami Ghân-buri-Ghâna, przewodnika Rohirrimów w Dolinie Kamiennego Wozu podczas wyprawy do Minas Tirith (*Powrót Króla*, s. 95–99), i twórcami posągów stojących przy drodze do Dunharrow (tamże, s. 60)[12]. Oto treść owej notatki:

> Pod koniec Pierwszej Ery odłam Drúedainów wyemigrował razem z ludem Halethy i wraz z nim zamieszkał w lesie [Brethil]. Jednak większość pozostała w Górach Białych pomimo prześladowań ze strony później przybyłych tam ludzi, którzy oddali się w służbę Ciemności.

Powiada się również, że podobieństwo posągów z Dunharrow do niedobitków Drúathów (Meriadoc spostrzegł je, ledwo ujrzał Ghân-buri-Ghâna) zostało już wcześniej odnotowane w Gondorze, chociaż gdy Isildur zakładał númenorejskie królestwo, plemię to zamieszkiwało już tylko las Drúadan i Drúwaith Iaur (patrz poniżej).

Mamy więc szansę, by uzupełnić dawną legendę o pojawieniu się Edainów (*Silmarillion*, rozdział 17) o historię losów Drúedainów, którzy wraz z Haladinami (ludem Halethy) zeszli z łańcucha gór Ered Lindon do Ossiriandu. Inna notatka powiada, że według gondorskich historyków to właśnie Drúedainowie pierwsi przekroczyli Anduinę. Przybyć mieli, jak uważano, z krain leżących na południe od Mordoru, zanim jednak doszli do brzegów Haradwaith, skręcili na północ, do Ithilien. W końcu znaleźli przeprawę przez Anduinę (zapewne blisko Cair Andros) i osiedli w dolinach Gór Białych oraz w lasach u północnych stoków. „Byli ludem skrytym i podejrzliwym wobec innych ludzkich szczepów, które zawsze, jak daleko sięgnąć pamięcią, gnębiły ich i łupiły, toteż lud ten wywędrował na zachód w poszukiwaniu osłoniętego, spokojnego zakątka". Ani tutaj, ani gdziekolwiek indziej nie ma więcej mowy o ich powiązaniach z ludem Halethy.

W cytowanym już tekście dotyczącym nazw rzek Śródziemia pojawia się jeszcze krótka wzmianka o Drúedainach żyjących w Drugiej Erze. Czytamy tam, że rodowici mieszkańcy Enedwaith uciekli wzdłuż koryta rzeki Gwathló, przed czynionymi przez Númenorejczyków zniszczeniami, jednak:

> Nie przekroczyli Iseny ani nie osiedlili się na wielkim cyplu między Iseną a Lefnui, tworzącym północne ramię zatoki Belfalas, a to za sprawą Púkelów, ludu skrytego oraz dzikiego, niezmordowanych i bezgłosych myśliwych posługujących się zatrutymi strzałami. Twierdzili, że byli tam „od zawsze", a niegdyś zamieszkiwali również w Białych Górach. W minionych wiekach nie zważali na Wielkiego Czarnego Władcę (Morgotha), później też nie sprzymierzyli się z Sauronem, po

równo nie cierpieli bowiem wszystkich najeźdźców ze Wschodu. Stamtąd właśnie, jak powiadali, przybyli wysocy ludzie o nikczemnych sercach, którzy wypędzili ich z Gór Białych. Może w dniach Wojny o Pierścień jakaś część ludu Drû żyła jeszcze w górach Andrastu stanowiących zachodnią rubież Gór Białych, ale mieszkańcy Gondoru wiedzieli jedynie o osobnikach przetrwałych w lasach Anórien.

Ten cypel między Iseną a Lefnui to właśnie Drúwaith Iaur. Inny zapis na ten temat powiada, że słowo *Iaur*, czyli „dawny", należy w tej nazwie odczytać nie jako „pierwotny", ale jako „niegdysiejszy":

„Lud Púkelów" opanował Góry Białe (z obu stron) w Pierwszej Erze. Kiedy w Drugiej Erze Númenorejczycy zajęli wybrzeże, Púkelowie przetrwali w górach na półwyspie [Andrast], gdzie Númenorejczycy nigdy nie dotarli. Część z nich schroniła się zaś z powodzeniem na wschodnim krańcu pasma górskiego [w Anórien]. Pod koniec Trzeciej Ery tych ostatnich uznawano za jedynych ocalałych, stąd też owo pierwsze z wymienionych miejsc zwano Dawnym Pustkowiem Púkelów (Drúwaith Iaur) i pozostało ono pustkowiem, niezasiedlonym przez ludzi z Gondoru czy Rohanu, którzy w ogóle rzadko zapuszczali się w te okolice. Jednak mieszkańcy Anfalas uważali, że wciąż kryją się tam potomkowie „Dzikich Ludzi" [13].

W Rohanie nie dostrzegano żadnego związku między posągami z Dunharrow (tak zwanymi Púkelami) a „Dzikimi Ludźmi", nie uznawano też ich „człowieczeństwa". Stąd właśnie wzięła się wzmianka Ghân-buri-Ghâna, że Rohirrimowie prześladowali niegdyś „Dzikich Ludzi" („zostawcie Dzikich Ludzi w spokoju i nie polujcie na nich jak na dzikie bestie". *Powrót Króla*, s. 97). Słabo władając Wspólną Mową, Ghân-buri-Ghân nazwał swój lud „Dzikimi Ludźmi" (nie bez pewnej ironii) ale, rzecz jasna, oni sami nie używali tego określenia [14].

Rozdział II

Istari

Najpełniejszy spośród tekstów poświęconych Istarim napisany był, jak się zdaje, w 1954 roku (a czemu w ogóle powstał, to wyjaśniam we wstępie). Przytaczam go w całości, w dalszym ciągu rozdziału nazywając po prostu „szkicem o Istarich".

„Czarodziej" to przekład quenejskiego słowa *istar* (sindariński *ithron*): jeden z członków „bractwa" (jak zwali sami siebie) skupiającego osoby posiadające (i umiejące wykorzystać) rozległą wiedzę historyczną oraz pełną orientację we wszelakich sprawach tego świata. Nie jest to może przekład najszczęśliwszy (chociaż współgrający z terminem „mędrzec" i innymi dawnymi określeniami ludzi uczonych, podobnie jak quenejski *istar*), jako że Heren Istarion (Bractwo Czarodziejów) przedstawiało zupełnie inną jakość niż pojawiający się w późniejszych legendach „czarodzieje" i „mistrzowie magii". Istari działali wyłącznie w Trzeciej Erze i nikt, prócz Elronda, Círdana i Galadrieli nie dowiedział się nigdy, skąd przywędrowali i kim naprawdę byli.

Ci spośród ludzkiego plemienia, którzy mieli z nimi kontakt, uznawali ich z początku za swoich gruntownie i wszechstronnie wykształconych (w jakimś nieznanym zakątku świata) współplemieńców. W Śródziemiu pojawili się po raz pierwszy około roku 1000 Trzeciej Ery, ale przez długi czas krążyli w prostym przebraniu sugerującym, że są tylko wiekowymi starcami o wspaniałej kondycji. Jako podróżnicy zbierali informacje o Śródziemiu i jego mieszkańcach, nie ujawniając nic ze swojej wiedzy czy zamiarów. Ludzie widywali ich wtedy rzadko, nie zwracali też na nich większej uwagi. Kiedy jednak cień Saurona zaczął gęstnieć i ponownie nabierać kształtów, Istari żwawiej ruszyli do dzieła, starając się zawsze przeciwstawiać narastaniu Cienia i uświadamiać elfom oraz ludziom bliskość niebezpieczeństwa. Wówczas to rozniosło się szeroko między ludźmi, że istnieją tacy mężowie w podeszłym wieku, którzy przychodzą i odchodzą, znają się niemal na wszystkim, a na dodatek nie starzeją się (choć nieco zmienili swój wygląd z latami), chociaż ludzkie pokolenia mijają jedno za drugim. Zaczęto się lękać nieznajomych (co nie przeszkadzało też czasem ich uwielbiać) i domniemywać, że muszą być elfami (z którymi rzeczywiście często przebywali).

Jednak i to mijało się z prawdą. Istari przybyli zza Morza, z Najdalszego Zachodu, chociaż o tym przez długi czas wiedział jedynie Círdan, Powiernik Trzeciego Pierścienia, pan Szarych Przystani. Widział on bowiem, jak schodzili na ląd na zachodnim brzegu Śródziemia. Byli wysłannikami Władców Zachodu, Valarów, którzy wciąż czujnym okiem spoglądali na Śródziemie i kiedy ujrzeli wzrastający ponownie cień Saurona, podjęli odpowiednie środki, by mu przeszkodzić. Za radą Eru wysłali członków swego szlachetnego bractwa, przybranych jednak w realne człowiecze postaci, postaci podatne na ból, lęki i zmęczenie, łaknące jadła i napoju. Ciała ich były śmiertelne, chociaż duch pozostał wieczny, a starzeli się jedynie pod ciężarem trosk i wielu lat mozolnej pracy. Valarowie chcieli w ten sposób naprawić swe dawne błędy, kiedy to chronili i wyróżniali Eldarów, pomagając im jawnie, nie kryjąc swej potęgi ni chwały. Obecnym wysłannikom nie dozwolono ujawniać postaci ani majestatu, zakazano też zdobywania władzy nad elfami czy ludźmi, nakłaniania ich pokazem siły do posłuszeństwa. Pojawiając się przed nimi w słabych, zgrzebnych powłokach, mieli służyć radą oraz namawiać wszelkie plemiona do obrania dobrej drogi; starać się zjednoczyć w miłości i zrozumieniu wszystkich tych, których Sauron, gdyby znów powstał, pragnąłby podporządkować sobie i upodlić.

Liczebność owego bractwa nie jest znana, chociaż wiadomo, że do północnych krain Śródziemia, gdzie i nadzieja na powodzenie działania była największa (bo tutaj właśnie zamieszkiwało wciąż wielu Dúnedainów i Eldarów), przybyło pięciu najważniejszych. Pierwszy pojawił się starzec o dostojnej postawie i podobnych manierach, z kruczoczarnymi włosami, pięknym głosem, cały odziany na biało. Miał, jak to mówią, złote ręce. Wszyscy więc, nawet Eldarowie, uznawali go za głowę bractwa[1]. Potem nadciągnęli jeszcze inni: dwóch w szatach koloru morskiego błękitu, jeden w ziemistych brązach, a na końcu pokazał się ten, który zamykał pochód. Niższy od pozostałych, starszy z wyglądu, siwowłosy i odziany w szarości, wspierał się na lasce. Círdan jednak od pierwszego spotkania w Szarych Przystaniach poznał w nim najsilniejszego duchem i najmądrzejszego. Przywitał przybysza z szacunkiem, a potem powierzył mu Trzeci Pierścień, Naryę Czerwoną.

– Wielka praca cię czeka – powiedział – i liczne niebezpieczeństwa napotkasz, weź zatem ten Pierścień na wypadek, gdyby zadanie przerosło cię i wymęczyło ponad miarę. Powierzono mi ten skarb, bym przechował go w sekrecie, ale żadnego zeń pożytku tutaj, na zachodnich wybrzeżach. Sądzę, że w czasach, które niedługo już nadejdą, winien on znaleźć się w dłoniach szlachetniejszych niż moje. Oby pomógł ci rozpalić wszystkie serca odwagą[2].

Szary Wysłannik wziął Pierścień i chociaż trzymał rzecz w sekrecie, to jednak Biały Wysłannik (wprawny w zgłębianiu wszelkich tajemnic) z czasem dowiedział się o tym i pozazdrościł daru. Tak zrodziła się jego skrywana niechęć do Szarego, która ostatecznie przybrała postać otwartej wrogości.

Biały Wysłannik znany był później wśród elfów pod imieniem Curunír, Mistrz Rzemiosł, zaś Ludzie Północy nazwali go Sarumanem. To jednak dokonało się dopiero później, gdy po wielu podróżach trafił do królestwa Gondoru i tam właśnie osiadł. O Błękitnych niewiele wiadomo na Zachodzie. Zwano ich *Ithryn Luin*, Błękitni Czarodzieje. Wraz z Curunírem powędrowali na Wschód, nie wrócili jednak i trudno powiedzieć, czy zostali tam, by czynić swą powinność, czy zginęli, lub, jak twierdzą niektórzy, ulegli Sauronowi, oddając mu się na służbę[3]. Żadnej z tych możliwości nie można wykluczyć, Istari bowiem (jakkolwiek dziwnym się to zdaje), przybywszy do Śródziemia w cielesnej postaci, podobnie jak elfy albo ludzie ulegali pokusom zła i mogli, szukając najlepszych dróg, by dojść do celu, zapomnieć o dobrej sprawie.

Dopisek na marginesie rozwija nieco ten wątek:

Powiada się bowiem, że przybrawszy nową, cielesną postać Istari musieli nauczyć się wielu rzeczy, z wolna zdobywając doświadczenie. Wprawdzie wiedzieli, skąd przybyli, to jednak ich wspomnienie o Błogosławionym Królestwie odległe było i przyćmione; wszelako bardzo za nim tęsknili (przynajmniej jak długo pozostawali wierni zadaniom misji). Dzięki temu właśnie, dobrowolnie wybrawszy wygnanie, opierając się podstępom Saurona, mieli szansę naprawić zło tamtych czasów.

Spośród wszystkich Istarich jeden tylko pozostał wierny: ten, który dotarł ostatni. Radagast (czwarty z kolei) rozmiłował się bowiem we wszelkiej zwierzynie Śródziemia, zapominając zatem o elfach i ludziach, spędzał całe dni w towarzystwie swych dzikich przyjaciół. Postępowaniu takiemu zawdzięczał imię nadane mu przez ludzi (w języku dawnych Númenorejczyków znaczyło ono Opiekun Zwierząt)[4]. Curunír 'Lân, Saruman Biały, porzucił zaś szczytny cel i wbił się w dumę. Śniąc o władzy, zaczął siłą narzucać swą wolę, by zająć miejsce Saurona. Wpadł jednak w sidła potężniejszego, mrocznego ducha.

Ostatniego przybysza elfy nazwały Mithrandir, Szary Pielgrzym, ponieważ nie osiadł nigdzie, nie gromadził bogactw, ani popleczników, tylko wędrował nieustannie po ziemiach Zachodu od Gondoru do Angmaru, od Lindonu po Lórien, oferując swą przyjaźń wszystkim potrzebującym. Była w nim żywotność i ciepło (podsycane mocą pierścienia Narya); jako wróg Saurona przeciwstawiał jego niszczycielskim płomieniom ogień, który rozpalał nadzieję w uwiędłych sercach. Jednak całą radość Mithrandira, całą zapalczywość skrywał strój szary jak popiół i tylko ci, którzy bliżej poznali Pielgrzyma, dostrzegali blask bijący z jego duszy. Potrafił być pogodny, umiał uprzejmie odnosić się do istot młodych i maluczkich, czasem bywał prędki w słowach, zwłaszcza gdy ganił głupotę. Próżno by w nim szukać dumy, żądzy władzy czy głodu pochwał, tak i miłowali go w szerokim świecie ci, którzy cenili w sobie i innych podobny charakter. Niestrudzony w wędrówce Mithrandir podróżował zwykle pieszo, wspierając się na długim kiju, przez co Ludzie Północy przezwali go Gandalfem, „Elfem Różdżki". Mieli go bowiem (błędnie, jak już wspomniano) za elfa, jako że czasem czynił cuda, szczególnie często wykorzystując piękno płomieni. Zawsze jednak chodziło wyłącznie o niewinną zabawę służącą uciesze widzów, a nie o straszenie kogokolwiek dla posłuchu.

Gdzie indziej opowiedziano, jak to za ponownego powstania Saurona Gandalf ujawnił część swej potęgi, zwyciężając ostatecznie w walce, której niejawnie przewodził. Wytrwałą i nieustającą pracą zrealizował to, co zaplanowali Valarowie pod wodzą Jedynego. Mówi się jednak, że pod koniec wycierpiał wiele; zginął, ale na czas krótki został przywrócony światu, już w białych szatach, a jaśniał wtedy niczym płomień (chociaż blask ujawniał jedynie w chwilach wielkiej potrzeby). Kiedy rzecz już się dokonała i zniknął Cień Saurona, Gandalf wrócił za Morze. Curunír natomiast upadł bardzo nisko i zaznawszy krańcowego poniżenia, zginął z ręki ciemiężonego niewolnika. Jego duch uleciał gdzieś wedle wyroku i nie wrócił nigdy do Śródziemia, czy w cielesnej, czy w jakiejkolwiek innej postaci.

We *Władcy Pierścieni* pojawia się tylko jeden fragment o Istarich – we wstępie do zapisków poświęconych Trzeciej Erze w *Kronice Lat* (*Powrót Króla*, s. 330):

Jakieś tysiąc lat później, gdy pierwszy cień padł na Wielki Zielony Las, pojawili się w Śródziemiu Istari, czyli Mędrcy. Później mówiono, że przybyli z Najdalszego Zachodu, i że byli wysłani, aby przeciwstawić się potędze Saurona i zjednoczyć wszystkich, którzy zechcą stawić mu opór. Zabroniono im jednak mierzyć się z potęgą Saurona za pomocą własnej potęgi i zdobywać władzę nad elfami i ludźmi przemocą i strachem.

Zjawili się więc pod postacią ludzką, jakkolwiek nigdy nie byli młodzi, a starzeli się bardzo powoli; znali wiele sztuk, mając niezwykle sprawne ręce i umysł. Swoje rzeczywiste imiona wyjawili zaledwie kilku innym istotom, posługiwali się natomiast takimi imionami, jakie nadano im w Śródziemiu. Dwaj najdostojniejsi z tego bractwa (które podobno liczyło pięciu członków) w języku Eldarów nazywali się Curunír – Mistrz Rzemiosł i Mithrandir – Szary Wędrowiec. Ludzie Północy zwali ich jednak: Saruman i Gandalf. Curunír często podróżował na wschód, w końcu jednak zamieszkał w Isengardzie. Mithrandir najserdeczniej zaprzyjaźnił się z Eldarami, wędrował zazwyczaj po krajach zachodnich i nigdy nie obrał sobie stałej siedziby.

Dalej następuje relacja o ukryciu przez elfy Trzech Pierścieni, z których jeden, Czerwony, Círdan przekazał Gandalfowi przy pierwszym spotkaniu w Szarych Przystaniach („Círdan sięgał bowiem wzrokiem dalej i głębiej niż ktokolwiek w Śródziemiu"; tamże).

Cytowany już szkic o Istarich powiada wiele o nich samych i o pochodzeniu Mędrców (których to informacji zabrakło we *Władcy Pierścieni*) oraz dorzuca to i owo w tak istotnych kwestiach, jak nieustające zainteresowanie Valarów Śródziemiem oraz uznanie przez nich dawnych strategii za błędne (o czym jednak trudno rozprawiać tu szerzej). Najważniejsze zdaje się przedstawienie Istarich jako należących do bractwa (czyli do Valarów) i ograniczonych (na czas misji) swą cielesnością[5]. Istotne są również wzmianki, że Istari przybywali do Śródziemia w różnym czasie, że Círdan z miejsca uznał Gandalfa za największego z nich, a Saruman dowiedział się o darze Pierścienia i poczuł zazdrość. Ważne jest także, iż Radagast zajął się innymi sprawami, tracąc serce do misji, a dwaj pozostali, bezimienni „Błękitni Czarodzieje", powędrowali wraz z Sarumanem na Wschód, jednak w odróżnieniu od Curuníra nie wrócili nigdy do krain zachodnich; że liczba członków bractwa pozostaje nieznana, chociaż tych najważniejszych, którzy zjawili się na Północy, było pięciu. Znajdujemy też wyjaśnienie znaczenia imion Gandalfa i Radagasta oraz sindarińskie brzmienie słowa Istari: *ithron*, liczba mnoga *ithryn*.

Fragment *Pierścieni Władzy* (*Silmarillion*, s. 354) dotyczący Istarich powtarza w zasadzie to, co powiedziano już we *Władcy Pierścieni*, zawiera wszakże jedno zdanie, które potwierdza informacje podane w szkicu o Istarich: „Z nich zaś starszy był Curunír, który najwcześniej ze wszystkich Istarich przybył do Śródziemia. Następni z kolei pojawili się Mithrandir i Radagast, a potem inni, którzy skierowali się do krain wschodnich i nie występują w tych opowieściach".

Większość pozostałych tekstów poświęconych Istarim (jako grupie) to już, niestety, tylko pospiesznie skreślone i często nieczytelne notatki. Najciekawszy spośród nich jest zapewne niedługi zarys opowieści relacjonującej naradę Valarów wezwanych, jak się zdaje, przez Manwëgo („a może i do Eru zwracał się po radę?"). Na posiedzeniu tym zadecydowano o wysłaniu do Śródziemia trzech emisariuszy.

Kto wyruszy? Muszą być potężni, równi Sauronowi, ale przyjdzie im zapomnieć o swych mocach i przywdziać postaci cielesne, by zrównać się z elfami oraz ludźmi i zyskać ich zaufanie. Narazi ich to na niebezpieczeństwa, umniejszy ich mądrość, skazi strachem, potrzebami, zmęczeniem istot z krwi i kości.

Dwóch tylko wystąpiło: wskazany przez Aulëgo Curumo i Alatar, wybraniec Oromëgo. Wówczas Manwë spytał, gdzie podziewa się Olórin? Olórin zaś, ubrany na szaro, wszedł właśnie, wróciwszy z podróży, więc przysiadłszy z boku, spytał, czegóż to Manwë sobie od niego życzy. Manwë odparł, iż pragnie, aby Olórin jako trzeci wysłannik udał się do Śródziemia [w nawiasie widnieje tu uwaga, że „Olórin miłował pozostałych tam Eldarów", co ma niewątpliwie uzasadniać wybór Manwëgo]. Olórin jednak powiedział, że jest zbyt słaby, aby podjąć się takiego zadania, strach go ogarnia przed Sauronem. Manwë uznał to za argumenty tym bardziej przemawiające za kandydaturą Olórina, po czym rozkazał mu... [tutaj tekst staje się nieczytelny, można zrozumieć tylko, że mowa jest o kimś „trzecim"]. Na to Varda podniosła wzrok i powiedziała:

– Nie jako trzeci.

A Curumo dobrze to sobie zapamiętał.

Tekst kończy się stwierdzeniem, że Curumo [Saruman] na prośbę Yavanny wziął ze sobą Aiwendila [Radagasta], zaś Alatar zabrał swego przyjaciela, Pallanda[6].

Na innej kartce zapisanej wyraźnie w tym samym okresie, czytamy, że „Curumo został zobowiązany do wzięcia ze sobą Aiwendila, a to według życzenia Yavanny, żony Aulëgo". Jest też szkic zestawiający imiona Istarich z poszczególnymi Valarami: Olórin – Manwë i Varda, Curumo – Aulë, Aiwendil – Yavanna, Alatar i Pallando – także Oromë (a po zmianie: Pallando – Mandos i Nienna).

Skojarzywszy ten diagram z przytoczoną powyżej relacją, dochodzi się do oczywistego wniosku, że każdy z Istarich został dobrany przez konkretnego Valara (lub Valarów) ze względu na swe wrodzone cechy, a może nawet dlatego, że Istari służyli Valarom, podobnie jak Sauron był „początkowo Majarem w służbie Aulëgo (*Valaquenta, Silmarillion*, s. 39). Warto zauważyć przy tej sposobności, że Curuma (Sarumana) wskazał właśnie Aulë. Brak wyjaśnienia, czemu życzenie Yavanny, aby Istari dołączyli do swego grona kogoś szczególnie miłującego jej własne dzieła, musiało zostać spełnione poprzez narzucenie Sarumanowi towarzystwa Radagasta. Tym bardziej że wedle szkicu o Istarich Radagast zawiódł nadzieje, zajmując się wyłącznie zwierzętami, co niezbyt pasuje do sugestii, że specjalnie dobrała go Yavanna. Na dodatek zarówno szkic o Istarich, jak i *Silmarillion* powiadają, że Saruman przybył pierwszy i bez niczyjego towarzystwa. Z drugiej jednak strony można dostrzec pewne ślady świadczące o tym, jak niemiłym kompanem był Sarumanowi Radagast. Na naradzie u Elronda (*Drużyna Pierścienia*, s. 248) Gandalf przytoczył szyderstwa wygłaszane przez Sarumana pod adresem Radagasta: „Radagast Brązowy! – zaśmiał się Saruman, już nie skrywając pogardy. – Radagast Pogromca Ptaków! Radagast Prostaczek! Radagast Głupiec! Jednak starczyło mu rozumu, aby odegrać powierzoną rolę".

W szkicu o Istarich dwaj czarodzieje, którzy poszli na wschód, nie mają imion, prócz jedynie ogólnego określenia *Ithryn Luin*, Błękitni Czarodzieje (co oznacza tyle tylko, że nie nadano im żadnych imion na zachodzie Śródziemia). W powyższym tekście natomiast zostają wymienieni jako Alatar i Pallando oraz związani są z Valarem Oromë, chociaż nie wiadomo, co było powodem takiego ich skojarzenia. Możliwe, że spośród wszystkich Valarów Oromë (jednak to tylko domysł) najwięcej wiedział o dalszych rejonach Śródziemia, gdzie też Błękitni Czarodzieje mieli się udać i pozostać.

Notatki opisujące wybór Istarich powstały z pewnością po ukończeniu *Władcy Pierścieni*, ale nie łączą się one wyraźnie ze szkicem o Istarich[7].

Nie znam żadnych więcej pism na ten temat, prócz kilku trudnych do osadzenia w szerszym kontekście i pobieżnych notatek, znacznie późniejszych od cytowanych powyżej, ponieważ sporządzonych zapewne w 1972 roku:

Musimy przyjąć, że [Istari] byli wszyscy Majarami, czyli istotami „anielskimi", chociaż niekoniecznie tej samej rangi. Majarowie to „duchy" zdolne do przybierania widomej postaci, a także „ludzkiej" (w szczególności zaś „elfiej"). Saruman został (przez samego Gandalfa) nazwany przywódcą Istarich, czyli że w Valinorze zajmował wyższą pozycję niż pozostali. Drugim z kolei był niewątpliwie Gandalf. Radagast przedstawiony jest jako istota obdarzona znacznie mniejszą siłą i wiedzą. O następnych dwóch w opublikowanym dziele nie powiada się nic i tylko z rozmowy Gandalfa z Sarumanem (*Dwie Wieże*, s. 176) dowiadujemy się, że czarodziejów było pięciu. Valarowie wysłali tych Majarów w przełomowym dla dziejów Śródziemia okresie, aby wspomóc coraz słabiej broniące się elfy oraz niepoddanych złu ludzi Zachodu, o wiele mniej licznych niż ludzie żyjący na Wschodzie i na Południu. Łatwo dostrzec, że wybrańcy posiadali wolną wolę, sami więc decydowali o przebiegu swej misji; nikt im nie rozkazywał, nie oczekiwano także od nich, że będą działali razem, na podobieństwo zwartego ciała zbiorowego. Każdy innymi mocami dysponował i ku czemu innemu się skłaniał. Według tego właśnie klucza dobrani zostali przez Valarów.

Pozostałe notatki dotyczą już samego Gandalfa (Olórina, Mithrandira). Na odwrocie niedołączonej do niczego kartki zawierającej opis wyboru Istarich przez Valarów, można znaleźć te oto, nader ważkie słowa:

Elendil i Gil-galad byli sprzymierzeńcami, ale był to zaiste „Ostatni Sojusz" elfów i ludzi. W obaleniu Saurona elfy nie brały już znaczącego udziału. Legolas dokonał zapewne najmniej spośród wszystkich Dziewięciu Wędrowców. Galadriela, najpotężniejsza z Eldarów pozostałych w Śródziemiu, służyła głównie wiedzą i dobrym słowem. Była doradcą czy sternikiem, dzielnie opierając się duchem, ale nie mogąc już podjąć stanowczego działania. Na swój sposób upodobniła się do Manwëgo, prezentując analogiczny stosunek do większych przedsięwzięć. Niemniej Manwë nie pozostawał wyłącznie biernym widzem, nawet po Upadku Númenoru i zniszczeniu dawnego porządku, a nawet w Trzeciej Erze, kiedy to Błogosławione Królestwo usunięto poza „Kręgi Świata". Nie ma wątpliwości, że to z Valinoru przybyli owi wysłannicy, których zwano Istarimi (lub czarodziejami), a wraz z nimi Gandalf, który okazał się siłą sprawczą, a potem koordynatorem zarówno ataku, jak i obrony.

Kim był Gandalf? W późniejszych latach (kiedy Cień znów zawisł nad królestwem) wielu Wiernych miało go za wcielenie samego Manwëgo. Ten bowiem ostatecznie wycofał się do swej wieży strażniczej Taniquetilu. (Przyznanie się Gandalfa do imienia Olórin, noszonego „na Zachodzie", miało według zwolenników tego poglądu wynikać z chęci zachowania *incognito*, a Olórin byłoby mianem podanym w zastępstwie). Nie wiem (rzecz jasna), jak sprawy miały się naprawdę, a nawet gdybym wiedział, to za błąd poczytałbym ujawnianie czegokolwiek więcej, niż powiedział sam Gandalf. Sądzę wszakże, iż Wierni nie mieli racji. Manwë nie zejdzie z Góry aż do czasu Dagor Dagorath, gdy zbliży się Koniec i powróci Melkor[8]. Aby obalić Morgotha, wysłał swego herolda, Eönwëgo, a zatem czy w celu pokonania Saurona nie posłałby raczej jakiegoś pomniejszego (choć nadal potężnego) ducha, kogoś bez wątpienia równego i współczesnego Sauronowi w dniach, gdy ten jeszcze nie zaprzedał się złu? Wysłannik ten nazywał się Olórin. Wiemy jednak o nim tyle tylko, ile zechciał nam powiedzieć Gandalf.

Potem następuje szesnaście wersów wiersza:

Chcesz poznać sekret   ukryty od wieków
o Pięciu, co przyszli   z odległej krainy?
Tylko jeden wrócił.   Pozostali nigdy
za człowieczych rządów   nie ujrzą Śródziemia,
aż Dagor Dagorath   dopełni wyroku.
A ty skąd poznałeś   tę tajność tajności

Władców Zachodu   z dawnego Amanu?
Zagubione szlaki,   co za morze wiodą,
a dla śmiertelników   Manwë głuchy, niemy.
Wiatr zachodni przywiał   pośród ciszy nocy,
uśpieniem cienistym   wyszeptał do ucha,
porą pod gwiazdami,   kiedy myśl drążąca
spotyka niejedno   zamglone wspomnienie
z lądów utraconych   w oceanie czasu.
Odwieczny król   nie przestaje czuwać.
Rozpoznał w Sauronie   coraz bliższe zło...

Znajdujemy tu nawiązania do kwestii tak istotnych, jak stosunek Manwëgo i Valarów do losu Śródziemia po Upadku Númenoru, jednak jest to temat, który wykracza poza ramy niniejszej książki.

Po słowach: „Wiemy jednak o nim tyle tylko, ile zechciał nam powiedzieć Gandalf", ojciec dopisał jeszcze później:

...i można wspomnieć tylko, że Olórin jest imieniem Elfów Wysokiego Rodu. Tym samym musiał otrzymać je w Valinorze od Eldarów (lub dokonali oni tylko przekładu jego dawnego miana na swój język). Tak czy inaczej, jakie może być jego znaczenie, prawdziwe czy domniemane? Olor często tłumaczy się jako „marzenie", jednak nie chodzi tu o „marzenie senne" czy też, w większości przypadków, zwykłe ludzkie „marzenie o czymś". Eldarowie używali go w celu opisania treści swoich wspomnień oraz wytworów wyobraźni, dokładnie rzecz biorąc, odnosiło się do kreacji myślowych zarówno tych, które pozostawały ideą, jak i do tych, które przybierały materialne postaci.

Inna notatka zawiera podobne etymologiczne wyjaśnienie:

Olo-s to wizja, fantazja, potoczne określenie używane przez elfów dla „tworów umysłu", nie tylko tych (przed)istniejących w Eä [świecie materialnym], ale i tych, które wprawne w Sztuce (Karmë) elfy potrafią uczynić widzialnymi i namacalnymi. Olo-s odnosi się zwykle do aktów kreacji nastawionych wyłącznie na osiągnięcie celów artystycznych (doznań estetycznych), czyli niemających służyć omamieniu odbiorcy czy podporządkowaniu go sobie.

Inne słowa pochodzące od tego terminu to: quenejskie olos, „marzenie, wizja", liczba mnoga olozi / olori; ōla- (bezokolicznik), „marzyć"; olosta, „marzycielski". Potem wspomniane zostaje słowo Olofantur, wcześniejsze, „prawdziwe" imię Lóriena, Valara będącego „mistrzem wizji i marzeń". Miano jego zmienione zostało później w Silmarillionie na Irmo (podobnie jak Nurufantura przemianowano na Námo [Mandosa], chociaż w opowieści *Valaquenta* zachowało się w liczbie mnogiej określenie tych dwóch „braci": Fëanturi).

Rozważania o słowach *olos, olor* są wyraźnie związane z tym fragmentem *Valaquenty* (*Silmarillion*, s. 31), w którym mowa jest o Olórinie mieszkającym w ogrodzie Lórien w Valinorze. Olórin, „chociaż kochał elfy, nawiedzał je w postaci niewidzialnej lub przyjmując kształty jednego z nich, tak że nie wiedzieli, skąd pochodzą piękne wizje i mądre pomysły zaszczepiane w ich sercach przez Olórina".

Wcześniejsza wersja tego fragmentu określa Olórina jako „doradcę Irma", budzącego w umysłach wsłuchanych weń elfów myśli „o rzeczach pięknych, które nie istniały jeszcze, ale mogłyby zaistnieć dla wzbogacenia Ardy".

Istnieje też długi komentarz do owego fragmentu *Dwóch Wież* (s. 259), kiedy to Faramir relacjonuje w Henneth Annûn słowa Gandalfa: „Wiele mam imion w wielu różnych krajach. Mithrandirem jestem wśród elfów, Tharkûnem u krasnoludów; Olórinem byłem w niepamiętnych już czasach młodości w kraju na Zachodzie[9], na południu zwą mnie Inkánusem, na północy Gandalfem, na wschód zaś nigdy nie wędrowałem".

Poniższa notatka powstała przed publikacją poprawionego wydania *Władcy Pierścieni* w 1966 roku:

Data przybycia Gandalfa jest niepewna. Przypłynął zza Morza mniej więcej w tym samym czasie, gdy zauważono pierwsze oznaki odradzania się Cienia i gdy zło zaczęło szerzyć się na nowo w Śródziemiu. Jednak w zapiskach pochodzących z drugiego tysiąclecia Trzeciej Ery pojawia się rzadko. Zapewne wędrował wówczas (pod różnymi przebraniami) i nie angażował się w nic, badając jedynie serca elfów i ludzi niechętnych Sauronowi, przyszłych przeciwników Mrocznego Władcy. Zachowała się jego wypowiedź (lub jedna z wersji tej wypowiedzi, i tak nie do końca zrozumiała), że na Zachodzie nosił imię Olórin, elfy jednak zwały go Mithrandirem (Szarym Wędrowcem), a krasnoludy Tharkûnem (co oznaczało „człowieka z laską"). Na południu mówiono nań Inkánus, na północy był Gandalfem, „na wschód zaś nigdy nie wędrował".

„Zachód" oznacza bez wątpienia Daleki Zachód za Morzem, a nie część Śródziemia. Imię Olórin wzięte jest z mowy Elfów Wysokiego Rodu. „Północ" to północno-zachodnie rejony Śródziemia, których mieszkańcy w większości nigdy nie ugięli się przed Morgothem ani Sauronem. Tam też należało oczekiwać najsilniejszego oporu przed złem posianym przez Nieprzyjaciela i przed sługami Saurona, gdyby tacy mieli się znów pojawić. Granice tych ziem nie zostały nigdy precyzyjnie wytyczone. Na zachodzie sięgały okolic rzeki Carnen, do jej połączenia się z Celduiną (Bystrą Rzeką), i dalej do Núrnen, a stamtąd na południe ku dawnym granicom niegdysiejszego południowego Gondoru (który pierwotnie obejmował także zajęty przez Saurona Mordor, jednak był to obszar „na wschodzie", poza właściwym królestwem. Sauron zajął go rozmyślnie, by tym bardziej zagrozić Zachodowi i Númenorejczykom). Tak zatem „północ" obejmuje olbrzymi obszar: od Zatoki Księżycowej na zachodzie po Núrnen na wschodzie, od Carn Dûm na północy po południowe granice dawnego Gondoru, czyli tereny między tym królestwem a Bliskim Haradem. Za Núrnen Gandalf nigdy się nie zapuszczał.

Wspomniany fragment to jedyny dowód pozwalający mniemać, iż Gandalf wędrował dalej na południe. Aragorn stwierdził (*Drużyna Pierścienia*, s. 238), że był „nawet w dalekich krajach Rhûn i Harad, gdzie świecą nieznane tutaj gwiazdy"[10]. Nic nie świadczy o tym, by Gandalf też tam dotarł. Wszystkie legendy o nim wywodzą się z północy − z udokumentowanych, historycznych relacji wiadomo, że polem zmagań z Morgothem i jego sługami była głównie północ, a szczególnie północno--zachodnie Śródziemie, gdyż uchodząc przed Morgothem, zarówno elfy, jak i ludzie migrowali za zachód, ku Błogosławionemu Królestwu, i na północny zachód, gdzie brzegi Śródziemia znajdowały się najbliżej Amanu. Trudno podać dokładną lokalizację Haradu („południa"), bo chociaż przed Upadkiem Númenorejczycy zbadali wybrzeża Śródziemia i w tym kierunku, to ich osady za Umbarem zostały albo wchłonięte przez Mordor, bądź też założyli je wrogo nastawieni do obcych Númenorejczycy (pozostający pod wpływem Saurona), którzy sami przyłączyli się do Mordoru. Jednak tereny leżące na południe od Gondoru (zwane w królestwie po prostu Bliskim lub Dalekim Haradem, czyli „Południem") były zapewne równie wytrwałe w oporze, chociaż tam właśnie Sauron najenergiczniej poczynał sobie w Trzeciej Erze, pozyskując z tych krain „materiał ludzki" mający posłużyć do napaści na Gondor. Gandalf mógł nawiedzić owe okolice na początku swych wędrówek.

Przede wszystkim jednak działał na „północy", szczególnie na północnym zachodzie, w Lindonie, Eriadorze i Dolinie Anduiny. Związał się głównie z Elrondem i północnymi Dúnedainami (Strażnikami). Osobliwie umiłował sobie też niziołków. Wiedział o nich sporo, a w swej mądrości przeczuwał, iż staną się w pewnej chwili języczkiem u wagi; doceniał także zalety ich ducha. Gondor interesował go w mniejszym stopniu i z tych samych powodów, dla których stał się nader atrakcyjny dla Sarumana: było to ówczesne centrum wiedzy i władzy. Władcy Gondoru za sprawą wielowiekowej tradycji pozostawali nieubłaganymi wrogami Saurona, co miało wymiar głównie polityczny; królestwo powstało po to, by powstrzymać Saurona, i przetrwało tak długo (oraz wchłonęło tak olbrzymie obszary) tylko dlatego, że niebezpieczeństwo nie znikało. A utrzymanie rozbudowanej armii stanowiło jedyny sposób obrony przed tym zagrożeniem. Gandalf nie widział możliwości uzyskania większego wpływu na decyzje dumnych władców. Niechętnie słuchali rad i dopiero, gdy upadać zaczęła ich potęga (chociaż nie duch, wciąż bowiem bronili uparcie sprawy, zdawało się, przegranej), poważnie się nimi zainteresował.

Imię Inkánus jest najpewniej obcego pochodzenia. Nie wywodzi się ani z westronu, ani z mowy elfów (z sindarińskiego czy quenejskiego), ani też z ocalałych języków Ludzi Północy. Notatka w księdze Thaina powiada, że słowo to wzięto z mowy Haradrimów, potem zaadaptowano do quenejskiego i znaczyło po prostu Szpieg Północy (*Inkā* + *nūs*)[11].

Imię Gandalf wykorzystane zostało w tekście opowieści na tej samej zasadzie co imiona hobbitów czy krasnoludów. W rzeczywistości jest to miano skandynawskie (noszone przez karła w eposie *Völuspá*)[12], którego użyłem, gdyż zawiera cząstkę *gandr*, laska, różdżka (szczególnie magiczna) i może oznaczać „elfią istotę z (magiczną) różdżką". Gandalf nie był elfem, jednak ludzie kojarzyli go z Eldarami, gdyż powszechnie wiedziano o jego bliskich, wręcz przyjacielskich kontaktach z tym plemieniem. Ponieważ imię to nosił głównie na północy, należy uznać je za wywodzące się z języka westron, chociaż złożone jest z elementów obcych mowie elfów.

> Całkiem inne wyjaśnienie słów Gandalfa: „zwą mnie na południu Inkánusem" i odmienną etymologię tego imienia znajdujemy w notatce sporządzonej w roku 1967:

Nie wiadomo, co miało znaczyć owo „na południu". Gandalf wyparł się jakichkolwiek odwiedzin „wschodu", utrzymując, że ograniczał swe podróże i działalność do ziem zachodnich zamieszkanych głównie przez plemiona wrogie Sauronowi. Tak czy inaczej, wydaje się mało prawdopodobne, aby przemierzał kiedykolwiek Harad (lub Daleki Harad!), czy posiadywał tam dość długo, by zyskać własne imię w którymś z języków tych słabo poznanych krain. Południe oznacza w tym przypadku Gondor (w najszerszym rozumieniu, wraz z ziemiami podległymi królestwu wówczas, gdy było u szczytu swej potęgi). W czasach, w których dzieje się opowieść, w Gondorze zwie się Gandalfa niezmiennie Mithrandirem (miana tego używają potomkowie Númenorejczyków, jak Denethor, Faramir itd.). Jest to imię sindarińskie, nadane i stosowane przez elfy, jednak w Gondorze ludzie tak szlachetnego pochodzenia znali mowę Eldarów. W westronie, czyli Wspólnej Mowie, powszechnie używane imię Gandalf znaczyło Szary Płaszcz (Greymantle), ale we wspomnianym czasie była to już forma archaiczna, używana wszakże przez Eomera w Rohanie jako Greyhame.

> Ojciec uznał tutaj, iż określenie „na południu" odnosi się do Gondoru i że Inkánus (podobnie jak Olórin) jest imienien quenejskim, stosowanym w Gondorze w dawnych czasach, kiedy język ten był powszechnie uży-

wany oraz wykorzystywano go w kronikach, tak jak kiedyś czyniono to w Númenorze.

Kronika Lat powiada, że Gandalf pojawił się na Zachodzie z początkiem jedenastego wieku Trzeciej Ery. Jeśli przyjmiemy, że w pierwszym rzędzie odwiedził Gondor i przebywał tam dość długo, by zyskać imię – przypuśćmy, że działo się to za panowania Atanatara Alcarina, około tysiąca ośmiuset lat przed Wojną o Pierścień – to można uznać imię Inkánus za jego tamtejsze quenejskie miano, zapomniane później przez wszystkich, z wyjątkiem ludzi uczonych.

Z tego domniemania wynika propozycja wywiedzenia etymologii imienia Inkánus z quenejskiego *in(id)*-, „umysł" i *kan*-, „władca", jak w *cáno, cánu*, „władca, rządca, przywódca" (co później złożyło się na drugą część imion Turgon i Fingon). W dalszym ciągu zapisków ojciec wspomina o łacińskim słowie *incánus*, „siwowłosy", sugerując tym samym, że stąd właśnie zaczerpnął jedno z imion Gandalfa w trakcie pisania *Władcy Pierścieni*. Jeśli taka jest prawda, to pozostaje tylko się zdumieć. Pod koniec dodaje jeszcze, że zbieżność między quenejskim imieniem a tym łacińskim słowem była „czysto przypadkowa", tak jak podobieństwo sindarińskiej nazwy Orthank, „widlasty szczyt", do staroangielskiego słowa *orþanc*, „sprytny, wymyślny wynalazek, urządzenie", co jest przekładem nazwy stosowanej w języku Rohirrimów.

Rozdział III

Palantíry

Palantíry bez wątpienia nie były nigdy dostępne dla wszystkich, mało kto też o nich wiedział nawet w Númenorze. W Śródziemiu przechowywano je w strzeżonych komnatach na szczytach solidnych wież i tylko królowie oraz władcy (lub zaufani wartownicy) mieli dostęp do kryształów. Nigdy nie były pokazywane publicznie, nie rozprawiano głośno o ich istnieniu, chociaż aż do wygaśnięcia linii królów nie czyniono również z tego zbytecznej tajemnicy. Użycie palantírów nie wiązało się z najmniejszym ryzykiem i królowie (czy inne upoważnione osoby) bez wahania ujawniały źródło wieści o wydarzeniach w dalekich krainach czy decyzjach odległych władców, nawet jeśli przekaźnikiem były właśnie kryształy[1].

Nie ma żadnych wzmianek, by nadal używano ich w ten sam sposób po wygaśnięciu linii królów i utracie Minas Ithil. Po katastrofie statku Arvedui (ostatniego króla) w 1975 roku zabrakło „czynnych" kryształów na Północy[2]. W roku 2002 utracono kryształ z Minas Ithil. Zostały jedynie palantíry Anoru i Orthanku[3].

Dwie rzeczy zdecydowały wówczas o zaniechaniu korzystania z kryształów, jak i zapomnieniu przez większość ludzi, że coś takiego istniało. Po pierwsze, nie wiedziano, co stało się z kryształem Ithilu. Słusznym zdawało się przypuszczenie, że został zniszczony przez obrońców Minas Ithil przed upadkiem i złupieniem miasta[4], jednak nie można było z całą pewnością wykluczyć przechwycenia palantíru przez Saurona. Mądrzejsi i bardziej przewidujący osobnicy brali to pod uwagę, słusznie mniemając, że kryształ nie pomoże specjalnie Sauronowi w pokonaniu Gondoru, o ile nie uda mu się nawiązać kontaktu z innym palantírem[5]. Dlatego prawdopodobnie kroniki namiestników milczą o kamieniu Anoru aż do Wojny o Pierścień. Przez cały ten czas pilnie go strzeżono i tylko namiestnicy mieli doń dostęp, jednak (jak się zdaje) nie korzystali z palantíru. Tę ostatnią zasadę złamał zapewne dopiero Denethor II.

Drugi powód stanowiło podupadanie Gondoru. Nawet ta garstka szlachetnie urodzonych, która pozostała w królestwie, niezbyt interesowała się zdobywaniem wiedzy czy poznawaniem dawnej historii, chyba że tropili własne genealogie i badali swe powinowactwa z linią królów. Po zniknięciu tych ostatnich nastało dla Gondoru „średniowiecze", czas ubożenia umysłowego i zanikania wszelkich sztuk. Komunikowano się poprzez wysłanników i konnych gońców, dla pilnego zaś nawiązania łączności wykorzystywano stosy sygnałowe. Chociaż palantírów Anoru i Orthanku wciąż bacznie pilnowano jako skarbów przeszłości, to jednak mało kto wiedział o ich istnieniu. Zwykli ludzie zapomnieli o Siedmiu Kryształach. Nawet gdy powtarzali poświęcone palantírom wiersze czy rymowanki, czynili to bez zrozumienia. Z czasem skojarzono opowieść z legendami o niezwykłych, „elfich" mocach dawnych królów, którzy w celu zbierania i rozsyłania wieści mieli posługiwać się duchami przybierającymi postać śmigłych ptaków.

Namiestnicy zapewne przez dłuższy czas lekceważyli istnienie kryształu Orthanku. Spoczywał bezpiecznie w niewzruszonej wieży, a pożytku zeń i tak nie mogło być żadnego. Nawet jeśli wobec niego posiadano te same wątpliwości, które żywiono odnośnie do kryształu Ithilu, to Orthank wznosił się w okolicy budzącej coraz mniejsze zainteresowanie Gondoru. Ludność Calenardhonu, zawsze nieliczna, została zdziesiątkowana podczas Czarnej Zarazy w 1636 roku, potem jeszcze liczebnie zmalała za sprawą emigracji potomków Númenorejczyków do Ithilien, na tereny bliżej Anduiny. Isengard pozostał osobistą własnością namiestników, jednak Orthank stał opuszczony. W końcu zamknięto wieżę, a klucze do niej przekazano do Minas Tirith. Jeśli nawet namiestnik Beren pamiętał o krysztale, to oddając klucze do Orthanku Sarumanowi, pomyślał zapewne, że palantír znajdzie się w najlepszych możliwych rękach, pod opieką przywódcy wrogiej Sauronowi Rady.

Saruman bez wątpienia zdobył podczas swych studiów[6] sporą wiedzę o kryształach, które szczególnie go interesowały. Sądził, że palantír spoczywa nietknięty w Orthanku. Klucze przejął w 2759 roku, nominalnie jako jej strażnik i przedstawiciel namiestnika Gondoru. Biała Rada nie zwracała wówczas uwagi na kryształ Orthanku, jedynie cieszący się zaufaniem namiestników Saruman dość dokładnie zapoznał się z zapiskami spoczywającymi w archiwach Gondoru, by zwrócić uwagę na palantíry i wymyślić jakieś zastosowanie dla tych, które ocalały, słowem jednak nie wspomniał o tym swoim towarzyszom. Za sprawą żerającej go zazdrości i nienawiści do Gandalfa, po ostatnim spotkaniu (w roku 2953) zaprzestał współpracy z Radą. Nie obwieszczając tego głośno i nie licząc się już z Gondorem, uznał faktycznie Isengard za swoje włości. Rada bez wątpienia nie zaaprobowała jego postępku, jednak Saruman był w pełni samodzielny i miał prawo prowadzić walkę z Sauronem na swój sposób[7].

Rada musiała zapewne niezależnie dowiedzieć się o kryształach i ich pradawnych właściwościach, ale nadal nie uznawała sprawy za istotną. Owszem, uważano je za przedmioty cudowne i godne podziwu, ale należały już do historii królestw Dúnedainów i albo zaginęły, albo straciły na znaczeniu. Trzeba pamiętać, że kryształy pierwotnie były „neutralne" i nie służyły złemu celowi. Dopiero Sauron wykorzystał je jako ponure narzędzia dominacji i zdrady.

W końcu Rada (ostrzeżona przez Gandalfa) zaczęła powątpiewać w szlachetność planów Sarumana odnośnie do Pierścieni, lecz nawet Gandalf nie podejrzewał Curuníra, by ten mógł stać się sprzymierzeńcem czy sługą Saurona. To wyszło na jaw dopiero w lipcu 3018 roku. Chociaż w późniejszych latach Gandalf przestudiował dokładnie archiwa Gondoru i podzielił się zdobytą wiedzą, to jednak członkowie Rady pozostali w pierwszym rzędzie zainteresowani Pierścieniem. Nie zdawali sobie sprawy z niebezpieczeństw związanych z możliwym wykorzystaniem kryształów. Wyraźnie widać, że nawet podczas Wojny o Pierścień Rada długo nic nie wiedziała o niejasnych okolicznościach utracenia przez Gondor kryształu Ithilu i nie doceniła wagi owej straty (co nawet w przypadku Elronda, Galadrieli i Gandalfa jest zrozumiałe, jeśli weźmie się pod uwagę, jak wiele ciążyło na nich spraw). Nie rozważono ewentualnych konsekwencji skorzystania z ocalałych kryształów w sytuacji, jeśli Sauronowi udałoby się jednak któryś przechwycić. Trzeba było dopiero demonstracji wpływu kryształu Orthanku na Peregrina, by zrozumiano, że więź między Isengardem a Barad-dûr (widoczna już przedtem we współpracy sił Isengardu z oddziałem Saurona podczas napaści na Drużynę w Parth Galen) zaistniała właśnie za pośrednictwem tego – i jeszcze jednego – palantíru.

W swej rozmowie z Peregrinem podczas jazdy na Cienistogrzywym z Dol Baran (*Dwie Wieże*, s. 189–192) Gandalf usiłował wyłożyć hobbitowi historię palantírów w taki sposób, by widomymi stały się ich pradawność, szlachetne pochodzenie i niezwykłe właściwości. Nie wyjaśnił, skąd posiadł całą tę wiedzę i tylko pod koniec opowiedział, jak Sauron zapanował nad kryształami, czyniąc je niebezpiecznymi dla każdego, niezależnie od rangi i mocy. Gandalfowi wiele spraw wyjaśniło się nagle wraz z odkryciem tajemnicy kryształu Orthanku. Zrozumiał na przykład, jakim cudem Denethor wiedział tyle o odległych zdarzeniach i czemu zestarzał się przedwcześnie, ledwo po sześćdziesiątce, chociaż należał do długowiecznego plemienia. Niewątpliwie Gandalf zamierzał jak najszybciej udać się do Minas Tirith, jednak oprócz zagrożenia bliską wojną miał teraz jeszcze drugi powód do pośpiechu: obawę, czy Denethor też nie zagląda w kryształ, w palantír

Anoru, a jeśli, to jaki wpływ wywiera to na namiestnika. Czy w decydującej chwili nie okaże się (jak Saruman) niegodnym zaufania, czy nie podda się Mordorowi? Te wątpliwości musiały rzutować na wszystkie późniejsze kontakty Gandalfa z Denethorem, uwidaczniając się w rozmowach obu mężów[8].

Na palantír z Minas Tirith Gandalf zwrócił baczną uwagę dopiero po incydencie z Peregrinem, jednak wcześniej już wiedział, bądź domyślał się tego i owego. Nie da się powiedzieć, co Gandalf porabiał między końcem Niespokojnego Pokoju (2460) a założeniem Białej Rady (2463). Wydaje się, że Gondor przykuł jego uwagę dopiero po odnalezieniu przez Bilba Pierścienia (2941) i jawnym powrocie Saurona do Mordoru (2951)[9]. Od tej pory skoncentrował się (podobnie jak Saruman) na sprawie Pierścienia Isildura, jednak można przyjąć, że wertując archiwa Gondoru, znalazł niejedną informację o palantírach, chociaż (w odróżnieniu od Sarumana) nie docenił zrazu zdobytych wiadomości. Dla Sarumana artefakty i instrumenty władzy były ważniejsze niż ludzie, Gandalf jednak zapewne więcej dowiedział się wówczas o ich pochodzeniu i ostatecznym przeznaczeniu, znał bowiem również dobrze dzieje dawnego królestwa Arnoru i przyjaźnił się z Elrondem.

Istnienie kryształu Anoru okryte było tajemnicą. Żadne zapiski czy kroniki namiestników nie wspominają o jego losie po upadku Minas Ithil. Wprawdzie wiedziano, że ani Orthank, ani Biała Wieża w Minas Ithil nie znalazły się nigdy we władaniu nieprzyjaciela i nie zostały splądrowane, czyli że kryształy powinny wciąż znajdować się na miejscu, to jednak nie było pewności, czy namiestnicy nie kazali ich przypadkiem usunąć i skryć na dnie[10] jakiegoś skarbca w tajnej górskiej kryjówce podobnej Dunharrow.

Gandalf stwierdzić mógł potem, że nie podejrzewa, aby Denethor ważył się posługiwać palantírem za dni swej pełnej umysłowej sprawności[11], jednak odrzucić tej możliwości niepodobna, nie wiadomo bowiem, kiedy i dlaczego Denethor sięgnął po kryształ. Trudno wykluczyć, że Gandalf miał rację, jest też jednak prawdopodobne, jeśli weźmie się pod uwagę słowa Denethora, że namiestnik spojrzał po raz pierwszy w palantír przed rokiem 3019, zanim jeszcze Saruman wpadł na pomysł wykorzystania kryształu. Denethor objął urząd namiestnika w 2984 roku, w wieku pięćdziesięciu czterech lat. Był wówczas władcą nieustraszonym, sprawnym oraz ponad miarę swego czasu mądrym i wykształconym zarazem, o silnej woli i wierze we własne siły. Pierwsze oznaki „ponurości" namiestnika zauważono kilka lat po śmierci jego żony, Finduilas (2988), lecz według wszelkich znaków kryształem zainteresował się zaraz po objęciu urzędu. Dość długo przedtem zgłębiał tajniki wiedzy o palantírach, wszystko to bowiem odnotowywano w specjalnych kronikach Gondoru, do których dostęp, prócz rządzących namiestników, mieli tylko ich spadkobiercy. Pod koniec panowania swego ojca, Ectheliona II,

Denethor musiał gorąco pragnąć spojrzeć w kryształ, jako że narastał wówczas w Gondorze niepokój, a pozycja następcy zdawała się chwiać pod wpływem sławy Thorongila[12] i łask okazywanych mu przez namiestnika. W jakimś stopniu musiała kierować nim zazdrość wobec Thorongila i wrogość, którą czuł do Gandalfa. Za czasów świetności Thorongila w Gondorze Ecthelion darzył Gandalfa szczególnymi względami. Denethor pragnął przewyższyć obu tych „uzurpatorów" wiedzą i orientacją we wszelkich sprawach, uznawał też, że lepiej będzie mieć na nich oko nawet wówczas, gdy opuszczą Gondor.

Należy odróżnić osłabiający efekt pojedynku Denethora z Sauronem od wyczerpania powodowanego przez sam kontakt z kryształem[13]. To ostatnie Denethor (nie bez racji) uznawał za trud dostępny jego siłom. Zapewne przez wiele lat Sauron nie pojawił się Denethorowi *in personam* i wątpliwe, by namiestnik kiedykolwiek liczył się z taką możliwością. (O sposobach korzystania z kryształu, tak w celu kontaktu z innym palantírem, jak i w celu samego oglądu świata, powiada koniec tego tekstu). Opanowawszy sztukę sterowania samym kryształem Anoru, Denethor mógł dowiedzieć się sporo o odległych wydarzeniach i nawet wtrącenie się Saurona nie mieszało mu szyków, przynajmniej jak długo miał dość siły, by przeciwstawić się Nieprzyjacielowi skłaniającemu „spojrzenie" kryształu w swoim kierunku. Trzeba też pamiętać, że palantíry były tylko jednym z elementów intrygi Saurona: środkiem do usidlenia dwóch oponentów. Nie spoglądał przez cały czas (bo i nie mógł tego czynić) w kryształ Ithilu, a nie zwykł przekazywać tak odpowiedzialnych zadań sługom. Zresztą w jego otoczeniu nie było nikogo mentalnie silniejszego od Sarumana czy nawet Denethora.

Denethor, jako namiestnik, znajdował się na uprzywilejowanej pozycji, nawet wobec Saurona, gdyż kryształy o wiele łatwiej poddawały się prawowitym posiadaczom, przede wszystkim rzeczywistym „dziedzicom Elendila" (jak Aragorn) oraz osobom piastującym dziedziczne godności (jak Denethor), czego nie można powiedzieć o pozostałych dwóch właścicielach palantírów. Można zauważyć, że kryształy w różny sposób oddziaływały na użytkowników. Saruman uległ wpływom Saurona, zapragnął jego zwycięstwa i poniechał wszelkiego oporu. Denethor pozostał wrogiem Mrocznego Władcy, jednak stracił wiarę w wiktorię i popadł w desperację. Przyczyny odmiennych reakcji należy upatrywać w fakcie, że Denethor był człowiekiem o silnej woli i dopiero śmiertelna (jak się zdawało) rana odniesiona przez jego jedynego ocalałego syna spowodowała rozpad funkcji jego osobowości. Charakteryzowała go duma, ale nie pycha, myślał przede wszystkim o Gondorze i jego mieszkańcach. Poza tym kryształ Anoru należał do niego z mocy prawa i nic nie przemawiało przeciwko wykorzystaniu tego palantíru w wielkiej potrzebie. Denethor musiał się najpewniej domyślać, że kryształ Ithilu trafił w niepowołane ręce, a jednak ufny w swe siły zaryzykował kontakt. Jak się ostatecznie okazało, miał w tym sporo racji, Sauron bowiem nie zdołał go sobie podporządkować i musiał poprzestać na sączeniu trucizny kłamstw. Zapewne z początku Denethor wcale nie spoglądał ku Mordorowi i zadowalał się tymi widokami, które kryształ sam mu dostarczał, stąd i jego wspaniała znajomość wydarzeń dziejących się w odległych krajach. Nie wiadomo, czy nawiązał kiedykolwiek łączność z palantírem Orthanku i Sarumanem. Zapewne tak, i to z korzyścią dla siebie. Sauron nie mógł wtrącić się w te rozmowy, mocą podsłuchiwania obdarzony był tylko Główny Kryształ z Osgiliath, dla zwykłego kryształu dwa połączone akurat palantíry przedstawiały się jako niedziałające[14].

Królowie i namiestnicy Gondoru musieli zachować szczegółową wiedzę o palantírach i przekazywali ją sobie z pokolenia na pokolenie nawet wtedy, gdy przestano już korzystać z kryształów. Stanowiły one niezbywalny dar Elendila dla potomków, ich wyłączną własność, co nie znaczyło jednak, że tylko oni sami mogli z palantírów korzystać. Tak „spadkobiercy Anáriona", jak i „spadkobiercy Isildura" (czyli prawowici królowie Gondoru i Arnoru) władni byli upoważniać inne osoby do używania kryształów, co było nawet konieczne, każdy bowiem z nich miał własnego strażnika, który miał za zadanie między innymi spoglądać w palantír albo w określonych porach, albo według rozkazów czy potrzeby. Pozwalano to także czynić na przykład ministrom Korony. Ci, zajmując się „wywiadem", za pomocą kryształów regularnie dokonywali specjalnych i szczegółowych inspekcji, których wyniki przekazywali potem królowi i Radzie lub samemu królowi w sekrecie, jeśli sprawa wymagała dyskrecji. W późniejszym okresie, kiedy urząd namiestników nabrał w Gondorze znaczenia i przyjął postać dziedziczną (od 1998 roku)[15], dostarczając „zastępców" króla, a w potrzebie i wicekrólów, piecza nad palantírami przeszła głównie w ręce namiestników i oni to zaczęli strzec wiedzy o kryształach, przekazując stosowne sekrety swoim następcom. Tym samym prawa Denethora nie były niczym ograniczone[16].

Wspominając jednak treść *Władcy Pierścieni,* trzeba zauważyć, że niezależnie od władzy przypisanej dziedzicznemu stanowisku namiestnika, jedynie „dziedzic Elendila" (czyli jego legalny potomek zasiadający dzięki temu dziedzictwu na tronie królestw númenorejskich) miał prawo użyć dowolnego kryształu. Dlatego właśnie Aragorn słusznie rościł sobie prawo do kryształu Orthanku, był bowiem *de iure* prawowitym władcą obojga królestw Gondoru i Arnoru, miał zatem prawo decydować o ewentualnym cofnięciu wszelkich upoważnień (również w materii korzystania z palantírów) wydanych przez przodków.

Wiedza o kryształach została już zapomniana i tylko po części daje się odtworzyć na podstawie zachowanych zapisków. Palantíry miały postać idealnie kulistą, w stanie „spoczynku" przypominały czarne szkło lub kryształ. Najmniejsze miały około stopy średnicy, ale niektóre, szczególnie te w Osgiliath i Amon Sûl były o wiele większe; jeden człowiek nie dawał rady ich unieść. Pierwotnie wszystkie przechowywano w miejscach specjalnie dla nich zaprojektowanych, gdzie spoczywały pośrodku niskich stołów z czarnego marmuru, osadzone w stosownej wielkości kielichu bądź zagłębieniu. Ciężkie, ale idealnie gładkie, łatwo dawały się obracać na stanowiskach. Były bardzo wytrzymałe, tak że nawet strącenie (przypadkowe czy umyślne) nie naraziłoby ich na szwank. W gruncie rzeczy człowiek nie zdołałby ich zniszczyć, chociaż niektórzy sądzili, że pod wpływem wielkiego gorąca, na przykład ciśnięte do krateru Orodruiny, mogłyby się rozpaść. Mniemano zresztą, że taki właśnie los spotkał kryształ Ithilu po upadku Barad-dûr.

Chociaż pozbawione jakichkolwiek zewnętrznych oznaczeń, palantíry miały stałe „bieguny". Pierwotnie ustawiano je w taki sposób, aby oś skierowana była prostopadle do powierzchni ziemi, z nadirem mierzącym ku środkowi globu. Powierzchnia kuli przypominała ekran odbierający obraz z dala i „rzutujący go" przed odbiorcą. I tak, jeśli chciało się spojrzeć na zachód, należało ustawić się po wschodniej stronie kryształu, pragnąc zaś zerknąć ku północy, obserwujący musiał przesunąć się w lewo, na południe. Jednak pomniejsze palantíry, jak kryształy Orthanku, Ithilu i Anoru, a zapewne i ten z Annúminas, były zorientowane w jednym kierunku, to znaczy mogły spoglądać (na przykład) tylko na zachód, zaś obrócone czynną stroną gdzie indziej, nic nie pokazywały. W przypadku gdy palantír zsunął się ze stanowiska lub został poruszony, ponownie się go ukierunkowywało, kręcąc nim i obserwując wyniki manewrów. Potraktowany jednak podobnie jak kryształ z Orthanku (porwany w gniewie i ciśnięty w dół) był niemal bezużyteczny i tylko czystym „przypadkiem", jak mawiają ludzie (i jak powiedziałby Gandalf), bawiący się kryształem Peregrin nawiązał łączność z Mrocznym Władcą. Musiał bowiem najpierw ustawić palantír w miarę „pionowo", a potem, siedząc na zachód od kuli, skierować właściwą, „zaprogramowaną" na wschód część płaszczyzny kuli we właściwym kierunku. Ograniczenia te nie dotyczyły większych kamieni, nawet obracane wokół osi, wciąż przekazywały obraz z dowolnego kierunku[17].

Pojedynczy palantír mógł jedynie „widzieć". Kryształy nie przekazywały dźwięków. Jeśli nie kierował nimi wprawny umysł, przekazywały chaotyczne (jak się zdawało) rozmaite oderwane wizje. Na przykład, gdyby umieścić palantír w jakimś wysokim punkcie, to strona skierowana na zachód pokazywałaby obraz odległy, zamazany, przymglony na krawędziach, drugi plan zaś byłby pełen obiektów przedstawianych z coraz mniejszą ostrością. Ich pole widzenia ograniczały jedynie: przypadek, ciemność lub „kurtyna" (patrz poniżej). Fizyczne obiekty nie stanowiły dla nich żadnej przeszkody. Tak zatem, palantíry mogły spoglądać „przez górę", jak i „przez" obszar mroku, ale widziały tylko to, co było jasno oświetlone.

Potrafiły przenikać wizją ściany, ale wnętrza komnat, jaskiń czy lochów pozostawały nieodgadnione, jeśli panowała w nich ciemność. Przed ich wścibstwem chroniła też tak zwana „kurtyna", przy jej użyciu pewne obiekty lub obszary postrzegano w kryształach jedynie jako cienie albo gęstą mgłę. Jak uzyskiwano efekt „kurtyny", tego już dziś, niestety, nie wiadomo[15].

Siłą woli można było skłonić kryształ, by skoncentrował się na jakimś punkcie leżącym bezpośrednio na linii jego widzenia lub tuż obok[19]. Niekontrolowane obrazy miały zawsze niewielkie rozmiary, szczególnie w drugorzędnych palantírach, chociaż widzowi, który stanął w stosownej odległości (około trzech stóp od kryształu) wydawały się całkiem spore. Dzięki sile woli i wprawie dawało się uzyskać powiększenie, czyli ostrzejszy obraz coraz bliższego szczegółu, przy czym tło znikało niemal zupełnie. W ten sposób pojedynczy człowiek, widoczny zwykle z dala jako drobna postać, wysoka co najwyżej na pół cala i zlewająca się z krajobrazem lub ciżbą, mógł zostać wyodrębniony, a jego portret powiększony przynajmniej do rozmiarów jednej stopy, co pozwalało już na identyfikację osobnika. Mocna koncentracja umożliwiała nawet jeszcze większe powiększenie, dające szansę sprawdzenia interesujących widza szczegółów, na przykład, czy dany osobnik nosi pierścień na palcu.

Jednak taka „koncentracja" niesłychanie męczyła i decydowano się na nią wówczas jedynie, gdy sprawa była najwyższej wagi, ale zwykle tylko przypadek decydował o powodzeniu próby, chyba że posiadało się stosowne dane pomagające w odłowieniu jakichś (istotnych dla patrzącego) detali z „szumu informacyjnego" kryształu. Tak na przykład, zaniepokojony o losy Rohanu i niepewny, czy czas już rozpuścić wici i wysłać Czerwoną Strzałę, Denethor mógł zasiąść przed palantírem Anoru, by spoglądając na północny zachód, dojrzeć Rohan, okolice Edoras i brody na Isenie. Kręciło się tam wówczas wielu ludzi. Gdyby dojrzał daną grupę i skoncentrował spojrzenie, mógłby rozpoznać w końcu jakąś znaną mu postać, dajmy na to Gandalfa zmierzającego z posiłkami do Helmowego Jaru, nagle odłączającego od kompanii i gnającego na północ[20].

Palantíry nie potrafiły czytać ukradkiem myśli ludzi, dokonywana bowiem za pośrednictwem kryształów wymiana myśli (odbieranych jako wypowiedziane słowa)[21] obejmowała tylko to, co użytkownicy świadomie chcieli przesłać i mogła odbywać się jedynie pomiędzy zestrojonymi ze sobą kryształami.

Przypisy

Część I
Pierwsza Era

I. O Tuorze i jego przybyciu do Gondolinu

[1] W *Silmarillionie*, na s. 234, znajdujemy wzmiankę, że po zniszczeniu przystani Brithombar i Eglarest (w rok po Nirnaeth Arnoediad), ci spośród elfów z Falas, którzy zdołali uciec, ruszyli za Círdanem na wyspę Balar i „przygotowali na wyspie Balar schronienie dla wszystkich elfów, którzy zdołaliby uciec przed Nieprzyjacielem; elfowie Círdana zatrzymali bowiem także przyczółek u ujścia Sirionu, gdzie w gęstym jak las sitowiu zarastającym odnogi rzeczne i zalewy stały ukryte lekkie i szybkie statki".

[2] Świecące błękitnym blaskiem lampy elfów z Noldoru opisane zostały już przedtem, chociaż nie ma o nich mowy w opublikowanej wersji *Silmarillionu*. We wcześniejszej wersji opowieści o Túrinie, Gwindor, elf z Nargothrondu, który uciekł z Angbandu i został przez Belega odnaleziony w puszczy Taur-nu-Fuin, miał właśnie taką lampę (widać ją na rysunku mego ojca, który namalował owo spotkanie [patrz *Pictures by J.R.R. Tolkien*, 1979, nr 37]). Właśnie w świetle nagle wywróconej i odkrytej przez to lampy Gwindo-

ra Túrin ujrzał, że to Belega właśnie przyszło mu zabić. W przypisie do historii Gwindora urządzenia te zwane są lampami fëanoryjskimi, których sekretu nie znali nawet sami Noldorowie. Opis powiada zaś, że były to „kryształy zawieszone na siatce z łańcuszków i świecące niezmiennie własnym, błękitnym blaskiem".

[3] „Niechaj słońce oświetla ci drogę". W krótszej znacznie wersji opowieści zamieszczonej w *Silmarillionie* nie ma mowy, jakim to sposobem Tuor znalazł Bramę Noldorów, nie znajdujemy tam też elfów Gelmira i Arminasa. Pojawiają się oni jednak w opowieści o Túrinie (*Silmarillion*, s. 253), jako wysłannicy przynoszący do Nargothrondu ostrzeżenie od Ulma. Według tej wersji mają oni być podwładnymi Angroda, syna Finarfina, który po Dagor Bragollach zamieszkał na południu wraz z Círdanem. W dłuższej wersji opowieści o ich przybyciu do Nargothrondu Arminas, niepochlebnie wyrażając się o Túrinie i porównując go z Tuorem, stwierdza, że spotkał go „na pustkowiach Dor-lóminu".

[4] *Silmarillion* podaje (s. 92), że gdy Morgoth i Ungolianta zmagali się tamże o silmarile, „z gardła Morgotha dobył się straszliwy wrzask, który echo rozniosło wśród gór. Dlatego oko-

licę tę nazwano Lammoth, gdyż echo krzyku Morgotha przetrwało wieki i każdy, kto się tu znalazł, mógł je swoim głosem wzbudzić na nowo; całe pustkowie między górami a morzem zawsze odtąd rozbrzmiewało jak gdyby jękami torturowanych". Z drugiej jednak strony, zamieszczony tu opis sugeruje, że każdy dźwięk rozbrzmiewał swym własnym echem, tyle że potężnym. Ta sama idea pojawia się na początku trzynastego rozdziału *Silmarillionu* (s. 125), (fragment bardzo podobny do omawianego): „Kiedy [Noldorowie] stawiali stopy na lądzie, krzyk ich rozległ się i pomnożył wśród gór tak, że zgiełk jakby niezliczonych głosów wypełnił całe północne wybrzeże". Wygląda na to, że według jednej „tradycji" Lammoth i Ered Lómin (Góry Echa) zawdzięczają swe nazwy przechowanemu tamże echu strasznego krzyku Morgotha pochwyconego przez Ungoliantę, inna zaś „tradycja" sugeruje, że jest to związane z akustycznymi właściwościami tych okolic.

5 Por. *Silmarillion*, s. 257: „Tymczasem Túrin pędził na północ przez spustoszoną teraz krainę między Narogiem a Teiglinem, a na jego spotkanie wyszła sroga zima, w tym roku bowiem śnieg spadł, zanim się skończyła jesień, a wiosna była spóźniona i chłodna".

6 *Silmarillion* (s. 150) powiada, że gdy Ulmo pojawił się Turgonowi w Vinyamarze i wysłał go do Gondolinu, uczynił to ze słowami: „Może się więc zdarzyć, że klątwa ciążąca nad Noldorami dosięgnie cię, nim czas się dopełni, i że zdrada zalęgnie się także w murach twojego grodu. A wtedy zagrozi mu ogień. Gdy wszakże przybliży się to niebezpieczeństwo, przyjdzie ktoś z Nevrastu, aby cię ostrzec i dzięki niemu wśród ruin i płomieni zaświta dla elfów i ludzi nadzieja. Zostaw tedy w swoim nadmorskim domu zbroję i oręż, aby ten, co po latach przyjdzie, mógł znaleźć je tutaj i abyś po tych znakach rozpoznał go i nie dał się zwieść fałszywemu zwiastunowi". Po czym Ulmo poinstruował Turgona, jaki dokładnie hełm, kolczugę i miecz powinien zostawić.

7 Tuor był ojcem Eärendila, który był ojcem Elrosa Tar-Minyatura, pierwszego króla Númenoru.

8 Odnosi się to niechybnie do ostrzeżenia Ulma, które Gelmir i Arminas przynieśli do Nargothrondu.

9 Wyspy Cienia to zapewne Zaczarowane Wyspy opisane pod koniec jedenastego rozdziału *Silmarillionu* (s. 118). „Ciągnęły się z północy na południe niby sieć" w czasach Ukrycia Valinoru.

10 Por. *Silmarillion*, s. 235: „Przychylając się do tej [Turgona] prośby [po Nirnaeth Arnoediad], Círdan zbudował siedem chyżych statków, które pożeglowały na zachód. O wszystkich słuch zaginął, tylko o jednym z nich, ostatnim, doszła na wyspę Balar jakaś wieść. Załoga tego statku długo walczyła z morzem i w końcu zrozpaczona zawróciła ku Śródziemiu, lecz gdy żeglarze już widzieli brzegi, rozszalał się sztorm i statek zatonął. Z całej załogi jednego tylko elfa uchronił Ulmo od gniewu Ossëgo. Ten ocalony nazywał się Voronwë i był jednym z posłów przysłanych przez Turgona z Gondolinu". Zob. również *Silmarillion*, s. 285.

11 Słowa wypowiedziane przez Ulma do Turgona pojawiają się w *Silmarillionie* w następującym brzmieniu (s. 150): „Pamiętaj, że prawdziwa nadzieja Noldorów świeci na Zachodzie i przychodzi zza Morza", oraz „Gdy wszakże przybliży się niebezpieczeństwo, przyjdzie ktoś z Nevrastu, aby cię ostrzec".

12 *Silmarillion* milczy o dalszych losach Voronwęgo po jego powrocie wraz z Tuorem do Gondolinu, pierwotna jednak wersja opowieści (*O Tuorze i wygnańcach z Gondolinu*), powiada, że zdołał on umknąć z okrążonego grodu — jak sugerują to słowa Tuora.

13 Por. *Silmarillion*, s. 190: „[Turgon] był też przekonany, że koniec oblężenia był początkiem upadku Noldorów — nieuchronnego, jeśli nie nadejdzie jakaś potężna pomoc. Wysłał więc tajemnie oddziały Gondolindrimów do ujścia Sirionu i na wyspę Balar. Spełniając rozkazy króla, elfowie zbudowali tam statki i pożeglowali na najdalszy zachód, aby odszukać Valinor i wyprosić u Valarów przebaczenie i pomoc; mieli nadzieję, że ptaki morskie staną się dla nich przewodnikami. Ale morze było ogromne i burzliwe, osłonięte cieniem i mocą czarów,

a Valinor zakryty przed ich oczyma. Żaden więc z wysłanników Turgona nie dopłynął do zachodniego brzegu, wielu zginęło po drodze, a tylko nieliczni wrócili z tej wyprawy".

W jednym z „pierwotnych tekstów" *Silmarillionu* jest mowa o tym, że chociaż Noldorowie „nie znali sztuki szkutniczej i wszystkie okręty, które dane było im zbudować, niepewnie żeglowały i wiatry często cofały je do przystani", to jednak po Dagor Bragollach „Turgon ustanowił tajną kryjówkę na wyspie Balar", a kiedy po Nirnaeth Arnoediad Círdan i pozostali z jego szczepu uciekli z Brithombaru i Eglarestu na Balar, wówczas to „zmieszali się z ludem Turgona". Ten jednak fragment opowieści został wykluczony z wydania *Silmarillionu* i przez to nie ma tam ani wzmianki o założeniu przez elfy z Gondolinu osady na wyspie Balar.

14 Lasy Núath nie są wymienione w *Silmarillionie*, nie ma ich też na dołączonej do książki mapie. Rozciągały się na zachód od górnego biegu Narogu ku źródłu rzeki Nenning.

15 Por. *Silmarillion*, s. 251: „Córka króla Orodretha, Finduilas, poznała go i przywitała mile, gdyż kochała Gwindora, zanim poszedł walczyć w bitwie Nirnaeth, on zaś tak był rozmiłowany w jej piękności, że nazywał ją Faelivrin, czyli Odblaskiem Słońca na Rozlewiskach Ivrin".

16 Rzeka Glithui nie pojawia się w *Silmarillionie*, nie ma też jej nazwy na mapie, chociaż sama rzeka tam widnieje: dopływ Teiglinu, nieco na wschód od Malduiny.

17 O drodze tej czytamy w *Silmarillionie* (s. 245): „Posuwali się odwiecznym szlakiem, prowadzącym przez długi wąwóz Sirionu obok wyspy, na której Finrod zbudował swoją wieżę Minas Tirith, następnie przez krainę pomiędzy Malduiną a Sirionem i dalej skrajem lasu Brethil do Przeprawy na Teiglinie".

18 „Śmierć Glamhothom!" To drugie słowo, chociaż nie występuje w *Silmarillionie* ani *Władcy Pierścieni*, określało w języku sindarińskim orków jako takich. Dokładnie znaczy tyle, co „jazgotliwa banda" czy „armia wrzawy". Por. miecz Gandalfa Glamdring i Tol-in-Gaurhoth, „Wyspa (armii) wilkołaków".

19 Echoriath: Góry Okrężne otaczające równinę Gondolinu. *Ered e•mbar nín* – góry mego domu.

20 W *Silmarillionie*, s. 240, Beleg z Doriathu powiada Túrinowi (a dzieje się to kilka lat przed czasem tu zamieszczonej opowieści), że orkowie znaleźli drogę przez przełęcz Anach i „Dimbar, kraina dawniej tak spokojna, już czuje nad sobą władzę Czarnej Ręki".

21 Tą drogą Maeglin i Aredhel uciekli do Gondolinu przed pościgiem Eöla (*Silmarillion*, s. 160), później obrali ją wygnani z Nargothrondu Celegorm i Curufin (tamże, s. 211). Wzmianka na temat zachodniego przedłużenia drogi do sławnej siedziby Turgona u stóp góry Taras, pojawia się dopiero w niniejszym tekście. Na mapie szlak urywa się w miejscu połączenia ze starym, południowym gościńcem wiodącym wzdłuż północno-zachodniego skraju Brethilu do Nargothrondu.

22 Nazwa Brithiach zawiera rdzeń *brith-* „żwir", pojawiający się również w nazwach Brithon i zatoki Brithombar.

23 W alternatywnej wersji tego tekstu, niemal na pewno odrzuconej właśnie na rzecz wariantu wydanego drukiem, podróżnicy nie pokonują Sirionu przez brody Brithiach, ale kilka mil na północ od przeprawy. „Krętą ścieżką podjechali na brzeg rzeki, a wówczas Voronwë krzyknął:

– Spójrz na ten cud! Dobra i zła to dla nas wróżba. Sirion zamarzł, chociaż żadna opowieść nie wspomina, by zdarzyło się tak od czasu przybycia Eldarów ze Wschodu. Przejdziemy po lodzie, oszczędzając wiele mil, zbyt długich na nasze siły. Jednakże w ten sposób inni też będą mogli przejść, by podążyć naszym śladem".

Bez przeszkód przeszli rzekę po lodzie i „tym sposobem, za radą Ulma, na niczym spełzły knowania Nieprzyjaciela, gdyż droga ich uległa skróceniu i ostatkiem sił i nadziei dotarli jednak Tuor i Voronwë do koryta Suchej Rzeki w miejscu, gdzie kończyła ona swój bieg z pogórza".

24 Por. *Silmarillion*, s. 149: „Istniała jednak tajemna droga wydrążona głęboko pod górami przez spływające do Sirionu wody. Tę drogę odkrył Turgon i dzięki temu dostał się na

zieloną równinę wśród gór i ujrzał wznoszącą się na niej wyspę-skałę z twardego, gładkiego kamienia; dolinę tę bowiem w zamierzchłych czasach wypełniało wielkie jezioro".

[25] W *Silmarillionie* nie ma mowy o tym, by wielkie orły zakładały kiedykolwiek gniazda na Thangorodrimie. W rozdziale 13 (s. 129) Manwë: „kazał kilku orłom zagnieździć się wśród skał Północy i śledzić Morgotha", podczas gdy w rozdziale 18 (s.184), „Thorondor w porę nadleciał ze swego gniazda wśród iglic Crissaegrimu", by unieść ciało Fingolfina sprzed bram Angbandu. Por. również *Powrót Króla*, s. 203: „największe ze wszystkich Orłów Północy, najpotężniejsze z potomków Thorondora, który u zarania dziejów Śródziemia budował swe gniazda na niedostępnych szczytach Gór Granicznych". Według wszelkiego prawdopodobieństwa pierwotny pomysł, by Thorondor zamieszkał zrazu na Thangorodrimie, obecny również we wcześniejszej wersji *Silmarilliona*, został potem porzucony.

[26] *Silmarillion* nie wypowiada się precyzyjnie na temat mowy elfów z Gondolinu, jednak fragment ten sugeruje, że dla niektórych przynajmniej, mowa Elfów Wysokiego Rodu (quenya) był to język potoczny. W późniejszej rozprawie filologicznej dotyczącej quenya znajdujemy wzmiankę, że była to mowa na co dzień używana w domu Turgona, nią też władał od dziecka Eärendil. Jednak „dla większości mieszkańców Gondolinu był to język znany wyłącznie z ksiąg, inni bowiem Noldorowie używali zwykle sindarińskiego". Por. *Silmarillion*, s. 155: po edykcie Thingola „wygnańcy zaczęli więc używać w codziennym życiu języka sindarińskiego i tylko książęta Noldorów między sobą mówili Szlachetnym Językiem Zachodu, który przetrwał jednak jako język mędrców wszędzie, gdziekolwiek znaleźli się Eldarowie".

[27] Były to kwiaty, które bujnie rozkwitały na kurhanach królów Rohanu pod Edoras, i które Gandalf nazwał w języku Rohirrimów simbelmynë, czyli „wiecznie pamiętające", kwitną bowiem przez cały rok w miejscu, gdzie spoczywają zmarli (*Dwie Wieże*, s. 106). Nazwa nadana im przez elfy, uilos, pojawia

się tylko w tym miejscu opowieści, ale samo słowo odnaleźć można i w Amon Uilos, co jest przetworzoną na sindariński nazwą Oilossë (w języku quenya „Wiecznie Śnieżnobiała", Góra Manwëgo). W opowieści *Cirion i Eorl*, kwiat ten otrzymał jeszcze jedno od elfów pochodzące imię, alfirin.

[28] W *Silmarillionie*, s. 107, znajdujemy informację, że Thingol nagrodził krasnoludów z Belegostu licznymi perłami: „dostał je od Círdana, bo płytkie wody wokół wyspy Balar obfitowały w perły".

[29] Ecthelion znad źródeł pojawia się w *Silmarillionie* jako jeden z dowódców straży Turgona, która strzegła flanków wojsk Gondolinu w czasie odwrotu w dół Sirionu podczas Nirnaeth Arnoediad. On też był pogromcą Gothmoga, wodza Balrogów, ale sam również zginął z jego ręki podczas ataku na miasto.

[30] Tutaj kończy się wielokrotnie poprawiany, ale mimo to starannie sporządzony rękopis. Cała reszta historii zapisana została na skrawku papieru.

[31] Tu oto opowieść urywa się ostatecznie, jednak kilka pospiesznie rzuconych na papier zdań wskazuje na jej zamierzony dalszy ciąg: Tuor spytał o nazwę miasta i usłyszał siedem jego nazw (można zauważyć, że nazwa Gondolin nie pada w całej opowieści aż do ostatnich jej fragmentów, efekt bez wątpienia zamierzony; miast tego mowa jest o Ukrytym Królestwie lub Ukrytym Mieście). Ecthelion rozkazał, by odegrano sygnał, zadęto więc w trąby z wież Wielkiej Bramy, aż echo poszło po górach. Gdy cisza zaległa, inne trąby odpowiedziały im z murów miasta. Przyprowadzono konie (szarego dla Tuora) i wszyscy pojechali do Gondolinu.

Dalej następować miał opis Gondolinu, schodów na wysoki taras i Wielkiej Bramy, kopców (to słowo nie jest pewne) porośniętych mallornami, brzozami i drzewami wiecznie zielonymi. Dalej: Źródlanego Dziedzińca, wspartej na kolumnach Wieży Króla, siedziby króla i sztandaru Fingolfina. Potem pojawić miał się sam Turgon, „wyższy od wszystkich Dzieci Świata, prócz samego Thingola", z biało-złotym mieczem w pochwie z kości słoniowej, by przywitać Tuora. Maeglin miał stanąć po prawicy tronu, a Idril, córka króla, zasiąść po lewej. Tuor przekazać miał posłanie od Ulma albo „w obecności wszystkich", albo „w komnacie królewskiej rady".

Dalsze oderwane notatki wspominają o opisie Gondolinu widzianego przez Tuora z dalszej perspektywy i że płaszcz Ulma zniknąć miał w trakcie przekazywania posłania Turgonowi. Miało też się pojawić wyjaśnienie, czemu Gondolin nie miał królowej. Ponadto, jako istotna pojawia się notatka, by wyraźnie zaznaczyć przy opisie, jak to pierwszy raz Tuor ujrzał Idril, lub trochę wcześniej, że niewiele kobiet widział czy znał dotąd w swoim życiu. Większość niewiast i wszystkie dzieci z grupy Annaela wysłane zostały na południe, a jako niewolnik spotykał Tuor wyłącznie dumne i barbarzyńskie kobiety Easterlingów, które traktowały go jak zwierzę, lub też nieszczęsne białogłowy, od dzieciństwa zmuszane do niewolniczej pracy, dla których miał jedynie współczucie.

Można też zauważyć, że późniejsze wzmianki o mallornach w Númenorze, Lindonie i Lothlórien nie potwierdzają (chociaż też i nie zaprzeczają), by te drzewa kwitły w Gondolinie w Dawnych Dniach; nie rozstrzygają też, czy Elenwë, żona Turgona, zginęła na długo przed przeprawą hufca Fingolfina przez cieśninę Helkaraxë (*Silmarillion*, s. 104).

II. Narn i Hîn Húrin
Opowieść o dzieciach Húrina

W istniejącym w różnych wersjach wstępie odnaleźć można uwagę, że chociaż opowieść spisana została w języku elfów i w znacznym stopniu na ich relacjach się opierała (ze szczególnym uwzględnieniem opowieści elfów z Doriathu), to jednak *Narn i Hîn Húrin* była dziełem poety z plemienia ludzi, Dírhavela, który za dni Eärendila przemieszkiwał u ujścia Sirionu i zbierał wszelkie wieści o rodzie Hadora, zarówno wśród swoich pobratymców, jak i elfów, niedobitków lub uciekinierów z Dor-lóminu, Nargothrondu, Gondolinu czy Doriathu. Według jednej z wersji Dírhavel sam miał pochodzić z rodu Hadora. Owa pieśń, najdłuższa ze wszystkich pieśni Bele-

riandu, była jego jedynym dziełem. Twórca został jednak nagrodzony przez Eldarów, użył bowiem języka Elfów Szarych, w którym był biegły. Wykorzystał też miarę metryczną elfów, zwaną Minlamed thent /estent, z dawien dawna stosowaną w narn (wierszowanej opowieści, którą jednak recytuje się, miast śpiewać). Dírhavel zginął podczas najazdu synów Fëanora na przystań u ujścia Sirionu.

[1] W tym miejscu tekstu *Narn* znajduje się ustęp poświęcony pobytowi Húrina i Huora w Gondolinie. Jest dość wiernie wzorowany na historii opowiedzianej w wersji zamieszczonej w *Silmarillionie* – na tyle wiernie, że postanowiłem go już tutaj nie powtarzać. Por. *Silmarillion*, s. 189–190.

[2] Tekst *Narn* zawiera w tym miejscu opis Nirnaeth Arnoediad, który pominąłem z tych samych powodów, jak w przypisie 1. Por. *Silmarillion*, s. 230–233.

[3] Inna wersja tego tekstu wyjaśnia, że Morwena zaiste kontaktowała się z Eldarami przemieszkującymi sekretnie w górach niezbyt daleko od jej domu. „Ale nie mieli jej nic nowego do powiedzenia. Nikt z nich nie widział ostatnich chwil Húrina.

– Nie było go z Fingonem – powiedzieli. – Został wraz z Turgonem zepchnięty na południe i jeśli ktokolwiek z nich ocalał, to pociągnął za zastępami Gondolinu. Ale czy można wiedzieć coś na pewno? Orkowie zebrali ciała wszystkich poległych w jeden stos i próżno by szukać, nawet gdyby ktoś ważył się wybrać do Haudh-en-Nirnaeth".

[4] Taki właśnie opis hełmu Hadora zbieżny jest z deskrypcją: „wielkie maski, szkaradne wprawdzie [lecz bardzo pomocne w starciu ze smokami]", gdy mowa jest o nakryciach głowy noszonych przez krasnoludów z Belegostu podczas Nirnaeth Arnoediad (*Silmarillion*, s. 231). Później, wyruszając z Nargothrondu do walki, Túrin nosił krasnoludzką maskę, a „wrogowie pierzchali na widok tak groźnego oblicza" (tamże, s. 251). Patrz także dodatek do *Narn*.

[5] Wypad orków na tereny Wschodniego Beleriandu, kiedy to Maedhros uratował Azaghâla, nie został wspomniany w żadnym innym miejscu.

⁶ Przy innej okazji ojciec napomknął, że nawet w czasach Túrina mowa mieszkańców Doriathu (króla i pozostałych) bardziej była archaiczna niż gdzie indziej. Dodał też uwagę Mîma (chociaż zachowane materiały tyczące Mîma nic o tym nie wspominają), iż jedyną rzeczą, której pomimo urazy żywionej do Doriathu Túrin nigdy nie zdołał zmienić, był akcent typowy dla krainy jego młodości.

⁷ Notatka na marginesie jednego z tekstów: „Zawsze szukał w kobiecych twarzach rysów Lalaith".

⁸ W jednej z wersji tego fragmentu opowieści Saeros miał być krewniakiem Daerona, w innej jeszcze – jego bratem. Opublikowany wariant jest zapewne najpóźniejszym.

⁹ Wos – „dziki człowiek z lasu", por. przypis 14 do rozdziału *Drúedainowie*.

¹⁰ W alternatywnej wersji tego fragmentu opowieści Túrin wyjawił wówczas banitom swe prawdziwe imię i stwierdził, że będąc pełnoprawnym władcą i sędzią ludu Hadora sprawiedliwie śmierć wymierzył Forwegowi, który pochodził wszak z Dor-lóminu. Na to Algund, stary banita ocalały z Nirnaeth Arnoediad i zbiegły z nurtem Sirionu, powiedział, że od dłuższego już czasu Túrin z kimś mu się kojarzył, kimś o nader podobnym spojrzeniu, i chociaż przypomnieć sobie nie mógł, kto zacz ów był, to teraz wie już, że znał go kiedyś jako syna Húrina.

– On jednak był niższy, niewyrosły w porównaniu ze swymi przodkami, chociaż ognistą miał naturę i złotorude włosy. Twoje włosy są ciemne i jesteś wysoki. Teraz, gdy bliżej ci się przyglądam, widzę, ile odziedziczyłeś po matce, pochodziła z rodu Bëora. Ciekaw jestem, jaki los ją spotkał.

– Nie wiem – powiedział Túrin. – Żadne wieści nie doszły mnie z Północy.

W tej wersji ujawnienie faktu, że Neithan to właśnie Túrin, syn Húrina, zadecydowało o uznaniu go przez pochodzących z Dor-lóminu banitów za herszta bandy.

¹¹ Ostatnie spisane wersje tej części historii zgodnie stwierdzają, że zostawszy przywódcą banitów, Túrin poprowadził ich byle dalej od domów osadników, aż do puszczy na południe od Teiglinu, i że Beleg zawędrował w tamte strony wkrótce po odejściu bandy. Jednak wskazówki geograficzne są tutaj niejasne, a informacje dotyczące kierunków marszruty banitów – sprzeczne. Jeśli wziąć pod uwagę dalszy ciąg narracji, pozostaje przyjąć założenie, iż banici nie opuszczali Doliny Sirionu i w czasie najazdu orków na siedziby Ludzi Lasu rzeczywiście przebywali w pobliżu swych poprzednich kryjówek. W jednym z wczesnych szkiców banici poszli na południe, aż dotarli do krainy „powyżej Aelin-uial i Moczarów Sirionu", jednak ponieważ był to „teren bez żadnego schronienia", Túrin dał się przekonać swym podwładnym do powrotu na lesiste ziemie na południe od Teiglinu, gdzie to po raz pierwszy ich spotkał. Takie wyjaśnienie spójnie uzupełnia tok narracji.

¹² W *Silmarillionie* opowieść przedstawia dalej pożegnanie Belega z Túrinem (s. 240–241), wspomina o dziwnym przeczuciu Túrina, że los zaprowadzi go do Amon Rûdh, o powrocie Belega do Menegrothu (gdzie otrzymał od Thingola miecz Anglachel i lembasy od Meliany), jak i o jego ponownej wojaczce z orkami w Dimbarze. Brak jest jakichkolwiek uzupełnień odnoszących się do tego ustępu, toteż postanowiłem ominąć go w tym wydaniu.

¹³ Túrin uciekł z Doriathu latem. Jesień i zimę spędził między banitami, wiosną następnego roku zabił Forwega i przejął przywództwo bandy. Opisane wydarzenia miały miejsce latem tego samego roku.

¹⁴ Aeglos, „śnieżny cierń", miał być podobny do janowca (ciernistego), ale większy i z białymi kwiatami. Aeglos brzmiało również imię włóczni Gil-galada. Seregon, „krwawy kamień", był rośliną przypominającą rozchodnik i miał ciemnoczerwone kwiaty.

¹⁵ Odnosi się również do okrytych żółtymi kwiatami kolczastych krzewów jałowca napotkanych przez Froda, Sama i Golluma w Ithilien, „przy ziemi chudych i wątłych, ale wyżej bujnych", tak że mogli wyprostowani przejść pod nimi ", i obsypanych kwiatami, które „połyskiwały w mroku i wydzielały miłą, słodkawą woń" (*Dwie Wieże*, s. 286).

16 W innym miejscu sindarińska nazwa Poślednich Krasnoludów podana została jako Noegyth Nibin (por. *Silmarillion*, s. 244) i Nibin-Nogrim. „Leżące pomiędzy Amon Rûdh a dolinami Sirionu i Narogu wyniosłe wrzosowisko" na północny wschód od Nargothrondu pojawia się wielokrotnie jako wrzosowisko Nibin-noeg (w tym lub zbliżonym brzmieniu nazwy).

17 Wysokie urwisko, przez które Mîm przeprowadził ich szczeliną zwaną przezeń „bramą wiodącą na dziedziniec", stanowiło zapewne północną krawędź półki. Zbocza na zachodzie i na wschodzie były o wiele bardziej strome.

18 Klątwa rzucona na Andróga pojawia się również w innej postaci: „Oby zabrakło mu łuku w ostatecznej potrzebie". Mîm zginął w końcu za sprawą miecza Húrina pod Bramą Nargothrondu (*Silmarillion*, s. 276).

19 Tajemnica worka krasnoluda Mîma nie została wyjaśniona. Niemniej pewną wskazówką może być pospiesznie skreślona notatka sugerująca, że zamaskowane były tam bryłki złota, Mîm zaś miał poszukiwać „dawnych skarbów w krasnoludzkim domu w pobliżu płaskich kamieni". To ostatnie bez wątpienia odnosi się do owych skupisk wielkich głazów, przy których banici schwytali Mîma. Nie wiadomo jednak, jaką rolę miały owe skarby odegrać w historii Bar-en-Danwedh.

20 Przełęcz na Amon Darthir była jedynym przejściem przez góry „od Serech aż po daleki zachód, gdzie Dor-lómin graniczył z Nevrastem".

21 W wersji zamieszczonej w *Silmarillionie* (s. 259) złe przeczucia ogarnęły Brandira po usłyszeniu „wiadomości przyniesionych mu przez Dorlasa", a zatem (jak się wydaje) wiedział już, że mężczyzna na noszach to Czarny Miecz z Nargothrondu, o którym wieść gminna niosła, że był synen Húrina z Dor-lóminu.

22 Por. Dodatek, gdzie mowa jest o tym, jak to Orodreth „tajemnie" wymieniał wieści z Thingolem.

23 W *Silmarillionie* (s. 145) Wysoki Faroth lub Taur-en-Faroth, określane są jako „wielkie lesiste pagóry". Pojawiające się w tym tekście stwierdzenie, iż był to: „nagi i brunatny kraj"

odnosi się zapewne do braku liści na drzewach u progu wiosny.

24 Można by przypuszczać, że dopiero po dokonaniu się wszystkiego i po śmierci Túrina i Nienor, przypomniano sobie jej ataki dreszczy i zrozumiano, skąd się brały, przez to właśnie przemianowano Dimrost na Nen Girith, jednak nazwa Nen Girith pojawia się w legendzie przez cały czas.

25 Jeśli Glaurung rzeczywiście zamierzał wrócić do Angbandu, to wybrałby raczej (zapewne) starą drogę do Przeprawy na Teiglinie, trasę niezbyt różniącą się od tej, która przywiodła go do Cabed-en-Aras. Istniało tu być może milczące założenie, iż wrócić miał do Angbandu drogą, którą przybył uprzednio na południe do Nargothrondu, podążając w górę Narogu do Ivrin. Por. także słowa Mablunga: „Widziałem nadejście Glaurunga i myślałem, że... wróci do swego pana. Ale on skierował się ku Brethilowi..."
Gdy Turambar wyrażał nadzieję, że Glaurung pójdzie prosto, nie klucząc, chciał powiedzieć, że jeśli smok ruszy wzdłuż Teiglinu i dotrze do Przeprawy, wówczas wedrze się do Brethilu omijając wąwóz rzeki, jedyne miejsce, gdzie choć przez chwilę może być bezbronny. Por. też rozmowę Túrina z Dorlasem i Hunthorem nad Nen Girith.

26 Nie znalazłem żadnej mapy, która wiernie oddawałaby zamyśloną przez ojca rzeźbę terenu, ale poniższy szkic zdaje się pasować do tekstu:

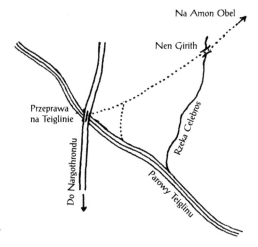

²⁷ Stwierdzenia, że dziewczyna zerwała się do ucieczki i umknęła Brandirowi, sugerują, że miejsce, gdzie Túrin leżał obok truchła Glaurunga, było dość odległe od wąwozu rzeki. Możliwe, że szamoczący się przed zgonem smok odsunął się nieco od krawędzi parowu.

²⁸ Nieco dalej sam Túrin przed śmiercią nazwał to miejsce Cabed Naeramarth i można przypuszczać, że miano to wywodzi się z przekazu o jego ostatnich słowach.

Zarówno tutaj, jak i w *Silmarillionie*, powiada się, że Brandir był ostatnim człowiekiem, który zajrzał w Cabed-en-Aras, a przecież potem zjawił się tam jeszcze i Túrin, i elfy, i wszyscy ci, którzy usypali kurhan. Pozorna ta niezgodność może być wyjaśniona, jeśli uzna się określenie „czeluść" (w którą spojrzał Brandir) za przenośnię. Ojciec miał zamiar przerobić ten fragment tak, by Túrin zabił się nie przy Cabed-en-Aras, ale na kurhanie Finduilas przy przeprawie, jednak ta wersja nie została nigdy spisana.

²⁹ Wydaje się, że „Jeleni Skok" było pierwotną nazwą tego miejsca i znaczyło to samo, co Cabed-en-Aras.

Część II
Druga Era

I. Opis wyspy Númenor

¹ Ten opis mallorna przypomina słowa Legolasa, które elf wypowiedział do swych kompanów, gdy Drużyna zbliżała się do Lothlórien (*Drużyna Pierścienia*, s. 317).

² Miecz królów to w istocie Aranrúth, miecz Elu Thingola z Doriathu w Beleriandzie. Prawem spadku Elros otrzymał go od Elwingi, swej matki. W skład dziedzictwa wchodziły ponadto: pierścień Barahira, wielki topór Tuora, ojca Eärendila, i łuk Bregora z rodu Bëora. Jedynie pierścień Barahira, ojca Berena Jednorękiego, przetrwał Upadek, jako że Tar-Elendil podarował go swej córce Silmariën. Przechowywał go potem ród władców Andúinië, spośród których ostatnim był Elendil Wierny. On zaś umknął przed zagładą, salwując się ucieczką do Śródziemia [przypis autora].

Historię pierścienia Barahira przedstawiono w *Silmarillionie* (rozdział 19), zaś jego późniejsze losy odtworzone zostały we *Władcy Pierścieni* (Dodatek A). O „wielkim toporze Tuora" nie ma w *Silmarillionie* ani wzmianki, pojawia się jednak ów oręż w oryginalnym tekście *Upadku Gondolinu* (lata 1916–1917, zob. notka wprowadzająca w pierwszym tomie *Niedokończonych opowieści*), gdzie mowa jest o tym, iż Tuor nosił topór chętniej niż miecz i że nazywał ową broń w mowie Gondolinu Dramborleg. W dołączonym do opowieści spisie imion własnych, Dramborleg przetłumaczono jako „Grzmiące Ostrze": „Topór Tuora, który potrafił zarówno miażdżyć niczym maczuga, jak i rozszczepiać niczym ostry miecz".

II. Aldarion i Erendis. Żona marynarza
Chronologia

Anardil (Aldarion) urodził się w roku 700 Drugiej Ery. Pierwszą podróż do Śródziemia odbył w latach 725–727. Jego ojciec, Meneldur, został królem Númenoru w 740 roku. Gildia Podróżników powstała w roku 750, a Aldariona ogłoszono Następcą Króla w 800 roku. Erendis przyszła na świat w 771 roku. Siedmioletnia wyprawa Aldariona trwała od 806 do 813 roku, pierwszy rejs „Palarrana" odbył się w latach 816–820; podróż siedmiu statków, obraza dla Tar-Meneldura, w latach 824–829, a żegluga czternastoletnia, następująca zaraz potem, zajęła lata 829–843. Aldarion i Erendis zaręczyli się w 858 roku. W latach 863–869 Aldarion znów wybrał się w podróż, a tuż po powrocie poślubił córkę Beregera w 870 roku. Ancalimë urodziła się wiosną 873 roku. „Hirilondë" wypłynął dokładnie cztery lata później. Powrót, jak i poróżnienie Aldariona z Erendis, datuje się na rok 882. Berło Númenoru otrzymał w 883 roku.

¹ W *Opisie wyspy Númenor* zwie się go Tar-Meneldur Elentirmo (Obserwator Gwiazd). Por. także wstęp do *Dynastii Elrosa*.

² Udział Soronta w całej historii został ledwo zarysowany.

³ W *Opisie wyspy Númenor* powiada się, że to Vëantur pierwszy dotarł do Śródziemia

w roku 600 Drugiej Ery (urodził się w 451 roku). W *Kronice Lat* w Dodatku B do *Władcy Pierścieni*, pod datą roku 600 czytamy: „Pierwsze okręty Númenorejczyków pojawiają się u wybrzeży".

W późniejszej rozprawie filologicznej odnajdujemy opis pierwszego spotkania Númenorejczyków z mieszkańcami Eriadoru:

„Sześćset lat po odpłynięciu ocalałych Atani (Edainów) do Númenoru, po raz pierwszy statek z Zachodu przybył znów do Śródziemia i zawinął do portu w Zatoce Lhûn. Gil-galad serdecznie powitał kapitana owego statku oraz marynarzy. W ten sposób zaczęła się przyjaźń i sojusz Númenoru z Eldarami z Lindonu. Nowiny szybko się rozeszły, zdumieniem napełniając ludzi z Eriadoru. Wprawdzie podczas Pierwszej Ery mieszkali oni na Wschodzie i dotarły do nich pogłoski o strasznej wojnie „za Górami Zachodnimi" [czyli Ered Luin], jednak niewiele przekazów na ten temat przetrwało próbę czasu i ludzie ci żyli w przekonaniu, że wszyscy mieszkańcy odległych krain zostali wymordowani lub utonęli podczas burz ogniowych i za sprawą wtargnięcia Morza. W Eriadorze powiadano, że w niepamiętnych czasach ludzie z obu krain byli spokrewnieni, więc poproszono Gil-galada o zgodę na spotkanie z żeglarzami, „którzy powrócili, uchodząc śmierci w głębinach". Tak doszło do spotkania na Wieżowych Wzgórzach. Z Eriadoru przybyło tylko dwunastu mężczyzn, wszyscy odważni i szlachetni, pozostali bowiem lękali się, że podróżnicy są groźnymi duchami umarłych. Kiedy jednak spojrzeli na żeglarzy, strach ich opuścił, mimo iż zamarli z początku, wpatrzeni i milczący. Chociaż między swymi uchodzili za mocarnych, to jednak przybysze, jak ocenili, postawą i strojem przypominają bardziej elfich władców niż śmiertelnych ludzi. Niemniej nie zrodziła się w ich głowach żadna wątpliwość, że faktycznie byli niegdyś spokrewnieni. Podobnie i żeglarze spoglądali z miłym zdumieniem na ludzi ze Śródziemia, wierzono bowiem w Númenorze, że wszyscy pozostali przedstawiciele rodzaju ludzkiego, zostawieni poza wyspą, to potomkowie złu

hołdujących plemion wezwanych przez Morgotha ze Wschodu w ostatnich dniach wojny. Teraz jednak ujrzeli twarze wolne od Cienia, oblicza ludzi, którzy mogliby stąpać po ziemi Númenoru i nie uchodzić tam za obcych, jeśli nie liczyć ich strojów i oręża. Nagle, po chwili ciszy, zarówno Númenorejczycy, jak i mieszkańcy Eriadoru, wypowiedzieli słowa powitania i radości, każdy w swojej mowie, jakby powitać chcieli przyjaciół i krewnych po długiej rozłące. Z początku nie kryli rozczarowania, że nie rozumieją się wzajemnie, ale gdy obie grupy się wymieszały, stwierdzili wówczas, że ich języki zawierają wiele podobnych, rozpoznawalnych słów, inne zaś zwroty dają się pojąć, gdy wytężyć uwagę. Wkrótce mogli też rozmawiać ze sobą, chociaż z trudem i tylko o prostych sprawach".

W innym miejscu owej rozprawy wyjaśnione zostało, że owi ludzie zajmowali tereny wokół jeziora Evendim, od Północnych Dolinek po Wichrowe Wzgórza i ku zachodowi, do koryta Brandywiny, za którą często się zapuszczali, chociaż nie zakładali tam siedzib. Lękali się elfów, jednak żyli z nimi w przyjaźni. Czuli strach przed Morzem i nie odważali się nawet spojrzeć na fale. Można sądzić, że pochodzili z tego samego pnia, co plemiona Bëora i Hadora, nie przeprawili się jednak w trakcie Pierwszej Ery przez Góry Błękitne do Beleriandu.

[4] Syn następcy króla: Aldarion, syn Meneldura. Tar-Elendil przekazał berło Meneldurowi dopiero po dalszych piętnastu latach.

[5] Eruhantalë: „Dziękczynienie Eru", jesienne święto Númenoru, por. *Opis wyspy Númenor*.

[6] (Sîr) Angren było nazwą nadaną przez elfy rzece Isenie. Ras Morthil, nazwa gdzie indziej niespotykana, musi dotyczyć wielkiego cypla na krańcu północnego ramienia zatoki Belfalas, zwanego również Andrast (Długi Przylądek).

Nawiązanie do „krainy Amrotha, gdzie wciąż przemieszkiwały Nandorskie Elfy" może sugerować, że opowieść o Aldarionie i Erendis została spisana w Gondorze, zanim jeszcze ostatni statek opuścił przystań Elfów Leśnych w pobliżu Dol Amroth w roku 1981 Trzeciej Ery (por. *Historia Galadrieli i Celeborna*).

7 O Uinenie, małżonce Ossëgo (Majara Morza) mowa jest w *Silmarillionie*, na s. 29, gdzie czytamy: „Númenorejczycy długo żyli pod jej opieką i czcili ją nie mniej niż Valarów".

8 Powiada się, że siedziba Gildii Podróżników „została przejęta przez królów i usunięta do zachodniej przystani Andúnië, a całe jej archiwa przepadły" (w Upadku), w tym i wszystkie szczegółowe mapy wyspy. Nie wiadomo jednak, kiedy miała miejsce konfiskata „Eämbara".

9 Potem rzekę tę zwano Gwathló lub Szarym Rozlewiskiem, a przystań Lond Daer.

10 Por. *Silmarillion*, s. 179: „Potomkowie Bëora mieli bowiem prawie wszyscy włosy ciemne lub kasztanowate, oczy zaś szare". Według drzewa genealogicznego rodu Bëora, Erendis wywodziła się od Bereth, która była siostrą Baragunda i Belegunda, i tym samym ciotką Morweny, matki Túrina Turambara i Ríany, matki Tuora.

11 Kwestii różnej długości nici żywota Númenorejczyków poświęcony jest przypis 1 do rozdziału *Dynastia Elrosa*.

12 O drzewie oiolairë wspomina się w *Opisie wyspy Númenor*.

13 Należy uznać to za znak.

14 Por. *Akallabêth* (*Silmarillion*, s. 328), gdzie powiedziane jest, iż w dniach Ar-Pharazôna „od czasu do czasu któryś z wielkich númenorejskich okrętów tonął i nie wracał do przystani, chociaż od wejścia gwiazdy takie nieszczęścia nigdy się nie zdarzały".

15 Valandil to kuzyn Aldariona, syn Silmariën, córki Tar-Elendila, a siostry Tar-Meneldura. Valandil, pierwszy książę Andúnië był przodkiem Elendila Smukłego, ojca Isildura i Anáriona.

16 Erukyermë: „Modlitwa do Eru", święto wiosny w Númenorze, por. *Opis wyspy Númenor*.

17 Powiedziane jest w *Akallabêth* (*Silmarillion*, s. 311), że „niekiedy, gdy powietrze było czyste, a słońce świeciło na wschodzie, wytężając wzrok, dostrzegali na zachodzie lśniące bielą miasto na odległym brzegu, wielką przystań i wieże. Númenorejczycy mieli wówczas oczy niezwykle daleko widzące, mimo to tamten brzeg mogli dojrzeć tylko ci obdarzeni najbystrzejszym wzrokiem, i tylko wtedy, gdy patrzyli ze szczytu Meneltarmy lub mostka wysokiego statku zatrzymanego na zachodniej granicy wód (...). Najmędrsi wszakże z nich wiedzieli, że białe miasto, które widzą w oddali, nie leży w Błogosławionym Królestwie Valinoru, lecz że jest to Avallónë, port Eldarów na Eressëi, najdalej wysuniętej ku wschodowi wyspie Krain Nieśmiertelnych".

18 Stąd, jak powiadają, wziął się zwyczaj noszenia przez późniejszych monarchów na czole gwiazdy z białego klejnotu, a nie korony [przyp. autora].

19 Na Ziemiach Zachodnich i w Andúnië język elfów [sindariński] używany był przez ludzi wysokiego i niskiego urodzenia. Erendis znała tę mowę od dzieciństwa, Aldarion jednak posługiwał się númenorejskim, chociaż jak wszyscy szlachetnego pochodzenia, znał też język Beleriandu [przyp. autora]. Gdzie indziej, w notatce o językach Númenoru, jest mowa o tym, że rozpowszechnienie sindarińskiego na północnym zachodzie wyspy było związane z zasiedleniem tych ziem głównie przez ludzi o „bëoriańskim" rodowodzie, lud Bëora zaś porzucił w większości dość wcześnie swą mowę jeszcze w Beleriandzie i przyjął sindariński (Nie ma o tym wzmianki w *Silmarillionie*, chociaż znajdujemy tam na s. 176 informację, że w dniach Fingolfina w Dor-lóminie lud Hadora nie zapomniał własnej mowy, „z której narodził się potoczny język Númenorejczyków"). W innych rejonach Númenoru dominował język adûnaicki, chociaż niemal wszyscy władali również w jakimś stopniu sindarińskim, a na dworze królewskim, podobnie jak i w większości domów możnych i uczonych, sindariński uchodził aż do czasów Tar-Atanamira za język potoczny (dalej w opowieści mowa jest o tym, że Aldarion wolał posługiwać się númenorejskim, możliwe że był pod tym względem wyjątkiem). Wspomniana już notka podaje także, że chociaż popularny przez dłuższy czas wśród ludzi śmiertelnych język sindariński ulegał zniekształceniom i rozbijał się na dialekty, to w Númenorze proces ów

słabo się zaznaczał, przynajmniej wśród szlachetnie urodzonych i mędrców, a to dzięki ich częstym kontaktom z Eldarami z Eressëi i Lindonu. Języka quenya na wyspie nie używano, znany był tylko uczonym i członkom rodzin o wyjątkowo dawnym i szlachetnym rodowodzie, gdzie wpajano go dzieciom od wczesnej młodości. Nie wykorzystywano go w mowie, a tylko w piśmie, przy sporządzaniu oficjalnych dokumentów mających przetrwać wieki, takich jak: kodeksy, kroniki czy annały królewskie (por. *Silmarillion*, s. 317: „...do *Kroniki królów* wpisano imię Herunúmen, w języku Elfów Wysokiego Rodu"), często też pisano w nim co bardziej zawiłe rozprawy naukowe. Był również wykorzystywany przy nadawaniu urzędowych nazw miejscom, krainom i punktom geograficznym (chociaż zazwyczaj istniały też równolegle miana lokalne, zwykle to samo znaczące, tyle że wywodzące się z sindarińskiego lub adûnaickiego. Imiona, szczególnie te oficjalne, jak i tytuły wszystkich członków rodziny królewskiej, szczególnie w linii Elrosa, również tworzono w oparciu o quenejski. Nieco inna pozycja sindarińskiego pośród języków Númenoru sugerowana jest we *Władcy Pierścieni* – Dodatku F, części zatytułowanej: *O ludziach* (*Powrót Króla*, s. 372): „Owi Dúnedainowie jako jedyni ze wszystkich plemion ludzkich znali język elfów i posługiwali się nim na co dzień. Ich praojcowie poznali język sindariński i przekazywali tę umiejętność swym dzieciom z pokolenia na pokolenie, niewiele go zmieniając".

20 Elanor był to mały, złocisty kwiatek przypominający gwiazdkę, rósł również na wzgórzu Cerin Amroth w Lothlórien (*Drużyna Pierścienia*, s. 331–332). Imię tego kwiatu nadał Sam Gamgee swojej córce, pod wpływem sugestii Froda (*Powrót Króla*, s. 277).

21 Por. przypis 10 powyżej, dotyczący pochodzenia Erendis od Bereth, siostry ojca Morweny, Baragunda.

22 Jest wiadomym, że Númenorejczycy, podobnie jak Eldarowie, unikali posiadania potomstwa, jeśli małżonkom groziło rozstanie obejmujące okres kilku lat następujących po

narodzinach dziecka. Jeśli wziąć pod uwagę númenorejskie podejście do sprawy dorastania i wychowywania dzieci, to Aldarion nader rychło opuścił dom po przyjściu na świat córki.

23 Notatka dotycząca funkcjonowania w owym czasie Rady Berła podaje, że Rada nie miała prawa wpływać na decyzje króla inaczej, jak tylko sugerując pewne rozwiązania. Nie uważano też, by szersze prerogatywy były pożądane. Radę tworzyli członkowie wszystkich krain Númenoru; następca króla, gdy już został oficjalnie wyznaczony, również do niej należał i brał udział w zgromadzeniach, a to w celu pobierania nauk o rządzeniu krajem. Król mógł powołać też do Rady inne osoby lub poprosić o ich wybranie, jeśli dysponowali oni akurat wiedzą pożądaną podczas jakiejś debaty. W owym czasie tylko dwóch członków Rady (starszych od Aldariona) wywodziło się z rodu Elrosa: Vallandil z Andúnië reprezentujący Andustar i Hallatan z Hyarastorni, przedstawiciel Mittalmaru. Zawdzięczali oni jednak swoje miejsca nie pochodzeniu czy bogactwu, ale szacunkowi i miłości, którymi darzono ich w rodzinnych krainach (W *Akallabêth* znajdujemy stwierdzenie, iż „książę Andúnië zawsze zaliczany był pomiędzy najbliższych doradców Władcy").

24 Zostało odnotowane, że Ereinion otrzymał imię Gil-galada, „Gwiazdy Światłości", ponieważ nosił hełm, kolczugę i tarczę obłożone srebrem i ozdobione białymi gwiazdami. „Zbroja lśniła z daleka, czy to w blasku słońca, czy w poświacie księżyca, a bystre oczy elfów dostrzegały Ereiniona z wielkiej odległości, o ile tylko stanął na wzniesieniu".

25 Zob. *Historia Galadrieli i Celeborna*.

26 Prawy męski potomek nie mógł natomiast odmówić, ale ponieważ królowi zawsze wolno było abdykować, tak i męski potomek miał w istocie szansę natychmiast przekazać władzę swemu męskiemu następcy. Musiał jednak panować jeszcze przez co najmniej rok, co zdarzyło się (raz tylko) w przypadku Vardamira, syna Elrosa, który nie wstąpił na tron, tylko oddał berło swemu synowi Amandilowi.

27 Zostało powiedziane gdzie indziej, że reguła „królewskiego małżeństwa" nigdy nie była określona prawem, a istniała jedynie tytułem honorowanego powszechnie zwyczaju. Ożywienie owej zasady stanowiło „symptom narastania Cienia, prawem bowiem stała się wówczas, gdy zanikać zaczęły, lub zniknęły zupełnie, różnice między potomkami Elrosa i innymi rodami, jak długość życia, żywotność i zdolności".

28 Dość to dziwne, za życia bowiem Ancalimë następcą był Anárion. W *Dynastii Elrosa* wzmiankuje się, że tylko córki Anáriona „odmówiły przyjęcia berła".

III. Dynastia Elrosa: królowie Númenoru od założenia miasta Armenelos do Upadku

1 Istnieje więcej wskazówek świadczących o tym, że potomkowie Elrosa obdarzeni byli żywotem dłuższym niż ktokolwiek inny spośród Númenorejczyków. W *Akallabêth* (*Silmarillion*, s. 310) powiada się, że wszyscy z linii Elrosa „żyli wyjątkowo długo, nawet według miary Númenorejczyków", dalej zaś szczegółowo podano, o jaki czas chodzi: dla potomków Elrosa (zanim ród skarlał) starość zaczynała się około czterechsetnego roku życia lub nieco wcześniej, podczas gdy pozostali wchodzili w podeszły wiek, mając dwieście lub trochę więcej lat. Można zauważyć, że niemal wszyscy królowie, od Vardamira po Tar-Ancalimona, dożyli lat czterystu albo nawet ten wiek trochę przekroczyli i tylko trzech spośród nich nie zmarło około daty czterechsetnych urodzin.

Jednak w późniejszych pismach (które pochodzą z tego samego mniej więcej czasu, co opowieść o Aldarionie i Erendis), kwestię wyróżniającej monarchów długowieczności potraktowano jako o wiele mniej istotną. Númenorejczykom przypisano długość życia pięciokrotnie przewyższającą zwykły czas żywota człowieczego (chociaż jest to sprzeczne z informacją pomieszczoną w Dodatku A do *Władcy Pierścieni* (*Powrót Króla*, s. 402). Tam bowiem mówi się, że Númenorejczyków, obdarzono (...) długim życiem, z początku trzykrotnie dłuższym od życia zwykłych ludzi", co powtórzono we wstępie do niniejszego tekstu), podobnie i długowieczność potomków Elrosa uznana została nie tyle za szczególne wyróżnienie rodu, ale za zwykłą w tej familii skłonność do dożywania późnej starości. Wprawdzie wspomina się tam o Erendis i nieco krótszym czasie życia „Bëorian" na Zachodzie, to nie ma potwierdzenia wzmianki obecnej w opowieści *Aldarion i Erendis*, by spodziewana różnica danego im czasu życia miała być szczególnie duża czy związana jakoś z ich przeznaczeniem. Nie spotykamy też żadnej sugestii, by ktokolwiek z ówczesnych tak uważał.

W tej relacji tylko Elros obdarzony został szczególną długowiecznością i powiada się, że początkowo miał identyczne możliwości fizyczne co jego brat Elrond. Skoro jednak postanowił pozostać między plemieniem człowieczym, tak i zachował najważniejsze cechy różniące ludzi od Quendich. Chodziło tu głównie o pragnienie „nieustannego poszukiwania", jak zwali to Eldarowie, oraz „znużenie", lub pragnienie, by odejść z tego świata. Dalej przedstawione jest wyjaśnienie, że długie życie Númenorejczyków wzięło się z przyjęcia trybu życia wzorowanego na bytowaniu Eldarów. Ostrzegano ich niemniej, że nie staną się jeszcze przez to Eldarami, zawsze bowiem będą śmiertelni, jedynie tylko wydłuży się okres pełnej sprawności ciała i umysłu. Zatem (podobnie jak Eldarowie) dorastali podobnie jak wszyscy ludzie, potem jednak wiek dojrzały trwał dla nich o wiele dłużej, wolniej starzeli się czy „niszczeli". Pierwsze oznaki „znużenia światem" stanowiły dla nich sygnał, że okres sprawności dobiega końca. Ktoś, kto ten próg osiągnął, a upierał się żyć dalej, wówczas grzybiał, a proces ten postępował równie szybko jak u innych ludzi. Tak i w ciągu dziesięciu lat Númenorejczyk mógł zmienić się ze zdrowej i krzepkiej osoby w podeszłym wieku w niedołężnego i zdziecinniałego starca. Wcześniejsze pokolenia nie „czepiały się życia", ale dobrowolnie odchodziły w stosownym czasie. Owo „czepianie się życia" i umieranie w chwili nie przez siebie wybranej, tylko wyznaczonej przez biologiczną konieczność, było jednym z objawów towarzyszących nadejściu Cienia i buntowi Númenorejczyków. Równocześnie kurczyła się właściwa im, naturalna długość życia.

2 Por. przypis 2 do *Aldarion i Erendis*.

3 Liczba 148 lat (zamiast 147) musi oznaczać czas faktycznego panowania Tar-Amandila, bez brania pod uwagę roku tytularnych rządów Vardamira.

4 Nie ulega wątpliwości, że Silmariën była najstarszym dzieckiem Tar-Elendila, a data jej urodzin wymieniana jest wielokrotnie (521 rok Drugiej Ery), wszelako jej brat przyszedł na świat w roku 543. Natomiast w Dodatku B do *Władcy Pierścieni* urodziny Silmariën zapisane są pod rokiem 548, pojawiającym się również w pierwszych szkicach tego tekstu. Sądzę, że szczegół ten miał zostać skorygowany, ale umknął uwadze.

5 Jest to niezgodne z opisem wcześniejszych i późniejszych praw sukcesji, pomieszczonym w tekście *Aldarion i Erendis*, gdzie czytamy, że Soronto mógłby zostać następcą Ancalimë (gdyby umarła bezdzietnie) właśnie dzięki nowemu prawu, pochodził bowiem z linii żeńskiej. Sformułowanie: „starsza siostra" oznacza bez wątpienia „starsza z jego dwóch sióstr".

6 Por. zakończenie opowiadania *Aldarion i Erendis*.

7 Por. jak wyżej, oraz przypis 28 do tegoż tekstu.

8 Dziwnym jest, że władza przeszła na Tar-Telperien, skoro Tar-Súrion miał syna, Insilma. Prawdopodobnie o tej sukcesji zadecydowało nowe prawo przytoczone we *Władcy Pierścieni*, mówiące, że następcą ma być najstarszy potomek, niezależnie od płci (miast wybierania córki wówczas tylko, gdy monarcha nie ma syna).

9 Rok 1731 podano jako koniec panowania Tar-Telperien i intronizacji Tar-Minastira, kłóci się osobliwie z ustaloną przez liczne odnośniki chronologią pierwszej wojny z Sauronem, gdyż wielka flota númenorejska wysłana przez Tar-Minastira dotarła do Śródziemia w roku 1700. Nie potrafię wyjaśnić tej rozbieżności.

10 W *Kronice Lat* (Dodatek B do *Władcy Pierścieni*, s. 329) czytamy: „2251 – Tar-Atana-mir otrzymuje berło. Rozpoczyna się bunt i podziały wśród Númenorejczyków". Jest to niezgodne z niniejszym tekstem, według którego Tar-Atanamir zmarł w 2221 roku. Data owa stanowi poprawkę wcześniej podawanego 2251 roku; gdzie indziej ponadto tenże rok podaje się jako datę śmierci króla. Tak zatem, w różnych tekstach ta sama data pojawia się raz jako rok intronizacji Tar-Atanamira, raz jako rok zgonu, całość zaś chronologii wskazuje jasno, że ta druga wersja musi być błędna. Co więcej, *Akallabêth* (*Silmarillion*, s. 315) podaje, że właśnie za czasów Ancalimona, syna Atanamira, zarysował się podział pośród mieszkańców Númenoru. Jestem niemal pewny, że *Kronika Lat* zawiera błąd i odnośny fragment winien brzmieć: „2251 – Śmierć Tar-Atanamira. Tar-Ancalimon otrzymuje berło. Rozpoczyna się bunt i podziały wśród Númenorejczyków". W takim razie jednak pozostaje niewyjaśnione, czemu data śmierci Atanamira została zmieniona w *Dynastii Elrosa*, skoro w *Kronice Lat* podano ją już w innym brzmieniu.

11 W liście królów i królowych Númenoru w Dodatku A do *Władcy Pierścieni* (*Powrót Króla*, s. 288) znajdujemy informację, że po osiemnastym królu Tar-Calmacilu nastąpił Ar-Adûnakhôr (dziewiętnasty). Według *Kroniki Lat* Ar-Adûnakhôr miał objąć tron w roku 2899 (*Powrót Króla*, s. 329), i na tej podstawie *Encyklopedia Śródziemia* pana Roberta Fostera podaje ten rok jako datę śmierci Tar-Calmacila. Z drugiej jednak strony, dalej w Dodatku A do *Władcy Pieścieni* Ar-Adûnakhôr zwany jest dwudziestym królem. W roku 1964 mój ojciec odpowiedział na list pewnego czytelnika, który o tę właśnie niezgodność zapytywał: „Według genealogii winno się go nazywać szesnastym królem i dziewiętnastym Władcą. Miast dwudziestu winno zatem figurować dziewiętnaście, możliwe wszakże, iż jakieś imię zostało przeoczone". Dalej wyjaśnił, że brak mu całkowitej pewności, jako że w chwili pisania owego listu nie miał dostępu do stosownych notatek. Przygotowując *Akallabêth* do druku, zmieniłem odpowiedni fragment, czyli miast: „Dwudziesty

z królów, objąwszy berło przodków, wstąpił na tron pod imieniem Adûnakhôra" wpisałem: „Dziewiętnasty z królów..." (*Silmarillion*, s. 317), podobnie zmieniając „dwudziestu czterech" na „dwudziestu trzech" (tamże, s. 319). W owym czasie nie dostrzegłem jeszcze, że według *Dynastii Elrosa* władcą następującym po Tar-Calmacilu nie był Ar-Adûnakhôr, ale Tar-Ardamin, teraz jednak sprawa wydaje się oczywista: skoro śmierć Tar-Ardamina nastąpiła w roku 2899, znaczy to, że został on przez pomyłkę pominięty w spisie zamieszczonym we *Władcy Pierścieni*. Z drugiej wszakże strony nie ulega wątpliwości (jak podają to zgodnie trzy źródła: Dodatek A, *Akallabêth*, *Dynastia Elrosa*), że Ar-Adûnakhôr był pierwszym królem Númenoru, który wstąpił na tron pod imieniem pochodzącym z języka adûnaickiego. Jeśli zatem uznać, że Tar-Ardamin został przez niedopatrzenie opuszczony na liście w Dodatku A, pozostaje pytanie, czemu zmiana zwyczaju dotyczącego przyjmowania imion monarszych została skojarzona z pierwszym panującym po Tar-Calmacilu. Może być i tak, że nie chodzi tu wcale o prostą pomyłkę, ale że kryje się za tym coś bardziej złożonego.

12 Dwie tablice genealogiczne podają, że jej ojcem był Gimilzagar, drugi syn Tar-Calmacila (urodzony w 2630), co nie jest żadną miarą możliwe. Musiało dzielić ich więcej stopni pokrewieństwa.

13 Istnieje pewien w znacznym stopniu stylizowany wzór kwiatowy, narysowany przez mojego ojca, a przypominający szkic pomieszczony w książce *Pictures by J.R.R. Tolkien* (1979) s. 45 po prawej na dole. Obrazek zatytułowano *Inziladûn*. Tak też jest podpisany literami Fëanora, wraz z transliteracją nazwy: Númellótë [„Kwiat Zachodu"].

14 Według *Akallabêth* (*Silmarillion*, s. 319), Gimilkhâd „zmarł na dwa lata przed dwusetną rocznicą urodzin (bardzo wcześnie jak na potomka Elrosa, nawet w czasach zmierzchu tej dynastii)".

15 Jak zostało to odnotowane w Dodatku A do *Władcy Pierścieni*, Míriel winna zostać czwartą panującą królową Númenoru.

Ostatnia rozbieżność między *Dynastią Elrosa* a *Kroniką Lat* dotyczy lat panowania Tar-Palantira. *Akallabêth* podaje (*Silmarillion*, s. 318), że „Inziladûn, przejąwszy berło, wybrał sobie według dawnego obyczaju imię w języku elfów – Tar-Palantir", podczas gdy w *Kronice Lat* (*Powrót Króla*, s. 329) odnajdujemy wzmiankę: „3175 – Tar-Palantir okazuje skruchę. Wybucha wojna domowa w Númenorze". Wydaje się niemal pewnym, że datą wstąpienia Tar-Palantira na tron był rok 3175, szczególnie, że taką właśnie datę zapisał pierwotnie ojciec w *Dynastii Elrosa*, jako rok śmierci Ar-Gimilzôra, i dopiero później poprawił ją na 3177. Podobnie jak w przypadku datowania śmierci Tar-Atanamira (por. przypis 10 powyżej), trudno pojąć, czemu miała służyć ta drobna zmiana pozostająca w sprzeczności z *Kroniką Lat*.

16 To jedyna wzmianka przypisująca Elendilowi autorstwo *Akallabêth*. Gdzie indziej powiada się także, że historia Aldariona i Erendis „jedna z nielicznych opowieści zachowanych z Númenoru" zawdzięcza swe przetrwanie Elendilowi, dla którego była szczególnie istotna.

IV. Historia Galadrieli i Celeborna, i Amrotha, władcy Lórien

1 Por. Dodatek E do *Historii Galadrieli i Celeborna*.

2 Wśród niepublikowanych materiałów dotyczących elfów z Harlindonu, czyli Lindonu, leżącego na południe od jeziora Lune, znajduje się notatka twierdząca, iż były to głównie elfy sindarińskiego pochodzenia i cała ta kraina stanowiła lenno pod rządami Celeborna. Zupełnie naturalnie nasuwa się skojarzenie z informacją zamieszczoną w Dodatku B, jednak może się to odnosić do późniejszego okresu, nader niewiele bowiem wiadomo o wędrówkach oraz miejscach zamieszkania Celeborna i Galadrieli po upadku Eregionu w 1697 roku.

3 Por. *Drużyna Pierścienia*, s. 54: „Przez Shire biegł pradawny Trakt Wschód–Zachód, wiodący do Szarych Przystani, i krasnoludowie

zawsze zeń korzystali w drodze do swoich kopalń w Błękitnych Górach".

[4] Powiedziane jest w Dodatku A do *Władcy Pierścieni*, że pradawne miasta Nogrod i Belegost zostały zniszczone podczas klęski Thangorodrimu (*Powrót Króla*, s. 318); w *Kronice Lat* czytamy: „ok. 40 – Po opuszczeniu starych siedzib w Ered Luin wielu krasnoludów dociera do Morii i powiększa się liczba jej mieszkańców" (*Powrót Króla*, s. 329).

[5] W przypisie do tekstu zostało wyjaśnione, że Lórinand to nandorska nazwa tej krainy (zwanej później Lórien lub Lothlórien) i zawiera ona słowo z języka elfów oznaczające „złote światło": „dolina złota". W języku quenya brzmiałoby to Laurenandë, w sindarińskim Glornan lub Nan Laur. Zarówno tutaj, jak i wszędzie indziej nazwa ta wiąże się ze złocistymi drzewami, mallornami rosnącymi w Lothlórien, zostały one jednak sprowadzone tam przez Galadrielę. Inna, późniejsza rozprawa podaje, że nazwa Lórinand ma być przetworzeniem (dokonanym po sprowadzeniu mallornów) starszej nazwy brzmiącej Lindórinand, Dolina na Ziemi Śpiewaków. Ponieważ na terenach tych dominował ród Telerich, nie ma wątpliwości, że w tej nazwie obecne jest określenie, jakie Teleri sami sobie nadali: Lindar, Śpiewacy. Pozostałe, różniące się nieco rozprawy poświęcone nazwom Lothlórien wskazują, że wszystkie późniejsze miana zostały zapewne nadane przez Galadrielę, która łączyła ze sobą różne wyrazy: *laurë* – „złoto", *nan(d)* – „dolina", *ndor* – „kraina", *lin-* – „śpiewać"; w nazwie zaś Laurelindórinan, Dolina Śpiewającego Złota (tę właśnie Drzewiec podał hobbitom jako wcześniejszą) z rozmysłem nawiązuje do Złocistego Drzewa rosnącego w Valinorze, „za którym Galadriela ani chybi tęskniła z każdym rokiem coraz bardziej, aż w końcu tęsknota zamieniła się we wszechogarniający żal".

Lórien było pierwotnie w języku quenejskim określeniem rejonu Valinoru, często stosowanym jako imię Valara (Irmo), który nią władał: „miejsce odpoczynku pod cienistymi drzewami pośród fontann, schronienie przed troskami i smutkami". Późniejsza przemiana

z Lórinand, Dolina Złota, na Lórien, „mogła zostać uczyniona przez samą Galadrielę", bowiem „podobieństwo nie może być dziełem przypadku. Ona właśnie umyśliła uczynić z Lórien schronienie, wyspę pokoju oraz piękna, pamiątkę po dawnych dniach. Galadrielę wypełniały jednak żal i obawa, wiedziała bowiem, że kończy się już złoty sen i bliskie jest przebudzenie w szarości. Warto odnotować, że Drzewiec przetłumaczył Lothlórien jako Kwietny Sen.

W tekście *O Galadrieli i Celebornie* zachowałem wszędzie formę Lórinand, chociaż w czasie powstawania tej opowieści miała to być pierwotna, pradawna nandorska nazwa tej krainy, a historia o sprowadzeniu tam przez Galadrielę mallornów jeszcze nie powstała.

[6] To późniejsza poprawka, oryginalny tekst podawał, że krainą Lórinand rządzili miejscowi książęta.

[7] W osobnej notatce, której data powstania nie jest znana, pada uwaga, że chociaż imię Sauron użyte zostało wcześniej w *Kronice Lat*, to jednak tego właśnie imienia owej postaci (miana sugerującego tożsamość z wielkim namiestnikiem Morgotha, występującym w *Silmarillionie*) nie znano aż do około 1600 roku Drugiej Ery, czasu wykucia Jedynego Pierścienia. Istnienie tajemniczej, wrogiej elfom i Edainom siły, zauważono krótko po roku 500, a spośród Númenorejczyków ową nieprzyjazną moc pierwszy dostrzegł Aldarion pod koniec ósmego wieku (w czasie budowania przystani w Vinyalondë). Siła ta nie miała wyraźnego źródła. Sauron starał się oddzielać dwa swoje oblicza: wroga i kusiciela. Znalazłszy się między Noldorami, przyjął zwodniczo cudną postać (antycypując w ten sposób późniejsze pojawienie się Istarich) i piękne imię: Artano, Wielki Kowal, lub Aulendil, oznaczające kogoś, kto w pełni oddany jest służbie Valara Aulégo (w *Pierścieniach Władzy*, [*Silmarillion*, s. 339] Sauron określa się w tym czasie jako Annatar, Pan Darów, tutaj wszakże to imię nie występuje). Notatka podaje następnie, że Galadriela nie dała się omamić i oznajmiła, że Aulendil nie jest poddanym Aulégo z Valinoru, „ale jej zdanie nie

przeważyło, Aulë bowiem istniał już przed Stworzeniem Ardy, więc było wielce prawdopodobne, że Sauron to naprawdę jeden z jego Majarów, zwiedziony przed początkiem Ardy, przez Melkora. Współbrzmi to ze zdaniem otwierającym tekst *Pierścienie Władzy i Trzecia Era*: „Z dawna istniał Sauron, Majar (...). Na początku, gdy powstawała Arda, Melkor uwiódł Saurona" (*Silmarillion*, s. 337).

[8] W liście napisanym we wrześniu 1954 roku mój ojciec stwierdził: „Na początku Drugiej Ery zachowywał on [Sauron] wciąż piękną postać, lub takową potrafił przybierać, i nie ze szczętem był zły, chyba żeby uznać, że wszelcy «reformatorzy», pragnący przyspieszyć «rekonstrukcję» i «reorganizację» są zawsze z gruntu źli, nawet wówczas, gdy nie wbiją się jeszcze w dumę i nie zeżre ich własna chciwość. Jeden z odłamów Elfów Wysokiego Rodu – Mistrzowie Wiedzy, czyli Noldorowie – zawsze wykazywał szczególną podatność na uleganie nowinkom «nauki i techniki», jak i dzisiaj byśmy powiedzieli. Pragnąc posiąść całą wiedzę, jaką Sauron dysponował, Noldorowie z Eregionu zlekceważyli ostrzeżenia Gil-galada i Elronda. Innym przejawem tego wyjątkowego «pożądania» dręczącego elfy z Eregionu – w sensie alegorycznym: ukochania maszyn i urządzeń technicznych – jest szczególna przyjaźń tych elfów z krasnoludami z Morii".

[9] Galadriela nie mogła zrobić użytku z Nenyi aż do czasu, gdy długo później zniszczono Rządzący Pierścień. Trzeba jednak zauważyć, że tekst tego nie sugeruje (chociaż powiada trochę wcześniej o radzie Celebrimbora, by nigdy nie używać Pierścieni Elfów).

[10] Poprawka tekstu zmienia to na „pierwszą Białą Radę". W *Kronice Lat* ciało zbiorowe określane jako Biała Rada pojawia się w 2463 roku Trzeciej Ery. Możliwe jednak, że Rada z Trzeciej Ery świadomie nawiązała do poprzedniej, przyjmując taką samą nazwę, zwłaszcza że niektórzy członkowie tej drugiej należeli także do pierwszej.

[11] Wcześniej zostało wspomniane, że Gil-galad dał Naryę, Czerwony Pierścień, Círdanowi, ledwo sam go otrzymał od Celebrimbora, co zgadza się z informacją zawartą w Dodatku B do

Władcy Pierścieni oraz w szkicu *Pierścienie Władzy*, że Círdan miał pierścień od samego początku. Odmienna, pomieszczona tutaj wersja została nakreślona na marginesie rękopisu.

[12] Por. Dodatek A do *Historii Galadrieli i Celeborna*.

[13] Por. Dodatek C (j.w.).

[14] Pochodzenie nazwy Dor-en-Ernil nie zostało nigdzie wyjaśnione. Poza tym pojawia się tylko na wielkiej mapie Rohanu, Gondoru i Mordoru we *Władcy Pierścieni*. Określa tam miejsce położone po przeciwnej niż Dol Amroth stronie gór, jednak obecny kontekst sugeruje, iż Ernil to książę Dol Amroth (czego i tak można było się domyślać).

[15] Por. Dodatek B do *Historii Galadrieli i Celeborna*.

[16] Można przypuszczać, że pierwszym składnikiem imienia Amroth jest słowo z języka elfów identyczne z quenejskim *amba*, „w górę", spotykane również w sindarińskim jako *amon*, co oznacza wzgórze lub górę o stromych zboczach. Drugą cząstką jest przetworzona forma tematu *rath-*, „wspinać się" (stąd też pochodzi rzeczownik *rath*, który w Gondorze, gdzie dla nadawania imion i nazw posługiwano się númenorejskim sindarinem, pojawiał się w mianach dłuższych dróg i ulic Minas Tirith. Prawie wszystkie te uliczki biegły po pochyłości, jak Rath Dínen – Ulica Milczenia, wiodąca z twierdzy do Grobowców Królów).

[17] We fragmencie streszczonej pokrótce legendy o Amrocie i Nimrodel czytamy, że Amroth mieszkał na drzewach w Cerin Amroth „z miłości do Nimrodel".

[18] Miejsce zatoki elfów w Belfalas oznaczone zostało na ozdobnej mapie Śródziemia (sporządzonej przez Pauline Baynes) jako Edhellond („Przystań Elfów", por. Dodatek do *Silmarillionu*, hasła *edhel* i *lond*), nigdzie indziej jednak tej nazwy nie znalazłem. Por. Dodatek D do *Historii Galadrieli i Celeborna*. Por. także *Przygody Toma Bombadila*: „W Długim Wybrzeżu i Dol Amroth istnieje wiele opowieści na temat danych siedzib elfów i przystani u ujścia Morthond, z której «statki na zachód» wypływały aż do upadku Eregionu w Drugiej Erze" [przeł. Aleksandra Jagiełowicz].

[19] Zgadza się to z fragmentem w *Drużynie Pierścienia* (s. 354), kiedy to Galadriela daje Aragornowi zielony kamień i mówi: „Przyjmij w tej godzinie imię, jakie zostało ci przepowiedziane: Elessar. Kamień Elfów z domu Elendila".

[20] W tekście niniejszym, jak i w następnym, pojawia się imię Finrod, które dla uniknięcia pomyłek zmieniłem na Finarfin. Zanim jeszcze w 1966 roku ukazało się poprawione wydanie *Władcy Pierścieni*, ojciec zmienił Finroda na Finarfina. Syn zaś Finarfina, Felagund, poprzednio zwany Inglor Felagund, został Finrodem Felagundem. Odpowiednie fragmenty w Dodatkach B i F zostały w następnym wydaniu stosownie poprawione. Warto zauważyć, że Galadriela nie wymienia wśród swoich braci Orodretha, króla Nargothrondu po Finrodzie Felagundzie. Z powodów, których nie znam, ojciec przesunął drugiego króla Nargothrondu i uczynił go członkiem tej samej rodziny w następnym pokoleniu; jednak ani ta zmiana, ani jej genealogiczne następstwa nie znalazły nigdy odbicia w opowieściach *Silmarillionu*.

[21] Porównaj opis Kamienia Elfów znajdujący się w *Drużynie Pierścienia* (s. 354): „Podniosła [Galadriela] z kolan duży kamień, zielony, osadzony w srebrnej broszy, wykutej na podobieństwo orła z rozpostartymi skrzydłami. W jej palcach klejnot błysnął jak słońce przesiane przez wiosenne liście".

[22] Niemniej w *Powrocie Króla*, na s. 279, kiedy to Błękitny Pierścień pokazuje się na palcu Elronda, zwany jest „Vilya, najpotężniejszy z Trzech".

[23] Glanduina („Granica-rzeka") wypływała z Gór Mglistych na południe od Morii, by powyżej Tharbadu połączyć się z rzeką Mitheithel. Na oryginalnej mapie do *Władcy Pierścieni* jej nazwa nie została zaznaczona (w książce pojawia się tylko raz, w Dodatku A). Wydaje się, że w 1969 roku mój ojciec przekazał pannie Pauline Baynes dodatkowo pewną liczbę nazw do wykorzystania przy sporządzaniu ozdobnej mapy Śródziemia: Edhellond (wspomniana w przypisie 18 do poprzedniego rozdziału), Andrast, Drúwaith Iaur (Stara Ziemia Púkelów), Lond Daer (ruiny), Eryn Vorn, rzeka Adorn, Rzeka Łabędzi i rzeka Glanduina. Ostatnie trzy nazwy zostały wpisane w oryginalną mapę dołączoną do książki, jednak nie udało mi się ustalić, czemu właściwie nazwę „rzeka Adorn" poprawnie umiejscowiono, natomiast „Łabędzia Woda" i „rzeka Glandina" [sic] zostały błędnie naniesione w górnym biegu Iseny. Do spraw związanych z dwiema ostatnimi nazwami wracam w dalszym ciągu Dodatku.

[24] We wczesnych dniach obu królestw najczęściej (wyjąwszy przemieszczenia wojsk) wykorzystywano drogę morską do dawnego portu u ujścia Gwathló, a dalej do rzecznego portu w Tharbadzie, stamtąd zaś już szlak biegł Gościńcem. Pradawny port morski i jego przystanie popadły w ruinę, ale w Tharbadzie wybudowano wielkim wysiłkiem przystań mogącą przyjmować jednostki pełnomorskie jak i fort strzegący słynnego niegdyś mostu Tharbadu. Ten pradawny port był jedną z pierwszych przystani Númenorejczyków. Jego budowę rozpoczął sławny król-marynarz Tar-Aldarion. Potem kontynuowano prace, powiększając i fortyfikując to miejsce, zwane Lond Daer Enedh, Wielka Środkowa Przystań (jako że znajdowało się pomiędzy Lindonem na północy i Pelargirem na Anduinie) [przypis autora].

[25] Sindariński *alph*, łabędź, liczba mnoga *eliph*, quenejski *alqua*, tak jak w Alqualondë. Teleri zamienili pierwotną zbitkę *kw* na *p* (oryginalnie występujące *p* pozostawiając jednak niezmienione). Znacznie przekształcony sindariński występujący w Śródziemiu zmieniał głoski zwarte występujące po *l* oraz *r* w szczelinowe. W ten sposób wyraz brzmiący najpierw *alkwa* przeszedł w *alf*.

Część III
Trzecia Era

I. Klęska na polach Gladden

[1] Wzmianka o Elendilmirze pojawia się w przypisie w Dodatku A do *Władcy Pierścieni* (*Powrót Króla*, s. 294). Królowie Arnoru nie nosili

korony, „ale pojedynczy biały kamień, Elendilmir, Gwiazdę Elendila, na srebrnej opasce nad czołem". Przypis odnosi się do fragmentu tekstu, w którym wspomina się o Gwieździe Elendila. W rzeczywistości istniały dwa klejnoty o tej nazwie.

2 Jak to opisano w opowieści o Cirionie i Eorlu, opartej na dawniejszych przekazach, obecnie w większości zapomnianych, uwzględnionych wszakże ze względu na opis zdarzeń, które doprowadziły do Ślubowania Eorla i sojuszu Gondoru z Rohanem [przypis autora].

3 Najmłodszym synem Isildura był Valandil, trzeci król Arnoru (por. *Pierścienie Władzy, Silmarillion*, s. 349–350). Dodatek A do *Władcy Pierścieni* podaje, że Valandil urodził się w Imladris.

4 W tym tekście przełęcz owa nosi nazwę jedynie w języku elfów. Długo potem krasnolud Gimli opisał ją jako Wysoką Przełęcz: „,...gdyby nie Beorningowie, przejście z Dale do Rivendell od dawna byłoby niemożliwe. Ci mężni ludzie strzegą Wysokiej Przełęczy i brodu Carrock" (*Drużyna Pierścienia*, s. 220). Na tej właśnie przełęczy Thorin Dębowa Tarcza i jego kompani zostali pojmani przez orków (*Hobbit*, rozdz. 4). *Andrath* bez wątpienia oznacza „długą wspinaczkę", patrz: przypis 16 do rozdziału *Historia Galadrieli i Celeborna*.

5 Por. *Pierścienie Władzy, Silmarillion*, s. 349: „[Isildur] wywędrował z Gondoru na północ tą samą drogą, którą niegdyś przybył Elendil".

6 Trzysta staj albo i więcej [szlakiem obranym przez Isildura], głównie bezdrożami. W owych czasach jedynymi númenorejskimi drogami były: łączący Gondor z Arnorem wielki trakt biegnący przez Calenardhon, potem na północ przez Gwathló (w Tharbadzie), aż do Fornostu; Gościniec Wschodni z Szarych Przystani do Imladris. Szlaki te krzyżowały się w miejscu na zachód od Amon Sûl (Wichrowego Czuba), według númenorejskich miar punkt ten [Bree] leżał trzysta dziewięćdziesiąt dwie staje od Osgiliath i sto szesnaście staj na zachód od Imladris, cały szlak mierzył zatem staj pięćset osiem [przypis autora]. Patrz: Dodatek do niniejszego rozdziału.

7 Númenorejczycy hodowali na wyspie konie i wysoko je sobie cenili [por. rozdział z opisem Númenoru]. Nie dosiadali ich wszakże podczas walki, bowiem wszystkie wojny toczyli za morzem. Byli solidnej budowy i dość mieli siły, by dźwigać pełen ekwipunek wojownika, w tym ciężką zbroję oraz oręż. Stadniny istniały wprawdzie w osadach nadbrzeżnych, ale konno jeżdżono w zasadzie tylko dla rozrywki. W czasie wojny wierzchowcami poruszali się jedynie kurierzy i drużyny lekko zbrojnych łuczników (często niewywodzących się z Númenorejczyków). Podczas Wojny [Ostatniego] Sojuszu stracono bardzo dużo koni i niewiele zostało ich w Osgiliath [przypis autora].

8 Bagaż i prowiant na drogę były konieczne podczas wędrówki przez kraj pozbawiony osad elfów czy ludzi. Do zamieszkanych terenów dotrzeć mieli dopiero pod koniec marszu (królestwo Thranduila). Każdy mąż niósł porcję żywności wystarczającą na dwa dni (niezależnie od wspomnianej w tekście racji awaryjnej), całą resztę, w tym także i bagaże, przewożono na grzbietach niewielkich, ale wytrzymałych koni. Powiada się, że były to zwierzęta podobne tym, które dzikie i swobodne napotkano niegdyś na szerokich równinach na południe i na wschód od Wielkiego Zielonego Lasu. Zostały oswojone, ale chociaż mogły udźwignąć nawet wielkie ciężary (podążając w marszowym tempie), nie pozwalały się dosiadać. Oddział Isildura zabrał ich ze sobą ledwie dziesięć [przypis autora].

9 Piątego dnia miesiąca Yavannië (według númenorejskiego Kalendarza Królów, zachowanego z małymi zmianami w Kalendarzu Shire). Yavannië (Ivanneth) odpowiada miesiącowi Halimath, czyli naszemu wrześniowi. Narbeleth zaś to październik. Czterdzieści dni (do piętnastego dnia miesiąca Narbeleth) wystarczało, by w sprzyjających okolicznościach marszem pokonać taką drogę, czyli co najmniej trzysta osiemdziesiąt staj, bowiem żołnierze Dúnedainów, mężowie wysocy,

377

silni i wytrzymali, zwykle przemierzali „z łatwością" osiem staj dziennie, i to z pełnym oporządzeniem oraz uzbrojeniem. Po każdej stai robili zwykle krótki odpoczynek (*lár*, sindarińskie *daur*, pierwotnie znaczące tyle co przystanek lub przerwa), z jednym dłuższym postojem koło południa. Mając dość stosownego prowiantu, mogli utrzymywać takie tempo przez długi czas, przyspieszając nawet do dwunastu staj dziennie (lub i więcej w wielkiej potrzebie), jednakże tylko na stosunkowo krótkich odcinkach. W czasie opisanej klęski na szerokości geograficznej Imladris (do którego się zbliżali) jasny dzień trwał co najmniej jedenaście godzin, w środku zimy czas ten kurczył się do ośmiu godzin. Na północy nie podejmowano dłuższych podróży pomiędzy początkiem Hithui (Hísimë, listopad) a końcem Nínui (Nénimë, luty), o ile trwał pokój [przypis autora]. Szczegóły dotyczące używanych w Śródziemiu kalendarzy zawiera Dodatek D do *Władcy Pierścieni*.

10 Meneldil to bratanek Isildura, syn młodszego brata Isildura, Anariona, zabitego podczas oblężenia Barad-dûr. Isildur ustanowił Meneldila królem Gondoru. Był to człowiek dworny, ale przewidujący, nie miał jednak zwyczaju ujawniać swych myśli. W istocie rzeczy cieszył się nawet z odejścia Isildura z synami i miał nadzieję, że sprawy na Północy zatrzymają ich tam na dłuższy czas [przypis autora]. W nieopublikowanych annałach dotyczących dziedziców Elendila pojawia się informacja, iż Meneldil był czwartym dzieckiem Anáriona. Urodził się w roku 3318 Drugiej Ery, jako ostatni człowiek, który przyszedł na świat w Númenorze. Powyższa wzmianka to wszystko, co wiemy o jego usposobieniu.

11 Wszyscy trzej walczyli w Wojnie [Ostatniego] Sojuszu, ale Aratan i Ciryon nie brali udziału w zdobyciu Mordoru ni oblężeniu Barad-dûr, Isildur bowiem odesłał ich do swej głównej fortecy w Minas Ithil na wypadek, gdyby Sauron umknął Gil-galadowi oraz Elendilowi i zamierzał wywalczyć sobie drogę przez Cirith Dúath (zwane później Cirith Ungol), by przed swym końcem zemścić się jeszcze

na Dúnedainach. Elendur, następca Isildura i ukochany syn ojca, towarzyszył Isildurowi podczas całej wojny (prócz ostatniej walki na stokach Orodruiny) i cieszył się jego pełnym zaufaniem [przypis autora]. We wspomnianych już w poprzednim rozdziale annałach czytamy, iż najstarszy syn Isildura urodził się w Númenorze w roku 3299 Drugiej Ery (sam Isildur przyszedł na świat w roku 3209).

12 Amon Lanc, Nagie Wzgórze, było najwyższym punktem na wyżynnych terenach południowo-zachodniego zakątka Wielkiego Zielonego Lasu. Nazwę swą zawdzięczało bezdrzewnemu wierzchołkowi. W późniejszych czasach stanęła tam pierwsza warownia Saurona po jego przebudzeniu i miejsce nazwano Dol Guldur [przypis autora].

13 Pola Gladden (Loeg Ningloron). W Dawnych Dniach, kiedy Elfy Leśne dopiero osiedlały się w owych okolicach, znajdowało się tam w głębokiej niecce jezioro zasilane przez wody spływającej bystro z północy Anduiny. Przez jakieś siedemdziesiąt mil płynęła nieustannie po spadku, przez co jej wody rozpędzały się jak nigdzie indziej na całej długości. W tymże rejonie mieszała się ze spływającą z gór rzeką Gladden (Sîr Ninglor). Jezioro rozciągało się głównie na zachód od Anduiny, jako że wschodnie zbocza doliny były o wiele bardziej strome, docierało wszakże zapewne do stóp stoków opadających od skraju puszczy (wówczas jeszcze zadrzewionych). Sam brzeg jeziora, łagodny i porośnięty trzcinami, przebiegał tuż poniżej ścieżki, którą podążał Isildur. Z czasem jezioro zamieniło się w wielkie trzęsawiska, przez które rzeka wiła się, omijając liczne wysepki i rozległe pola trzcin oraz sitowia ubarwione płachtami żółtych irysów wybujałych ponad wzrost człowieka. Owe to kwiaty dały nazwę okolicy, a także spływającej z gór rzece (wokół której dolnego biegu rosły najgęściej). Mokradła jednak ustąpiły ku wschodowi, zostawiając u stóp niższych zboczy szerokie i płaskie tereny porośnięte trawą jak też niedużymi krzewami, więc człowiek mógł tamtędy przejść [przypis autora].

14 Na długo przed Wojną [Ostatniego] Sojuszu Orofer, król Elfów Leśnych mieszkających

na wschód od Anduiny, poczuł się zaniepokojony pogłoskami o wzrastającej potędze Saurona. Porzucił zatem swą dawną siedzibę pod Amon Lanc, po drugiej stronie rzeki, naprzeciwko Lórien. Po trzykroć przenosił się coraz bardziej na północ, pod koniec Drugiej Ery osiadając w zachodnich dolinach Emyn Duir, jego liczny lud zaś zamieszkiwał lasy i doliny na zachód aż do Anduiny, na północ od pradawnej Drogi Krasnoludów (Men-i-Naugrim). Przyłączył się do Sojuszu, ale został zabity podczas ataku na Wrota Mordoru. Jego syn Thranduil powrócił wraz z niedobitkami armii Elfów Leśnych w roku poprzedzającym wyprawę Isildura.

Emyn Duir (Góry Mroczne) wyrastały skupiskiem w północno-wschodnim zakątku lasu. Zwano je tak od jodeł gęsto porastających stoki, nie była to jednak nazwa o pejoratywnej konotacji. W późniejszych czasach, gdy cień Saurona padł także na Wielki Zielony Las, zmieniono nazwę puszczy z Eryn Galen na Taur-nu-Fuin (Mroczna Puszcza), a Emyn Duir nawiedzać zaczęły złe stwory, przez co góry te stały się znane jako Emyn-nu-Fuin, Góry Mrocznej Puszczy [przypis autora]. O Oroferze wspomina Dodatek B do rozdziału *Historia Galadrieli i Celeborna*, gdzie mowa jest o wycofaniu się Orofera ku północy Wielkiego Zielonego Lasu, byle dalej od krasnoludów z Khazad-dûm oraz Celeborna i Galadrieli w Lórien.

Te akurat elfie nazwy Gór Mrocznej Puszczy nie pojawiają się nigdzie indziej. W Dodatku F do *Władcy Pierścieni* mowa jest o Taur-e-Ndaedelos, „puszczy wielkiego strachu". Nazwa tutaj podana, Taur-nu-Fuin, „puszcza nocną porą", była późniejszym mianem Dorthonionu, porośniętej lasami wyżyny rozciągającej się w Dawnych Dniach u północnych rubieży Beleriandu. Odniesienie tej samej nazwy, Taur-nu-Fuin, zarówno do Mrocznej Puszczy, jak i Dorthonionu warte jest odnotowania szczególnie wobec faktu, że ich wizerunki na szkicach ojca są podobne (por. *Pictures by J.R.R. Tolkien*, 1979, przypis do numeru 37). Po Wojnie o Pierścień Thranduil i Celeborn raz jeszcze przemianowali Mroczną Puszczę, tym razem na Eryn Lasgalen, Las Zielonych Liści (Dodatek B do *Władcy Pierścieni*).

Men-i-Naugrim, Droga Krasnoludów, to Stara Droga Leśna opisana w *Hobbicie* (rozdz. 7). We wcześniejszej wersji tego fragmentu pojawia się wzmianka o Starej Drodze Leśnej wiodącej od Przełęczy Imladris i pokonującej Anduinę mostem (który powiększono i wzmocniono, by mogły po nim przemaszerować wojska Sojuszu), a dalej biegnącej do wschodnich dolin Wielkiego Zielonego Lasu. Postawienie mostu gdziekolwiek w niższym biegu Anduiny nie było możliwe, bowiem już kilka mil za Drogą Leśną teren opadał stromo i nurt rzeki przyspieszał znacznie, uspokajając się dopiero w rozlewisku pól Gladden. Minąwszy pola, znów stawał się bystry, zasilało go też wiele strumieni, jednak próbę czasu przetrwały tylko nazwy co większych dopływów: Gladden (Sîr Ninglor), Srebrna Żyła (Celebrant) i Limlight (Limlaith). W *Hobbicie* Droga Leśna pokonuje wielką rzekę brodem i nie ma mowy, aby kiedykolwiek miał tam istnieć most.

15 Odmienna wersja zdarzeń pojawia się w krótkiej relacji zamieszczonej w rozdziale *Pierścienie Władzy i Trzecia Era* (*Silmarillion*, s. 349): „Lecz w Górach Mglistych napadli na Isildura zaczajeni w zasadzce orkowie. Zaskoczyli jego obóz między Zieloną Puszczą a Wielką Rzeką, nie opodal Loeg Ningloron, pól Gladden, gdyż Isildur nie zachował żadnych środków ostrożności i nie rozstawił wart, przeświadczony, że wszyscy jego nieprzyjaciele są już rozgromieni".

16 Thangail, „mur tarcz", to sindarińska nazwa tego szyku bojowego (tym językiem mówił na co dzień lud Elendila). „Oficjalna" nazwa w języku quenejskim brzmiała – sandastan, „bariera tarcz"; utworzona została z wczesnego *thandā*, „tarcza", i *stama-*, „zagradzać, usuwać". Sindarińskie słowo miało inny drugi człon: cail, oznaczający ogrodzenie lub palisadę z ostro zakończonych żerdzi i pali. I tak, w pierwotnej formie, wyraz *keglē* powstał wywiedziony z tematu *keg-*, „zadzior, wąs haka", występuje też we wczesnej formie

kegyā, „żywopłot", w sindarińskim: *cai* (por. Morgai w Mordorze).

[17] *Dírnaith*, po quenejsku *nernehta*, „człowiek--grot włóczni", był to szyk klinowy stosowany do walki na krótkie dystanse z przeciwnikiem licznym, ale nieuszykowanym, ewentualnie używany wobec formacji obronnych na otwartym terenie. Quenejskie *nehte*, sindarińskie *naith,* odnosiło się do wszystkiego, co zwężało się w szpic, jak włócznia, klin, wąski przylądek (rdzeń *nek*, „wąski"). Por. Naith w Lorien, zakątek między ramionami rzek Celebrant i Anduina, o wiele bardziej wąski i ostro zakończony, niż może to ukazać mapa narysowana w małej skali [przypis autora].

[18] Ohtar to jedyne miano, pod którym owa osoba występuje w legendach, ale najpewniej nie było to imię, a tylko oznaka godności. Isildur użył tego słowa, by ukryć w tej tragicznej chwili miotające nim uczucia pod maską formalizmu. Ohtar, „wojownik, żołnierz", było tytułem przysługującym wszystkim, którzy choć w pełni wyćwiczeni i doświadczeni w wojennym rzemiośle, nie zasługiwali jeszcze na szarżę *roquen*, „rycerza". Ten Ohtar był w każdym razie bliski Isildurowi; łączyło ich też pokrewieństwo [przypis autora].

[19] We wcześniejszej wersji opowieści Isildur nakazał Ohtarowi wziąć ze sobą dwóch towarzyszy. W *Pierścieniach Władzy* jest mowa o tym, że „tylko trzech ludzi powróciło po długiej wędrówce przez góry". Przytoczony tekst podaje, że trzecim był Estelmo, ocalały z bitwy giermek Elendura.

[20] Minęli zagłębienie pól Gladden, za którymi grunt na wschodnim brzegu Anduiny (która płynęła głęboko wyżłobionym korytem) był pewniejszy i bardziej suchy, bowiem teren zaczynał się wznosić ku północy, a blisko Drogi Leśnej i kraju Thranduila zrównywał się niemal ze skrajem Wielkiego Zielonego Lasu. Isildur dobrze o tym wiedział [przypis autora].

[21] Nie ma wątpliwości, że dobrze poinformowany o istnieniu Sojuszu Sauron wysłał tyle oddziałów orków ze znakiem Czerwonego Oka, ile tylko mógł, aby nękali wszystkie możliwe wojska usiłujące skrócić sobie dro-

gę przez góry. Ostatecznie, gdy główne siły Gil-galada, razem z Isildurem i częścią ludzi z Arnoru, podeszły do przełęczy Imladris i Caradhras, orkowie przerazili się i ukryli. Pozostali wszakże czujni. Pilnie rozglądali się wkoło, gotowi zaatakować każdą mniej liczną od nich samych grupę elfów czy ludzi. Thranduila przepuścili, gdyż nawet jego zdziesiątkowana armia była dla nich zbyt silnym przeciwnikiem, czekali jednak cierpliwie, w większości skryci w puszczy, i wysyłali zwiadowców nad rzekę. Mało prawdopodobne, by dosięgły ich jakiekolwiek wieści o upadku Saurona, ponieważ oblężenie Mordoru było szczelne, a zniszczenie armii Saurona całkowite. Jeśli nawet ktoś umknął, to razem z Upiorami Pierścienia uciekał raczej na wschód. O zostawionym na północy oddziale po prostu zapomniano. Orkowie ci mogli uważać, że Sauron zwyciężył i wycieńczona armia Thranduila cofa się, aby poszukać schronienia w lasach. Tym bardziej byliby wówczas chętni do przysłużenia się swemu panu, chociaż główne bitwy ich ominęły. Nie zaskarbili sobie wszakże jego wdzięczności. Nawet gdyby któryś z tych orków dożył odrodzenia Saurona, wówczas czekałyby go nie nagrody, lecz tortury, a i tak zapewne żadne katusze nie ukoiłyby gniewu pana na tych ostatnich głupców, którzy wypuścili z rąk największy skarb Śródziemia. I nieważne, że orkowie nic nie wiedzieli o Jedynym Pierścieniu, poza Sauronem znanym tylko Dziewięciu Upiorom Pierścienia – jego niewolnikom. Wielu jednak uważało, że na zajadłość ataku orków na oddział Isildura wpływ miał właśnie Pierścień. Ledwo dwa lata minęły, odkąd opuścił pana i chociaż stygł szybko, to jednak wciąż był brzemienny złem i nade wszystko i za każdą cenę pragnął powrócić do pierwotnego właściciela (ponownie zachował się w ten sposób, gdy Sauron, odrodziwszy się, znów osiadł w swej siedzibie). Dowódcy orków zostali więc prawdopodobnie wykorzystani przez Pierścień, który zaszczepił im imperatyw, by wybić Dúnedainów i schwytać ich wodza. Sami oczywiście nie byli niczego świadomi. Tak czy inaczej, klęska na polach

Gladden przesądziła o przegranej Saurona w Wojnie o Pierścień [przypis autora].

22 Więcej informacji o númenorejskich łukach znaleźć można w opisie wyspy Númenor.

23 Powiada się, że łuczników było najwyżej dwudziestu, bowiem nie widziano potrzeby brania ich ze sobą w większej liczbie [przypis autora].

24 Porównaj z tym, co Isildur zapisał w Gondorze przed swą ostatnią podróżą, a co Gandalf zacytował na radzie u Elronda w Rivendell: „Był gorący, kiedy go wziąłem, gorący jak rozżarzone węgle i sparzył mi rękę tak bardzo, że wątpię, czy kiedykolwiek uwolnię się od bólu. Jednakże, gdy piszę te słowa, jest zimny i jakby się skurczył..." (*Drużyna Pierścienia*, s. 243).

25 Pycha właśnie nakazała mu zatrzymać Pierścień wbrew radom Elronda i Círdana, by cisnąć klejnot w ogniu Orodruiny (*Drużyna Pierścienia*, s. 234, oraz *Pierścienie Władzy, Silmarillion*, s. 349).

26 Fragment ten świadczy jednoznacznie, że Pierścień nie był w stanie stłumić blasku Elendilmira. Dopiero kiedy Isildur naciągnął kaptur na głowę, światło klejnotu przestało być widoczne.

27 Powiada się, że w późniejszych czasach wszyscy, którzy go pamiętali (jak Elrond), wspominali o uderzającym podobieństwie zewnętrznym, jak też charakterologicznym, łączącym Elendura z królem Elessarem, zwycięzcą w Wojnie o Pierścień, która zakończyła na zawsze żywot Saurona i Pierścienia. Według zapisków Dúnedainów Elessar był trzydziestym dziewiątym potomkiem brata Elendura, Valandila. Tyle pokoleń musiało przeminąć, nim król został pomszczony [przypis autora].

28 Siedem staj albo i więcej od miejsca bitwy. Uciekł zaraz po zmroku, do rzeki docierając o północy lub koło tej godziny [przypis autora].

29 Była to broń rodzaju zwanego eket: krótki miecz o szerokiej, ostro zakończonej obosiecznej klindze; jego długość wahała się od jednej stopy do jednej i pół [przypis autora].

30 Miejscem jego ostatniej obrony był teren o półtora kilometra, lubo i więcej, odległy od północnej granicy pól Gladden, możliwe

wszakże, że w ciemności spadek terenu skierował go nieco na południe [przypis autora].

31 Flaszkę pełną miruvoru, „kordiału z Imladris", otrzymał Gandalf od Elronda, kiedy to drużyna wyruszała z Rivendell (*Drużyna Pierścienia*, s. 277); patrz także *The Road Goes Ever On*, s. 61.

32 Gdyż metal ten dobywano w Númenorze [przypis autora]. Wymieniony w *Dynastii Elrosa* Tar-Telemmaitë, piętnasty władca Númenoru, miał otrzymać swe miano (czyli „srebrnoręki") za sprawą sporego upodobania do srebra i skłaniania swych sług do nieustannych poszukiwań mithrilu. Gandalf wszakże stwierdził, że mithril został znaleziony w Morii jako jedynym miejscu „na całym świecie" (*Drużyna Pierścienia*, s. 301).

33 Wspomniane jest w tekście *Aldarion i Erendis*, że diament przywieziony przez Aldariona i podarowany Erendis ze Śródziemia, ta kazała osadzić w srebrnej opasce, którą potem Aldarion, spełniając jej życzenie, nałożył dziewczynie na głowę. Dlatego Erendis stała się znana jako Tar-Elestirnë. To też miało dać początek zwyczajowi noszenia przez późniejszych królów i królowe Númenoru białego niczym gwiazda klejnotu na czole, a nie korony. Trudno nie wiązać Elendilmira z ową tradycją. Noszony na czole, biały jak gwiazda klejnot stał się znakiem monarszym Arnoru. Wszakże oryginalny Elendilmir (jakiekolwiek było jego pochodzenie) należał do Silmariën, co oznacza, że znalazł się w Númenorze na długo przedtem, zanim Aldarion przywiózł Erendis diament ze Śródziemia, zatem nie może chodzić o ten sam klejnot.

34 Dokładnie trzydziestu ośmiu, bowiem drugi Elendilmir został zrobiony dla Valandila. W *Kronice Lat* widnieje informacja, że kiedy w 16 roku Czwartej Ery (1436 rok według Kalendarza Shire) król Elessar przybył na most na Brandywinie, by powitać tam przyjaciół, dał Samowi Gwiazdę Dúnedainów, córkę jego czyniąc dworką Arweny. Na podstawie tego zapisku Robert Foster (*Encyklopedia Śródziemia*, s. 112) podaje, że „Gwiazdę Elendila nosili na czole królowie Królestwa Północy do czasu, aż Elessar dał ją Samowi

Gamgee w 16 roku Czwartej Ery". Wynikałoby z tego, że król Elessar zachował na czas nieokreślony klejnot zrobiony dla Valandila. Nie sądzę, by mógł podarować go burmistrzowi Shire, choćby nawet cenił Sama ponad wszystkich. Elendilmir pojawia się pod kilkoma nazwami: Gwiazda Elendila, Gwiazda Północy, Gwiazda Północnego Królestwa. Nazwa Gwiazda Dúnedainów (widniejąca tylko w *Kronice Lat*) ma być jeszcze jednym określeniem tego samego klejnotu, tak przynajmniej twierdzi Foster; podobną treść sugeruje też *Tolkien – przewodnik encyklopedyczny* J.E.A. Tylera. Wydaje mi się wszakże, że jest to błędna interpretacja i że Sam Gamgee został wyróżniony jakimś innym (bardziej stosownym) darem.

II. Cirion i Eorl. Przyjaźń Gondoru z Rohanem

1 Nie pozostały żadne zapiski opatrzone tym tytułem, jednak bez wątpienia opowieść przytoczona w trzecim podrozdziale jest ich częścią.

2 Takich jak *Księga Królów* [przypis autora]. Praca ta została wymieniona we wstępie do Dodatku A do *Władcy Pierścieni* jako jedna z tych (razem z *Księgą Namiestników* i *Akallabêth*), które król Elessar udostępnił Frodowi i Peregrinowi. Wzmianka została wszakże usunięta w wydaniu poprawionym.

3 Wschodnie Zakole (nazwa niewystępująca nigdzie indziej) było wielkim półkolem zataczanym przez rzekę na wschodnim skraju Mrocznej Puszczy; widnieje na mapie dołączonej do *Władcy Pierścieni*.

4 Ludzie Północy zdają się najbliżej spokrewnieni z trzecim i największym ludem przyjaciół elfów rządzonym przez ród Hadora [przypis autora].

5 To, że armia Gondoru uniknęła totalnej zagłady, wynikało po części z odwagi i lojalności jeźdźców Ludzi Północy dowodzonych przez Marhariego (potomka Vidugavii, „króla Rhovanionu"), którzy tworzyli ariergardę. Wszelako wojska Gondoru spowodowały wśród oddziałów Woźników tak silne straty, że napastnicy nie mogli kontynuować napaści bez posiłków ze Wschodu i na razie zado-

wolili się zagarnięciem Rhovanionu [przypis autora]. Dodatek A do *Władcy Pierścieni* wspomina, że Vidugavia, zwący się królem Rhovanionu, był najpotężniejszym spośród książąt Ludzi Północy. Rómendacil II (zmarł w roku 1366), któregoVidugavia wsparł podczas wojny z Easterlingami, okazał mu swe względy, a małżeństwo syna Rómendacila, Valakara, z Vidumavią, córką Vidugavii, doprowadziło w Gondorze do wyniszczających waśni rodowych w piętnastym wieku.

6 Interesujące (chociaż chyba w żadnych pismach ojca nie ma na ów temat ani słowa), że imiona wczesnych królów i książąt Ludzi Północy oraz Éothéodów mają postać raczej gocką, a nie staroangielską (anglosaską), jak jest to w przypadku Léoda, Eorla czy późniejszych Rohirrimów. Vidugavia to zlatynizowana forma znanego z zapisków gockiego miana Widuganja („mieszkaniec lasu"), podobnie Vidumavia to przetworzona forma gockiego Widumawi („leśna panna"). Imiona Marhwini i Marhari zawierają gockie słowo marh, „koń", odpowiadające staroangielskiemu *mearh*, liczba mnoga *mearas*, które to określenie występuje we *Władcy Pierścieni* i w Rohanie oznacza właśnie konie. Wini, „przyjaciel", odpowiadające staroangielskiemu *winë*, pojawia się w imionach kilku królów Marchii. Jak wyjaśnia to Dodatek do *Władcy Pierścieni* poświęcony językom Śródziemia, mowa Rohanu przypominać miała dawny angielski, a imiona przodków Rohirrimów zostały urobione na wzór form obecnych w najdawniejszych znanych zapiskach w języku germańskim.

7 Jak brzmiała ich nazwa w późniejszych czasach [przypis autora]. Jest to forma staroangielska znacząca „konni ludzie", patrz przypis 36.

8 Powyższy fragment nie pozostaje w sprzeczności z relacją przytoczoną w Dodatku A do *Władcy Pierścieni*, chociaż jest od niej znacznie krótszy. Nic tu nie ma o wojnie z Easterlingami prowadzonej w trzynastym wieku przez Minalcara (który przyjął imię Rómendacila II) ani o włączeniu przez tego króla wielu Ludzi Północy do armii Gondoru, ani

o małżeństwie jego syna, Valacara, z księżniczką Ludzi Północy i wynikłych z tego związku waśniach rodowych w Gondorze. Znajdujemy tu wszakże kilka drobiazgów, które we *Władcy Pierścieni* są nieobecne: że odejście Ludzi Północy z Rhovanionu związane było z Wielką Zarazą; że bitwa, w której w 1856 roku zginął król Narmacil II (według Dodatku A miało to być „za Anduiną”) rozegrała się na szerokich równinach na południe od Mrocznej Puszczy i znana była jako Bitwa na Równinach; że jego wielką armię uratowali od całkowitego zniszczenia podwładni Marhariego, potomka Vidugavii. Wyjaśnia też o wiele przejrzyściej, jak to po owej bitwie Éothéodzi, resztka spośród Ludzi Północy, stali się odrębnym ludem zamieszkałym w Dolinie Anduiny między Carrock a polami Gladden.

9   Dziadek Telumehtara zdobył Umbar i złamał potęgę Korsarzy, a mieszkańcy Haradu byli w owym czasie zaangażowani w wewnętrzne wojny i spory [przypis autora]. Telumehtar zdobył Umbar w 1810 roku.

10 Wielkie zakola Anduiny na wschód od lasu Fangorn, por. pierwszy cytat w Dodatku C do rozdziału *Historia Galadrieli i Celeborna*.

11 Słowa éored dotyczy przypis 36.

12 Jest to relacja o wiele pełniejsza niż krótka wzmianka widniejąca w Dodatku A do *Władcy Pierścieni* (*Powrót Króla*, s. 299): „Calimehtar, syn Narmacila II, wsparty powstaniem w Rhovanionie, pomścił swojego ojca, gdy w 1899 roku na polach Dagorlad rozgromił Easterlingów; na jakiś czas zażegnano niebezpieczeństwo”.

13 Przewężenie Puszczy musi odnosić się do miejsca na południu Mrocznej Puszczy, gdzie za sprawą Wschodniego Zakola brzegi lasu znacznie się do siebie zbliżały (por. przypis 3).

14 I słusznie, bowiem łatwiej było odeprzeć atak z Bliskiego Haradu (o ile nie towarzyszyło mu wsparcie z Umbaru, które jednak w tym czasie pozostawało niedostępne. Anduina stanowiła dla takiej napaści nieprzebytą przeszkodę, a idąc ku północy, wrogowie wpędzali się w zwężenie między rzeką a górami [przypis autora].

15 Osobna notatka (dołączona jednak do tekstu) wspomina, że w tym okresie Gondor kontrolował jeszcze Morannon, więc dwie wieże strażnicze po wschodniej oraz zachodniej stronie (Zęby Mordoru) były wciąż obsadzone. Droga przez Ithilien na odcinku do Morannonu była na bieżąco naprawiana, tamże zbiegała się z dwoma gościńcami: biegnącym na północ, do Dagorladu, i wschodnim, ciągnącym się wzdłuż pasma Ered Lithui. [Żadna z tych dróg nie została zaznaczona na mapach dołączonych do *Władcy Pierścieni*]. Szlak na wschód sięgał do miejsca położonego na północ od Barad-dûr i nigdy nie został pociągnięty dalej, a i to, co ukończono, od dawna niszczało już zaniedbane. Niemniej pierwsze pięćdziesiąt mil, w pełni gotowe do użytku, umożliwiło Woźnikom znacznie szybszy marsz.

16 Historycy wysunęli przypuszczenie, że chodzi o to samo wzgórze, na którym król Elessar ustanowił swą placówkę podczas ostatniej bitwy z Sauronem, kończącej Trzecią Erę. Wszelako, jeśli się nie mylą, to mamy do czynienia wyłącznie z naturalnym, niewielkim wzniesieniem niestanowiącym żadnej przeszkody dla jeźdźców, niepodwyższonym jeszcze przez orków [przypis autora]. Odnośne fragmenty w *Powrocie Króla* (s. 147 i 151) stwierdzają, co następuje: „Aragorn ustawił swoją armię w szyku, który wydawał się najrozsądniejszy − zebrał wojska na dwóch wielkich kopcach, usypanych przez orków z kamiennego gruzu i ziemi, Aragorn zaś stał na wzgórzu wraz z Gandalfem pod chorągwią z Drzewem i Gwiazdami, a nad drugim wzgórzem powiewały sztandary Rohanu i Dol Amroth”.

17 W kwestii obecności Adrahila z Dol Amroth patrz przypis 39.

18 Ich byłe domostwa leżały w Dolinie Anduiny pomiędzy Carrock i polami Gladden.

19 Przyczynę migracji Éothéodów na północ wyjaśnia Dodatek A do *Władcy Pierścieni* (*Powrót Króla*, s. 312): „Pradziadowie Eorla (...) kochali równiny oraz mieli wielkie upodobanie do koni i sztuki jeździeckiej. Zbyt wielu jednak ludzi mieszkało w dolinach środkowego

biegu Anduiny, a ponadto cień Dol Guldur sięgał coraz dalej, gdy zatem usłyszeli o klęsce Czarnoksiężnika [w 1975 roku Trzeciej Ery], poszukali bardziej rozległych krain po zachodniej stronie gór na północy i przegonili stamtąd resztki ludu Angmaru. Już w czasach Léoda, ojca Eorla, stali się bardzo licznym ludem i znów było im za ciasno w krajach ich pobytu". Przewodnikiem w tej migracji Éothéodów był Frumgar, a według *Kroniki Lat* działo się to w 1977 roku.

20 Te rzeki zaznaczone zostały na mapie dołączonej do *Władcy Pierścieni*, jednak nie podano ich nazw. Greylin ma tam dwa dopływy.

21 Niespokojny Pokój trwał od roku 2063 do 2460, kiedy to Sauron był nieobecny w Dol Guldur.

22 Kwestia fortów wzdłuż Anduiny została poruszona w pierwszym podrozdziale tej opowieści, a Płycizn dotyczy uwaga zamieszczona w Dodatku C do rozdziału *Historia Galadrieli i Celeborna*.

23 Z wcześniejszego fragmentu tekstu można wysnuć wniosek, że żadni Ludzie Północy nie zostali już w krainach na wschód od Mrocznej Puszczy po zwycięstwie Calimehtara nad Woźnikami na Dagorlad w 1899 roku.

24 Tak byli wówczas zwani w Gondorze: zbitka słów utworzona w potocznej mowie z westrońskiego *balc*, „straszna", i sindarińskiego *hoth*, „horda, banda". Zwykle stosowano ten termin wobec orków [przypis autora]. Por. hasło *hoth* w Dodatku do *Silmarillionu*.

25 Litery R·ND·R zwieńczone trzema gwiazdami znaczyły tyle co arandur (sługa króla), namiestnik [przypis autora].

26 Nie wspomniał głośno o tym, co jeszcze przeszło mu przez myśl, a mianowicie, iż słyszał, jakoby niespokojnym Éothéodom było za ciasno na północy, nie mieli też dość żyznej ziemi, by wyżywić więcej mieszkańców, których w dodatku ciągle przybywało [przypis autora].

27 Jego imię przetrwało długie lata w pieśni *Rochon Methestel* (Jeździec Ostatniej Nadziei), gdzie postać ta pojawia się jako Borondir Udalraph (Borondir bez Strzemion), wracał bowiem razem z *éoherë* po prawicy Eorla.

Jako pierwszy przekroczył Limlight i wyrąbał sobie drogę, spiesząc na pomoc Cirionowi. Ku wielkiej żałości Gondoru i Éothéodów padł na polach Celebrantu, broniąc swego pana. Złożono go potem w Grobowcach Minas Tirith [przypis autora].

28 Koń Eorla. W Dodatku A do *Władcy Pierścieni* powiada się, że ojciec Eorla, Léod, który oswajał dzikie konie, zginął zrzucony przez Felarófa, gdy próbował go dosiąść. Potem Eorl zażądał od rumaka, by ten w zamian za zabicie Léoda porzucił wolność i do końca dni swoich oddał się na służbę. Felaróf posłuchał Eorla, nigdy jednak nie pozwolił dosiąść się komukolwiek innemu. Rozumiał ludzką mowę i żył tak długo jak ludzie, przekazując długowieczność swym potomkom, mearom, które „służyły wyłącznie królom Marchii i ich synom, aż do czasów rumaka, który nazywał się Cienistogrzywy" i na którym jeździł Gandalf (*Powrót Króla*, s. 313). *Felaróf* jest słowem pochodzącym z anglosaskiego słownika poetyckiego (chociaż nie występuje w zachowanych utworach) i znaczy „bardzo dzielny, bardzo mocny".

29 Między ujściem Limlight a Płyciznami [przypis autora]. Jest to sprzeczne z pierwszym cytatem podanym w Dodatku C do *Historii Galadrieli i Celeborna*, który wspomina, iż Północne i Południowe Płycizny były dwoma wygiętymi na zachód zakolami Anduiny, przy czym Limlight wpadała do Wielkiej Rzeki przy zakolu północnym.

30 W dziewięć dni przebyli ponad pięćset mil (w linii prostej, drogą, musiało być ponad sześćset mil). Chociaż na wschodnim brzegu Anduiny nie znajdowały się żadne większe naturalne przeszkody, to jednak był to kraj opuszczony i drogi oraz szlaki wiodące na południe zatarły się, z rzadka używane. Tylko na krótkich odcinkach jeźdźcy mogli poruszać się naprawdę szybko, musieli jednak też oszczędzać siły (zarówno własne, jak i wierzchowców), jako że zaraz po dojściu do Płycizn czekała ich najpewniej bitwa [przypis autora].

31 Halifirien dwakroć pojawia się we *Władcy Pierścieni*. W *Powrocie Króla* (s. 16), w rozdziale pierwszym, kiedy to Pippin, jadąc

z Gandalfem na Cienistogrzywym do Minas Tirith, krzyczy, iż widzi ognie, Gandalf zaś odpowiada: „To ogniste sygnały z Gondoru wyzywające pomocy. Wojna! Płoną ogniska na Amon Dîn, na Eilenach, zapalają się też na zachodzie: na Nardol, Erelas, Min-Rimmon, Calenhad, a także na Hilifirien na pograniczu Rohanu". W rozdziale trzecim (s. 69) Jeźdźcy Rohanu w drodze do Minas Tirith przechodzą przez Bagna, „gdzie na górskich stokach szumiały lasy dębowe, niknące w cieniu wzgórza Halifirien na granicy Gondoru". Zobacz na dużej mapie Gondoru i Rohanu we *Władcy Pierścieni*.

32 Był to wielki númenorejski gościniec łączący dwa królestwa i przecinający Isenę przy brodach i Szare Rozlewisko w Tharbadzie, a potem biegnący na północ, do Fornostu. Gdzie indziej zwany jest Gościńcem (Drogą) Południowo-Zachodnim.

33 Jest to przetworzenie anglosaskiego *hálig-firgen*; podobnie jak *firgen-dæl* przeszło w Firien-dale [dolina Firien], a *firgen-wudu* w Firien Wood [las Firien] [przypis autora]. Głoska *g* w anglosaskim słowie *firgen*, „góra", była wymawiana jak współczesne *i*.

34 Minas Ithil, Minas Anor i Orthank.

35 W osobnej notatce dotyczącej nazw stosów sygnałowych powiada się, że „system sygnałowy, który działał wciąż podczas Wojny o Pierścień, nie mógł być starszy niż okres osiedleńczy Rohirrimów w Calenardhonie, czyli liczył góra pięćset lat. Jego podstawowym zadaniem było ostrzegać Rohan, że Gondor znajduje się w niebezpieczeństwie lub odwrotnie (chociaż w drugą stronę sygnał przekazywano o wiele rzadziej)".

36 Według zapisków przedstawiających organizację wojsk Rohirrimów, liczebność éoredu „nie była precyzyjnie określona, jednak w Rohanie éored składał się wyłącznie z jeźdźców wprawnych w wojennym rzemiośle, służących przez czas jakiś, w rzadkich przypadkach na stałe, w Królewskim Zastępie. Każdy oddział takich wojowników, czy podążający z zadaniem, czy tylko ćwiczący, zwano éoredem. Niemniej po odrodzeniu Rohirrimów i reorganizacji ich sił zbrojnych w czasach

króla Folkwina, sto lat przed Wojną o Pierścień, «pełny éored» w gotowości bojowej liczył nie mniej niż stu dwudziestu ludzi (razem z dowódcą), stanowiąc jedną setną Pełnego Zaciągu Jeźdźców Rohanu (z wyłączeniem Drużyny Królewskiej). [Éored, który pojawia się w *Dwóch Wieżach*, ścigając orków, miał stu dwudziestu jeźdźców. Legolas doliczył się z oddali stu pięciu, a Éomer powiedział, że piętnastu stracili podczas walki z orkami]. Tak potężne siły nigdy rzecz jasna nie wybierały się jednocześnie na wojnę poza granice Marchii, wszakże Théoden twierdził, że w razie wielkiego niebezpieczeństwa byłby w stanie poprowadzić armię dziesięciu tysięcy jeźdźców (*Powrót Króla*, s. 65) i wcale nie przesadzał. Od czasów Folkwina Rohirrimowie znacznie zwiększyli swą liczbę i w przeddzień ataku Saurona pełny zaciąg mógł spokojnie liczyć ponad dwanaście tysięcy jeźdźców, a i wtedy Rohan nie zostałby ogołocony całkowicie z wprawnych obrońców. Jednak wobec strat na wojnie zachodniej i zagrożeń czyhających z Północy oraz Wschodu, jak też skutkiem pośpiechu, Théoden powiódł za sobą tylko około sześciu tysięcy mężów z włóczniami, chociaż i tak było to największe zgrupowanie wojsk Rohanu, o jakim wspominają kroniki od czasów Eorla".

Pełny zaciąg konnicy zwany był *éoherë* (por. przypis 49). Słowa te, podobnie jak *Éothéod*, pochodzą z języka anglosaskiego, podczas gdy wszelkie inne kwestie w prawdziwej mowie Rohanu są tłumaczone (por. przypis 6): zawierają anglosaskie słowo *eoh* („koń"). *Éored, éorod* jest znanym z zapisków wyrazem anglosaskim, utworzonym (w pierwszym przypadku) z połączenia *eoh* i *rád* („jazda konna") oraz *eoh* i *herë*, „oddział, armia" (w przypadku drugim). *Éothéod* zawiera słowo *théod*, „lud" albo „kraina", i oznacza zarówno samych jeźdźców, jak i ich państwo (staroangielskie *eorl* wykorzystane jako imię — Eorl Młody — ma zupełnie inną etymologię).

37 W czasach namiestników zawsze powtarzano te słowa w każdej solennej przysiędze, chociaż za rządów Ciriona (dwunastego rządzącego

namiestnika) był to już raczej zwrot zwyczajowy i mało kto wierzył, aby się to ziściło [przypis autora].

38 Alfirin: simbelmynë rosnące na królewskich kurhanach pod Edoras, i uilos, które Tuor ujrzał w wielkiej rozpadlinie Gondolinu za Dawnych Dni. Alfirin pojawia się też w pieśni wyśpiewanej przez Legolasa w Minas Tirith (*Powrót Króla*, s. 136), jednak chodzi tam chyba o inny kwiat: „I złote drżą dzwonki, mallosów, alfirinów / Na wietrze od Morza".

39 Władca Dol Amroth nosił tytuł księcia. Nadany został jego przodkom przez zaprzyjaźnionego z nimi Elendila. Była to rodzina Wiernych, która odpłynęła z Númenoru przed Upadkiem i osiedliła się w Belfalas, między ujściem Ringló a Gilrainy, w warowni na wysokim cyplu Dol Amroth (zwanym tak na cześć ostatniego króla Lórien) [przypis autora]. Gdzie indziej powiada się, że według przekazu hołubionego w rodzie, pierwszym władcą Dol Amroth miał być Galador (w latach 2004–2129 Trzeciej Ery), syn Imrazôra Númenorejczyka, który mieszkał w Belfalas, oraz elfki Mithrellas, jednej z dworek Nimrodel. Wspomniany właśnie zapisek sugeruje, że owa rodzina Wiernych osiedliła się w Belfalas (gdzie istniała już warownia) przed Upadkiem Númenoru. Jeśli tak, to obie wersje można pogodzić, jedynie przyjmując założenie, iż początek linii książęcej, a tym samym i jej siedziby, sięga czasów ponad dwa tysiące lat wcześniejszych niż dni Galadora i że Galadora uznano za pierwszego władcę Dol Amroth, bowiem dopiero wówczas warownia została tak właśnie nazwana (po utonięciu Amrotha w roku 1981). Sprawę komplikuje nieco istnienie Adrahila z Dol Amroth (bez wątpienia przodka Adrahila, ojca Imrahila, władcy Dol Amroth podczas Wojny o Pierścień), dowódcy sił Gondoru w bitwie z Woźnikami w roku 1944. Można jednak przypuszczać, iż ten wcześniejszy Adrahil nie nosił jeszcze wówczas przydomka „z Dol Amroth".

Wyjaśnienie takie, całkiem prawdopodobne, bardziej zdaje się przemawiać do wyobraźni niż teza o istnieniu dwóch niezależnych i mocno odmiennych przekazów o pochodzeniu władców Dol Amroth.

40 Litery **ᴄᴩᴇᴄ** (L·ND·L) to imię Elendila zapisane bez zaznaczonych samogłosek, forma używana jako znak i godło na pieczęciach [przypis autora].

41 Amon Anwar leżało w istocie rzeczy najbliżej środka linii poprowadzonej od miejsca połączenia Limlight z Anduiną do południowego przylądka Tol Falas; było też równie odległe od brodów na Isenie i Minas Tirith [przypis autora].

42 Nie mamy tu do czynienia z dokładnym przekładem, bowiem przysięga została wypowiedziana w formie wierszowanej, z wykorzystaniem uroczystej wersji mowy Rohirrimów, którą Eorl władał biegle [przypis autora]. Wszystko wskazuje na to, że podana tu wersja Ślubowania Eorla jest jedyną, jaka pojawia się we wszystkich zapiskach.

43 *Vanda*: przysięga, ślubowanie, uroczysta obietnica. *ter-maruva*: *ter* – „przez", *mar-* – oznacza w czasie przeszłym: „trwać, osiedlić się, ustalić"; *Elenna·nóreo*: dopełniacz od *Elenna·nórë*, „Ziemia zwana Ku Gwiazdom"; *alcar*: „chwała"; *enyalien*: *en-*, „znów", *yal-* „wezwanie", w bezokoliczniku (lub rzeczowniku odsłownym) *en-yalië*, tutaj w celowniku „dla ponownego wezwania", ale związane z orzeczeniem bliższym *alcar*, zatem „by znów wezwać lub upamiętnić chwałę"; *Vorondo*: dopełniacz od *voronda*, „stały w sojuszu, w dotrzymywaniu słowa czy przysięgi, wierny". Przymiotniki, zwykle quenejskie, używane jako „tytuł" lub wykorzystywane często jako uzupełnienie imienia umieszcza się po imieniu. Z dwóch odmiennych wyrazów w apozycji odmieniany jest wówczas ostatni. [Inne pismo podaje ten przymiotnik jako *vórimo*, dopełniacz od *vorima*, z tym samym znaczeniem co *voronda*]. *Voronwë*: „stałość, lojalność, wierność", dopełnienie *enyalien*.

Nai: „niech tak będzie, może tak być"; *Nai tiruvantes*: „niech będzie, że będą tego strzegli", czyli „niechaj tego strzegą" (*-nte*, końcówka trzeciej osoby liczby mnogiej, jeśli podmiot nie został uprzednio podany); *i hárar*: „ci, któ-

386

rzy zasiadają ponad"; *mahalmassen*: miejscownik liczby mnogiej od *mahalma*, „tron"; *mi*: „w"; *Númen*: „Zachód"; *i Eru i*: „Jedyny, który"; *eä*: „jest"; *tennoio*: *tenna* „w górę, do; tak daleko jak", *oio* „przez czas nieskończony"; *tennoio*: „na zawsze" [przypis autora].

[44] Nie zaglądano tam więcej, aż król Elessar powrócił i odnowił w tym miejscu przymierze z władcą Rohirrimów, Éomerem, dziewiętnastym dziedzicem Eorla. Tylko królowie Númenoru mogli według prawa wzywać Eru na świadka, a i to jedynie przy najpoważniejszych i uroczystych okazjach. Linia królów urwała się na Ar-Pharazônie, który zginął w Upadku, jednak Elendil Voronda pochodził od Tar-Elendila, czwartego króla i został uznany za prawowitego władcę Wiernych, którzy nie brali udział w buncie królów i ocaleli ze zniszczenia. Cirion był namiestnikiem królów pochodzących od Elendila i miał we wszystkich sprawach dotyczących Gondoru królewskie uprawnienia – aż do powrotu króla. Niemniej treść przysięgi mocno zdumiała i zatrwożyła obecnych. Samo jej wypowiedzenie przy czcigodnym grobie wystarczyłoby, żeby uczynić szczyt wzgórza miejscem świętym [przypis autora]. Przydomek Elendila, Voronda, czyli Wierny, który pojawia się też w *Ślubowaniu Ciriona*, został najpierw zapisany w tej notatce jako Voronwë, co w *Ślubowaniu* istnieje w formie rzeczownika: „wierność, stałość". Jednak w Dodatku A do *Władcy Pierścieni* Mardil, pierwszy rządzący namiestnik Gondoru zwany jest Mardil Voronwë, co przekładano jako Wierny; elf z Gondolinu zaś, który w Pierwszej Erze wyprowadził Tuora z Vinyamaru, zwał się Voronwë, co w Indeksie do *Silmarillionu* przetłumaczyłem podobnie jako „Nieugięty".

[45] Por. pierwszy cytat w Dodatku C do *Historia Galadrieli i Celeborna*.

[46] Nazwy te podane zostały w sindarińskim, tak jak używano ich w Gondorze, jednak wiele z nich zostało na nowo nadanych przez Éothéodów, by dawne brzmienie pasowało do ich własnego języka, poprzez tłumaczenie lub ukucie nazwy od podstaw. We *Władcy Pierścieni* pojawiają się głównie nazwy w języku Rohirrimów: Angren to Isena, Angre-

nost to Isengard, Fangorn (nazwa też nadal używana) to Las Entów, Onodló to Entwash, Glanhír to strumień Mering (oba określenia znaczą to samo, czyli „strumień graniczny") [przypis autora]. Kwestia nazwy rzeki Limlight jest niezbyt jasna. Istnieją dwie wersje tekstu i zapisków, przy czym z jednej wynika, że sindarińska nazwa brzmiała *Limlich* i została w Rohanie przetworzona jako *Limliht* (a następnie „uwspółcześniona" na *Limlight*). W innej (późniejszej) wersji *Limlich* zostało przekreślone i niespodziewanie zastąpione w tekście formą *Limliht*, stając się formą sindarińską. Gdzie indziej pojawia się sindarińska nazwa rzeki brzmiąca *Limlaith*. Wobec tylu wątpliwości zdecydowałem się na formę *Limlight*. Jakkolwiek mogła brzmieć oryginalna, sindarińska nazwa, widać jasno, że nazwa stosowana w Rohanie została utworzona poprzez upodobnienie, a nie przekład dawnej nazwy i że pierwotne jej znaczenie nie było znane (chociaż w notatce o wiele wcześniejszej od wszelkich powyższych rozważań pojawia się informacja, że *Limlight* miało być częściowym przekładem nazwy elfów *Limlint*, „szybkie światło"). Sindarińskie nazwy Entwash i strumienia Mering występują jedynie tutaj; z Onodló porównaj Onodrim, Enyd, entowie (*Władca Pierścieni*, Dodatek F, *O innych plemionach*).

[47] Athrad Angren: por. Dodatek D do *Historii Galadrieli i Celeborna*, gdzie podana została sindarińska nazwa brodów na Isenie brzmiąca Ethraid Engrin. Wydaje się, że nazwa tego brodu (tych brodów) funkcjonowała równocześnie w formie pojedynczej, jak i mnogiej.

[48] Gdzie indziej las ten zwany jest konsekwentnie lasem Firien (skrócona forma nazwy Halifirien). Słowo *firienholt* pojawia się w anglosaskiej poezji (forma *firgenholt*) oznacza to samo: „górski las". Por. przypis 33.

[49] Właściwe formy to Rochand i Rochír-rim, co w kronikach Gondoru zapisywano jako Rochand, Rochan i Rochirrim. Nazwy te zawierają sindarińskie słowo *roch*, „koń" (tłumaczenie *éo-* występującego w wyrazie *Éothéodzi* oraz wielu imionach Rohirrimów [por. przypis 36]. W wyrazie *Rochand* dodano sindarińską

końcówkę -nd (-and, -end, -ond), co było powszechne w nazwach krain czy krajów, jednak -d opuszczano zwykle w wymowie, szczególnie w przypadku co dłuższych nazw, jak: Calenardhon, Ithilien, Lamendon itd. Wyraz *Rochirrim* został utworzony na podstawie *éo-herë*, terminu używanego przez Rohirrimów na określenie pełnego zaciągu ich konnicy w czasie wojny. Do *roch* dodano sindarińskie *hír*, „pan, władca" (niespokrewnione ze [staroangielskim] *herë*). Do nazw ludów dołączano często sindarińskie określenie *rim*, „wielka liczba, ciżba" (quenejskie *rimbë*), tworząc rzeczownik zbiorowy, jak: *Eledhrim* (*Edhelrim*): „wszystkie elfy", *Onodrim*: „lud Entów", *Nogothrim*: „wszystkie krasnoludy, krasnoludzkie plemię". W języku Rohirrimów obecna była głoska oznaczana jako *ch* (spirant tylnojęzykowy jak *ch* w języku walijskim) i choć rzadko występowała w środku wyrazu między samogłoskami, jej wymowa nie sprawiała trudności. Wszelako brak było podobnej głoski we Wspólnej Mowie, która preferowała sindarińską wymowę, zatem mieszkańcy Gondoru, o ile nie byli wykształceni, zastępowali *ch* samym *h* (w środku wyrazu) albo *k* (w wygłosie, gdzie przy starannej sindarińskiej wymowie głoska *ch* była bardzo wyraźna). W ten sposób powstały nazwy Rohan i Rohirrimowie, wykorzystane we *Władcy Pierścieni* [przypis autora].

50 Wydaje się, że ta wiadomość nie przekonała Eorla o dobrej woli Białej Pani.

51 Eilenaer było imieniem prenúmenorejskiego pochodzenia, spokrewnionym niewątpliwie z Eilenach [przypis autora]. Według notatki dotyczącej stosów sygnałowych, Eilenach było „prawdopodobnie imieniem obcego pochodzenia, niesindarińskim, nienúmenorejskim, niewywiedzionym ze Wspólnej Mowy (...). Zarówno Eilenach, jak i Eilenaer były łatwo zauważalnymi punktami terenu. Eilenach to najwyższe wzniesienie lasu Drúadan, świetnie widoczne z zachodu. Zadaniem tego stosu sygnałowego było przekazywanie ostrzeżeń do Amon Dîn, chociaż z braku miejsca na ostrym wierzchołku nie dawało się tutaj rozpalić zbyt dużego ognia. Stąd nazwa Nardol („ognisty szczyt wzgó-

rza"), opisująca następną na zachodzie górę sygnałową wyrastającą u krańca łańcucha, pierwotnie należącą do lasu Drúadan, jednak ogołoconą z drzew przez budowniczych i kamieniarzy, którzy nadeszli Doliną Kamiennego Wozu. Góra Nardol była obsadzona przez straż chroniącą również ludzi pracujących w kamieniołomach. Placówka ta miała pod dostatkiem paliwa, więc w razie potrzeby mogła utrzymać wielki ogień, dobrze widoczny nawet z ostatniego wzgórza sygnałowego (Halifirien), ze sto dwadzieścia mil na zachód".

W tej samej notatce Amon Dîn („ciche wzgórze") uznane zostaje za najdawniej obsadzone jako (pierwotnie) wysunięty warowny posterunek podległy Minas Tirith, skąd widać było płomień stosu gorejącego na szczycie tego wzniesienia. Posterunek miał strzec przejścia z Dagorladu do Północnego Ithilien, a także powstrzymywać wrogów przed próbą przekroczenia Anduiny przy Cair Andros lub w pobliżu tego miejsca. Czemu taką właśnie nazwę nadano górze, o tym nie ma ani słowa. Może dlatego, iż „kamieniste i nagie wzgórze wyróżniało się znacznie, samotnie wyrastając spomiędzy porośniętych gęstym lasem pagórków lasu Drúadan (Tawar-in-Drúedain), a ludzie, ptaki i zwierzyna rzadko nań zaglądały".

52 Według Dodatku A do *Władcy Pierścieni* (*Powrót Króla*, s. 295) pierwszy atak dzikich ludzi ze Wschodu nastąpił za czasów Ostohera, czwartego po Meneldilu króla Gondoru, wszelako wówczas „syn króla, Tarostar, pobił ich, przegnał, i przyjął imię Rómendacil – Zwycięzca Wschodu".

53 Również Rómendacil I ustanowił urząd namiestnika (Arandura, sługi króla); namiestnika król wybierał wówczas spośród zaufanych i mądrych poddanych, zwykle posuniętych przy tym w latach, jako że namiestnikowi nie było wolno wybierać się na wojnę ni opuszczać królestwa. Namiestnik nigdy nie pochodził z rodu królewskiego [przypis autora].

54 Mardil, pierwszy rządzący namiestnik Gondoru, był namiestnikiem Eärnura, ostatniego króla, który w roku 2050 przepadł w Minas

Morgul. „Wierzono w Gondorze, że zdradziecki Nieprzyjaciel uwięził króla, który zginął torturowany w Minas Morgul; ponieważ jednak nie było świadków jego śmierci, Mardil Dobry Namiestnik rządził Gondorem w imieniu swego władcy przez wiele kolejnych lat" (*Powrót Króla*, s. 302).

III. Wyprawa do Ereboru

1 O spotkaniu Gandalfa z Thorinem opowiada też Dodatek A do *Władcy Pierścieni* (*Powrót Króla*, s. 325), podając datę owego wydarzenia: 15 marca 2941 roku. Obie relacje nieco się różnią. Według Dodatku spotkanie miało miejsce w gospodzie w Bree, a nie na szlaku. Gandalf odwiedził Shire ostatni raz dwadzieścia lat wcześniej, czyli w roku 2921, gdy Bilbo miał lat trzydzieści jeden, potem Gandalf wspomina, że hobbit nie doszedł wtedy jeszcze wieku męskiego (trzydzieści trzy lata).

2 Holman ogrodnik: Holman Zielona Ręka, którego uczniem był Hamfast Gamgee (ojciec Sama, Dziadunio). Por. *Drużyna Pierścienia*, rozdział pierwszy i Dodatek C do *Władcy Pierścieni*.

3 Rok słoneczny elfów (loa) zaczynał się w dniu zwanym *yestarë*, przypadającym w wigilię pierwszego dnia tuilë (wiosny). W kalendarzu Imladris yestarë odpowiadało mniej więcej szóstemu dniu kwietnia według kalendarza Shire (*Władca Pierścieni*, Dodatek D).

4 Thráin II: Thráin I, odległy przodek Thorina, uciekł z Morii w 1981 roku i został pierwszym Królem pod Górą (*Władca Pierścieni*, Dodatek A: *Plemię Durina*).

5 Dáin II Żelazna Stopa urodził się w roku 2767; w Bitwie w Azanulbizarze (Nanduhirionie) w roku 2799 zabił przed wschodnią bramą Morii olbrzymiego orka Azoga i pomścił w ten sposób Thróra, dziada Thorina. Zginął podczas Bitwy na Polach Dale w roku 3019 (*Władca Pierścieni*, Dodatek A: *Plemię Durina* i Dodatek B). W Rivendell Frodo dowiedział się od Glóina, że „Dáin nadal panuje pod Górą i jest już stary (ukończył dwieście pięćdziesiąt lat), czcigodny i bajecznie bogaty" (*Drużyna Pierścienia*, s. 220).

6 W tych dwóch akapitach fragmenty identyczne z tekstem zamieszczonym we *Władcy Pierścieni* (*Powrót Króla*, s. 323–324) [przyp. tłum.].

7 Gimli musiał już raz przynajmniej przejść przez Shire, a to podczas podróży ze swego rodzinnego domostwa w Górach Błękitnych.

8 W Dodatku A do *Władcy Pierścieni* wspomina się o Długiej Zimie, która nawiedziła Rohan na przełomie lat 2758/59; *Kronika Lat* podaje, że wówczas to „Gandalf przybywa z pomocą mieszkańcom Shire" (*Powrót Króla*, s. 333).

9 W tym miejscu zdanie z rękopisu A zostało w znacznej części opuszczone, zapewne omyłkowo, podczas przepisywania na maszynie: „i tak, by uniknąć wywęszenia, przynajmniej przez Smauga, wroga krasnoludów". Można to uznać za przypadkowy błąd, ponieważ Gandalf wspomina później, iż Smaug nigdy nie miał okazji poznać zapachu hobbita.

IV. Poszukiwania Pierścienia

1 *Kronika Lat* podaje (przy roku 2951), że Sauron wysłał nie dwóch, ale trzech Nazgûli, by na nowo zajęli Dol Guldur. Dwie wzmianki pozwalają przypuszczać, że jeden z tych Upiorów Pierścienia wrócił potem do Minas Morgul; ja jednak sądzę, że obecny tekst został zmieniony, gdy powstała już *Kronika Lat*. Można zauważyć, że w odrzuconej wersji mowa jest tylko o jednym Nazgûlu w Dol Guldur (nie zwano go Khamûlem, ale „drugim po wodzu", Czarnym Easterlingu), drugi zaś miał zostać przy Sauronie jako wysłannik. Z notatek szczegółowo odtwarzających poczynania Czarnych Jeźdźców w Shire wynika, że to Khamûl przyjechał do Hobbitonu i to on rozmawiał z Dziaduniem Gamgee, a następnie podążył za hobbitami drogą na Stock i omal nie wpadł na nich przy promie w Bucklebury. Jeździec, który mu towarzyszył (wezwany krzykami na wzgórzu ponad Woodhall), również podczas odwiedzin u Maggota, był „jego kompanem z Dol Guldur". O Khamûlu powiada się tutaj, że spośród Jeźdźców on był najbardziej wyczulony

(nie licząc samego Czarnego Wodza) na obecność Pierścienia, jednakże najsłabiej ze wszystkich radził sobie w blasku dnia.

2 I rzeczywiście, ze strachu przed Nazgûlami skrył się w Morii [przypis autora].

3 Przy brodzie na Bruinen tylko Czarnoksiężnik i jeszcze dwóch przyciąganych przez Pierścień Jeźdźców odważyło się wejść do rzeki, pozostałych zagnali do wody Glorfindel z Aragornem [przypis autora].

4 Gandalf wspomniał na naradzie u Elronda, że wziął Golluma na spytki, gdy ten był więźniem elfów Thranduila.

5 Podczas narady u Elronda (*Drużyna Pierścienia*, s. 243) Gandalf, opowiadając o tym, jak to opuścił Minas Tirith, stwierdza: „gdy zmierzałem na północ, doszły mnie wieści z Lórien, że Aragorn przechodził tamtędy i że odnalazł stworzenie, zwane Gollumem".

6 Gandalf przybył dwa dni później i odjechał wczesnym rankiem 29 marca. Od Carrock miał już wierzchowca, ale musiał przebyć jeszcze wysoką przełęcz w Górach. W Rivendell dostał świeżego konia, po czym jadąc jak najszybciej, wieczorem 12 kwietnia dotarł do Hobbitonu, przebywając niemal osiemset mil [przypis autora].

7 Zarówno tutaj, jak i *Kronice Lat* napaść na Osgiliath widnieje pod datą 20 czerwca.

8 Uwaga ta odnosi się niewątpliwie do słów Boromira opowiadającego podczas narady u Elronda (*Drużyna Pierścienia*, s. 236) o bitwie w Osgiliath: „Nieprzyjaciel miał po swojej stronie moc, której dotąd nigdy nie odczuliśmy. Niektórzy powiadają, że owa moc objawiła się w postaci wielkiego czarnego jeźdźca, który był jak cień w poświacie miesiąca".

9 W liście z 1959 roku ojciec pisał: „Między rokiem 2463 [kiedy to według *Kroniki Lat* Déagol ze Stoorów znalazł Jedyny Pierścień] a początkiem szczegółowego zainteresowania Gandalfa Pierścieniem (niemal 500 lat później) wymarli [Stoorowie] (oczywiście oprócz Sméagola) lub też uciekli przed cieniem Dol Guldur" [*Listy*, op. cit., s. 433].

10 Według przypisu 2 (wcześniej) Gollum skrył się w Morii ze strachu przez Nazgûlami. Po-

równaj z wcześniejszą sugestią, że królowi Morgulu w wyprawie na północ, za Gladden, przyświecała nadzieja na znalezienie Golluma.

11 Wydaje się, że nie było ich w gruncie rzeczy wielu, dość wszakże, by odeprzeć gorzej uzbrojonych i mniej licznych napastników, na dodatek gorzej przygotowanych do walki [przypis autora].

12 Według słów krasnoludów trzeba było zwykle dwóch osób; tylko bardzo silny krasnolud potrafił otworzyć wrota w pojedynkę. Do czasu opuszczenia Morii odźwierni czuwali po wewnętrznej stronie zachodniej bramy, przynajmniej jeden pozostał zawsze na posterunku. W ten sposób nikt (na przykład intruz czy ktoś próbujący ucieczki) nie mógł wydostać się bez zezwolenia [przypis autora].

13 W wersji A Saruman twierdzi, że nie wie, gdzie ukryty jest Pierścień, w wersji B zaś powiada, „że nie wie nic o krainie, której szukają". Zapewne to tylko różnica sformułowań, bez większego znaczenia.

14 Wcześniej w tej wersji mówi się, że w owym czasie Sauron zaczął w końcu podporządkowywać sobie Sarumana (kontaktował się z nim za pośrednictwem palantíru). W każdym razie często odczytywał jego myśli, niezależnie od tego, co tamten pragnął przekazać. W ten sposób dowiedział się o domysłach gospodarza Isengardu co do miejsca, w którym znajduje się Pierścień. Ostatecznie Saruman sam się wygadał, że uwięził Gandalfa, który w tej sprawie wie najwięcej.

15 Data 18 września roku 3018 w *Kronice Lat* (*Powrót Króla*, s. 335) opatrzona jest komentarzem: „Gandalf ucieka z Orthanku. Czarni Jeźdźcy przekraczają brody na Isenie". Lakoniczna notka nie wspomina, by Jeźdźcy odwiedzili Isengard, dlatego też sądzę, że zapis ów powstał w oparciu o wersję C.

16 Żaden z tekstów nie wspomina ani słowem, co zaszło między Sauronem a Sarumanem po zdemaskowaniu tego ostatniego.

17 Lobelia Bracegirdle wyszła za Otha Bagginsa z Sackville; ich syn, Lotho, przejął władzę nad Shire podczas Wojny o Pierścień i znany był później jako Szef. Podczas rozmowy z Fro-

dem stary Cotton wspomniał o plantacji ziela w Południowej Ćwiartce, własności Lotha.

18 Zazwyczaj wybierano drogę przez Tharbad do Dunlandu (a nie wprost do Isengardu), skąd w wielkiej tajemnicy przesyłano wszystko Sarumanowi [przypis autora].

19 Por. *Władca Pierścieni*, Dodatek A (część *Królestwo Północne i Dúnedainowie*, s. 293): „W tym czasie [podczas Wielkiej Zarazy, która zawitała do Gondoru w roku 1636] wyginęli Dúnedainowie z Cardolanu, a złe duchy z Angmaru i Rhudauru zajęły opustoszałe wzgórza i zamieszkały tam na długo".

20 Dziwne jest, że skoro Czarny Wódz wiedział aż tyle, to jednak nie miał pojęcia, gdzie leży Shire, kraj niziołków. Według *Kroniki Lat* hobbici osiedli w Bree jeszcze na początku czternastego wieku Trzeciej Ery, kiedy to Czarnoksiężnik przybył na północ, do Angmaru.

21 Zobacz *Drużyna Pierścienia*, s. 154. Kiedy Obieżyświat i hobbici opuszczali Bree (tamże s. 177), Frodo dostrzegł Dunlendinga („ziemista twarz o chytrych, zezowatych oczach") w domu Billa Ferny'ego na skraju osady i pomyślał: „Wygląda na półkrwi goblina".

22 Por. słowa wypowiedziane przez Gandalfa na naradzie u Elronda: „dowódca skrył się na południe od Bree" (*Drużyna Pierścienia*, s. 253).

23 Jak wskazuje końcowe zdanie cytatu, oznacza to: „Gandalf nie przypuszczał jeszcze, że w przyszłości niziołki będą miały jakikolwiek związek z Pierścieniem". Spotkanie Białej Rady w roku 2851 poprzedziło o pięćdziesiąt lat znalezienie Pierścienia przez Bilba.

V. Bitwy u Brodów na Isenie

1 Éomer był synem siostry Théodena, Théodwiny, i Éomunda ze Wschodniego Fałdu, pierwszego marszałka Marchii. Éomund został zabity przez orków w 3002 roku, Théodwina zmarła niedługo później; ich dzieci, Éomer i Éowina, zamieszkały w pałacu króla Théodena razem z Théodredem, jedynym dzieckiem króla (*Władca Pierścieni*, Dodatek A).

2 Entowie uszli tu uwagi, jak zwykle zresztą, bowiem tylko Gandalf zdawał się pamiętać o ich istnieniu. Lecz nawet gdyby Gandalf obudził entów o parę dni wcześniej (co, jak widać z tej opowieści, nie było możliwe), to przy takim postępowaniu Sarumana, Rohan i tak spotkałaby klęska. Owszem, entowie zdołaliby zburzyć Isengard, nawet pojmać Sarumana (gdyby nie wyruszył za swą zwycięską armią). Może nawet entowie i huornowie zniszczyliby siły Sarumana w Rohanie, wykorzystując pomoc jeźdźców Wschodniej Marchii. Ta jednak popadłaby w ruinę i pozostała bez przywództwa. Potem zaś, gdyby nawet Czerwona Strzała trafiła do rąk kogoś obdarzonego realną władzą, to nikt nie zwróciłby uwagi na wezwanie z Gondoru. Co najwyżej do Minas Tirith wyruszyłoby kilka oddziałów zmęczonych wojów, którzy dotarliby tam po to jedynie, by ulec zagładzie wraz z całym miastem [przypis autora]. Kwestia Czerwonej Strzały (znaku najwyższej potrzeby i zagrożenia Minas Tirith) przyniesionej Théodenowi przez posłańca z Gondoru – zob. rozdział trzeci piątej księgi *Władcy Pierścieni*.

3 Pierwsza Bitwa u Brodów na Isenie, podczas której zginął Théodred, rozegrała się 25 lutego; Gandalf dotarł do Edoras siedem dni później, 2 marca (*Władca Pierścieni*, Dodatek B, notki przy roku 3019). Por. przypis 7.

4 Obszar między Iseną a Adornem za Wrotami nominalnie należał do królestwa Rohanu, jednak chociaż Folcwine odzyskał je, wypierając Dunlendingów, pozostali tam mieszkańcy byli zwykle mieszanego pochodzenia i ich lojalność wobec Edoras pozostawiała wiele do życzenia. Wciąż pamiętali, że król Helm zabił ich wodza, Frecę. W owym czasie bardziej skłaniali się ku Sarumanowi, a wielu ich wojowników dołączyło do sił Isengardu. Z zachodu dostęp mieli tam jedynie wyśmienici pływacy [przypis autora]. Ziemie między Iseną a Adornem zostały oficjalnie przyłączone do królestwa Eorla za czasów Ślubowania Ciriona i Eorla.

5 Byli bardzo szybcy i wprawnie unikali zwartych formacji ludzi, specjalizując się głównie w niszczeniu rozproszonych grupek i tropieniu uciekinierów. W razie potrzeby jednak

potrafili zajadle walczyć o przejście przez szyk konnicy, rozrywając brzuchy wierzchowców [przypis autora].

6 Wiadomość ta dotarła do Edoras dopiero około południa 27 lutego. Gandalf przybył tam wczesnym rankiem 2 marca (luty miał trzydzieści dni!). Było zatem tak, jak powiedział Gríma, nie upłynęło jeszcze pięć dni od chwili, gdy król dowiedział się o śmierci Théodreda [przypis autora]. Odnosi się to do fragmentu *Dwóch Wież*, s. 111.

7 Powiada się, że ustawił wokół wysepki żerdzie z nadzianymi głowami toporników, którzy tam zginęli, natomiast nad pospiesznie usypanym kopcem skrywającym ciało Théodreda umieścił jego sztandar. „To będzie wystarczająca obrona", rzekł [przypis autora].

8 Jak zostało powiedziane, tak właśnie zadecydował Grimbold. Elfhelm nie opuściłby go, ale gdyby sam dowodził, pod osłoną nocy wycofałby się na południe, by dołączyć do Erkenbranda i wzmocnić siły broniące Jaru i Rogatego Kasztelu [przypis autora].

9 Tę właśnie wielką armię opuszczającą Isengard widział Meriadoc. Jak opowiadał później Aragornowi, Legolasowi i Gímlemu (*Dwie Wieże*, s. 161): „Widziałem wyjście wroga: niekończące się szeregi pieszych orków i jeźdźców dosiadających ogromnych wilków. Maszerowały również z nimi bataliony ludzi. Wielu niosło pochodnie i w blasku widziałem ich twarze. (...) Całą godzinę wychodzili z bramy. Jedni ruszyli traktem w stronę brodów na Isenie, drudzy skręcili na wschód. Jakąś milę stąd, gdzie rzeka płynie w bardzo głębokim korycie, zbudowano most".

10 Nie mieli zbroi poza paroma kolczugami pochodzącymi z kradzieży bądź z łupów. Rohirrimowie zawdzięczali swą przewagę metalowym wyrobom otrzymywanym z Gondoru. W Isengardzie orkowie wytwarzali dla siebie tylko ciężkie i niewygodne kolczugi [przypis autora].

11 Wydaje się, że mężna obrona Grimbolda nie była tak całkiem daremna. Dowódca Sarumana został nią zaskoczony i zmarnował kilka godzin, podczas gdy według pierwotnych planów miał jednym skokiem pokonać brody, roznieść w puch słabą obronę i nie podejmując pościgu, pospieszyć gościńcem na południe, by przyłączyć się do ataku na jar. Targany wątpliwościami, czekał być może na jakiś sygnał od drugiej armii, wysłanej wschodnim brzegiem Iseny [przypis autora].

12 Dzielny kapitan, krewniak Erkenbranda. Dzięki odwadze i umiejętności władania orężem ocalał z klęski u brodów, padł jednak podczas Bitwy na Polach Pelennoru, wielką żałobą okrywając Wschodni Fałd [przypis autora]. Dúnhere był władcą Harrowdale (*Powrót Króla*, s. 62, 112).

13 Zdanie niezbyt jasne, jednak wobec tego, co powiedziano dalej, odnosi się zapewne do tej części wielkiej armii Isengardu, która poszła wschodnim brzegiem Iseny.

14 Wieści przyniósł posłaniec imieniem Ceorl, który podążając od brodów, natrafił na Gandalfa, Théodena i Éomera jadących z posiłkami z Edoras (*Dwie Wieże*, s. 125–126).

15 Z opowieści wynika, że Gandalf musiał już wcześniej skontaktować się z Drzewcem i wiedział, że cierpliwość entów już się wyczerpała. Odczytał również znaczenie słów Legolasa (*Dwie Wieże*, s. 125), mówiącego o nieprzeniknionym cieniu skrywającym Isengard, otoczony już przez entów [przypis autora].

16 Przybywszy po Bitwie o Rogaty Kasztel do brodów na Isenie, Théoden i Éomer usłyszeli od Gandalfa: „Jednych [ludzi] odesłałem [z Grimboldem] do Erkenbranda. Drudzy, którym kazałem usypać kurhan, już wrócili do Edoras. Posłałem tam również wielu innych [z twoim marszałkiem Elfhelmem], żeby strzegli twego domu" (*Dwie Wieże*, s. 148).

17 W tym miejscu tekst się urywa.

18 Nazwy te stosowano jedynie w odniesieniu do militarnego podziału Rohanu na okręgi. Granica między Marchiami przebiegała wzdłuż Śnieżnego Potoku od jego ujścia do Entwash i dalej ową rzeką na północ [przypis autora].

19 Eorl miał tu dom. Brego, syn Eorla, przenosząc się do Edoras, przekazał tę siedzibę

Eoforowi, swemu trzeciemu synowi, którego dziedzicem był Éomund, ojciec Éomera. Fałd należał do Ziem Królewskich, ale Aldburg uznano za najdogodniejszą bazę zaciągu Wschodniej Marchii [przypis autora].

20 Wówczas, gdy pogonił za tymi samymi orkami, którzy porwali Meriadoca i Peregrina, przybywając do Rohanu z Emyn Muil. Jak Éomer powiedział Aragornowi: „powiodłem na północ *éored*, złożony z moich przybocznych wojowników" (*Dwie Wieże*, s. 42).

21 Ci, którzy nie wiedzieli nic o zmianach na dworze, naturalnym biegiem rzeczy uznali, że wysłanymi na zachód posiłkami dowodził Éomer, będący jedynym pozostałym przy życiu marszałkiem Marchii [przypis autora]. Odnosi się to słów Ceorla, który napotkał w stepie maszerujące z Edoras oddziały i przekazał wieści o Drugiej Bitwie u Brodów na Isenie (*Dwie Wieże*, s. 125–126).

22 Théoden natychmiast, jeszcze przed spożyciem posiłku, zwołał naradę „marszałków i dowódców", której nie opisano wszakże we *Władcy Pierścieni*, jako że Meriadoc nie był na niej obecny („Ciekaw jestem, o czym oni tak radzą") [przypis autora]. Rzecz odnosi się do fragmentu *Powrotu Króla*, s. 62.

23 Grimbold był pomniejszym marszałkiem dowodzonych przez Théodreda jeźdźców Zachodniej Marchii, a otrzymał to stanowisko dzięki odwadze okazanej podczas obu bitew u brodów, ponieważ Erkenbrand liczył sobie więcej lat, a król uznał za wskazane, by siłom pozostawionym do obrony Rohanu dać za dowódcę kogoś darzonego powszechnym szacunkiem i dostojnego zarazem [przypis autora]. W tekście *Władcy Pierścieni* Grimbold pojawia się z imienia dopiero podczas ostatecznego formowania szyków na przedpolu Minas Tirith (*Powrót Króla*, s. 100).

24 Stwierdzenie, że Enedwaith należał w czasach królów do Gondoru, zdaje się pozostawać w sprzeczności z tym, co napisano dalej, że Isena stanowiła zachodnią granicę Południowego Królestwa. Gdzie indziej powiedziane zostało, że Enedwaith był ziemią niczyją.

25 Por. Dodatek D do rozdziału *Historii Galadrieli i Celeborna*, gdzie mowa jest o licznych,

ale barbarzyńskich rybakach mieszkających między ujściem Gwathló a Angreną (Iseną). Nic nie wskazuje na jakiekolwiek powiązania pomiędzy tymi plemionami a Drúedainami, chociaż ci ostatni podobno mieszkali (i przetrwali tam aż do Trzeciej Ery) na półwyspie Andrast, na południe od ujścia Iseny (por. przypis 13 do następnego rozdziału).

26 Por. *Władca Pierścieni*, Dodatek F, gdzie porusza się kwestię języka Dunlendingów: „pochodzących od ludu, który w odległych wiekach zaludniał doliny Gór Białych. Bliskimi krewniakami Dunlendingów byli Umarli z Dunharrow. W Ciemnych Latach przodkowie Dunlendingów przenieśli się przeważnie w południowe doliny Gór Mglistych, stamtąd zaś na północ, na pustkowia, ciągnące się aż po Kurhany. Od nich pochodzili ludzie z Bree, lecz ci przed wiekami dostali się pod panowanie Północnego Królestwa".

27 Nazwali oni Aglarond Glæmscrafu, a fortecę Súthburg, a po czasach króla Helma zmienili jej miano na Rogaty Kasztel [przypis autora]. Glæmscrafu (*sc* wymawia się jak *sz*) jest staroangielskim słowem oznaczającym „jaskinie promiennej jasności", czyli to samo, co Aglarond.

28 Częste ataki na załogę zachodniego brzegu, zresztą stosunkowo słabe, miały na celu jedynie odwrócenie uwagi Rohirrimów od północy [przypis tłumacza].

29 Relacja o tych najazdach na Gondor i Rohan zamieszczona została we *Władcy Pierścieni*, Dodatek A.

Część IV

I. Drúedainowie

1 Nie było to związane z ich szczególnym położeniem w Belerlandzie i raczej przyczyniało się do małej liczebności tego ludu, niż z niej wynikało. Drúedainowie mnożyli się o wiele wolniej niż Atani, często mając niemal zerowy przyrost (a to za sprawą ofiar wojny), a jednak wiele ich kobiet (mniej licznych niż mężczyzn) nigdy nie wyszło za mąż [przypis autora].

[2] W *Silmarillionie* Bëor opisuje Felagundowi lud Haladinów (potem zwany Plemieniem albo ludem Halethy), jako: „szczep, od którego dzieli nas odmienność języka" (s. 169). Powiada się także, iż „zachowali również odrębność" (s. 175) i że był to lud drobniejszej postury niż członkowie rodu Bëora oraz „małomówny, stroniący od licznych zgromadzeń; wiele ludzi z tego szczepu lubowało się w samotności i w swobodnych wędrówkach po zielonych lasach, dopóki nie spowszedniały im cuda w krainach Eldarów" (s. 177). Nie ma mowy w *Silmarillionie* o amazonkach jako elemencie ich kultury (wspomina się tylko, że Pani Haletha była wojowniczką i przywódczynią swego ludu) ani o tym, żeby posługiwali się w Beleriandzie własną mową.

[3] Chociaż mówili tym samym językiem (na swój sposób), to zachowali jednak wiele własnych słów [przypis autora].

[4] Podobnie jak w Trzeciej Erze ludzie i hobbici mieszkali razem w Bree, jednak nie było żadnego pokrewieństwa między Drûgami a hobbitami [przypis autora].

[5] Osobom nieprzyjaźnie nastawionym do Drûgów i twierdzącym, że to z tego właśnie materiału musiał Morgoth wyhodować orków, Eldarowie odpowiadali: „Niewątpliwie Morgoth, który nie posiadał daru tworzenia żywych istot, musiał wyhodować orków z różnych szczepów człowieczych, ale Drúedainowie umknęli chyba z zasięgu jego Cienia, gdyż śmiech ich tak odmienny jest od rechotu orków, jak światło Amanu od ciemności Angbandu". Niemniej niektórzy i tak sądzili, że jakieś odległe pokrewieństwo istnieje i na jego właśnie karb składali niezwykle żywą wrogość obu plemion, które uznawały się wzajemnie za renegatów [przypis autora]. *Silmarillion* podaje, że orkowie mieli zostać wyhodowani ze schwytanych przez Melkora elfów jeszcze u zarania tego plemienia (s. 56; por. s. 111); jednak pochodzenie orków wyjaśniano na wiele sposobów, nie cofając się przez rozmaitymi spekulacjami. Można zauważyć, że w *Powrocie Króla* (s. 98) śmiech Ghân-buri-Ghâna został opisany następująco: „Ghân zaśmiał się po swojemu, wydając dziwaczny bulgocący głos". Mówi się tam, że był to „krępy człowiek z rzadką brodą, przywodzący na myśl obrośnięty mchem głaz" (tamże, s. 95) i miał ciemne, nieodgadnione oczy.

[6] Osobna notatka podaje, że sami nazywali się *Drughu* (*gh* wymawia się tu jako spirant). Nazwę tę przełożono w Beleriandzie na sindariński, przez co powstało *Drû* (liczba mnoga *Drúin* i *Drúath*); kiedy jednak Eldarowie odkryli, że lud Drû jest wytrwałym wrogiem Morgotha, a szczególnie orków, dodano do nazwy człon *adan*, tworząc nazwę *Drúedain* (liczba pojedyncza *Drúadan* [Drúedainowie]) zaznaczającą zarówno ich człowieczeństwo, jak i przyjazne stosunki z Eldarami oraz odmienność antropologiczną od Trzech Rodów Edainów. *Drû* wykorzystywano potem jedynie w słowach takich, jak *Drúnos*, „rodzina ludu Drû"; *Drúwaith*, „pustkowia ludu Drû". W quenejskim *Drughu* zmieniło się w *Rú* i *Rúatan* (liczba mnoga *Rúatani*). O innych nazwach stosowanych w późniejszych czasach (Dzicy Ludzie, Wosowie, Lud Púkelów) mowa jest pod koniec powyższego tekstu i w przypisie 14.

[7] W annałach Númenoru zapisano, że niedobitkom tym pozwolono przepłynąć przez morze wraz z Atanimi. W nowym kraju znów rozkwitli i rozmnożyli się, ale nie wzięli już udziału w wojnie, bojąc się morza. O ich dalszych dziejach wspomina tylko kilka legend ocalałych z Upadku, w tym opowieść o pierwszych wyprawach Númenorejczyków z powrotem do Śródziemia, zatytułowana *Żona marynarza*. W egzemplarzu spisanym i przechowywanym w Gondorze widnieje uczyniony przez skrybę dopisek o tym, co o Drúedainach mówiono w domu króla Aldariona, zwanego Żeglarzem. Tekst powiada, że Drúedainowie, którzy byli uznawani za zdolnych przewidywać przyszłość, wykazali wielkie zaniepokojenie, słysząc o podróżach króla. Wróżąc, że wyniknie z tego jeszcze jakieś zło, prosili Aldariona usilnie, by nie wyruszał już więcej. Nie przekonali go wszakże, i nic dziwnego, skoro ani groźby ojca, ani błagania żony nie przynosiły

żadnych skutków. Drúedainowie odeszli zatem zatroskani. Od tamtego czasu nie mogli zaznać w Númenorze spokoju i pomimo lęku przed morzem, z wolna małymi grupkami zaczęli prosić o zabranie ich na pokład statków zmierzających do północno-zachodnich wybrzeży Śródziemia. Gdy kto pytał: „A dokąd zmierzacie i czemu chcecie płynąć?", odpowiadali: „Niepewnym wydaje nam się grunt tej wyspy, po której stąpamy. Pragniemy wrócić do krain, z których przybyliśmy". W ten sposób liczba Drúedainów topniała z latami, aż w chwili, gdy Elendil umknął przed Upadkiem, w ogóle nie było ich już na wyspie. Ostatni odeszli wraz z przybyciem Saurona do Númenoru [przypis autora]. Powyższy fragment jest jedynym świadectwem pobytu Drúedainów w Númenorze – zarówno w komentarzach do opowieści o Aldarionie i Erendis, jak i we wszelkich innych materiałach nie porusza się tego tematu. Istnieje jeszcze tylko oddzielna notatka powiadająca, że „Edainowie, którzy po Wojnie o Klejnoty pożeglowali do Númenoru, zabrali garść niedobitków ludu Halethy, a nader nieliczni towarzyszący im Drúedainowie wymarli na długo przed Upadkiem".

8 Paru było domownikami Húrina z rodu Hadora, który mieszkał w młodości między Ludem Halethy i przyjaźnił się z ich panią [przypis autora]. O związkach Húrina z ludem Halethy opowiada *Silmarillion*, s. 188. Ojciec miał zamiar w ostatecznej wersji opowieści Drûgiem uczynić Sadora, starego sługżącego z domostwa Húrina w Dor-lóminie.

9 Ustanowili prawo, że nie można za pomocą trucizny razić żadnego żywego stworzenia, nawet raniącego myśliwych, prócz orków jedynie. Na ich to zatrute strzały odpowiadali swoimi, jeszcze groźniejszymi [przypis autora]. Elfhelm powiedział Meriadocowi, że Dzicy Ludzie używają zatrutych strzał (*Powrót Króla*, s. 95) i o to samo podejrzewali ich mieszkańcy Enedwaith w Drugiej Erze. Nieco dalej w tym tekście pojawia się wzmianka o siedzibach Drúedainów. Tekst ten warto przytoczyć. Bytując pośród leśnego ludu Halethy „przywykli mieszkać w namiotach i lekkich szałasach wzniesionych wokół pni dużych drzew, byli bowiem twardą rasą. Niegdyś ich domami, jak sami opowiadali, były górskie jaskinie wykorzystywane jednak tylko do snu podczas niepogody i jako magazyny. W Beleriandzie mieli podobne kryjówki, chowali się w nich podczas burzy albo ciężkiej zimy, kiedy to tylko najbardziej wytrzymali wychodzili na zewnątrz. Jednak Drûgowie pilnie strzegli owych miejsc i nie wpuszczali tam nawet swoich najbliższych przyjaciół z ludu Halethy".

10 Według ich legend nauczyć się mieli tego od krasnoludów [przypis autora].

11 Ojciec skomentował tę historię słowami: „Opowieści takie jak *Wierny kamień*, przedstawiające przeniesienie części swoich «mocy» na dzieło, przypominają w miniaturze relację istniejącą później między Sauronem a fundamentami Barad-dûr i Rządzącym Pierścieniem".

12 „Na każdym zakręcie natykali się na wielki kamień wyciosany topornie na kształt człowieka przykuconego na skrzyżowanych nogach, o ramionach jak pniaki, założonych na wypukłym brzuchu. Rysy niektórych zatarły się zupełnie z upływem lat, tylko czarne dziury ich oczu wpatrywały się smętnie w przechodzących".

13 Nazwa Drúwaith Iaur (Dawna Ziemia Púkelów) pojawia się na ozdobnej mapie panny Pauline Baynes znacznie na północ od gór na półwyspie Andrast. Ojciec twierdził jednak, że nazwa ta została naniesiona przez niego i widnieje we właściwym miejscu. Drobny dopisek na marginesie podaje, że po Bitwach u Brodów na Isenie okazało się, iż wielu Drúedainów naprawdę przetrwało w Drúwaith Iaur. W stosownej chwili wyszli ze swoich jaskiń i zaatakowali wyparte na wschód niedobitki armii Sarumana. We fragmencie cytowanym w poprzednim rozdziale mowa jest o szczepach „Dzikich Ludzi", rybakach i myśliwych polujących na ptactwo na nadbrzeżnych terenach Enedwaith, mową i wyglądem przypominających Drúedainów z Anórien.

14 We *Władcy Pierścieni* słowo *wos* pojawia się raz, kiedy to Elfhelm mówi do Meriadoca

Brandybucka: „Słyszysz bębny Wosów, Dzikich Ludzi" (*Powrót Króla*, s. 130). *Wose [Wos]* to współczesna forma (a raczej forma, która istniałaby zapewne współcześnie, gdyby słowo przetrwało w języku) staroangielskiego *wása*, występującego jedynie w złożeniu *wuduwása* „dziki człowiek z lasów" (Saeros, elf z Doriathu, nazwał Túrina „dzikim wosem". Słowo przetrwało w angielskim dość długo, zniekształcając się ostatecznie w *wood-house* [leśny dom]). Wyraz użyty przez Rohirrima (przełożony jako *wos*) pojawia się raz tylko i brzmi *róg*, liczba mnoga *rógin*.

Wydaje się, że określenie „lud Púkelów" (które można przetłumaczyć poprzez staroangielskie słowo *púcel* „goblin, demon", bliskie słowu *púca*, z którego wywiedzino *Puck* [Puk]) używane było w Rohanie jedynie w odniesieniu do posągów w Dunharrow.

II. Istari

[1] W tomie *Dwie Wieże* (s. 150) pada uwaga, że Saruman „uważany był za przywódcę czarodziejów", natomiast podczas narady u Elronda (*Drużyna Pierścienia*, s. 246) Gandalf stwierdza wprost: „Saruman Biały jest bowiem najpotężniejszy w naszym bractwie".

[2] W nieco innym brzmieniu te słowa Círdana zostały przytoczone w tekście *Pierścienie Władzy* (*Silmarillion*, s. 360). Stosunkowo podobna jest wersja podana w Dodatku B do *Władcy Pierścieni* (*Powrót Króla*, s. 330).

[3] W liście z 1958 roku ojciec zaznaczył, że o „pozostałych dwóch" nie wiadomo nic pewnego, gdyż nie odegrali oni żadnej roli w historii północno-zachodniego zakątka Śródziemia. Pisał: „Sądzę, że wysłani zostali w znacznie dalsze okolice, na Wschód i na Południe, do okupowanych przez wroga krain nieznanych Númenorejczykom. Nie wiem, czy odnieśli jakieś sukcesy, obawiam się jednak, że skończyli podobnie jak Saruman, choć nie dokładnie tak samo. Podejrzewam też, że to oni są odpowiedzialni (pośrednio lub bezpośrednio) za powstanie różnych kultów i praktyk „magicznych", które przetrwały upadek Saurona".

[4] Bardzo późny zapisek poświęcony imionom Istarich podaje, że Radagast miał zostać tak nazwany przez ludzi z Doliny Anduiny i że „nie wiadomo już teraz, co to dokładnie znaczy". Rhosgobel, czyli wymieniana we *Władcy Pierścieni* (*Drużyna Pierścienia*, s. 262) „stara siedziba Radagasta" miała znajdować się na granicy lasu między Carrock a Starą Drogą Leśną.

[5] Ze wzmianki o Olórinie pojawiającej się w tekście *Valaquenta* (*Silmarillion*, s. 31) można faktycznie wywnioskować, że Istari byli Majarami. Olórin to właśnie Gandalf.

[6] Curumo to chyba niezapisane nigdzie indziej imię Sarumana w języku quenejskim. Curunír był formą sindarińską. Saruman, miano stosowane przez ludzi na Północy, zawiera staroangielskie słowo *searu, saru*, „wprawa, zręczność, pomysłowość". Aiwendil znaczy najpewniej „miłośnik ptaków" [jak w Linaewen, „jezioro ptaków" w Nevraście; por. Dodatek do *Silmarillionu*, hasło *lin (I)*]. Znaczenie imienia Radagast wyjaśniane było w tekście i przypisie 4. Pallando, wbrew pozorom, zdaje się zawierać słowo *palan*, „daleki", jak w palantír i Palarran, nazwie statku Aldariona.

[7] W liście z 1956 roku ojciec pisał, że: „We *Władcy Pierścieni* nie ma prawie niczego, co rzeczywiście by nie istniało w jakimś wymiarze rzeczywistości (wtórnej lub subkreacyjnej)". Pod spodem zaś dodał: „Koty królowej Berúthiel i imiona pozostałych dwóch czarodziejów (pięciu minus Saruman, Gandalf i Radagast) – to wszystko, co sobie przypominam". W Morii Aragorn powiada o Gandalfie, że: „w znajdywaniu drogi do domu lepszy jest od kotów królowej Berúthiel" (*Drużyna Pierścienia*, s. 295). Jednak opowieść o królowej Berúthiel istnieje, chociaż tylko w zarysie i jeden jej fragment jest nieczytelny. Była to nikczemna i samotnie, bez miłości żyjąca żona Tarannona, dwunastego króla Gondoru (830–913 Trzeciej Ery) i pierwszego króla-żeglarza, który został Władcą Wybrzeży i jako pierwszy zmarł bezpotomnie (*Powrót Króla*, Dodatek A). Berúthiel mieszkała w Domu Królewskim w Osgiliath, nie cierpiąc jednak odgłosów

i woni morza ani domu wybudowanego przez Tarannona pod Pelargirem „na szerokich łukach wpartych głęboko w dno Ethir Anduin". Pałała nienawiścią do wszelkiej ludzkiej aktywności, nie tolerowała żywych barw ani misternych ozdób, ubierając się zawsze na czarno i srebrno, mieszkając w gołych ścianach, zaś ogrody posiadłości w Osgiliath pełne były upiornych rzeźb straszących między cyprysami i cisami. Niewoliła dziewięć czarnych kotów i jednego białego. Rozmawiała z nimi, czy raczej czytała ich myśli, każąc stworzeniom zgłębiać wszystkie mroczne sekrety Gondoru, tak że wiedziała to wszystko, „o czym ludzie zwykle wolą zmilczeć". Białego kota wysyłała, by szpiegował czarne, a wszystkie dręczyła. Nikt w Gondorze nie ważył się ich dotknąć, każdy bał się tych stworzeń i klął, ilekroć któreś przebiegło drogę. Trudno odczytać, co było dalej. Jasny jest tylko koniec całej powiastki: imię królowej zostało wymazane z *Księgi Królów* („jednak nie cała pamięć ludzka zawiera się w księgach i koty królowej Berúthiel utrwaliły się w słownych przekazach"). Król Tarannon kazał wsadzić żonę na statek, tylko z kotami, i puścić z północnym wiatrem na morze. Ostatni raz widziano statek, jak żeglując pod sierpem księżyca z wielką szybkością, minął Umbar. Jeden kot usadził się na czubku masztu, drugi niczym galeon zastygł na dziobie.

8 Jest to aluzja do Drugiego Proroctwa Mandosa, które nie pojawia się w *Silmarillionie*. Jego objaśnienie w tym miejscu byłoby trudne bez stosownego wykładu z historii i mitologii Ardy, istniejących nie tylko w tej wersji, która została opublikowana.

9 Również rozmawiając z hobbitami i Gimlim w Minas Tirith, Gandalf powiedział: „Olórin, tak mnie zwano na Zachodzie, jest wymazany już z pamięci"; por. *Wyprawa do Ereboru*.

10 „Inne gwiazdy" świecić mogły tylko nad Haradem. Oznacza to niewątpliwie, że Aragorn musiał zawędrować na południową półkulę [przypis autora].

11 Pojawiający się w oryginale znak nad ostatnią samogłoską *Inkā-nūs* sugeruje, że ostatnią głoską było *sz*.

12 Jeden z poematów ze zbioru staronordyckiej poezji znanej jako *Edda Poetycka* lub *Starsza Edda*.

III. Palantíry

1 Bez wątpienia używano ich w 1944 roku w celu poczynienia stosownych uzgodnień między Gondorem i Arnorem w sprawie sukcesji korony. Wiadomości o trudnej sytuacji Północnego Królestwa, otrzymane w Gondorze w roku 1973, były zapewne ostatnimi, które dotarły na południe przed Wojną o Pierścień [przypis autora].

2 Wraz ze statkiem Arvedui zaginęły kryształy z Annúminas i Amon Sûl (Wichrowego Czuba). Trzeci palantír Północy znajdował się w wieży Elostirion w Emyn Beraid, ale przeznaczony był do szczególnych zadań (patrz przypis 16).

3 Kryształ z Osgiliath zatonął w wodach Anduiny w roku 1437 podczas wojny domowej wywołanej waśniami rodowymi.

4 O wrażliwości palantírów na uszkodzenia mowa jest dalej w tekście. Według *Kroniki Lat* (rok 2002) oraz Dodatku A, palantír z Minas Ithil wpadł w ręce wroga. Ojciec odnotował jednak, że zapiski te poczyniono już po Wojnie o Pierścień i informacja, jakkolwiek pewna, nie była oparta na żadnych relacjach, ale na samej dedukcji. Kryształu z Ithilu nigdy nie odnaleziono i uległ on zapewne zniszczeniu wraz z Barad-dûr.

5 Same kryształy mogły jedynie „widzieć" odległe sceny lub postaci w czasie teraźniejszym lub przedstawiać obrazy z przeszłości. Nie ustalono, jak właściwie to się działo, a ludzie zajmujący się palantírami w późniejszych czasach mieli sporo trudności z wyodrębnieniem siłą woli stosownego obrazu. W przypadku jednak, jeśli ktoś podporządkował sobie kamień zestrojony (czyli pozostający w kontakcie z innym palantírem), możliwym było przekazywanie myśli (odbieranych po drugiej stronie jako mowa, czyli wypowiedziane słowa) oraz wizji, imaginacji odbieranych tamże jako obraz [patrz dalej oraz przypis 21]. Pierwotnie wykorzystywano te możliwości w celu konsultacji, zdobywania

niezbędnych władcom, pilnych informacji, rad czy opinii. Rzadziej używano palantíry do kontaktów towarzyskich: pogawędki z przyjacielem, przekazania powinszowań czy kondolencji. Jedynie Sauron wykorzystywał kryształ po to, by narzucić innym swoją wolę: osłabiania kogoś i skłaniania, by ujawnił swe skryte myśli i uznał cudze zwierzchnictwo.

6 Por. wypowiedziane podczas narady u Elronda uwagi Gandalfa o studiach prowadzonych przez Sarumana nad zwojami i księgami w Minas Tirith.

7 Ze względu na swe położenie, Isengard nadawał się idealnie na siedzibę dla kogoś pragnącego prowadzić „politykę siły" o „światowym" zasięgu. Umożliwiał kontrolę Wrót Rohanu, słabego punktu obrony Zachodu, szczególnie wobec słabości Gondoru. Szpiedzy i wywiadowcy mogli bez trudu przemknąć tędy niezauważeni, w ostateczności dopiero torując sobie drogę orężem. Rada zdawała się nie dostrzegać tego faktu, a i sam Isengard pilnie strzegł swych tajemnic. Cokolwiek tam się działo, informacje o wydarzeniach nie wychodziły poza Krąg. Przypuszczalna „hodowla" orków trzymana była w sekrecie i nie zaczęła się zapewne przed rokiem 2990. Wydaje się, że oddziały orków z Isengardu opuściły twierdzę po raz pierwszy dopiero podczas ataku na Rohan. Gdyby Rada znała ten stan rzeczy, zrozumienie złej przemiany Sarumana nastąpiłoby o wiele wcześniej [przypis autora].

8 Denethor wyraźnie świadom był podejrzeń i domysłów Gandalfa, złościły go i sardonicznie bawiły zarazem. Warto przypomnieć sobie słowa namiestnika, wygłoszone podczas spotkania w Minas Tirith (*Powrót Króla*, s. 24): „To wiele dla mnie znaczy. Jednak dość już usłyszałem, aby zacząć się zbroić przeciwko nadciągającemu nieprzyjacielowi", a szczególnie warto zwrócić uwagę na szyderstwo wypowiedzi, która padła chwilę później: „Mimo że Kryształy Widzenia zaginęły, to i tak, jak powiadają, Władcy Gondoru mają bystrzejszy wzrok niż zwykli ludzie i otrzymują wiele wieści". Niezależnie od kwestii palantírów, Denethor był człowiekiem silnym

psychicznie, a na dodatek umiał biegle czytać z mimiki twarzy i barwy głosu, mógł jednak dojrzeć już w krysztale Anoru, co stało się w Rohanie i w Isengardzie [przypis autora].

9 Por. ten fragment w *Dwóch Wieżach* (s. 259–260), kiedy to Faramir (urodzony w 2983 roku) wspomina pierwsze spotkanie z Gandalfem w Minas Tirith w czasach swego dzieciństwa i jeszcze kilka późniejszych. Powiedział wówczas, że dostarczone Gandalfowi zapiski wzbudziły spore zainteresowanie czarodzieja. Ostatni raz pojawił się w Gondorze w roku 3017, wtedy też trafił na zwój spisany przez Isildura [przypis autora].

10 Gandalf powiedział Peregrinowi (*Dwie Wieże*, s. 191): „Kto wie, co się stało z innymi kryształami? Może zostały rozbite i pogrzebane lub zatopione w głębinach?"

11 Odnosi się to do słów wypowiedzianych przez Gandalfa po śmierci Denethora (*Powrót Króla*, s. 118). Naniesiona przez ojca poprawka (wywodząca się z niniejszych rozważań): „Denethor nie ważył się nimi posługiwać" na „Denethor nie ważyłby się nimi posługiwać" nie została jednak (najwyraźniej przez przeoczenie) uwzględniona w poprawionym wydaniu.

12 Thorongil („Orzeł Gwiazdy") to imię, pod którym Aragorn służył Ecthelionowi II w Gondorze. Patrz: *Powrót Króla*, Dodatek A.

13 Korzystanie z palantírów wiązało się ze sporym wysiłkiem umysłowym, szczególnie w przypadku gdy z upływem lat zaczęli używać ich ludzie mniej wprawni w tym dziele. Bez wątpienia wywołane seansami wyczerpanie, w połączeniu z lękami, przyczyniło się do „ponurości" Denethora. Jego żona odczuła ją zapewne wcześniej niż inni, co zwiększyło jej zgryzotę i przyspieszyło śmierć [przypis autora].

14 Osobna notka na marginesie stwierdza, że „równowaga psychiczna Sarumana została zachwiana przez żądzę władzy i pragnienie dominacji. Stanowiło to skutek zgłębiania sekretów Pierścieni i pychy podsycanej przekonaniem, iż będzie potrafił posłużyć się nimi (lub tym Jedynym) przeciwko wszystkim innym istotom. Straciwszy serce dla dawnych

sprzymierzeńców i dla sprawy, sam wystawił się na wpływy potężniejszej woli i związane z tym zagrożenia". A co więcej, nie był prawnym dysponentem kryształu Orthanku.

15 Rok 1998 to czas śmierci Pelendura, namiestnika Gondoru. „Od czasów Pelendura godność namiestnika stała się tak samo dziedziczna, jak władza królewska i przechodziła z ojca na syna lub na najbliższego spadkobiercę" (*Powrót Króla*, s. 302).

16 Inaczej miała się sprawa w Arnorze. Kryształy należały do króla (który korzystał z palantíru Annúminas jako prawowity właściciel), ale królestwo uległo podziałom i władza królewska została zakwestionowana. Królowie Arthedainu, bez wątpienia najsłuszniejsi w swych pretensjach do tronu, utrzymywali specjalną strażnicę na Amon Sûl. Tenże kamień uznawano za najważniejszy na Północy, jako że był najpotężniejszy i on to służył głównie do komunikacji z Gondorem. Po zniszczeniu Amon Sûl przez siły Angmaru w roku 1409, oba kryształy umieszczono w Fornoście, gdzie mieszkał król Arthedainu. Oba przepadły wraz ze statkiem Arvedui i nie został też nikt, dziedzicznie czy dyspensą uprawniony do używania kryształów. Na Północy został już zresztą tylko jeden palantír, Kryształ Elendila w Emyn Beraid, jednak był on przeznaczony do specjalnych zadań i nie używano go do komunikacji. „Dziedzice Isildura" (niekwestionowani wodzowie Dúnedainów i potomkowie Arvedui) mieli bez wątpienia prawo i do tego kryształu. Nie wiadomo jednak, czy ktoś z nich, nie wyłączając Aragorna, spojrzał kiedykolwiek w ów palantír, by ujrzeć utracony Zachód. Kryształ pozostawał w wieży pod strażą Círdana i elfów z Lindonu [przypis autora]. Dodatek A do *Władcy Pierścieni* (*Powrót Króla*, s. 294 przypis) powiada, że palantír z Emyn Beraid „różnił się od pozostałych palantírów i nie mógł z nimi współdziałać: był skierowany tylko ku Morzu. Elendil tak go nastawił, że mógł zobaczyć Eressëę, na straconym Zachodzie, ale morza na zawsze skryły za horyzontem Númenor". O tym samym wspomina też tekst *Pierścienie Władzy* (*Silmarillion*, s. 345):

„Podobno czasem widział w oddali wieżę w Avallónë na Eressëi, gdzie był i jest Główny Kryształ". Warto zauważyć, że niniejsza relacja nie wspomina o tym Głównym Krysztale.

17 Późniejsza, osobna notka zaprzecza istnieniu biegunów czy ukierunkowania palantírów, nie podaje jednak żadnych dalszych szczegółów.

18 Późniejsza notatka odwołująca się do tekstu wspomnianego w przypisie 17 nieco inaczej przedstawia niektóre cechy palantírów, a szczególnie koncepcję „kurtyny". Skreślona w pośpiechu, nie jest do końca czytelna, coś jednak można odcyfrować:
[Palantíry] zachowywały otrzymane obrazy, mogły zatem je następnie odtwarzać, czasem przywołując sceny z odległej przeszłości. Nie „widziały" w ciemności, to znaczy, nie pokazywały i nie utrwalały niczego, co skryte było akurat w mroku. Same były zwykle trzymane w ciemności, co im nie szkodziło, a nawet ułatwiało dojrzenie przedstawianych przez nie obrazów oraz chroniło je z upływem wieków przed nadmiernym „przeładowaniem pamięci". Jak uzyskiwano efekt „kurtyny", stanowiło to wówczas tajemnicę i dziś nic na ten temat nie wiadomo. Fizyczne obiekty im nie przeszkadzały, kryształy mogły przenikać „spojrzeniem" przez mury, wzgórza, drzewa, byle tylko sam oglądany obiekt był stosownie oświetlony. Powiada się (a może to tylko domysł późniejszych komentatorów), że palantíry zamykano niegdyś w sferycznych osłonach mających zapobiec użyciu ich przez osoby nieupoważnione, co jednocześnie powodowało efekt „kurtyny" i sprowadzało je do „stanu spoczynku". Jeśli tak, to osłony te musiały być zrobione z jakiegoś metalu lub innej, nieznanej nam materii".
Zapiski na marginesach zacytowanej powyżej notatki (częściowo nieczytelne) sugerują, że im odleglejszą wywoływano przeszłość, tym ostrzejszy obraz zyskiwano, zaś każdy kryształ miał swój „optymalny zasięg" spoglądania w dal, czyli odległość, na którą „widział" najlepiej. Większe palantíry spoglądały o wiele dalej niż mniejsze, dla których „optymalnym

zasięgiem" był dystans rzędu pięciuset mil (czyli odległość dzieląca kryształ Orthanku od kryształu Anoru). „[Kryształ] Ithilu znajdował się zbyt blisko, jednak przeważnie wykorzystywano go [słowa nieczytelne], nie w celu osobistych kontaktów z Minas Anor".

[19] Podział ten miał charakter płynny (nie były to wyodrębnialne „ćwiartki"), tak że ktoś spoglądający z południowego wschodu sięgałby wzrokiem na północny zachód i tak dalej [przypis autora].

[20] Patrz *Dwie Wieże*, s. 126.

[21] Osobna notatka wyjaśnia nieco więcej:
Dwie osoby, każda używająca kryształu „zestrojonego" z tym drugim, mogły rozmawiać, jednak nie za pośrednictwem dźwięków, których kryształy nie przekazywały. Spoglądając na siebie wzajem, rozmówcy mogli wymieniać „myśli" – nie wszystkie i nie podświadome, ale tylko te intencjonalnie sformułowane (zwerbalizowane lub zgoła głośno wypowiedziane), które po drugiej stronie odbierano jako impuls myśli, natychmiast werbalizowany i w tej formie przekazywany dalej.

Spis imion i nazw własnych

Jak wspomniałem już we wstępie, spis ten obejmuje nie tylko sam główny tekst książki, ale także przypisy i dodatki, jako że i w nich pojawia się sporo oryginalnego materiału. Skutkiem tego spora liczba haseł może wydać się nieco „trywialna", jednak uznałem, że nawet one będą przydatne i przyczynią się do kompletności tej części. Ponadto nie uwzględniłem haseł takich, jak: *elfy, ludzie, orkowie* czy *Śródziemie*. W wielu przypadkach obiekt hasła pojawia się w różnych fragmentach nie pod tą właśnie nazwą czy imieniem (i tak przystań, w której Círdan był panem, figuruje pod hasłem *Mithlond*). Gwiazdki oznaczają hasła (prawie jedna czwarta całości) pojawiające się po raz pierwszy w opublikowanych pracach ojca (w tym i nazwy uwzględnione na mapie Śródziemia przygotowanej przez pannę Pauline Baynes). Krótkie wyjaśnienia nie odnoszą się wyłącznie do treści niniejszej książki, czasem przy niektórych imionach własnych objaśniałem ich znaczenie, chociaż w książce takie tłumaczenie było nieobecne.

Spis ten nie jest z pewnością wzorcowy, jednakże na swoje usprawiedliwienie muszę wspomnieć o istnieniu rozmaitych wariantów imion własnych (różne tłumaczenia, częściowe tłumaczenia, to samo znaczenie przypisywane różnym podmiotom), co wyraźnie utrudnia zachowanie spójności podobnego tworu, a nawet ją wyklucza. Proszę tylko spojrzeć: *Eilenaer, Halifirien, Amon Anwar, Anwar, wzgórze Anwar, Wzgórze Grozy, las Anwar, Firienholt, las Firien, Szepczący Las...* Z zasady wyjaśnienie pojawia się przy oryginalnym brzmieniu poszczególnych imion własnych w językach elfów (np. *Langstrad* pod *Anfalas*) z odsyłaczami przy innych wariantach tych samych nazw (wymienianych również w haśle głównym). Wyjątek czyniłem tylko wówczas, gdy przekład nazwy z języka elfów był powszechnie znany i stosowany (jak *Mroczna Puszcza* czy *Isengard*).

[Objaśnienia haseł ujęte w nawiasy kwadratowe, ledwie kilka, pochodzą od tłumacza i pojawiają się tylko jako uzupełnienie oryginalnego tekstu indeksu. Również w nawiasach kwadratowych, kursywą, podane zostało po haśle zasadniczym oryginalne brzmienie danej nazwy czy imienia, o ile w polskiej wersji dzieł Tolkiena przyjęło się zmieniać ich pisownię].

Adanedhel – „Człowiek-elf", imię nadane Túrinowi w Nargothrondzie.

Adorn – dopływ rzeki Iseny wytyczający wraz z nią zachodnie granice Rohanu (nazwa występuje w „formie stosownej dla sindarińskiego, ale nie daje się wyjaśnić w tym języku. Należy przypuszczać, że jest pochodzenia prenúmenorejskiego i została zaadaptowana do języka sindarińskiego").

★ **Adrahil** (1) – dowódca sił Gondoru podczas walk z Woźnikami w roku 1944 Trzeciej Ery; kojarzony z miejscowością Dol Amroth, zapewne przodek Adrahila (2): patrz przypis 39 do rozdziału *Cirion i Eorl*.

★ **Adrahil** (2) – książę Dol Amroth, ojciec Imrahila.

adûnaicki język, [Adûnaic] – język Númenoru. Númenorejski język, númenorejska mowa.

★ **aeglos** (1) – „śnieżny cierń", roślina rosnąca na Amon Rûdh.

Aeglos (2) – włócznia Gil-galada (dosłowne znaczenie identyczne jak w poprzednim przypadku).

Aegnor – książę Noldorów, czwarty syn Finarfina; zginął podczas Dagor Bragollach.

Aelin-uial – podmokłe i pełne oczek wodnych tereny ujścia rzeki Aros do Sirionu. Przekład: Stawy Zmierzchu.

Aerina [Aerin] – krewna Húrina z Dor-lóminu, siłą wzięta za żonę przez Easterlinga Broddę. Wspomagała Morwenę po Nirnaeth Arnoediad.

Agarwaen – „Krwią splamiony", imię przybrane przez Túrina po przybyciu do Nargothrondu.

★ **Agathurush** – adûnaicki przekład nazwy Gwathló.

★ **Aghan** – Drûg (Drúadain) występujący w opowiadaniu *Wierny kamień*.

Aglarond – „Połyskująca Jaskinia" w Helmowym Jarze w Ered Nimrais; nazwa odnosiła się również do fortecy zwanej Rogatym Kasztelem przy wejściu do Helmowego Jaru. Patrz: *Glǽmscrafu*.

★ **Ailinel** – starsza z sióstr Tar-Aldariona.

Aiwendil – „Miłośnik ptaków", imię nadane czarodziejowi Radagastowi w języku quenejskim.

Akallabêth – „Upadły", Númenor.

★ **Alatar** – jeden z Błękitnych Czarodziejów (Ithryn Luin).

Al(a)táriel – „panna przyozdobiona promienną girlandą" (patrz: Dodatek do *Silmarillionu*, hasło *kal-*), forma imienia Galadriela występująca w językach quenejskim i telerińskim.

Aldarion – patrz: *Tar-Aldarion*.

★ **Aldburg** – siedziba Éomera w Fałdzie (Rohan), gdzie stał dom Eorla Młodego.

Aldor – trzeci król Rohanu, syn Brega, syna Eorla Młodego.

alfirin – mały biały kwiatek, zwany również uilos i simbelmynë (niezapominka). Nazwa przypisywana też innemu kwieciu.

★ **Algund** – człowiek z Dor-lóminu, jeden z banitów (Gaurwaith), do których dołączył Túrin.

★ **Almarian** – córka númenorejskiego żeglarza Vëantura, żona Tar-Meneldura i matka Tar-Aldariona.

★ **Almiel** – młodsza z sióstr Tar-Aldariona.

Alqualondë – „Przystań Łabędzi", główne miasto i port Telerich na wybrzeżach Amanu.

Aman – „Błogosławiony", „wolny od zła"; kraina Valarów na Najdalszym Zachodzie. Błogosławione Królestwo. Błogosławiona Kraina. Patrz: *Nieśmiertelne Kraje*.

Amandil (1) – patrz: *Tar-Amandil*.

Amandil (2) – ostatni władca Andúnië, ojciec Elendila Smukłego.

★ **Amdír** – król Lórien, zginął w bitwie na równinie Dagorlad; ojciec Amrotha. Patrz: *Malgalad*.

★ **Amon Anwar** – sindarińska nazwa Halifirien, siódmego ze wzgórz sygnałowych Gondoru w łańcuchu Ered Nimrais. Przekład: „Wzgórze Grozy" lub, w częściowym tłumaczeniu, „wzgórze Anwar"; również po prostu „Anwar". Patrz: *Eilenaer, Halifirien, Anwar*.

★ **Amon Darthir** – szczyt w łańcuchu Ered Wethrin na południe od Dor-lóminu.

Amon Dîn – „Góra Ciszy", pierwsze ze wzgórz sygnałowych Gondoru w łańcuchu Ered Nimrais.

Amon Ereb – „Samotne Wzgórze" we wschodnim Beleriandzie.

Amon Ethir – wielki kopiec usypany staraniem Finroda Felagunda na wschód od Wrót Nargothrondu. Nazwa tłumaczona jako „Wzgórze Czat".

★ **Amon Lanc** – „Nagie Wzgórze" na południe od Wielkiego Zielonego Lasu, późniejszy Dol Guldur.

Amon Obel – wzgórze w lesie Brethil, na którym zbudowano Ephel Brandir.

Amon Rûdh – „Łysy Pagórek", samotne wzniesienie na południe od Brethilu, siedziba Mîma i schronienie bandy Túrina. Patrz: *Sharbhund*.

Amon Sûl – „Wzgórze Wiatru", krągłe i nagie wzgórze na południowym krańcu łańcucha Wichrowych Wzgórz w Eriadorze. W Bree zwano je Wichrowy Czub.

Amon Uilos – sindarińska nazwa Oiolossë.

Amroth – elf z plemienia Sindarów, król Lórien, ukochany Nimrodel. Utonął w zatoce Belfalas. Kraina Amrotha (wybrzeże Belfalas w pobliżu Dol Amroth). Przystań Amrotha, patrz: *Edhellond*.

Anach – przełęcz wiodąca z Taur-nu-Fuin (Dorthonionu) do zachodniego krańca Ered Gorgoroth.

Anar – quenejska nazwa słońca.

Anárion (1) – patrz: *Tar-Anarion*.

Anárion (2) – młodszy syn Elendila, który wraz z bratem i ojcem umknął przed Upadkiem Númenoru i założył w Śródziemiu númenorejskie królestwa na wygnaniu; władca Minas Anor; zginął w oblężeniu Barad-dûr.

★ **Anardil** – właściwe imię Tar-Aldariona. Z przyrostkiem zdrabniającym Anardilya (szósty król Gondoru też nosił imię Anardil).

★ **Andrast** – „Długi Przylądek", górzysty cypel między rzekami Iseną a Lefnui. Patrz: *Ras Morthil*, *Drúwaith Iaur*.

★ **Andrath** – „Stroma Ścieżka" między Kurhanami i Południowymi Wzgórzami, odcinek Zielonego Traktu.

★ **Andróg** – człowiek z Dor-lóminu, przywódca bandy banitów (Gaurwaith), do których przystał Túrin.

Androth – jaskinie we wzgórzach Mithrimu, gdzie Tuor przemieszkiwał najpierw jako gość Elfów Szarych, a potem jako samotny banita.

Anduina [Anduin] – „Długa Rzeka" na wschód od Gór Mglistych; również: Rzeka, Wielka Rzeka. Często w złożeniu Dolina (Doliny) Anduiny. Patrz: *Ethir Anduin, Długa Woda*.

Andúnië – „Zachód Słońca", miasto i port na zachodnim wybrzeżu Númenoru. Zatoka Andúnië.

★ **Andustar** – zachodni półwysep Númenoru. Nazwa tłumaczona jako Ziemie Zachodnie. Pani Ziem Zachodnich: Erendis.

Anfalas – lenno Gondoru, obszar nadbrzeżny między ujściami rzek Lefnui i Morthond. W języku westrońskim Długie Wybrzeże (Langstrand).

Anfauglith – nazwa nadana równinie Ard-galen po jej spustoszeniu przez Morgotha w trakcie Dagor Bragollach.

Angband – wielka forteca Morgotha na północnym zachodzie Śródziemia.

★ **Angelimar** – dwudziesty książę Dol-Amroth, dziad Imrahila.

Anglachel – miecz Belega. Patrz: *Gurthang*.

Angmar – czarnoksięskie królestwo rządzone przez wodza Nazgûli na północnym krańcu łańcucha Wzgórz Mglistych.

★ **Angrena [Angren]** – sindarińska nazwa Iseny. Patrz: *Athrad Angren*.

Angrenost – sindarińska nazwa Isengardu.

Angrod – książę Noldorów, trzeci syn Finarfina; zginął w Dagor Bragollach.

Ancalimë – patrz: *Tar-Ancalimë*. Również nazwa nadana przez Aldariona drzewu z Eressëi zasadzonemu w Armenelos.

Annael – Elf Szary z Mithrimu, przybrany ojciec Tuora.

Annatar – „Pan Darów", imię przybrane przez Saurona w Drugiej Erze. Patrz: *Artano*, *Aulendil*.

Annon-in-Gelydh – wejście do jaskiń kryjących podziemne koryto strumienia u zachodnich wzgórz Dor-lóminu, droga do Cirith Ninniach. Przekład: „Brama Noldorów".

Annúminas – „Wieża Zachodu", pradawna siedziba królów Arnoru nad jeziorem Nenuial; odbudowana przez króla Elessara.

Anórien – region Gondoru na północ od Ered Nimrais.

★ **Anwar** – patrz: *Amon Anwar*.

★ **Ar-Abattârik** – adûnaickie imię Tar-Ardamina.

Ar-Adûnakhôr – dwudziesty władca Númenoru, w języku quenejskim zwany *Tar-Herunúmen*.

Aragorn – trzydziesty dziewiąty potomek Isildura w prostej linii; król Arnoru i Gondoru zjednoczonych ponownie po Wojnie o Pierścień; ożenił się z Arweną, córką Elronda. Patrz: *Elessar*, *Kamień Elfów*, *Obieżyświat*, *Thorongil*.

★ **Arandor** – „Królewskie Ziemie" w Númenorze.

★ **Arandur** – „sługa króla, minister", quenejskie określenie namiestników Gondoru.

Aranrúth – „Gniew Króla", miecz Thingola.

Aranwë – elf z Gondolinu, ojciec Voronwëgo.

Aranwion – syn Aranwëgo.

Aratan – drugi syn Isildura, zginął na polach Gladden.

★ **Ar-Belzagar** – adûnaickie imię Tar-Calmacila.

Arcyklejnot – wielki kamień szlachetny znaleziony pod Samotną Górą.

Arda – „Królestwo", nazwa Ziemi jako Królestwa Manwëgo.

Aredhela [Aredhel] – siostra Turgona i matka Maeglina.

Ar-Gimilzôr – dwudziesty trzeci władca Númenoru, w quenejskim zwany *Tar-Telemnar*.

Ar-Inziladûn – adûnaickie imię Tar-Palantira.

Armenelos – miasto królów w Númenorze.

Arminas – noldorski elf, który wraz z Gelmirem spotkał Tuora przy Annon-in-Gelydh, a potem udał się do Nargothrondu, by ostrzec Orodretha przed grożącym królestwu niebezpieczeństwem.

Arnor – północne królestwo Númenorejczyków w Śródziemiu. Północ, Północne Królestwo.

Aros – rzeka na południu Doriathu.

Ar-Pharazôn – dwudziesty piąty i ostatni władca Númenoru, który zginął w Upadku; w quenejskim zwany *Tar-Calion*.

Arroch – koń Húrina z Dor-lóminu.

Ar-Sakalthôr – dwudziesty drugi władca Númenoru; w quenejskim zwany Tar-Falassion.

Artamir – starszy syn Ondohera, króla Gondoru, zginął w bitwie z Woźnikami.

★ **Artanis** – imię nadane Galadrieli przez ojca.

★ **Artano** – „Wielki kowal", imię przybrane przez Saurona w Drugiej Erze. Patrz: *Annatar*, *Aulendil*.

Arthedain [„Królestwo (Dun)Edainów"] – jedno z trzech królestw składających się na Arnor w dziewiątym wieku Trzeciej Ery; ograniczone rzekami Baranduiną i Lhûn, ku wschodowi sięgające Wichrowych Wzgórz, ze stolicą w Fornoście.

★ **Arthórien** – tereny między rzekami Aros i Celon we wschodnim Doriacie.

Arvedui – „Ostatni król" Arthedainów, utonął w zatoce Forochel.

Arwena [Arwen] – córka Elronda i Celebríany; poślubiła Aragorna, królowa Gondoru.

Ar-Zimraphel – adûnaickie imię Tar-Míriel.

Ar-Zimrathôn – dwudziesty pierwszy władca Númenoru; w quenejskim zwany *Tar-Hostamir*.

★ **Asgon** – człowiek z Dor-lóminu, który wsparł Túrina podczas ucieczki po zabiciu Broddy.

Atanamir – patrz: *Tar-Atanamir*.

Atanatar Alcarin – („Okryty chwałą"), szesnasty król Gondoru.

Atani – Ludzie z Trzech Rodów przyjaciół elfów (sindarińska nazwa: *Edainowie*).

★ **Athrad Angren** – sindarińska nazwa (również w liczbie mnogiej Ethraid Engrin) brodów na Isenie.

Aulë – jeden z wielkich Valarów, kowal i mistrz rzemiosł, małżonek Yavanny. Dzieci Aulëgo: krasnoludowie.

★ **Aulendil** – „Sługa Aulëgo", imię przybrane przez Saurona w Drugiej Erze. Patrz: *Annatar, Artano*.

Avallónë – przystań Eldarów na Tol Eressëi.

Avari – elfy, które nie przyłączyły się do Wielkiej Wędrówki z Cuiviénen. Elfy Ciemne. Patrz: *Dzikie Elfy*.

Azaghâl – władca krasnoludów z Belegostu; zraniony przez Glaurunga podczas Nirnaeth Arnoediad, potem zabity przez Smoka.

Azanulbizar – dolina poniżej wschodniej bramy Morii, gdzie w roku 2799 Trzeciej Ery rozegrała się wielka bitwa kończąca wojnę krasnoludów z orkami. Patrz: *Nanduhirion*.

Azog – ork z Morii, zabójca Thróra, zabity przez Dáina Żelazną Stopę podczas bitwy w dolinie Azanulbizar.

Bag End – siedziba Bilba Bagginsa w Hobbitonie w Shire, później mieszkanie Froda Bagginsa i Sama Gamgee.

Baggins – rodzina hobbitów z Shire.

Balar (1) – wyspa w zatoce Balar, gdzie Círdan i Gil-galad zamieszkali po Nirnaeth Arnoediad.

Balar (2) – wielka zatoka na południu Beleriandu, do której uchodziła rzeka Sirion.

Balin – krasnolud z rodu Durina; towarzysz Thorina Dębowej Tarczy i przez krótki czas Władca Morii.

Balkowie – pokrewne Woźnikom plemię Easterlingów, których najazd na Calenardhon w Trzeciej Erze (2510) został odparty w Bitwie na Polach Celebrantu.

★ **Barach** – mieszkaniec lasu z ludu Halethy, bohater opowiadania *Wierny kamień*.

Barad-dûr – „Czarna Wieża" Saurona w Mordorze. Władca Barad-dûr: Sauron.

Barad Eithel – „Wieża Źródła", forteca Noldorów w Eithel Sirion.

Baragund – ojciec Morweny, żony Húrina; krewniak Barahira i jeden z dwunastu jego towarzyszy w Dorthonionie.

Barahir – ojciec Berena; uratował Felagunda z Dagor Bragollach i otrzymał od niego pierścień; zginął w Dorthonionie.

Baranduina [Baranduin] – „Długa, złocistobrązowa rzeka" w Eriadorze, w Shire zwana Brandywiną.

Bar-en-Danwedh – „Dom Okupu", nazwa nadana przez Mîma jego siedzibie na Amon Rûdh po oddaniu jej Túrinowi. Patrz: *Echad i Sedryn*.

★ **Bar-en-Nibin-noeg** – „Dom Poślednich Krasnoludów", siedziba Mîma na Amon Rûdh.

Bar Erib – warownia w Dor-Cúarthol, nieco na południe od Amon Rûdh.

Barlogowie – patrz: *Gothmog*.

Bauglir – „Przymuszający", imię Morgotha.

Beleg – elf z Doriathu; wielki łucznik i przywódca strażników pogranicza królestwa Thingola; przyjaciel i towarzysz broni Túrina, z którego ręki zginął. Zwany Cúthalionem, co w przekładzie znaczy Mistrz Łuku.

Belegaer – „Wielkie Morze" Zachodu między Śródziemiem a Amanem; w wielu innych miejscach zwane po prostu Morze.

Belegost – jedno z dwóch krasnoludzkich miast w Górach Błękitnych.

Belegund – ojciec Ríany, żony Huora; krewniak Barahira i jeden z jego dwunastu towarzyszy w Dorthonionie.

Beleriand – w Dawnych Dniach kraje na zachód od Gór Błękitnych. Wschodni Beleriand był oddzielony od Zachodniego rzeką Sirion. Mowa (język) Beleriandu, patrz: *sindarin*.

Belfalas – lenno Gondoru; nadbrzeżna kraina nad zatoką o tej samej nazwie.

Bëor – wódz pierwszych ludzi, którzy zjawili się w Beleriandzie, założyciel Pierwszego Rodu Edainów.

Bëorningowie – ludzie zamieszkujący w górnym biegu rzeki w Dolinie Anduiny.

★ **Beregar** – człowiek z Ziem Zachodnich Númenoru, potomek rodu Bëora; ojciec Erendis.

Beren (1) – człowiek z rodu Bëora, który wyrwał Silmaril z korony Morgotha i jako jedyny śmiertelnik powrócił z krainy umarłych. Po powrocie z Angbandu zwany Erchamion, co znaczy Jednoręki; oraz Camlost, „Mający puste ręce".

Beren (2) – dziewiętnasty rządzący namiestnik Gondoru, który przekazał Sarumanowi klucze do Orthanku.

★ **Bereth** – siostra Baragunda i Belegunda, przodkini Erendis.

Berúthiel – królowa, żona Tarannona Falastura, dwunastego króla Gondoru.

Biała Pani – (1) patrz: *Galadriela*. (2) Biała Pani z Emerië, patrz: *Erendis*.

Biała Rada – spotkania Mędrców zwoływane co pewien czas od roku 2463 do roku 2953 Trzeciej Ery, zwykle określana jako Rada. O wiele wcześniejsza Rada Mędrców też zwana była Białą Radą.

Białe Drzewo – (1) Valinoru, patrz: *Telperion*. (2) Tol Eressëi, patrz: *Celeborn* (1). (3) Númenoru, patrz: *Nimloth*.

Biały Pierścień – patrz: *Nenya*.

Biały Wysłannik – Saruman.

Bilbo Baggins – hobbit z Shire, znalazca Pierścienia. Patrz: *Baggins*.

Bitwa na Polach Celebrantu (Bitwa na Srebrnym Polu) – patrz: *Pola Celebrantu*.

Bitwa na Polach Pelennoru – patrz: *Pelennor*.

Bitwa na Równinach – klęska poniesiona przez króla Gondoru Narmacila II na południe od Mrocznej Puszczy w wojnie z Woźnikami w roku 1856 Trzeciej Ery.

Bitwa na Równinie Dagorlad – patrz: *Dagorlad*.

Bitwa nad Gwathló – zwycięstwo Númenorejczyków nad Sauronem w roku 1700 Drugiej Ery.

Bitwa o (w dolinie) Azanulbizar – patrz: *Azanulbizar*.

Bitwa o Dale – jedna z bitew Wojny o Pierścień, w której północna armia Saurona została pokonana przez ludzi z Dale i krasnoludy z Ereboru.

Bitwa o Obóz – zwycięstwo odniesione w Ithilien przez Eärnila II z Gondoru nad Woźnikami (1944 Trzeciej Ery).

Bitwa o Rogaty Kasztel – napaść armii Sarumana na Rogaty Kasztel podczas Wojny o Pierścień.

Bitwa o Tumhalad – patrz: *Tumhalad*.

Bitwy u Brodów na Isenie – dwie bitwy rozegrane w czasie Wojny o Pierścień pomiędzy jeźdźcami Rohanu a siłami Sarumana w pobliżu Isengardu.

Bliski Harad – patrz: *Harad*.

Błękitni Czarodzieje – patrz: *Ithryn Luin*.

Błękitny Pierścień – patrz: *Vilya*.

Błogosławione Królestwo – patrz: *Aman*.

Boromir – starszy z synów Denethora II, namiestnika Gondoru; jeden z członków Drużyny Pierścienia.

★ **Borondir** – zwany Udalraf; jeździec z Minas Tirith, który przyniósł Eorlowi prośbę Ciriona o pomoc.

Bracegirdle – rodzina hobbitów z Shire.

Bractwo Czarodziejów – patrz: *Heren Istarion*.

Bragollach – patrz: *Dagor Bragollach*.

Brama Mordoru – patrz: *Morannon*.

Brand – trzeci król Dale, wnuk Barda Łucznika, poległ w Bitwie o Dale.

Brandir – władca ludu Halethy w Brethilu za czasów Túrina Turambara, z którego ręki zginął. Zwany przez Túrina Kulawym.

Brandywina [Brandywine] – patrz: *Baranduina*.

Bree – główna wioska krainy Bree na skrzyżowaniu númenorejskich dróg w Eriadorze.

Brego – drugi król Rohanu, syn Eorla Młodego.

Bregolas – brat Barahira, ojciec Baragunda i Belegunda.

Bregor – ojciec Barahira i Bregolasa.

Brethil – las między rzekami Teiglinem a Sirionem w Beleriandzie, miejsce zamieszkania ludu Halethy. Ludzie, Plemiona Brethilu – patrz też: *Leśni Ludzie*. Czarny Cierń Brethilu, patrz: *Gurthang*.

Brithiach – bród na Sirionie na północ od lasu Brethil.

Brithombar – najbardziej na północ wysunięta spośród przystani Falas na wybrzeżu Beleriandu.

Brithon – rzeka wpadająca w Brithombarze do Wielkiego Morza.

Brodda – Easterling zamieszkały w Hithlumie po Nirnaeth Arnoediad. Wziął za żonę Aerinę, krewniaczkę Húrina; zabity przez Túrina. Zwany Przybyszem.

brody na Isenie – przejście przez Isenę, część wielkiego gościńca númenorejskiego łączącego Gondor z Arnorem; w sindarińskim zwane *Athrad Angren* i *Ethraid Engrin*. Patrz też: *Bitwy u Brodów na Isenie*.

brody na Porosie – przeprawa przez rzekę Poros na drodze do Haradu.

Bród Entów – przeprawa na Entwash.

bród przy Carrock – bród na Anduinie między Carrock a wschodnim brzegiem rzeki; jednak chodzi zapewne o Stary Bród, gdzie Stara Droga Leśna przecinała Anduinę na południe od brodu przy Carrock.

Bród Sarn – częściowy przekład nazwy *Sarn Athrad*, „Bród Kamieni", bród na Baranduinie w najbardziej na południe wysuniętej części Shire.

Bruinen – rzeka w Eriadorze, dopływ (wraz z Mitheithel) rzeki Gwathló; nazwa tłumaczona jako *Głośna Woda*.

Brunatne Pola – pustkowie pomiędzy Mroczną Puszczą a Emyn Muil.

Bystra Rzeka – patrz: *Celduina*.

Bywater – wioska w Shire, kilka mil na południowy wschód od Hobbitonu.

Cabed-en-Aras – głęboki wąwóz rzeki Teiglin, gdzie Túrin zabił smoka Glaurunga i gdzie Niënor popełniła samobójstwo, skacząc do wody. Znaczy: „Skok jelenia". Patrz: *Cabed Naeramarth*.

Cabed Naeramarth – „Skok strasznego przeznaczenia", nazwa nadana Cabed-en-Aras po samobójczym skoku Nienor.

Cair Andros – wyspa na rzece Anduinie na północ od Minas Tirith, ufortyfikowana przez Gondor w celu obrony Anórien.

Calenardhon – „Zielona Prowincja", nazwa Rohanu gdy ziemie te były jeszcze częścią Gondoru. Patrz: *Rohan*, *Wrota Rohanu*.

Calenhad – szóste ze wzgórz sygnałowych Gondoru w paśmie Ered Nimrais (nazwa znaczyła zapewne „zielony obszar" i odnosiła się do trawiastego wierzchołka; *had* wywodziło się z *sad*, „miejsce, punkt").

Calimehtar – trzynasty król Gondoru, w Trzeciej Erze (rok 1988) odniósł na równinie Dagorlad zwycięstwo nad Woźnikami.

Calmindon – „Wieża świetlna" na Tol Uinen w Zatoce Rómenny.

Camlost – patrz: *Beren* (1).

Caradhras – przełęcz w Górach Mglistych zwana „Bramą Czerwonego Rogu", poniżej Caradhrasu (Czerwony Róg, Barazinbar), jednej z gór Morii.

Caras Galadhon – „Miasto Drzew", główna siedziba elfów w Lórien.

Cardolan – jedno z trzech królestw składających się na Arnor w dziewiątym wieku Trzeciej Ery; ograniczone na zachodzie przez Baranduinę, na północy przez Gościniec Wschodni.

Carn Dûm – główna forteca Angmaru.

Carnen – „Czerwona Woda", rzeka spływająca z Żelaznych Wzgórz, by połączyć się z Bystrą Rzeką.

Celduina – rzeka spływająca z Samotnej Góry do morza Rhûn. W przekładzie Bystra Rzeka.

Celeborn (1) – „Drzewo ze srebra", drzewo w Tol Eressëi.

Celeborn (2) – krewniak Thingola; mąż Galadrieli; władca Lothlórien. Patrz: *Teleporno*.

Celebrant – rzeka płynąca z Mirrormere przez Lothlórien do Anduiny. W przekładzie Srebrna Żyła. Patrz: *pola Celebrantu*.

Celebríana – córka Celeborna i Galadrieli, wyszła za Elronda.

Celebrimbor – „Srebrnoręki", największy z mistrzów kowalskich Eregionu, twórca Trzech Pierścieni Elfów; zabity przez Saurona.

Celebros – „Srebrna Piana" albo „Srebrny Deszcz", strumień w Brethilu wpadający do Teiglinu niedaleko Przeprawy.

Celegorm – trzeci syn Fëanora.

Celon – rzeka we Wschodnim Beleriandzie, wypływająca ze wzgórza Himring.

Celos – jedna z rzek w Lebenninie w Gondorze; dopływ Sirith („nazwa musi wywodzić się z *kelu-* (wypływać szybko) połączonego z końcówką *-sse, -ssa*, obecnym w quenejskim *kelussë*, „świeżo wytrysła woda spływająca szybkim nurtem po skałach").

Ceorl – jeździec Rohanu, który przyniósł wieści o Drugiej Bitwie u Brodów na Isenie.

Cerin Amroth – „Wzgórze Amrotha" w Lórien.

Cermië – quenejska nazwa siódmego miesiąca według kalendarza Númenoru, odpowiednik lipca.

Ciemne Kraje – określenie Śródziemia stosowane w Númenorze.

Cieniste Wyspy – zapewne jedna z nazw Zaczarowanych Wysp.

Cieniste Góry – patrz: *Ered Wethrin*.

Cienistogrzywy [Shadowfax] – wielki wierzchowiec Rohanu dosiadany przez Gandalfa podczas Wojny o Pierścień.

Cieśnina Lodowej Kry – patrz: *Helcaraxë*.

Ciężka Zima – zima roku 495, która zapadła od wejścia księżyca po upadku Nargothrondu.

Círdan zwany „Budowniczym okrętów" – elf z rodu Telerich; „Władca Przystani" w Falas; po zniszczeniu rodu podczas Nirnaeth Arnoediad uciekł z Gil-galadem na wyspę Balar; w Drugiej i Trzeciej Erze strażnik Szarych Przystani w zatoce Lhûn; przekazał przybyłemu Mithrandirowi Naryę, Pierścień Ognia.

Cirion – dwunasty rządzący namiestnik Gondoru, który po Bitwie na polach Celebrantu (2510 rok Trzeciej Ery) przekazał Calenardhon Rohirrimom.

Cirith Dúath – „Przełęcz Cienia", dawna nazwa Cirith Ungol.

Cirith Forn en Andrath – „Wysoka przełęcz północy" ciągnąca się przez Góry Mgliste na wschód od Rivendell. Zwana Wysoką Przełęczą i przełęczą Imladris.

Cirith Ninniach – „Wąwóz Tęczy" („Żleb Tęczy"), nazwa nadana przez Tuora rozpadlinie wiodącej od zachodnich wzgórz Dor-lóminu do fiordu Drengist.

Cirith Ungol – „Przełęcz Pajęczycy", przejście przez Ephel Dúath ponad Minas Morgul. Patrz: *Cirith Dúath*.

Ciryatur – númenorejski admirał dowodzący flotą wysłaną przez Tar-Minastira na pomoc Gil-galadowi w czasie wojny z Sauronem.

Ciryon – trzeci syn Isildura, zginął na polach Gladden.

Cotton, farmer – Tolman Cotton, hobbit z wioski Bywater.

Crissaegrim – szczyt górski na południe od Gondolinu, dziedzina Thorondora.

Cuiviénen – „Woda Przebudzenia", jezioro w Śródziemiu, gdzie przebudziły się pierwsze elfy.

Curufin – piąty syn Fëanora, ojciec Celebrimbora.

★ **Curumo** – imię Curuníra (Sarumana) w języku quenejskim.

Curunír – „ten od sprytnych wynalazków", sindarińskie imię Sarumana; także Curunír 'Lân, Saruman Biały. Patrz *Curumo, Saruman*.

Cúthalion – „Mistrz Łuku", patrz: *Beleg*.

Czarna Brama – patrz: *Morannon*.

Czarna Potęga – patrz: *Sauron*.

Czarna Zaraza (Czarny Mór) – patrz: *Wielka Zaraza*.

Czarne Lata – okres dominacji Saurona w Drugiej Erze.

Czarni Jeźdźcy – patrz: *Nazgûle*.

Czarnoksiężnik – patrz: *Wódz Nazgûli, Angmar*.

Czarny Król – patrz: *Morgoth*.

★ **Czarny Easterling** – patrz: *Khamûl*.

Czarny Miecz – patrz: *Gurthang, Mormegil*.

Czarny Władca – Morgoth albo Sauron.

Czarny Wódz – patrz: *Wódz Nazgûli*.

czarodzieje – patrz: *Istari, Heren Istarion, Bractwo Czarodziejów*.

Carrock – skalista wysepka na rzece w górnym biegu Anduiny. Patrz: *bród przy Carrock*.

Czerwona Strzała – znak ostrzegawczy wysyłany z Gondoru do Rohanu wobec niebezpieczeństwa grożącego Minas Tirith.

Czerwone Oko – znak Sarumana.

Czerwony Pierścień – patrz: *Narya*.

Daeron – minstrel z Doriathu; zakochany w Lúthien, dwakroć ją zdradził; przyjaciel (lub krewny) Saerosa.

Dagor Bragollach – „Bitwa Nagłego Płomienia" (zwana również krótko Bragollach), czwarta z wielkich bitew podczas wojen o Beleriand; zakończyła oblężenie Angbandu.

★ **Dagor Dagorath** – Bitwa Bitew, finalne starcie angażujące nawet najwyższe boskie siły i zapewne kończące byt Ardy takiej, jaką poznaliśmy.

Dagorlad – „Pole Bitwy" na wschód od Emyn Muil i w pobliżu Martwych Bagien. Miejsce wielkiej bitwy pomiędzy siłami Saurona a wojskami Ostatniego Sojuszu elfów i ludzi pod koniec Drugiej Ery. Późniejsze bitwy w tym samym miejscu: Zwycięstwo w 1899 roku Trzeciej Ery króla Calimehtara nad Woźnikami; porażka i śmierć króla Ondohera w roku 1944 Trzeciej Ery.

Dáin Żelazna Stopa – władca krasnoludów z Żelaznych Wzgórz, potem Król pod Górą, zginął w bitwie o Dale.

Dale – kraj i miasto potomków Barda u stóp Samotnej Góry; połączone przymierzem z królestwem krasnoludów pod Górą. Patrz: *Bitwa o Dale*.

Daleki Harad – patrz: *Harad*.

Déagol – Stoor z Doliny Anduiny, znalazca Jedynego Pierścienia.

Denethor (1) – wódz nandorskich elfów przybyły w Góry Błękitne, zamieszkał w Ossiriandzie; zabity na Amon Ereb podczas pierwszej Bitwy o Beleriand.

Denethor (2) – dwudziesty szósty i ostatni rządzący namiestnik Gondoru, drugi tego imienia; władca Minas Tirith w czasie Wojny o Pierścień; ojciec Boromira i Faramira.

Déor – siódmy król Rohanu.

Dimbar – kraina między rzekami Sirion a Mindeb.

Dimrost – wodospady Celebrosu w lesie Brethil, zwane później Nen Girith; przekład nazwy: „Deszczowa Gwiazda”.

Dior Spadkobierca Thingola – syn Berena i Lúthien; król Doriathu po Thingolu; posiadacz Silmarila; zabity przez synów Fëanora.

Dírhavel – człowiek z Dor-lóminu, autor *Narn i Hîn Húrin*.

★ **dirnaith** – ostrokątna formacja bojowa stosowana przez Dúnedainów.

Długa Woda [Langflood] – nazwa Anduiny w mowie Éothéodów.

Długa Zima – zima na przełomie 2758/59 roku Trzeciej Ery.

Długie Jezioro – jezioro na południe od Ereboru; wpadały do niego Leśna Rzeka i Bystra Rzeka, na jeziorze zbudowano miasto Esgaroth.

Dol Amroth – warownia na półwyspie Belfalas, zwana tak po Amrocie, królu Lórien. Patrz: *Angelimar*, *Adrahil*, *Imrahil*.

Dol Baran – „Brunatne Wzgórze”, wzniesienia na południowym krańcu pasma Gór Mglistych, gdzie Peregrin Took spojrzał w kryształ Orthanku.

Dol-Cúarthol – „Kraina Łuku i Hełmu”, nazwa kraju bronionego przez Belega i Túrina podczas ich pobytu na Amon Rûdh.

Dol Guldur – „Wzgórze Czarnej Magii”, pozbawiony drzew wierzchołek na południowy zachód od Mrocznej Puszczy; siedziba Czarnoksiężnika później rozpoznanego jako Sauron. Patrz: *Amon Lanc*.

Dolina Dimrilla – patrz: *Nanduhirion*.

Dolina Grobów – patrz: *Noirinan*.

Dolina Kamiennego Wozu – dolina w lesie Drúadan na wschodnim krańcu Ered Nimrais (przekład nazwy Imrath Gondraich, „długa wąska dolina z drogą lub strumieniem biegnącym na całej długości”).

Dor-en-Ernil – „Kraina Księcia” w Gondorze, na zachód od rzeki Gilrainy.

Doriath – „Kraj Ogrodzony” (*Dor Iâth*), opasany Obręczą Meliany; królestwo Thingola i Meliany w lasach Neldoreth i Region, rządzone z Menegroth nad Esgalduiną. Nazywane także Strzeżonym Królestwem i Ukrytym Królestwem.

Dorlas – człowiek z Brethilu; wyruszył razem z Túrinem i Hunthorem na smoka Glaurunga, stchórzył jednak; zginął z ręki Brandira.

Dor-lómin – region w południowej części Hithlumu, terytorium Fingona, przekazane jako lenno rodowi Hadora; dom Húrina i Morweny. Góry Dor-lóminu, część Ered Wethrin stanowiąca północną osłonę Hithlumu. Pani Dor-lóminu, Morwena. Pan (Władca) Dor-lóminu, Húrin, Túrin. Smok Dor-lóminu, patrz: *Smoczy Hełm*.

Dorthonion – „Kraj Sosen”, wielka puszczańska kraina górska na północnej granicy Beleriandu, w późniejszym okresie zwana Taur-nu-Fuin.

★ **Dramborleg** – wielki topór Tuora przechowany w Númenorze.

Drengist – długi fiord wrzynający się w Ered Lómin między Lammoth a Nevrastem.

Droga do Jaru – trakt wiodący od Wielkiego Gościńca do Helmowego Jaru (odgałęzienie do Rogatego Kasztelu).

Droga Krasnoludów – (1) droga wiodąca z Nogrodu i Belegostu do Beleriandu i przecinająca Gelion przy Sarn Athad, (2) tłumaczenie Men-i-naugrim, nazwy Starej Drogi Leśnej (Patrz: *Drogi*)

drogi (gościńce, trakty) – (I) W Beleriandzie za Dawnych Dni: (1) z Tol Sirionu do Nargothrondu z Przeprawą na Teiglinie; zwana Starą Południową Drogą. (2) Wschodnia Droga z Góry Taras na zachodzie, przez Sirion w Brithiach, przez Aros w Arossiach, zapewne do Himringu.
(II) Na wschód od Gór Błękitnych: (1) Wielka númenorejska droga łącząca dwa królestwa przez Tharbad i brody na Isenie zwana Zachodnią Drogą, Wielką Drogą, Królewską Drogą,

konnym traktem, Zielonym Traktem. (2) Odnoga do Rogatego Kasztelu. (3) Droga z Isengardu do brodów na Isenie. (4) Númenorejska droga z Szarych Przystani do Rivendell biegnąca przez Shire, zwana Drogą Wschód-Zachód. (5) Droga z przełęczy Imladris przez Anduinę przy Starym Brodzie i przez Mroczną Puszczę, zwana Starą Drogą Leśną, Drogą Leśną, Men-i--Naugrim, Drogą Krasnoludów. (6) Númenorejskie drogi na wschód od Anduiny: droga przez Ithilien, zwana Północną Drogą; drogi na wschód i północ z Morannonu.

Drúadan – las w Anórien na wschodnim krańcu pasma Ered Nimrais, gdzie potomkowie Drúedainów lub „Dzikich Ludzi" przetrwali do Trzeciej Ery. Patrz: *Tawar-in-Drúedain*.

★ **Drúath** – Drúedainowie (sindarińska forma rozwinięta z pierwotnej nazwy *Drughu*: liczba pojedyncza *Drú + adan*, liczba mnoga *Drúin*); patrz: *Rú*.

Drúedainowie – sindarińska nazwa (*Drú + adan*, liczba mnoga *edain*) „Dzikich Ludzi" z Ered Nimrais (i lasu Brethil w Pierwszej Erze). Zwani „Dzikimi Ludźmi", Wosami; patrz też: *Púkele*.

Drûg(owie), Lud Drû(gów) – Drúedainowie.

Drúwaith Iaur – „Dawne pustkowia ludu Drú" w górach na półwyspie Andrast. Zwane: Dawnym Pustkowiem Púkelów i Starą Ziemią Púkelów.

Drzewiec – patrz: *Fangorn*.

Drzewo Eressëi – patrz: *Celeborn* (1).

Dúnedain (liczba pojedyncza *Dúnadan*) – „Edain z Zachodu"; Dúnedainowie, Númenorejczycy.

Dungortheb – skrócona nazwa Nan Dungortheb, „Doliny Straszliwej Śmierci" między przepaściami Ered Gorgoroth a Obręczą Meliany.

Dunharrow – ufortyfikowane schronienie w Ered Nimrais ponad Harrowdale dostępne stromą i wijącą się drogą, na której zakrętach stały posągi zwane Púkelami. Umarli z Dunharrow: ludzie z Ered Nimrais przeklęci przez Isildura za niedotrzymanie sojuszu.

Dúnhere – jeździec Rohanu, władca Harrowdale; walczył u brodów na Isenie i na polach Pelennoru, gdzie poległ.

Dunland – kraina u stóp zachodnich zboczy Gór Mglistych na południowym krańcu pasma, zamieszkana przez Dunlendingów.

Dunlending – szpieg Sarumana, „zezowaty południowiec" w gospodzie w Bree.

Dunlendingowie – mieszkańcy Dunlandu, pozostałość dawnej rasy ludzi żyjących niegdyś w dolinach Ered Nimrais; pokrewni Umarłym (Ludziom) z Dunharrow i mieszkańcom Bree.

Durin I – najstarszy z Siedmiu Ojców Krasnoludów.

Durin III – król ludu Durina w Khazad-dûmie za czasów napaści Saurona na Eregion.

Dwa Drzewa Valinoru – patrz: *Laurelin*, *Telperion*.

Dwa Królestwa – Arnor i Gondor.

Dwimordene – „Widmowa Dolina", nazwa Lórien wśród Rohirrimów.

Dzicy Ludzie – (1) Drúedainowie. (2) Ogólne określenie Easterlingów zza Anduiny.

Dzieci Aulëgo – krasnoludowie.

Dzieci Ziemi – elfy i ludzie.

Dzieci Ilúvatara – elfy i ludzie. Starsze Dzieci, elfy.

Dzieci Świata – elfy i ludzie.

Dziewięciu – patrz: *Nazgûle*.

Dziewięciu Wędrowców – Drużyna Pierścienia.

Dziki Człowiek (Dzikus) z Lasu – imię przyjęte z początku przez Túrina, gdy znalazł się między mieszkańcami Brethilu.

★ **Dzikie Kraje Rohańskie** – określenie na kraje na zachód od Wrót.

Eä – świat, materialne, namacalne uniwersum; w mowie elfów znaczy „to jest" lub „niech to się stanie", słowo wypowiedziane przez Ilúvatara z początkiem istnienia Świata.

⋆ Eämbar – statek zbudowany przez Tar-Aldariona jako pływająca siedziba, również siedziba Gildii Podróżników (znaczy niewątpliwie „morska siedziba").

Eärendil – syn Tuora i Idril, córki Turgona, urodzony w Gondolinie; mąż Elwingi, córki Diora, dziedzica Thingola; ojciec Elronda i Elrosa; pożeglował z Elwingą do Amanu, by błagać o pomoc w walce z Morgothem; uniesiony na niebiosa wraz ze statkiem Vingilotem i Silmarilem Lúthien na pokładzie.

⋆ Eärendur (1) – młodszy brat Tar-Elendila, urodzony w roku 361 Drugiej Ery.

Eärendur (2) – piętnasty władca Andúnië, brat Lindórië, babki Tar-Palantira.

Eärnil II – trzydziesty drugi król Gondoru, zwyciężył Haradrimów i Woźników w roku 1944 Trzeciej Ery.

Eärnur – trzydziesty trzeci i ostatni król Gondoru; zginął w Minas Morgul.

Eärwena [Eärwen] – córka króla Olwëgo z Alqualondë, żona Finarfina i matka Finroda, Orodretha, Angroda, Aegnora i Galadrieli.

Easterlingowie – (1) w Pierwszej Erze ludzie, którzy przyszli do Beleriandu po Dagor Bragollach, walczyli po obu stronach w Nirnaeth Arnoediad, dostali potem od Morgotha Hithlum jako swoje, wielce dokuczali tam pozostałym z rodu Hadora. Zwani w Hithlumie Przybyszami. (2) W Trzeciej Erze ogólne określenie napływających ku Gondorowi ludzi ze wschodu Śródziemia. Patrz: *Woźnicy, Balkowie*.

⋆ Echad i Sedryn – „Obóz Wiernych", nazwa nadana uchodźstwu Túrina i Belega na Amon Rûdh.

Echoriath – góry okrążające Tumladen, równinę Gondolinu. Ered en Echoriath; Góry Okrężne; Góry Turgona.

Ecthelion (1) – elf z Gondolinu zwany Władcą Źródeł i Strażnikiem Bramy.

Ecthelion (2) – dwudziesty piąty rządzący namiestnik Gondoru, drugi tego imienia; ojciec Denethora II.

Edainowie (liczba pojedyncza *Adan*) – ludzie z Trzech Rodów przyjaciół elfów. Patrz: *Adanedhel, Drúedainowie, Dúnedainowie*.

⋆ Edhellond – „Przystań elfów" w Belfalas blisko zbiegu rzek Morthond i Ringló, na północ od Dol Amroth. Zwana Przystanią Amrotha.

Edhelrimowie, Eledhrimowie – elfy; sindarińskie *edhel, eledh* i końcówka (zbiorowej) liczby mnogiej *rim*.

Edoras – „Dwór", w języku Marchii nazwa królewskiego miasta Rohanu przy północnym krańcu pasma Ered Nimrais.

Egalmoth – osiemnasty rządzący namiestnik Gondoru.

Eglarest – najdalej na południe wysunięta przystań Falas na wybrzeżu Beleriandu.

Eilenach – drugie ze wzgórz sygnałowych Gondoru w paśmie Ered Nimrais, najwyższe wzniesienie w lesie Drúadan.

⋆ Eilenaer – prenúmenorejska nazwa Amon Anwar (Halifirien).

Eithel Sirion – „Źródło Sirionu", na wschodnich zboczach Ered Wethrin; określa lokalizację fortecy Noldorów (Barad Eithel).

⋆ eket – krótki miecz o szerokiej klindze.

elanor (1) – małe złociste kwiatki w kształcie gwiazdy; rosły na Tol Eressëi i w Lothlórien.

Elanor (2) – córka Samwise'a Gamgee nazwana tak od kwiatu.

⋆ Elatan z Andúnië – Númenorejczyk, mąż Silmariën, ojciec Valandila, pierwszego władcy Andúnië.

⋆ Eldalondë – „Przystań Eldarów" w zatoce Eldanny u ujścia rzeki Nanduinë w Númenorze; zwana „Zieloną".

⋆ Eldanna – wielka zatoka na zachodzie Númenoru, zwana tak, ponieważ otwierała się na Eressëę.

Eldarowie – elfy z Trzech Szczepów (Vanyarów, Noldorów i Telerich).

⋆ Eledhrim – patrz: *Edhelrim*.

Eledhwen – imię Morweny.

Elemmakil – elf z Gondolinu, dowódca straży przy zewnętrznej bramie.

Elendil – syn Amandila, ostatniego władcy Andúnië, potomek Eärendila i Elwingi, ale niepochodzący w prostej linii od królów Númenoru; uciekł wraz z synami Isildurem i Anárionem z wyspy przed jej Upadkiem (zagładą) i założył númenorejskie królestwa w Śródziemiu; zabity wraz z Gil-galadem podczas zwycięskiej walki z Sauronem pod koniec Drugiej Ery. Zwany Smukłym i Wiernym (Voronda). Dziedzictwo Elendila, patrz: *Elendilmir*. Kryształ Elendila: palantír z Emyn Beraid.

Elendilmir – biały klejnot, znak władzy królewskiej, noszony na czole przez królów Arnoru (były dwa klejnoty o tej nazwie). Gwiazda Elendila; Gwiazda Północy, Północnego Królestwa.

Elendur – najstarszy z synów Isildura, zginął na polach Gladden.

⋆ Elennanórë – „Kraina zwana Ku Gwiazdom", Númenor; pełniejsza forma nazwy Elenna występującej we *Władcy Pierścieni* i w *Silmarillionie*.

⋆ Elentrimo – „Obserwator gwiazd", imię Tar-Meneldura.

Elenwë – żona Turgona, zginęła podczas przekraczania Helcaraxë.

Elessar (1) – wielki zielony klejnot o mocy uzdrawiającej zrobiony w Gondolinie dla Idril, córki Turgona, która przekazała skarb swemu synowi, Eärendilowi; Elessar, który Arwena podarowała Aragornowi, był tym samym klejnotem, który wrócił do Śródziemia, lub innym Elessarem. Kamień (Klejnot) Eärendila; Kamień Elfów.

Elessar (2) – imię przepowiedziane Aragornowi przez Olórina i imię, pod którym Aragorn został koronowany na króla połączonego królestwa.

⋆ Elestirnë – patrz: *Tar-Elestirnë*.

Elfhelm – jeździec Rohanu; wraz z Grimboldem dowódca Rohirrimów w Drugiej Bitwie u brodów na Isenie; okrążył najeźdźców z Anórien; marszałek Wschodniej Marchii za króla Éomera.

Elfwine Piękny – syn Éomera, króla Rohanu, i Lothíriel, córki Imrahila, księcia Dol Amroth.

Elfy Ciemne – patrz: *Avari*.

Elfy Dzikie – określenie stosowane przez Mîma wobec Elfów Ciemnych (Avarich).

Elfy Leśne – nandorskie elfy, które nie przeszły na zachód od Gór Mglistych, ale pozostały w Dolinie Anduiny i Wielkim Zielonym Lesie. Patrz: *Tawarwaith*.

Elfy Szare – patrz: *Sindarowie*. Mowa Elfów Szarych, patrz: *sindarin*.

Elfy Wysokiego Rodu – elfy z Amanu i wszystkie elfy, które kiedykolwiek były w Amanie. Zwane Szlachetnym Ludem Zachodu. Mowa Elfów Wysokiego Rodu, patrz: *quenya*.

Elfy Zielone – nandorskie elfy z Ossiriandu.

⋆ Elmo – elf z Doriathu, młodszy brat Elwëgo (Thingola) i Olwëgo z Alqualondë; według jednej z relacji dziad Celeborna.

Elostirion – najwyższa z Białych Wież Emyn Beraid, w której umieszczono palantír, zwany Kryształem Elendila.

Elrond – syn Eärendila i Elwingi, brat Elrosa Tar-Minyatura; pod koniec Pierwszej Ery wybrał los Pierworodnych; pozostał w Śródziemiu aż do końca Trzeciej Ery; pan Imladris, powiernik Pierścienia Powietrza (Vilya), otrzymanego od Gil-galada. Zwany Półelfem. Patrz: *narada u Elronda*.

Elros – syn Eärendila i Elwingi, brat Elronda; pod koniec Pierwszej Ery wybrał los człowieczy; zwany Tar-Minyaturem. Linia Elrosa, Potomkowie Elrosa.

Elu Thingol – sindarińska forma Elwë Singollo. Patrz: *Thingol*.

Elwë – patrz: *Thingol*.

Elwinga [Elwing] – córka Diora, dziedzica Thingola, w trakcie ucieczki z Silmarilem z Doriathu u ujścia Sirionu wyszła za Eärendila i razem z nim odpłynęła do Amanu; matka Elronda i Elrosa.

* **Emerië** – region pasterski w Mittalmarze (Ziemiach Wewnętrznych) Númenoru. Biała Pani Emerië: Erendis.

* **Emerwena [Emerwen]** (Aranel) – „(Księżniczka) Pasterek", imię nadane Tar-Ancalimë w młodości.

Emyn Beraid – wzgórza za zachodzie Eriaboru, miejsce budowy Białych Wież. Przekład: Wzgórza Wieżowe. Patrz: *Elostirion.*

* **Emyn Duir** – „Mroczne Góry", Góry Mrocznej Puszczy. Patrz: *Emyn-nu-Fuin.*

Emyn Muil – „Wzgórza Grozy", pofałdowana, skalista i (szczególnie we wschodniej części) pustynna kraina wokół Nen Hithoel („Wody Zimnej Mgły") ponad wodogrzmotami Rauros.

* **Emyn-nu-Fuin** – „Góry Pośród Nocy", późniejsza nazwa gór Mrocznej Puszczy. Patrz: *Emyn Duir.*

Enedwaith (Pustkowie Zachodnie) – „Środek-lud" [lud środka], kraina między Szarym Rozlewiskiem (Gwathló) a Iseną.

* **Enerdhil** – mistrz-złotnik z Gondolinu.

Entulessë – „Powrót", statek Vëantura Númenorejczyka, który pierwszy dopłynął do Śródziemia.

Entwash – rzeka płynąca przez Rohan z lasu Fangorn do Nindalf. Patrz: *Onodló.*

Enydowie – sindarińska nazwa entów (liczba mnoga *Onod*, patrz: *Onodló, Onodrim*).

* **Eofor** – trzeci syn Brega, drugiego króla Rohanu; przodek Éomera.

* **éoherë** – nazwa używana w Rohanie na określenie pełnego zaciągu jazdy.

Eöl – „Ciemny elf" z Nan Elmoth, ojciec Maeglina.

Éomer – siostrzeniec i przybrany syn króla Théodena; w czasie Wojny o Pierścień trzeci marszałek Marchii; po śmierci Théodena osiemnasty król Rohanu; przyjaciel króla Elessara.

* **Éomund** (1) – głównodowodzący oddziałów Éothéodów podczas odsieczy Eorla.

Éomund (2) – pierwszy marszałek Marchii Rohanu; mąż Théodwiny, siostry Théodena; ojciec Éomera i Éowiny.

Eönwë – jeden z najpotężniejszych Majarów zwany Heraldem Manwëgo; wódz Valarów podczas ataku na Morgotha, u końca Pierwszej Ery.

éored – oddział jazdy Éothéodów.

Eorlingowie – lud Eorla, Rohirrimowie.

Eorl Młody – władca Éothéodów; przyjechał ze swego kraju na dalekiej północy, by pomóc Gondorowi podczas najazdu Bałków; otrzymał w darze od namiestnika Ciriona Calenardhon; pierwszy król Rohanu. Zwany Władcą Éothéodów, Władcą Jeźdźców, Królem Calenardhonu, Królem Marchii Jeźdźców.

Éothéodzi – wczesna nazwa Eorlingów (ich kraj Éothéod). Jeźdźcy, konnica Północy.

Éowina [Éowyn] – siostra Éomera, żona Faramira; zabójczyni Wodza Nazgûli podczas Bitwy na polach Pelennoru.

* **epessë** – „drugie imię" nadawane wśród Eldarów jako dodatek do już nadanych imion (essi).

Ephel Brandir – „Okrężne ogrodzenie Brandira", siedziba ludzi z Brethilu pod Amon Obel.

Ephel Dúath – „Góry [Palisada] Cienia", pasmo górskie między Gondorem a Mordorem.

Erchamion – patrz: *Beren* (1).

Erebor – samotna góra na wschodzie, najdalej na północ wysuniętej części Mrocznej Puszczy, gdzie mieściły się królestwo krasnoludów pod Górą i legowisko Smauga. Samotna Góra.

Ered Lindon – „Góry Lindonu", inna nazwa *Ered Luin.*

Ered Lithui – „Góry Popielne", tworzące północną granicę Mordoru.

Ered Lómin – „Góry Echa", tworzące zachodnią granicę Hithlumu. Góry Echa w Lammoth.

Ered Luin – wielki łańcuch górski (zwany też *Ered Lindon*) oddzielający w Dawnych Dniach Beleriand od Eriaboru, po zniszczeniu Beleriandu pod koniec Pierwszej Ery utworzył północno-zachodnie pasmo nadbrzeżne Śródziemia. Przekład: Góry Błękitne; zwane Zachodnimi Górami.

Ered Mithrin – „Góry Szare" rozciągające się ze wschodu na zachód i na północ od Mrocznej Puszczy.

Ered Nimrais – „Góry Białe (Białych Rogów)", wielkie pasmo górskie biegnące ze wschodu na zachód na południe od Gór Mglistych. Góry Białe.

Ered Wethrin – wielki półkolisty łańcuch górski odgraniczający Anfauglith (Ard-galen) od zachodu, a na południu tworzący barierę między Hithlumem a Zachodnim Beleriandem. Przekład: „Góry Cienia" i „Cieniste Góry".

Eregion – „Kraj Ostrokrzewu" przez ludzi zwany Hollinem; królestwo Noldorów założone w Drugiej Erze przez Galadrielę i Celeborna w pobliżu Khazad-dûm; zniszczone przez Saurona. Hollin.

Ereinion – „Szczep Królów", imię nadane Gil-galadowi.

Erelas – czwarte ze wzgórz sygnałowych Gondoru w paśmie Ered Nimrais (nazwa zapewne prenúmorejska, chociaż przypomina sindariński, to jednak nic w tym języku nie oznacza. Było to zielone wzgórze bez drzew, toteż ani przedrostek *er-* [„pojedyncze"] ani słowo *las(s)*] [„liść"] tu nie pasuje).

★ **Erendis** – żona Tar-Aldariona („żona marynarza"), początkowo darząca Tar-Aldariona wielką miłością, później wręcz nienawidząca męża; matka Tar-Ancalimë. Zwana Panią Ziem Zachodnich; Białą Panią z Emerië. Patrz też: *Tar-Elestirnë* i *Uinéniel*.

Eressëa – „Samotna Wyspa" w zatoce Eldamar. Tol-Eressëa.

Eriador – krainy między Górami Mglistymi a Górami Błękitnymi.

Erkenbrand – jeździec Rohanu, Pan Zachodniego Fałdu i Rogatego Kasztelu; za czasów króla Éomera marszałek Zachodniej Marchii.

Eru – „Jedyny", „Ten, który jest sam": Ilúvatar (Eru Ilúvatar).

★ **Eruhantalë** – „Dziękczynienie Eru", jesienne święto Númenoru.

★ **Erukyermë** – „Modlitwa do Eru", wiosenne święto Númenoru.

★ **Erulaitalë** – „Wychwalanie Eru", święto środka lata w Númenorze.

★ **Eryn Galen** – wielka puszcza, zwykle określana w przekładzie jako Wielki Zielony Las (Wielka Zielona Puszcza).

Eryn Lasgalen – „Las Zielonych Liści", nazwa nadana Mrocznej Puszczy po Wojnie o Pierścień.

★ **Eryn Vorn** – „Mroczny Las", wielki przylądek na wybrzeżu Minhiriathu na południe od ujścia Baranduiny.

Esgalduina [Esgalduin] – rzeka w Doriacie rozdzielająca lasy Neldoreth i Regionu, wpadająca do Sirionu.

★ **Estelmo** – giermek Elendura, który przeżył klęskę na polach Gladden.

Estolad – kraina na południe od Nan Elmoth we Wschodnim Beleriandzie, gdzie mieszkali ludzie Bëora i Maracha po przejściu Gór Błękitnych.

Ethir Anduin – „Ujście Anduiny", olbrzymia delta rzeczna Wielkiej Rzeki w zatoce Belfalas.

★ **Ethraid Engrin** – sindarińska nazwa (w liczbie pojedynczej Athrad Angren) brodów na Isenie.

Evendim – patrz: *Nenuial*.

Faelivrin – imię nadane Finduilas przez Gwindora.

Falas – zachodnie wybrzeże Beleriandu, na południe od Nevrastu. Przystanie Falas.

Falastur – „Władca Wybrzeża", imię Tarannona, dwunastego króla Gondoru.

Falathrim – elf z Telerich w Falas, jego panem był Círdan.

Fallohidzi [Fallohides] – jeden z trzech szczepów hobbitów opisanych w *Prologu* do *Władcy Pierścieni*.

Fałd – region Rohanu wokół Edoras, części Ziem Królewskich.

Fangorn – (1) najstarszy z entów, strażnik lasu Fangorn. Przekład: Drzewiec. (2) Las Fangorn na południowo-wschodnim krańcu pasma Gór Mglistych nad górnym biegiem Rzeki Entów i Limlight. Patrz: *Las Entów*.

Faramir (1) – młodszy syn Ondohera, króla Gondoru; zginął w bitwie z Woźnikami.

Faramir (2) – młodszy syn Denethora II, namiestnika Gondoru; Kapitan Straży Ithilien; po Wojnie o Pierścień książę Ithilien i namiestnik Gondoru.

Faroth – patrz: *Taur-en-Faroth*.

Fëanor – najstarszy z synów Finwëgo, przyrodni brat Fingolfina i Finarfina; wódz Noldorów podczas ich buntu przeciwko Valarom; twórca Silmarilów i palantírów.

Fëanturi – „Mistrzowie Duchów", Valarowie Námo (Mandos) i Irmo (Lórien). Patrz: *Nurufantur, Olofantur*.

Felagund – imię, pod którym Finrod był znany po założeniu Nargothrondu; patrz: *Finrod*.

Felaróf – koń Eorla Młodego.

Fenmarch – [bagnisty, jak nazwa wskazuje] region Rohanu na zachód od strumienia Mering.

Ferny – rodzina [Dużych] Ludzi w Bree. Bill Ferny.

Fili – krasnolud z rodu Durina; krewniak i towarzysz Thorina Dębowej Tarczy; zginął w Bitwie Pięciu Armii.

Finarfin – trzeci syn Finwëgo, młodszy z przyrodnich braci Fëanora; pozostał w Amanie po ucieczce Noldorów i władał pozostałymi z tego szczepu w Tirionie; ojciec Finroda, Orodretha, Angroda, Aegnora i Galadrieli.

Finduilas (1) – córka Orodretha, umiłowana przez Gwindora; pojmana w niewolę w Nargothrondzie, zabita przez orków przy Przeprawie na Teiglinie i pochowana pod Haudh-en--Elleth.

Finduilas (2) – córka Adrahila, księcia Dol Amroth; żona Denethora II, namiestnika Gondoru, matka Boromira i Faramira.

Fingolfin – drugi syn Finwëgo, starszy z przyrodnich braci Fëanora; Najwyższy Król Noldorów w Beleriandzie, mieszkał w Hithlumie; zabity przez Morgotha w pojedynku; ojciec Fingona, Turgona i Aredheli.

Fingon – najstarszy syn Fingolfina; Najwyższy Król elfów w Beleriandzie po śmierci ojca; zabity przez Gothmoga podczas Nirnaeth Arnoediad; ojciec Gil-galada.

Finrod – najstarszy syn Finarfina; założyciel Królestwa Nargothrondu, stąd jego imię *Felagund* („Władca Jaskiń"); zginął w obronie Berena w lochach Tol-in-Gauroth.

Finwë – król Noldorów w Amanie; ojciec Fëanora, Fingolfina i Finarfina; zabity przez Morgotha w Formenos.

★ **Firien** – wąwóz, z którego wypływał strumień Mering.

★ **Firienholt** – inna nazwa lasu Firien, o tym samym znaczeniu.

flet – staroangielskie słowo oznaczające „podłogę"; talan.

Folde – region Rohanu blisko Edoras, części Królewskich Ziem.

Folcwine – czternasty król Rohanu, wielki dziad Théodena; przywrócił królestwu wschodnią marchię między Adornem a Iseną.

Fornost – „Północna Forteca"; w pełnym brzemieniu *Fornost Erain* „Północny Gród Królów", siedziba królów Arnoru w Północnych Wzgórzach po opuszczeniu Annúminas.

★ **Forostar** – północny półwysep Númenoru. Przekład: Ziemie Północne, północna kraina.

★ **Forthwini** – syn Marhwiniego; przywódca Éeothéodów za czasów króla Ondohera z Gondoru.

★ **Forweg** – człowiek z Dor-lóminu, wódz bandy banitów (Gaurwaith), do których przystał Túrin; zabity przez Túrina.

Fréalaf – dziesiąty król Rohanu, krewniak króla Helma Żelaznorękiego.

Freca – poddany króla Helma Żelaznorękiego, zginął z ręki swego władcy.

Frodo – Frodo Baggins, hobbit z Shire; Powiernik Pierścienia podczas Wojny o Pierścień.

Frumgar – przywódca Éeothédów podczas ich migracji na północ z Doliny Anduiny.

★ **Galadhon** – ojciec Celeborna.

Galadhrimowie – elfy z Lórien.

★ **Galador** – pierwszy władca Dol Amroth, syn Imrazôra Númenorejczyka i elfki Mithrellas.

Galadriela [Galadriel] – córka Finarfina; jedna z przywódczyń buntu Noldorów przeciwko Valarom; żona Celeborna, wraz z którym została pod koniec Pierwszej Ery w Śródziemiu; władczyni Lothlórien. Zwana Panią Noldorów, Panią ze Złotego Lasu, Białą Panią. Patrz też: *Al(a)táriel*, *Artanis*, *Nerwena*.

★ **Galathil** – brat Celeborna i ojciec Nimloth, matki Elwingi.

Galdor – zwany *Wysokim*; syn Hadora Złotowłosego, przejął po ojcu Dor-lómin; ojciec Húrina i Huora; zginął przy Eithel Sirion.

Gałąź Powrotu – patrz: *oiolairë*.

Gamgee – rodzina hobbitów z Shire. Patrz: *Elanor, Hamfast, Samwise*.

★ **Gamil Zirak** zwany **Starym** – krasnoludzki kowal, nauczyciel Telchara z Nogrodu.

Gandalf – jeden z Istarich (czarodziej), członek Drużyny Pierścienia. Gandalf („Elf z laską") było jego imieniem wśród ludzi Północy. Patrz: *Olórin, Mithrandir, Inkánus, Tharkún, Szary Płaszcz*.

★ **Gaurwaith** – grupa banitów krążących u zachodnich granic Doriathu, do której dołączył Túrin, obejmując rychło przywództwo. Przekład: „Ludzie-wilki".

Gelmir – noldorski elf, który wraz z Arminasem spotkał Tuora w Annon-in-Gelydh, potem ruszył do Nargothrondu, by ostrzec Orodretha.

★ **Gethron** – służący z gospodarstwa Húrina, który wraz z Grithnirem towarzyszył Túrinowi do Doriathu i potem wrócił do Dor-lóminu.

Ghân-buri-Ghân – wódz Drúedainów lub „Dzikich Ludzi" z lasu Drúadan.

Gildia Podróżników – patrz: *Podróżnicy*.

Gil-galad – „Gwiazda Światłości", imię, pod którym był znany Ereinion, syn Fingona. Po śmierci Turgona został ostatnim Najwyższym Królem Noldorów w Śródziemiu; do końca Pierwszej Ery mieszkał w Lindonie; wraz z Elendilem przewodził Ostatniemu Sojuszowi elfów i ludzi, zginął wraz z nim, walcząc z Sauronem. Zwany Królem Elfów. Kraina Gil-galada: Lindon. Patrz: *Ereinion*.

★ **Gilmith** – siostra Galadora, pierwszego władcy Dol Amroth.

Gilraina – rzeka w Lebenninie w Gondorze wpadająca do zatoki Belfalas na zachód od Ethir Anduin.

Gimilkhâd – młodszy syn Ar-Gimilzôra i Inzilbêth; ojciec Ar-Pharazôna, ostatniego króla Númenoru.

★ **Gimilzagar** – drugi syn Tar-Calmacila.

Gimli – krasnolud z rodu Durina, syn Glóina; należał do Drużyny Pierścienia.

Gladden – rzeka spływająca z Gór Mglistych i wpadająca przy polach Gladden do Anduiny; przekład sindarińskiej nazwy *Sîr Ninglor*.

Glamdring – miecz Gandalfa.

Glamhoth – sindarińskie określenie orków.

Glanduina [Glanduin] – „Rzeka-granica (Rzeka graniczna)" płynąca na zachód z Gór Mglistych; w Drugiej Erze południowa granica Eregionu, w Trzeciej Erze część południowej granicy Arnoru. Patrz: *Nîn-in-Eilph*.

★ **Glanhir** – „Strumień graniczny", sindarińska nazwa strumienia Mering.

Glaurung – pierwszy spośród smoków Morgotha; brał udział w Dagor Bragollach, Nirnaeth Arnoediad, oblężeniu Nargothrondu; rzucił czar na Túrina i Nienor; zabity przez Túrina u Cabed--en-Aras. W wielu miejscach zwany tylko Smokiem.

Glithui – rzeka spływająca z Ered Wethrin, dopływ Teiglinu.

Gæmscrafu – „Pieczary (Promiennej) Jasności", stosowana w Rohanie nazwa Aglarondu.

Glóin – krasnolud z rodu Durina, towarzysz Thorina Dębowej Tarczy, ojciec Gimlego.

Glóredhel – córka Hadora Złotowłosego z Dor-lóminu i siostra Galdora.

Glorfindel – elf z Rivendell.

Glornan – patrz: *Lórien* (2).

Gollum – patrz: *Sméagol*.

Golug – nazwa Noldorów w mowie orków.

Gondolin – ukryte miasto króla Turgona, zniszczone przez Morgotha. Zwane Ukrytym Miastem, Ukrytym Królestwem.

Gondolindrimowie – lud Gondolinu. Zwany Ukrytym Ludem.

Gondor – południowe królestwo Númenorejczyków w Śródziemiu. Południowe Królestwo, Królestwo Południa. Gondorczycy.

Gorgoroth – Ered Gorgoroth, „Góry Zgrozy" na północ od Nan Dungortheb.

Gothmog – wódz Barlogów, najwyższy dowódca Angbandu, zabójca Fëanora, Fingona i Ectheliona.

Góry Białe – patrz: *Ered Nimrais*.

Góry Błękitne – patrz: *Ered Lindon*, *Ered Luin*.

Góry Cienia – patrz: *Ered Wethrin*.

Góry Dol-lóminu – patrz: *Dor-lómin*.

Góry Echa – patrz: *Ered Lómin*.

Góry Mgliste – wielki łańcuch górski biegnący z północy na południe Śródziemia; wschodnia granica Eriadoru; w sindarińskim zwane Hithaeglir (często pojawiają się jako Góry).

Góry Mrocznej Puszczy – patrz: *Emyn Duir*, *Emyn-nu-Fuin*.

Góry Okrężne – patrz: *Echoriath*.

Góry Szare – patrz: *Ered Mithrin*.

Góry Turgona – patrz: *Echoriath*.

Greylin – nazwa nadana przed Éothéodów rzece wypływającej spod Ered Mithrin i wpadającej do Anduiny blisko źródeł tej drugiej (interpretacja nazwy poprzez staroangielski wskazuje, że dosłownie nazwa ta wiązała się z głośnym szumem tej rzeki *hlynn* – „nurt rzeczny").

Gríma – doradca króla Théodena i szpieg Sarumana. Zwany Robaczywym Językiem.

Grimbold – jeździec Rohanu z Zachodniego Fałdu; wraz z Elfhelmem przewodził Rohirrimom podczas Drugiej Bitwy u brodów na Isenie; zginął na polach Pelennoru.

Grithnir – służący z gospodarstwa Húrina, który wraz z Gethronem towarzyszył Túrinowi do Doriathu, gdzie umarł.

Grzmiąca Woda – patrz: *Bruinen*.

Gurthang – „Żelazo Śmierci", nazwa miecza Belega Anglachela po przekuciu oręża w Nargothrondzie, od niego pochodziło imię Mormegil, Czarny Miecz. Zwany Czarnym Cierniem Brethilu.

Gwaeron – sindarińska nazwa trzeciego miesiąca „w kalendarzu Edainów". Patrz: *Súlimë*.

Gwaith-i-Mírdain – „Lud Złotników", nazwa cechu, zrzeszenia rzemieślników w Eregionie, spośród których największym był Celebrimbor; w skrócie Mírdain. Dom (Siedziba) Mírdain.

Gwathir – „Rzeka Cienia", wcześniejsza nazwa Gwathló.

Gwathló – rzeka powstała z połączenia nurtów Mitheithel i Glanduiny, granica między Minhiriathem a Enedwaith. W Westronie Szare Rozlewisko. Patrz: *Bitwa nad Gwathló*, *Gwathir*, *Agathurush*.

Gwiazda (Eärendila) – patrz: *Eärendil. Kraj Gwiazdy*, patrz: *Númenor*.

Gwiazda Elendila, Gwiazda Północnego (Królestwa). Patrz: *Elendilmir*.

Gwindor – elf z Nargothrondu; uwięziony w Angbandzie, uciekł i wsparł Belega ratującego Túrina; przywiódł Túrina do Nargothrondu; kochał Finduilas, córkę Orodretha; zginął w Bitwie o Tumhalad.

Hador zwany **Złotowłosym** lub **Złotogłowym** – władca Dor-lóminu, wasal Fingolfina, ojciec Galdora, ojca Húrina; zginął pod Eithel Sirion podczas Dagor Bragollach. Ród, lud, krewni Hadora; syn Hadora, Galdor; dziedzic Hadora, Túrin; Hełm Hadora, patrz: *Smoczy Hełm Dor-lóminu*.

Haladinowie – drugie z kolei plemię człowiecze, które przybyło do Beleriandu; zwane potem ludem Halethy (patrz: *Haletha*).

Haldir – syn Halmira z Brethilu; mąż Glóredheli, córki Hadora z Dor-lóminu; zginął podczas Nirnaeth Arnoediad.

Haletha zwana **Panią Halethą** – przywódczyni Haladinów od Thargelionu do terenów na zachód od Sirionu. Ród, lud Halethy (Halethrimowie). Patrz: *Brethil*.

Halifirien – „Święta Góra", stosowane w Rohanie miano Amon Anwar. Las Halifirien, patrz: *Eilenaer*.

Halimath – dziewiąty miesiąc w kalendarzu Shire. Patrz: *Yavannië, Ivanneth*.

★ **Hallacar** – syn Hallatana z Hyarastorni; mąż Tar-Ancalimë, pierwszej rządzącej królowej Númenoru, skłócony z nią. Patrz: *Mámandil*.

Hallas – syn Ciriona; trzynasty rządzący namiestnik Gondoru; twórca słów Rohan i Rohirrimowie.

★ **Hallatan** – władca Hyarastorni w Mittalmarze (Ziemiach Wewnętrznych) w Númenorze; kuzyn Tar-Aldariona. Zwany Panem Pasterzy.

Halmir – wódz Haladinów, ojciec Haldira.

Háma – wódz gwardii króla Théodena.

Hamfast Gamgee – ojciec Sama Gamgee (imię *Hamfast* wywodzi się ze staroangielskiego i znaczy: domator).

Handir – władca Haladinów, syn Haldira i Glóredhel. Syn Handira, Brandir Kulawy.

Harad – „Południe", ogólne określenie krain na południe od Gondoru i Mordoru. Bliski Harad; Daleki Harad.

Haradrimowie – mieszkańcy Haradu.

Haradwaith – „Południowcy" z Haradu.

Haretha – córka Halmira z Brethilu, żona Galdora z Dor-lóminu, matka Húrina i Huora.

Harfootowie – jeden z trzech szczepów hobbitów (patrz: *Fallohidzi*).

Harlindon – Lindon na południe od zatoki Lhûn.

Harrowdale – dolina Śnieżnego Potoku u stóp Dunharrow.

★ **Hatholdir** – człowiek z Númenoru, przyjaciel Tar-Meneldura, ojciec Orchaldora.

Haudh-en-Elleth – kurhan, w którym pochowano Finduilas z Nargothrondu przy Przeprawie przez Teiglin.

Haudh-en-Ndengin – „Kurhan Poległych" na pustkowiu Anfauglith, gdzie złożono poległych (elfów i ludzi) podczas bitwy Nirnaeth Arnoediad.

Haudh-en-Nirnaeth – „Kurhan Łez", inna nazwa „Kurhanu Poległych" (zwany też Wielkim Kurhanem).

Helcaraxë – cieśnina między Amanem a Śródziemiem. Zwana Cieśniną Lodowej Kry.

Helm – król Helm Żelaznoręki, dziewiąty król Rohanu. Patrz: *Helmowy Jar*.

Helmowa Dolina – dolina wiodąca do Helmowego Jaru w Zachodnim Fałdzie.

Helmowy Jar – głęboka rozpadlina w północno-zachodniej części Ered Nimrais; u wejścia do niej zbudowano Rogaty Kasztel; nazwana od króla Helma, który schronił się tam przed wrogami podczas Długiej Zimy na przełomie 2758/59 roku Trzeciej Ery.

Helmowy Strumień – strumień wypływający z Helmowego Jaru do Zachodniego Fałdu.

Hełm Hadora – patrz: *Smoczy Hełm Dor-lóminu*.

★ **Henderch** – człowiek z Ziem Zachodnich Númenoru, marynarz Tar-Aldariona.

Henneth Annûn – „Okno Zachodzącego Słońca", nazwa jaskini pod wodospadem w Ithilien.

★ **Heren Istarion** – „Bractwo Czarodziejów".

★ **Herucalmo** – mąż Tar-Vanimeldë, trzeciej Rządzącej Królowej Númenoru; po jej śmierci przejął tron, przybierając imię Tar-Anducala.

Herunúmen – patrz: *Tar-Herunúmen*.

Hildifons Took – jeden z wujów Bilba Bagginsa.

★ **Hirilondë** – „Znajdujący przystań, zawsze wracający do przystani", wielki statek zbudowany przez Tar-Aldariona. Patrz: *Turufano*.

Híril orn – ogromny buk o trzech pniach, rosnący w Doriacie, więzienie Lúthien.

Hísimë – quenejska nazwa jedenastego miesiąca według kalendarza Númenoru, odpowiada listopadowi. Patrz: *Hithui*.

Hithaeglir – sindarińska nazwa Gór Mglistych.

Hithlum – region otoczony ze wschodu i południa Ered Wethrin, na zachodzie Ered Lómin.

Hithui – sindarińska nazwa jedenastego miesiąca. Patrz: *Hísimë*.

Hoarwell – patrz: *Mitheithel*.

Hobbiton – wioska Bilba Bagginsa w Zachodniej Ćwiartce Shire.

Hollin – patrz: *Eregion*.

Holman – hobbit z Shire, ogrodnik Bilba Bagginsa.

Hunthor – człowiek z Brethilu, towarzysz Túrina podczas ataku na Glaurunga w Cabed-en- -Aras. Żona Hunthora.

Huor – syn Galdora z Dor-lóminu, mąż Ríany i ojciec Tuora; wraz z bratem, Húrinem, wyruszył do Gondolinu; zginął w Nirnaeth Arnoediad. Syn Huora, Tuor.

huornowie – drzewa, które wzięły udział w Bitwie o Rogaty Kasztel i unieszkodliwiły orków.

Húrin (1) – zwany *Thalion*. Przekład: Nieugięty, Silny. Syn Galdora z Dor-lóminu, mąż Morweny, ojciec Turina i Nienor; władca Dor-lóminu, wasal Fingona; wraz z bratem, Huorem, wyruszył do Gondolinu; pojmany przez Morgotha podczas Nirnaeth Arnoediad, oparł się jednak i został osadzony na wiele lat na Thangorodrimie; po uwolnieniu zabił w Nargothrondzie Mîma i przyniósł królowi Thingolowi Nauglamír.

Húrin (2) – Húrin z Emyn Arnen, namiestnik króla Minardila, założyciel dynastii namiestników Gondoru.

★ **Hyarastorni** – krainy we władztwie Halatana z Mittalmaru w Númenorze.

Hyarmendacil I – „Zwycięzca Południa", piętnasty król Gondoru.

★ **Hyarnustar** – „Ziemie południowego zachodu", południowo-zachodni półwysep Númenoru.

★ **Hyarrostar** – „Ziemie południowego wschodu", południowo-wschodni półwysep Númenoru.

★ **Îbal** – chłopak z Emerië w Númenorze, syn Ulbara, marynarza Tar-Aldariona.

Ibun – jeden z synów krasnoluda pośledniego Mîma.

Idril (Celebrindal) – córka Turgona z Gondolinu, żona Tuora, matka Eärendila.

Ilúvator – „Ojciec Ardy", Eru.

Imladris – sindarińska nazwa Rivendell. Przełęcz Imladris, patrz: *Cirith Forn en Andrath*.

Imrahil – władca Dol Amroth w czasie Wojny o Pierścień.

★ **Imrazôr** – zwany „Númenorejczykiem", wziął za żonę elfkę Mithrellas, ojciec Galadora, pierwszego władcy Dol Amroth.

Indis – elfka z plemienia Vanyarów; druga żona Finwëgo, matka Fingolfina i Finarfina.

★ **Indor** – człowiek z Dor-lóminu, ojciec Aeriny.

★ **Inglor** – odrzucone imię Finroda.

Inkánus – imię nadane Gandalfowi „na Południu".

Inziladûn – patrz: *Ar-Inziladûn, Númellótë*.

Inzilbêth – żona Ar-Gimilzôra; z rodu władców Andúnië; matka Inziladûna (Tar-Palantira).

★ Îrimon – imię nadane Tar-Meneldurowi.

Irmo – Valar, mistrz wizji i marzeń, zwykle zwany Lórien (od miejsca zamieszkania w Valionorze). Patrz: *Fëanturi, Olofantur*.

Isena – rzeka płynąca z Gór Mglistych przez Nan Curunír (Dolinę Czarodzieja), a dalej przez Wrota Rohanu; przekład sindarińskiej nazwy Angren na modłę Rohirrimów. Patrz: *brody na Isenie*.

Isengard – númenorejska warownia w dolinie zwanej (od czasu zajęcia twierdzy przez Sarumana) Nan Curunír na południowym krańcu pasma Gór Mglistych; przekład (według mowy Rohanu) sindarińskiej nazwy Agrenost.

Isengar Took – jeden z wujów Bilba Bagginsa.

Isildur – starszy syn Elendila, wraz z bratem Anárionem i ojcem uciekł z Númenoru przed Upadkiem; jeden z założycieli númenorejskich królestw w Śródziemiu; władca Minas Ithil; odciął Rządzący Pierścień z dłoni Saurona; zabity przez orków w wodach Anduiny, gdy Pierścień zsunął mu się z palca.

★ Isilmë – córka Tar-Elendila, siostra Silmariën.

★ Isilmo – syn Tar-Súriona; ojciec Tar-Minastira.

Istari – Majarowie wysłani w Trzeciej Erze z Amanu do Śródziemia, aby stawić czoło Sauronowi; sindarińskie *Ithryn* (patrz: *Ithryn Luin*). Przekład: czarodzieje. Patrz: *Heren Istarion*.

★ Ithilbor – nandorski elf, ojciec Saerosa.

Ithilien – teren należący do Gondoru, na wschód od Anduiny, we wcześniejszych wiekach własność Isildura, władany z Minas Ithil. Północne Ithilien; Południowe Ithilien.

★ Ithryn Luin – dwaj istari, którzy poszli na wschód Śródziemia i nigdy stamtąd nie wrócili (liczba pojedyncza ithron). Przekład: „Błękitni Czarodzieje". Patrz: *Alatar, Pallando*.

Ivanneth – sindarińska nazwa dziewiątego miesiąca. Patrz: *Yavannië*.

Ivrin – jezioro i wodospad pod Ered Wethrin, źródło rzeki Narog.

Jeźdźcy – (1) patrz: *Éothéodzi*. (2) Jeźdźcy Rohanu, patrz: *Rohirrimowie*. (3) Czarni Jeźdźcy, patrz: *Nazgûle*.

Kamień Eärendila – patrz: *Elessar* (1).

Kamień Elfów – patrz: *Elessar* (1) i (2).

Khamûl Nazgûl – drugi po Wodzu; mieszkał w Dol Guldur po ponownym przejęciu twierdzy w Trzeciej Erze. Zwany Cieniem Wschodu, Czarnym Easterlingiem.

Khand – południowo-wschodnia część Mordoru.

Khîm – jeden z synów pośledniego krasnoluda, Mîma; zabity przez Andróga.

kirinki – małe ptaki númenorejskie o szkarłatnym upierzeniu.

Klin Lórien – trójkątny cypel Lórien między zbiegiem rzek Celebrant i Anduina.

Kolumna (Niebios) – patrz: *Meneltarma*.

Korsarze z Umbaru – patrz: *Umbar*.

Kraina Daru – patrz: *Númenor, Yozayan*.

Kraina Gwiazdy – Númenor, przekład quenejskiej nazwy Elenna-nore, wyrażenie ze Ślubowania Ciriona.

Kraj (Kraina) Wierzb – patrz: *Nan-tathren*.

Kresy Emnetu Wschodniego [Wold] – północny kraniec Emnetu Wschodniego (*emnet* – staroangielskie określenie „równiny") w Rohanie.

Królestwa Dúnedainów – Arnor i Gondor.

Królestwo Południa – patrz: *Gondor*.

Królewska Droga – patrz: *drogi*.

Królewskie Ziemie – w Númenorze, patrz: *Arandor*.

Królowie Ludzi (Królowie plemienia człowieczego) – patrz: *Númenorejczycy*.

Król pod Górą – władca krasnoludów z Ereboru. Królestwo pod Górą.

Kryształ Anoru – palantír z Minas Anor.

Kryształ Ithilu – palantír z Minas Ithil.

Kryształy – patrz: *palantíry*.

Księga Królów – jedna z kronik Gondoru.

Księga Namiestników – patrz: *Namiestnicy Gondoru*.

Księga Thana – kopia *Czerwonej Księgi* Zachodniej Marchii sporządzona na żądanie króla Elessara i dostarczona mu przez Peregrina Tooka, gdy ten wrócił do Gondoru; uzupełniona później w Minas Tirith.

Kurhany – wzgórza na wschód od Starego Lasu, nekropolia wzniesiona podobno w Pierwszej Erze przez praojców Edainów, zanim przeszli do Beleriandu. Patrz: *Tyrn Gorthad*.

Labadal – imię, którym młody Túrin określał Sadora.

Ladros – krainy na północny wschód od Dorthonionu przekazane przez królów Noldorów ludziom z rodu Bëora.

lairelossë – „lato śnieżnobiałe", wonne, wiecznie zielone drzewo przywiezione do Númenoru przez Eldarów z Eressëi.

Lalaith – „Śmiech", imię Urweny, córki Húrina, pochodziło od nazwy strumienia płynącego obok domu Húrina. Patrz: *Nen Lalaith*.

Lamedon – tereny nad górnym biegiem rzek Ciril i Ringló u południowych stoków Ered Nimrais.

Lammoth – tereny na północ od fiordu Drengist, między Ered Lómin a Morzem.

Langstrand – patrz: *Anfalas*.

* Langwell – „Źródło Długiej Wody", nazwa nadana przez Éothéodów rzece płynącej z północnej części Gór Mglistych, która po połączeniu się z Greylinem tworzyła Długą Wodę (Anduinę).

* lár – liga (blisko trzy mile) [pięć kilometrów].

* Larnach – jeden z ludzi lasu w krainach na południe od Teiglinu. Córka Larnacha.

las Anwar – patrz: *las Firien, Amon Anwar*.

Las Entów – nazwa Lasu Fangorn stosowana w Rohanie.

las Firien – w pełnym brzmieniu las Halifirien; w Ered Nimrais nad brzegami strumienia Mering i na stokach Halifirien. Zwany też Firienholt, Szepczący Las i Las Grozy.

Laurelin – „Pieśń Złota", młodsze z Dwóch Drzew Valinoru. Zwane Drzewem Słońca, Złocistym Drzewem Valinoru.

Laurelindorinan – „Dolina Śpiewającego Złota", patrz: *Lórien* (2).

Laurenandë – patrz: *Lórien* (2).

* laurinquë – żółto kwitnące drzewa z Hyarrostaru w Númenorze.

Lebennin – „Pięć Rzek" (czyli Erui, Sirith, Celos, Serni i Gilraina), kraina między Ered Nimrais a Ethir Anduin; jedno z „wiernych lenn" Gondoru.

Lefnui – rzeka wypływająca z zachodniego krańca Ered Nimrais i dążąca do morza (nazwę wykłada się jako „piąta" – piąta z rzek Gondoru wpadających bądź do Anduiny, bądź do zatoki Belfalas, pozostałe to: Erui, Sirith, Serni i Morhtond).

Legolas – sindariński elf z Północy Mrocznej Puszczy, syn Thranduila; jeden z członków Drużyny Pierścienia.

lembasy – sindarińska nazwa chleba Eldarów.

Léod – władca Éothéodów, ojciec Eorla Młodego.

Leśna Droga – patrz: *drogi*.

Leśna Rzeka – rzeka płynąca z Ered Mithrin przez północ Mrocznej Puszczy do Długiego Jeziora.

Leśny Dwór – wioska w Shire u stóp stoków Leśnego Zaułka.

Lhûn – rzeka w zachodnim Eriadorze wpadająca do Zatoki Lhûn.

Limlight – rzeka płynąca przez las Fangorn do Anduiny, stanowiąca najdalej wysuniętą na północ granicę Rohanu.

Linaewen – „Jezioro ptaków", wielkie bagniska w Nevraście.

Lindar – „Śpiewacy", nazwa Telerich stosowana przez to plemię.

Lindon – nazwa Ossiriandu w Pierwszej Erze; potem stosowano ją wobec terenów na zachód od Gór Błękitnych (Ered Lindon), które pozostały ponad wodami.

Lindórië – siostra Eärendura, piętnastego władcy Andúnië, matka Inzilbëth, matki Tar-Palantira.

★ **Lindórinand** – patrz: *Lórien* (2).

★ **Lisgardh** – kraina trzcin u ujścia Sirionu.

★ **lissuin** – wonny kwiat rosnący na Tol Eressëi.

loa – rok słoneczny elfów.

Loeg Ningloron – „Stawy złocistych kwiatów wodnych", sindarińska nazwa pól Gladden.

★ **Lond Daer** – númenorejska przystań i stocznie w Eriadorze u ujścia Gwathló; założone przez Tar- -Aldariona, który nazwał port Vinyalondë. Przekład: „Wielka Przystań". Zwana też Lond Daer Enedh, „Wielka Środkowa Przystań".

Lorgan – wódz Easterlingów z Hithlumu po Nirnaeth Arnoediad; uwięził Tuora.

Lórien (1) – nazwa siedziby Valara zwanego poprawnie Irmo, zwącego się przeważnie Lórien, w Valinorze.

Lórien (2) – kraina Galadhrimów między Celebrantem a Anduiną. Znanych jest też wiele innych nazw tego miejsca: nandorska Lórinand; quenejska Laurenandë, sindarińska *Glornan, Nan Laur*. Wywiedziona ze starszej formy Lindórinand, „Dolina Krainy Śpiewaków"; Laurelindórinan, „Dolina Śpiewającego Złota". Zwana również Złotym Lasem; patrz też: *Dwimordene, Lothlórien*.

★ **Lórinand** – patrz: *Lórien* (2).

Lossarnach – obszar na północny wschód od Lebenninu ponad źródłami rzeki Erui (nazwa ma znaczyć „Kwietny Arnach", Arnach to nazwa przednúmenorejska).

Lótessë – quenejska nazwa piątego miesiąca w kalendarzu númenorejskim, odpowiada majowi. Patrz: *Lothron*.

Lothíriel – córka Imrahila z Dol Amroth; żona króla Éomera z Rohanu, matka Elfwina Pięknego.

Lothlórien – nazwa Lórien połączona z sindarińskim słowem *loth*, „kwiat".

Lothron – sindarińska nazwa piątego miesiąca. Patrz: *Lótessë*.

ludzie lasu, leśni ludzie – (1) mieszkańcy lasów na południe od Teiglinu nękani przez Gaurwaith. (2) Mieszkańcy Brethilu. (3) W Wielkim Zielonym Lesie.

Ludzie Północy – jeźdźcy Rhovanionu, sojusznicy Gondoru, w dawnych czasach spokrewnieni z Edainami; przodkowie Éothéodów (Wolni Ludzie Północy).

Ludzie Króla (Stronnictwo, Frakcja Króla) – Númenorejczycy wrodzy Eldarom.

Ludzie Morza – patrz: *Númenorejczycy*.

Ludzie-Wilki – patrz: *Gaurwaith*.

Lúthien – córka Thingola i Meliany; po zakończonej walce o Silmaril i śmierci Berena postanowiła podzielić jego los śmiertelnika. Zwana Tinúviel, „Słowik".

Mablung zwany **Myśliwym** – elf z Doriathu, głównodowodzący Thingola, przyjaciel Túrina.

Maedhros – najstarszy syn Fëanora.

Maeglin – syn Eöla i Aredheli, siostry Turgona; zyskawszy wysoką pozycję w Gondolinie, wyjawił położenie miasta Morgothowi; zginął z ręki Tuora podczas upadku Gondolinu.

Maggot, farmer (Stary) – hobbit z Shire gospodarujący w Marish w pobliżu promu Bucklandu.

Majarowie [**Maiar**, liczba pojedyncza **Maia**] – Ainurowie rangi niższej od Valarów.

★ **Malantur** – Númenorejczyk, potomek Tar-Elendila.

Malduina – dopływ Teiglinu.

★ **Malgalad** – król Lórien, zginął w Bitwie na Równinie Dagorlad; według wszelkich znaków postać tożsama z Amdírem.

mali ludzie – hobbici.

★ **malinornë** (liczba mnoga *malinorní*) – quenejska nazwa mallornu.

mallorn – nazwa wielkich drzew o złocistych kwiatach, przywiezionych z Tol Eressëi do Eldalondë w Númenorze, potem rosnących w Lórien.

mallos – złocisty kwiat Lebenninu.

★ **Mámandil** – imię przybrane przez Hallakara przy pierwszym spotkaniu z Ancalimë.

Mandos – imię Valara z Amanu, poprawnie Námo, sam zwykle jednak zwał się Mandosem.

Manwë – przywódca Valarów. Zwany Starszym Królem. Patrz: *Świadkowie Manwëgo*.

Marchia – nazwa Rohanu wśród Rohirrimów. Riddermarchia; Marchia Jeźdźców. Patrz: *Wschodnia Marchia, Zachodnia Marchia*.

Mardil – pierwszy rządzący namiestnik Gondoru. Zwany Voronwëm, „Wiernym", i „Dobrym Namiestnikiem".

★ **Marhari** – przywódca Ludzi Północy podczas Bitwy na Równinach, gdzie zginął; ojciec Marhwiniego.

★ **Marhwini** – „Przyjaciel koni", wódz Ludzi Północy (Éothéodów), który po Bitwie na Równinach osiadł w Dolinie Anduiny; sprzymierzeniec Gondoru przeciwko Woźnikom.

Martwe Bagna – rozległe bagniska na południowym wschodzie Emyn Muil, widywano w nich poległych podczas Bitwy na Równinie Dagorlad.

mearasy – konie Rohanu.

Meliana – z Majarów, żona króla Thingola z Doriathu, który chroniła zaklęciem; matka Lúthien i przodkini Elronda i Elrosa. Obręcz Meliany.

Melkor – wielki zbuntowany Valar, siewca zła, pierwotnie najpotężniejszy z Ainurów; potem zwany Morgothem.

Menegroth – „Tysiąc Jaskiń", ukryty pałac Thingola i Meliany nad rzeką Esgalduiną w Doriacie.

Menel – niebiosa, sfera gwiazd.

Meneldil – syn Anariona, trzeci król Gondoru.

Meneldur – patrz: *Tar-Meneldur*.

Meneltarma – góra pośrodku Númenoru, na jej wierzchołku mieściło się Miejsce Święte, oddane Eru Ilúvatarowi (patrz: *Eru*). Przekład: Kolumna (Niebios). Zwana też Świętą Górą, Świętą Górą Númenorejczyków.

★ **Men-i-Naugrim** – „Droga Krasnoludów", nazwa Starej Drogi Leśnej.

Meriadoc Brandybuck – hobbit z Shire, jeden z członków Drużyny Pierścienia.

Methed-en-Glad – „Koniec Lasu", warownia w Dor-Cúarthol na skraju puszczy na południe od Teiglinu.

Mędrcy – Istari, najpotężniejsi Eldarowie w Śródziemiu. Patrz: *Biała Rada*.

Mieszkający w Głębinach, **Mieszkaniec Głębin** – patrz: *Ulmo*.

Mîm – pośledni krasnolud, w którego siedzibie (Bar-en-Danwedh) na Amon Rûdh zamieszkał z bandą banitów Túrin; zdradził to miejsce orkom; zabity przez Túrina w Nargothrondzie.

Minalcar – patrz: *Rómendacil II.*

Minardil – dwudziesty piąty król Gondoru.

Minas Anor – „Wieża Słońca”, zwana potem Minas Tirith; miasto Anáriona u stóp góry Mindolluiny. Patrz: *Kryształ Anoru.*

Minas Ithil – „Wieża Księżyca”, potem zwana Minas Morgul; miasto Isildura wzniesione na stoku Ephel Dúath. Patrz: *Kryształ Ithilu.*

Minas Morgul – „Wieża Złych Czarów”, nazwa Minas Ithil po zajęciu jej przez Upiory Pierścienia.

Minastir – patrz: *Tar-Minastir.*

Minas Tirith (1) – „Wieża Czat” zbudowana przez Finroda Felagunda na Tol Sirion.

Minas Tirith (2) – późniejsza nazwa Minas Anor. Biała Wieża Minas Tirith. Patrz: *Mundburg.*

Minhiriath – „Między Rzekami”, część Eriadoru między Baranduiną a Gwathló.

★ **Minohtar** – krewniak króla Ondohera; zginął w Ithilien w 1944 roku Trzeciej Ery podczas bitwy z Woźnikami.

Min-Rimmon – „Szczyt Rimmonu” (skupiska urwistych skał), piąte ze wzgórz sygnałowych Gondoru w paśmie Ered Nimrais.

Mírdain – patrz: *Gwaith-i-Mírdan.*

Míriel – patrz: *Tar-Miriel.*

miruvor – kordiał Eldarów.

Mistrz Łuku – patrz: *Beleg.*

Mitheithel – rzeka w Eriadorze płynąca z wrzosowisk Etten do Bruineny (Grzmiącej Wody). Przekład nazwy: Hoarwell.

Mithlond – przystań Eldarów w zatoce Lhûn, władztwo Círdana. Przekład: Szare Przystanie.

Mithrandir – imię Gandalfa używane przez elfy w Śródziemiu. Przekład: Szary Pielgrzym; Szary Wędrowiec; także: Szary Wysłannik.

★ **Mithrellas** – elfka z Lorien, towarzyszka Nimrodel; wzięta za żonę przez Imrazôra Númenorejczyka; matka Galadora, pierwszego władcy Dol Amroth.

mithril – metal znany jako „srebro Morii”, znajdowany również w Númenorze.

Mithrim – nazwa wielkiego jeziora na wschód od Hithlumu, jak i okolicznej krainy i gór na zachodzie, oddzielających Mithrim od Dor-lóminu.

★ **Mittalmar** – centralne ziemie Númenoru, przekład: Ziemie Wewnętrzne.

Morannon – główne (północne) wejście do Mordoru. Przekład: Czarna Brama (Wrota); zwane też Bramą (Wrotami) Mordoru. Wieże Strażnicze Morannonu; patrz: *Zęby Mordoru.*

Mordor – kraina pod bezpośrednim władaniem Saurona, na wschód od Ephel Dúath.

Morgai – „Czarny Mur”, wewnętrzne wobec Ephel Dúath i znacznie niższe pasmo wzgórz oddzielone od poprzedniego łańcucha głęboką rozpadliną; wewnętrzny pas obronny Mordoru.

Morgoth – późniejsze imię Melkora. Zwany Czarnym Królem; Czarnym Władcą; Nieprzyjacielem (Wrogiem); Bauglirem; oraz (przez Dúnedainów) Wielkim Mrocznym.

Morgulu, król – patrz: *Wódz Nazgûli, Minas Morgul.*

Moria – „Czarna Otchłań”, późniejsza nazwa największego dzieła krasnoludów, w Górach Mglistych. Wschodnia Brama Morii; Zachodnia Brama. Patrz: *Khazad-dûm.*

Mormegil – imię nadane Túrinowi, gdy był dowódcą wojsk Nargothrondu, ze względu na jego miecz, używane potem przez Túrina w Brethilu. Przekład: „Czarny Miecz”. Patrz: *Gurthang.*

Morthond – „Czarny Korzeń”, rzeka wypływająca z mrocznej doliny na południe od Edoras, zwanej Mornan, nie tylko za sprawą dwóch górujących nad nią wysokich szczytów, ale ponieważ wiodła do Bramy Umarłych i żywi tam nie chadzali.

Morwena (1) – córka Beragunda (krewniaka Barahira, ojca Berena), żona Húrina i matka Túrina i Nienor. Patrz: *Eledhwen, Dor-lómin.*

Morwena (2) z Lossarnach – kobieta z Gondoru, krewna księcia Imrahila; żona króla Rohanu Thengela.

Mroczna Puszcza – wielka puszcza na wschód od Gór Mglistych; wcześniej zwana Eryn Galen, Wielkim Zielonym Lasem (Wielką Zieloną Puszczą). Patrz: *Taur-nu-Fuin*, *Taur-e-Ndaelos*, *Eryn Lasgalen*, *Góry Mrocznej Puszczy*.

Mundburg – „Strażnicza Forteca", stosowana w Rohanie nazwa Minas Tirith.

Namiestnicy Gondoru – patrz: *Arandur*.

Námo – Valar, zwykle zwany Mandosem od miejsca zamieszkania. Patrz: *Fëanturi*, *Nurufantur*.

Nandorowie (nandorskie elfy) – elfy z oddziałów Telerich, które odmówiły przekroczenia Gór Mglistych podczas Wielkiej Wędrówki z Cuiviénen. Część z nich, prowadzona przez Denethora, przeszła długo później Góry Błękitne i osiedliła się w Ossiriandzie (Elfy Zielone); pozostali zamieszkujący na wschód od Gór Mglistych to Elfy Leśne.

Nanduhirion – dolina górska wokół Zwierciadlanego Jeziora naprzeciwko Bramy Morii; przekład: Dolina Ciemnego Strumyka. Bitwa w Dolinie Nanduhirion; patrz: *Azanulbizar*.

⋆ Nanduina [Nanduinë] – rzeka na zachodzie Númenoru wpadająca do morza w Eldalondë.

⋆ Nan Laur – patrz: *Lórien*.

Nan-tathren – „Dolina wierzb", gdzie rzeka Narog wpadała do Sirionu.

narada u Elronda – zebranie zorganizowane w Rivendell przed wyruszeniem Drużyny Pierścienia.

Narbeleth – sindarińska nazwa trzeciego miesiąca. Patrz: *Narquelië*.

Nardol – „Ognista Głowa", trzecie ze wzgórz sygnałowych Gondoru w paśmie Ered Nimrais.

Nargothrond – „Wielka podziemna forteca nad rzeką Narog", założona przez Finroda Felagunda i zniszczona przez Glaurunga; również królestwo Nargothrondu, rozciągające się na wschód i na zachód z biegiem Narogu. Patrz: *Narog*.

Narmacil I – siedemnasty król Gondoru.

Narmacil II – dwudziesty dziewiąty król Gondoru, zginął w Bitwie na Równinach.

Narog – największa rzeka Zachodniego Beleriandu, wypływająca z Ivrinu pod Ered Wethrin i wpadająca do Sirionu w Nan-tathren.

Narquelië – „Słabnące słońce", quenejska nazwa dziesiątego miesiąca w kalendarzu Númenoru, odpowiada październikowi. Patrz: *Narbeleth*.

Narsil – miecz Elendila, złamany w chwili śmierci właściciela podczas walki z Sauronem; przekuty dla Aragorna i nazwany Andúril.

Narvi – krasnolud z Khazad-dûmu, twórca Zachodniej Bramy, bliski przyjaciel Celebrimbora z Eregionu.

Narya – jeden z Trzech Pierścieni Elfów, noszony najpierw przez Círdana, potem przez Mithrandira. Zwany Pierścieniem Ognia; Czerwonym Pierścieniem; Trzecim Pierścieniem.

Następca tronu – sukcesor króla w Númenorze.

Nazgûle – niewolnicy Dziewięciu Pierścieni i główni słudzy Saurona. Upiory Pierścienia; (Czarni) Jeźdźcy; Dziewięciu. Patrz: *Wódz Nazgûli*, *Khamûl*.

Neithan – „Skrzywdzony" [dosł. „Ze wszystkiego odarty"]. Imię, które przybrał Túrin między banitami.

⋆ Nellas – elfka z Doriathu, w dzieciństwie przyjaciółka Túrina; świadek podczas procesu przed Thingolem, zeznawała na korzyść Túrina.

Nen Girith – „Drżąca Woda", nazwa Dimrostu, wodospadów Celebrosu w lesie Brethil.

Nénimë – quenejska nazwa drugiego miesiąca w kalendarzu Númenoru, odpowiada lutemu. Patrz: *Nínui*.

⋆ Nen Lalaith – strumień wypływający spod Amon Darthir w Ered Wethrin i płynący obok domu Húrina w Dor-lóminie. Patrz: *Lalaith*.

Nenning – rzeka w Zachodnim Beleriandzie, u jej ujścia zbudowano przystań Eglarest.

Nenuial – „Jezioro Zmierzchu (Półmroku)" między odnogami Wzgórz Evendim (Emyn Uial) na północ od Shire, zbudowano nad nim najstarszą númenorejską osadę w Annúminas.

Nenya – jeden z Trzech Pierścieni Elfów, noszony przez Galadrielę. Zwany Białym Pierścieniem.

★ **Nerwena** – imię nadane Galadrieli przez matkę.

★ **nessamelda** – wonne, wiecznie zielone drzewo przywiezione do Númenoru przez Eldarów z Eressëi (nazwa oznacza zapewne „ukochane przez Nessę", jedną z Valier).

Nevrast – tereny na południowy zachód od Dor-lóminu, gdzie Turgon przemieszkiwał przed udaniem się do Gondolinu.

★ **Nibin-noeg, Nibin-nogrim** – Pośledni Krasnoludowie.

Nienna – jedna z Valier („Królowych Valarów"), Pani współczucia, smutku i żałoby.

Nienor – córka Húrina i Morweny, siostra Túrina; zaczarowana przez Glaurunga pod Nargothrondem, nieświadoma niczego poślubiła swego brata jako Níniel. Przekład: Żałoba.

Nieprzyjaciel – imię nadane Morgothowi i Sauronowi.

Niespokojny Pokój – okres trwający od roku 2063 Trzeciej Ery (kiedy to Sauron opuścił Dol Guldur) do roku 2460, gdy powrócił.

Nieśmiertelne Krainy (Kraje) – Aman i Eressëa. Nieśmiertelne Królestwo.

niezapominki – patrz: *simbelmynë*.

Nimloth (1) – „Białe kwitnienie", Drzewo Númenoru. Białe Drzewo.

Nimloth (2) – elfka z Doriathu, która poślubiła Diora, spadkobiercę Thingola; matka Elwingi.

Nimrodel (1) – „Pani Białej Groty", elfka z Lórien, ukochana Amrotha, mieszkała nad wodospadami Nimrodel, aż odeszła na południe i zaginęła w Ered Nimrais.

Nimrodel (2) – górski potok wpadający do Celebrantu (Srebrnej Żyły), nazwany tak od elfki Nimrodel, która nad nim mieszkała.

★ **Nindamos** – główna osada rybacka na południowym wybrzeżu Númenoru u ujścia Siril.

Níniel – „Dziewczyna we łzach", imię, które Túrin nadał Nienor, nieświadom, że ma do czynienia ze swoją siostrą.

★ **Nîn-in-Eilph** – „Wodna Kraina Łabędzi", wielkie bagniska w dolnym biegu rzeki zwanej (w górnym biegu) Glanduiną. Przekład: Rzeka Łabędzi.

Nínui – sindarińska nazwa drugiego miesiąca. Patrz: *Nénimë*.

Nirnaeth Arnoediad – „Bitwa Nieprzeliczonych Łez" opisana w *Silmarillionie*, zwykle zwana Nirnaeth.

★ **Nísimaldar** – kraina wokół przystani Eldalondë w zachodnim Númenorze, przekład w tekście: Wonne Drzewa.

★ **Nísinen** – jezioro i rzeka Nunduinë w zachodnim Númenorze.

niziołki – hobbici; przekład sindarińskiej nazwy *periannath*. Patrz: *Perianie*.

Noegyth Nibin – Pośledni Krasnoludowie. Patrz: *Nibin-noeg*.

Nogothrimowie – krasnoludowie.

Nogrod – jedno z dwóch miast krasnoludzkich w Górach Błękitnych.

★ **Noirinan** – dolina u południowych stóp Meneltarmy, u wejścia do niej chowano królów i królowe Númenoru (Dolina Grobów).

Noldorowie [**Noldor**, liczba pojedyncza **Noldo**] zwani „Mądrymi" („Mistrzami Wiedzy") – drugi z trzech szczepów Eldarów w Wielkiej Wędrówce z Cuiviénen, o którym szeroko opowiada *Silmarillion*.

★ **Nölimon** – imię nadane Vardamirowi, synowi Elrosa.

★ **Núath** – lasy rozciągające się ku zachodowi od górnego biegu rzeki Narog.

★ **Númellótë** – „Kwiat Zachodu" Inziladûn.

★ **Númendil** – siedemnasty władca Andúnië.

Númenor (pełna quenejska nazwa *Númenórë*) „Westernesee", „Zachodnia Kraina" – wielka wyspa przygotowana przez Valarów jako miejsce zamieszkania Edainów po końcu Pierwszej Ery. Zwana Wielką Wyspą, Wyspą Królów, Wyspą Westernesse, Krajem Daru, Krajem Gwiazdy. Patrz: *Akallabêth, Elennanórë, Yôzâyan, Upadek Númenoru*.

Númenorejczycy – ludzie, mieszkańcy Númenoru. Ludzie Morza. Patrz też: *Dúnedainowie, Adûnaic*.

⋆ **Númerrámar** – „Zachodnie skrzydła", „Skrzydła Zachodu", statek Vëantura, na którym Aldarion odbył pierwszą swą podróż do Śródziemia.

⋆ **Núneth** – matka Erendis.

Núrnen – „Smutna Woda", wewnętrzne morze na południu Mordoru.

⋆ **Nurufantur** – jeden z Fëanturich, wcześniejsze „prawdziwe" imię Mandosa (potem: Námo). Patrz: *Olofantur*.

Obieżyświat – imię, pod którym Aragorn znany był w Bree.

⋆ **Oghor-hai** – imię nadane Drúedainom przez orków.

Ohtar – giermek Isildura, który wyniósł szczątki Narsila z pól Gladden do Imladris.

⋆ **oiolairë** – „wieczne lato", wiecznie zielone drzewo przywiezione do Númenoru przez Eldarów z Eressëi. Wycinano z niego Gałąź Powrotu.

Oiolossë – „Zawsze Śnieżnobiała", Góra Manwëgo w Amanie. Patrz: *Amon Uilos, Taniquetil*.

Olofantur – jeden z Fëanturich, wcześniejsze „prawdziwe" imię Lóriena (potem Irmo). Patrz: *Nurufantur*.

Olórin – imię Gandalfa w Valinorze.

Olwë – król Telerich z Alqualondë na wybrzeżu Amanu.

Ondoher – trzydziesty pierwszy król Gondoru, zginął w bitwie z Woźnikami w roku 1944 Trzeciej Ery.

⋆ **Ondosto** – miejsce w Forostarze (Ziemiach Północnych) Númenoru, nazwa związana zapewne z kamienistością okolicy (quen. ondo – „kamień").

⋆ **Onodló** – sindarińska nazwa rzeki Entwash.

Onodrim – sindarińska nazwa entów. Patrz: *Enydowie*.

⋆ **Orchaldor** – Númenorejczyk, mąż Ailinel, siostry Tar-Aldariona; ojciec Soronta.

Orfalch Echor – wielka rozpadlina w Górach Okrężnych, przez którą można było wejść do Gondolinu, zwykle po prostu: Orfalch.

⋆ **Orleg** – człowiek z bandy Túrina, zabity przez orków na drodze do Nargothrondu.

Orodreth – drugi syn Finarfina; król Nargothrondu po śmierci Finroda Felagunda; ojciec Finduilas. Władca Narogu.

Orodruina [Orodruin] – „Góra Ziejąca Ogniem" w Mordorze, wulkan, w którym Sauron wykuł Jedyny Pierścień.

Oromë – jeden z wielkich Valarów, zwany Panem Puszcz.

Oromet – wzgórze blisko Andúnië na zachodzie Númenoru, gdzie zbudowano wieżę Tar-Minastira.

⋆ **Oropher** – król Leśnych Elfów z Wielkiej Zielonej Puszczy.

⋆ **Orrostar** – „Ziemie Wschodnie", wschodni półwysep Númenoru.

Orthank – wielka númenorejska wieża w Kręgu Isengardu, przejęta później przez Sarumana. Kryształ Orthanku, palantír.

Osgiliath – główne miasto dawnego Gondoru wzniesione na obu brzegach Anduiny. Kryształ Osgiliathu, palantír.

Ossë – Majar Morza, wasal Ulma.

Ossiriand – „Kraina Siedmiu Rzek" między rzeką Gelion a Górami Błękitnymi w Dawnych Dniach. Patrz: *Lindon*.

Ostatni Sojusz – przymierze zawarte pod koniec Drugiej Ery między Elendilem a Gil-galadem w celu pokonania Saurona; również: Sojusz, Wojna (Ostatniego) Sojuszu.

Ost-in-Edhil – miasto elfów w Eregionie.

Ostoher – siódmy król Gondoru.

Palantíry (**palantíri**) – siedem Kryształów Widzących przywiezionych przez Elendila i jego synów do Númenoru; dzieło Fëanora z Amanu. Często określane jedynie jako kryształy.

★ **Palarran** – „Daleko wędrujący", „Daleko docierający wędrowiec", wielki statek zbudowany przez Tar-Aldariona.

★ **Pallando** – jeden z „Błękitnych Czarodziei" (Ithryn Luin).

Pan Losu – patrz: *Turambar*.

Pani Dor-lóminu – Morwena, patrz: *Dor-lómin*.

Pani Noldorów – patrz: *Galadriela*.

Pani ze Złotego Lasu – patrz: *Galadriela*.

Pani Ziem Zachodnich – patrz: *Erendis*.

Parmaitë – imię nadane Tar-Elendilowi.

★ **Parth Galen** – „Zielona Łąka", trawiasta okolica na północnych stokach Amon Hen nad brzegami Nen Hithoel.

Parth Celebrant – „Pole (trawiasta równina) Srebrnej Żyły", sindarińska nazwa, zwykle podawana jako pola Celebrantu (Srebrne Pole).

Pelargir – miasto i port w delcie Anduiny.

Pelendur – namiestnik Gondoru.

Pelennor (pola Pelennoru) – „Ogrodzone Ziemie", obwarowane tereny wokół Minas Tirith, strzeżone przez mur Rammas Echor. Stoczono na nich największą z bitew Wojny o Pierścień.

Pelóri – góry na wybrzeżu Amanu.

Peregrin Took – hobbit z Shire, jeden z członków Drużyny Pierścienia. Zwany Pippinem.

perianie [**perian**, liczba mnoga **periannath**] – sindariński przekład nazwy „niziołki".

Piękny Lud – Eldarowie.

Pippin – patrz: *Peregrin Took*.

★ **Płycizny** – dwa wielkie zakola Anduiny skierowane ku zachodowi, zwane Północnymi i Południowymi Płyciznami; między Brunatnymi Polami a północną granicą Rohanu.

Podróżnicy, Gildia Podróżników – stowarzyszenie marynarzy formalnie zawiązane przez Tar-Aldariona. Patrz: *Uinendil*.

pola Gladden – częściowy przekład sindarińskiej nazwy Loeg Ningloron; wielka równina porośnięta trzcinami i irysami (*gladden*) przy połączeniu wód rzeki Gladden i Anduiny.

pola Celebrantu (Srebrne Pole) – częściowy przekład nazwy Parth Celebrant. Trawiasta równina między rzekami Srebrna Żyła (Celebrant) i Limlight; według Gondoru kraina między dolnym biegiem Limlight a Anduiną. Zwrot używany zwykle w nazwie Bitwa na polach Celebrantu, zwycięstwo Ciriona i Eorla nad Balkami w 2510 roku Trzeciej Ery.

Pole Bitwy – patrz: *Dagorlad*.

Południowa Ćwiartka – jedna z części Shire.

Południowe Królestwo – patrz: *Gondor*.

Południowe Wzgórza – wzgórza w Eriadorze na południe od Bree.

Poros – rzeka płynąca z Ephel Dúath i wpadająca do Anduiny ponad deltą. Patrz: *brody na Porosie*.

Pośledni Krasnoludowie – szczep krasnoludów z Beleriandu (opisany w *Silmarillionie*). Patrz: *Nibin-noeg, Noegyth Nibin*.

Północne Królestwo, Królestwo Północy – patrz: *Arnor*.

Północne Wzgórza – wzniesienia w Eriadorze na północ od Shire, gdzie zbudowano Fornost.

prom Bucklebury – prom kursujący po Brandywinie między Bucklebury a Marish.

Przejście Caradhras – patrz: *Caradhras*.

Przejście Imladris – patrz: *Cirith Forn en Andrath*.

Przeprawa – patrz: *Teiglin*.

Przewężenie Puszczy – wcięcie Mrocznej Puszczy spowodowane powstaniem Wschodniej Poręby.

Przybysze – patrz: *Easterlingowie, Brodda*.

Przylądek Północny – zwieńczenie półwyspu Forostar w Númenorze.

Przyjaciele elfów – patrz: *Atani, Edainowie*.

przystanie – (1) Brithombar i Eglarest na wybrzeżu Beleriandu: Przystań Cirdana; Przystań Budowniczych Okrętów; Zachodnie Przystanie Beleriandu. (2) U ujścia Sirionu pod koniec pierwszej Ery: Przystań Południa; przystań Sirionu.

Púkele (Lud Púkelów) – rohańska nazwa posągów stawianych przy drodze do Dunharrow, często używana jako ogólne określenie Drúedainów. Patrz: *Stara (Dawna) Ziemia Púkelów*.

Pustkowie Północne – północna część Śródziemia o nader zimnym klimacie (zwana też: Forodwaith).

Pustkowie Zachodnie – patrz: *Enedwaith*.

Quendi – oryginalna nazwa elfów stosowana przez Eldarów.

quenya, język quenejski – pradawny język wspólny dla wszystkich elfów w takiej formie, jaką przybrał w Valinorze; przeniesiony do Śródziemia przez noldorskich wygnańców, ale porzucony jako mowa codzienna wszędzie prócz Gondolinu. Używany w Númenorze. Szlachetna Mowa, Mowa Zachodu, Mowa Elfów Wysokiego Rodu.

Rada – w różnym kontekście: Rada Berła; Królewska Rada Númenoru; Rada Gondoru. Patrz: *Biała Rada*.

Radagast – jeden z Istarich (czarodziejów). Patrz: *Aiwendil*.

★ **Ragnir** – niewidomy służący z domostwa Húrina w Dor-lóminie.

Rána – „Wędrowiec", nazwa Księżyca.

★ **ranga** – númenorejska miara długości, nieco więcej niż jard.

★ **Ras Morthil** – nazwa Andrastu.

Rath Dínen – „Uliczka Milczenia" w Minas Tirith.

Region – gęsty las porastający południową część Doriath.

Rhosgobel – siedziba Radagasta na skraju Mrocznej Puszczy blisko Carrock (znaczyć to ma „brunatne miasto").

Rhovanion – wielkie pustkowia na wschód od Gór Mglistych.

Rhudaur – jedno z trzech królestw składających się na Arnor w dziewiątym wieku Trzeciej Ery, leżące między Górami Mglistymi, Ettenmoors a Wichrowymi Wzgórzami.

Rhûn – „Wschód", ogólne określenie dalekiego Wschodu Śródziemia.

Ríana [Rían] – żona Huora i matka Tuora.

Riddermarchia – patrz: *Marchia*.

Ringló – rzeka w Gondorze wpadająca do Morthondu na północny wschód od Dol Amroth (nazwę zawdzięczała swym źródłom wypływającym spod topniejących śniegów w wyższych partiach gór).

Rivendell – przekład sindarińskiej nazwy Imladris; siedziba Elronda w głębokiej dolinie w Górach Mglistych.

Rivil – strumień spływający na północ z Dorthonionu i wpadający do Sirionu w moczarach Serech.

Robaczywy Język – patrz: *Gríma*.

★ **Rochan(d)** – patrz: *Rohan*.

★ **Rochon Methestel** – „Jeździec Ostatniej Nadziei", tytuł pieśni o Borondirze Udalrafie.

Rógowie – nazwa Drúedainów w języku Rohirrimów, przekładana jako Wosowie.

Rogaty Kasztel [Hornburg] – forteca Rohanu u wejścia do Helmowego Jaru. Patrz: *Bitwa o Rogaty Kasztel*; *Aglarond, Súthburg*.

Rohan – gondoryjska forma sindarińskiej nazwy Rochan(d), „Kraj koni"; wielka trawiasta równina, pierwotnie część Gondoru, zwana Calenardhon. Patrz: *Marchia, Wrota Rohanu, Rohhirimowie*.

Rohirrimowie – „Władcy koni" z Rohanu. Jeźdźcy Rohanu. Patrz: *Eorlingowie, Éothéodzi*.

Rok Lamentu – rok po Nirnaeth Arnoediad.

Romendacil I – Tarostar, ósmy król Gondoru, który przyjął tytuł Rómendacila, „Zwycięzcy Wschodu", po odparciu pierwszych ataków Easterlingów na Gondor.

Romendacil II – Minalcar, przez wiele lat regent, a potem dziewiętnasty król Gondoru, przyjął tytuł Romendacila po wielkim zwycięstwie nad Easterlingami w 1248 roku Trzeciej Ery.

Rómenna – „Skierowana na wschód", wielka zatoka na wschodzie Númenoru.

★ **Rú, Rúatan** – quenejska forma wywiedziona ze słowa Drughu, odpowiadająca sindarińskiemu terminowi Drû, Drûadan.

Rzeka Łabędzi – patrz: Nin-in-Eilph.

Sackville-Baggins – rodzina hobbitów z Shire.

★ **Sador** – służący Húrina w Dor-lóminie, przyjaciel Túrina z lat dzieciństwa, zwany przez niego Labadalem, Skokostopym.

Saeros – nandorski elf, doradca króla Thingola; obraził Túrina w Menegroth, został przez niego zagoniony na śmierć.

Samotna Góra – patrz: *Erebor, Król pod Górą*.

Sam(wise) Gamgee – hobbit z Shire, jeden z członków Drużyny Pierścienia i towarzysz wędrówki Froda w Mordorze.

★ **Sarch nia Hîn Húrin** – „Grób Dzieci Húrina" (Brethil).

Sarn Arthad – „Bród Kamieni", gdzie Krasnoludzka Droga z Nogrodu i Belegostu przekraczała rzekę Gelion.

Sarn Gebir – „Kamienne Ostrza", nazwa progów na Anduinie ponad Argonath, zwane tak od iglic skalnych na początku przeszkody.

Saruman – „Mistrz Rzemiosł", popularne pośród ludzi imię Curuníra, jednego z Istarich (czarodziejów), przywódcy Bractwa. Patrz: *Curumo, Curunír, Biały Wysłannik*.

Sauron – „Odrażający", największy spośród sług Melkora, z pochodzenia Majar Aulëgo. Zwany Czarnym Władcą, Czarną Potęgą. Patrz też: *Annatar, Artano, Aulendil*. Wyspa Saurona, patrz: *Tol-in-Gaurhoth*.

Serech – wielkie moczary na północ od Przełomu Sirionu, gdzie rzeka Rivil spływała z Dorthonionu.

seregon – „Krew Kamienia", roślina o ciemnoczerwonych kwiatach, która rosła na Amon Rûdh.

Serni – jedna z rzek Lebenninu w Gondorze (nazwa pochodzi z sindarińskiego *sern*, „mały kamień, kamyk", odpowiadającego quenejskiemu *sarnië* „kamienisty brzeg". „Chociaż Serni była krótszą z rzek, to po połączeniu z rzeką Gilrain zachowywała swą nazwę aż do morza. Jej ujście zatarasowane było kamienistymi ławicami i w późniejszych czasach statki płynące Anduiną do Pelargiru musiały podążać przy wschodnim brzegu Tol-Falas i dalej kanałem pogłębionym przez Númenorejczyków pośrodku delty Anduiny").

★ **Sharbhund** – stosowana przez Poślednich Krasnoludów nazwa Amon Rûdh.

Shire – główna osada hobbitów na zachodzie Eriadoru. Kalendarz Shire.

Silmariën – córka Tar-Elendila; matka Valandila, pierwszego władcy Andúnië i przodka Elendila Smukłego.

Silmarile – trzy klejnoty stworzone przez Fëanora przed zniszczeniem Dwóch Drzew Valinoru, wypełnione ich światłem. Patrz: *Wojna o Klejnoty*.

simbelmynë – mały biały kwiatek, zwany też alfirin lub uilos. Przekład: „niezapominka".

sindarin, język sindariński – język Beleriandu, język Elfów Szarych.

Sindarowie – Elfy Szare; nazwa stosowana wobec wszystkich elfów, z pochodzenia Telerich, których wracający Noldorowie zastali w Beleriandzie, z wyłączeniem Elfów Zielonych z Ossiriandu. Elfy Szare.

★ **Sîr Angren** – patrz: *Angrena*.

★ **Siril** – główna rzeka Númenoru płynąca na południe spod Meneltarmy.

Sirion – wielka rzeka Beleriandu. Brody na Sirionie; przystanie Sirionu, patrz: *przystanie*.

★ **Sîr Ninglor** – sindarińska nazwa rzeki Gladden.

Skok Jelenia – patrz: *Cabed-en-Aras*.

Słomiane Łby – pogardliwa nazwa Rodu Hadora krążąca wśród Easterlingów z Hithlumu.

Stock – wioska w Shire, na północnym krańcu Marish.

Smaug – wielki smok z Ereboru. Często zwany tylko Smokiem.

Sméagol – Gollum.

Smoczy Hełm Dor-lóminu – część dziedzictwa rodu Hadora, noszony przez Túrina. Smok Dor-lóminu; Smoczy Hełm Północy; Hełm Hadora.

Smok – patrz: *Glaurung, Smaug*.

★ **Sorontil** – „Orli róg", wielkie wzniesienie na wybrzeżu północnego półwyspu Númenoru.

★ **Soronto** – Númenorejczyk, syn siostry Tar-Aldariona, Ailinel i kuzyn Tar-Ancalimë.

Srebrna Żyła – patrz: *Celebrant*.

Stara Droga Leśna – patrz: *drogi*.

Stara (Dawna) Ziemia Púkelów – patrz: *Drúwaith Iaur*.

Starsze Dzieci – patrz: *Dzieci Ilúvatara*.

Starszy Król – patrz: *Manwë* (tytuł przywłaszczony przez Morgotha).

Stary Bród – bród na Anduinie, część Starej Drogi Leśnej. Patrz: *bród przy Carrock*.

Stary Gościniec Południowy – patrz: *drogi*.

Stary Took – wiekowy Took, hobbit z Shire, dziadek Bilba Bagginsa i prapradziadek Peregrina Tuka.

Stawy Zmierzchu – patrz: *Aelin-uial*.

Stoorowie – jeden z trzech szczepów hobbitów; patrz: *Fallohidzi*.

Strażnicy – Dúnedainowie wytrwali na północy po upadku Arnoru, sekretni opiekunowie Eriadoru.

Strumień Mering – „Strumień Graniczny" spływający z Ered Nimrais do Entwash, granica między Rohanem i Gondorem; w sindarińskim: Glanhir.

Strzeżone Królestwo – patrz: *Doriath*.

Strzeżona Równina – patrz: *Talath Dirnen*.

Sucha Rzeka – koryto dawnego strumienia spływającego niegdyś z Gór Okrężnych do Sirionu; droga do Gondolinu.

Súlimë – qunejska nazwa trzeciego miesiąca w kalendarzu Númenoru, odpowiada marcowi. Patrz: *Gwaeron*.

Súrion – patrz: *Tar-Súrion*.

★ **Súthburg** – poprzednia nazwa Rogatego Kasztelu.

Szare Przystanie – patrz: *Mithlond*.

Szare Rozlewisko – patrz: *Gwathló*.

Szary Płaszcz [Greyhame] – imię Gandalfa w Rohanie.

Szary Wysłannik – patrz: *Mithrandir*.

Szary Pielgrzym, Szary Wędrowiec – patrz: *Mithrandir*.

Szepczący Las – patrz: *las Firien*.

Szlachetna Mowa – patrz: *quenya*.

Śnieżny Potok – rzeka wypływająca spod Nagiego Wierchu i podążająca wzdłuż Harrowdale i obok Edoras.

Śródziemie – zwane: Mrocznymi (Ciemnymi) Krajami, Wielką Ziemią, Wielkimi Krainami.

Świadkowie Manwëgo – orły z Meneltarmy.

Święta Góra – patrz: *Meneltarma* (*w Silmarillionie* określa się tym mianem szczyt Taniquetil).

Talan (liczba mnoga **telain**) – drewniane, nadrzewne platformy w Lothlórien, mieszkanie Galadhrimów. Patrz: *flet*.

Talath Dirnen – równina na północ od Nargothrondu, zwana Strzeżoną Równiną.

* taniquelassë – wonne, wiecznie zielone drzewo sprowadzone do Númenoru przez Eldarów z Eressëi.

Taniquetil – góra Manwëgo w Amanie. Patrz: *Amon Uilos, Oiolossë*.

Tar-Alcarin – siedemnasty władca Númenoru.

Tar-Aldarion – szósty władca Númenoru, król-marynarz; przez (Gildię) Podróżników zwany (Wielkim) Kapitanem. Patrz: *Anardil*.

Tar-Amandil – trzeci władca Númenoru, wnuk Elrosa Tar-Minyatura.

Tar-Anárion – ósmy władca Númenoru, syn Tar-Ancalimë (córka Tar-Aldariona) i Hallacara z Hyarastorni.

Tar-Ancalimë – siódma władczyni Númenoru i pierwsza rządząca królowa, córka Tar-Aldariona i Erendis. Patrz: *Emerwena*.

Tar-Ancalimon – czternasty władca Númenoru.

Tar-Anducal – imię przyjęte przez Herukalmo, który zagarnął tron po śmierci żony Tar-Vanimeldë.

Tarannon – dwunasty król Gondoru. Patrz: *Falastur*.

* Tar-Ardamin – dziewiętnasty władca Númenoru, w adûnaicu zwany Ar-Abattârik.

Taras – góra na półwyspie Nevrastu, pod którą mieścił się Vinyamar, pradawna siedziba Turgona.

* Taras-ness – kraina, pośrodku której wyrastała góra Taras.

Tar-Atanamir – trzynasty władca Númenoru, zwany Wielkim i Niechętnym.

Tar-Calion – quenejskie imię Ar-Pharazôna.

Tar-Calmacil – osiemnasty władca Númenoru, w adûnaicu zwany Ar-Belzagar.

Tar-Ciryatan – dwunasty władca Númenoru.

Tar-Elendil – czwarty władca Númenoru, ojciec Silmariën i Meneldura. Patrz: *Parmaitë*.

* Tar-Elestirnë – „Pani z Gwiazdą na Skroni", imię nadane Erendis.

* Tar-Falassion – quenejskie imię Ar-Sakalthôra.

* Tar-Herunúmen – quenejskie imię Ar-Adûnakhôra.

* Tar-Hostamir – quenejskie imię Ar-Zimrathona.

* Tarmasundar – „Korzenie Kolumny", pięć pasm górskich odchodzących od Meneltarmy.

Tar-Meneldur – piąty władca Númenoru, astronom, ojciec Tar-Aldariona. Patrz: *Elentrimo, Írimon*.

Tar-Minastir – jedenasty władca Númenoru, który wysłał flotę przeciwko Sauronowi.

Tar-Minyatur – imię Elrosa jako pierwszego władcy Númenoru.

Tar-Míriel – córka Tar-Palantira; zmuszona do małżeństwa z Ar-Pharazônem; jako królowa zwana była Ar-Zimraphel.

Tarostar – imię Rómendacila I.

Tar-Palantir – dwudziesty czwarty władca Númenoru, który chciał zmienić złe postępowanie królów i przybrał w quenejskim imię „Tego, który patrzy daleko"; w adûnaicu (Ar-)Inziladûn.

Tar-Súrion – dziewiąty władca Númenoru.

Tar-Telemmaitë – piętnasty władca Númenoru, zwany „Srebrnoręki" przez swą miłość do srebra.

* Tar-Telemnar – quenejskie imię Ar-Gimilzôra.

Tar-Telperien – dziesiąta władczyni Númenoru i druga rządząca królowa.

Tar-Vanimeldë – szesnasta władczyni Númenoru i trzecia rządząca królowa.

Taur-e-Ndaedelos – „Las Wielkiego Strachu", sindarińska nazwa Mrocznej Puszczy. Patrz: *Taur-nu--Fuin*.

Taur-en-Faroth – lesista wyżyna na zachód od rzeki Narog ponad Nargothrondem. Faroth; Wysoki Faroth.

Taur-nu-Fuin „Las Spowity Nocą" – (1) późniejsza nazwa Dorthonionu. (2) Nazwa Mrocznej Puszczy. Patrz: *Taur-e-Ndaedlos*.

* **Tawar-in-Drúedain** – las Drúadan.

* **Tawarwaith** – „Leśny Lud", Elfy Leśne.

Teiglin – dopływ Sirionu wypływający z Ered Wethrin i ograniczający od południa las Brethil. Przeprawy na Teiglinie, gdzie droga do Nargothrondu przecinała rzekę.

Telchar – sławny kowal krasnoludzki z Nogrodu.

* **Teleporno** – imię Celeborna (2) w Szlachetnej Mowie.

Teleri – trzeci hufiec Eldarów w Wielkiej Wędrówce z Cuiviénen; pochodzili z nich Eldarowie z Alqalondë oraz Sindarowie i Nandorowie w Śródziemiu. Trzeci Klan, patrz: *Lindar*.

Telperion – starsze z Dwóch Drzew, Białe Drzewo Valinoru. W quenejskim: Tyelperion.

Telumehtar – dwudziesty dziewiąty król Gondoru, zwany Umbardacilem „Zdobywcą Umbaru" po zwycięstwie nad Korsarzami w roku 1810 Trzeciej Ery.

Thalion – patrz: *Húrin*.

* **thangail** – „Mur tarcz", formacja bitewna Dúnedainów.

Thangorodrim – „Góry Tyranii" wzniesione przez Morgotha nad Angbandem; zniesione podczas Wielkiej Bitwy kończącej Pierwszą Erę.

Tharbad – port rzeczny i miasto, w którym Droga Północ-Południe przekraczała rzekę Gwathló, zniszczone i opuszczone już podczas Wojny o Pierścień. Most Tharbadu.

Tharkûn – „Człowiek z laską", krasnoludzkie imię Gandalfa.

Thengel – szesnasty król Rohanu, ojciec Théodena.

Théoden – siedemnasty król Rohanu, zginął w Bitwie na Polach Pelennoru.

Théodred – syn Théodena, króla Rohanu, zginął podczas Pierwszej Bitwy u Brodów na Isenie.

Théodwina [Théodwyn] – córka Thengela, króla Rohanu, matka Éomera i Éowiny.

Thingol – „Szary Płaszcz" (quenejskie Singollo), imię, pod którym znany był w Beleriandzie Elwë (sindarińskie *Elu*), przywódca (wraz z bratem Olwëm) hufca Telerich z Cuiviénen, potem król Doriathu. Patrz: *Elwë*.

Thorin Dębowa Tarcza – krasnolud z rodu Durina, król na wygnaniu, przywódca wyprawy do Ereboru; zginął w Bitwie Pięciu Armii.

Thorondor – wódz orłów z Crissaegrimu.

Thorongil – „Orzeł Gwiazdy", imię Aragorna w Gondorze podczas służby u Ectheliona II.

Thrain I – krasnolud z rodu Durina, pierwszy Król pod Górą.

Thrain II – krasnolud z rodu Durina, król na wygnaniu, ojciec Thorina Dębowej Tarczy; zmarł w lochach Dol Guldur.

Thranduil – sindariński elf, król Elfów Leśnych w północnej części Mrocznej Puszczy, ojciec Legolasa.

Thrór – krasnolud z rodu Durina, Król pod Górą za przybycia Smauga, ojciec Thraina II; zabity w Morii przez orka Azoga.

* **Thurin** – imię nadane Túrinowi przez Finduilas w Nargothrondzie; przekład: Tajemnica.

Tinúviel – patrz: *Lúthien*.

Tol Eressëa – patrz: *Eressëa*.

Tol Falas – wyspa w Zatoce Belfalas blisko Ethir Anduin.

Tol-in-Gaurhoth – „Wyspa Wilkołaków", późniejsza nazwa Tol Sirion, wyspy na rzece w okolicy Przełomu Sirionu, gdzie Finrod wybudował wieżę Minas Tirith. Wyspa Saurona.

Tol Uinen – wyspa w zatoce Rómenny przy wschodnim wybrzeżu Númenoru.

tuilë – pierwsza pora roku (wiosna) w loa.

Took – rodzina hobbitów z Zachodniej Ćwiartki Shire. Patrz: *Peregrin, Hildifons, Isendor, Stary Took*.

Tumhalad – dolina w Zachodnim Beleriandzie między rzekami Ginglith a Narogiem, gdzie pokonano oddziały Nargothrondu.

Tuor – syn Huora i Ríany; wraz z Voronwëm przybył do Gondolinu, by przekazać posłanie Ulma; mąż Idril, córki Turgona, wraz z nią i synem Eärendilem umknął z zagłady miasta. Topór Tuora. Patrz: *Dramborleg*.

Turambar – imię przyjęte przez Túrina podczas pobytu w lesie Brethil. Przekład: Pan Losu, własna interpretacja Turina: Pan Mrocznego Cienia.

Turgon – drugi syn Fingolfina; mieszkał w Vinyamarze w Nevraście, aż potajemnie przybył do Gondolinu, którym rządził do swej śmierci. Zginął w zagładzie miasta. Ojciec Idril, matki Eärendila. Zwany Ukrytym Królem.

Túrin – syn Húrina i Morweny, główny bohater opowieści *Narn i Hîn Húrin*. Jego inne imiona: Neithan, Agarwaen, Mormegil, Dzikus z Lasu, Turambar.

★ **Turuphanto** – przekład nazwy „Drewniany Wieloryb", nazwa statku Aldariona „Hirilondë" w trakcie budowy.

Tyrn Gorthad – sindarińska nazwa Wzgórz Kurhanów.

★ **U**dalraph – patrz: *Borondir*.

★ **uilos** – mały biały kwiatek zwany też alfirin lub simbelmynë (niezapominka).

Uinena [Uinen] – Pani Morza z Majarów, małżonka Ossëgo.

★ **Uinendili** – „Umiłowani Uineny", nazwa nadana númenorejskiej Gildii Podróżników.

★ **Uinéniel** – „Córka Uineny", miano nadane Erendis przez Valandila, władcę Andúnië.

Ukryte Królestwo – nazwa przypisana zarówno Gondolinowi, jak i Doriathowi; patrz: *Gondolin, Doriath*.

Ukryte Miasto – patrz: *Gondolin*.

Ukryty Król – patrz: *Turgon*.

Ukryty Lud – patrz: *Gondolindrimowie*.

Ulbar – Númenorejczyk, pasterz w służbie Hallatana z Hyarastorni, który został marynarzem Tar-Aldariona.

Uldor – zwany Przeklętym; przywódca Easterlingów, zginął podczas Nirnaeth Arnoediad.

Ulmo – jeden z wielkich Valarów, Pan Wód. Zwany Mieszkańcem Głębin (Mieszkającym w Głębinach).

★ **Ulrad** – członek bandy banitów (Gaurwaith), do których dołączył Túrin.

Umarli z Dunharrow – patrz: *Dunharrow*.

Umbar – wielka naturalna przystań i forteca númenorejska na południe od zatoki Belfalas; przez większą część Trzeciej Ery pozostawała w rękach wrogów Gondoru znanych jako Korsarze z Umbaru.

Umbardacil – patrz: *Telumehtar*.

★ **Úner** – „Żaden (mężczyzna)", „nikt spośród mężczyzn".

Ungolianta [Ungoliant] – wielka pajęczyca, wraz z Melkorem zniszczyła Drzewa Valinoru.

Upiory Kurhanów – złe duchy zamieszkujące Kurhany.

Upiory Pierścienia – patrz: *Nazgûle*.

Úrimë – quenejska nazwa ósmego miesiąca w kalendarzu Númenoru, odpowiada sierpniowi.

Urukowie – uwspółcześniona forma Uruk-hai, zwrotu z Czarnej Mowy oznaczającego szczególnie rosłą i silną rasę orków.

★ **Urwena [Urwen]** – imię nadane Lalaith, córce Húrina i Morweny, zmarłej jako dziecko.

Valacar – dwudziesty król Gondoru, jego małżeństwo z Vidumavią wywodzącą się z Ludzi Północy doprowadziło do wojny domowej i waśni rodowych.

Valandil (1) – syn Silmariën; pierwszy władca Andúnië. Żona Valandila.

Valandil (2) – najmłodszy syn Isildura; trzeci król Arnoru.

Valarowie [**Valar**, liczba pojedyncza **Vala**] – władcy i strażnicy Ardy. Władcy Zachodu.

Valinor – kraina Valarów w Amanie.

Valmar – miasto Valarów w Valinorze.

Vanyarowie – pierwszy hufiec Eldarów podczas Wielkiej Wędrówki z Cuiviénen, w całości opuścił Śródziemie i pozostał w Amanie.

Varda – największa z Valier („Królowych Valarów"), twórczyni gwiazd, małżonka Manwëgo.

Vardamir – zwany Nólimon za sprawą rozmiłowania w dawnej wiedzy; syn Elrosa Tar-Minyatura; uznawany za drugiego władcę Númenoru, chociaż nie zasiadł na tronie.

★ **vardarianna** – wonne, wiecznie zielone drzewo przywiezione do Númenoru przez Eldarów z Eressëi.

★ **Vëantur** – Kapitan Statków Króla za czasów Tar-Elendila; dziad Tar-Aldariona; kapitan pierwszych númenorejskich statków, które ponownie przybiły do brzegów Śródziemia.

Vidugavia – „Mieszkaniec lasu", Człowiek Północy zwany Królem Rhovanionu.

Vidumavi – „Leśna Panna", córka Vidugavii; żona Valacara, króla Gondoru.

Vilya – jeden z Trzech Pierścieni Elfów, noszony przez Gil-galada, a potem przez Elronda. Zwany Pierścieniem Powietrza, Błękitnym Pierścieniem.

★ **Vinyalondë** – „Nowa Przystań", númenorejski port założony przez Tar-Aldariona u ujścia rzeki Gwathló, zwany potem Lond Daer.

Vinyamar – „Nowa Siedziba", dom Turgona w Nevraście.

Víressë – quenejska nazwa czwartego miesiąca według kalendarza Númenoru, odpowiada kwietniowi.

Voronwë (1) – elf z Gondolinu, jedyny marynarz, który ocalał z załóg siedmiu statków wysłanych na Zachód po Nirnaeth Arnoediad; spotkał Túrina pod Vinyamarem i zaprowadził go do Gondolinu.

Voronwë (2) – imię Mardila, namiestnika Gondoru.

Westernesse – przekład nazwy Númenor; wyspa Westernesse.

westron – język powszechny na północy i na zachodzie Śródziemia (w wydanych opowieściach został oddany pod postacią współczesnej angielszczyzny). Wspólna mowa.

wicekról – nazwa urzędu w Rohanie.

Wichrowe Wzgórza – wzgórza w Eriadorze z najwyższym szczytem Amon Sûl.

Wichrowy Czub – patrz: *Amon Sûl*.

Wielka Przystań – patrz: *Lond Daer*.

Wielka Rzeka – patrz: *Anduina. Dolina Wielkiej Rzeki*.

Wielka Środkowa Zatoka – patrz: *Lond Daer*.

Wielka Wędrówka – marsz na zachód Eldarów z Cuiviénen.

Wielka Wyspa – patrz: *Númenor*.

Wielka Zaraza (Wielki Mór) – zaraza, która opanowała Gondor i Eriador w Trzeciej Erze. Czarna Zaraza.

Wielkie Morze – patrz: *Belegaer*.

Wielkie Ziemie – patrz: *Śródziemie*.

Wielki Gościniec – patrz: *drogi*.

Wielki Kapitan – patrz: *Tar-Aldarion*.

Wielki Kurhan – patrz: *Haudh-en-Ndengin*.

Wielki Smok – patrz: *Glaurung*.

Wielki Zielony Las, **Wielka Zielona Puszcza** – patrz: *Zielony Las*.

Wierni – (1) ci Númenorejczycy, którzy nie odsunęli się od Eldarów i wciąż poważali ich w czasach Tar-Ancalimona i późniejszych królów. (2) „Wierni" w Czwartej Erze.

Wieżowe Wzgórza – patrz: *Emyn Beraid*.

Wilczy jeźdźcy – orkowie lub podobni do orków ludzie dosiadający wilków.

Wilczy Lud – nazwa nadana Easterlingom w Dor-lóminie.

Wilk – wilk Angbandu.

Władca Dor-lóminu – Húrin, Túrin; patrz: *Dor-lómin*.

Władca (Pan) Wód – patrz: *Ulmo*.

Władcy Andúnië – patrz: *Andúnië*.

Władcy Zachodu – patrz: *Valarowie*.

Wojna o Klejnoty – wojny toczone w Belieriandzie przez Noldorów o Silmarile.

Wojna o Pierścień – patrz: *Pierścienie Władzy*.

Wojna (Ostatniego) Sojuszu – patrz: *Ostatni Sojusz*.

Wolni Ludzie Północy – patrz: *Ludzie Północy*.

Wosowie – patrz: *Drúedainowie*.

Woźnicy – Easterlingowie, którzy najeżdżali Gondor w dziewiętnastym i dwudziestym wieku Trzeciej Ery.

Wódz Nazgûli – zwany też Wodzem Upiorów Pierścienia; Czarnym Wodzem; królem Morgulu; Czarnoksiężnikiem.

Wrota Noldorów – patrz: *Annon-in-Gelydh*.

Wrota Rohanu, **Wrota Szerokie** – na około dwudziestu mil przejście między krańcem łańcucha Gór Mglistych a północną ostrogą Gór Białych, przepływała przez nie rzeka Isena.

Wschodni Fałd – część Rohanu na północnych stokach Ered Nimrais, na wschód od Edoras.

Wschodnia Droga, **Droga Wschód–Zachód** – patrz: *drogi*.

Wschodnia Marchia – wschodnia część Rohanu według wojskowego podziału kraju na okręgi, oddzielona od Zachodniej Marchii Śnieżnym Potokiem i Entwash.

★ Wschodnia Poręba – wielka poręba na wschodnim krańcu Mrocznej Puszczy. Patrz: *Przewężenie puszczy*.

Wspólna Mowa – patrz: *westron*.

Wygnańcy – zbuntowani Noldorowie, którzy wrócili z Amanu do Śródziemia.

Wysoka Przełęcz – patrz: *Cirith Forn en Andrath*.

Wysoki Faroth – patrz: *Taur-en-Faroth*.

wyspa Balar – patrz: *Balar*.

Wyspa Królów, **wyspa Westernesse** – patrz: *Númenor*.

Wzgórza – potoczne określenie Białych Wzgórz w Zachodniej Ćwiartce Shire.

Wzgórza Sygnałowe – (wici) Gondoru.

★ wzgórze Anwar, **Wzgórze Grozy** – patrz: *Amon Anwar*.

Wzgórze Zwiadu – patrz: *Amon Ethir*.

Yavanna – jedna z Valier („Królowych Valarów"), małżonka Aulëgo.

★ yavannamírë – „klejnot Yavanny", wonne, wiecznie zielone drzewo ze szkarłatnymi owocami przywiezione do Númenoru przez Eldarów z Eressëi.

Yavannië – quenejska nazwa dziewiątego miesiąca według klendarza Númenoru, odpowiada wrześniowi.

yestarë – pierwszy dzień słonecznego roku elfów (loa).

⋆ **Yôzâyan** – adûnaicka nazwa Númenoru, „Kraj Daru".

Zachodni Fałd – część Rohanu na stokach i polach między Thirhyrne (szczytami ponad Rogatym Grodem) a Edoras.

Zachodnia Droga – patrz: *drogi*.

Zachodnia Marchia – w militarnym podziale Rohanu zachodnia połowa kraju (patrz: *Wschodnia Marchia*). Zaciąg Zachodniej Marchii, Marszałek Zachodniej Marchii.

Zaczarowane Wyspy – wyspy umieszczone przez Valarów na Wielkim Morzu na Wschód od Tol-Eressëi w czasach ukrycia Valinoru. Patrz: *Cieniste Wyspy*.

Zamîn – stara służąca Erendis.

zatoka Balar – patrz: *Balar*.

zatoka Belfalas – patrz: *Belfalas*.

zatoka Lhûn – patrz: *Lhûn*.

Zęby Mordoru – wieże strażnicze na wschód i na zachód od Morannonu.

Zielony Trakt – nazwa nadana w Bree w Trzeciej Erze mało używanemu gościńcowi północ-południe, szczególnie w pobliżu Bree. Patrz: *drogi*.

Zielony Las (Wielki Zielony Las) – przekład nazwy Eryn Galen, starego miana Mrocznej Puszczy.

Ziemie Północne – w Númenorze, patrz: *Forostar*.

Ziemie Zachodnie – (1) w Númenorze, patrz: *Andostar*. (2) W Śródziemiu ogólne określenie odnoszące się do terenów na zachód od Anduiny.

⋆ **Złe Tchnienie** – wiatr z Angbandu, który przyniósł do Dor-lóminu zarazę, przyczynę śmierci siostry Túrina, Urweny (Lalaith).

Żałoba – patrz: *Nienor*.

Żelazne Wzgórza – pasmo górskie na wschód od Samotnej Góry i na północ od morza Rhûn.

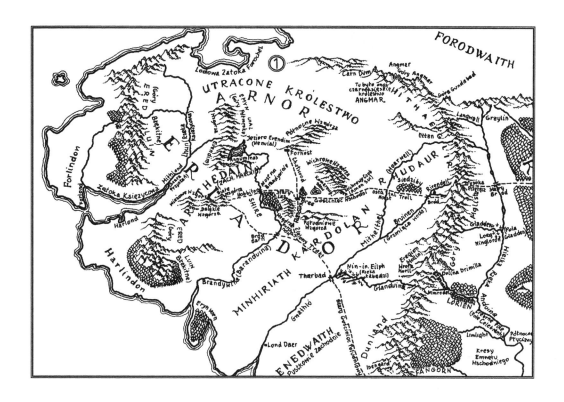

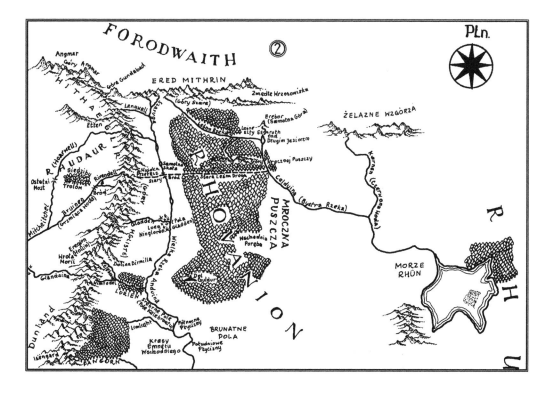

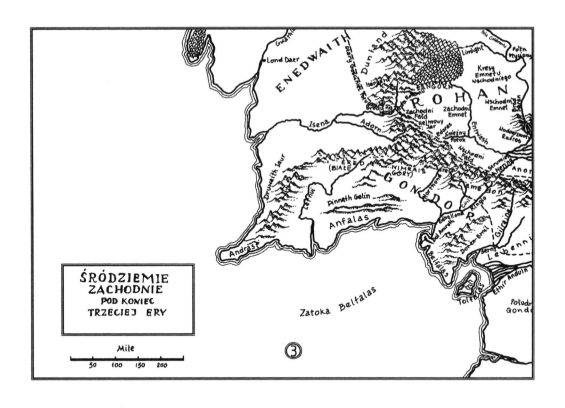

ŚRÓDZIEMIE
ZACHODNIE
POD KONIEC
TRZECIEJ ERY

Mile

50   100   150   200

③

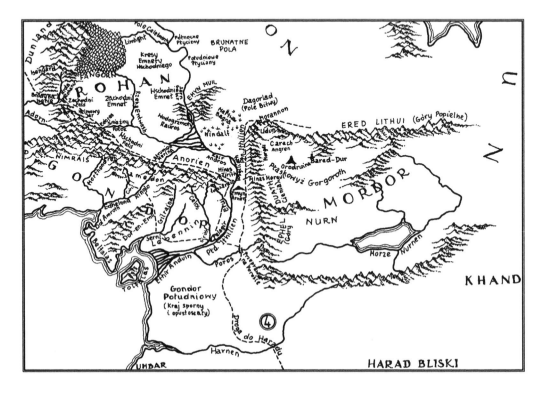